1 MONTH OF
FREE
READING

at

www.ForgottenBooks.com

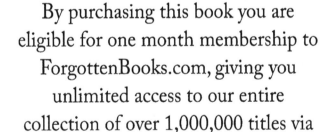

By purchasing this book you are eligible for one month membership to ForgottenBooks.com, giving you unlimited access to our entire collection of over 1,000,000 titles via our web site and mobile apps.

To claim your free month visit:

www.forgottenbooks.com/free1241761

ISBN 978-0-428-52805-8
PIBN 11241761

This book is a reproduction of an important historical work. Forgotten Books uses
state-of-the-art technology to digitally reconstruct the work, preserving the original format
whilst repairing imperfections present in the aged copy. In rare cases, an imperfection in
the original, such as a blemish or missing page, may be replicated in our edition. We do,
however, repair the vast majority of imperfections successfully; any imperfections that
remain are intentionally left to preserve the state of such historical works.

Jahresbericht

über die Fortschritte der

CHEMIE

und verwandter Theile anderer Wissenschaften

Begründet von

J. Liebig und H. Kopp

unter

Mitwirkung namhafter Fachgenossen

herausgegeben von

K. von Buchka und G. Bodländer

Für 1896

Dritter Theil

Organische Chemie, Schluss. Analytische Chemie der anorganischen und organischen Stoffe. Register

---

Braunschweig

Druck und Verlag von Friedrich Vieweg und Sohn

1901

Inhaltsverzeichnifs des dritten Theiles.

Organische Chemie.

Aetherische Oele und Campher.

Glycoside, Bitterstoffe.

Alkaloide.

Fünfgliedrige heterocyklische Stoffe.

Furan- und Thiophengruppe:

Pyrrole und Pyrazolgruppe:

Imidazole und Oxazole:

Hydrazine.

Aromatische Phosphor- und Siliciumverbindungen.

Analyse anorganischer Stoffe.

Allgemeines:

Metalloide.

Wasserstoff, Sauerstoff, Wasser, Luft:

Halogene:

Schwefel, Selen, Tellur:

VI

Analyse organischer Stoffe.

Allgemeines:

VI*

A. C. Chapman and H. E. Burgefs. Note on Santalal and some of its Derivatives [1]. — Verfasser haben die Frage studirt, ob der aus dem Santalal mit Phosphorpentoxyd erhaltene Kohlenwasserstoff identisch ist mit dem Cedren. Der letztgenannte Kohlenwasserstoff wurde durch Fractionirung von Cedernholzöl unter Minderdruck dargestellt und siedet bei 261 bis 262° (corr.). Seine Dichte ist bei 15° $d = 0,9359$, Linksdrehung im 100 mm-Rohr beträgt 60°. Brechungsindices für die rothe Wasserstofflinie und die Natriumlinie betragen $\mu H_a = 1,4991$ und $\mu D = 1,5015$. Cedren ist ungesättigt, doch konnten keine fafsbaren Producte weder mit Brom- und Chlorwasserstoff, noch mit Stickoxyden und Nitrosylchlorid erhalten werden. Das aus dem Sandelholzöl durch Fractionirung gewonnene Santalal siedet unter geringer Zersetzung bei 301 bis 306° (corr.). Die Dichte beträgt $d_{15°}^{15°} = 0,9793$ und $d_{20}^{20} = 0,9761$. Specifisches Drehungsvermögen bei 27° $\alpha_D = -14° 42'$ für gelbes Licht. Brechungsindices $\mu H_a = 1,5051$ und $\mu D = 1,5085$. Specifische Brechung ist daher 0,3039; Molekularrefraction 66,8, berechnet für $C_{15}H_{24}O = 66,3$. Die aldehydartige Substanz geht mit Kaliumpermanganat in die Santalensäure über, die aus verdünntem Alkohol in schmalen Blättchen vom Schmelzp. 46° krystallisirt. Phosphorpentoxyd führt Santalal in ein Oel über, dessen Hauptmenge unter 25 mm Druck bei 140 bis 145° destillirt, der Formel $C_{15}H_{22}$ entspricht und dessen Dichte $d_{15°} = 0,9359$ beträgt. Im 100 mm-Rohr wurde bei 16° eine Rechtsdrehung $+5° 45'$ beobachtet. Zeigt gegen BrH, ClH, sowie gegen Stickoxyde und Nitrosylchlorid dem Cedren sehr ähnliches Verhalten, ist aber doch nicht identisch mit ihm.   Mr.

Aetherische Pflanzenöle.

G. Bouchardat et Tardy. Sur l'essence d'anis de Russie [2]. — Verfasser haben die Natur der das Anethol, den Hauptbestandtheil des russischen Anisöls, begleitenden Substanzen untersucht. Durch Ausfrierenlassen trennten sie das Anethol von dem flüssigen Bestandtheil. Das Oel verbindet sich zum Theil mit Bisulfit. Reines Anethol liefert, entgegen den Angaben Städler's und Wächter's, kein Bisulfit. Die Sulfitverbindung wurde gereinigt durch wiederholtes Umkrystallisiren und Zersetzen mit Natronlauge. Das Oel wurde dann destillirt, wobei es zwei Fractionen von (I) 245 bis 248° und (II) 260 bis 265° ergab. Die Fraction

---

[1] Chem. News 74, 95. — [2] Bull. soc. chim. 15, 612—617.

(I), die Hauptmenge, ist Anisaldehyd von der Dichte 1,141 bei 0°. Sein Bisulfit bildet perlmutterglänzende Blättchen. Durch Oxydation an der Luft oder besser mit Permanganat liefert er die Anissäure vom Schmelzp. 182°. Die Fraction (II) ist ebenfalls inactiv wie (I), hat die Dichte 1,095, liefert ein Bisulfit und hat die Formel $C_{20}H_{10}O_4$ oder $C_{20}H_{12}O_4$. Oxydation an der Luft liefert die Anissäure neben einer Silberlösung reducirenden Substanz, die nicht bestimmt werden konnte. Permanganat liefert dasselbe neben Oxal- und Essigsäure. Es liegt demnach ein Keton vor, das Anisketon. Der keine Bisulfitverbindung bildende Theil des Oeles wurde mit alkoholischem Kali gekocht, fractionirt und durch Ausfrieren vom letzten Anethol befreit. Die zahlreichen Fractionen, die anfangs rechtsdrehend, gegen Ende linksdrehend werden, bestehen zuerst aus Cymen und Terpilen, dann aus dem Aniscamphor Landolph's (resp. dem Fenchon Wallach's), der in ziemlicher Menge isolirt wurde, später geht Estragol über, der nach Grimaux durch Behandeln mit alkoholischem Kali identificirt wurde. Die späteren nur im Vacuum übergehenden Körper, welche linksdrehend waren und deren Zusammensetzung der Formel $C_{30}H_{24}$ entspricht, konnten nicht näher untersucht werden. Sie liefern durch Addition von Salzsäure sehr veränderliche Körper. Russisches Anisöl enthält demnach aufser Anethol das isomere Estragol, Anisaldehyd, Anisketon, Anissäure, Fenchon und Kohlenwasserstoffe; Anethol bildet etwa 95 Proc. der Gesammtmasse. *Ldt.*

    G. Ciamician und **P. Silber.** Ueber ein neues Apiol [1]). — Verfasser haben aus höher siedenden Antheilen eines aus ostindischen Samen gewonnenen Dillöls durch fractionirte Destillation im Vacuum ein neues Apiol isolirt. Dieses unterscheidet sich von dem gewöhnlichen Apiol nur durch die relative Stellung des Methylens zu den beiden Oxymethylgruppen und wird als „Apiol aus Dillöl" diesem, dem „Apiol aus Petersilie", gegenübergestellt. Das Apiol aus Dillöl siedet unter 11 mm bei 162°, unter gewöhnlichem Druck unter gelinder Zersetzung gegen Schlufs bei 285°. Es besitzt die Zusammensetzung $C_6H \begin{cases} O_2CH_2 \\ (OCH_3)_2 \\ C_3H_5 \end{cases} = C_{12}H_{14}O_4$ und enthält zwei Methoxylgruppen. Es stellt eine dicke, ölige, nahezu geruchlose Flüssigkeit dar, welche auch bei starkem Abkühlen nicht zum Erstarren zu bringen ist, in Wasser fast unlöslich und in den übrigen Lösungsmitteln leicht löslich ist. Wässerige

---

[1]) Ber. **29**, 1799—1811; Gazz. chim. ital. **26**, 293—313.

Alkalien greifen es nicht an. Durch Einwirkung von Brom auf die Eisessiglösung, Eingiefsen der Lösung in Wasser und mehrmaliges Umkrystallisiren aus Alkohol wird das Dibromür des Monobromapiols, $C_{12}H_{13}Br_3O_4$, in feinen, langen, weifsen Nadeln vom Schmelzp. 110° erhalten. Durch Erhitzen von 10 g Apiol mit 1 g fein gepulvertem, trockenem Natriumäthylat auf ungefähr 150 bis 170° im Oelbad während 6 bis 10 Stunden wird dieses in ein Isomeres umgewandelt. Das Reactionsproduct, eine dicke, gelblich gefärbte Masse, wird mit wenig Wasser angerieben, der hierdurch fest gewordene Antheil von unverändertem Apiol und der alkalischen Lauge durch scharfes Absaugen getrennt und aus Petroläther umkrystallisirt. Das „Isoapiol aus Dillöl" (7 g) bildet farblose, glänzende, monokline Prismen, welche gemessen worden sind und bei 44° schmelzen, und ist aus dem Apiol durch Umlagerung der Allyl- in die Propenylseitenkette hervorgegangen. In den üblichen Lösungsmitteln, mit Ausnahme von Wasser, ist es löslich, giebt mit concentrirter Schwefelsäure eine gelbrothe Färbung und siedet unter gewöhnlichem Druck unter geringer Zersetzung bei 296°. Die bei der Darstellung des Isoapiols abfallenden alkalischen Laugen enthalten einen phenolartigen Körper, welcher aus der angesäuerten Lösung durch Ausschütteln mit Aether erhalten wird, unter 16 mm bei 189 bis 191° siedet, bald krystallinisch erstarrt und wahrscheinlich mit einem Umwandlungsproduct des Isoapiols identisch ist. Dieses entsteht durch Erhitzen von Isoapiol aus Dillöl mit methylalkoholischem Kali im Rohr auf 140°, geht unter 17 mm bei 192 bis 193° über und erstarrt ebenfalls nach einiger Zeit. Wahrscheinlich bildet sich dieses Product durch Verseifung der Dioxymethylengruppe des Isoapiols und ist einer Substanz analog, welche Bartolotti[1]) aus gewöhnlichem Isoapiol bei der gleichen Behandlung gewonnen hat. Diese Verbindung siedet nach Beobachtung der Verfasser unter 15 mm bei 189 bis 199° und liefert durch Einwirkung von Jodmethyl ein alkaliunlösliches Oel vom Siedep. 178 bis 181° unter 13 mm. Bei der Oxydation mit zweiprocentigem Permanganat entsteht daraus aber nicht, wie nach Bartolotti zu erwarten gewesen wäre, eine Säure $C_6H(OCH_3)_4.COOH$, sondern eine Säure $C_6H(OCH_3)_3OH.COOH$, welche als Trimethylapionolsäure aufzufassen ist, aus Wasser gut krystallisirt und bei 139 bis 140° schmilzt. Die Entstehung dieser Säure zeigt, dafs das von Bartolotti aus gewöhnlichem Isoapiol und von den Verfassern aus Isoapiol aus Dillöl gewonnene Phenol

---

[1]) Gazz. chim. ital. 22, I, 559.

nicht die angenommene Zusammensetzung hat, sondern wahrscheinlich entsprechend einer aus Isosafrol auf die gleiche Weise dargestellten Verbindung [1]) constituirt ist. Verfasser haben jedoch vorläufig davon Abstand genommen, diese Frage sicher zu entscheiden. Das Dibromür des Bromisoapiols aus Dillöl wird wie das entsprechende Apiolderivat dargestellt und krystallisirt aus Petroläther in farblosen, bei 115° schmelzenden Prismen. Verfasser haben früher [2]) das gewöhnliche Isoapiol auf dem Wege Apiolsäure, Dimethylapiononcarbonsäure, Dimethylapionol, Tetramethylapionol in den Tetramethylester des Apionols, $C_6H_2(OH)_4$, umwandeln können. Auf dem gleichen Wege gelang es Ihnen nun auch, das Isoapiol aus Dillöl in denselben Grundkörper überzuführen, woraus hervorgeht, dafs beide Apiole sich von diesem ableiten und sich nur durch die relative Stellung der Dioxymethylengruppe von einander unterscheiden. 4 g Isoapiol aus Dillöl wurden in 400 ccm mit etwas Aetzkali versetztem Wasser suspendirt und mit einer heifsen Lösung von 16 g Kaliumpermanganat in 800 ccm Wasser unter heftigem Schütteln oxydirt. Die concentrirten Filtrate vom Manganschlamm setzen beim Abkühlen feine, gelbe Krystalle ab, welche aus Apiolaldehyd, $C_6H \begin{cases} O_2CH_2 \\ (OCH_3)_2 \\ CHO \end{cases}$, bestehen. Dieser wird durch Waschen seiner Bisulfitverbindung mit Aether von unangegriffenem Isoapiol befreit, durch Natronlauge wieder abgeschieden und durch Umkrystallisiren aus Aether, danach aus verdünntem Alkohol in langen, weifsen Nadeln vom Schmelzpunkt 75° erhalten. Die alkalischen Mutterlaugen des Aldehyds enthalten die entsprechende Apiolsäure, $C_{10}H_{10}O_6$, welche, mit verdünnter Schwefelsäure abgeschieden und aus kochendem Wasser unter Zusatz von Thierkohle umkrystallisirt, bei 151 bis 152° schmilzt, in den gewöhnlichen Lösungsmitteln in der Wärme leicht, in kochendem Wasser wenig und in kaltem Wasser unlöslich ist. Die Mutterlaugen von der Darstellung dieser Säure enthalten nun schliefslich noch die entsprechende Ketonsäure, die „Apiolketonsäure aus Dillöl", $C_{11}H_{10}O_7$. Diese wird isolirt, indem die mit Natriumcarbonat neutralisirten Mutterlaugen eingedampft, mit Schwefelsäure wieder angesäuert und mit Aether ausgeschüttelt werden. Der nach Verdunsten des Aethers hinterbleibende gelbe Syrup erstarrt bald krystallinisch, wird auf dem Filter mit wenig kaltem Wasser abgewaschen, scharf abgesaugt, mehrmals aus

---

[1]) Ber. 25, 1472. — [2]) JB. f. 1890, S. 2207.

heifsem Wasser unter Zusatz von Thierkohle umkrystallisirt und bildet dann schwach gelb gefärbte Blättchen, welche bei 175° schmelzen. Die vorliegende Säure gleicht in ihrem Verhalten vollständig der entsprechenden Verbindung aus gewöhnlichem Apiol. Beide bleiben durch Kaliumpermanganat unverändert, liefern mit Chromsäure die Aldehyde und durch Schmelzen mit Kali die Apione, $C_6H_2\frac{O_2CH_2}{(OCH_3)_2}$, von welchen das aus gewöhnlichem Apiol bei 79° schmilzt, das aus Apiol aus Dillöl flüssig zu sein scheint. Aus 48 g Isoapiol wurden erhalten: 17 g Apiolsäure, 10 g Apiolketonsäure und 1,2 g Apiolaldehyd. Zur Umwandlung des Apiols in Tetramethylapionol wurde Dillöl-Apiolsäure (3 g) mit der fünffachen Menge Stangenkali im Silbertiegel verschmolzen, die schmutzig-grün gefärbte Schmelze in Wasser gelöst, mit Schwefelsäure angesäuert und die Lösung mit Aether ausgeschüttelt. Die stark gefärbte ätherische Lösung hinterläfst nach der Behandlung mit Thierkohle die Dillöl-Dimethylapionolcarbonsäure in Gestalt eines braunen Syrups, welcher zur Darstellung des entsprechenden Dimethylapionols sogleich der trockenen Destillation unterworfen wird. Nach Abspaltung der Kohlensäure geht das Reactionsproduct bei 283° als eine dicke, schwach gelb gefärbte Flüssigkeit von Phenolgeruch über. Aus 3 g Säure wurde 1 g Phenol erhalten. Das Dimethylapionol wurde in Form seiner Acetylverbindung, $C_6H_2(OC_2H_3O_2)_2(OCH_3)_2$, verästelte, bei 85° schmelzende Krystalle aus Petroläther, analysirt. Dasselbe ist isomer mit dem aus gewöhnlichem Apiol entstehenden Diacetylproduct, welches bei 144° schmilzt. Das Dimethylapionol (1,5 g) wurde nun im Rohr mit 2 g gepulvertem Kali, 6 ccm Methylalkohol und 5 g Jodmethyl mehrere Stunden im Wasserbade erhitzt, das Reactionsproduct mit verdünnter Kalilösung versetzt und mit Wasserdampf destillirt. Das übergehende Oel erstarrt schon im Kühler, schmilzt bei 89°, hat die Zusammensetzung $C_6H_2(OCH_3)_4$ und ist identisch mit Tetramethylapionol aus „Apiol aus Petersilie". Dies wurde auch noch durch die krystallographische Untersuchung beider Präparate bestätigt. Das Tetramethylapionol krystallisirt trimetrisch. — Aufser aus Apiolketonsäure bei der Kalischmelze entsteht das Dillöl-Apion auch noch aus Dillöl-Apiolsäure, wenn 2 g der Säure, in 20 ccm Eisessig gelöst, mit 1 ccm Brom versetzt und die Lösung sogleich in Wasser gegossen wird. Das ausfallende Dibromapion, $C_6Br_2\frac{O_2CH_2}{(OCH_3)_2}$, krystallisirt aus Alkohol in farblosen, bei 92° schmelzenden Nadeln, welche mit concentrirter Schwefelsäure eine fuchsinrothe, beim Erwärmen verschwindende Färbung und bei der Reduction mit Natrium und Alkohol das entsprechende Apion geben. Dieses scheint flüssig zu sein. Die beiden Apiole besitzen die Constitutionsformeln:

$$C_8H\begin{cases} {O \atop O}\!\!>\!CH_2 & 5 \quad\quad 4 \\ OCH_2 & 4 \quad\quad 3 \\ OCH_2 & 3 \quad\text{und}\quad 5 \\ OCH_2 & 2 \quad\quad 2 \\ C_3H_5 & 1 \quad\quad 1 \end{cases}$$

Welche von beiden Formeln dem Apiol aus Petersilie und welche dem Apiol aus Dillöl zukommt, bleibt jedoch zur Zeit noch unentschieden.   *Kp.*

M. Bjalobrzeski. Chemische Untersuchung der Folia Bucco [1]. — Verfasser giebt zunächst eine genaue Beschreibung dieser Blätter, die von einigen Arten der Gattung Barosma abstammen und in früheren Zeiten eine gewisse medicinische Bedeutung besaßen. Die bisher in der Literatur über die Buccoblätter veröffentlichten Arbeiten, welche die chemische Untersuchung dieser Blätter betreffen, verzeichnen ein ätherisches Oel, „Diosphenol", und ein Glycosid, „Diosmin", als Bestandtheile dieser Blätter. Da genannte Untersuchungen noch lückenhaft, so hat Verfasser die chemische Untersuchung dieser Bestandtheile wieder aufgenommen. Untersucht wurden zwei Sorten dieser Blätter: Fol. Bucco rotunda und longa. Behufs Extraction des ätherischen Oeles, sowie des Chlorophylls und des Harzes wurden die Blätter im Percolator mit Petroläther behandelt. Die sauer reagirenden Petrolätherauszüge wurden unter vermindertem Druck (14 mm) destillirt. Bis 130° ging alles ätherische Oel über, die zurückbleibende harzige Substanz begann unter demselben Drucke erst von 190° an überzugehen. Das ätherische Oel wurde zur Reinigung mit Wasserdampf destillirt, wobei die eine Sorte der Blätter 1,33 Proc., die andere 0,84 Proc. lieferte. Das so gewonnene Oel ist von gelblicher Farbe und besitzt einen starken campher- und pfefferminzartigen Geruch und kühlenden bitteren Geschmack. Der harzige Rückstand betrug bei beiden Sorten 4 Proc. Die vom ätherischen Oele und den harzigen Stoffen befreiten Blätter lieferten bei Behandlung mit heißem 80- bis 85 proc. Alkohol einen grünlichen Extract von saurer Reaction, der auf Zusatz von Natriumcarbonat nach einiger Zeit einen Niederschlag lieferte, der außer Diosmin, Natrium, Calcium und hauptsächlich Mangancarbonat enthält. Durch Behandlung des Niederschlages mit

---

[1] Russ. Zeitschr. Pharm. **35**, 353—358, 385—389, 401—405, 417—421, 433—436, 449—451.

80- bis 85 proc. Alkohol im Soxhlet-Apparate lassen sich die unorganischen Beimengungen bis auf kleine Mengen von Natriumcarbonat, die man durch Auswaschen mit 0,5 proc. Essigsäure entfernt, beseitigen. Das Diosmin wurde in der einen Sorte zu 0,02 Proc., in der anderen zu 0,045 Proc. gefunden. Das *ätherische Oel* der Blätter siedet zwischen 178 und 235° und besteht aus einem festen und einem flüssigen Antheile. Der feste Antheil ist in Kalilauge löslich und läfst sich aus dieser Lösung durch Neutralisation mit Säuren in Form von nadelförmigen Krystallen gewinnen; er reducirt stark feuchtes Silberoxyd und läfst sich diese Eigenschaft zur völligen Trennung des flüssigen von dem festen Antheile des Oeles verwerthen. Man unterwirft zu diesem Zwecke den nach Gefrieren des Oeles flüssig gebliebenen Antheil mehrmals der Oxydation mit feuchtem Silberoxyd und destillirt, jedesmal nach Zusatz von schwacher Natriumcarbonatlösung, mit Wasserdämpfen, bis das übergehende Oel in alkoholischer Lösung mit Eisenchlorid keine Färbung mehr zeigt. Der feste Bestandtheil des Oeles liefert bei der Oxydation und nachheriger Behandlung mit Natriumcarbonat das Natriumsalz einer neuen Säure, der sog. *Diosphenolsäure.* Diese Säure, welcher die Formel $(OH) C_9H_{14} . COOH$ zukommt, ist ölig und erwies sich als identisch mit derjenigen Säure, welche Schimoyama durch Oxydation des Diosphenols mit Kaliumpermanganat erhielt. Anstatt der umständlichen Trennung des flüssigen von dem festen Antheile (*Diosphenol*) mittelst der oben beschriebenen Methode kann man auch eine Trennung durch fractionirte Destillation unter vermindertem Druck erzielen. Bei 15 mm Druck ging das Diosphenol bei 120 bis 125° über, während der diosphenolfreie flüssige Antheil des ätherischen Oeles zwei Fractionen liefert, von denen die eine bei 14 mm Druck bei 64 bis 67°, die andere bei 96 bis 99° siedet. Bei normalem Druck sieden die letztgenannten Fractionen; die erste bei 174 bis 176°, die andere bei 206 bis 209°. Der oben erwähnte feste Antheil des Oeles, das *Diosphenol*, ist in reinem Zustande ein krystallinischer Körper, der bei 82° schmilzt, bei 232° siedet und Aldehydcharakter besitzt. Die alkoholische Lösung des Diosphenols wird durch Eisenchlorid, noch in einer Verdünnung von 1:5500, grün gefärbt. Das Diosphenol entspricht der Formel $C_9H_{14}(OH)COH$, es bildet ein *Oxim,* $C_9H_{14}(OH)CH(NOH)$, das bei 156° schmilzt, mit Phenylhydrazin entsteht eine blutrothe Verbindung; metallisches Natrium liefert in ätherischer Lösung einen Alkohol, $C_9H_{14}(OH)CH_2OH$; Aetzkali in alkoholischer Lösung eine Säure $C_{10}H_{16}(OH)COOH + H_2O$.

Die Fraction 206 bis 209⁰ des öligen Antheiles des ätherischen Oeles bildet eine farblose, leicht bewegliche Flüssigkeit von pfefferminzartigem Geruch, deren spec. Gew. bei 18,5⁰ = 0,8994 und deren Drehungsvermögen $[\alpha]_D = - 6,12^0$ bei 18,5⁰ beträgt. Dieses Oel reagirt mit Chlorwasserstoffhydroxylamin und liefert damit ein Oxim $C_{10}H_{18}(NOH)$, welches eine schwer bewegliche Flüssigkeit mit schwach grünlichem Schimmer bildet (Siedep. 134 bis 135⁰ bei 15 mm Druck). Mit Brom liefert die Fraction 206 bis 209⁰ eine braune, ölige Flüssigkeit von der Zusammensetzung $C_{10}H_{17}Br_3O$. Verfasser schliefst aus dem chemischen Verhalten, dafs die Fraction 206 bis 209⁰ ein Isomeres des Menthons, nicht aber des Borneols, wie Flückiger annimmt, darstellt. Die andere Fraction des flüssigen Antheiles des ätherischen Oeles, die bei 174 bis 176⁰ überging, ist eine farblose, leicht bewegliche Flüssigkeit, die ein Terpen von der Formel $C_{10}H_{16}$ darstellt und deren spec. Gew. bei 18,5⁰ = 0,8647, deren Drehungsvermögen bei derselben Temperatur $\alpha_D = + 60,40^0$ beträgt. Das *Diosmin*, der wirksame Bestandtheil der Buccoblätter, krystallisirt in mikroskopischen Nadeln, sieht weifs aus, ist ohne Geschmack und Geruch, schmilzt bei ca. 244⁰ und wird mit verdünnter Schwefelsäure in ein Kohlenhydrat und eine noch ungenügend charakterisirte Substanz vom Schmelzp. 127⁰ zerlegt. *Tr.*

Fr. Wischo. Beiträge zum Studium des Melilotols[1]). — Das Melilotol ist der eigenthümliche Träger des charakteristischen Geruches des Steinklees. Es bildet ein öliges Product, die Ausbeute beträgt ca. 0,18 Proc. der angewandten Pflanze. Nach den Untersuchungen des Verfassers liegt in dem Melilotol kein einheitliches Product vor, sondern ein Gemenge von verschiedenen Stoffen. Chemische und physikalische Beschaffenheit richten sich nach Alter, Fundort und der Natur der Pflanze. Cumarin ist ein wesentlicher Bestandtheil des sog. Melilotols und bedingt den charakteristischen Geruch des Steinklees. Das Melilotol enthält aufserdem einen Aldehyd, den Melilotaldehyd, $C_6H_4(OH)CH_2$ $.CH_2COH$, sowie die Melilotsäure, $C_6H_4(OH)CH_2.CH_2.COOH$. Junge, im Aufblühen begriffene Pflanzen enthalten wenig dieser Säure, hingegen viel mehr melilotsaures Cumarin und auch freies Cumarin, als die vollständig aufgeblühten. Das von Phipson zuerst als Melilotol bezeichnete, aus dem Steinklee isolirte Product ist daher ein Gemenge der genannten Stoffe, die hauptsächlich dem Steinklee seinen charakteristischen Geruch verleihen. *Tr.*

---

[1]) Pharm. Post 29, 309—310.

Ed. Gildemeister u. K. Stephan. Ueber Palmarosaöl [1]). —
Das Oel stammt aus den Blättern von Andropogon Schoenanthus
L. Verfasser beschreiben zunächst die Gewinnung dieses Oeles,
die Verfälschungen desselben, sowie die in der Literatur über
dieses Oel enthaltenen Angaben. Das specifische Gewicht des
Oeles liegt zwischen 0,888 und 0,896; Oele, die mit Petroleum
verfälscht sind, zeigen ein niedrigeres, solche, die mit fetten Oelen
vermischt sind, ein höheres specifisches Gewicht. Gegen polari-
sirtes Licht zeigt es ein verschiedenes Verhalten, zuweilen ist es
schwach links, zuweilen schwach rechts drehend, auch kommen
inactive Oele vor. Ein gutes Kriterium für die Reinheit des
Oeles ist seine Löslichkeit in 70 proc. Alkohol (3 Thle.). Man
kann so Beimischungen von Gurjunbalsam oder Cedernöl, von
Terpentinöl und Cocosöl erkennen. Sehr häufig sind ferner Verfälschungen des Oeles mit Mineral- oder Paraffinöl. Als *Ginger-
grasöl* kommt eine Sorte Palmarosaöl in den Handel, die fast
immer verfälscht ist. Das specifische Gewicht einer derartigen,
aber unverdächtigen Sorte war 0,897 bei 15°, der Drehungswinkel
— 2° 8' im 100 mm-Rohre. Das Oel löste sich klar in 70 proc.
Alkohol und zeigte eine schwache Phellandrenreaction. Die bei
einer Reihe von Palmarosaölen ermittelten Verseifungszahlen
schwankten zwischen 31 und 49. Als Säuren, die in Form von
Estern im Oele enthalten sind, ermittelten Verfasser die Essigsäure und die normale Capronsäure. Die Menge der Ester beträgt
12 bis 20 Proc. und sind diese Ester vermuthlich nur Geraniol-
Ester. Aufserdem enthält das Oel noch 1 Proc. Dipenten und
wahrscheinlich Spuren von Methylheptenon. *Tr.*

J. Dupont und J. Guerlain. Sur l'essence de roses de
France [2]). — Verfasser haben ein unter ihrer Aufsicht in Grasse
in den Jahren 1895 und 1896 gewonnenes Rosenöl untersucht
und mit sog. türkischem (bulgarischem) Rosenöl verglichen. Die
folgende Tabelle enthält die ermittelten Constanten:

	Französisches Oel		Bulgarisches
	1895	1896	Oel
Dichte bei 30°, bezogen auf Wasser von 15°	0,8225	0,8407	0,8650
Ablenkung bei 30° (l = 100 mm) .	— 6,45°	— 8,3°	— 3,90°
Stearoptengehalt	35 Proc.	26 Proc.	6 bis 13 Proc.

[1]) Arch. Pharm. **234**, 321—330. — [2]) Compt. rend. **123**, 700—702.

Der Geruch des französischen Rosenöls ist weit milder als der
des türkischen Oeles. — Zur Bestimmung des Stearoptens wurde
das Oel mit 75 proc. Alkohol behandelt, der Alkohol im Vacuum
verjagt und der Verdampfungsrückstand auf — 20° abgekühlt und
filtrirt. Die so gewonnenen Stearoptene schmelzen, das aus dem
Jahre 1895 bei 38°, das aus dem Jahre 1896 bei 33°. Durch
fractionirte Krystallisation aus Alkohol liefsen sich die Stearoptene noch in zwei Antheile vom Schmelzp. 39 und 24° scheiden,
während Bertram aus dem Stearopten deutscher und türkischer
Oele zwei Kohlenwasserstoffe vom Schmelzp. 40 und 20° erhalten
hatte. Die vom Stearopten befreiten Oele zeigten eine fast gleiche
Ablenkung: — 10,30° (1895) und — 10,42° (1896). Nach dem
Verseifen mit alkoholischer Kalilauge betrugen die Ablenkungen
noch — 7,35° resp. — 8,12°. Der in Kalilauge unlösliche Theil
wurde unter 20 mm Druck in vier Fractionen vom Siedepunkt
I. 110 bis 120°, Ablenkung — 3°; II. 120 bis 125°, Ablenkung
— 8,24°; III. 125 bis 150°, Ablenkung — 6,30° und IV. 150 bis
180°, Ablenkung — 4,54°, zerlegt. Aus der Fraction I. wurde
durch Behandlung mit Chlorcalcium, Extraction mit Petroläther
und Zersetzung mit Wasser Geraniol isolirt, das das spec. Gew.
0,8859 (bezogen auf Wasser von 0°) und den Siedep. 114 bis 115°
bei 20 mm Druck zeigte. Aus den alkalischen Laugen liefs sich
noch eine eigenthümlich riechende syrupöse Säure isoliren. —
Nach Ansicht der Verfasser enthält das französische Rosenöl, sofern es, wie das untersuchte Oel, durch eine einzige Destillation
gewonnen wird, einen leicht durch Wasser verseifbaren, stark
links drehenden Ester. Dieser Ester findet sich nicht in dem
durch mehrfache Destillation mit Wasser erhaltenen bulgarischen
Rosenöl, und ist darauf wohl der Unterschied in den physikalischen und organoleptischen Eigenschaften der beiden Rosenöle
zurückzuführen.   *Rh.*

    H. Schiff. Ueber geruchloses Terpentinöl [1]). — Nach Unter-
suchungen von H. Schiff ist ein aldehydisches Oxydationsproduct
des Terpentinöls, dessen Zusammensetzung wahrscheinlich derjenigen eines *Camphorsäurealdehyds*, $C_{10}H_{16}O_3$[2]), entspricht, wahrscheinlich die Ursache des Geruches des gewöhnlichen Terpentinöls.
Wird dasselbe dem Terpentinöl durch Natriumbisulfit entzogen,
das Terpentinöl darauf mit Sodalösung gewaschen, über Pottasche
getrocknet und im Kohlensäurestrome rectificirt, so erhält man
es fast geruchlos, oder es zeigt nur einen sehr schwachen, äthe-

---

[1]) Chemikerzeit. 20, 361. — [2]) JB. f. 1883, S. 568; Ber. 16, 2010.

rischen Geruch, nimmt aber, in Berührung mit der Luft, alsbald wieder den bekannten Geruch an. Dieser Aldehydkörper, welcher einen starken, fast virösen Geruch besitzt, ist in Terpentinöl, welches längere Zeit mit der Luft in Berührung war, aber nur in geringer Menge vorhanden, am reichlichsten bildet er sich in Terpentinöl, welches in schlecht verschlossenen Gefäfsen längere Zeit an schwach beleuchteten Orten aufbewahrt wird. Seine Menge erreicht aber nicht 1 Proc., da er sich bald zu verändern beginnt, wobei das Oel dickflüssiger wird, und sich Wasser wie bei einem Condensationsprocesse bildet. Der Aldehydkörper scheint nicht nur den Geruch des Terpentinöls zu bewirken, sondern er erscheint auch als das nothwendige Zwischenglied für die allmähliche Verharzung des Oeles. Er giebt mit Ammoniak, Hydroxylamin, Anilin, Benzidin, Rosanilinsulfit feste Verbindungen, von denen das *Ammoniakderivat* die Zusammensetzung $(C_{10}H_{16}O)_3N_2$, das *Anilinderivat* die Zusammensetzung $C_6H_5N(C_{10}H_{16}O_2)$ und das *Benzidinderivat* die Zusammensetzung $(C_{10}C_{16}O_2)N-C_6H_4-C_6H_4-N$ $(C_{10}H_{16}O_2)$ zu besitzen scheint. Das *Rosanilinderivat* krystallisirt in kupferglänzenden, mit tiefblauer Farbe in Alkohol löslichen Schuppen, welche noch 7,5 Proc. Schwefel, wohl in Form von Sulfoxyl (SO_2OH), enthalten. Verharztes Terpentinöl reagirt nicht mehr mit Rosanilinsulfit. In noch weichen Harzen von frischem als auch von lange verarbeitetem Holze von Pinien, Tannen, Fichten, Cypressen u. a. konnte Verfasser durch Rosanilinsulfit die Gegenwart eines Aldehydkörpers nachweisen. Auch in anderen, dem Terpentinöl nahestehenden Körpern kann die Bildung von Aldehydkörpern durch Rosanilinsulfit nachgewiesen werden.   *Wt.*

C. Loring Jackson and W. H. Warren. Turmerol [1]). — Die von Menke und einem der Verfasser (Jackson) früher aus der Curcumawurzel isolirte und als Turmerol bezeichnete Substanz [2]) wurde von den Verfassern durch verbesserte Methoden der fractionirten Destillation im Vacuum von constantem Siedepunkt und constanter Zusammensetzung erhalten. Die Analysen gaben jedoch keinen Aufschlufs darüber, ob diese Zusammensetzung $C_{13}H_{18}O$ oder $C_{14}H_{20}O$ ist. Das Turmerol ist ein angenehm riechendes, gelbliches Oel vom Siedep. 158 bis 163°, spec. Gew. 0,9651, und hat das Drehungsvermögen $[\alpha]_D = +24,58°$. In Wasser löst es sich nicht. Mit verdünnter Salpetersäure wird es zu p-Toluylsäure, mit Kaliumbichromat zu Terephtalsäure oxydirt. Daraus ergiebt sich, dafs die Verbindung einen Benzol-

---

[1]) Amer. Chem. J. **18**, 111—117. — [2]) Daselbst **4**, 368.

kern mit einer Methylgruppe und einer zu ihr in para-Stellung
befindlichen Kette von sechs oder sieben Kohlenstoffatomen (davon eins unsymmetrisch) besitzt.   *Br.*

Harze.

Karl Dieterich. Ueber die neuere Chemie der Harze und
ihre Nutzanwendung auf Untersuchungsmethoden [1]. — Verfasser
behandelt in einem Vortrage zunächst die pharmaceutisch wichtigen
Arbeiten von **Miller, Tschirch** und dessen Mitarbeitern über
Guttapercha, Benzoë, Perubalsam, Bernstein, Tolubalsam, Ammoniacum, Sandarak und Drachenblut [2]. Letzteres hat er selbst
näher untersucht und darin neben indifferenten Harzen und Phlo-
baphenen zwei verschiedene Ester gefunden, durch deren Verseifung mit wässerigem Kali er Acetophenon erhielt. Er vermuthet
deshalb die Anwesenheit von Benzoylessigsäure und zwar in tau-
tomerer Form als Oxyzimmtsäure. Die Harze und Balsame zerfallen in drei Gruppen. Die erste, wichtigste, welcher Styrax,
Benzoë, Peru- und Tolubalsam, Galbanum, Ammoniacum und
Drachenblut angehören, enthalten Ester *aromatischer* Säuren neben
eventueller freier Säure. Die zweite enthält Ester der Harzsäuren,
die dritte nur freie Harzsäuren. — Die Säurezahlen sind sehr
inconstant und durch die Gewinnungsart des Materials beeinflufst.
Die Verseifungszahlen weichen zwar noch mehr ab, geben aber
doch Handhaben zur Beurtheilung. Die bisherigen Verseifungszahlen sind nur partielle, da sie bei Weitem nicht die Mengen
Aetzkali angeben, die bei entsprechend *langer* Einwirkung verbraucht werden. Die Jodzahlen sind für die Beurtheilung gering-
werthig. Verfasser hat für Perubalsam, Benzoë, Galbanum und
Ammonium Specialverfahren ausgearbeitet, die im Original ein-
gesehen werden mögen.   *Y.*

H. Amsel. Zur Kenntnifs harzsaurer Metalloxyde [3]. — Verfasser hat harzsaures Mangan- und Bleioxyd, die zur Bereitung
von Leinölfirnifs neuerdings Verwendung finden, untersucht. Da
über die technische Darstellung derartiger harzsaurer Metalloxyde
nichts bekannt ist, so nimmt Verfasser an, dafs sie entweder durch
geeignetes Zusammenschmelzen von Harz mit den Oxyden von

---

[1] Ber. d. pharm. Ges. **6**, 125—144; Ref.: Chem. Centr. **67**, II, 123—124.
— [2] Vgl. Chem. Centr. **64**, II, 333 u. 615; **65**, I, 52 u. 690; **65**, II, 330;
66, II, 239, 500, 1089, 1170. — [3] Zeitschr. angew. Chem. 1896, S. 429—433.

Blei bezw. Mangan erhalten werden oder, indem man das Harz
mit Kalilauge verseift und die resultirende Seifenlösung mit einer
Blei- oder Mangansalzlösung versetzt. Als Harz glaubt Verfasser,
dafs man in der Technik das Colophonium verwenden wird, das
zu ca. 80 Proc. aus Abietinsäureanhydrid, $C_{44}H_{62}O_4$, besteht, so
dafs demnach die harzsauren Metalloxyde aus abietinsauren
Metalloxyden in der Hauptsache bestehen, der Rest wird aus
den entsprechenden Salzen der Pimarsäure und Sylvinsäure,
$C_{20}H_{30}O_2$, die neben Abietinsäure im Colophonium enthalten sind,
bestehen müssen. Verfasser hat nun für Gemische von harzsauren Metalloxyden Formeln aufgestellt und die procentische Zusammensetzung ermittelt. Für harzsaures Blei ergiebt sich dann Pb
= 24,06 Proc., C = 59,99 Proc., H = 7,10 Proc., O = 8,84 Proc.;
für harzsaures Mangan, Mn = 7,74 Proc., C = 72,84 Proc., H =
8,60 Proc., O = 10,78 Proc. Bei der Analyse solcher harzsaurer
Metalloxyde hat Verfasser die Proben einfach im Porcellantiegel
verascht und die Mineralstoffe bestimmt, oder die Proben mit
Salpetersäure und Schwefelsäure aufgeschlossen und nach Zerstörung der organischen Substanz in der schwefelsauren Lösung
die Metalle gewichtsanalytisch ermittelt. Die Analysen des Verfassers, die mit Handelsproben ausgeführt sind, zeigen, dafs neben
reinen harzsauren Metalloxyden auch solche mit mehr oder
weniger hohem Harzgehalt in den Handel kommen.　　　*Tr.*

　　T. Barlow Wood, W. T. N. Spivey und T. H. Easterfield.
Charas, das Harz des indischen Hanfs [1]). — Charas ist das von
Cannabis indica ausgeschwitzte Harz. Die Untersuchung des
Aetherextractes ergab: 1. Ein *Terpen* (1,5 Proc.), welches bei 160
bis 180° siedet; 2. ein *Sesquiterpen* (2 Proc.), bei 258 bis 259°
siedend, welches wahrscheinlich identisch ist mit einem von
Valenta aus flüchtigem Hanföl gewonnenen Körper; 3. ein
Paraffin, $C_{29}H_{60}$ (0,15 Proc.), welches bei 63 bis 64° schmilzt;
4. ein toxisch wirkendes rothes Oel, *Cannabinol*, $C_{18}H_{24}O_2$
(33 Proc.), welches unter 20 mm Druck bei 265° siedet. Letztere
Substanz ist offenbar der wirksame Bestandtheil der verschiedenen
Cannabispräparate.　　　*Sd.*

　　G. Glimman[2]) untersuchte das *Dammarharz*, welches nach
seiner Ansicht von keiner Conifere, sondern von einer Diptero-
carpee oder einer Bursenacee zu stammen scheint. Dasselbe löst
sich nur in Chloroform, Benzol, Schwefelkohlenstoff vollständig,
dagegen in Aether, Alkohol, Toluol, Aceton, Anilin, Petroläther

---

[1]) Chem. Soc. J. 69 und 70, 539—546. — [2]) Arch. Pharm. 234, 585.

und Essigsäure nur theilweise. Das durch Extraction des Rohharzes mit Alkohol gewonnene Reinharz enthält nach seiner Analyse 23,0 Proc. Dammarolsäure, 2,5 Proc. Wasser, 3,5 Proc. Asche, 8,0 Proc. Unreinigkeiten, 40,0 Proc. alkohollösliches α-Dammar-Resen, 22,5 Proc. alkohollösliches β-Dammar-Resen, 0,5 Proc. ätherisches Oel und Bitterstoff. Die in dem Dammarharz enthaltene *Dammarolsäure* hat die Formel $C_{54}H_{77}O_3(OH)(COOH)_2$, sie enthält eine Hydroxyl- und zwei Carboxylgruppen. Das *α-Dammar-Resen* schmilzt bei 65^0 und hat die Formel $C_{11}H_{17}O$. Das *β-Dammar-Resen* hat die Formel $C_{31}H_{52}O$ und schmilzt bei 200^0. Das in dem Harz enthaltene ätherische Oel besitzt pfefferähnlichen Geruch, ist von hellgelber Farbe und siedet bei 82^0. *Wt.*

Karl Dieterich. Ueber das Palmendrachenblut [1]). — Bei der Untersuchung dieses Harzes wurden erhalten: 1. *Dracoalban*, $C_{20}H_{40}O_4$. 2. *Dracoresen*, $C_{20}H_{44}O_2$, daraus als Derivate: *Trinitrodracoalban*, $C_{20}H_{37}O_4(NO_2)_3$, und *Triamidodracoalban*, $C_{20}H_{87}O_4$ $(NH_2)_3$. 3. *Benzoësäuredracoresinotannolester*, $C_6H_5 . COO . C_8H_9O$, daraus Benzoësäure und *Dracoresinotannol*, C_8H_9O, OH. 4. *Benzoylessigsäuredracoresinotannolester*, $C_6H_5CO . CH_2 . COO . C_8H_9O$, daraus Benzoësäure, Dracoresinotannol, Essigsäure und Acetophenon. 5. Aetherunlösliches Harz. 6. Phlobaphene. 7. Rückstände.   *Ld.*

O. **Doebner** und G. **Lücker** [2]) veröffentlichten eine Untersuchung über das *Guajakharz*, nach welcher dasselbe, in dem dunkelbraunen Kernholz von Guajacum officinale L. enthalten, aus 11,15 Proc. Guajakharzsäure, 50,00 Proc. Guajakonsäure, 11,75 Proc. Guajacinsäure (β-Harz) und 24,96 Proc. Remanenz (Asche, Gummi, Holz- und Korktheile, anorganische Salze) besteht. Die Trennung der Guajakharzsäure, Guajakonsäure und Guajacinsäure geschieht in der Weise, dafs aus der alkoholischen Lösung des Gemisches der drei Säuren die Guajakharzsäure mittelst alkoholischer Kalilauge als Kaliumsalz ausgefällt wird, nach dem Verdunsten des Alkohols die Kaliumsalze der beiden anderen Säuren mittelst Salzsäure zersetzt, worin die Guajakonsäure löslich, die Guajacinsäure unlöslich ist, getrennt werden. Die *Guajakharzsäure*, $C_{20}H_{24}O_4$, krystallisirt in weifsen, glänzenden, bei 86^0 schmelzenden, in Alkohol, Aether, Benzol, Chloroform, Eisessig, Schwefelkohlenstoff und Essigäther leicht, in Wasser nicht löslichen Blättchen von schwach vanilleartigem Geruch. Sie löst sich in wässerigen Aetzalkalien, aber nicht in Alkalicarbonaten;

---

[1]) Arch. Pharm. **234**, 401—437. — [2]) Daselbst, S. 590.

in concentrirter Schwefelsäure löst sie sich mit schwach gelber Farbe. Ihre alkoholische Lösung· giebt mit Eisenchlorid eine unbeständige grüne Färbung. Beim Behandeln mit Benzoylchlorid geht sie in eine *Monobenzoyl-Guajakharzsäure*, $C_{20}H_{23}O_4(C_7H_5O)$, über, welche fast farblose, bei 131° schmelzende, in Alkohol, Eisessig, Aceton und Essigäther leicht, in Wasser und Alkalien nicht lösliche Krystalle bildet, was auf das Vorhandensein einer freien Hydroxylgruppe in der Guajakharzsäure hindeutet. Bei der trockenen Destillation der Guajakharzsäure erhält man Guajakol, Pyroguajacin und Guajol (Tiglinaldehyd). Die *Guajakonsäure*, $C_{20}H_{24}O_5$, wird als weißes, amorphes, in Alkohol, Aether, Essigäther, Eisessig und Chloroform leicht, in Schwefelkohlenstoff und Benzol schwer, in Wasser nicht lösliches, bei 74 bis 76° schmelzendes Pulver erhalten. Sie löst sich im Gegensatz zu der Guajakharzsäure leicht in wässerigen und alkoholischen Aetzalkalien und wird durch Kohlensäure aus diesen Lösungen wieder ausgefällt. In Alkalicarbonaten ist sie in der Kälte nicht, in der Siedehitze schwer löslich; in concentrirter Schwefelsäure löst sie sich mit charakteristischer blutrother Farbe. Durch Behandeln mit Benzoylchlorid wird die Guajakonsäure in *Dibenzoyl-Guajakonsäure*, $C_{20}H_{22}O_5(C_7H_5O)_2$, übergeführt, welche einen fast weißen, krystallinischen, bei 81 bis 83° schmelzenden, in Wasser und kalten, wässerigen Alkalien nicht, in Alkohol ziemlich schwer, in Aether etwas leichter, in Eisessig, Chloroform und Toluol leicht löslichen Körper darstellt. Die durch Kochen der Guajakonsäure mit Essigsäureanhydrid dargestellte *Diacetylguajakonsäure*, $C_{20}H_{22}O_5$ $(C_2H_3O)_2$, ist ein fast weißer, amorpher, bei 61 bis 63° schmelzender, in Wasser und kalter Natronlauge nicht, in Eisessig, Aceton, Chloroform und Alkohol leicht löslicher Körper. Diese beiden Reactionen lassen auf das Vorhandensein zweier freier Hydroxylgruppen in der Guajakonsäure schließen. Bei der trockenen Destillation der Guajakonsäure erhält man als Producte Guajakol, Pyroguajacin und Tiglinaldehyd, beim Schmelzen derselben mit Kalihydrat Protocatechusäure neben geringen Mengen flüchtiger Fettsäuren und phenolartiger Körper. Das *Pyroguajacin*, $C_{19}H_{22}O_3$, bildet glänzend weiße, gut ausgebildete, bei 181° schmelzende, fast unzersetzt sublimirende, rhombische Blättchen, deren alkoholische Lösung mit Chlorkalklösung Rothfärbung giebt. Beim Kochen des Pyroguajacins mit Schwefelsäure erhält man eine gelbbraune Lösung, aus welcher durch Wasser ein gefärbtes, in Weingeist sich mit bläulicher Farbe und starker Fluorescenz lösendes Krystallmehl abgeschieden wird. Die *Guajacinsäure*

(β - Harz) endlich, $C_{20}H_{22}O_7$, ist ein geruch- und geschmackloses, hellbraunes, bei ca. 200° schmelzendes, mit leuchtender Flamme ohne Rückstand verbrennendes, in Wasser, Benzol, Aether, Schwefelkohlenstoff und Chloroform nicht, in Alkohol, Eisessig und Essigäther lösliches Pulver. Sie löst sich leicht in der Kälte in Aetzalkalien und wird durch Kohlensäure aus diesen Lösungen wieder ausgefällt. In concentrirter Schwefelsäure löst sie sich mit rothbrauner Farbe. Die alkoholische Lösung der Säure giebt mit Eisenchlorid eine unbeständige, hell blaugrüne Färbung. Durch Lösen in Natronlauge und Behandeln mit Benzoylchlorid verwandelt sich die Guajacinsäure in die ein weißes, krystallinisches, bei 155 bis 158° schmelzendes, in Alkalien unlösliches Pulver darstellende *Benzoylverbindung*, $C_{21}H_{19}O_7(C_7H_5O)_3$, was dafür spricht, daß die Guajacinsäure drei Hydroxylgruppen enthält. Bei der trockenen Destillation der Guajacinsäure entsteht Tiglin- aldehyd und Kreosol, $C_8H_{10}O_2$. Ein modificirtes Verfahren der Trennung der drei hier beschriebenen Harzsäuren besteht in der Extraction des Gemisches derselben mit Benzol, wobei die Guajacinsäure ungelöst bleibt, während die Guajakonsäure aus der Benzollösung auskrystallisirt und aus derselben mit Petroläther völlig ausgefällt wird, während die Guajakharzsäure darin gelöst bleibt. Neben den drei Harzsäuren finden sich schließlich in dem Guajakharz noch als Nebenbestandtheile das Guajaköl und das Guajakgelb, welche sich durch ihre Löslichkeit in Alkalicarbonaten in der Kälte leicht von den Harzsäuren trennen lassen. Das *Guajaköl* wird als farbloses, allmählich fest werdendes, in Alkohol und Aether sehr leicht, in Wasser ziemlich leicht lösliches, beim Erhitzen sich zersetzendes Oel von sehr eigenthümlichem, aromatischem Geruch erhalten. Das *Guajakgelb*, $C_{20}H_{20}O_7$, bildet blaßgelbe, harte, geruchlose, in heißem Alkohol, heißem Wasser, Aether und Schwefelkohlenstoff leicht lösliche, bei 115° schmelzende, beim Erhitzen über ihren Schmelzpunkt sich zersetzende, quadratische Octaeder, welche sich mit kornblumenblauer Farbe in concentrirter Schwefelsäure lösen.   *Wt.*

G. Tassinari. Studien über das Gummiguttharz [I. Mittheilung] [1]. — Das Harz liefert beim Erhitzen mit concentrirter Natronlauge auf 160 bis 180° folgende Spaltungsproducte: ein Limonen, $C_{10}H_{16}$, K_{6-7}, 70 bis 75°, einen Aldehyd, $C_{10}H_{16}O$ (Geraniol) K 110 bis 117°, dasselbe wird durch Silberoxyd in eine Säure $C_{10}H_{16}O_2$ vom Schmelzp. 103 bis 104° übergeführt, *Isouvitin*-

---

[1] Gazz. chim. ital. 26, II, 248—256.

säure, eine *Xyletinsäure*, $C_9 H_{10} O_3$, vom Schmelzp. 156 bis 157°; ein Gemenge von Benzolhomologen, eine indifferente Substanz von der Formel $C_{10} H_{20} O_3$, Schmelzp. 270°, Essigsäure und Methylalkohol. Die Benzolhomologen, die Essigsäure und der Methylalkohol, dürften Producte tieferer Spaltung sein; ob das Limonen im Harze präexistirt, ist noch zweifelhaft. *Ld.*

F. G. Kleinsteuber. Ersatz für Hartgummi [1]). — Auf folgendes Verfahren wurde ein deutsches Reichspatent ertheilt: Copalharze sollen mit vegetabilischer Faser vermischt und während das Harz geschmolzen ist, unter hohem Druck in Formen gepreſst werden. Die Copalsorten werden oberflächlich sortirt, jede Sorte in ätherischen Lösungsmitteln gelöst, dann unter Zusatz von Asphalt gemischt, dann wird eingedampft, getrocknet, gemahlen und mit der Pflanzenfaser gemischt. Das Product bildet einen Ersatz für die massiven Hartgummi-, Celluloid- und Hornwaaren. *Ld.*

J. A. B. Swaters. Ueber die wirksamen Bestandtheile von Piscidia Erythrina [2]). — Der Wurzelbast von *Piscidia Erythrina* kommt im Handel als *Jamaica Dogwood* vor; in demselben sind $5^1/_2$ Proc. eines narkotisch wirkenden Harzes enthalten. Aus diesem Harze wurde eine giftige Substanz von der Zusammensetzung $C_{15} H_{12} O_4$ abgeschieden, die *Piscidin* genannt wird. Alkaloide konnten in der Droge nicht nachgewiesen werden. *Ld.*

A. Balzer. Ueber das Sandaracharz [3]). — Die quantitative Untersuchung des Harzes ergab:

85,00 Proc. *Sandaracolsäure*,
10,00 „   *Callitrolsäure*,
 0,56 „   Wasser,
 0,10 „   Asche,
 1,50 „   Unreinigkeiten,
 2,84 „   Bitterstoff, ätherisches Oel und Verlust.

Der *Sandaracolsäure* kommt die Formel $C_{43} H_{61} O_3 (OH)(OCH_3)$ $(COOH)$ zu, aus ihr wurden dargestellt: das Acetylderivat, das Benzoylderivat, Sandaracolsilber und Sandaracolkupfer. Die Zinkstaubdestillation liefert phenol- und kresolartige Bestandtheile und aromatische Kohlenwasserstoffe, von denen Benzol und Toluol isolirt wurden. Salpetersäure oxydirt die Säure und erzeugt Oxalsäure und Pikrinsäure. Concentrirte Schwefelsäure sulfonirt die Säure. Die *Callitrolsäure* ist nach der Formel $C_{65} H_{84} O_3$ zusammengesetzt. Der Bitterstoff wurde als gelbes Pulver erhalten, er gehört

---

[1]) Dingl. pol. J. 301, 70. — [2]) Chem. Centr. 67, II, 397—398; Nederl. Tijdschr. Pharm. 8, 165—171. — [3]) Arch. Pharm. 234, 289—316.

nicht zu den Glycosiden. Bei der trockenen Destillation des San-daracharzes wird Essigsäure, wahrscheinlich auch Bernsteinsäure und eine nach Campher riechende Substanz erhalten.   *Ld.*

Glycoside, Bitterstoffe.

N. **K r o m e r.** Ueber ein in der Adonis aestivalis L. ent-haltenes Glycosid [1]). — Aus 6 kg der lufttrockenen Pflanze wurden 13 g eines Glycosides erhalten, welches folgendes Verhalten zeigt: es wird in wässeriger Lösung gefällt durch Gerbsäure, dagegen durch Pikrinsäure und **M a y e r's** Reagens nicht gefällt. **F r o e h d e's** Reagens färbt das Glycosid braun, **L i e b e r m a n n's** Reagens violett, Vanadinschwefelsäure braun, eisenhaltige Schwefelsäure grün, rasch blau, dann braun; Salpetersäure färbt roth; wird die Lösung des Glycosids in concentrirter Essigsäure gelöst und mit einem Tropfen concentrirter Salpetersäure geschichtet, so entsteht eine rothe Zone, beim Umschütteln wird die Flüssigkeit orangeroth, schliefslich gelb. Mineralsäuren zersetzen das Glycosid in Zucker und einen amorphen, harzartigen Körper. Die Elementaranalyse führt zu der Formel $C_{25}H_{40}O_{10}$. Man könnte daran denken, dafs dieses Glycosid identisch ist mit dem Adonin, allein es bestehen doch wesentliche Unterschiede.   *Ld.*

E. **M e r c k.** Herstellung einer Verbindung aus Aloin und Formaldehyd [D. R.-P. Nr. 86 449] [2]). — Wird *Aloin* mit Form-aldehyd und einem Condensationsmittel, z. B. Schwefelsäure, be-handelt, so entsteht ein Condensationsproduct, das schwer löslich ist, nicht den intensiv bitteren Geschmack des Aloins hat und daher arzneilichen Zwecken dienen soll.   *Ld.*

L. **S p i e g e l** und C. **D o b r i n.** Zur Kenntnifs des Cardols [3]). — Dem *Cardol* kommt die Formel $C_{32}H_{50}O_3$ zu; es enthält weder Aldehyd- noch Ketongruppen, aber eine Hydroxylgruppe. Durch Reduction einer Lösung in Amylalkohol mit Natrium entsteht der Körper $C_{32}H_{52}O_3$. Bei der Destillation mit Zinkstaub entsteht *Carden*, C_6H_8, das mit dem Styrol nicht identisch ist. Durch Oxydation mit Salpetersäure entsteht Oxalsäure, ein stickstoff-haltiger Körper $C_{30}H_{52}NO_{12}$ und *Cardolsäure*, $C_{15}H_{28}O_7$, durch

---

[1]) Arch. Pharm. 234, 452—458. — [2]) Patentbl. 1896, S. 361; Chem. Centr. 67, I, 561—562; Bericht über 1895, S. 21—28 von E. Merck, Darm-stadt. — [3]) Chem. Centr. 67, I, 112; Ber. pharm. Ges. 5, 309—325.

weitere Oxydation des im Wasser unlöslichen Theiles des Oxydationsproductes mit Permanganat entsteht *Cardsäure*, $C_{13}H_{24}O_6$. Bei directer Oxydation des Cardols mit Permanganat entsteht aufser den angeführten Producten noch *Cardensäure*, $C_{16}H_{30}O_7$, Kohlensäure, Ameisensäure, Essigsäure. Die bei Oxydation mit Salpetersäure entstehende gelbe Masse giebt bei der Reduction einen paraffinartigen Körper von der Formel $C_{15}H_{34}O_2$ und eine Base. Einwirkung von Schwefelsäure giebt die Verbindung $C_{21}H_{44}SO_8$ und Isopropylschwefelsäure. Das reine Cardol zeigt nicht cantharidinartige Wirkung. *Ld.* —

W. A. H. Naylor and R. D. Littlefield. Cascarillin [1]). — Aus der Cascarillarinde wurde nach dem Vorgange von Duval (1845) einerseits, von P. E. Alessandri [2]) andererseits *Cascarillin* dargestellt und diese Präparate sowohl unter einander, als auch mit dem C. und E. Mylius [3]) verglichen. Das Präparat nach Duval enthält viel Asche, jenes nach Alessandri ist mit einem alkaloidartigen Körper verunreinigt. Aus beiden Präparaten kann krystallisirtes Cascarillin durch wiederholtes Reinigen erhalten werden. Die Elementaranalyse des reinen Präparates führte zu der Formel $C_{16}H_{24}O_5$, während C. und E. Mylius die Formel $C_{12}H_{18}O_4$ aufstellten. Beim Erhitzen mit Zinkstaub liefert das Cascarillin ein dem Anthracen ähnliches Destillat. *Ld.*

A. Hilger. Ueber Columbin und Colombosäure [4]). — Hilger giebt eine Methode an, um den Gehalt der Wurzel von *Jateorhiza Columba* an *Columbin*, *Colombosäure* und *Berberin* zu bestimmen. Columbin ist das innere Anhydrid der Colombosäure. Die Colombosäure, $C_{20}H_{21}O_4 \cdot COOH$, reducirt ammoniakalische Silberlösung, sie löst sich in Alkalien mit rother Farbe und wird durch Säuren wieder gelb gefällt, sie enthält einen aromatischen Kern und eine OCH_3-Gruppe, wahrscheinlich liegt ihr die Vanillingruppe mit einer längeren fetten Seitenkette zu Grunde. *Ld.*

M. Höhnel. Ueber das Convolvulin, das Glycosid der *Tubera Jalapae* [*Ipomaea Purga Hayne*] [5]). — Das Jalapenharz, *Resina Jalapae* des deutschen Arzneibuches, läfst sich durch die Verschiedenheit der Löslichkeit in drei Bestandtheile zerlegen: 1. einen fettartigen, krystallisirenden, in Petroläther und Aether löslichen Körper, der später untersucht werden soll; 2. einen in Petroläther unlöslichen, harzartigen, und 3. einen in Aether und Petroläther unlöslichen, den Hauptbestandtheil bildenden Körper, welchen

---

[1]) Pharm. J. [4] 3, 95—96. — [2]) JB. f. 1882, S. 1071. — [3]) JB. f. 1873, S. 862. — [4]) Chem. Centr. 67, I, 375. — [5]) Arch. Pharm. 234, 647—685.

Mayer[1]) *Convolvulin* genannt hat und für den er die Formel
$C_{31}H_{50}O_{16}$ aufstellte. Verfasser stellte sich Convolvulin aus *Tubera
Jalapae*, Vera Cruz, nach der Mayer'schen Vorschrift selbst dar
und reinigte es durch häufiges Lösen in Alkohol und Fällen mit
Aether. Es stellt bei 70° getrocknet ein rein weifses, amorphes
Pulver vor und kommt auch aus der concentrirten, alkoholischen
Lösung beim starken Abkühlen amorph [heraus. Schmelzp. 150
bis 155°. Die alkoholische Lösung reagirt neutral, reducirt am
moniakalische Silberlösung bei gelindem Erwärmen, Fehling'sche
Lösung direct schwer, aber sehr leicht nach vorhergehendem Kochen
mit Mineralsäuren. Die Analysen dieses Präparates, sowie eines aus
Merck'schem Convolvulin erhaltenen stimmten [gut überein und
ergaben im Mittel von acht Bestimmungen C 55,66 Proc., H 8,18 Proc.
Daraus und aus den Analysen [der [directen Derivate erschliefst
der Verfasser die Formel $C_{54}H_{96}O_{27}$. — *Tribromconvolvulin*, durch
Bromirung in Eisessig erhalten und mit Wasser ausgefällt, durch
Lösen in Aether von unverändertem Convolvulin getrennt, durch
mehrmaliges Fällen aus der alkoholischen Lösung [durch Wasser
gereinigt und im Vacuum über Schwefelsäure getrocknet, ist ein
amorphes, schwach gelbliches Pulver. Präparate von verschiedener
Herkunft zeigten übereinstimmend einen auf die Formel $C_{54}H_{93}O_{27}Br_3$
stimmenden Bromgehalt. — *Tribenzoylconvolvulin*, nach der Bau-
mann-Schotten'schen Methode bereitet, durch Fällen der alkoholischen Lösung mit Wasser und dann der ätherischen Lösung
mit Petroläther gereinigt, ist wiederum amorph. Schmelzp. 125
bis 131°. Die Resultate dreier Elementaranalysen stimmen befriedigend auf die Formel $C_{34}H_{93}(COC_6H_5)_3O_{27}$. Bei der *Acetylirung* nach der Liebermann'schen Vorschrift wurde ein amorphes Product erhalten vom Schmelzp. 112 bis 115°. Nach der
Methode von Hertzig unter Berücksichtigung der aus Convolvulin selbst unter denselben Bedingungen entstehenden und bei
vier besonderen Versuchen constant gefundenen Säuremenge wurde
die Zahl der ins Molekül eingetretenen Acetylgruppen zu neun
bestimmt. *Einwirkung von Aetzalkalien auf Convolvulin.* Convolvulin wird von verdünnten Alkalien und alkalischen Erden gelöst
unter tiefgehender Zersetzung und Bildung der Salze löslicher
Säuren. Der Zerfall ist ein complicirterer, als andere Forscher[2])
annehmen, aber er liefert, entgegen der Ansicht von Taverne[3]),

---

[1]) JB. f. 1855, S. 697. — [2]) Kayser, Ann. Chem. 51, 81; Mayer, JB.
f. 1852, S. 632; Kromer, Russ. Zeitschr. Pharm. 33, 1. — [3]) Rec. trav.
chim. Pays-Bas 13, 187—219.

stets die gleichen Producte[1]). Es entstehen: 1. eine mit Wasserdämpfen flüchtige Säure, 2. eine in Aether lösliche Glycosidsäure:
Purginsäure, 3. eine in Aether unlösliche Glycosidsäure: *Convolvulinsäure*. Zur Spaltung wurden 200 g Convolvulin in Alkohol
gelöst, mit einer wässerigen Barythydratlösung bis zur schwach
alkalischen Reaction versetzt und bei mäſsiger Wärme schwach
alkalisch erhalten, indem von Zeit zu Zeit mehr Baryt zugegeben
wurde. Wenn Wasser keine Trübung mehr erzeugte, wurde mit
Kohlensäure gesättigt und erhitzt, das Filtrat kalt mit kleinem
Ueberschuſs von Schwefelsäure gefällt, diese mit Bleicarbonat,
gelöstes Blei mit Schwefelwasserstoff entfernt und das Filtrat auf
dem Wasserbade zum Syrup abgedampft. Das verbleibende Säuregemisch wurde mehrmals mit Alkohol aufgenommen und mit
Aether gefällt und so die Convolvulinsäure (125 g) als weiſse,
amorphe Masse gewonnen. Die ätherisch-alkoholischen Mutterlaugen wurden destillirt, der Rückstand mit über Natrium destillirtem Aether aufgenommen und nach einigen Tagen filtrirt. Der
ätherische Auszug wurde mit Petroläther gefällt und diese Operation
mehrmals wiederholt. Es wurde so die *Purginsäure* (25 g) gewonnen. Aus den vereinigten Mutterlaugen wurde der Petroläther
abdestillirt und der Rückstand mit Wasserdampf destillirt, das
Destillat mit Soda neutralisirt, zur Trockne verdampft, das Salz
mit Salzsäure zersetzt, die Säure mit Aether aufgenommen, mit
Chlorcalcium getrocknet und destillirt. Sie erwies sich durch
den Siedep. 176,5° bei 755 mm Druck, das specifische Gewicht, die
Zusammensetzung des Silbersalzes und des Calciumsalzes, endlich
die Löslichkeit des Silbersalzes als identisch mit *Methyläthylessigsäure*. Ihr specifisches Drehungsvermögen wurde zu $[\alpha]_D = + 18°$
bestimmt. — *Purginsäure* stellt auch nach langem Trocknen im
Vacuum über Schwefelsäure eine gelbliche, firniſsartige, stark
hygroskopische Masse vor, welche sich in Wasser zu einer stark
sauer reagirenden Flüssigkeit löst. Sie reducirt Fehling'sche
Lösung nicht direct, wohl aber nach dem Kochen mit Salzsäure.
Die Analysen der Purginsäure, sowie ihrer directen Derivate deuten
auf die Formel $C_{25}H_{46}O_{12}$. Es wurden vollständig analysirt das
amorphe *Baryumsalz*, $C_{25}H_{44}BaO_{12}$, und die ebenfalls amorphe
Tribenzoylpurginsäure, $C_{25}H_{43}O_{12}(CO.C_6H_5)_3$, welche nach der
Methode Schotten-Baumann gewonnen war. — *Convolvulinsäure*.
Das Rohproduct wurde zwei Tage im Soxhlet-Apparate mit Aether
extrahirt, wonach es nur mehr sehr wenig hygroskopisch war.

---

[1]) Vgl. Kromer, Zeitschr. österr. Apoth.-Ver. 1895, S. 13—25.

Die wässerige Lösung reagirt schwach sauer, sie reducirt Fehling'-
sche Lösung nicht direct, wohl aber nach dem Kochen mit Salzsäure.
Schmelzpunkt ungefähr 150 bis 155°. Specifisches Drehungsvermögen
$[\alpha]_D = 34°\,38'$. Die Analysen zweier bei 85° getrockneter Präparate
aus selbst bereitetem und von E. Merck bezogenem Convolvulin
ergaben übereinstimmende Zahlen und deuten auf die Formel
$C_{45}H_{80}O_{28}$, welche durch die Analysen der directen Derivate und
der Spaltungsproducte gestützt wird. Es wurden vollständig
analysirt das *Baryumsalz*, $(C_{45}H_{79}O_{28})_2Ba + 2H_2O$, und die
Tetrabenzoylconvolvulinsäure, $C_{45}H_{76}O_{28}(COC_6H_5)_4$, vom Schmelzp.
115 bis 118°. Im *Calciumsalz*, $(C_{45}H_{79}O_{28})_2Ca$, wurde der Cal-
ciumgehalt bestimmt und in der mit Essigsäureanhydrid und
Natriumacetat gewonnenen *Acetylverbindung* die Zahl der Acetylgruppen nach Hertzig zu acht gefunden. Sämmtliche genannten
Derivate sind amorph, sämmtliche Salze siud in Wasser und
90 proc. Alkohol löslich mit Ausnahme des basischen Bleisalzes.
Die genannten Analysen beweisen, dafs die Convolvulinsäure im
Gegensatze zu den Angaben von Mayer eine einbasische Säure ist,
welche nur *eine* Reihe von Salzen bildet. *Spaltung der Purginsäure durch Mineralsäuren.* Die Säure (100 g) wurde mit der
fünffachen Menge Wasser und Schwefelsäure (25 g) gemischt und
zwei Tage lang überhitzte Wasserdämpfe durch die Flüssigkeit
geleitet. Mit dem Wasser ging ein Oel von stark saurer Reaction
über, welches sich in Natronlauge löste. Die alkalische Lösung
wurde eingedampft und die wieder frei gemachte Säure mit Petroläther aufgenommen und destillirt. Sie erwies sich als eine
Decylensäure. In der gefärbten schwefelsäurehaltigen Flüssigkeit
konnte mit Fehling'scher Lösung *Zucker* nachgewiesen werden,
und aufserdem war eine ölige Säure vorhanden, welche sich aber
als noch purginsäurehaltig erwies. Sie wurde daher mit 10 proc.
alkoholischer Salzsäure unter Druck erhitzt, und aus der mit Wasser
verdünnten Reactionsflüssigkeit der Alkohol vertrieben. Das ausgeschiedene Oel wurde mit alkoholischer Kalilauge erhitzt, um
etwa gebildeten Ester zu verseifen. Aus dem Kalisalz wurde eine
in Petroläther unlösliche krystallisirte Säure gewonnen, welche
sich als eine *Oxylaurinsäure* erwies. — *Decylensäure,* Siedep. 176°
bei 135 mm Druck. Bei — 25° wird die Säure fest, bei — 10°
wieder flüssig. Bei gewöhnlichem Druck ist sie nicht ohne Zersetzung destillirbar, sie löst sich leicht in Alkohol, Aether und
Petroläther, kaum in Wasser. Ihre Zusammensetzung wurde durch
die vollständige Analyse des unlöslichen *Silbersalzes*, $C_{10}H_{17}O_2Ag$,
eruirt. Aufserdem wurde im *Baryumsalz*, $(C_9H_{17}COO)_2Ba$, welches

aus heifsem Alkohol umkrystallisirt werden konnte, der Baryumgehalt bestimmt. Dafs die Säure in der That eine doppelte Bindung und *nur eine* enthält, wurde durch die Behandlung mit Hübl'scher Jodlösung[1]) nachgewiesen, indem dabei zwei Atome Jod addirt wurden. Die Constitution der Säure konnte nicht festgestellt werden. — *Oxylaurinsäure.* Dieselbe wurde durch Umkrystallisiren des Bleisalzes aus heifsem Wasser gereinigt. Sie krystallisirt in feinen Blättchen. Auch hier wurde das unlösliche *Silbersalz*, $C_{11}H_{22}(OH)COOAg$, vollständig analysirt, aufserdem im *Kupfersalz*, $[C_{11}H_{22}(OH)COO]_2Cu$, der Kupfergehalt bestimmt. Mit Hübl'scher Jodlösung addirt die Säure kein Jod, dagegen konnte in alkalischer Lösung mit Benzoylchlorid eine bei 41,5⁰ schmelzende, krystallisirte *Monobenzoyloxylaurinsäure*, $C_{12}H_{23}O_3$ (COC_6H_5), erhalten und somit das Vorhandensein einer Hydroxylgruppe nachgewiesen werden. — Die *Spaltung der Convolvulinsäure durch Mineralsäuren* erfolgt nach der Gleichung: $C_{45}H_{80}O_{28}$ $+ 5H_2O = 5C_6H_{12}O_6 + C_{15}H_{30}O_3$. Die Spaltung wurde wie bei der Purginsäure durchgeführt, eine mit Wasserdampf flüchtige Säure entstand dabei nicht, sondern es schied sich nur in der Reactionsmasse ein beim Erkalten krystallinisch erstarrendes Oel ab, während die Lösung reichliche Mengen Zucker enthielt. Das Oel ist eine Säure, „*Convolvulinolsäure*"; ein dem „Convolvulinol" von Mayer entsprechender, indifferenter Körper wurde nicht beobachtet. — *Convolvulinolsäure.* Das Rohproduct war nicht ganz einheitlich, durch fractionirte Fällung mit Baryumacetat und Umkrystallisiren des Baryumsalzes aus Alkohol wurde es gereinigt. Die Säure krystallisirt aus 50 proc. Alkohol in feinen Nädelchen, Schmelzp. 51,5⁰. (Taverne, der die Säure durch den Methyläther gereinigt hat, fand 50,5⁰.) In kaltem Wasser und Petroläther wenig, in Alkohol, heifsem Petroläther und Aether leicht löslich. Die Zusammensetzung wurde durch die vollständige Analyse des schwer löslichen *Silbersalzes*, $C_{15}H_{29}O_3Ag$, des aus Alkohol in Nädelchen krystallisirenden *Baryumsalzes*, $(C_{15}H_{29}O_3)_2Ba$, sowie des aus Petroläther in farblosen Blättchen vom Schmelzp. 22,5⁰ krystallisirenden *Aethyläthers*, $C_{15}H_{29}O_3(C_2H_5)$, in Uebereinstimmung mit Taverne zu $C_{15}H_{30}O_3$ bestimmt, während Kromer $C_{16}H_{30}O_3$ gefunden hatte. Durch eine Lösung von Bromwasserstoff in Eisessig wird schon in der Kälte ein Körper gebildet, dessen Bromgehalt auf die Formel $C_{15}H_{29}BrO_2$ stimmt. Verfasser nimmt daher in der Convolvulinolsäure eine Hydroxylgruppe an,

---

[1]) L. de Koninck, JB. f. 1890, S. 2543; vgl. JB. f. 1884, S. 1823.

konnte sie aber weder durch Benzoylirung und Acetylirung noch durch Methylirung direct nachweisen. Die *Oxydation der Convolvulinolsäure* mit Kaliumpermanganat in kalter alkalischer Lösung ergab neben geringen Mengen einer mit Wasserdampf flüchtigen, flüssigen Säure, $C_5H_{10}O_2$, eine *Ipomsäure*, $C_{10}H_{18}O_4$, vom Schmelzp. 109°. Beide wurden durch die Analyse des Silbersalzes erkannt. Die Oxydation mit Salpetersäure, spec. Gew. 1,4, unter Eiskühlung ergab gröfsere Mengen der flüchtigen Säure, welche nach ihrem Siedep. 176,5°, der Zusammensetzung und der Löslichkeitszahl des Silbersalzes als *Methyläthylessigsäure* anzusehen ist. Nebenbei war auch hier die Ipomsäure vom Schmelzp. 109° gebildet. Der bei der Spaltung der Convolvulinsäure entstehende *Zucker* konnte nicht krystallisirt erhalten werden. Sein Drehungsvermögen, die Gährfähigkeit und die Bildung eines Osazons, $C_6H_{10}O_4(N_2HC_6H_5)_2$, vom Schmelzp. 203° lassen kaum Zweifel, dafs er *d-Glucose* sei.   *Tf.*

F. **Schlagdenhauffen** und E. **Reeb**. Ueber Coronilla und Coronillin[1]). — Die Samen von *Coonilla scorpioides* lieferten: 1. Ein gelbes, fettes Oel, das Cholesterin, etwas Lecithin, Oelsäure, Arachinsäure, Stearinsäure und Palmitinsäure enthält. 2. Einen krystallisirten Körper von der Zusammensetzung $C_7H_4O_2$, *Pseudocumarin* genannt. 3. *Coronillin*, $C_7H_{12}O_5$, dasselbe ist ein Glycosid, welches durch verdünnte Säuren, wie folgt, gespalten wird: $2(C_7H_{12}O_5) + 3H_2O = C_8H_{18}O_7 + C_6H_{12}O_6$. Es verhält sich in seinen Reactionen und in seiner physiologischen Wirkung den Digitalisglycosiden ähnlich.   *Ld.*

E m. **Bourquelot**. Ueber Digitalisglucoside und deren Spaltungsproducte[2]). — Die Terminologie der *Digitalisglucoside* ist in Frankreich eine andere als in Deutschland; die französischen Bezeichnungen stützen sich auf die alten Arbeiten **Schmiedeberg's**. Alle französischen Digitaline sind Gemenge. *Digitalin* von **Homolle** und **Quévenne**, amorph, enthält hauptsächlich Digitalin **Schmiedeberg's** neben wenig *Digitoxin* und *Digitogenin*. *Digitalin amorph*, du **Codex** 1884, ist reicher an *Digitoxin* und ärmer an *Digitalin* **Schmiedeberg's**, als das vorige Präparat. *Digitalin krystallis.* besteht aus Digitoxin. *Ld.*

H. **Kiliani**. Ueber den Nachweis der Digitalis-Glycoside und ihrer Spaltungsproducte durch eisenhaltige Schwefelsäure[3]).

---

[1]) Chem. Centr. 67, II, 430—431; Zeitschr. österr. Apoth.-Ver. 34, 487—490, 507—510, 527—532. — [2]) Chem. Centr. 67, II, 356. — [3]) Arch. Pharm. 234, 273—277.

— Die bekannten Farbenreactionen, welche einzelne Digitalisstoffe mit concentrirter Schwefelsäure und gewissen Oxydationsmitteln geben, treten am besten auf, wenn man eine eisenhaltige Schwefelsäure anwendet, welche durch Vermischen von 10 ccm reiner, concentrirter Schwefelsäure mit 1 ccm einer Ferrisulfatlösung (5 g käufliches reines schwefelsaures Eisenoxyd auf 100 ccm Wasser) erhalten wird. Dieses Reagens bewirkt folgende Erscheinungen: Digitalinum verum wird zuerst goldgelb, dann roth und rothviolett; ebenso verhält sich Digitaligenin. Digitoxin wird sofort dunkel, als ob Verkohlung eintrete, dann entsteht eine klare, schmutzig braunrothe Lösung. Digitoxigenin erzeugt eigenartig rothe Färbung mit starker Fluorescenz. Digitonin und Digitogenin erzeugen höchstens ganz schwache Gelbfärbung. Digitoxin kann man erkennen, wenn dasselbe in Eisessig, der Ferrisulfat enthält, löst und die Lösung mit eisenhaltiger Schwefelsäure unterschichtet; an der Berührungsstelle beider Flüssigkeiten entsteht sofort eine dunkele Zone, über welcher sich nach etwa zwei Minuten ein blauer Streifen zeigt; nach 30 Minuten ist der ganze Eisessig tief indigoblau. Digitoxigenin zeigt diese Reaction nicht; Digitalinum verum und Digitaligenin färben nur für die Schwefelsäure so, wie wenn man ohne Eisessig arbeitet. Digitonin und Digitogenin erzeugen auch hier keinerlei Färbung. Es giebt nur ein Digitoxin, so daſs in Zukunft die Bezeichnungen α und β wegfallen können.   *Ld.*

H. Kiliani. Ueber Digitoxin[1]. — Das vom Verfasser beschriebene krystallisirte β-Digitoxin[2]), welches er mit Aether aus dem wässerigen oder alkoholischen Extract der Digitalisblätter ausgezogen hatte und welches zweifellos ein Glycosid ist, hat sich nunmehr als identisch mit dem Digitoxin von Schmiedeberg erwiesen, wie es durch Umkrystallisiren des Merck'schen Präparates aus 85 proc. Alkohol gewonnen wird. Bei den früheren Analysen des β-Digitoxins war ein Verlust an Kohlenstoff eingetreten und eine Wiederholung derselben (mit gepulvertem Kupferoxyd) ergab für beide Präparate die gleiche Zusammensetzung. Beide schmelzen ferner bei 145° und verhalten sich auch bei der Spaltung, dann gegen eisenhaltige Schwefelsäure[3]) und in der pharmokologischen Wirkung vollkommen übereinstimmend. Die Präfixa α und β sind also überflüssig. *Eigenschaften des Digitoxins.* In heifsem Wasser ist es kaum mehr, als in kaltem löslich; durch Gerbsäure nicht

[1]) Arch. Pharm. 234, 481—489. — [2]) Daselbst 233, Heft 4. — [3]) Daselbst 234, Heft 4.

fällbar. Beim Erhitzen mit concentrirter Jodwasserstoffsäure und
Phosphor nach Zeisel entstand kein Jodsilber. Methoxyl ist also
wohl nicht vorhanden. *Spaltung des Digitoxins.* Die Methode
wurde wesentlich verbessert. 1 Thl. lufttrockenes Glucosid wird
mit einem Gemisch von 8 Thln. 50 proc. Alkohol und 2 Thln.
concentrirter Salzsäure (1,19) bei 52⁰ unter Umschwenken digerirt,
wobei innerhalb vier bis fünf Stunden Lösung eintritt. Nach Zusatz
von 5 Thln. Wasser und kurzem Reiben der Glaswand beginnt
bei ruhigem Stehen bald die Krystallisation, welche am besten in
kühlem Raume zu Ende geführt wird. Das abgeschiedene Digitoxigenin wird mit verdünntem Alkohol und schliefslich mit
Wasser gewaschen. Aus den Filtraten kann mit Chloroform
weiteres Digitoxigenin gewonnen werden. Die wässerige Zuckerlösung wird mit Silberoxyd von Salzsäure befreit und im Vacuum
zum Syrup eindunsten gelassen, der bald krystallisirt und auf
Thon von der Mutterlauge befreit wird. *Digitoxigenin* wird durch
Sättigen der alkoholischen Lösung mit Wasser und Stehenlassen
umkrystallisirt, wobei charakteristische Krystalle erhalten werden.
Bei unreinem Material erscheinen gleichzeitig feinkörnige weifse
Wärzchen. Digitoxigenin schmilzt bei 225 bis 230⁰ unter Gelbfärbung, es enthält mehr Kohlenstoff, als früher gefunden. Die neuen
Analysen deuten auf die Formeln $C_{17}H_{24}O_3$ oder $C_{22}H_{32}O_4$. Letztere
erscheint wahrscheinlicher, weil durch Einwirkung von Kalilauge auf
eine verdünnte alkoholische Lösung des Digitoxigenins eine gut
krystallisirende Kaliumverbindung entsteht, welche einen auf die
Formel $C_{22}H_{31}O_4K$ annähernd stimmenden Kaliumgehalt zeigt.
Die Kaliumverbindung bläut rothes Lackmuspapier. Da kohlensaures Alkali auch beim Kochen das Digitoxin nicht auflöst, ferner
die Kaliumverbindung mit Essigsäure Digitoxigenin regenerirt,
schreibt Verfasser die Bildung derselben der Gegenwart eines
Phenolhydroxyls zu. Mit Chlorbaryum und Chlorcalcium liefert
die Lösung des Kaliumsalzes schön krystallisirende Niederschläge.
Phenylhydrazin, salzsaures Semicarbazid und Hydroxylamin reagiren
bei gewöhnlicher Temperatur nicht auf Digitoxigenin. Von einer
Mischung von gleichen Theilen 95 proc. Alkohol und concentrirter
Salzsäure scheint Digitoxigenin weiter gespalten zu werden. Es
löst sich allmählich auf und Wasserzusatz fällt dann weifse
Wärzchen. Concentrirte Salzsäure wird entgegen früherer Angabe
durch nicht zu wenig Digitoxigenin grün, eisenhaltige Schwefelsäure roth gefärbt. — *Digitoxose.* Aus Methylalkohol mit Aether
gefällt schmilzt der schon krystallisirte Zucker bei 101⁰ und liefert
Analysenzahlen, welche zwischen den Formeln $C_6H_{12}O_4$ und $C_9H_{18}O_6$

die Wahl lassen. Phenylhydrazin liefert ein leicht lösliches, anscheinend nicht krystallisirendes Hydrazon und ein öliges Osazon. Weder durch Behandlung mit Brom, noch mit Blausäure konnte ein charakterisirtes Product erhalten werden. Drehungsvermögen der Digitoxose: $[\alpha]_D = +46^0$. *Zusammensetzung des Digitoxins.* Verfasser hält die noch bestimmter zu erweisende Formel $C_{31}H_{50}O_{10}$ für wahrscheinlich, welche Arnaud[1]) für seine „Digitaline krystallisée" (Schmelzp. 243 bis 250⁰) berechnete, das also wohl Digitoxin war. — *Untersuchung der Digitalissamen auf einen Gehalt an Digitoxin.* Die entölten Samen wurden mit 50 proc. Alkohol digerirt und der Extract mit Aether ausgezogen. Derselbe nahm *Digitoxigenin* auf. Digitoxin konnte aber auch mit eisenhaltiger Eisessig-Schwefelsäure nicht nachgewiesen werden. *Tf.*

F. Kraft. Ueber Extractum Filicis[2]). — Da die Filixextracte sich als Mittel gegen Bandwurm zuweilen nicht bloſs als unwirksam erweisen, sondern sogar bisweilen ganz bedenkliche Nebenwirkungen hervorrufen, so hat Verfasser versucht, festzustellen, welchem Bestandtheile des Extractes die Wirksamkeit zuzuschreiben ist. Zunächst konnte Verfasser constatiren, daſs an Filixsäure arme Extracte *Filixwachs* zuweilen in groſser Menge enthalten und erklärt er das Auftreten des Wachses dadurch, daſs wahrscheinlich der Extract aus zu frühzeitig gesammelten Rhizomen dargestellt ist. Das Wachs bildet eine hell bräunlichgelbe, amorphe Masse vom Schmelzp. 69⁰, löst sich leicht in heiſsem Alkohol oder Petroläther, ziemlich schwer in siedendem Aether und wird durch Erhitzen mit alkoholischem Kali verseift. Ein regelmäſsiger Bestandtheil des Extractes ist das ätherische Oel (0,04 bis 0,045 Proc. im Rhizom). Kobert glaubt aus seinen Versuchen schlieſsen zu können, daſs dieses ätherische Oel der wirksame Bestandtheil des Extractes sei, was Verfasser jedoch für ausgeschlossen hält. Weitere Bestandtheile des Extractes sind die Filixsäure und harzartige Körper, von denen die Filixsäure als wirksamer Bestandtheil nach Poulsson angesehen wird. Poulsson nimmt sogar zwei Stoffe an, die amorphe Filixsäure und das aus dieser sich bildende krystallinische Filicin; letztere Verbindung sieht er für ein Lacton an. Verfasser ist jedoch nicht dieser Ansicht, sondern meint, daſs Filicin und Filixsäure chemisch identisch und nur physikalisch verschieden seien. Die Filixsäure ist nach den bisherigen Versuchen der einzige Bestandtheil des Extractes, der eine toxische Wirkung besitzt. Verfasser giebt schlieſslich noch eine Bestimmungs-

---

[1]) JB. f. 1889, S. 2930. — [2]) Schweiz. Wochenschr. Pharm. 34, 217—224.

methode der Filixsäure an und ermittelt mit Hülfe derselben bei
einer Reihe von Extracten den Gehalt an Filixsäure. Die neuer-
lich von Daccomo zu diesem Zwecke vorgeschlagene Methode
giebt nach Versuchen des Verfassers nicht den Filixsäuregehalt
des Extractes, sondern den Totalgehalt an säureähnlich reagirenden
Körpern, Filixsäure plus sog. Harz.   *Tr.*

    Icaro Bocchi. Ueber die Identificirung der Filixsäure und
über ihren toxikologisch-chemischen Nachweis bei Vergiftungen
mit Filix-Extract [1]. — Verfasser hat an Mischungen von fein-
gehacktem Fleisch mit Filixsäure zunächst Versuche gemacht.
Er zog mit einer Mischung von Alkohol und Aether $(1 + 3)$ aus,
behandelte den Verdunstungsrückstand des Extractes so lange
wiederholt mit Kalkwasser, bis die erhaltene Lösung fast farblos
war. Die filtrirten Flüssigkeiten wurden dann mit Essigsäure
angesäuert und mit Schwefelkohlenstoff ausgeschüttelt. Der
Rückstand des Schwefelkohlenstoffextractes zeigt sehr schön die
charakteristischen Reactionen auf Filixsäure. Bei der Prüfung
auf Filixsäure in thierischen Eingeweiden wurden die letzteren
fein zerschnitten, auf dem Wasserbade getrocknet und dann wie
oben extrahirt und behandelt. Auch hier konnte die Säure im
Schwefelkohlenstoffauszug erkannt werden. Weitere Versuche des
Verfassers ergaben, dafs die Filixsäure der Fäulnifs wenig widersteht, sowie sie nicht unverändert in den Urin übergeht,
sondern sich auch im Organismus zersetzt.   *Tr.*

    van Aubel. Beitrag zum Studium der Giftigkeit von Aspi-
dium filix mas [2]. — Die Filixwurzel verdankt ihre eigenthümliche
Wirkung der Filixsäure, dem ätherischen Oel, der Filixgerbsäure
und einem fetten Oel. Die Filixsäure tritt in zwei Formen auf,
einer amorphen und einer krystallisirten, auch Filicinsäure genannt, jedoch ist nur die erstere wirksam. Aus dem ätherischen
Filixwurzelextract setzen sich beide Säuren nach einiger Zeit ab,
und zwar die inactive krystallisirte Säure in um so gröfserer
Menge, je älter das Präparat ist. Nach Poulsson soll beim
Auflösen der krystallisirten inactiven Filixsäure in einem Alkali,
z. B. in Ammoniak, und Fällen mit einer Säure ein amorpher
Niederschlag von Filixsäure entstehen, der wieder die toxischen
Eigenschaften des Extractes zeigt. Auf diese Weise kann man
einen alten, unwirksam gewordenen Filixextract durch Zufügen
von Ammoniak bis zur alkalischen Reaction und Ansäuern mit

    [1] Apoth.-Zeitg. 11, 837—838. — [2] Journ. de Pharm. d'Anvers; J. Pharm.
Chim. [6] 3, 304—308; Ref.: Chem. Centr. 67, I, 973.

Salzsäure wieder brauchbar machen, jedoch halten sich alkalische Lösungen von Filixsäure nicht lange. Bei der Behandlung mit NH_3 werden gleichzeitig die Fettsäuren des Extractes verseift und durch die Salzsäure ausgeschieden, so dafs sie beim Filtriren durch ein benetztes Filter zurückbleiben. Durch die Entfernung dieser Fettsäuren wird die Aufnahmefähigkeit der Filixsäure im Darm vermehrt und die Giftigkeit des Präparates vermindert. Filixsäure ist unlöslich in Wasser, sehr wenig löslich in Alkohol, leicht löslich in Aether, fetten Oelen und Alkalien. — Die grüne Farbe, die das Rhizom auf dem Bruch haben soll, rührt vom ätherischen Oel her. Diesem, wie auch dem fetten Oel kommt eine stärkere bandwurmtreibende Wirkung wie der Filixsäure zu. Das fette Oel im Filixextracte erleichtert die innige Mischung der amorphen Filixsäure und des ätherischen Oeles. Beim Behandeln des ätherischen Extractes mit Ammoniak und Fällen durch Salzsäure geht die in der Droge vorhandene Filixgerbsäure mit in den Niederschlag. — Zur Verhütung von Vergiftungsunfällen empfiehlt Verfasser einen reinen Extract anzuwenden, vor und während der Cur fette Körper zu vermeiden und anstatt Ricinusöl Kalomel und Scammonium zu nehmen, doch sollte die Cur nur einen Tag dauern. *Rh.*

G. Daccomo. Neue Untersuchungen über die *Filixsäure* [1]). — Verfasser hatte aus dem Verhalten der *Filixsäure*, insbesondere der Reaction gegen Kupferacetat geschlossen [2]), dafs sie die Functionen eines β-Ketonaldehyds habe. Er hat jetzt das Verhalten der Säure gegen Hydroxylamin näher beschrieben. Je nach der Art des Operirens werden zwei isomere Producte $C_{14}H_{15}NO_4$ erhalten. 1. Eine Lösung von Filixsäure in Benzol und eine Lösung von salzsaurem Hydroxylamin in absolutem Alkohol wurden vermischt und unter Zusatz von gefälltem Calciumcarbonat mehrere Stunden gekocht, bis die anfangs gelbe Flüssigkeit intensiv rothbraun geworden war. Die anfangs stark saure Reaction war allmählich schwächer geworden. Die Flüssigkeit wurde filtrirt, destillirt, der stark nach Pyridin riechende Rückstand mit Wasser und wenig Alkali behandelt, wobei ein Theil ungelöst blieb, welcher ausgewaschen und aus Alkohol krystallisirt wurde. Das so erhaltene röthliche, leicht verharzende Pulver von Pyridingeruch bestand aus mikroskopischen prismatischen Kryställchen, die sich wenig oberhalb 100° bräunen und gegen 150° zu einer blutrothen

---

[1]) Gazz. chim. ital. 26, II, 441—451. — [2]) Accad. dei Lincei Rend. [5] 3, 555; Gazz. chim. ital. 24, I, 511.

Flüssigkeit schmelzen. Es löst sich leicht in Alkohol und Aether; die Lösungen geben mit Kupferacetat keinen Niederschlag mehr. Die Formel entspricht der Bildungsgleichung: $C_{14}H_{16}O_5 + NH_2OH = C_{14}H_{16}NO_4 + 2H_2O$, analog dem Verhalten der β-Diketone. — Der in Alkali lösliche Theil des Productes wurde durch Salzsäure als braunrothes voluminöses Pulver gefällt, dessen Lösung in Alkohol oder Aether mit Kupferacetat ebenfalls nicht reagirt. Es war nicht in reinem Zustande zu erhalten. 2. Wird die Filixsäure statt in Benzol in Aether gelöst, im Uebrigen so wie oben verfahren, so tritt plötzlich eine lebhafte Kohlensäurentwickelung ein. Nach Beendigung derselben, Filtriren und Abdestilliren bleibt ein gräulicher harzähnlicher Rückstand, der sich *vollständig* in Kalilauge löst. Das fein zerriebene, von überschüssigem Hydroxylamin befreite und mit kleinen Mengen Aether (bis dieser sich nicht mehr färbte) gewaschene Product ist ein canariengelbes, aus kleinen Prismen bestehendes Pulver, fast unlöslich in Aether und Essigsäure, leicht löslich in Alkohol und Benzol, vollkommen geruchlos, bei 150° sich bräunend und bei 197 bis 198° zu einer blutrothen Flüssigkeit schmelzend. — *Einwirkung des Barytwassers auf filixsaures Kupfer.* Das an sich ganz unlösliche filixsaure Kupfer geht, mit Barytwasser übergossen, allmählich in Lösung, während sich Kupferoxydul abscheidet; bei gewöhnlicher Temperatur ist die Reduction des Kupfers in einigen Tagen, bei 50 bis 60° in zwei bis drei Stunden beendigt. Zur näheren Untersuchung wurden 10 g Kupfersalz mit 300 g 5 proc. Barytwasser übergossen, nach beendigter Reduction der Barytüberschuß durch Kohlensäure gefällt, das Filtrat destillirt. Das Destillat enthielt *Aceton.* Die rückständige Lösung gab, mit Schwefelsäure angesäuert, einen voluminösen Niederschlag (*A*), während der Geruch nach Buttersäure auftrat. Das Filtrat, im Dampfstrome destillirt, gab ein sauer reagirendes Destillat, in welchem *Buttersäure* und *Isobuttersäure* durch Analyse der Calciumsalze nachgewiesen wurde. Im Destillationskolben blieb eine kleine Menge eines rothbraunen harzigen Rückstandes, der nach dem Zerreiben und Waschen mit kleinen Mengen Chloroform als die schon früher [1]) unter den Zersetzungen der Filixsäure nachgewiesene *Dimethylmalonsäure* erkannt wurde. Der Niederschlag (*A*), der nach dem Auswaschen und Trocknen ein röthliches Pulver darstellte, gab beim Schütteln seiner ätherischen Lösung mit wässeriger Kupferacetatlösung einen voluminösen, hellgrünen, krystallinischen Niederschlag (trocken

---

[1]) a. a. O.

5 g), der beim Stehen mit Barytwasser aufs Neue Kupferoxydul abschied und bei weiterer Behandlung wie oben neue Mengen derselben Producte gab und so noch ein drittes Mal. Jedoch waren die verschiedenen Niederschläge A (A, A', A'') nicht gleich zusammengesetzt, sondern während der Kupfergehalt der aus ihnen erhaltenen Kupferniederschläge von 13 auf 28 Proc. stieg, sank beständig der an Kohlenstoff und Wasserstoff. Daccomo kommt zu dem Schluss, dass die Filixsäure der Fettreihe angehöre und die Gruppe $\mathrm{CH_3}\!\!>\!\!C\!<\!\!{C\equiv \atop C\equiv}$ enthalte.   S.

R. Böhm. Beiträge zur Kenntnis der Filixsäuregruppe[1]). — Als bisher übersehene krystallisirte Bestandtheile des *Filixextractes* wurden nachgewiesen: 1. *Aspidin*, lichtgelbe, oft zu Kugeln vereinigte Prismen, die bei 124,5⁰ schmelzen und nach der Formel $C_{23}H_{32}O_7$ zusammengesetzt sind. 2. *Albaspidin*, $C_{22}H_{28}O_7$, farblose, bei 148 bis 149⁰ schmelzende Nadeln, die alkoholische Lösung wird durch Ferrichlorid roth gefärbt. 3. *Flavaspidinsäure*, $C_{23}H_{28}O_8$, goldgelbe Prismen, die weingeistige Lösung wird durch Ferrichlorid tiefroth gefärbt. 4. *Aspidinin*, farblose, rhombische Tafeln, deren alkoholische Lösung mit sehr verdünnter Ferrichloridlösung zuerst dunkelgrün, später dunkelbraun gefärbt wird. 5. *Aspidinol*, $C_{12}H_{16}O_4$, hellgelbe Prismen oder Tafeln, die bei 143⁰ schmelzen; die alkoholische Lösung wird durch Ferrichlorid schwarzgrün gefärbt.   *Ld.*

E. Merck. Ueber Pflanzenstoffe aus den Blättern von Leukodendron concinnum[2]). — Aus dem alkoholischen Auszuge von *Leukodendron concinnum*, einer im Caplande einheimischen Protacee, wurden erhalten: 1. *Leukoglykodrin*, ein Glycosid, linksdrehend, nach der Formel $C_{27}H_{42}O_{10}$ oder $C_{27}H_{44}O_{10}$ zusammengesetzt, liefert beim Spalten mit Schwefelsäure ein braunes Oel, das mit Essigsäureanhydrid weiße Krystalle giebt. 2. *Leukodrin*, ein Bitterstoff, der möglicherweise mit dem *Proteacin* identisch ist.   *Ld.*

W. Alberda van Eckenstein. Sur la mannose cristallisée[3]). — Die ersten Krystalle der Mannose wurden aus einer Lösung des nach der Herzfeld'schen Methode[4]) bereiteten reinen Mannosesyrups in einer Mischung von gleichen Gewichtstheilen Methylalkohol und wasserfreiem Aether erhalten. Mit Hülfe dieser

---

[1]) Chemikerzeit. 20, Rep. 313; Chem. Centr. 67, II, 1036—1088. — [2]) Chem. Centr. 67, I, 561; Bericht über 1895, S. 3—7, von E. Merck, Darmstadt. — [3]) Rec. trav. chim. Pays-Bas 15, 221—224; 14, 329. — [4]) Ber. 28, 442.

Krystalle konnten dann sämmtliche Lösungen, auch die wässerige, zum Krystallisiren gebracht werden. Am besten krystallisirt man den Zucker aus 90 proc. Methylalkohol um. Die Krystalle sind wasserfrei, wahrscheinlich existirt aber ein Hydrat. Die d-Mannose schmilzt bei 132⁰ zu einer farblosen Flüssigkeit. Bei 17⁰ lösen 100 Thle. Wasser 248 Thle. Zucker. 100 Thle. der bei 17⁰ gesättigten Lösungen enthalten bei absolutem Methylalkohol 0,4 Thle., bei 90 proc. Alkohol 4,2 Thle., bei 80 proc. Alkohol 10,8 Thle. Zucker. Die d-Mannose zeigt Multirotation. Für die 2 proc. wässerige Lösung ergab sich drei Minuten nach der Auflösung $[\alpha]_D = -13,6^0$, sechs Stunden später war die Drehung constant geworden: $[\alpha]_D = +14,25^0$. Erwärmen auf 60⁰ änderte daran nichts. Die krystallographische Untersuchung ergab: Rhombisches System. $a:b:c = 0,319:1:0,826$. Formen: $p = \infty P\,(110)$, $q = \check{P}\infty\,(011)$, $b = \infty\check{P}\infty\,(010)$. Verfasser hat ferner noch das Fischer'sche α-Methylmannosid auf optische Wirkung, Löslichkeit und Krystallform untersucht. Für 1 proc. wässerige Lösung fand er $[\alpha]_D = +82,5^0$. Für 1 proc. äthylalkoholische Lösung $[\alpha]_D = +87,3^0$. 100 ccm der bei 17⁰ gesättigten Lösung enthalten bei Wasser 24,6 g, Aethylalkohol 1,5 g, 90 proc. Alkohol 3,2 g, 80 proc. Alkohol 7,8 g Mannosid. Die krystallographische Untersuchung (Jorissen) ergab: Rhombisches System, sphenoide Hemiëdrie.

$$a:b:c = 0,9336:1:0,9249. \quad \text{Formen:} + \frac{P}{2} = x\,(111), - \frac{P}{2} = x$$

$$(1\bar{1}1), \infty P = (110), \check{P}\infty = (011), \infty\check{P}\infty = (010), 0P = (001).$$

Tf.

Emil Fischer und Leo Beensch. Ueber die beiden optisch isomeren Methylmannoside [1]. — Das Methyl-d-mannosid, $C_6H_{11}O_6$ .CH_3, ist zuerst von E. Fischer [2] dargestellt und von Alberda van Eckenstein [3] krystallisirt erhalten worden. Es wird ebenso, wie das isomere Methyl-l-mannosid, in guter Ausbeute erhalten, wenn man reine syrupförmige d- resp. l-Mannose mit der zehnfachen Menge scharf getrockneten, acetonfreien, 0,25 Proc. Chlorwasserstoff enthaltenden Methylalkohols schüttelt und die Lösung im geschlossenen Gefäſse 40 bis 50 Stunden auf 90 bis 100⁰ erhitzt. Beim Erkalten krystallisirt das Mannosid in farblosen Nadeln, die Mutterlauge liefert nach Entfernung der Salzsäure mit Silbercarbonat eine weitere Krystallisation. Ausbeute 56 Proc. der Mannose. Beide Mannoside (weitere, der Theorie nach mögliche

---

[1] Ber. 29, 2927—2931. — [2] Ber. 26, 2401. — [3] Vgl. das vorstehende Referat.

Isomere wurden nicht gefunden) krystallisiren wasserfrei und
zeigen denselben Schmelzp. 193 bis 194⁰ (corr.), den auch die
geschmolzene und wieder erstarrte Masse beibehält. Die specifische
Drehung wurde in 8 proc. wässeriger Lösung bei 20⁰ für das
d-Mannosid zu $[\alpha]_D^{20} = +$ 79,2, für das l-Mannosid zu $[\alpha]_D^{20} =$
$-$ 79,4 bestimmt. Die gleiche Uebereinstimmung ergab die krystallographische Untersuchung (von Tietze ausgeführt). Vom
Methyl-d-mannosid wurde das specifische Gewicht bei 7⁰ zu 1,473,
bezogen auf Wasser von 4⁰, ferner die Löslichkeit in Wasser bei
15⁰ zu 30,7 g in 100 g Wasser bestimmt. — Aus der concentrirten,
die beiden activen Methylmannoside enthaltenden inactiven Lösung
krystallisiren unter 8⁰ beim mehrtägigen Stehen im Erlenmeyer-
schen Kölbchen im evacuirten Exsiccator gut ausgebildete Krystalle
der reinen d- und l-Verbindung neben einander aus. Geschieht
die Krystallisation über 15⁰, so erscheinen nur einheitliche
vierseitige, ebenfalls wasserfreie Blättchen vom Schmelzp. 166,5
bis 167,5⁰ (corr.). Das specifische Gewicht, bei 7⁰ in Benzol bestimmt, fand sich für die Krystalle zu 1,443, für die geschmolzene
und wieder erstarrte Substanz zu 1,404. Winkelmessungen an
den Krystallen waren nicht möglich, aber die Untersuchung im
Polarisationsmikroskop ergab, daſs sie sicher von den optisch
activen Krystallen verschieden sind. Die Lösung einer Druse war
optisch inactiv. Die Krystalle sind also *racemisches Methyl-
mannosid*. Die sonst noch mögliche Annahme, daſs eine dimorphe
Form der optisch activen Krystalle vorliege, erscheint ausgeschlossen,
weil die Krystalle des d-Mannosids auch bei längerem Erhitzen
auf 100⁰ unverändert bleiben und auch aus 20⁰ warmer Lösung
unverändert anschieſsen. Endlich zeigt ein inniges Gemenge der
beiden optisch activen Mannoside genau den am racemischen
Körper beobachteten Schmelzpunkt. Die hier beobachteten Verhältnisse bezüglich der Umwandlung racemischer Substanz in optisch
active sind deshalb besonders interessant, weil im Gegensatz zu
den bisher bekannten analog gelagerten Fällen [1]) kein Krystallwasser in Betracht kommt. Die Umwandlungstemperatur wurde
nicht genau bestimmt. Die Entstehung des racemischen Systems
bei höherer Temperatur deutet darauf, daſs es sich unter Wärme-
absorption bildet, womit auch die Verminderung des specifischen
Gewichts in Einklang steht.   *Tf.*

---

[1]) So beim Natrium-Ammonracemat von Scacchi, vergl. van't Hoff,
Deventer, Goldschmidt, Jorissen, JB. f. 1887, S. 257; Zeitschr. physik.
Chem. 17, 49.

E. Merck. Zur Kenntnifs der Pflanzenstoffe aus Radix imperatoriae ostruthium [1]). — Aus der ätherischen Lösung des alkoholischen Wurzelextractes wurde ein neuer Pflanzenstoff, das *Osthin* gewonnen; dasselbe ist nach der Formel $C_{15}H_{16}O_5$ zusammengesetzt; es wurden daraus dargestellt das Mono- und das Diacetylderivat. Das *Oxypeucedanin* hält Merck für eine einheitliche Verbindung. *Ld.*

Gadamer. Die Chemie des schwarzen und weifsen Senfs [2]). — Folgende Verbindungen wurden aus Senfsamen dargestellt: *Myronsaures Kalium = Sinigrin* (I), linksdrehende Krystallnadeln, die durch Wirkung des Myrosins in Senföl, Zucker und saures Kaliumsulfat zerfallen, dabei entsteht ein Zwischenproduct (II), das in Wasser und Senföl zerfällt. Wirkt Silbernitrat auf Sinigrin, so spaltet sich nur Zucker ab und es entsteht eine Silberverbindung (III) mit organisch gebundenem Silber. Wirkt 1 Mol. Baryumhydroxyd auf 2 Mol. Sinigrin, so entsteht intermediär die Verbindung (IV), zuletzt Senföl und Zucker:

$$
\begin{array}{cccc}
\text{I} & \text{II} & \text{III} & \text{IV} \\
C\!\!\Big\langle\!\!\begin{array}{l}OSO_2K\\SC_6H_{11}O_5\\NC_3H_5\end{array} + H_2O &
C\!\!\Big\langle\!\!\begin{array}{l}OH\\SH\\N.C_3H_5\end{array} &
C\!\!\Big\langle\!\!\begin{array}{l}OSO_2Ag\\SAg\\NC_3H_5\end{array} &
C\!\!\Big\langle\!\!\begin{array}{l}OH\\S-C_6H_{11}O_5\\NC_3H_5\end{array}
\end{array}
$$

Sinalbin, $C_{30}H_{42}N_2S_2O_{15} + 3\,H_2O$, ein Glycosid; *Sinapin*, ein Ester des Cholins und der Sinapinsäure. Die *Sinapinsäure*, $C_{11}H_{12}O_5$, giebt beim Schmelzen mit Kali Pyrogallol, ihre Constitution ist noch nicht bekannt. *Ld.*

J. L. W. Thudichum. Ueber das Phrenosin, ein unmittelbares Educt aus dem Gehirn und die Producte seiner Chemolyse mit Salpetersäure [3]). — Der gröfsere Theil dieser umfangreichen Abhandlung ist einer Kritik der Arbeiten von E. Parcus [4]) und von A. Kossel und F. Freitag [5]), ferner dem Protagon gewidmet, von dem Thudichum neuerdings behauptet, dafs es ein Gemenge mehrerer unmittelbarer Educte sei. Zum Schlusse werden die Ergebnisse einer Untersuchung über die Chemolyse des *Phrenosins* durch verdünnte Salpetersäure mitgetheilt. Als Producte dieser Chemolyse wurden erhalten: *Neurostearinsäure* mit dem Schmelzp. 84°, *Phrenylin*, eine neue stickstoffhaltige Substanz, welche die Oleocholidreaction giebt, 2 Proc. Stickstoff enthält, sich neutral

---

[1]) Chem. Centr. 67, I, 561; Bericht über 1895, S. 8—10, v. E. Merck, Darmstadt. — [2]) Chem. Centr. 67, II, 922; Pharm. Zeitg. 41, 668—669. — [3]) J. pr. Chem. 53, 49—91. — [4]) Daselbst 24, 310. — [5]) Zeitschr. physiol. Chem. 17, 431.

verhält und vom Phrenosin verschieden ist, *Schleimsäure*, eine *rothgefärbte harzige Säure* und ein neutraler, dem Phrenylin nahe verwandter Körper. *Ld.*

O. Hesse. Zur Geschichte des Proteacins[1]). — Proteacin nannten die capländischen Chemiker eine Substanz, welche Meyring Beck aus einer Proteacea dargestellt hatte und zwar dienten angeblich dazu die Blätter von Leukodendron concinnum. Das Beck'sche Präparat war ein graues, krystallinisches, bitter schmeckendes Pulver. Schuchardt stellte daraus den Bitterstoff rein dar und übergab Hesse eine gröfsere Menge von Blättern, aus denen die fragliche Substanz dargestellt sein sollte. Diese stammen jedoch vom Zuckerbusch und enthalten kein Proteacin. Für die Bereitung dieses Körpers sind nur die Blätter von Leukodendron concinnum das geeignete Rohmaterial. E. Merck hat ihn daraus dargestellt und *Leukodrin* genannt. Hesse schliefst sich dieser Bezeichnung an. Das Leukodrin bildet farblose, bei 212° schmelzende Prismen, es schmeckt bitter, löst sich gut in Aether und Alkohol, in heifsem Wasser, wenig in kaltem Wasser, leicht in Natronlauge, woraus Salzsäure es unverändert abscheidet. Eisenchlorid färbt die wässerige Lösung nicht, Goldchlorid, Platinchlorid, Silbernitrat, Bleizucker, Bleiessig fällen nicht, wohl aber erzeugt Bleiessig und Ammoniak in der wässerigen Lösung einen dichten, weifsen Niederschlag. Wird Leukodrin mit concentrirter Schwefelsäure gekocht und die Flüssigkeit mit Wasser verdünnt, so hat sie die Fähigkeit, Fehling'sche Lösung zu reduciren. Die Formel des Leukodrins ist zufolge der Elementaranalyse und Molekulargewichtsbestimmung $C_{18}H_{20}O_9$. Durch Einwirkung von Essigsäureanhydrid entsteht Triacetylleukodrin. Das Leukodrin ist ein Alkohol und enthält nach den bisherigen Versuchen drei Hydroxyle. *Ld.*

O. Hesse. Ueber den Zuckerbusch[2]). — Die Blätter des Zuckerbusches (holländisch Zuikerbosch, Protea mellifera) wurden irrthümlich als das Material angesehen, aus dem Meiring Beck das Protexine (später Proteacin, nun Leucodrin genannt) dargestellt haben sollte. Die Untersuchung hat ergeben, dafs daraus das bei 212° schmelzende Leucodrin überhaupt nicht erhalten werden kann. Werden die Blätter, holzigen Zweige oder Blüthen des Zuckerbusches in zerkleinerter Form mit Aether ausgezogen, so hinterbleibt beim Verdunsten des Auszuges ein krystallinischer, mit Harz durchsetzter Rückstand, der an Wasser ein *Phenol* und

---

[1]) Ann. Chem. **290**, 314—317. — [2]) Daselbst, S. 317—321.

eine *Säure* abgiebt. Wird die wässerige Lösung mit Aether extrahirt, so nimmt derselbe die beiden Körper auf. — Man kann diese auch gewinnen, wenn man die genannten Theile des Zuckerbusches mit Wasser auskocht, die Lösung eindickt und mit Aether ausschüttelt. Nach dem Verdunsten des Aethers wird der Rückstand mit Natriumbicarbonat schwach alkalisch gemacht und abermals mit Aether ausgeschüttelt, der nun das Phenol allein aufnimmt. — Das Phenol, das bei 169° schmilzt, erwies sich als identisch mit *Hydrochinon*. Das als Proteacin vom Schmelzp. 172° in den Preislisten verzeichnete Product ist gleichfalls Hydrochinon. — Die Trennung des Hydrochinons von der Säure kann auch so erfolgen, dafs man letztere aus der wässrigen Lösung beider durch Bleizucker in Form des Bleisalzes ausfällt, oder indem man durch die mit Schwefelsäure versetzte Lösung einen elektrischen Strom hindurchschickt, wodurch das Hydrochinon in Form von Chinhydron abgeschieden wird. — Der saure Bestandtheil, die *Proteasäure*, $C_9H_{10}O_4$, wird am besten an Blei gebunden abgeschieden. Durch Zerlegen des Bleisalzes mit Schwefelsäure, Ausäthern, abermalige Ueberführung in Bleisalz und Wiederholung der Operation erhält man die Säure frei von Hydrochinon. — Die aus wenig kochendem Wasser unter Zusatz von Thierkohle umkrystallisirte Proteasäure bildet weifse, körnige Krystalle, die sich an der Luft leicht gelblich färben. Sie schmilzt bei 157° unter Kohlensäureentwickelung und Bildung eines Destillats, das beim Erkalten zu eisblumenartigen Gebilden erstarrt, die *kein* Brenzcatechin sind. Sie löst sich leicht in kochendem, weniger in kaltem Wasser, nicht in Benzol und Chloroform, leicht in Aether. Die wässrige Lösung reagirt stark sauer, zerlegt Alkalicarbonate, färbt sich durch wenig Eisenchlorid grünlich und dann auf Zusatz von Kaliumbichromat prächtig blauviolett. Fehling'sche Lösung wird nicht reducirt, aus Silberlösung wird in der Wärme Silber abgeschieden. Die Verbindung enthält keine Methoxylgruppe und kein Krystallwasser. Die alkalischen Lösungen färben sich an der Luft unter Sauerstoffabsorption braun. — Bleizuckerlösungen fällen aus der Lösung der Säure ein Bleisalz, $(C_9H_8O_4)_2Pb + PbH_2O_2$, als gelblichweifsen Niederschlag, der bald körnig-krystallinisch wird. Das Salz löst sich sehr schwer in Essigsäure. Es verliert bei 120° 1 Mol. Wasser und geht in die Verbindung $(C_9H_8O_9)_2Pb + PbO$ über. — Aus dem Verhalten der Säure folgt, dafs sie ein höheres Homologes der Protocatechusäure ist, dessen Constitution durch die Formel $C_6H_2(C_2H_5)(OH)_2.COOH$ ausgedrückt wird. *H. G.*

Schneegans. Ueber Pyrethrin, den wirksamen Bestandtheil der Wurzel von Anacyclus Pyrethrum Dec.[1]). — Das reine *Pyrethrin* wurde in Form weifser, zu Büscheln vereinigter Nadeln erhalten, die sich in concentrirter Schwefelsäure zu einer gelben Flüssigkeit lösen, die bald roth wird; die Lösung des Pyrethrins in Eisessig färbt sich auf Zusatz von Natriumnitrit nach einiger Zeit roth.   Ld.

Henri Moreigne. Sur un nouveau corps (raphanol) retiré de la racine de raphanus niger ou radis noir (crucifères) et de quelques autres plantes de la même famille. — Considérations sur l'essence de raphanus niger[2]). — In der Wurzel von Raphanus niger wurden Salze des Magnesiums, Kaliums, Calciums, Nitrate und Zucker nachgewiesen, der Nachweis von Betaïn ist zweifelhaft. Durch Destillation der zerstofsenen Wurzel mit Wasser wurde im Destillate ein in farblosen Blättchen krystallisirender Körper erhalten, dem die Molekularformel $C_{29}H_{58}O_4$ zukommt; für diesen Körper, dem die Functionen eines Lactons und eines Alkohols zugleich zukommen, wird der Name *Raphanol* vorgeschlagen. Auch in anderen Pflanzen der Familie der Cruciferen wurde Raphanol gefunden. Bei der Destillation der Wurzel von Raphanus niger wird auch eine kleine Menge eines schwefelhaltigen, stickstofffreien, ätherischen Oeles gewonnen.   Ld.

Fritz Wischo. Kurze Bemerkungen über Rutin[3]). — Das aus getrocknetem Rautenkraut durch Auskochen mit 8- bis 10 proc. Essigsäure gewonnene Rutin wird nach Untersuchungen des Verfassers durch Kochen mit verdünnten Mineralsäuren in nicht gährungsfähigen Zucker, in Isodulcit, einen sechswerthigen Alkohol und in ein Glycosid gespalten. Das Glycosid ist eine dem Quercetin isomere Verbindung, für welche Verfasser den Namen *Isoquercetin* anwendet. Es unterscheidet sich von dem Quercetin durch seine geringere Löslichkeit, sowie durch das verschiedene Verhalten gegen Eisenchlorid. Beim Schmelzen des Isoquercetins mit Kaliumhydroxyd entstehen ähnliche Zersetzungsproducte wie beim Quercetin, d. h. im ersten Stadium die Quercetinsäure, $C_{15}H_{10}O_7$, neben Querciglucin, beim fortgesetzten Schmelzen spaltet sich die Quercetinsäure in Quercimerinsäure, $C_6H_3(OH)(COOH)_2$, und in Protocatechusäure.   Tr.

Em. Bourquelot. Sur la présence, dans le Monotropa Hypopithys, d'un glucoside de l'éther méthylsalicylique et sur le ferment

[1]) Chem. Centr. 67, II, 945—946; Pharm. Zeitg. 41, 668. — [2]) Bull. soc. chim. [3] 15, 797—806. — [3]) Pharm. Post 29, 333.

hydrolysant de ce glucoside[1]. — Verfasser hat früher[2]) gezeigt,
daſs man aus verschiedenen einheimischen Arten von *Poligala* und
aus *Monotropa Hypopithys* Salicylsäuremethylester ausziehen kann,
und hatte angenommen, daſs derselbe nicht als solcher in den
Pflanzentheilen enthalten sei, sondern erst bei der Verarbeitung,
etwa beim Zerreiben der Gewebetheile durch die Wirkung eines
löslichen Fermentes auf ein Glycosid jener Aethersäure gebildet
werde. Ein solches Glycosid konnte in der That isolirt werden,
wenn dafür gesorgt wurde, daſs es während der Verarbeitung
nicht bei Gegenwart von Pflanzensaft mit dem Ferment in Berührung
kam. Zu diesem Zweck wurden die Stengel von Monotropa in
bei 95⁰ siedendem Alkohol zerkleinert, die Lösung filtrirt und
destillirt. Der syrupöse Rückstand wurde wieder mit Alkohol aufgenommen, Bleiacetat zugesetzt, filtrirt, überschüssiges Blei mit
Schwefelsäure entfernt, eingeengt, wieder mit kochendem Alkohol
aufgenommen und nach dem Erkalten mit Aether gefällt. Man
erhält das unreine Glycosid als eine harzige Masse, deren wässrige
Lösung linksdrehend ist. Es ist nicht gelungen, das Product zu
krystallisiren, aber es liefert beim Kochen mit 2 proc. Schwefelsäure in der That Salicylsäuremethylester. Werden Pflanzentheile,
welche Salicylsäuremethylester liefern, also z. B. die Wurzeln von
Spiraea ulmaria und *filipendula*, ferner von *Polygala senega*, Blätter
und Beeren von *Gaultheria procumbens*, Rinde von *Betula lenta*,
pulverisirt, mit kaltem Alkohol ausgezogen und getrocknet, so
wird durch 0,1 bis 0,2 g dieses Pulvers das aus Monotropa gewonnene
Glycosid in wässeriger Lösung unter Bildung von Salicylsäuremethylester zersetzt, ein Beweis, daſs alle die genannten Pflanzentheile ein Ferment enthalten, das im Stande ist, das Glucosid von
Monotropa zu zersetzen. — Die Resultate sind analog den von
Procter[3]) bei *Betula lenta* erhaltenen. Er fand in den Wurzeln
ein amorphes Glucosid „Gaultherin" und ein lösliches Ferment,
welches dasselbe zu spalten vermag. Schneegans und Geroch[4])
haben Gaultherin später krystallisirt erhalten. Verfasser hält die
Identität des aus Monotropa gewonnenen Glucosids mit dem
Gaultherin für wahrscheinlich. Das Enzym der oben genannten
Pflanzen ist durch die spaltende Wirkung auf Gaultherin resp.
das Monotropaglucosid als besonderes Individuum charakterisirt,
denn es wirkt auf andere Glucoside nicht spaltend und andererseits sind die anderen bekannten Glycoside nicht im Stande, Gaul-

---

[1]) Compt. rend. 122, 1002—1004. — [2]) Daselbst, 5. November 1894. —
[3]) Amer. J. Pharm. 15, 241. — [4]) Arch. Pharm. 232, 437.

therin zu spalten. Es wird für dieses Enzym der Name *Gaultherase* anstatt des von Schneegans[1]) gebrauchten *Betulase* vorgeschlagen. *Tf.*

H. L. Visser. Ueber Salicin und einige seiner Abkömmlinge[2]). — Jodsalicin entsteht duuch Einwirkung von Chlorjod auf Salicin; die Tetraacetylderivate des Chlor-, Brom- und Jodsalicin haben die Schmelzp. 142° resp. 148° resp. 119°. Die Halogensaligenine, aus den entsprechenden Halogensalicinen mittelst Emulsion dargestellt, haben die Schmelzp. 93°, 113°, 128°, sind löslich in Aether, Alkohol und Wasser und geben mit Eisenchlorid eine blaue, mit concentrirter Schwefelsäure eine grüne Färbung. Mit Benzoylchlorid liefert Bromsaligenin das Benzoyldibromsaliretin, $C_6H_3BrOHCH_2-O-C_6H_3BrCH_2-O-C_6H_5CO$, hellgelbe Nadeln vom Schmelzp. 75° aus Aether. Brom führt Saligenin in alkoholischer Lösung in das Tribromsaligenin vom Siedep. 91° über; Jod führt unter denselben Bedingungen zum Dijodsaligenin, Schmelzp. 107°. Durch Oxydation der Halogensaligenine mit Chromsäuregemisch erhält man den Chlorsalicylaldehyd vom Schmelzp. 99°, den Brom- und Jodsalicylaldehyd vom Schmelzp. 107 und 102°. Der Bromsalicylaldehyd giebt mit alkoholischem Kupferacetat eine Kupferverbindung; mit Hydroxylamin entsteht ein Aldoxim, das durch Essigsäureanhydrid in das Nitril übergeht. Die Aldehyde führen also zu den entsprechenden Halogensalicylsäuren, in denen das Halogen immer in Parastellung zum Hydroxyl steht. *Ldt.*

H. C. Visser. Ueber den wirksamen Bestandtheil der Rinde von Streblus asper[3]). — Das *Streblid* ist nicht identisch mit dem Antiarin, wie vermuthet worden war, es ist ein sehr giftiger stickstofffreier Bitterstoff. *Ld.*

H. Ritthausen. Vicin ein Glucosid[4]). — Das aus *Vicia Faba* und *Vicia sativa* vom Verfasser dargestellte Vicin liefert bei der Zersetzung mit Schwefelsäure neben schwer löslichem Divicin eine Mutterlauge, in welcher schon früher[5]) nach ihrem gesammten Verhalten das Vorhandensein von Zucker angenommen werden mufste. Im Laufe der Jahre ist nun der aus jener Mutterlauge gewonnene Syrup krystallinisch erstarrt. Durch Behandlung mit Alkohol wurden zwei krystallisirte Körper gewonnen: A. ein schwerer löslicher von süfsem Geschmack und einem Drehungsvermögen von $[\alpha]_D = 30{,}7$, welcher ein Osazon vom Schmelzp.

---

[1]) Journ. de Pharm. von Elsafs-Lothringen 1896, S. 17. — [2]) Chem. Centr. 67, II, 738, 921—922; nach Nederl. Tijdschr. Pharm. 8, 261—268. — [3]) Chem. Centr. 67, II, 437; Nederl. Tijdschr. Pharm. 8, 204—208. — [4]) Ber. 29. 2108—2109. — [5]) JB. f. 1876, S. 877; f. 1881, S. 1016.

190⁰ lieferte; B. ein leichter löslicher von wenig süfsem Geschmack
und einem Drehungsvermögen $[\alpha]_D = 35{,}6$ mit einem Osazon vom
Schmelzp. 200 bis 203⁰. Beide Substanzen gährten mit Hefe
träge. Sie sind offenbar noch unrein und liefsen sich nicht ohne
Zersetzung trocknen. Doch glaubt Verfasser, dafs durch diese
Versuche die Natur des Vicins als Glucosid erwiesen sei. *Ld.*

E. Merck. Ueber einen krystallisirten Bitterstoff aus Plumeria acutifolia[1]). — Aus dem alkoholischen Extracte der Pflanze
wurde ein Bitterstoff gewonnen, der in weifsen Warzen krystallisirt
und nach der Formel $C_{57}H_{72}O_{33} + 2\,H_2O$ zusammengesetzt ist. *Ld.*

Farbstoffe unbekannter Constitution.

A. B. Griffiths. Sur la composition du pigment rouge
d'Amanita muscaria[2]). — Die *Amanita muscaria* (Agaricus mus-
carius) enthält einen in Chloroform und Aether löslichen Farbstoff. Durch mehrfaches Verdampfen und Wiederaufnehmen der
Chloroformlösung wird der Farbstoff als eine rothe, amorphe Substanz erhalten. Die Analyse ergab: $C_{19}H_{18}O_6$. Das Pigment, vom
Verfasser *Amanitin* genannt, ist in Wasser unlöslich; seine Lösungen
geben keine charakteristischen Absorptionsstreifen.   *Mr.*

H. Meyer. Ueber Anemonin[3]). — Das in Anemonen und
Ranunculaceen vorkommende Anemonin besitzt, wie Beckurts[4])
festgestellt hat, die Zusammensetzung $C_{10}H_8O_4$. Verfasser hat
die Substanz näher untersucht, um die Vermuthung, dafs das
Anemonin das Anhydrid einer zweibasischen Ketonsäure sei,
sicher zu stellen. Die Bestimmungen von Heberdey, der auf
Veranlassung des Verfassers das Anemonin einer nochmaligen
krystallographischen Untersuchung unterzog, bestätigten die
Messungen Frankenheim's[5]) vollkommen. Der Schmelzpunkt
der reinen Substanz liegt bei 150⁰. Wenige Grade darüber wird
die Schmelze trübe und verwandelt sich in eine hautartige, gelbe
Masse, die sich gegen 290⁰ zersetzt. Alkalien lösen den Pflanzenstoff mit rothgelber bis blutrother Farbe, der Umschlag mit Säuren
zu farblos läfst sich zum Titriren des Anemonins verwenden.
Die Oxydation mit alkalischer Permanganatlösung ergab Oxalsäure und 25 Proc. Bernsteinsäure. Die Bibasicität wurde ferner

---

[1]) Chem. Centr. 67, I, 561; Bericht über 1895, S. 11—13 v. E. Merck,
Darmstadt. — [2]) Compt. rend. 122, 1342. — [3]) Monatsh. Chem. 17, 283—299.
— [4]) Arch. Pharm. 230, 132. — [5]) Daselbst 113, 3.

durch die Darstelluug des Dimethylesters bewiesen. Dimethylanemonin, $C_9H_8O.(COOH_8)_2$, mit Natriummethylat und Jodmethyl
in methylalkoholischer Lösung dargestellt, bildet beim Abdunsten
seiner ätherischen Lösungen grofse, trikline Krystalle vom Schmelzp.
109 bis 110°. Löst man den Dimethylester in Wasser, so scheidet
er sich daraus in langen Nadeln aus, die neutral reagiren, bei
99 bis 100° schmelzen und nach der Formel $C_7H_3(COOCH_3)_2C$
$= (OH)_2 + H_2O$ zusammengesetzt erscheinen. Aus den Waschwässern vom Dimethylester wurde das in Alkali mit rother Farbe
lösliche *Monomethylanemoninhydrat* vom Schmelzp. 174 bis 176°
isolirt; gelbliche, garbenförmig gruppirte Nadeln. Der *Diäthylester* schmilzt bei 47° und siedet bei 252° unter Dunkelfärbung.
Die aus der ätherischen Lösung erhaltenen Krystalle sind wahrscheinlich monokline Prismen. In der Mutterlauge wurde *Mon-
äthylanemonin* vom Schmelzp. 168 bis 170° isolirt. — Alkali wirkt
auf Anemonin und seine Ester unter Bildung der amorphen Säure,
$C_{10}H_8O_4 . 2H_2O$, Salzsäure führt das Anemonin in die gleiche
Säure, die Ester dagegen in die *Anemonsäure*, $C_{10}H_{10}O_5$, über, die
schon von Beckurts beschrieben ist. Während Beckurts zu
keinem krystallisirten Phenylhydrazinderivat gelangen konnte,
erhielt Verfasser durch Lösen von 1 Mol. Anemonin in 3 Mol.
Base und Erwärmen, Eingiefsen nach beendigter Reaction in
Wasser, Auskochen und Auspressen der teigigen Masse und Lösen
dieser in Benzol daraus strohgelbe Nädelchen vom Schmelzp. 164°.
Sie erwiesen sich als das *Dihydrazidhydrazon des Anemonins*,
$C_{10}H_7O_2(N_2H_2C_6H_5)_3$. Durch dasselbe Reagens wurde der Dimethylester in das *Dimethylanemoninhydrazon*, in orangegelbe
Blättchen vom Schmelzp. 170° übergeführt. Das analoge *Diäthyl-
hydrazon* bildet schöne, goldgelbe Blättchen vom Schmelzp. 167°.
Mit Hydroxylamin und dem Diäthylester scheinen sich das Oxim
des Esters (116°) und ein Oxim der Anemonsäure zu bilden. Der
negative Ausfall der Aldehydreaction, sowie das sonstige Verhalten
des Anemonins macht seine Ketonnatur äufserst wahrscheinlich.
Ueber die Stellung der Ketongruppe zu den Carboxylen läfst sich
mit Sicherheit nichts aussagen. Reduction führt zu einer bei
151 bis 153° schmelzenden Oxysäure, $C_{14}H_{14}O_6$, *Anemonolsäure*,
die sehr beständig ist, einen Dimethylester vom Schmelzp. 94 bis
95° und ein Acetylderivat vom Schmelzp. 137° liefert. Anemonin,
$C_{10}H_8O_4$, scheint in naher Beziehung zum Cantharidin, $C_{10}H_{12}O_4$,
zu stehen, vielleicht reduciren die Meloëarten, die besonders Anemonen aufsuchen, das, aufgenommene Anemonin zu dem Can-
tharidin.   *Mr.*

W. Ag. Boorsma. Ang-Khak[1]). — Der Farbextract entstammt einem von den Chinesen kultivirten Pilze. Die färbenden Bestandtheile sind α- und β-*Oryzaerubin.* Die β-Verbindung ist in Sodalösung unlöslich, löst sich in verdünntem Ammoniak. In Wasser und Alkohol schwer löslich. Starke Mineralsäuren lösen die färbenden Substanzen gelb, verdünnte zersetzen sie. In Ammoniak sind sie mit dunkelvioletter Farbe löslich, die bei Ueberschufs gelb wird. Wolle und Seide werden direct angefärbt. Der Extract enthält 1²/₃ Proc. Farbstoff. Der Geruch des Materiales rührt von einem absichtlich zugesetzten Oel her.   *Mr.*

J. L. W. Thudichum. Ueber die Reactionen des Bilirubins mit Jod und Chloroform[2]). — Läfst man auf eine Lösung von Bilirubin in Chloroform eine alkoholische Jodlösung einwirken, so entsteht durch Substitution ein rothes Product, bei Einwirkung von Licht und Wärme ein grünes Nebenproduct, welches kein Bilirubin ist. Joddampf reagirt auf Bilirubin fast gar nicht. Die Reaction des Jods auf eine Lösung von Bilirubin in Chloroform ist sehr complicirt, es wurden aus dem Reactionsproduct fünf verschiedene Substanzen abgeschieden, welche sich noch dazu fortwährend verändern. Auf Grund dieser und älterer Beobachtungen kritisirt Thudichum eine Arbeit von A. Jolles[3]); die darin entwickelte Methode der quantitativen Bestimmung des Bilirubins sei falsch, weil bei der Einwirkung von Jod nicht Oxydation, sondern Substitution erfolge und dabei nicht Biliverdin entstehe, wie von Jolles angenommen wird, die spectroskopischen Angaben werden als unrichtig, die für die Gallenfarbstoffe benutzten Formeln als unbegründet erklärt, ferner wird angegeben, die Rindsgalle enthalte kein Bilirubin, in der Menschengalle sei neben Bilirubin Bilifuscin enthalten, daher bei der Einwirkung von Jod zwei Reactionsreihen entstehen; die Schweinegalle enthalte Hyoflavin, das vom Bilirubin verschieden sei. Die von Jolles mitgetheilten Spectralerscheinungen der Gallenfarbstofflösungen seien werthlos, da die primären und secundären Gallenpigmente im Chloroform sich fortwährend ändern. Choletelin sei kein chemischer Begriff, die Angabe, dafs die Galle Lecithin enthalte, sei längst widerlegt. Endlich wurden die von Städeler den Gallenfarbstoffen gegebenen Formeln als unrichtig erklärt.   *Ld.*

E. Schunck u. L. Marchlewski. Zur Chemie des Chloro-

---

[1]) Chem. Centr. **67,** I, 1030—1031 u. Geneesk. Tijds. N. J. **35**, Lfg. 5 u. 6. — [2]) J. pr. Chem. **53**, 314—324. — [3]) Pflüger's Arch. Physiol. **57,** 1—57.

phylls[1]). — Veranlaſst durch eine Abhandlung von Tschirch[2]) erklären Verfasser unter Hinweis auf ihre früheren Publicationen, daſs verschiedene Angaben von Tschirch unrichtig sind. Phylloxanthin und Phyllocyanin, Producte der Einwirkung von Salzsäure auf das Chlorophyll, sind stufenweise Abbauproducte, und zwar läſst sich Phylloxanthin durch Einwirkung von Salzsäure in Phyllocyanin umwandeln; der Abbau des Chlorophylls unter dem Einfluſs von Säuren verläuft also in zwei Phasen: die erste besteht in der Bildung von Phylloxanthin, die zweite in der Ueberführung dieses Körpers in Phyllocyanin. Die Annahme von Tschirch, daſs Phyllocyanin in Phylloxanthin umwandelbar ist, trifft nicht zu. Der von Tschirch Phyllocyaninsäure genannte Körper ist nach Ansicht der Verfasser keine einheitliche Substanz, sondern ein Gemisch von Phyllocyanin mit Pflanzenfettsäuren. Die Spectren des Phyllocyanins und· der Tschirch'schen Phyllocyaninsäure sind nahezu identisch. Die Tschirch'sche Phyllopurpurinsäure ist ebenfalls kein einheitlicher Körper. Die Verfasser haben daraus das Phylloporphyrin isolirt, welches nach ihren Angaben aus sämmtlichen Chlorophyllderivaten beim Erhitzen mit Alkalien entsteht. *Th.*

H. Molisch. Eine neue mikrochemische Reaction auf Chlorophyll[3]). — Molisch hat beobachtet, daſs sich Chlorophyllkörper auf Zusatz von gesättigter Kalilauge sofort gelbbraun färben, nach längstens einer Viertel- bis einer halben Stunde aber wieder grün werden. Der Umschlag von Gelbbraun in Grün erfolgt alsbald beim Erwärmen zum Sieden, sowie bei Wasserzusatz, weniger rasch bei Zusatz von Alhohol, Aether oder Glycerin. Es handelt sich hier um eine ganz allgemeine Reaction der Chlorophyllkörper, welche auch bei getrockneten Pflanzen, bei eingedampftem, alkoholischem Chlorophyllextract und bei nicht allzu verdünnter Chlorophylllösung gelingt. Diatomeen und Phäophyceen sind vor dem Kalizusatz mit Wasser auszukochen, bei den Florideen und Cyanophyceen wird die Reaction durch die neben dem Chlorophyll vorhandenen Farbstoffe beeinträchtigt. Chlorophyllkörper, die nach Behandlung mit Kalilauge einmal braun und darauf grün geworden sind, färben sich, auch wenn man sie vorher mit Wasser ausgewaschen hat, durch Kalilauge nicht mehr, und zwar auch dann nicht, wenn sie vorher nur mit verdünnter Kalilauge behandelt waren. Es folgt daraus, daſs das Chlorophyll schon durch verdünnte Kalilauge zersetzt wird. *Ld.*

---

[1]) Ber. **29**, 1347—1352. — [2]) Ber. d. deutsch. bot. Ges. 1896, S. 76. — [3]) Chemikerzeit. **20**, Rep. 90.

E. Schunck u. L. Marchlewski. Zur Chemie des Chlorophylls. [Vierte Abhandlung[1]).] — Das in einer früheren Ab-
handlung[2]) beschriebene Phylloporphyrin, $C_{32}H_{34}N_4O_2$, ist dem
Hämatoporphyrinanhydrid, $C_{32}H_{34}N_4O_5$, in seinen physikalischen
Eigenschaften auffallend ähnlich; das spectroskopische Verhalten
beider Körper ist nahezu identisch, die Absorptionsbänder des
Hämatoporphyrins sind nur eine Idee nach dem Roth hin ver-
schoben. Es sind die Spectra der Lösungen beider Körper in
Aether, in Salzsäure und der Lösung der Zinkverbindungen in
Alkohol untersucht und beschrieben worden. Trotz der vielfachen
Aehnlichkeit bestehen doch Unterschiede. Hämatoporphyrin löst
sich in alkoholischen Laugen leicht, Phylloporphyrin dagegen fast
gar nicht. Das Zinksalz des Phylloporphyrins krystallisirt aus
Alkohol, das Zinksalz des Hämatoporphyrins krystallisirt nicht.
Die Aehnlichkeit beider Substanzen ist für die biologischen Wissenschaften von besonderem Interesse. Die beiden, das Leben be-
dingenden Körper, Chlorophyll und Blutfarbstoff, beide Abkömmlinge des Pyrrols, stehen in naher Beziehung zu einander und
wird die zwischen Pflanzen- und Thierwelt bestehende Scheidewand sehr abgeschwächt.   *Ld.*

L. Marchlewski. Die Chemie des Chlorophylls, Herrn
Tschirch zur Antwort[3]). — Den kritischen Bemerkungen
Tschirch's gegenüber will Marchlewski die bestehenden Differenzen besprechen, um eine unrichtige Auffassung seiner und
Schunck's Arbeiten zu verhindern[4]). Schunck u. Marchlewski
haben schon früher nachgewiesen, daſs Tschirch's Phyllopurpurinsäure keine reine Substanz ist, sondern ein Gemenge von
mindestens zwei Substanzen, deren eine Phylloporphyrin ist; das
Absorptionsbad im Roth, welches die Phyllopurpurinsäure zeigt,
gehört nicht dem Phylloporphyrin an; daſs dies Tschirch ent-
ging, beruht darauf, daſs seine Methode zur Reinigung des Präparates unzureichend ist. Auch Tschirch's Angaben über das
Spectrum des Hämatoporphyrins werden als unrichtig bezeichnet.
Daſs Beziehungen zwischen Chlorophyll und Blutfarbstoff schon
von Anderen vermuthet wurden, ist nicht geleugnet worden,
Schunck und Marchlewski glauben aber die Ersten gewesen
zu sein, die einen chemischen Zusammenhang beider Substanzen
bewiesen haben. Die Phyllocyaninsäure halten Schunck und
Marchlewski für unreines Phyllocyanin.   *Ld.*

---

[1]) Ann. Chem. 290, 306—313. — [2]) Daselbst 278, 329. — [3]) J. pr. Chem.
[N. F.] 54, 422—428. — [4]) Ann. Chem. 284, 81.

A. Tschirch. Zur Chemie des Chlorophylls[1]). — In einer Antwort auf die Bemängelungen von Schunck und Marchlewski will Tschirch den objectiven Thatbestand feststellen. 1. In dem beanstandeten Aufsatze wird mitgetheilt, dafs bei Anwendung des Quarzspectrographen die Chlorophyllsubstanzen bei H ein Band zeigen, das mit dem Soret'schen Blutband im Violett zusammenfällt. Diese Beobachtungen führten dazu, die Aehnlichkeit des Chlorophylls mit dem Blutfarbstoffe zu behaupten. 2. Die Ansicht, dafs die Phyllocyaninsäure eine reine Substanz sei, stützte sich auf drei Elementaranalysen und auf die Analyse der Kupferverbindung. Fettsäuren waren in der Phyllocyaninsäure nicht enthalten. Ob Schunck's Phyllocyanin mit der Phyllocyaninsäure identisch ist, weifs Tschirch nicht. 3. Die Phyllopurpurinsäure ist eine einheitliche Substanz, sie kann leicht krystallisirt erhalten werden und zeigt constant ein bestimmtes Spectrum; ob diese Säure mit dem Phylloporphyrin identisch ist, läfst sich nicht entscheiden. Die Spectren der Phyllopurpurinsäure und des Hämatoporphyrins sind ähnlich, das hat zuerst Hoppe Seyler erkannt und hat den ersteren Körper Phylloporphyrin genannt; er hat auch zuerst aus Blutfarbstoffen Pyrrol erhalten. Schunck und Marchlewski haben, nachdem Nencki im Hämatoporphyrin den Pyrrolkern nachgewiesen hat, ihn auch im Phylloporphyrin gefunden. Tschirch hat Pyrrol in der Phyllocyaninsäure, Chlorophyllinsäure, im Hämin, Methämoglobin, Hämoglobin und Bilirubin gefunden. Unabhängig von allen diesen Beobachtungen hat Tschirch gefunden, dafs das Soret'sche Blutband im Violett auch den Chlorophyllfarbstoffen eigen ist. Die Mittheilung dieser Beobachtung war der Zweck des Aufsatzes in den Berichten der Deutsch. bot. Gesellschaft. 4. Bezüglich des Phylloxanthins meint Tschirch, er könne sich ohne neue Untersuchungen kein Urtheil darüber bilden, ob alles richtig ist, was Schunck und Marchlewski sagen. Dafs man Phylloxanthin in Phyllocyanin umwandeln kann, beweist noch nicht, dafs Phylloxanthin das in Blattauszügen zuerst gebildete ist. Wie es gelingt, Phylloxanthin in Phyllocyanin umzuwandeln, so wird selbstverständlich auch das Umgekehrte möglich sein, diese Möglichkeit scheint bei Blattauszügen in der That bisweilen zur Wirklichkeit zu werden. *Ld.*

A. Tschirch. Untersuchungen über die Blattfarbstoffe und die Beziehungen des Chlorophylls zum Blutfarbstoff[2]). — 1. Der

---

[1]) Ber. **29**, 1766—1770. — [2]) Chem. Centr. **67**, I, 816—817; Schweiz. Wochenschr. Pharm. **34**, 85—87.

gelbe Farbstoff der Blätter besteht aus *Xanthocarotin* und Xanthophyll; beide sind stickstofffrei und krystallinisch. 2. Das grüne
Chlorophyll ist wahrscheinlich eine gepaarte Verbindung von
Phyllocyaninsäure und einem farblosen Paarling. 3. Phyllocyaninsäure und ihre Verbindungen geben ein Absorptionsspectrum, das
in zwei von fünf Bändern mit dem Oxyhämoglobin übereinstimmt;
mit dem Quarzspectrometer erkennt man am Ende des Violetts
ein neues, mit dem Blutbande von Soret übereinstimmendes Band.
4. Das von Tschirch in allen untersuchten Chlorophyllkörpern
gefundene neue Band ist sehr beständig in seiner Lage. 5. Die
Phyllopurpurinsäure und das *Hämatoporphyrin* haben auch im sichtbaren Theile im Wesentlichen dasselbe Spectrum. 6. Wegen der
gleichen Absorptionsspectra müssen die Körper der Chlorophyll-
gruppe und die Blutfarbstoffe die gleichen Atomcomplexe enthalten. 7. Alle darauf untersuchten Körper beider Gruppen
liefern bei der Zinkstaubdestillation Pyrrol. 8. Jedenfalls sind
Blut und Chlorophyll nahe verwandt. 9. Durch Beobachtung mit
dem Quarzspectrophotometer liefsen sich zahlreiche, bisher als
Endabsorptionen beschriebene Erscheinungen in Bänder auflösen.
                                                              Ld.

   M. Nencki. Ueber die biologischen Beziehungen des Blatt-
und des Blutfarbstoffes[1]). — M. Nencki bespricht die *biologischen
Beziehungen des Blatt- und des Blutfarbstoffes* und die grofse
Bedeutung der Entdeckung von Schunck und Marchlewski[2])
für die biologische Chemie. Nencki weist auf die Thatsache hin,
dafs die Reduction der Kohlensäure zu organischer Materie und
die Oxydation der letzteren ohne Chlorophyll resp. Hämoglobin
geschieht, und den bei den Blattpflanzen wie auch bei den rothes
Blut führenden Thieren aus einer und derselben Muttersubstanz
einerseits das Chlorophyll, andererseits das Hämoglobin aufgebaut
werden. Ferner begründet Nencki auf seinen früheren Forschungen über die nahe Beziehung des Hämatoporphyrins zum
Proteïnochromogen, welches ein Spaltungsproduct des Eiweifses
durch das Trypsinferment bildet, — eine Vermuthung, dafs dieses
Proteïnochromogen die Muttersubstanz des Blutfarbstoffes, Gallen-
farbstoffes und der melanotischen Pigmente ist. Wenn sich diese
Hypothese bestätigen sollte, dann wäre es auch für den Blatt-
farbstoff möglich, dafs die Muttersubstanz des Chlorophylls durch
Hydrolyse des Eiweifsmoleküls entsteht.   *Wr.*

   M. Cloetta. Ueber die Darstellung und Zusammensetzung

---

[1]) Ber. 29, 2877—2883. — [2]) Ann. Chem. 290, 306.

des salzsauren Hämins[1]). — Um die *Zusammensetzung des salzsauren Hämins* kennen zu lernen, hat M. Cloetta folgende *Darstellungs*methode angewendet. Rinderblut wurde mit gleichem Volumen einer 2 proc. Lösung von Natriumsulfat centrifugirt. Der mit Natriumsulfatlösung ausgewaschene Blutkörperchenbrei wurde mit dem doppelten Volumen Alkohol von 96 Proc. vermischt. Die ausgeprefste Masse wurde nach dem Trocknen mit Alkohol unter Zusatz einiger Tropfen concentrirter Schwefelsäure verrieben. Die Masse wurde auf gleiche Weise mehrmals mit saurem Alkohol unter gelindem Erwärmen auf dem Wasserbade ausgezogen. Die vereinigten Auszüge wurden am folgenden Tage filtrirt. Zum heifsen, fast siedendem Filtrate wurden einige Cubikcentimeter einer concentrirten, alkoholischen Salzsäurelösung zugefügt. Nach dem Erkalten krystallisirte salzsaures Hämin aus. Dieses Hämin wurde durch das Umkrystallisiren gereinigt. Die Analyse ergab folgende Zahlen: C 63,20 Proc., H 6,31 Proc., N 7,34 Proc., Fe 9,84 Proc., Cl 4,95 Proc., daraus die Formel $C_{30}H_{34}N_3FeO_3 . \frac{1}{5}HCl$, welche von den bis jetzt angenommenen stark abweicht. *Wr.*

Arthur Gamgee. On the Relations of Turacin and Turacoporphyrin to the Colouring Matter of the Blood[2]). — Arthur Gamgee hat in einer schon früher veröffentlichten Arbeit bewiesen, dafs das intensive Absorptionsband im Ultraviolett, welches er mit Hülfe von Photographie im Spectrum von sehr verdünnten Lösungen des Hämoglobins und seiner Abkömmlinge beobachtet hat, thatsächlich charakteristisch für das Hämochromogen, für Verbindungen des Hämatins, wie auch für das eisenfreie Hämatoporphyrin ist. Die verschiedenen untersuchten organischen Farbstoffe zeigen diesen Streifen nicht. Ein Vergleich mit dem von Church[3]) untersuchten Pigmente *Turacin* hat erwiesen, dafs sehr verdünnte alkalische Lösungen von Turacin genau dieselben Absorptionsstreifen im Violett und Ultraviolett geben wie eine saure Hämatinlösung. Die Identität der beiden ultravioletten Spectra ist so vollkommen, dafs man ihre Photographien nicht von einander unterscheiden kann. Das von Church entdeckte *Turacoporphyrin* giebt nach Untersuchungen von Gamgee ganz identische, sichtbare und ultraviolette Spectra wie das Hämatoporphyrin. Gamgee schliefst daraus, dafs Hämato- und Turacoporphyrin dieselbe Substanz ist, und dafs im Hämoglubin und

---

[1]) Chem. Centr. 67, I, 260; Arch. exp. Pathol. u. Pharmak. 36, 349—360. — [2]) Lond. R. Soc. Proc. 59, 339—342. — [3]) „Researches on Turacin, an Animal Pigment containing Copper"; Lond. R. Soc. Proc. 17, 486.

Turacin dieselbe Atomgruppe sich befindet, welche dieselben ultravioletten Spectren giebt, indem der Unterschied an den sichtbaren
Spectren in den beiden Fällen von der Anwesenheit des Eisens
resp. des Kupfers im Molekül herrühren soll.   *Wr.*

William Kramm. Ueber ein neues Lösungsmittel der Harnfarbstoffe[1]). — William Kramm hat zur *Lösung* und Gewinnung
der Harnfarbstoffe das Phenol mit gutem Erfolge angewendet. Zu
dem Zwecke werden 20 Thle. Harn mit 1 Thl. Phenol geschüttelt,
dann wird mit einem Neutralsalze Phenol ausgesalzen. Dieses
ausgesalzene Phenol enthält in der Lösung die Harnfarbstoffe.
Wenn diese Lösung abgetrennt, mit gleichem Volum Aether gemischt und mit Wasser geschüttelt wird, so färbt sich das Wasser
gelb und die Aetherphenollösung rubinroth. In der Aetherphenollösung läfst sich nach den üblichen Methoden *Urobilin* nachweisen.
Diese Lösung zeigt die Absorptionsstreifen zwischen C und F
(Urobilin) und zwischen D und E. Der zweite Streifen gehört
nach Kramm dem *Hämatoporphyrin*. Das Spectrum des in Wasser
gelösten Farbstoffes, des *Urochroms*, zeigt eine schwache Absorption von Grün bis Violett. Die wässerige Lösung, mit dem zehnfachen Volumen Alkohol und Aether versetzt, giebt eine flockige,
gelbbraune Fällung. Kramm hat gelegentlich die Fähigkeit des
Phenols, verschiedene andere thierische Farbstoffe, z. B. Methämo-
glubin, zu lösen, festgestellt.   *Wr.*

A. Tschirch. Der Quarzspectrograph und einige damit vor-
genommene Untersuchungen von Pflanzenfarbstoffen[2]). — Unter
Anwendung eines Cornu'schen Quarzprismas und von Quarzlinsen
hat Tschirch die Absorptionsspectra verschiedener Farbstoffe bis
weit in das Ultraviolett hinein photographirt. Er fand, dafs in
den grünen Blättern zwei gelbe Farbstoffe enthalten sind, das
Xanthocarotin, welches mit dem Carotin wahrscheinlich identisch
ist und zwischen $\lambda = 0,485$ und $\lambda = 0,418$ drei Bänder zeigt,
das ganze Ultraviolett aber durchläfst, während das Xanthophyll
nur eine Endabsorption des Ultravioletts zeigt. Die gelben Blüthen-
und Fruchtfarben lassen sich in drei Gruppen eintheilen: in solche,
die vorwiegend oder ausschliefslich Xanthocarotin enthalten, solche,
die aus Xanthophyll bestehen, und solche, die ein Gemisch beider
Farbstoffe sind. Abkömmlinge des grünen Blattfarbstoffes, die
Phyllocyaninsäure, ihr Kupfer- und Zinksalz zeigen ein breites
Band mit dem Maximum um h, lassen aber das Ultraviolett durch.

---

[1]) Chem. Centr. 67, I, 713—715; Dtsch. med. Wochenschr. 22, 25—27.
— [2]) Chemikerzeit. 20, Rep. 110.

Dasselbe Band wurde in beliebigen Blattauszügen nachgewiesen. Dieses Band hat die gleiche Lage mit dem von Soret für das Hämoglobin nachgewiesenen Bande; auch Phylloporphyrin und Hämatoporphyrin zeigen das Soret'sche Blutband. Tschirch schliefst aus diesen Befunden, dafs Chlorophyll und Blutfarbstoff die gleiche Atomgruppe enthalten müssen nnd wahrscheinlich von derselben Muttersubstanz abstammen. Er sucht auch nachzuweisen, dafs in beiden der Pyrrolring enthalten ist. *Ld.*

Hans Molisch. Die Krystallisation und der Nachweis des Xanthophylls (Carotins) im Blatte[1]). — Zur Trennung des *Xanthophylls* vom Chlorophyll werden frische grüne Blätter in weingeistige Kalilauge gelegt, nach Extraction des Chlorophylls herausgenommen, mit Wasser gewaschen und in Glycerin gelegt; man findet dann unter dem Mikroskop in jeder früher Chlorophyll führenden Zelle krystallisirtes Xanthophyll vor. Die Krystalle sind orange, perlmutterglänzend, sie gehören dem rhombischen System an. Mit concentrirter Schwefelsäure werden sie blau, ebenso mit Salpetersäure und vorübergehend auch mit Brom; auch durch Salzsäure und etwas Phenol oder Thymol werden sie blau. Die Frage, ob die so dargestellten Krystalle *Xanthophyll* oder *Carotin*, ob beide identisch oder ob mehrere dem Carotin verwandte Farbstoffe vorliegen, wird nicht entschieden. Molisch nennt alle so gewonnenen Krystalle Carotin und versteht darunter eine Gruppe verwandter Stoffe, die dem Carotin der gelben Rübe nahe stehen; er sucht auch nachzuweisen, dafs es sich keinesfalls um gelb gefärbte Cholesterinkrystalle handelt. *Ld.*

L. Weigert. Beiträge zur Chemie der rothen Pflanzenfarbstoffe[2]). — Die bei der Untersuchung der rothen Pflanzenfarbstoffe gewonnenen Resultate sind folgende: 1. Das Roth der verfärbten Blätter der Vitisvarietäten, von Ampelopsis quinquefolia, Rhus typhina u. s. w. ist jenem der Traube in seinen Reactionen sehr nahe übereinstimmend (*Verfärbungs-* oder *Weinroth*). 2. Der in der rothen Varietät von Beta vulgaris vorkommende Farbstoff ist mit jenem der rothen Blätter von Iresine Amaranth., Achyrantes und Ackermelde, sowie der Phytolaca decandra übereinstimmend (*Rübenroth*). 3. Zur Weinrothgruppe gehören alle jene rothen Pigmente, welche mit basischem Bleiacetat blaugraue oder blaugrüne Niederschläge geben, die Erdmann'sche Reaction liefern, mit concentrirter Salzsäure kalt behandelt sich heller roth färben

---

[1]) Chem. Centr. 67, I, 815—816; Ber. deutsch. botan. Ges. 14, 18—28. — [2]) Zeitschr. Nahrungsm. 10, 393—394; Biederm. Centr. 25, 58.

und ausgefällt werden. Bei Neutralisation ihrer sauren Lösungen
mit Ammoniak, Kali oder Kalk verhalten sie sich gleich, und geht
der Farbenumschlag beim Neutralitätspunkte (auf Lackmus bezogen) vor sich. 4. Die Gruppe des Rübenroths giebt mit
basischem Bleiacetat rothe Niederschläge, liefert keine E r d -
m a n n'sche Reaction, wird bei gewöhnlicher Temperatur von concentrirter Salzsäure dunkelviolett gefärbt, und es werden beim Erhitzen die Farbstoffe rasch zerstört. Bei überschüssigem Ammoniak
wird die rothe Lösung dunkelviolett, durch Natron-, Kali-, Kalk-
und Barytlösungen aber gelb gefärbt. Der Farbenumschlag stimmt
nicht mit Lackmus überein, denn auch in schwach alkalischer
Lösung behalten sie ihre rothe Farbe. 5. Die Rübenroth-
gruppe kennzeichnet sich auch dadurch, daſs die roth gefärbten
Pflanzentheile, frisch oder getrocknet, an Alkohol keine, dagegen
schon an kaltes Wasser Farbe abgeben. 6. Die violett- oder
schwarzrothen Farbstoffe der Blätter von Coleus hero, Perilla
nankinensis, die dunkelrothen Blätter vom Bluthaselstrauch, die
der rothlaubigen Arten von Ajuga reptans, Prunus Pissardi, der
blauschaligen Kartoffel oder der Stangenbohne, die des Rothkohles,
sowie der Malvenblumenblätter stehen mit jenen des Weinroths
in enger Beziehung; dieses Malvenviolett ist in den Pflanzen als
Verbindung (Salz der Alkalien oder Erdalkalien) enthalten, welche
durch freie Säure zersetzt wird und dann dieselben Verbindungen
giebt wie die rothe Farblösung des Weinroths. 7. Der Säuregehalt
von Auslaugungen violettschwarzer Blätter ist nicht wesentlich
von jenem der rothen Blätter verschieden; die ersteren geben mit
Wasser nur wenig gefärbte Lösungen, da die salzartige, violette
Farbstoffverbindung im Wasser kaum löslich ist. 8. Man kann
die durch Behandlung mit Säuren erhaltene rothe Modification
des Farbstoffes, welche etwas andere Reactionen giebt als die
ursprüngliche, in die erstere durch Neutralisation mit Baryumcarbonat zurück verwandeln. — Auf Grund dieser Ergebnisse und
der Resultate anderer Forscher wurden noch weitere speculative
Folgerungen über die chemische Natur dieser Farbstoffe und die
Beziehungen derselben unter einander gezogen.   *Sd.*

Die Prüfung von Farbholzextracten [1]) (speciell des Blauholz-
extractes). Es wurde die Werthbestimmung durch Herstellung
von Probefärbungen beschrieben und die qualitative Prüfung des
Extractes auf Gerbstoffe und Dextrin oder Melasse angegeben.
Vermischt man danach gleiche Theile einer Zinnchloridlösung und

---

[1]) Ref.: Färberzeit. 7, 107.

einer Extractlösung von 0,5° Bé., so fällt bei fermentirten Extracten ein dunkelbrauner, bei unfermentirten ein hellvioletter und bei gerbstoffhaltigen ein schmutziger, oft gelber Niederschlag aus. Setzt man zu einer Lösung von 5 g Extract im Liter $^1/_3$ Volum gelbes Schwefelammonium, zu, so fällt bei reinen Extracten unter Dunkelfärbung der Lösung ein leichter, flockiger, brauner Niederschlag, bei gerbstoffhaltigen jedoch unter Hellfärbung sofort ein dichter, milchiger, hellgrauer Niederschlag aus. Zum Nachweis von Dextrin oder Melasse wird die Extractlösung zunächst vollständig mit Bleiessig ausgefällt und dann das Filtrat mit Fehling'scher Lösung geprüft. *Sd.*

C. H. G. Smith. Die färbenden Eigenschaften des Aromadendrins und der Gerbstoffe aus Eucalyptus Kinos [1]). — Man theilt die von den australischen Eucalyptusarten gewonnenen Kinosorten in drei Classen: Die gummiartigen, die rothen und die trüben Kinosorten. In den trüben Kinosorten wurden zwei charakteristische Bestandtheile aufgefunden: das *Eudesmin*, $C_{26}H_{30}O_8$ (Schmelzp. 99°), und das *Aromadendrin*, $C_{29}H_{26}O_{12} + 3H_2O$ (farblose Krystalle). Das Aromadendrin hat keine färbenden Eigenschaften. Wird dasselbe aber etwas über seinen Schmelzpunkt erhitzt, so liefert es das *Kinogelb*, eine Substanz, welche dem Catechin ähnlich ist und durch Kupfersalze oder Dichromate oxydirt wird. Der rothe Kino enthält kein Aromadendrin. *Sd.*

C. Liebermann und S. Friedländer. Zur Geschichte der natürlichen Krappfarbstoffe [2]). — Verfasser haben die Ausfärbungen Runges, wie sie der „Monographie des Krapps und der Krappfarbstoffe" [3]) beigegeben sind, einer Untersuchung unterzogen, die das merkwürdige Ergebnifs hatte, dafs fast überall die Ausfärbungen mit den Bezeichnungen nicht übereinstimmen, und zwar wiegt Purpurin in allen Proben vor. Man könnte an eine posteriore Oxydation des Krapproths (Alizarin) zum Krapppurpur denken, wenn nicht die Ausfärbungen von Persoz in seiner „Impression des tissus", die auch 50 Jahre alt sind, sich so erhalten hätten, wie sie von dem Autor bezeichnet sind. Will man nicht annehmen, dafs Verwechslungen der Druckmuster vorgekommen sind, so gelangt man mit den Verfassern zu dem Schlufs, dafs die Ausfärbungen mit einem Rohmaterial, das sehr reich an Purpurin war, ausgeführt sind. Dagegen zwingt die annähernd richtige Beschreibung der Eigenschaften der beiden Krappfarbstoffe

---

[1]) Chem. Soc. Ind. J. 15, 787—789. — [2]) Ber. 29, 2851—2854. — [3]) Verhandl. d. Ver. z. Beförd. d. Gewerbfleifses in Preufsen 1835.

zu dem Schluſs, daſs es Runge doch, wenn auch in geringem
Maſsstabe, gelungen ist, beide Farbstoffe bis zu einem gewissen
Grade zu trennen.   *Mr.*

D. Rainy Brown. Note on commercial litmus[1]). — *Lackmus* wird besonders in Holland fabricirt, und zwar aus verschiedenen Species von *Roccella, Variolaria, Lecanora* und anderen
Flechten. Die Flechten werden mit Wasser zu einem Teig an-
gemacht und nach Zusatz von Ammoniak der Gährung überlassen;
ist die Masse purpurroth geworden, dann setzt man Pferdeharn
und Pottasche zu und läſst weiter gähren, bis die gewünschte
blaue Färbung eingetreten ist. Die blaue Flüssigkeit wird mit
Kreide, Gyps, Sand, nach einigen Angaben auch mit Alaun versetzt, die dadurch erzielte consistente Masse in Stücke geformt
und getrocknet. Diese Zusätze sind von zweifelhaftem Werthe,
ein Theil des Farbstoffes kann durch dieselben unlöslich werden;
es wäre zweckmäſsiger, einen flüssigen Extract oder den reinen
Farbstoff in den Handel zu bringen. Bisweilen soll bei der Bereitung Indigo zugesetzt werden, Brown konnte in den von ihm
untersuchten Proben Indigo nicht nachweisen. Das Lackmus des
Handels verdankt seine blaue Farbe einer Kaliumverbindung des
Azolitmins, das eine schwache Säure, in Wasser löslich, in Alkohol
unlöslich ist. Auſser dem Azolitmin enthält das Lackmus noch
drei Farbstoffe, nämlich: *Spaniolitmin, Erythroleïn* und *Erythrolitmin*, dieselben kommen als Indicatoren nicht in Betracht. Bei
der Analyse von sieben Lackmusproben wurden im Mittel 4,6 Proc.
Azolitmin gefunden, zwei Proben enthielten 13,33 resp. 14,10 Proc.
Die Analysen haben ergeben, daſs, je geringer der Wassergehalt
der Probe, desto gröſser der Gehalt an reinem Farbstoff; der
Gehalt an unlöslichen Substanzen wurde zwischen 46 und 89,8 Proc.
gefunden. Brown hält die Vorschrift der Britischen Pharmacopöe
zur Bereitung der Lackmustinctur für unzweckmäſsig und empfiehlt,
eine Methode zur Darstellung von reinem Azolitmin anzugeben. *Ld.*

Arthur G. Perkin. Luteolin[2]). — Dieses ist der gelbe
Farbstoff von Reseda luteola, auch Wau genannt; derselbe wurde
nach einem neuen Verfahren aus dem Extracte der Pflanze bereitet. Die Analyse des Luteolins ergab Zahlen, welche der Formel
$C_{15}H_{10}O_6$ entsprechen, mit der auch die Zusammensetzung der
krystallisirten Verbindungen des Luteolins mit Schwefelsäure,
Salzsäure und Bromwasserstoff stimmen. Es wurden dargestellt:

---

[1]) Pharm. J. [4] 2, Nr. 1341, S. 181; Chemikerzeit. 20, Rep. 9, 88. —
[2]) Chem. Soc. J. 69, 206—212, 799—803.

ein Tetraacetylderivat, ein Tetrabenzoylderivat, ein Trimethyl- und ein Triäthylderivat, welche beide noch je eine Acetylgruppe aufnehmen. Beim Schmelzen mit Aetzkali liefert das Luteolin Protocatechusäure und Phloroglucin. Der Triäthyläther des Luteolins liefert beim Zersetzen mit alkoholischer Kalilauge den Diäthyläther der Protocatechusäure. Das Quercetin kann als Hydroxyluteolin aufgefaſst werden. *Ld.*

J. Herzig. Ueber das Luteolin [1]). — J. Herzig veröffent- licht die vorläufigen Ergebnisse seiner Untersuchungen über das *Luteolin*, veranlaſst durch das Erscheinen einer Publication Per- kin's [2]) über dasselbe Thema. Herzig bemerkt, daſs im Gegen- satz zur Angabe von Hlasiwetz und Pfaundler das Luteolin weder identisch noch isomer mit Fisetin, $C_{15}H_{10}O_6$, sein kann, obgleich das Luteolin dieselbe elementare Zusammensetzung be- sitzt. Das Acetylluteolin schmilzt nämlich bei 223 bis 226° (Perkin 213 bis 215°), das Acetylfisetin dagegen bei 196 bis 199°. Die Zersetzung des Fisetins mit wässeriger, alkalischer Lösung liefert das Resorcin, bei Leuteolin dagegen entsteht dabei das Phloroglucin. *Wr.*

J. Herzig. Studien über Quercetin und seine Derivate. XII. Abhandlung [3]). — *Luteolin.* Wiederholte Bestimmungen er- gaben für das *Acetylluteolin* den Schmelzp. 221 bis 225° und die Formel $C_{15}H_6O_6(C_2H_3O)_4$. *Triäthylmonoacetylluteolin*, $C_{15}H_6O_6$ $(C_2H_5)_3(C_2H_3O)$, wurde aus dem rohen Aethylderivat hergestellt und bildet weiſse, irisirende Blättchen vom Schmelzp. 183 bis 185°. Die Lösungen der reinen Substanz zeigen eine starke, blaue Fluorescenz. *Triäthylluteolin*, durch Verseifen des Acetylderivates gewonnen, bildet compacte, gelbliche Nadeln vom Schmelzp. 140 bis 143°. Neben dem erwähnten Triäthylmonoacetylluteolin findet sich ein bisher nicht näher untersuchtes Nebenproduct vor. — *Fisetinsulfosäure.* Bei dem Versuche, das Tetraäthylfisetin mit concentrirter Schwefelsäure zu verseifen, wurde die Fisetinsulfo- säure, $C_{15}H_9O_6(HSO_3)$, in schönen gelben Nadeln erhalten, welche sich in Wasser und Alkohol leicht, in Aether gar nicht auflösen. Bis zur Temperatur von 300° konnte kein Schmelzen beobachtet werden. Die wässerige Lösung der Säure giebt mit Eisenchlorid eine grüne Reaction, welche mit einer Sodalösung dieselben Nuancen liefert wie bei der Farbenreaction des Brenzcatechins und der Protocatechusäure. Mit Blei- und Baryumsalzen liefert

---

[1]) Ber. 29, 1013—1014. — [2]) Siehe vorst. Referat. — [3]) Monatsh. Chem. 17, 421—428.

die Säure Niederschläge. Auch aus Fisetin selbst konnte die Substanz gewonnen werden. — *Morin* und *Maclurin*. Die Körper wurden nur theoretischen Betrachtungen unterzogen. *Sd.* A. G. Perkin u. J. J. Hummel. Das färbende Princip der Rinde von Myrica nagi [1]). — Die aus Ostindien stammende Rinde von Myrica nagi giebt an siedendes Wasser einen gelben Farbstoff, $C_{15}H_{10}O_8$, das *Myricetin*, ab, welcher durch Fällen mit essigsaurem Blei, Zerlegen des gewaschenen Niederschlages mit Schwefelsäure, Extraction mit Aether, Ausziehen des Aetherrückstandes mit Essigsäure und Umkrystallisiren aus verdünntem Alkohol rein, in glänzenden, gelben Nadeln erhalten werden kann. Der Farbstoff schmilzt erst über 300° unter Zersetzung und sublimirt unter starker Verkohlung. Er löst sich wenig in Wasser, leichter in Alkohol, fast gar nicht in Chloroform und Essigsäure. In verdünnter Kalilauge löst sich der Farbstoff erst mit grüner, dann blau- und rothviolett werdender Farbe; in concentrirtem Alkali löst er sich mit orangegelber Farbe. Schwefelsäure nimmt den Farbstoff mit tief rother Farbe auf; beim Verdünnen der Lösung fällt er wieder unverändert aus. Die alkoholische Lösung wird durch Eisenchlorid braunschwarz gefärbt. Mit Chrom-, Aluminium- und Zinnsalzen entstehen verschieden gefärbte Niederschläge. Myricetin enthält keine Methoxylgruppen. Suspendirt man es in Eisessig und fügt Mineralsäuren zu, so entstehen krystallisirte Säureverbindungen ($C_{15}H_{10}O_8 . H_2SO_4$, $C_{15}H_{10}O_8 . HBr$. $C_{15}H_{10}O_8$. HCl, $C_{15}H_{10}O_8$. HJ). Myricetin liefert ein *Hexacetylmyricetin*, $C_{15}H_4O_8(C_2H_3O)_6$, in farblosen, bei 203 bis 204° schmelzenden Nadeln, und ein *Hexabenzoylmyricetin*, welches ebenfalls farblose Nadeln bildet. In der Alkalischmelze liefert das Myricetin Gallussäure und Phloroglucin. In Eisessig mit Brom behandelt entsteht aus dem Myricetin ein *Tetrabromderivat*, $C_{15}H_6O_8Br_4$, in braunorangen, prismatischen Nadeln, welche bei 235 bis 240° unter Zersetzung schmelzen. Wahrscheinlich ist das Myricetin ein Hydroxyquercetin:

Die Färbekraft der Rinde von Myrica nagi ist variabel und hängt offenbar vom Alter des Baumes, der Stelle, von der die Rinde abstammt, und vielleicht auch von den Myricaspecies ab.   *Sd.*

---

[1]) Chem. Soc. J. 69, 1287—1294.

A. G. Perkin und G. Y. Allen. Die färbende Materie des sicilianischen Sumachs [Rhus coriariae][1]). — Während die anderen Sumacharten als Farbstoff wahrscheinlich Quercetin und Quercitrin enthalten, gilt dies für den sicilianischen Sumach keineswegs. Die *färbende Materie* $C_{15}H_{10}O_8$ dieser letzteren Sumachsorte bildet glänzende, gelbe Nadeln und unterscheidet sich zunächst von dem Quercetin und Fisetin durch die Farbenreaction mit verdünnten Alkalien. Die *Schwefelsäureverbindung*, $C_{15}H_{10}O_8 \cdot H_2SO_4$, bildet orangerothe Nadeln und das *Acetylderivat*, $C_{15}H_4O_3(C_2H_3O)_6$, farblose Nadeln vom Schmelzp. 203 bis 204⁰. In der Alkalischmelze entsteht aus dem Farbstoff Phloroglucin und Gallussäure. Danach wäre derselbe identisch mit *Myricetin*, dem färbenden Bestandtheile von Myrica nagi. Der sicilianische Sumach enthält auch geringe Mengen von freier Gallussäure. *Sd.*

H. Bablich u. Perkin. Morin[2]). — Verfasser haben den in Morus tinctoria und Artocarpus integrifolia aufgefundenen gelben Farbstoff, das *Morin*, einer erneuten Untersuchung unterworfen, nachdem Perkin schon früher[3]) seine Formel zu $C_{15}H_{10}O_7$ festgestellt hatte. Morin spaltet in der Kalischmelze in Resorcin und Phloroglucin, zwischen 150 bis 160⁰ wurde statt Resorcin die β-Resorcylsäure erhalten. In essigsaurer Lösung führt Brom zu einem *Tetrabromid*, das ein *Pentaacetylderivat*, farblose Nadeln, Schmelzp. 192 bis 193⁰, giebt. Nur vier von den fünf demnach vorhandenen OH-Gruppen werden methylirt; der *Tetramethyläther* bildet schwach gelbe, bei 131 bis 132⁰ schmelzende Nadeln, ist alkaliunlöslich, giebt aber ein farbloses *Monoacetylderivat* vom Schmelzp. 167⁰. Alkoholisches Kali bei 150 bis 160⁰ spaltet den Tetramethyläther in den Dimethyläther der β-Resorcylsäure und wenig Phloroglucin. Ein Vergleich mit Quercetin zeigt die Aehnlichkeit beider Substanzen, die sich nur durch die aus den Spaltungsproducten bewiesene Stellung der Hydroxylgruppen unterscheiden können. Nimmt man mit Herzig[4]) für Quercetin Formel I, so folgt für Morin Formel II als die wahrscheinlichste:

Mr.

[1]) Chem. Soc. J. 69, 1299—1303. — [2]) Chem. News 73, 253. — [3]) Phil. Trans. 67, 644. — [4]) Ber. 28. 223.

A. G. Perkin und O. Gunnell. Die färbende Materie von Quebracho colorado [1]). — Die *färbende Materie des Quebrachoholzes*, $C_{15}H_{10}O_6$, bildet glänzende, gelbe Nadeln, welche mit Mineralsäuren Verbindungen liefern. Das *Benzoylderivat*, $C_{15}H_6O_6(C_7H_5O)_4$, bildet farblose Nadeln vom Schmelzp. 180 bis 182°, während das entsprechende *Tetraacetylderivat* bei 196 bis 198° schmilzt und ebenfalls farblose Nadeln bildet. Durch Schmelzen mit Alkali wurde Protocatechusäure und wahrscheinlich Resorcin erhalten. Die Färbeeigenschaften des Farbstoffes aus Quebracho colorado sind gleich jenen des Fisetins, $C_{15}H_{10}O_6$ (Rhus cotinus). Im Quebrachoholz wurde aufserdem etwas Ellagsäure und Gallussäure gefunden. *Sd.*

A. G. Perkin. Säureverbindungen der natürlichen, gelben Farbstoffe [II. Theil] [2]). — Verschiedene Farbstoffe, angehörend der Ketongruppe (Trihydroxybenzophenon, Gallacetophenon, Pentahydroxybenzophenon), der Xanthongruppe (Gentisin, Datiscetin, Euxanthon). der Anthrachinongruppe und der Quercetingruppe (phenylirte Pheno-γ-pyrone), sowie Catechin, Kinoin und Cyanomaclurin (aus Artocarpus integrifolia) wurden auf ihre Befähigung geprüft, in Eisessiglösung mit Mineralsäuren krystallinische Verbindungen zu liefern [3]). Dabei zeigte es sich, dafs nur die Farbstoffe der Quercetingruppe bezw. der Gruppe der phenylirten Pheno-γ-pyrone (mit Ausnahme des Chrysins) sich mit Mineralsäuren unter den gegebenen Bedingungen verbinden. Die Methyläther des Quercetins, Rhamnetins und Rhamnazins reagiren jedoch nur mit Schwefelsäure, die Bromsubstitutionsproducte von Quercetin und Morin liefern gar keine derartigen Säureverbindungen. Die bisher erhaltenen Säureverbindungen sind in der folgenden Tabelle zusammengestellt:

Myricetin, $C_{15}H_{10}O_8$	Quercetin, $C_{15}H_{10}O_7$	Rhamnetin, $C_{16}H_{12}O_7$	Rhamnazin, $C_{17}H_{14}O_7$	Morin, $C_{15}H_{10}O_7$	Luteolin, $C_{15}H_{10}O_6$	Fisetin, $C_{15}H_{10}O_6$
$C_{15}H_{10}O_8$ H_2SO_4	$C_{15}H_{10}O_7$ H_2SO_4	$C_{16}H_{12}O_7$ H_2SO_4	$C_{17}H_{14}O_7$ H_2SO_4	$C_{15}H_8O_6$ H_2SO_4	$C_{15}H_{10}O_6$ H_2SO_4	$C_{15}H_{10}O_6$ H_2SO_4
$C_{15}H_{10}O_8$ HBr	$C_{15}H_{10}O_7$ HBr	—	—	$C_{15}H_{10}O_7$ HBr	$C_{15}H_{10}O_6$ HBr H_2O	$C_{15}H_{10}O_6$ HBr
$C_{15}H_{10}O_8$ HCl	$C_{15}H_{10}O_7$ HCl	—	—	$C_{15}H_{10}O_7$ HCl	$C_{15}H_{10}O_6$ HCl H_2O	$C_{15}H_{10}O_6$ HCl
$C_{15}H_{10}O_8$ HJ	$C_{15}H_{10}O_7$ HJ	—	—	$C_{15}H_{10}O_7$ HJ	$C_{15}H_{10}O_6$ HJ	$C_{15}H_{10}O_6$ HJ

Sd.

[1]) Chem. Soc. J. 69 u. 70, 1303—1307. — [2]) Daselbst, S. 1439—1447. — [3]) Daselbst 67, 644—653.

Arthur George Perkin und John ·James Hummel. Occurrence of Quercetin in the outer Skins of the Bulb of the Onion [1]). — Verfasser haben den Farbstoff der äufseren Haut der Zwiebel untersucht und denselben durch seine physikalischen und chemischen Eigenschaften, durch Acetylirung, Bromirung, die Kalischmelze etc. als Quercetin zu bestimmen vermocht. *Ldt.*

A. G. Perkin und J. J. Hummel. Die in verschiedenen englischen Pflanzen enthaltenen färbenden Materien [2]). — Aus der Mauerblume (Cheiranthus cheiri) konnten zwei Farbstoffe, ein in Alkohol leichter löslicher und ein in diesem Lösungsmittel schwerer löslicher, abgeschieden werden. Der leichter lösliche erwies sich identisch mit *Quercetin*; der schwerer lösliche wurde als ein Mono-methylquercetinäther erkannt, welcher mit Rhamnetin nicht iden-tisch ist und *Isorhamnetin*, $C_{16}H_{12}O_7$, genannt wurde. Isorham-netin bildet kleine, gelbe Nadeln, welche sich in verdünnter Alkalilauge mit gelber Farbe auflösen. Mit Bleiacetat giebt es einen orangerothen Niederschlag, mit alkoholischer Eisenchlorid-lösung eine dunkelgrüne Färbung. Mit Jodwasserstoff behandelt entsteht daraus Quercetin; acetylirt liefert es ein bei 195 bis 196° schmelzendes, in farblosen Nadeln krystallisirendes Acetyl-derivat. — Aus der Blüthe des Weifshagedorns (Crataegus oxy-acantha) konnte ebenfalls Quercetin und eine geringe Menge einer Säure abgeschieden werden, welche den Eigenschaften nach mög-licher Weise Veratrumsäure ist. *Sd.*

Walter T. Scheele. Weinfarbstoffe [3]). — Der normale Farb-stoff des Weifsweines ist durch eine filtrirte Hühnereiweifslösung fällbar. Ist nach der Fällung des Weinfarbstoffes mit Eiweifs der Wein noch gefärbt, so besteht der Verdacht, dafs der Wein mit Karamel gefärbt sei. Versetzt man 10 ccm Wein mit 30 bis 40 ccm Paraldehyd und dann bis zur Mischung der Flüssigkeiten mit Alkohol, so bildet sich nach 24 Stunden ein Niederschlag, der bei unverfälschtem Weine weifs, bei mit Karamel gefärbtem gelbbraun bis dunkelbraun gefärbt ist. Zur Prüfung von Roth-wein auf Fuchsin oder Orseille versetzt man 10 ccm Wein mit 3 ccm Bleiessig und 2 bis 3 ccm Amylalkohol und schüttelt gut durch; Fuchsin- und Orseillefarbstoff gehen in den Amylalkohol über und können durch Schütteln des gefärbten Amylakohols mit Salzsäure (Fuchsinfärbung verschwindet, Orseillefärbung bleibt bestehen) oder mit Ammoniak (Fuchsinfärbung verschwindet,

---

[1]) Chem. Soc. J. **69**, 1295—1298. — [2]) Daselbst 69 u. **70**, 1566—1572. — [3]) Deutsche Chemikerzeit. 11, 275.

Orseillefärbung wird violett) erkannt werden. Zur Prüfung auf andere Theerfarbstoffe färbt man ein Stück weifsen Wollstoffes kochend mit einer oder ohne eine Beize (Thonerdesalze) in dem Rothweine aus, wäscht das gefärbte Zeug und zieht den Farbstoff mit Amylalkohol, Aether oder Chloroform ab, um ihn einer genaueren Prüfung zu unterwerfen. Die beste Reaction auf Malvenfarbstoffe besteht darin, dafs man eine Probe Wein mit einem Ueberschufs von essigsaurem Natron und Alaun versetzt; reine Rothweine (mit Ausnahme der sog. Beerenweine) geben dabei eine röthlichbraune Mifsfarbe, Beerenweine und mit Malven aufgefärbte, nicht sehr gerbstoffreiche Rothweine zeigen eine schön violette, mit Malven aufgefärbte Weifsweine zuweilen eine kornblumenblaue Färbung. Mit Sicherheit ist indefs aus dieser Reaction ebenso wenig auf eine künstliche Färbung zu schliefsen, wie aus Prüfung mit gefälltem, kohlensaurem Kalkerdemagnesit.   *Sd.*

H. Schmid. Ueber das Grawitz'sche Rhodanüranilinschwarz[1]). — Grawitz hat neuerdings die Einführung von Rhodansalzen in die *Anilinschwarzmischung* zu Patent angemeldet. H. Schmid kritisirte dieses Verfahren und wies nach, dafs das Verfahren nur schlechte Resultate ergiebt und keineswegs neu genannt werden kann, indem schon vor längerer Zeit (1881) G. Witz in Rouen und auch C. F. Brandt die Einführung von Rhodanverbindungen bei der Erzeugung von Anilinschwarz versucht bezw. vorgeschlagen haben.   *Sd.*

T. Skawinski. Erzeugung von Anilinschwarz auf der Wollfaser mittelst Ammoniumpersulfat[2]). — Man behandelt die Wolle ein und eine halbe Stunde lang in der Kälte mit einer Ammoniumpersulfatlösung (5 Proc.) und färbt dann nach den üblichen Verfahren mit *Anilinschwarz* aus, wodurch man ein volles und schönes Schwarz erzielt. Für Druckzwecke ist das Ammoniumpersulfat nicht geeignet.   *Sd.*

F. W. Richardson u. H. E. Aykroyd. „Cachou de Laval"[3]). — Im Jahre 1873 wurde für Croissant und Brettonière ein Verfahren zur Darstellung eines Farbstoffes patentirt, der *Cachou de Laval* genannt wurde; dieses Verfahren besteht darin, dafs verschiedene organische Substanzen, insbesondere Holz mit Alkalipolysulfiden geschmolzen werden. Der Farbstoff wird in schwarzen, porösen, hygroskopischen Stücken in den Handel gebracht, welche Polysulfit, Thiosulfat, Sulfat, Kochsalz, Soda, Eisenoxyd, Aluminium-

---

[1]) Chemikerzeit. **20**. 51—52. — [2]) Färberzeit. **7**, 345. — [3]) Chem. Soc. Ind. J. **15**, 328—332.

oxyd, Magnesia und nur 19 Proc. von der Natriumverbindung des eigentlichen Farbstoffes enthalten. Aus diesem Rohmaterial wurde der reine Farbstoff dargestellt; er ist ein schwarzes, in Wasser unlösliches, in Alkalien lösliches Pulver, dem, wenn man annimmt, dafs der geringe Sauerstoffgehalt von einer nachträglichen Oxydation herrührt, die kleinste Formel $H_2C_4S_3$ zukommt; es dürfte sich um ein Thiophenderivat handeln; beim Schmelzen von Thiophen, Furfuran und Derivaten derselben mit Polysulfiden entstehen ähnliche Farbstoffe. Charakteristisch für den Farbstoff ist, dafs, wenn man denselben in überschüssigem Barytwasser löst und in diese Lösung Kohlensäure einleitet, dieselbe blutroth wird.

Ld.

Th. Bokorny. Ueber das Vorkommen des Gerbstoffs im Pflanzenreiche und seine Beziehung zum Albumin [1]. — Der Gerbstoff ist in den meisten Pflanzen vorhanden, nur wenige, besonders Cruciferen, besitzen ihn nicht. Er stellt theilweise ein Schutzmittel gegen Thierfrafs dar, auch kann er im Stoffwechsel verbraucht werden. Dagegen wird er fast kaum als Respirationsstoff gebraucht. Die Reaction von Loew auf actives Albumin tritt fast immer mit der Gerbstoffreaction auf. Trotzdem sind beide Reactionen scharf aus einander zu halten, wie Verfasser an mehreren Beispielen zeigt.

Ldt.

A. Bartel. Zur Gerbstoffextraction [2]. — Bartel referirt über eine von J. G. Parker und H. R. Prokter mitgetheilte Arbeit: *Effect verschiedener Temperaturen bei der Extraction von Gerbmaterialien.* Durch kaltes Wasser läfst sich aus keinem der untersuchten Materialien der Gerbstoff vollständig ausziehen. Die günstigste Temperatur für die Gewinnung eines Maximums an Gerbstoff ist für verschiedene Temperaturen verschieden, für Eichenrinde etwa 90°.

Ld.

A. und H. Sinan und E. Gouin. Herstellung von Gerbextracten [3]. — Die das Diffusionsfafs in Form von Lohbrühen verlassenden Gerbextracte werden entfärbt und geklärt, indem man sie mit Getreiderückständen oder Rückständen ölhaltiger Früchte (nach der Extraction des Oeles) kocht. Nach dem Filtriren concentrirt man die Brühe in einem Vacuumapparate. Das so erhaltene Product giebt mit Wasser eine klare Lösung und ertheilt dem Leder eine hübsche Färbung.

Sd.

---

[1] Chemikerzeit. 20, 1022. — [2] Chem. Centr. 67, I, 183—184; Deutsche Gerberzeit. 1895, Nr. 144 u. 147. — [3] Chemikerzeit. 20, 769; Engl. Pat. Nr. 7555 vom 13. April 1895.

J. J. Hummel and **Reginald B. Brown.** The Dyeing Properties of Catechin and Catechu-tannic Acid [1]). — Um die Frage zu entscheiden, ob beim Färben mit Catechu das Catechin oder die Catechugerbsäure die Hauptrolle spielt, wurden vergleichende Färbeversuche mit diesen beiden Substanzen, sowie mit Catechusorten des Handels mit und ohne Zusatz von Kupfersulfat unter verschieden abgeänderten Bedingungen ausgeführt. Die so gefärbten Baumwollstoffe wurden analog dem technisch gebräuchlichen Färbeverfahren nachher zum Nachdunkeln mit einer Lösung von Kaliumbichromat gekocht. Das Ergebnifs der Versuche läfst sich in Folgendem zusammenfassen. Beim Färben von Baumwolle mit Catechu tragen sowohl Catechin, wie Catechugerbsäure zur Hervorbringung der Farbe bei, das Färbevermögen der Gerbsäure übertrifft aber dasjenige des Catechins. Wahrscheinlich wird im Farbbade das Catechin durch die Wirkung des Kupfersulfats in Catechugerbsäure verwandelt, und es ist also eine doppelte Oxydation nothwendig, eine, die durch Zufügung einer kleinen Menge Kupfersulfat zum Farbbade vor sich geht, wobei noch keine Ausfällung der färbenden Substanz vor sich geht, und eine zweite, die in einem besonderen Bade durch Kaliumbichromat erfolgt. Das praktische Färbeverfahren, wonach erst unter Zufügung von Kupfersulfat gekocht wird, ist also vollständig gerechtfertigt, denn obwohl das Endproduct der Oxydation die unlösliche braune Substanz ist, die man als Japonsäure bezeichnet, so scheint die Wirkung des Kupfersulfats nicht stark genug, um diesen Stoff schon im Farbbade zu erzeugen. Die vollständige Oxydation zu unlöslicher Japonsäure geht erst in der darauffolgenden Behandlung mit Kaliumbichromat vor sich. — Bei der Vergleichung von Färbeproben mit verschiedenen Catechuarten mit den mit Catechin und der Gerbsäure erzielten ergab es sich, dafs die braunen, glänzenden, in Wasser leichter löslichen sich beim Färben wie Catechugerbsäure verhalten, während die blässeren, mit erdigem Bruch und weniger löslichen im Färbevermögen dem Catechin ähneln oder wahrscheinlich grofsentheils daraus bestehen. Da Catechugerbsäure ein gröfseres Färbevermögen besitzt als Catechin, so ist die erstere Art von Catechu die werthvollere zum Zweck des Baumwollfärbens.   *H. G.*

Johannes Päfsler. Ueber Fortschritte auf dem Gebiete der Gerberei [2]). — Zur Untersuchung der Gerbmaterialien ist in Amerika die Schüttelmethode nach Yok̦ume als allgemeine an-

---

[1]) Chem. Soc. Ind. J. 15, 422. — [2]) Dingl. pol. J. 301, 235—240, 259—264.

genommen worden; doch empfiehlt sich ein längeres zweimaliges Schütteln mit Hautpulver, da sonst die Resultate ungenau sind. Die Zimmertemperatur hat ebenfalls grofsen Einflufs, sie darf 20⁰ nicht übersteigen. Die Menge der löslichen Hautbestandtheile mufs ferner für jeden Fall einzeln bestimmt werden. *Ldt.*

F. H. Hänlein. Ueber die Fortschritte auf dem Gebiete der Gerberei [1]). — Die Steigerung von Druck und Temperatur bei der Extraction der Gerbstoffe erhöht zwar die Extractmenge, jedoch nicht die der Gerbstoffe. Zur Bestimmung freier Schwefelsäure extrahirt man das gepulverte Leder mit absolutem Alkohol, dem etwas Aetzkali zugesetzt ist, und bestimmt dann die Schwefelsäure im Extract mit Baryt. Nach Untersuchungen von Eitner hat der elektrische Strom keinen fördernden Einflufs auf den Gerbeprocefs. Die Chromgerbung geschieht aufser nach dem Schulz'schen Zweibadverfahren vortheilhaft auch nach dem Einbadverfahren von Dennis. Das Bad besteht aus einer Chromchloridlösung, der man bis zum beginnenden bleibenden Niederschlag Soda zusetzt. Der chemische Vorgang ist wahrscheinlich: $Cr_2Cl_6 + Na_2CO_3 + H_2O = Cr_2(OH)_2Cl_4 + 2\,NCl + CO_2$. Das Bad ist anfangs 2procentig und wird bis auf 6 Proc. verstärkt. Amend [2]) bringt die Häute in freie Chromsäurelösung, die dann durch aromatische Aminsalze reducirt wird. *Ldt.*

Fuchs und Schiff. Zur Fabrikation der Tanninextracte [3]). — Das zur Entfärbung und Klärung des Tanninextracts zugesetzte Albuminat bewirkt nicht nur einen Niederschlag der Farbstoffe, sondern entzieht auch eine beträchtliche Menge Tannin als unlösliches Albumintannat. Die Verluste betragen etwa 9 Proc. Gerbstoff. *Ldt.*

J. S. Adriance. Amer. Pat. Nr. 571635. Entfärben von Tanninextracten [4]). — Die Entfärbung wird durch Zusatz von einer Lösung von basischem Bleiacetat bewirkt, das den Farbstoff niederschlägt. *Ldt.*

Gawalowski. Wodurch ist die Erkennung und Unterscheidung der einzelnen Gerbsäurearten, sowie deren chemischer Nachweis ermöglicht [5])? — Aus den charakteristisch gefärbten und constant zusammengesetzten Fällungen (Cupritannaten), welche entstehen, wenn eine Gerbstofflösung von bekannter Abstammung mit neutralem Cupriacetat gefällt wird, sollen sich Schlüsse auf

[1]) Chemikerzeit. 20, 778—791. — [2]) Amer. Pat. Nr. 542971. — [3]) Chemikerzeit. 20, 927—928. — [4]) Daselbst, S. 989. — [5]) Deutsche Chemikerzeit. 1896, 4. Ref., Original (vorlieg. Studie) im Gerber-Courier.

die Natur der einzelnen Gerbsäurearten ziehen lassen. Es werden die Farben dieser aus 13 verschiedenen gerbstoffhaltigen Materialien erhaltenen Niederschläge, sowie deren annähernde Zusammensetzung angegeben. *Ldt.*

Hugo Schiff. Weiteres zur Constitution der Gerbsäure [1]). Vgl. S. 166. *Mr.*

E. Merck. Ueber die Condensation der Gerbstoffe mit Formaldehyd [2]). — Die aus den *Gerbstoffen* bei Gegenwart von Salzsäure durch Formaldehyd entstehenden Condensationsproducte werden *Tannoforme* genannt. Tannoform aus Tannin ist ein weifsröthliches, in Alkohol, sowie in Ammoniak, Sodalösung und Alkalilaugen lösliches Pulver, es löst sich in erwärmter concentrirter Schwefelsäure mit brauner Farbe, die bei weiterem Erhitzen in Grün, dann in Blau übergeht. Bildungsgleichung: $2\,C_{14}H_{10}O_9 + HCOH = CH_2(C_{14}H_9O_9)_2 + H_2O$. Es wurden noch dargestellt und untersucht: *Eichentannoform, Quebrachotannoform, Ratanhiatannoform, Myrobalanentannoform*. Das Tannoform wird als Arzneimittel äufserlich angewendet, es weicht in seiner Wirkung vom Tannin ab. *Ld.*

O. Hesse. Notiz über die Wurzel von Rumex nepalensis [3]). — Im Gegensatz zu Hooper hat Verfasser im Rhabarber keine Chrysophansäure gefunden, sondern eine isomere Säure, $C_{15}H_{10}O_4$, in goldgelben Blättchen vom Schmelzp. 186 bis 188⁰, eine Verbindung $C_{16}H_{12}O_4$, orangerothe Nadeln, Schmelzp. 136⁰, und $C_{18}H_{16}O_4$ grünlichgelbe Prismen, die bei 158⁰ schmelzen. Nur die erste Säure ist in Natriumcarbonat löslich, die beiden anderen lösen sich purpurroth in Kalilauge. Die Untersuchung wird fortgesetzt. *Mr.*

— ———

Alkaloide.

Charles Platt. *Trennung von Alkaloidextracten* [4]). — Bei dem Ausschütteln von Alkaloiden nach dem Verfahren von Dragendorff mit Petroläther oder Benzin beobachtet man sehr häufig Emulsionen, die durch einen vom Verfasser vorgeschlagenen Apparat beseitigt werden sollen. Der Apparat ist eine Saugflasche mit einem Filterrohr von 12,5 cm Länge und 14 mm Weite, dessen unterer engerer Theil einen Platindraht enthält, der bis

- - -- --- ———

[1]) Chemikerzeit. 20, 865—866. — [2]) Chem. Centr. 67, I, 560; Bericht über 1895, 14—19, von E. Merck, Darmstadt. — [3]) Ber. 29, 325. — [4]) Amer. Chem. Soc. J. 18, 1104; Ref.: Chem. Centr. 68, I, 311.

auf den Boden der Saugflasche reicht. In das Filterrohr ist ungefähr eine 4 cm hohe Schicht ausgewaschener Baumwolle eingedrückt. Der Apparat wird mit der Saugpumpe verbunden. Selbst die hartnäckigsten Emulsionen soll man auf diese Weise leicht trennen können. *Tr.*

N. Orlow. Ueber die Alaune stickstoffhaltiger Basen [1]). — Von den Alkaloiden, welche untersucht wurden, geben Alaune: Piperidin, Coniin, Ecgonin, Cocain, Atropin, Chinin, Sparteïn, dagegen geben keine Alaune: Pyridin, Pilocarpin, Berberin, Morphin, Codeïn, Chelerythrin. Es scheint daher die Schlußfolgerung gerechtfertigt, daß sich die für die aromatischen Amine bekannte Regel auch auf die Pyridinderivate erstreckt, nämlich, daß diejenigen Amine, in denen Stickstoff mit dem Kohlenstoff des aromatischen Kerns verbunden ist, keine Alaune geben, während die nicht aromatischen Amine, sowie jene aromatischen Amine, in denen der Stickstoff mit dem Kohlenstoff der Seitenketten verbunden ist, zur Alaunbildung befähigt sind. Die Regel ist aber so zu formuliren, daß die Hydropyridinderivate Alaune geben, die Pyridinderivate aber und die Derivate der höheren Homologen des Pyridins nicht. Reine Amide gaben keine Alaune, dagegen gab das Asparagin leicht einen Alaun, ebenso das Allylcyanamid. *Ld.*

Ed. Schär. Neuere Beobachtungen über Alkalinität von Pflanzenbasen [2]). — Es wurde das Verhalten zu Cochenilletinctur, Hämatoxylinlösung, zu Lösung des Perezons (Pipitrahoins) und zu durch Säuren entfärbter Cyaninlösung von folgenden Alkaloiden untersucht: *Atropin, Hyoscyamin, Homatropin, Berberin, Hydrastin, Brucin, Strychnin, Chinin, Cinchonin, Morphin, Codeïn, Thebaïn, Papaverin, Narcotin, Narceïn, Veratrin, Ceradin, Aconitin, Pseudoaconitin, Japaconitin, Cocaïn, Cinnamylcocaïn, Emetin* und *Coffeïn.* *Ld.*

Neue Drogen [3]). — In einem Berichte in der Chemikerzeitung wurden folgende neue ostindische Drogen beschrieben: *Berberis Asiatica Aristata Bark* (wahrscheinlich keiner Berberisart entstammend), *Datura alba Nees* (Samen, Blätter und Wurzeln einer einjährigen Solanee), *Hydnoscarpus sp.* (Kowti seeds, wahrscheinlich Samen von Hydnocarpus Wightiana Bl.), *Moringa pterygosperma Gärtn.* (Syn. M. oleifera Lam., die Samen liefern

[1]) Russ. Zeitschr. Pharm. 35, 465—468, 481—484, 497—498. — [2]) Chem. Centr. 67, I, 603—604; Zeitschr. österr. Apoth.-Ver. 34, 66—72, 105—113. — [3]) Chemikerzeit. 20, 480—481 und 518.

das Ben-Oel), *Plumbago zeilanica L.* (Wurzel und Basis der Stengel)
und *Psidium Guayava Raddi* (Psidium pomiferum Bark). *Sd.*

Wyndham R. Dunstan, Thomas Tickle und D. H. Jackson.
The action of methyl alcohol on aconitine. Formation of methyl
benzaconine [1]. — Wird Aconitin oder eines seiner Salze mit
Methylalkohol im Einschmelzrohr auf 120 bis 130° erhitzt, so
entsteht unter Abspaltung von 1 Mol. Essigsäure und Aufnahme
einer Methylgruppe *Methylbenzaconin*, entsprechend der Gleichung:
$C_{33}H_{45}NO_{12} + CH_3OH = C_{32}H_{45}NO_{11} + CH_3COOH$. Methylbenzaconin ist eine gut krystallisirende Base vom Schmelzp. 210
bis 211°, löslich in Alkohol, Aether und Benzol; sie krystallisirt
am besten bei Zusatz von Petroläther zur ätherischen Lösung.
Die Base bildet krystallinische Salze, von denen das Hydrochlorid
und das Hydrobromid untersucht wurden. Methylbenzaconin ist
ein weniger starkes Gift als Aconitin. Bei der Verseifung liefert
es unter Benzoësäureabspaltung anscheinend Methylaconin. *Rh.*

Martin Freund und Robert Niederhofheim. Beitrag zur
Kenntnifs des Pseudaconitins [2]. — Das Pseudoaconitin wird analog
dem Aconitin [3] beim Kochen mit Wasser gespalten in Essigsäure
und Pikropseudaconitin gemäfs der Gleichung: $C_{36}H_{49}NO_{12} + H_2O$
$= CH_3 . CO_2H + C_{34}H_{47}NO_{11}$. Durch Kochen mit alkoholischer
Kalilauge läfst sich das Pikropseudaconitin spalten in Veratrumsäure und ψ-Aconin nach der Gleichung: $C_{34}H_{47}NO_{11} + H_2O$
$= (CH_3O)_2C_6H_3 . CO_2H + C_{25}H_{39}NO_8$. Die Formel des ψ-Aconins
unterscheidet sich nur von der des Aconins nur um die Elemente von
1 Mol. Wasser; beide Verbindungen enthalten vier an Sauerstoff
gebundene Methylgruppen. Während das Aconitin als Acetyl-
benzoylaconin zu betrachten ist, dürfte das Merck'sche Pseudoaconitin wahrscheinlich als Acetylveratroylanhydroaconin anzusprechen sein. Der Schmelzpunkt des Pseudoaconitins ist 212°,
der des Pikropseudaconitins 210°. *Ld.*

H. V. Rosendahl. Lappaconitin, Septentrionalin und Cynoctonin [4]. — Dem Aconitum septentrionale *Koelle* sind drei
Alkaloide eigenthümlich. *Lappaconitin*, $C_{34}H_{18}N_2O_8$, bildet grofse,
farblose, hexagonale Krystalle von bitterem, nicht scharfem Geschmack und dem Schmelzp. 205,1°. Es löst sich in 330 Thln.
Aether mit stark rothvioletter Fluorescenz, ist rechtsdrehend und
bildet krystallinische Salze. Brom erzeugt das *Tribromlappaconitin*,

---

[1] Chem. News 74, 120—121. — [2] Ber. 29, 852—858. — [3] Ber. 27,
433 und 720. — [4] Ref.: Chem. Centr. 67, II, 1109; Pharm. Centr.-H.
37, 375.

Vauadinschwefelsäure eine gelbrothe, dann grüne Farbe. Als Zersetzungsproducte treten auf: Ein in Aether leicht lösliches, krystallinisches Alkaloid vom Schmelzp. 98°, ein in Aether wenig lösliches Alkaloid vom Schmelzp. 106° und eine stickstofffreie, bei 114° schmelzende, in feinen Nadeln krystallisirende Säure, die mit Eisenchlorid eine blauviolette Färbung giebt. Lappaconitin bewirkt heftige klonische Krämpfe, motorische Lähmung, Abnahme der Empfindlichkeit, Erweiterung der Pupillen und schliefslich den Tod. *Cynoctonin*, $C_{36}H_{53}N_2O_{13}$, ist amorph und schmeckt schwach bitter. Es löst sich in 1373 Thln. Aether ohne Fluorescenz, ist rechtsdrehend und bildet amorphe Salze. Mit Brom entsteht ein Tribromderivat, mit concentrirter Schwefelsäure eine rothbraune, mit rauchender Salpetersäure und alkoholischer Kalilauge eine blutrothe Farbe. Cynoctonin bewirkt tonischklonischen Krampf, gewöhnlich ohne nachfolgende Lähmung. *Septentrionalin*, $C_{31}H_{48}N_2O_4$, ist ebenfalls amorph, besitzt bitteren Geschmack, schmilzt bei 128,9°, löst sich in Aether ohne Fluorescenz, ist rechtsdrehend und bildet amorphe Salze. Mit Brom entsteht ebenfalls ein Tribromderivat; mit Furfurolschwefelsäure bildet es eine kirschrothe Farbe. Bei der Zersetzung entsteht ein in Aether leicht lösliches amorphes Alkaloid vom Schmelzp. 105°, und eine stickstofffreie, in feinen Nädelchen krystallisirende Säure, die bei 140° schmilzt und mit Eisenchlorid eine blauviolette Färbung erzeugt. Septentrionalin lähmt direct, bewirkt Empfindungslosigkeit und schliefslich den Tod; durch künstliche Athmung kann letzterer verhindert werden. *Sd.*

A. **Heffter.** Cacteenalkaloide[1]). — Das schon früher[2]) vom Verfasser aufgefundene Alkaloid Cactee Anhalonium W. der Formel $C_{13}H_{21}NO_3$ wird von ihm *Pellotin* genannt und giebt eine schwer lösliche $HgCl_2$-Verbindung, die gut krystallisirt, citronengelbe Tafeln des Chloroplatinats und Nädelchen eines Aurats. Pellotin enthält zwei Methoxylgruppen, giebt ein Benzoylderivat; das Methyljodmethylat schmilzt, aus Wasser krystallisirt, bei 225°. Die daraus mit Silberoxyd gefällte Ammoniumbase reagirt stark alkalisch, ihre zu Drusen gruppirten tafeligen Krystalle schmelzen bei 185°. Starke Salzsäure im Rohr bei 120° spaltet die beiden Methoxylgruppen ab und liefert eine neue Base, die stark reducirt, unbeständig gegen Alkali ist und in einem Falle wieder in einen Monomethyläther übergeführt werden konnte. Die Destillation mit Natronkalk giebt Trimethylamin, Oxydation mit Per-

---

[1]) Ber. **29**, 216—227. — [2]) Ber. **27**, 2975.

manganat Oxalsäure. Verfasser beschreibt ferner eine Reihe von Alkaloiden der Anhalonium Lewinii H.: *Mezcalin*, *Anhalonidin*, *Anhalonin*, *Lophophorin* und giebt deren Reactionen an.   *Mr.*

Heffter. Beiträge zur chemischen Kenntnifs der Cacteen [1]). — Die von Merck als Anhalonium Visnagra in den Handel gebrachte Cactee (wahrscheinlich Mammillaria cirrhifera) enthält ein bei Fröschen andauernde Krämpfe erzeugendes krystallinisches Alkaloid. In Phyllocereus Ackermannii, Epiphyllum Russelianum, Astrophytum myriostigma liefsen sich auch minimale Spuren von Alkaloiden nachweisen. Echinocereus mammillosus enthielt ein nicht krystallinisches, auf Frösche lähmend wirkendes Alkaloid, Mammillaria centricirrha, ein Alkaloid ohne physiologische Wirkung, Cereus peruvianus gab ein krystallinisches, hygroskopisches Sulfat einer bei Fröschen Krämpfe erzeugenden Base, Cereus grandiflorus enthält wahrscheinlich ein glykosidisches Herzgift neben Spuren eines Alkaloids. Jedenfalls sind die Cacteen den alkaloidhaltigen Pflanzenfamilien zuzurechnen.   *Sd.*

A. Partheil und **L. Spafski.** Ueber die Alkaloide von Anagyris foetida L. [2]). — Das im Handel vorkommende, aus den Samen von *Anagyris foetida* gewonnene bromwasserstoffsaure *Anagyrin* ist kein einheitlicher Körper. In den genannten Samen wurde *Cytisin* und *Anagyrin* aufgefunden. Das Anagyrin ist eine amorphe harzartige Substanz, welche links dreht und mit Eisenchlorid und Wasserstoffhyperoxyd die v. d. Mör'sche Reaction giebt.   *Ld.*

A. Kossel. Ueber die basischen Stoffe des Zellkerns [3]). — Die in den thierischen Zellkernen mit den Nucleïnstoffen verbundenen basischen Stoffe, wie Histon, Protamin sind weit verbreitet und wichtig. Aus dem Lachssperma wurde nach einem besonderen Verfahren das Sulfat des Protamins dargestellt, es ist nach der Formel $C_{16}H_{31}N_9O_{31}, H_2SO_4$ zusammengesetzt. Aus den Testikeln des Störs wurde ein dem Protamin aus Lachssperma ähnlicher Körper erhalten, für den der Name *Sturin* vorgeschlagen wird. Dieses giebt ein nach der Formel $C_{12}H_{24}N_6O_1, H_2SO_4$ zusammengesetztes Sulfat, das im Wasser leicht löslich ist und die Biuretreaction zeigt. Wird das Sturin mit Schwefelsäure gekocht, so tritt Spaltung ein, es entstehen mehrere Basen, von denen bisher zwei rein dargestellt wurden, die eine ist das *Arginin* [4]), die andere, nach der Formel $C_{12}H_{20}N_6O_4$ zusammengesetzt, wird

---

[1]) Ref.: Chem. Centr. 67, II, 1120; Apoth.-Zeitg. 11, 746. — [2]) Chem. Centr. 67, I, 375. — [3]) Berl. Akad. Ber. 1896, Nr. 18, S. 403—408; Zeitschr. physiol. Chem. 22, 176—187. — [4]) Vgl. JB. f. 1892, S. 2134, 2826.

Histidin genannt. Monoamidosäuren entstehen bei dieser Spaltung entweder gar nicht oder nur in sehr geringer Menge. Das Sturin ist in mancher Hinsicht dem Eiweiſs oder Pepton ähnlich, doch fehlen ihm gewisse für die Eiweiſskörper charakteristische Spaltungsproducte, nämlich die Amidosäuren. Wahrscheinlich liegt in den Protaminen der Theil des Eiweiſsmoleküls isolirt vor, aus dem die basischen Spaltungsproducte hervorgehen. Die Entstehung des Histons wird durch folgendes Experiment beleuchtet: Wird eine ammoniakalische Protaminlösung einer Eiweiſslösung zugesetzt, so entsteht ein Niederschlag, der vom Histon nicht zu unterscheiden ist. Es entsteht somit das Histon bei alkalischer Reaction aus Protamin und Eiweiſs, wie das Nucleïn bei saurer Reaction aus Nucleïnsäure und Eiweiſs hervorgeht. Indem sich Protamin an Eiweiſs anlagert, entsteht ein neues Proteïd, das bei der Spaltung mehr Arginin liefern muſs, als der ursprüngliche Eiweiſskörper, dadurch wird es erklärlich, daſs die ursprünglichen aus Thieren und Pflanzen isolirten Eiweiſskörper bei der Spaltung bald mehr, bald weniger Arginin liefern. *Ld.*

F. Miescher. Physiologisch-chemische Untersuchungen über die Lachsmilch [1]. — F. Miescher hat sich mit den *physiologisch-chemischen Untersuchungen der Lachsmilch* eingehend beschäftigt und vor Allem die *elementare Zusammensetzung des Protamins* genauer studirt. Die Analysen neuer Präparate des Protaminplatinchlorids ergaben die Zusammensetzung $C_{16}H_{30}N_9O_3 \cdot 2HCl \cdot PtCl_4 + \frac{1}{2}H_2O$. Bei 130° im Vacuum verlor dieses Salz das Wasser und besaſs dann die Zusammensetzung $C_{16}H_{28}N_9O_2 \cdot 2HCl \cdot PtCl_4$. Daraus läſst sich für *Protamin* die Formel $-C_{16}H_{28}N_9O_2$ ableiten. Protamin giebt die Biuretreaction. Durch Erhitzen des Protamins mit 15 proc. Salzsäure auf 125 bis 170° wurde u. a. ein Basengemisch abgespalten, aus dem sich ein Platinsalz von der Formel $C_6H_{14}N_4O_2 \cdot 2HCl \cdot PtCl_4$, ein *Argininsalz*, darstellen lieſs. Zur Darstellung der *Nucleïnsäure* wurden möglichst ausgereifte Lachshoden zerrieben, mit Wasser abgeschlämmt, die colirte Emulsion mit einigen Tropfen Essigsäure gefällt, der Niederschlag filtrirt. Die weiſse Masse wurde nach mehrmaliger Extraction mit starkem Alkohol bei 60° abgesaugt, mit Alkohol, Aether und wieder Alkohol gewaschen. 60 bis 70 g dieser alkoholfeuchten Masse wurden mit 700 ccm 0,5 proc. auf 0° abgekühlter Salzsäure mehrere

---

[1] Chem. Centr. 67, II, 101—102; Arch. exp. Pathol. u. Pharmak. 37, 100. Nach den hinterlassenen Aufzeichnungen und Versuchsprotokollen des Autors bearbeitet und herausgegeben von O. Schmiedeberg.

Male verrieben und abgesaugt. Aus den ersten Auszügen ist das
Protamin durch Platinchlorid fällbar. Die mit Salzsäure behandelte
Masse wurde in kleinen Portionen mit 0,25 bis 0,50 proc. Salzsäure verrieben, mit verdünnter Natronlauge schwach übersättigt
und filtrirt. Filtrate wurden nach der Neutralisation mit Alkohol
gefällt. Die so dargestellte *Salmonucleïnsäure* ist nicht rein,
sondern etwas durch Protamin verunreinigt. Für diese Nucleïnsäure giebt Miescher die Formel $C_{40}H_{54}N_{14}O_{17} . 2 P_2 O_5$. Die
Analysen eines von Altmann aus Hefe dargestellten nucleïn-
sauren Ammons ergaben die Formel $C_{40}H_{59}N_{16}O_{22} . 2 P_2 O_5$. Durch
Spaltung mit 7 proc. Salzsäure bei 120° wurde eine durch Phosphorwolframsäure nicht fällbare Substanz von der Zusammensetzung
$C_5H_8N_2O_2$, das *Nucleosin*, erhalten. Miescher hat auch eingehende
quantitative *Analysen der Lachsmilch* ausgeführt. Durch Vermischen ganz frischen Spermas mit Natriumsulfatlösung von
1,02 spec. Gew., Centrifugiren und Auswaschen mit Wasser erhält
man die Köpfe der Samenzellen als schweres, weifses Pulver. Die
Köpfe bestehen fettfrei zu 96 Proc. aus nucleïnsaurem Protamin.
Durch Ausziehen mit 0,5 proc. Salzsäure läfst sich der bei Weitem
gröfste Theil derselben lösen. Lecithin enthalten die Köpfe nicht.
Die Zwischenzellenflüssigkeit ist völlig klar, reagirt stark alkalisch,
enthält Spuren von Eiweifs, kein Pepton, keine Basen und Nucleïn-
säuren. 100 Thle. Asche bestanden aus 51,0 Proc. NaCl; 8,2 Proc.
KCl; 14,0 Proc. K_2SO_4; 26,8 Proc. Na_2CO_3. Die Zwischenzellen-
flüssigkeit hinterläfst 0,78 Proc. Trockenrückstand bei 100°, wovon
0,13 Proc. organische, 0,65 Proc. anorganische Stoffe sind. Die
Spermatozoenschwänze bestehen aus 41,90 Proc. Eiweifs, 31,83 Proc.
Lecithin, 26,27 Proc. Fetten und Cholesterin und stehen in ihrer
Zusammensetzung der grauen Substanz des Nervensystems sehr
nahe. Die Untersuchung des unreifen Spermas zeigte, dafs die
Kerne Nucleïnsäure und eine Albuminose, die als Vorstufe des
Protamins angesehen wird, enthalten. Der Kern ist die Bildungs-
stätte der Spermatozoenköpfe, aus Eiweifs entsteht mit Hülfe des
Lecithins Nucleïnsäure und Protamin.   *Wr.*

     Atanasio Quiroga. Argin, Arginin [1]). — In der Zone,
welche Paraguay und der Argentinischen Republik entspricht,
wachsen Bäume aus der Familie der Laurineen, welche die Ein-
geborenen *viraró-mi* nennen. Einen derselben nennt Quiroga
Argine; die verschiedenen Theile dieses Baumes enthalten ein
krystallisirendes Alkaloid *Arginin*, von dem das Verhalten gegen

----

[1]) Bull. soc. chim. [3] 15, 787—791.

zahlreiche Lösungsmittel und Reagentien untersucht wurde; dagegen ist die chemische Zusammensetzung nicht ermittelt worden. *Ld.*

E. Schulze. Ueber das Vorkommen von Arginin in den Knollen und Wurzeln einiger Pflanzen [1]). — Arginin findet sich in den Knollen von Brassica rapa var. rapifera und von Helianthus tuberosus, sowie in den Wurzeln von Ptelea trifoliata (Familie der Rutaceen). Zur Isolirung des Arginins dient seine Fällbarkeit durch Phosphorwolframsäure resp. durch Mercurinitrat, dessen Lösung in der Weise bereitet wurde, dafs käufliches krystallisirtes Mercurinitrat mit kaltem Wasser übergossen und von dem ungelöst bleibenden basischen Salze abfiltrirt wurde. Diese Lösung fällt Arginin aus Pflanzensäften, sowie in einer wässerigen Lösung von salpetersaurem, aber nicht salzsaurem Arginin. Identificirt wurde das Arginin durch das Argininkupfernitrat $(C_6 H_{14} N_4 O_2)_2 Cu(N O_3)_2 + 3 H_2 O$ und sein Pikrat. Aus 4 kg Steckrüben = ca. 500 g Trockensubstanz erhielt Verfasser nur 0,9 g Arginin. — Anscheinend findet sich Arginin auch in den Wurzeln von Cichorium Intybus. — Nach Versuchen von Schmiedeberg ist Arginin physiologisch unwirksam.   *Rh.*

Hooper Albert Dickinson Jowett. Contributions to our knowledge of the Aconite Alkaloïds. Part XIII: On Atisine, the Alkaloïd of Aconitum heterophyllum [2]). — Aus den Wurzeln von *Aconitum heterophyllum* wurde das Alkaloid *Atisin* [3]) dargestellt und untersucht. Das freie Alkaloid ist amorph, linksdrehend, nach der Formel $C_{22} H_{31} N O_2$ zusammengesetzt; es wurden auch mehrere Salze und Doppelsalze des Alkaloides untersucht, die Salze sind rechtsdrehend. Wird Atesin mit Alkalien oder Säuren behandelt, so entsteht eine neue Base von der Zusammensetzung $C_{22} H_{31} N O_2, H_2 O$.   *Ld.*

H. A. D. Jowett. Ueber Atisin, das Alkaloid von Aconitum heterophyllum [4]). — Das von Broughton in der Wurzel des ungiftigen Aconitum heterophyllum aufgefundene und mit der Formel $C_{46} H_{74} N_2 O_5$ belegte Alkaloid *Atisin* wurde aus der gepulverten Wurzel mit einer Mischung von Methyl- und Amylalkohol ausgezogen und als Chlorid oder Jodid abgeschieden. Die Analysen führten zur Formel $C_{22} H_{31} N O_2$. Das freie Atisin ist ein farbloser Firnifs, löslich in Alkohol, Aether, Chloroform, wenig in Wasser, unlöslich in Petroläther. Die alkoholische Lösung ist linksdrehend, $[\alpha]_D = -19,6^0$. Die Salze sind krystallisirbar. Das

---

[1]) Ber. 29, 352—355. — [2]) Chem. Soc. J. 69, 1518—1526. — [3]) Vgl. JB. f. 1879, S. 927. — [4]) Chem. News 74, 120.

Chlorid, $C_{22}H_{31}NO_2$. HCl, krystallisirt aus Wasser oder aus Aether-alkohol in gut ausgebildeten Prismen, schmilzt bei 296° (corr.) und ist leicht löslich in Wasser oder Alkohol, unlöslich in Aether. Die wässerige Lösung ist rechtsdrehend, $[\alpha]_D = +18,46°$. Das *Bromid*, $C_{22}H_{31}NO_2$. HBr, wird ebenso in einzelnen oder zu Rosetten vereinigten Nadeln erhalten. Schmelzp. 273° (corr.), Löslichkeit wie beim vorigen. $[\alpha]_D = +24,3°$. Das *Jodid*, $C_{22}H_{31}NO_2$. HJ, scheint nicht direct aus den Componenten zu entstehen, sondern wird erhalten durch Zersetzung des mit Kalium-quecksilberjodid gefällten Niederschlags mit Schwefelkohlenstoff. Es krystallisirt aus heifsem Wasser oder Alkohol in Tafeln vom Schmelzp. 279 bis 280° (corr.), löslich in heifsem Wasser oder Alkohol, wenig in kaltem Wasser. Die wässerige Lösung zeigt Rechtsdrehung, $[\alpha]_D = +27,4°$. Das *Nitrat* (Schmelzp. 252° corr.) und *Chloroplatinat* (Schmelzp. 229° corr.) krystallisiren gut, das *Chloroaurat* ist amorph. Durch Erhitzen des Atisins mit Jod-wasserstoff wird kein Jodmethyl gebildet. Durch Einwirkung von Säuren oder Alkalien in wässeriger oder alkoholischer Lösung wird es nicht gespalten, aber in eine neue unkrystallisirbare Base, das *Atisinmonohydrat*, $C_{22}H_{31}NO_2$. H_2O, übergeführt. Die physiologische Wirkung des Atisins ähnelt der des Aconins, es ist nicht giftig.   *S.*

Giacomo Ciamician und **P. Silber.** Ueber die Alkaloide der Granatwurzelrinde[1]). V. Mittheilung[2]). — Die Granatwurzel-alkaloide sind als Kernhomologe der Tropinbasen aufzufassen. Es wird eine Aenderung der bisherigen Nomenclatur vorgeschlagen und empfohlen, zum Ausgangspunkte die gesättigte sauerstofffreie Base zu wählen und dieselbe Granatanin zu nennen. In der Tropinreihe wäre dann für das Norhydrotropidin die Bezeichnung Tropanin einzuführen. Die Abkömmlinge beider Grundverbindungen würden folgende Namen erhalten:

Granatanin, $C_9H_{14}NH$	Tropanin, $C_7H_{12}NH$
Granatenin, $C_9H_{12}NH$	Tropenin, $C_7H_{10}NH$?
Granatonin, $C_9H_{12}ONH$?	Troponin, $C_7H_{10}ONH$?
Granatolin, $C_9H_{13}(OH)NH$	Tropolin, $C_7H_{11}(OH)NH$
n-Methylgranatanin, $C_9H_{14}NCH_3$	n-Methyltropanin, $C_7H_{12}NCH_3$
n-Methylgranatenin, $C_9H_{12}NCH_3$	n-Methyltropenin, $C_7H_{10}NCH_3$
n-Methylgranatonin, $C_9H_{12}ONCH_3$	n-Methyltroponin, $C_7H_{10}ONCH_3$
n-Methylgranatolin, $C_9H_{13}(OH)NCH_3$	n-Methyltropolin, $C_7H_{11}(OH)NCH_3$.

[1]) Ber. 29, 481—489; Accad. dei Lincei Rend. [5] 5, 101—108. —
[2]) Vgl. Ber. 27, 2850.

Die Ecgoninalkaloide wären entsprechend zu bezeichnen. Granatanin wird in alkalischer Lösung von Kaliumpermanganat zu Oxygranatanin, $C_8H_{15}NO$, oxydirt; von diesem wurde das Chloroplatinat und das Benzoylderivat dargestellt. Das Granatal[1] lieferte bei der Oxydation mit Kaliumpermanganat normale Adipinsäure, auch das Tropilen liefert dieses Oxydationsproduct. Zwischen Tropilen und Granatal bestehen demnach enge Beziehungen; das Granatal dürfte als Tetrahydroacetophenon aufzufassen sein. Durch Oxydation des Methylgranatolins wird eine Säure erhalten, welche Granatsäure genannt wird und nach der Formel $C_9H_{15}NO_4$ zusammengesetzt ist; sie ist der Tropinsäure sehr ähnlich. Das Granatanin dürfte unter den sechsgliedrigen Doppelringen eine wichtige Lücke ausfüllen und zwischen dem Tropanin und Dekahydrochinolin seinen Platz finden. (Vgl. diesen JB., S. 226.) *Ld.*

R. Willstätter. Verfahren zur Darstellung eines Ketons aus Tropin oder Pseudotropin[2]. — Zur Herstellung des Ketons werden Tropin oder Pseudotropin mit der berechneten Menge Chromsäure oxydirt. Das neue *Keton*, $C_8H_{13}NO$, besitzt die Eigenschaften einer Base und eines Ketons, schmilzt bei 41 bis 42° und siedet bei 224 bis 225° (corr.). *Sd.*

J. Gadamer. Zur Kenntnifs des Atropins bezüglich seines Drehungsvermögens als freie Base und in Form seiner Salze[3]. — Um die widersprechenden Angaben über das Drehungsvermögen des Atropins zu controliren, wurde ganz reines Atropin dargestellt und untersucht; dasselbe erwies sich optisch inactiv, ebenso auch das Atropinsulfat. Reines Hyoscyaminsulfat zeigte ein Drehungsvermögen von $[\alpha]_D = -26°48'$ bis 27° 18'. Die von Hesse empfohlene Trennung von Atropin und Hyoscyamin mittelst Oxalsäure ist unvollkommen. Das reine oxalsaure Atropin ist optisch inactiv, das Drehungsvermögen des oxalsauren Hyoscyamins ist $[\alpha]_D = -24°4'$. Bei der Untersuchung eines Gemenges von Basen aus *Duboisia myoporoides* wurde das Goldsalz eines anscheinend neuen Alkaloides erhalten. (Vgl. diesen JB., S. 212.) *Ld.*

C. Ciamician und P. Silber. Ueber das n-Methyltroponin[4]. — Verfasser stellten unter Anwendung der Beckmann'schen Mischung[5] aus dem Methylgranatolin das zugehörige Keton, das Methylgranatonin dar. Auf demselben Wege gelangten sie vom

---

[1] Ber. 26, 2746. — [2] Ber. 29, Ref. 1194; D. R.-P. Nr. 89597. — [3] Arch. Pharm. 234, 543—551. — [4] Ber. 29, 490—493. — [5] Ann. Chem. 250, 325.

Methyltropolin (Tropin) fast quantitativ zum *Troponin*, wenn sie 8 g Tropinsulfat mit 80 g der Oxydationsflüssigkeit sieben Stunden lang bei 50 bis 55° digerirten, alkalisirten, dann ausätherten und den Aetherrückstand aus Petroläther umkrystallisirten. Man erhält so bei 42° schmelzende, sehr zerfließliche und flüchtige Nadeln des Ketons, leicht löslich in den gewöhnlichen Lösungsmitteln. Das bei 163° unter Zersetzung schmelzende *Aurat* bildet ein canariengelbes Krystallpulver, das durch siedendes Wasser reducirt wird. Alkalische Hydroxylaminlösung giebt ein *Oxim*, farblose Prismen, Schmelzp. 115 bis 116°. Der Reactionsverlauf bei der Bildung der Ketonbase ist:

$$C_3H_9N(CH_3)\big\langle \begin{matrix} CHOH(5) \\ . \\ CH_2(6) \end{matrix} \quad \longrightarrow \quad C_5H_9N(CH_3)\big\langle \begin{matrix} CO(5) \\ . \\ CH_2(6) \end{matrix}$$

n-Methyltropolin = Tropin   n-Methyltroponin'

Analog der Spaltung des Methylgranatoninjodmethylats durch Alkalien in Dimethylamin und Dihydroacetophenon wurde aus dem Jodmethylat des neuen Ketons am besten mit Natriumbicarbonat *Dihydrobenzaldehyd* in schlechter Ausbeute erhalten, wahrscheinlich identisch mit dem von **Einhorn** und **Eichengrün**[1]) bei ähnlicher Reaction erhaltenen Product. Das ebenfalls erhaltene Dimethylamin konnte durch das Chloroplatinat isolirt werden. Reactionsverlauf:

$$C_7H_{10}ON(CH_3)_2J + NaOH = C_7H_7N(CH_3)_2 + NaJ + 2H_2O$$
$$C_7H_7N(CH_3)_2 + H_2O = C_7H_8O + NH(CH_3)_2.$$

(Vgl. diesen JB., S. 223.)   *Mr.*

R. **Willstätter**. Verfahren zur Darstellung von Pseudotropin aus Tropin[2]). — Das *Pseudotropin*, welches von **Liebermann**[3]) als Spaltungsproduct des unter den Nebenalkaloiden des Cocaïns vorkommenden Tropacocaïns erkannt wurde, liefert bei der gemäßigten Oxydation mit Chromsäure dasselbe Keton $C_8H_{13}NO$, wie das Tropin. Tropin und Pseudotropin sind demnach nicht stellungsisomere, sondern geometrisch isomere Körper (Cis-trans-Isomerie). Das Tropin läßt sich nun durch Behandeln mit Alkalien bei höherer Temperatur, am besten mit einer concentrirten amylalkoholischen Lösung von Natriumamylat, in Pseudotropin umwandeln. Das Pseudotropin soll in Form seiner Tropeïne (Benzoylpseudotropeïne) in der Pharmacie verwendet werden. *Sd.*

Richard Willstätter. Ueber ψ-Tropin[4]). — Das durch vorsichtige Oxydation des *Tropins* gewonnene *Tropinon* wurde der

---

[1]) Ber. 23, 2880. — [2]) Ber. 29, Ref. 889; D. R.-P. Nr. 88270. — [3]) Ber. 24, 2336; 25, 927. — [4]) Ber. 29, 936—947.

Reduction mit Natrium in feuchter ätherischer, sowie in alkoholischer Lösung, ferner mit Natriumamalgam in schwach salzsaurer Lösung unterzogen; als Reductionsproduct resultirte nicht
das zu erwartende *Tropin*, sondern ψ-*Tropin*. Diese Entstehung
des ψ-Tropins aus Tropinon ist mit der Annahme Liebermann's[1]), daſs die Isomerie von Tropin und ψ-Tropin durch
die verschiedene Stellung des alkoholischen Hydroxyls zu erklären
sei, nicht in Einklang zu bringen. Das durch Reduction von
Tropinon erhaltene ψ-Tropin liefert bei gelinder Oxydation wieder
dasselbe Tropinon, wie Tropin. Tropin und ψ-Tropin sind demnach nicht stellungsisomer, sondern sie enthalten das Hydroxyl
an das gleiche Kohlenstoffatom gebunden. Da ψ-Tropin ebenso,
wie Tropin inactiv ist, so ist nur die eine befriedigende Erklärung
möglich, daſs Tropin und ψ-Tropin *geometrisch isomer* sind. (Vgl.
diesen JB., S. 223.) *Ld.*

Richard Willstätter. Ueber ψ-Tropigenin[2]). (Vgl. diesen
JB., S. 225.) *Bdl.*

Richard Willstätter. Ueber eine Bildung von ψ-Tropigenin[3]). (Vgl. diesen JB., S. 225.) *Bdl.*

Richard Willstätter. Ueber ein Isomeres des Cocaïns[4]).
(Vgl. diesen JB., S. 225.) *Bdl.*

Richard Willstätter. Zur Kenntniſs von Tropinon und
Nortropinon[5]). (Vgl. diesen JB., S. 224.) *Bdl.*

Richard Willstätter. Ueber die Einwirkung von Brom auf
Tropinon[6]). (Vgl. diesen JB., S. 226.) *Bdl.*

Giacomo Ciamician und P. Silber. Zur Kenntniſs der
Tropinsäure[7]). — Wenn man Tropinsäure mit rothem Phosphor
und Jodwasserstoffsäure auf 220° erhitzt, so entsteht nur wenig
Ammoniak und auch die Bildung von Kohlenwasserstoffen und
einer Fettsäure ist gering; bei höherem Erhitzen dagegen sind
dies die Hauptproducte der Reaction. Beim Destilliren des Rohr-
inhaltes mit Natronlauge wurde ein alkalisches Destillat erhalten.
Die in diesem Destillate enthaltene Base zeigt wohl Aehnlichkeit
mit dem Piperidin, konnte aber doch mit demselben nicht vollständig identificirt werden und es müssen neue Versuche in
gröſserem Maſsstabe ausgeführt werden; möglicherweise liegt ein
Methylpyrrolidin vor. (Vgl. diesen JB., S. 227.) *Ld.*

G. Ciamician und P. Silber. Zur Kenntniſs der Tropin-

---

[1]) Ber. 25, 927. — [2]) Ber. 29, 1636—1639. — [3]) Daselbst, S. 2231. —
[4]) Daselbst, S. 2216—2227. — [5]) Daselbst, S. 1575—1584. — [6]) Daselbst,
S. 2228—2230. — [7]) Daselbst, S. 1216—1218.

säure [1]). — Das in der vorhergehenden Abhandlung [2]) beschriebene Goldsalz ist sicher nicht das des α-Methylpyrrolidins. Die Base desselben liefert nur Spuren von Nitrosamin und ist demnach wahrscheinlich in der Hauptsache ein trialkylirtes aliphatisches Amin. (Vgl. diesen JB., S. 227.)   Ld.

O. Hesse. Zur Geschichte des von Ladenburg entdeckten und von E. Schmidt Scopolamin genannten Hyoscins [3]). — Verfasser entgegnete auf eine Bemerkung von Ernst Schmidt [4]), welcher bedauerte, dafs die von Ladenburg und von ihm selbst aufgefundenen Thatsachen nicht genügt hätten, Hesse von der Unrichtigkeit seiner Ansichten über die Natur des Scopolamins zu überzeugen. Er ergänzt seine früheren Mittheilungen [5]), wonach *Scopolamin* durchaus identisch mit dem *Hyoscin* von Ladenburg ist. Die Hyoscinpräparate der verschiedensten deutschen Fabriken stimmten alle bezüglich Formel und Eigenschaften mit dem vom Verfasser aus Semen Hyoscyamin dargestellten Hyoscin überein. (Das optische Verhalten wurde nicht immer untersucht.) Im reifen Hyoscyamussamen sind stets die gleichen Alkaloide enthalten und zwar finden sie sich im Kern des Samens. Der mit Petroleumäther entfettete Samen wird mit Aether, Alkohol oder Chloroform ausgezogen. Diese Auszüge geben reichliche Hyosciaminkrystallisationen. Die Mutterlaugen geben schliefslich „amorphes Hyoscyamin", aus welchem in der Technik das in Alkohol schwerer lösliche Hyoscinhydrobromid dargestellt und vom leichter löslichen Hyoscyaminhydrobromid getrennt wird. Etwa vorhandenes Atroscin liefse sich auf diese Weise nicht vom Hyoscin trennen, da ihre Hydrobromide gleiche Löslichkeit besitzen. Wenn das „amorphe Hyoscyamin" noch ein anderes dem Hyoscyamin isomeres Alkaloid enthalten würde, dessen Hydrobromid die gleichen Eigenschaften, wie das des Hyoscins hätte („isidiomes" Alkaloid von Ladenburg), so müfste sich dieses Hydrobromid im käuflichen Hyoscinhydrobromid finden, was nicht der Fall ist. Ein solches Alkaloid existirt nicht. — Zur *Darstellung des Hyoscins* aus der *Scopoliawurzel* (Scopolia atropoides) wird dieselbe am besten zuerst durch Ausziehen mit Aether von *Scopoletin*, $C_{10}H_8O_4$ vom Schmelzpunkt 203° (nach Eykmann 198°) befreit. Die Alkaloide und das Glycosid *Scopolin* Eykmann's bleiben dabei ungelöst und werden wie die Hyoscyamusalkaloide weiter verarbeitet. Auch hier konnte

---

[1]) Ber. 29, 2975—2976. — [2]) Daselbst, S. 1216. — [3]) Apoth.-Zeitg. 11, 394—395; Ref.: Chem. Centr. 67, II, 182—183. — [4]) Apoth.-Zeitg. 11, 352. — [5]) Daselbst, S. 351—352.

das „isidiome" Hyoscin nicht gefunden werden. Dagegen enthält das wirkliche Hyoscin mehr oder weniger Atroscin, was die Untersuchung des käuflichen Scopolaminhydrobromids ergeben hat. *Tf.*

O. Hesse. Zur Kenntnifs des Hyoscins [1]. — Verfasser hält im Gegensatz zu den Ausführungen Ladenburg's [2] an dem Resultate seiner früheren Untersuchungen fest, dafs das Hyoscin die Zusammensetzung $C_{17}H_{21}NO_4$ habe und nicht die von Ladenburg aufgestellte $C_{17}H_{23}NO_3$. Er giebt zunächst eine Zusammenstellung, aus der erhellt, dafs die von Ladenburg selbst beim Goldsalz, Pikrat, Jodhydrat und Bromhydrat des Hyoscins erhaltenen Analysenresultate wohl mit der Formel $C_{17}H_{21}NO_4$ vereinbar sind. Nicht in Uebereinstimmung mit ihr sind dagegen die Analysenresultate Ladenburg's bei dem betreffenden basischen Spaltungsproduct. Verfasser erklärt das damit, dafs Ladenburg nicht ganz reines, sondern hyoscyaminhaltiges Ausgangsmaterial verwandte und daher sein Spaltungsproduct „Pseudotropin" Tropin enthalten mufste, oder also ein Gemenge von Tropin und Oscin gewesen sei. Aus der salzsauren Lösung eines solchen Gemenges scheidet Platinchlorid zuerst in der Hauptsache das schwerer lösliche Platindoppelsalz des Tropins ab, welches durch Umkrystallisiren gereinigt wird. So erklärt Verfasser, dafs das „Pseudotropinplatinchlorid" von Ladenburg (demnach identisch mit dem Tropinplatindoppelsalz und selbstverständlich verschieden von dem Oscinplatindoppelsalz, das in der Ladenburg'schen Mutterlauge geblieben sein soll) mit der Hyoscinformel $C_{17}H_{21}NO_4$ nicht vereinbare Zahlen gab. Anders beim Golddoppelsalz. Hier ist das Oscinsalz das schwerer lösliche und konnte also durch Umkrystallisiren von Tropinsalz getrennt werden. Seine Analysenzahlen stimmten auch in der That mit der Formel des Verfassers überein. Als für das *Hyoscin* charakteristisch hebt Verfasser das *Goldsalz* und das *Bromhydrat* hervor. Ersteres bildet längliche, gelbe Blättchen, welche bei 198 bis 199⁰ unter Schäumen schmelzen und sich bei 50⁰ in 510 Thln. verdünnter Salzsäure (pro Liter Wasser 10 ccm concentrirter Salzsäure) lösen. Das Bromhydrat krystallisirt aus Wasser in grofsen, rhombischen, glasglänzenden Krystallen mit 3 Mol. Wasser, die es schon im Exsiccator verliert. Das wasserfreie Salz schmilzt bei 181⁰. Wird es in heifsem, 95 proc. Alkohol gelöst, so krystallisiren beim Erkalten farblose, rhombische Prismen, welche 2 Mol. Krystallwasser enthalten. Aus absolutem

---

[1] Ber. **29**, 1771—1776. — [2] Ber. **25**, 2389; Ann. Chem. **276**, 345.

Alkohol krystallisiren wasserfreie Rhomboëder vom Schmelzp. 81°.
Die specifische Drehung für 15° und $p = 4$ (3 Mol. Wasser enthaltendes Salz) ist $[\alpha]_D = -22,5°$ oder auf wasserfreies Salz bezogen $= -25,7°$. Wird die Lösung mit 2 Mol. Kali versetzt,
so nimmt die Drehkraft rasch ab, indem sich das freie Hyoscin
spaltet in Oscin und Tropasäure, welch letztere aber allmählich
weiter in Atropasäure umgewandelt wird. Ammoniak und Silberoxyd scheiden aus der Lösung des Bromhydrats das freie Hyoscin
ab, ohne es weiter zu zersetzen. (Vgl. diesen JB., S. 213.) *Tf.*

O. Hesse. Ueber Scopolamin und Atroscin [1]). — Das von
Bender aus *Scopolia atropoides* neben *Hyoscyamin* gewonnene
krystallisirte Alkaloid, welches er als *Hyoscin* erkannte, trotzdem
dieses bis dahin nur amorph dargestellt war, wurde von E. Schmidt
für verschieden von Hyoscin erklärt [2]) und Scopolamin genannt,
weil wohl das Bromhydrat, nicht aber die Zusammensetzung und
der Schmelzpunkt des Golddoppelsalzes mit den von Ladenburg
am Hyoscinchloraurat bestimmten Daten übereinstimmte. Bezüglich der Zusammensetzung sei auf das vorhergehende Referat
verwiesen. Eine directe Vergleichung des Schmidt'schen Gold-
salzes mit dem Hyoscinsalz hat dem Verfasser völlige Uebereinstimmung im Schmelzpunkt (198°) gezeigt, so dafs zunächst kein
Grund mehr vorlag, zwischen Hyoscin und Scopolamin zu unterscheiden. Da jedoch nach verschiedenen Beobachtungen das
Scopalamin eine intensivere physiologische Wirkung hat, als das
Hyoscin, so lag die Vermuthung nahe, dafs in ersterem ein
zweites Alkaloid neben Hyoscin enthalten sei. Verfasser hat
daraufhin Scopolaminbromhydrat verschiedener Herkunft untersucht und als jenes zweite Alkaloid das *Atroscin* aufgefunden.
Es wird isolirt, indem man das wasserfreie Bromhydrat in heifsem,
97 proc. Alkohol löst, die beim Erkalten ausgeschiedenen Krystalle
im Exsiccator wieder entwässert und mehrmals in derselben Weise
behandelt, bis die Krystallausscheidung in wässriger Lösung optisch
vollständig inactiv ist. Die Krystallmasse wird dann in kalter,
wässeriger Lösung mit Ammoniak zersetzt und das Alkaloid mit
Chloroform ausgezogen, welches beim Verdunsten einen firnifs-
artigen Rückstand hinterläfst, der, vollkommen getrocknet, fest
wird, aber gegen 50° schmilzt. Er zeigt die Zusammensetzung
$C_{17}H_{21}NO_4$, löst sich leicht in Aether, Alkohol, Aceton, Benzol
und Chloroform, gut in warmem Wasser. Die wässrige Lösung
reagirt auf Lackmus, nicht aber Phenolphtaleïn alkalisch. Beim

---

[1]) Ber. **29**, 1776—1785. — [2]) JB. f. 1890, S. 2041.

Stehen mit Wasser von 10° verwandelt sich das amorphe Atroscin in farblose Nadeln, die sich aus Wasser umkrystallisiren lassen. Lufttrocken haben sie die Zusammensetzung $C_{17}H_{21}NO_4 + 2H_2O$ und schmelzen bei 36 bis 37°, sie verlieren das Krystallwasser im Exsiccator vollständig und verwandeln sich in eine hyaline Masse, welche gegen 50° vollkommen flüssig wird. Die wässrige Lösung des Atroscins ist auch bei mäfsiger Wärme beständig, durch Alkali aber wird es bald in *Oscin* und *Atropasäure* gespalten, welch letztere aus intermediär gebildeter inactiver Tropasäure entstanden gedacht werden mufs. Von Salzen wurden analysirt: Das *Chlorhydrat*, $C_{17}H_{21}NO_4.HCl$, das in langen, farblosen Nadeln krystallisirt und dessen Lösung von Platinchlorid nicht gefällt wird, das *Chloraurat*, $C_{17}H_{21}NO_4,AuHCl_4$, welches in kleinen, gelben Blättchen aus der wässerigen Lösung gefällt wurde. Es löst sich bei 50° in 690 Thln. verdünnter Salzsäure (10 ccm concentrirte Salzsäure auf 1 Liter Wasser) und schmilzt bei 201 bis 202°. Das Bromhydrat, $C_{17}H_{21}NO_4,HBr + \frac{1}{2}H_2O$, krystallisirt aus 97 proc. Alkohol in weifsen Warzen, aus Wasser in grofsen, rhombischen, tafelförmigen Krystallen. Das Jodhydrat krystallisirt beim Verdunsten der wässerigen Lösung in kurzen, farblosen Prismen. Versuche, das Hyoscin in Atroscin überzuführen, hatten keinen Erfolg. Verfasser giebt eine auf die Drehkraft gegründete Methode an, den Gehalt des Scopolamin-bromhydrats im Atroscinbromhydrat zu bestimmen. Die physiologische Wirkung des Atroscins, von Königshöfer untersucht, ist bezüglich Pupillenerweiterung identisch mit der des Atropins und Scopolamins, übertrifft aber diese beiden um das Doppelte bis Vierfache bezüglich der Accomodationslähmung. — E. Schmidt[1]) hat das Atroscin für identisch mit seinem i-Scopolamin erklärt. Verfasser hält dagegen das letztere für unrein und erläutert dies durch eine tabellarische Zusammenstellung der Daten über beide Substanzen. Er weist dann darauf hin, dafs die gesammten Versuchsresultate es mindestens sehr wahrscheinlich machen, dafs das „Scopolaminbromhydrat" psychologisch desto günstiger wirkt, je mehr es Atroscin im Verhältnifs zum Hyoscin enthält. Der Name Scopolamin wird dann überflüssig. (Vgl. diesen JB., S. 213.)

Tf.

Hyoscine[2]). — In einem kurzen Aufsatze sind die wichtigsten Ergebnisse der neueren Arbeiten über Darstellung und Constitution des Hyoscins zusammengestellt. *Ld.*

---

[1]) Apoth.-Zeitg. 11, 261. — [2]) Pharm. J. [4] 3, Nr. 1360, S. 41.

Ernst Schmidt. Ueber Scopolaminum hydrochloricum und Scopolin [1]). — Nach O. Hesse soll das käufliche *Scopolamin. hydrobromicum* ein Gemenge der Salze des *Hyoscins* und des *Atroscins* sein. Schmidt hat bei Untersuchung der in den *Scopolia*wurzeln und *Hyoscyamin*samen enthaltenen Alkaloide weder Hyoscin, noch Atroscin, dagegen viel Scopolamin isoliren können. Verschiedene Proben von käuflichem bromwasserstoffsaurem Scopolamin zeigten grofse Differenzen im Drehungsvermögen, dies läfst sich durch einen Gehalt an inactivem Scopolamin erklären, das zwar in der Wurzel nicht präexistirt, aber durch die Darstellungsmethoden gebildet wird. *Scopolin*, $C_8H_{13}NO_2$, das Spaltungsproduct des Scopolamins liefert ein *Monoacetylscopolin*, durch Behandlung mit Jodwasserstoff und Phosphor eine Base $C_8H_{13}N$, isomer mit dem Hydrotropidin, Ammoniak, Methylamin und einem Kohlenwasserstoff. Durch Baryumpermanganat wird es in das secundäre *Scopoligenin*, $C_7H_{10}O_2.NH$, übergeführt, dieses geht mit Methyljodid in Scopolin zurück; dieses bildet ein Scopolinmethyljodid; aus der Ammoniumbase entsteht durch Destillation *Methylscopolin*. Alle diese Reactionen lassen sich durch die von Eykmann dem Scopolin gegebene Formel erklären.   *Ld.*

E. Schmidt. Ueber das Scopolamin [2]). — Die vorliegende Notiz ist eine Antwort auf die Angriffe von O. Hesse [3]) und ist im Wesentlichen eine kritische Zusammenfassung der Publicationen über das Scopolamin. Atroscin hat Verfasser in dem käuflichen Scopolaminhydrobromid nicht finden können. Für das Salz $C_{17}H_{21}NO_4.HBr.3H_2O$ hat Verfasser ein Drehungsvermögen bei 15,8°, $[\alpha]_D = -25°43'$, gefunden, doch giebt es im Handel auch schwächer drehende Salze. Bei der Abscheidung der freien Base mit Kaliumcarbonat wird das Drehungsvermögen erheblich geschwächt. (Vgl. diesen JB., S. 213.)   *Mr.*

O. Hesse. Ueber das Hyoscin [4]). — Verfasser hält gegenüber den Einwänden von E. Schmidt und Ladenburg daran fest, dafs Hyoscin und Scopolamin identisch sind, und weist den Vorwurf zurück, dafs er in das Arbeitsgebiet von Schmidt eingedrungen sei. Das Hyoscinhydrobromid krystallisirt in drei Formen als $C_{17}H_{21}NO_4.HBr.3H_2O$, als $C_{17}H_{21}NO_4.HBr.2H_2O$ und $C_{17}H_{21}NO_4.HBr$. Das letztgenannte Salz schmilzt bei 181°.
        Mr.

---

[1]) Chem. Centr. 67, I, 1199—1200; Apoth.-Zeitg. 11, 260—262. — [2]) Ber. 29, 2009—2014. — [3]) Daselbst, S. 1776; vgl. diesen JB., S. 1660. — [4]) Apoth.-Zeitg. 11. 351—852.

E. Schmidt. Ueber das Hyoscin [1]). — Im Anschluſs an vorstehende Notiz giebt Verfasser den Verzicht kund, mit O. Hesse über die Verschiedenheit von Hyoscin und Scopolamin weiter zu discutiren, da Thatsachen diesen doch nicht überzeugen könnten.
Mr.

M. Scholtz. Ueber Bebirin [2]). — Das von Maclagan [3]) aus der Rinde des Bebeerubaumes dargestellte Bebeerin, dessen Name in einigen Lehrbüchern in Bebirin umgewandelt ist, wurde bisher nur als amorphes weiſses Pulver gewonnen. Scholtz machte die Beobachtung, daſs sich das Bebirin aus einer Lösung in Methylalkohol krystallisirt ausscheidet. Diese krystallisirte Modification des Alkaloids hat dieselbe chemische Zusammensetzung, wie das amorphe Alkaloid, unterscheidet sich aber in seinen physikalischen Eigenschaften von dem letzteren. Bebirin liefert mit Jodmethyl eine Verbindung von der Zusammensetzung $C_{18}H_{21}NO_3$. CH_3J. Eines der drei Sauerstoffatome gehört einer Hydroxylgruppe an, es gelang, ein Monacetylderivat und ein Monobenzoylderivat darzustellen; eine Aldehyd- oder Ketongruppe konnte nicht nachgewiesen werden. Durch Ferricyankalium gelang es, das Bebirin zu oxydiren, das Oxydationsproduct entsteht durch Austritt von zwei Wasserstoffatomen und Eintritt eines Sauerstoffatoms. Das Bebirin ist optisch activ, sein Drehungsvermögen $[\alpha]_D = -298^0$. (Vgl. diesen JB., S. 217.) *Ld.*

Ernst Schmidt. Ueber die Corydalisalkaloide [4]), und H. Ziegenbein Ueber die Alkaloide von *Corydalis cava* [5]). — E. Schmidt hat schon 1894 darauf hingewiesen, daſs ebenso, wie sich farbloses *Canadin* (aus dem Rhizom von *Hydrastis canadensis*) sowie das isomere *Hydroberberin* durch Jod in das gelbe *Berberinhydrojodid* überführen lassen, das *Corydalin* mit Jod ein gelbes Hydrojodid einer neuen Base liefert. Ziegenbein hat nun die Analogie zwischen Hydroberberin und Corydalin weitgehend bestätigt gefunden und auch nachgewiesen, daſs das Corydalin gleich dem Berberin bei der Oxydation *Hemipinsäure* liefert. Das zur Untersuchung verwendete Material wurde zum Theil aus Resten gewonnen, welche von einer früher von Nölle ausgeführten, unveröffentlichten Arbeit über den gleichen Gegenstand stammten, zum Theil aber nach dem von Freund und Josephi angegebenen Verfahren von Al. Ehrenberg [6]) aus Corydalisknollen bereitet.

---

[1]) Apoth.-Zeitg. 11, 352. — [2]) Ber. 29, 2054—2058. — [3]) Ann. Chem. 48, 106. — [4]) Arch. Pharm. 234, 489—491. — [5]) Daselbst, S. 491—536. — [6]) Ann. Chem. 277, 4.

Aus 10 kg derselben wurden erhalten 57 g Corydalin, 41 g Bulbocapnin, 6 g Corycavin und etwa 4 g Corybulbin. — *Corydalin.*
Aus Alkohol umkrystallisirt schmilzt dasselbe bei 134 bis 135°.
Es löst sich in kaltem Alkohol farblos. Beim Kochen tritt allmähliche Gelbfärbung ein. Eine grofse Zahl von Analysen der
unter Lichtabschlufs im Exsiccator getrockneten Substanz lassen
die Formel $C_{22}H_{27}NO_4$ als richtig erscheinen, welche auch Freund
und Josephi aufgestellt haben, während Dobbie und Lauder
die Formel $C_{21}H_{29}NO_4$ bevorzugt hatten. Das *salzsaure Corydalin*
konnte Verfasser im .Gegensatz zu Freund und Josephi nicht
krystallisirt erhalten. Dagegen krystallisirten das *bromwasserstoffsaure, jodwasserstoffsaure* und *salpetersaure Corydalin* und
zeigten die normale Zusammensetzung ohne Krystallwasser. Das
Corydalingoldchlorid fällt aus der · stark salzsauren, wässerigen
Lösung gelb und amorph, löst sich in warmem, salzsäurehaltigem
Alkohol und krystallisirt daraus in hellrothen Nadeln vom
Schmelzp. 207° und der charakteristischen abnormen Zusammensetzung $(C_{22}H_{27}NO_4HCl)_2AuCl_3$ [1]. Das direct aus wässeriger Lösung gefällte Goldsalz scheint die normale Zusammensetzung
$C_{22}H_{27}NO_4HClAuCl_3$ zu besitzen und erst beim Umkrystallisiren
in das andere überzugehen. — Die *Oxydation des Corydalins*
wurde in verdünnter, mit Barytwasser schwach alkalisch gemachter
Lösung des Sulfats bei Wasserbadtemperatur mit Baryumpermanganat ausgeführt, bis die Rothfärbung einige Zeit bestehen
blieb. Die Lösung wurde eingeengt, mit Aether ausgezogen, der
Destillationsrückstand des Aethers in Wasser gelöst, mit Ammoniak
alkalisch gemacht und mit Bleiessig gefällt. Der grauweifse
Niederschlag lieferte beim Zersetzen mit Schwefelwasserstoff eine
Lösung von *Hemipinsäure*, welcher letztere mit Aether entzogen
wurde [2]. — *Einwirkung von Jod auf Corydalin.* 5 g Corydalin
werden mit 10 g Jod und 200 ccm Alkohol unter Druck erhitzt,
dann Natriumbicarbonat und Natriumthiosulfat in wässeriger Lösung zugesetzt und längere Zeit erwärmt. Aus dem alkoholischen
Filtrat krystallisirt direct Hydrojodid aus. Der aus Perjodiden
bestehende Filterrückstand wird für sich mit neuem Carbonat
und Thiosulfat in verdünnt alkoholischer Lösung zersetzt und
liefert weitere Mengen Hydrojodid. Ein quantitativ durchgeführter
Versuch, bei dem das überschüssige Thiosulfat zurücktitrirt
wurde, ergab, dafs 4 Atome Jod auf das Corydalin eingewirkt

[1] Vgl. Adermann, Inaug.-Diss. Dorpat 1890. — [2] Vgl. Dobbie und
Lauder, Chemikerzeit. 18, 1954.

hatten nach der Gleichung: $C_{22}H_{27}NO_4 + 4J = C_{22}H_{23}NO_4, HJ$ $+ 3HJ$. Das *jodwasserstoffsaure Dehydrocorydalin* enthält 2 Mol. Krystallwasser. Es wurde in das *Hydrochlorat*, $C_{22}H_{23}NO_4, HCl$ $+ 4H_2O$, das *Goldchloriddoppelsalz*, $C_{22}H_{23}NO_4, HClAuCl_3$, und das *Platindoppelsalz*, $(C_{22}H_{23}NO_4, HCl)PtCl_4 + 6H_2O$, übergeführt. Aus diesen Salzen das Dehydrocorydalin durch Alkali zu fällen, gelang nicht. Dagegen konnte, analog wie beim Berberin, eine Acetonverbindung durch Kochen der wässerigen Lösung des jodwasserstoffsauren Salzes mit Aceton und Zugabe von Natronlauge dargestellt werden. Sie wurde nicht analysirt, lieferte aber beim Erwärmen mit verdünnten Säuren Aceton und die entsprechenden Salze des *Dehydrocorydalins*, von denen das schon genannte *Hydrojodat*, *Hydrochlorat*, *Gold* und *Platindoppelsalz*, dann das *saure Sulfat*, $C_{22}H_{23}NO_4H_2SO_4 + 3H_2O$, und das *Nitrat*, $C_{22}H_{23}NO_4$, $HNO_3 + 2H_2O$, auf diese Weise dargestellt und analysirt wurden. Analog den Angaben von Gaze [1]) für Darstellung von Berberin aus Acetonberberin wurde aus dem Acetondehydrocorydalin eine geringe Menge gelber Krystalle erhalten, welche nicht analysirt werden konnten. Nach derselben Methode, nach welcher E. Schmidt das Chloroformberberin hergestellt hatte, konnte auch ein *Chloroformdehydrocorydalin*, $C_{22}H_{23}NO_4, CHCl_3$, als Krystallmasse vom Schmelzp. 162 bis 163° gewonnen werden und endlich verhielt sich das Dehydrocorydalinhydrojodat auch Schwefelammon gegenüber ganz analog wie das Berberin. — Bei der *Reduction des Dehydrocorydalins* mit Zink und Schwefelsäure erhielt Verfasser eine Base von der Zusammensetzung und dem Schmelzpunkt des Corydalins, welche überhaupt in Allem mit ihm übereinstimmte, mit Ausnahme der Zusammensetzung des Golddoppelsalzes, welches auch nach dem Umkrystallisiren aus Alkohol die normale Zusammensetzung $C_{22}H_{27}NO_4 HCl, AuCl_3 + 4H_2O$ zeigte. — *Methoxylbestimmungen im Dehydrocorydalinhydrochlorid*. Wie das Corydalin ließ auch das Dehydrocorydalin nach der Methode von Zeisel behandelt, das Vorhandensein von vier Methoxylgruppen erkennen. Durch kochende Jodwasserstoffsäure allein wurde ein jodwasserstoffsaures Salz erhalten, welches auf die Formel $C_{18}H_{17}NO_4 HJ$ stimmende Analysenzahlen gab. Verfasser schließt aus seinen Versuchen, daß eine directe Beziehung des Corydalins zum Berberin besteht. Er vermuthet, daß die Formeln der beiden Basen folgende seien:

$$C_{17}H_9N(OCH_3)_4{<}^{O}_{O}{>}CH_2 \qquad C_{18}H_{11}N(OCH_3)_4$$

Berberin   Dehydrocorydalin

---

[1]) JB. f. 1890, S. 2075.

Bulbocapnin, zuerst von Aldermann[1]) dargestellt, erhielt seinen Namen von Freund und Josephi[2]), welche seine Zusammensetzung zu $C_{19}H_{19}NO_4$ feststellten, was der Verfasser bestätigt. Dasselbe verhält sich gegen Jod nicht analog wie das Corydalin. Jodmethyl erzeugt auch in alkalischer Lösung nur das von Freund und Josephi dargestellte Jodmethylat[3]). Dagegen konnten durch Kochen mit Essigsäureanhydrid und Natriumacetat drei Acetylgruppen in das Molekül eingeführt werden. Das *Triacetyl-bulbocapnin* krystallisirt in kleinen Nädelchen. Salze desselben von constanter Zusammensetzung konnten nicht gewonnen werden. *Corycavin* hat nach den Analysen des Verfassers die Formel $C_{21}H_{23}NO_6$, während seine Entdecker, Freund und Josephi[4]), $C_{23}H_{23}NO_5$ gefunden hatten und daher bei allen analysirten Salzen 1 Mol. Krystallwasser annehmen mufsten. Das *salzsaure Corycavin* und sein *Platinsalz* wurden analysirt und die Zahlen stimmen gut zu den Formeln: $C_{21}H_{23}NO_6HCl$ und $(C_{23}H_{23}NO_5, HCl)_2PCl_4$, letzteres Salz krystallisirt mit 3 Mol. Krystallwasser, welche es bei 105° verliert. Von Jod scheint das Corycavin nicht angegriffen zu werden. *Corybulbin* ist ebenfalls von Freund und Josephi[4]) zuerst gefunden, dann von Dobbie und Lauder[5]) untersucht worden. In Uebereinstimmung mit Letzteren findet Verfasser die Zusammensetzung $C_{21}H_{25}NO_4$. Er analysirte das *Hydrochlorat*, $C_{21}H_{25}NO_4$, HCl, und das *Platindoppelsalz*, $(C_{21}H_{25}NO_4HCl)_2PCl_4 + 3H_2O$. Jod wirkt auf Corybulbin in ähnlicher Weise wie auf Corydalin ein, doch wurde das Product nicht näher untersucht. Zum Schlufs hat Verfasser das Verhalten der einzelnen bearbeiteten Basen gegen diverse Reagentien in einer Tabelle zusammengestellt. (Vgl. diesen JB., S. 219.) *Tf.*

Battandier. Sur les alcaloïdes des fumariacées et des papavéracées[6]). — Aus *Bocconia frutescens* wurden erhalten: *Fumarin*, identisch mit dem aus Fumaria, *Bocconin*, ein Alkaloid, das sich mit Schwefelsäure pfirsichblüthroth färbt, dann ein in seinen Reactionen dem *Chelidonin* sehr ähnliches Alkaloid, endlich *Chelerythrin*. *Escholtzia californica* enthält reichlich *Chelerythrin*. *Glaucin* von Probst enthielt etwas Fumarin, welches ihm die Eigenschaft giebt, sich mit Schwefelsäure violett zu färben, in reinem Zustande wird es blaugrün.   *Ld.*

Ch. Gafsmann. La constitution des alcaloides de la coca

---

[1]) Inaug.-Diss. Dorpat 1890. — [2]) Ann. Chem. 277, 19. — [3]) Daselbst, S. 14. — [4]) l. c. — [5]) Chemikerzeit. 18, 72. — [6]) Bull. soc. chim. [3] 15, 541—542.

et de la belladone [1]). — Eine Zusammenstellung der neueren Untersuchungen über die *Constitution* der *Coca-* und *Belladonna-Alkaloïde.*   *Ld.*

G. Merling. The connection between physiological action and chemical structure [2]). The synthetic production of Eucaine. — Im Jahre 1886 stellte Emil Fischer aus dem Methyl-Triacetonalkamin das Amygdalylderivat dar; dieses hat wie das Atropin und Homatropin mydriatische Wirkung. Seitdem man die nahen chemischen Beziehungen zwischen Tropin und Methyltriacetonalkamin kennt, ist diese Wirkung erklärlich, beide Verbindungen sind Derivate des γ-Oxymethylpiperidins. Dem Tropin steht auch das Cocaïn nahe, dessen Spaltungsproduct Ecgonin ein Derivat der γ-Oxypiperidincarbonsäure ist. Angesichts der Analogie zwischen dem Amygdalylmethyltriacetonalkamin und dem Atropin wurde versucht, durch successives Esterificiren und Benzoyliren der γ-Oxypiperidincarbonsäuren Cocaïn darzustellen. Es wurden in der That alkaloidartige Körper erhalten, die mit dem Cocaïn die Eigenschaft theilen, locale Anästhesie zu erzeugen. Zu diesen Körpern gehört das *Eucaïn*, welches n-Methylbenzoyltriacetonalkamincarbonsäuremethylester ist.   *Ld.*

J. D. Riedel. Verfahren zur Darstellung von Cocaïn-aluminiumcitrat [3]). D. R.-P. Nr. 88 436 vom 8. December 1895. — Lösungen von citronensaurer Thonerde mit Cocaïn oder citronensaurem Cocaïn zusammengebracht, liefern stets eine aus 3 Mol. citronensaurer Thonerde und 1 Mol. Cocaïn bestehende Verbindung, die sich bei entsprechender Concentration als faserig krystallinischer Niederschlag abscheidet. Diese Verbindung ist luftbeständig, in kaltem Wasser schwer, in heifsem leichter löslich, in Alkohol und Aether unlöslich, wirkt adstringirend, dann anästhesirend.   *Ld.*

Alexander Gunn. The determination of total alkaloids in Coca leaves [4]). — Nach zahlreichen Versuchen wird folgendes Verfahren empfohlen: 5 g gepulverter Cocablätter werden mit 2 proc. Ammoniakwasser befeuchtet, eine halbe Stunde stehen gelassen, dann mit ammoniakhaltigem Aether ausgezogen, bis man 100 ccm Flüssigkeit gesammelt hat; diese wird dreimal mit 2 proc. wässeriger Salzsäure geschüttelt, die saure Flüssigkeit einmal mit Aether gewaschen, dann mit Ammoniak alkalisch gemacht und dreimal

---

[1]) Monit. scientif. [4] 10, 577—598, 723—741 und 875—888. — [2]) Pharm. J. [4] 3, 337; Ber. deutsch. pharm. Ges. 6, 173. — [3]) Patentbl. 17, 625. — [4]) Pharm. J. [4] 3, Nr. 1369, S. 249—250.

mit Aether ausgeschüttelt. Die ätherische Flüssigkeit wird in
einem gewogenen Schälchen verdunstet, der Rückstand bei 75°
getrocknet und gewogen. Diese Methode ergab im Mittel einen
Alkaloidgehalt der Blätter von 0,572 Proc.   *Ld.*

C. Edward Sage. The insolubility of cocaine in vaseline[1]).
— Wenn Cocaïn in warmem Vaselin oder Schweinefett in der
Wärme gelöst wird und die Lösung einige Zeit stehen bleibt, so
kann man durch die mikroskopische Untersuchung erkennen, daß
sich Krystalle des Alkaloides ausgeschieden haben. Lösungen
von Cocaïn in Olivenöl, sowie in Leberthran halten sich unverändert.   *Ld.*

J. E. de Vrij. Ueber amorphe Alkaloide der Chinarinden[2]).
— Verfasser kommt auf Grund seiner langjährigen Studien zu
der Ansicht, daß die amorphen Chinaalkaloide, z. B. das sog.
Chinoidin, nicht bei der Fabrikation der krystallisirten Basen
oder durch Trocknen der Rinden an der Sonne entstehen, sondern
von der Pflanze selbst erzeugt werden. Verfasser hat in Java
gesammelte Blätter von Cinchona Ledgeriana mit Kalkhydrat und
Wasser gemengt und macerirt. Der getrocknete Rückstand wurde
dann mit Alkohol ausgezogen, mit Essigsäure alsdann der alkoholische Auszug angesäuert und mit Ammoniumoxalat Calcium
und Chlorophyll gefällt. Im Filtrat hiervon erzeugt Ammoniak
einen reichlichen voluminösen, amorphen Niederschlag, der nach
dem Trocknen 0,163 Proc. der trockenen Blätter beträgt. In ein
saures Sulfat verwandelt, gab der amorphe Niederschlag auf Zusatz
von Jodjodkalium eine amorphe Fällung, die keine Krystalle von
Herapathit (Jodchininsulfat) enthielt und sich genau so verhält,
wie der aus amorphen Chinabasen erhaltene Niederschlag. Verfasser schließt hieraus, daß die Pflanze amorphe Alkaloide bereitet und in krystallisirte umwandelt.   `- *Tr.*

H. W. Salomonson. Ueber die Reaction der Alkaloidsalze
mit verschiedenen Indicatoren[3]). — Die abweichenden Angaben
über die Brauchbarkeit der Titrirung von *Alkaloiden* mit Natronlauge und Methylorange als Indicator beruht darauf, daß einmal in alkoholischer, das andere Mal in wässeriger Lösung titrirt
wurde; in alkoholischer Lösung ist der Farbenumschlag nicht
sehr scharf. Mit Hämatoxylin reagirt in alkoholischer Lösung
das Chininmonohydrochlorid neutral, in wässeriger Lösung schwach
basisch.   *Ld.*

---

[1]) Pharm. J. [4] 3, Nr. 1359, S. 28. — [2]) Nederl. Tijdschr. Pharm. 8,
101—105; Ref.: Apoth.-Zeitg. 11, 608. — [3]) Chem. Centr. 67, I, 513—514;
Nederl. Tijdschr. Pharm. 8, 3—9.

Derselbe. Die Reaction von Chininsalzen schwacher Säuren auf verschiedene Indicatoren [1]). — Die Untersuchung des Verhaltens von Chinin in Lösungen von Essigsäure und Borsäure ergab Folgendes: *Chinin* reagirt mit Methylorange in beiden Lösungen, als ob es ungebunden wäre, mit Lackmus und Rosolsäure, ebenso in borsaurer Lösung, in essigsaurer Lösung dagegen wie bei Gegenwart von Mineralsäuren. In borsaurer Lösung kann man mit Hülfe von Methylorange den Chiningehalt genau titriren.

Ld.

W. Königs. Ersetzung von Hydroxyl in Chinaalkaloiden durch Wasserstoff. II [2]). — Chinin, $C_9H_5(OCH_3)N.C_{10}H_{15}(OH)N$, und Cinchonidin, $C_9H_6N.C_{10}H_{15}OHN$, führte Verfasser durch PCl_5 in die Chloride über, und reducirte diese mit Eisenfeile und Schwefelsäure zu *Desoxychinin* und *Desoxycinchonidin*, wobei der Rest $-C_{10}H_{15}OHN$ in $-C_{10}H_{16}N$ übergeht. Desoxychinin wurde aus Aether in feinen Nädelchen vom Schmelzp. 52° erhalten und krystallisirt mit $2^1/_2$ Mol. H_2O. In Wasser kaum, in organischen Mitteln leicht löslich. Fluorescirt in verdünnten Lösungen wie Chinin und giebt auch dieselbe Reaction mit Chlorwasser und Ammoniak. Im Gegensatz zu dem Desoxycinchonidin krystallisiren seine Salze sehr schlecht. Desoxycinchonidin wird aus Aether in schönen, wasserfreien, anscheinend rhombischen Tafeln vom Schmelzp. 61° erhalten, seine Doppelsalze krystallisiren gut. Durch die Hydrirung wird der Drehungssinn nicht umgekehrt, während die Anhydrobasen und die Chloride sämmtlich rechts drehen. Verfasser sucht hierfür und für die Umlagerung der beiden Paare der Chinaalkaloide in Chinicin und Cinchonicin in Anlehnung an die Ansichten von Pasteur eine Deutung zu geben. (Vgl. diesen JB., S. 221.) *Mr.*

Fritz Konek v. Norwall. Ueber Hydroderivate von Chinaalkaloiden [3]). — Bei der Fortsetzung der früher begonnenen Untersuchung [4]) wurden Cinchonidin, Chinin und Chinidin in siedendem Amylalkohol der Einwirkung des Natriums ausgesetzt, wobei sie der Hauptsache nach in Tetrahydroproducte übergehen, die mit salpetriger Säure schön krystallisirte Salze secundär-tertiärer Basen, die Nitrosonitrite liefern. Die salpetrige Säure ist an den stärker basischen Stickstoff in der structurell noch unbekannten Alkaloidhälfte, die Nitrosogruppe aus den weniger basischen Chinolinstickstoff gebunden. Diese Körper sind echte Tetra-

---

[1]) Chem. Centr. 67, I, 514; Nederl. Tijdschr. Pharm. 8, 9—14. — [2]) Ber. 29, 372—374. — [3]) Daselbst, S. 801—805. — [4]) Vgl. Ber. 28, 1637.

hydrochinolinderivate; dieselben liefern, mit verdünnter Salzsäure oder mit Zinn und Salzsäure behandelt, rothe, unkrystallisirbare Substanzen, welche keine Nitrosogruppe mehr enthalten. Die so behandelten Chinin- und Chinidinderivate geben nicht mehr die grüne Färbung mit Chlorwasser, sind daher keine echten Derivate des Chinins bezw. Chinidins; vielleicht findet bei der energischen Reduction oder der Nitrosirung eine Atomverschiebung statt. Räthselhaft bleibt es, dafs, wenn diese Pflanzenbasen wirklich eine Vinylgruppe oder ein anderes nicht gesättigtes Ringsystem mit dem Cinchoninsäurechinolinkern verbunden enthalten, trotz dem enormen Ueberschufs an Wasserstoff nur 4, nicht aber 6 oder 8 Atome addirt werden. Während Cinchonin fast quantitativ und Chinin in sehr guter Ausbeute in das Tetrahydronitrosonitrit übergeht, liefern Cinchonidin und Chinidin viel weniger von diesem Derivate. Dargestellt und untersucht wurden: Tetrahydro-cinchonidinnitrosonitrit, $C_{19}H_{22}N_2O.H_3.NO.HNO_2$, Tetrahydro-chininnitrosonitrit, $C_{20}H_{24}N_2O_2.H_3.NO.HNO_2$, und Tetrahydro-chinidinnitrosonitrit, $C_{20}H_{24}N_2O_2.H_3.NO.HNO_2$. (Vgl. diesen JB., S. 221.)   *Ld.*

A. Wünsch. Ueber Benzoylchinin[1]). — Wünsch hat, indem er mit ganz reinen Materialien arbeitete, das *Benzoylchinin* in farblosen Prismen krystallisirt dargestellt, während einige Autoren behaupten, dafs dasselbe nicht krystallisire. Diese Base wird durch Einwirkung von Benzoylchlorid auf reines, trockenes Chinin gebildet. Verdünnte wässerige Lösungen der Salze des Benzoyl-chinins fluoresciren. Das Benzoylchinin ist rechtsdrehend, es bildet neutrale und basische Salze, es wurden verschiedene Salze dargestellt und untersucht. Mit Alkyljodiden vereinigt sich das Benzoylchinin leicht.   *Ld.*

Carl v. Noorden. Ueber Euchinin[2]). — Den vereinigten Chininfabriken Zimmer u. Co. ist es gelungen, ein Chininderivat darzustellen, das die Heilwirkungen des Chinins besitzt, aber von den unangenehmen Eigenschaften desselben, wie bitterer Geschmack, Erregung von Uebelkeit u. s. w., frei ist. Dieses Derivat wird *Euchinin* genannt, es ist *Chinincarbonsäureäthylester* und wird durch Einwirkung von chlorkohlensaurem Aethyl auf Chinin dar-gestellt. Es krystallisirt in zarten, weifsen Nadeln, die bei 95° schmelzen und mit Säuren gut krystallisirende Salze liefern. Die Lösung in Schwefelsäure oder Salpetersäure fluorescirt blau. Das Euchinin giebt die Thalleiochininreaction.   *Ld.*

---

[1]) Chemikerzeit. 20, Rep. 190—191 u. 226. — [2]) Daselbst, Rep. 315.

E. Riegler. Chinaptol, ein neues Antipyreticum und Antisepticum [1]). — Das Chinaptol ist β-naphtol-α-monosulfonsaures Chinin und bildet ein gelbes, krystallinisches, bitter schmeckendes Pulver, das unlöslich in kaltem Wasser, wenig löslich in heiſsem Wasser und Alkohol ist. Säuren zerlegen es nicht, es wird im Organismus nicht im Magen, sondern erst im Darm in Folge der dort herrschenden alkalischen Reaction in Chinin und β-Naphtolsulfonsäure gespalten. Bei Typhus sollen mit diesem Präparate gute Erfolge erzielt sein und dürfte es sich bei Darmtuberkulose, Dysenterie u. s. w. empfehlen. Verfasser hat analoge Verbindungen mit Chinidin, Cinchonin, Cinchonidin als gut krystallisirende Körper dargestellt. *Tr.*

W. Koenigs und August Husmann. Notiz über die Umlagerung von Cinchonin in Cinchonidin[2]). — Durch 15- bis 16 stündiges Kochenlassen von 4 g Cinchonin mit 2 g Kali und 120 ccm Amylalkohol unter Rückfluſs entstehen 0,2 g reinen Cinchonidins, Schmelzp. 201°, neben 1 g unverändertem Cinchonin, Schmelzp. 253°, und gewissen in Aether leicht löslichen Basen, die mit denjenigen identisch zu sein scheinen, welche aus Cinchonin, Amylalkohol und Natrium gebildet werden können. Die Reindarstellung des Cinchonidins aus den Mutterlaugen von unverändertem Cinchonin gelingt auf dem Wege des Chlorhydrates und Tartrates. — Diese Umwandlung bestätigt in vollkommener Weise die von verschiedenen Forschern geäuſserte Ansicht, daſs Chinin mit Conchinin, Cinchonin mit Cinchonidin stereoisomer seien. (Vgl. diesen JB., S. 221.) *v. N.*

Joh. van de Moer. Synthese des Cytisins [3]). — Dem natürlichen *Cytisin* kommt die Constitution eines γ-*Cytisins* zu, weil das natürliche *Pilocarpin* der γ-Reihe angehört. Cytisin ist aber *Apopilocarpin.* *Ld.*

P. C. Plugge. L'identité de la baptitoxine et de la cytisine[4]). La présence de la cytisine dans plusieurs papilionacées. Matrine, l'alcaloïde de sophora angustifolia. — Das aus den Samen und der Wurzel von *Baptisia tinctoria* isolirte Alkaloid *Baptitoxin* ist identisch mit dem *Cytisin.* Dieses Alkaloid findet sich in mehreren Papilionaceen, so in *Sophora tomentosa, S. peciosa* und *S. secundiflora. Euchresta Horsfieldii*, eine Papilionacee von Java, enthält Cytisin. Das Cytisin wurde bisher in 26 Papilionaceen gefunden

¹) Wien. med. Bl. 1896, Nr. 47, S. 1—3; Ref.: Chem. Centr. 68, I, 301—302. — ²) Ber. 29, 2185—2187. — ³) Chem. Centr. 67, I, 312; Nederl. Tijdschr. Pharm. 7, 362—365. — ⁴) Rec. trav. chim. Pays-Bas 15, 187—188.

und nur in neun nicht. *Sophora angustifolia* enthält nach **Nagai**
das Alkaloid *Matrin*, $C_{15}H_{24}N_2O$; dasselbe ist nicht identisch mit
dem Cytisin.   *Ld.*

P. C. **Plugge** und A. **Rauwerda**. Fortgesetzte Untersuchungen über das Vorkommen von Cytisin in verschiedenen
Papilionaceen [1]). — Bei der Untersuchung der Samen verschiedener
Pflanzen aus der Familie der Papilionaceen, besonders aus den
Geschlechtern *Cytisus, Ulex, Genista, Sophora, Baptisia* wurde in
vielen Species Cytisin gefunden, in anderen dagegen nicht; es
lassen sich aus den Resultaten bisher allgemeine Schlüsse nicht
ziehen.   *Ld.*

C. **Liebermann** und G. **Cybulski**. Nachträgliches zum
Cuskhygrin [2]). — Anschliefsend an eine frühere Mittheilung [3]) erkennen C. **Liebermann** und G. **Cybulski** das *Cuskhygrin* als
ein Methylpyrrolidinderivat; es giebt bei der Oxydation Hygrin-
säure, wenn man mehr einer concentrirten Chromsäure als früher
nimmt.   *Wr.*

Kunz-Krause. Ueber weitere Versuche zur Constitutionserschliefsung des Emetins [4]). — Verfasser wendet sich zunächst
gegen Angaben von **Paul** und **Cownley** und betont, dafs thatsächlich bei den Versuchen reines Emetin, nicht etwa, wie
genannte Autoren vermuthen, ein Gemisch von Cephaëlin und
Emetin zur Verwendung gekommen sei. Als Formel für das
Emetin hält er $C_{30}H_{40}N_2O_5$ aufrecht. Das Emetin enthält vier
Methoxylgruppen. Mit alkalischem Permanganat liefert Emetin
neben einem gelben amorphen Körper zwei stickstoffhaltige Säuren,
von denen die eine durch Ferrosulfat roth gefärbt wird, während
die andere beim Verglühen mit Kalium Carbylamin abspaltet,
woraus Verfasser schliefst, dafs dieselbe und mithin auch das
Emetin eine an Stickstoff gebundene Seitenkette enthält. *Tr.*

Erich Harnack. Chemisch - pharmakologische Untersuchungen über das Erythrophleïn [5]). — Verfasser hat im Anschlufs
an seine früheren Arbeiten über diesen Gegenstand ein neueres
Präparat von salzsaurem Erythrophleïn geprüft. Aeufserlich
unterschied es sich schon von einem früheren von derselben Firma
(E. **Merck**) bezogenen Präparate und wies auch in physiologischer
Beziehung Unterschiede auf. Das neuerdings bezogene Salz bildete
ein hellgelbes, amorphes Pulver, die aus dem Salz mit Natron-

---

[1]) Chem. Centr. 67, II, 1120; Nederl. Tijdschr. Pharm. 8, 331—346. —
[2]) Ber. 29, 2050—2051. — [3]) Ber. 28, 578. — [4]) Schweiz. Wochenschr. Pharm.
34, 359. — [5]) Arch. Pharm. 234, 561—570.

lauge abgeschiedene Base derbe Flocken, die in Wasser unlöslich, leicht löslich dagegen in Alkohol und Aether sind. Beim Erhitzen mit 20 proc. Salzsäure im geschlossenen Rohre liefert die Base eine stickstofffreie Säure. Verfasser hat ein Platindoppelsalz dargestellt, das feine hellorangegelbe Flöckchen bildet und entweder der Formel $(C_{28}H_{43}NO_7, HCl)_2 + PtCl_4$ oder $(C_{28}H_{45}NO_7 . HCl)_2 + PtCl_4$ entspricht. Das Wismuthjodidsalz bildet einen zinnoberrothen Körper, dem die Formel $(Erythrophleïn-J)_2 + BiJ_3$ zukommt. Beim Erhitzen mit Salzsäure zerfällt die Base in Methylamin und *Erythrophleïnsäure*, $(C_{27}H_{40}O_8$ oder $C_{27}H_{42}O_8)$, die leicht in ein Anhydrid übergeht. *Tr.*

P. Carles. Pharmakologie der Kola[1]. — Die Werthbestimmung der Kolanüsse geschieht durch Extraction mittelst eines alkoholhaltigen Chloroforms, indem man die fein gepulverte und durchgesiebte Substanz mit Kalkhydrat und Alkohol mischt, trocknet und schliefslich extrahirt. *Kolanin* existirt nach Verfasser nur in geringen Mengen in den frischen, reifen und unversehrten Nüssen, es bildet sich erst unter dem Einflusse der Luft und des Lichtes, der Wärme, sowie der Feuchtigkeit. Die Oxydation, auf der die Bildung beruht, erfolgt durch den Einflufs eines Enzyms, der Lakkase. Kolanin ist kein völlig chemisch reines Product, sondern ist immer mit harzartigen und anderen Substanzen gemengt. In schwachen Alkalilaugen löst es sich, doch spalten sie es leicht, zersetzend wirken auch wässerige Säuren. Unter den Spaltungsproducten fand Verfasser Coffeïn von grofser Reinheit. Im Kolanin befinden sich Coffeïn und Theobromin ca. in einem Fünftel seines Gewichtes. Um in der Nufs oder dem Extract das Kolanin zu bestimmen, erschöpft man mit kaltem, destillirtem Wasser und darauf mit 70 proc. Alkohol. Der Auszug, mit kaltem Wasser gewaschen und bei 100° getrocknet, liefert das rohe Kolanin. Um in diesem die Alkaloide zu bestimmen, mischt man dasselbe mit Kalk, Kreide und 70 proc. Alkohol und zieht mit Alkohol - Chloroform aus. Beim Trocknen verliert die Kolanufs 50 bis 56 Proc. Wasser, beim Rösten 10 Proc. flüchtige Stoffe. Kaltes, destillirtes Wasser entzieht 3 bis 4 pro Mille der Alkaloide, Alkohol von 60 Proc. in der Kälte bei zehntägiger Berührung 2,5 bis 3 Proc. Alkaloide. *Tr.*

J. Jean. Quantitative Bestimmung des Kolanins[2]. — Die fein gepulverten und mit Kalk gemengten Kolanüsse befreit man

---

[1] J. Pharm. Chim. [6] 4, 104—108; Ref.: Chem. Centr. 67, II, 552—553. — [2] Rép. de pharm. 1896, Nr. 3; Ref.: Pharm. Centr.-H. 37, 303.

zunächst mittelst Chloroform vom Coffeïn und Theobromin, extrahirt dann das rückständige Pulver im Soxhlet mit 90proc.
Alkohol und gewinnt so einen alkoholischen Auszug, in dem
Kolanin, Gerbstoffe und Farbstoffe gelöst sind. Kocht man dann
den Abdampfrückstand mit Wasser, so bleibt Kolanin ungelöst,
während Gerb- und Farbstoffe gelöst werden. Das Kolanin
sammelt man auf einem Filter, wäscht es aus, trocknet es und
wägt es. Unreife Kolanüsse enthalten nur wenig Kolanin.   *Tr.*

    W. P. H. van den Driessen Mareeuw.   Abscheidung und
Nachweis des Alkaloids aus der Kopsia flavida [1]. — Durch
Extrahiren der Rinde der zur Familie der Apocyneen gehörigen
Kopsia flavida mit Alkohol, Aufnehmen des Rückstandes der
Lösung mit verdünnter Salzsäure und Ausschütteln der mit
Ammoniak übersättigten Flüssigkeit mit Chloroform konnte das
Alkaloid isolirt werden. Zur Reinigung wurde dasselbe nochmals
mit Salzsäure, Ammoniak, Chloroform, Aether und Petroläther
behandelt. Aus Alkohol krystallisirt das Alkaloid in farblosen
prismatischen Säulen. Chlorid, Sulfat und Acetat krystallisiren
gleichfalls. Mit den Alkaloidgruppenreagentien konnten Niederschläge erhalten werden (mit Jodkalium, Kaliumwismuthjodid und
Phosphormolybdänsäure noch in einer Verdünnung von 1:20000).
Schwefelsäure wird durch das Alkaloid gelb, beim Erwärmen
violett gefärbt; concentrirte Salzsäure mit Kaliumdichromat geben
mit dem Alkaloid nach fünf Minuten eine purpurviolette Färbung;
mit Ceroxyd und Schwefelsäure wird eine violette Färbung hervorgerufen. Dampft man eine Spur des Alkaloids mit rother
rauchender Salpetersäure ein, so entsteht eine grüne, durch
Natron braunroth werdende Färbung. Dieselbe Salpetersäure oder
Salpeterschwefelsäure lösen das Alkaloid in der Kälte mit purpur-
violetter Farbe. Durch Bromwasser entsteht in der schwach
sauren Lösung des Alkaloids ein Additionsproduct vom Schmelzp.
286 bis 287°. In den Thierkörper eingespritzt, erzeugt das
Alkaloid Lähmungserscheinungen.   *Sd.*

    Sherman Davis.   Ueber die Alkaloide der Samen der
blauen und weifsen Lupine [2]. — Eine Vergleichung der Alkaloide
der Samen von *Lupinus angustifolius* und *Lupinus albus* ergab
folgendes: 1. Den Alkaloiden, *Lupaninen*, kommt die Formel
$C_{15}H_{24}N_2O$ zu. 2. Das „zerfliefsliche" Lupanin von Soldaini ist
identisch mit dem flüssigen Lupanin. 3. Das flüssige und zer-

---

[1] Ref.: Chem. Centr. **67**, II, 451; Nederl. Tijdschr. Pharm. **8**, 199—204.
— [2] Chem. Centr. **67**, I, 708—709; Apoth.-Zeitg. **11**, 94—95.

fliefsliche Lupanin aus Lup. alb. sind identisch mit dem flüssigen Lupanin aus Lup. angustifol. 4. Die genannten Lupanine werden sämmtlich leicht krystallinisch erhalten und zwar in farblosen Nadeln, deren Lösung rechtsdrehend ist; diese Lupanine nennt D a v i s *Rechtslupanin*. 5. Dem festen Lupanin aus Lup. albus kommt ebenfalls die Formel $C_{15}H_{24}N_2O$ zu; dasselbe ist eine racemische Verbindung gleicher Moleküle Rechts- und *Links-lupanin*. 6. Die freien Basen Rechts- und Linkslupanin bilden farblose Nadeln. 7. Die Rechtscomponente des bei 99° schmelzenden inactiven Lupanins ist identisch mit dem Rechtslupanin aus der blauen und weifsen Lupine. 8. Durch Zusammenbringen gleicher Theile Rechts- und Linkslupanin wird das inactive Lupanin regenerirt. 9. Die Lupanine enthalten weder eine OH-, noch eine OCH_3- noch CO- noch COH-Gruppe. 10. Das Hydrochlorid des Rechtslupanins läfst sich in alkoholischer Lösung durch Brom unter Wasseraufnahme in zwei neue Basen $C_8H_{15}NO$ und $C_7H_{11}NO$ zersetzen; da diese je eine OH-Gruppe enthalten, so besitzt das Lupanin wahrscheinlich die folgende Constitution: $C_8H_{15}N–O–C_7H_{11}N$. (Vgl. diesen JB., S. 218.) *Ld.*

E. S c h m i d t. Ueber die Alkaloide der Lupinensamen [1]). — Die Samen der blauen Lupine enthalten, wie Verfasser in Gemeinschaft mit C. S i e b e r t festgestellt hatte, nur ein Alkaloid, eine flüssige Base der Zusammensetzung $C_{15}H_{24}N_2O$, während S o l d a i n i aus den Samen der weifsen Lupine neben einem flüssigen und einem zerfliefslichen Alkaloid ein gut krystallisirendes Alkaloid vom Schmelzp. 99° isolirte; die beiden nicht krystallisirenden *Lupanine* von S o l d a i n i haben sich als identisch unter einander sowie mit dem Lupanin der blauen Lupine erwiesen, aus Petroläther wurden alle drei in Nadeln vom Schmelzp. 44° erhalten, ihre wässerige Lösung dreht nach rechts. Das bei 99° krystallisirende Alkaloid ist racemisch und kann durch Ueberführung in das Rhodanid in Rechts- und Linkslupanin gespalten werden, die bei ihrer Vereinigung wieder die Modification vom Schmelzp. 99° ergeben. Das Hydrochlorid des r-Lupanins wird durch Brom unter Wasseraufnahme in zwei Basen $C_8H_{15}NO$ und $C_7H_{11}NO$ gespalten, da hier je eine Hydroxylgruppe vorliegt, so wird für das Lupanin die Formel $NC_8H_{15}–O–C_7H_{11}N$ angenommen. Die gelben und schwarzen Lupinen enthalten ein krystallisirtes Alkaloid, das *Lupinin*, $C_{21}H_{40}N_2O_2$, und ein flüssiges, das *Lupinidin* der Zusammensetzung $C_7H_{15}N$. (Vgl. diesen JB., S. 218.) *Mr.*

---

[1]) Pharm. Centr.-H. 37, 538—539.

Victor Vedrödi. Zur Bestimmung des Nicotins und des Ammoniaks im Tabak[1]). — Vedrödi widerlegt die Einwendungen, welche Kifsling[2]) gegen seine unter dem obigen Titel veröffentlichte Arbeit[3]) gemacht hat. *Ld.*

Frank Browne. L'opium de Chine[4]). — Die Analyse von drei Sorten von *chinesischem* Opium ergab folgende Resultate:

	I.	II.	III.	
Morphin	4,321	9,487	11,271	Proc.
Narcotin	1,968	6,151	6,612	„
Papaverin	0,848	0,404	0,334	„
Narceïn	0,692	0,562	0,769	„
Thebaïn	0,901	0,817	0,763	„
Codeïn	0,065	0,157	0,184	„
In Wasser unlöslich	51,620	40,500	44,190	„
Feuchtigkeit	24,830	29,720	38,210	„
Asche	4,580	3,130	2,240	„

Sorte I. stammte aus der Provinz Kwei-chou, II. aus Yunnan, III. aus Szechnen. *Ld.*

Icilio Guareschi. Sopra un caso di falsificazione dell'opio con piombo[5]). — Ein in London gekauftes *Opium* war stark mit metallischem *Blei* verfälscht, es enthielt 13,6 Proc. Blei. *Ld.*

Ed. Schaer. Ueber die Einwirkung des Morphins, sowie des Acetanilids auf Mischungen von Ferrisalz und Kaliumferricyanid[6]). — Die erhaltenen Resultate lassen sich folgendermafsen zusammenfassen. 1. Morphin reducirt sowohl Eisenchlorid, als auch Kaliumferricyanid, in neutraler Lösung ist die Reductionswirkung auf das Ferrisalz stärker als auf Kaliumferricyanid, in sauren Lösungen findet das umgekehrte Verhältnifs statt. 2. Morphin scheidet aus der neutralen oder sauren Lösung der beiden Salze blaue Niederschläge ab, die vorwiegend aus Berlinerblau mit wenig Turnbulls Blau bestehen. 3. Acetanilid reducirt sowohl Eisenchlorid, als auch Kaliumferricyanid, aber weniger intensiv, als Morphin. Aus Mischungen der beiden Salzlösungen scheidet Acetanilid bald blaue Niederschläge ab, aus neutralen Lösungen vorwiegend Turnbulls Blau, aus sauren Lösungen vorwiegend Berlinerblau. 4. Morphin, sowie Acetanilid erzeugen in Mischungen von Ferriacetat und Kaliumferricyanid keine blauen Reactionsproducte. *Ld.*

E. Vongerichten. Ueber Methylpseudomorphin und dessen

---

[1]) Zeitschr. anal. Chem. **35**, 309—311. — [2]) Daselbst **34**, 731. — [3]) Daselbst, S. 413. — [4]) Monit. scientif. [4] 10, 226—228. — [5]) Ann. chim. farm. 23, 12—13. — [6]) Arch. Pharm. **234**, 348—367.

Beziehungeu zu Pseudomorphin und Morphin [1]). — Während *Morphin* durch verschiedene oxydirende Agentien in neutraler oder alkalischer Lösung glatt in Pseudomorphin übergeführt wird, kennt man am *Codeïn* eine solche Reaction nicht. Da Hesse und Dankwortt [2]) ein Tetraacetylderivat des Pseudomorphins erhielten, nahm man an, dafs in letzterem zwei Morphinmoleküle unter Abspaltung zweier an Kohlenstoff gebundener Wasserstoffatome zusammengetreten seien. Es gelang weder Hesse noch dem Verfasser, durch Einwirkung von Jodmethyl und Aetzkali auf Pseudomorphin mehr als ein Methyl in das Molekül einzuführen und das Methylpseudomorphin löst sich im Gegensatz zum Pseudomorphin nicht mehr in verdünnten Alkalien. Es scheint also bei der Bildung des Pseudomorphins aus 2 Mol. Morphin eines der beiden in diesen enthaltenen Phenolhydroxyle zu verschwinden oder in eiu aliphatisches verwandelt zu werden. — Die nähere Untersuchung des Methylpseudomorphins und seiner Ester hat nun ergeben, dafs in der That im Pseudomorphin vier Hydroxylgruppen enthalten sind, von denen aber drei alkoholischen Charakter haben. Der Vorgang der Bildung des Pseudomorphins aus Morphin erscheint analog der directen Verknüpfung zweier Kohlenstoffkerne beim Dimethylanilin und den höheren Phenolen. Es .scheint nun *nicht* die basische Gruppe des Morphins die Veranlassung zu dieser Reaction zu geben, denn in diesem Falle mufste sie beim Codeïn ebenfalls eintreten, vielmehr ist die Reaction dem Phenolcharakter des Morphins zuzuschreiben, welcher im Codeïn durch Methylirung der Hydroxylgruppe verschwunden ist. — Im Gegensatz zu den Binaphtolen scheint der Zusammentritt der beiden Morphinmoleküle im Pseudomorphin nicht symmetrisch erfolgt zu sein, denn beide Stickstoffgruppen und beide Hydroxyle verhalten sich verschieden. Das Dijodmethylat des Pseudomorphins verhält sich, ebenso wie das des Methylpseudomorphins, auf der einen Seite ähnlich dem Codeïnjodmethylat, auf der anderen wie Morphinjodmethylat. Von den Hydroxylen hat nur eines Phenolcharakter. — *Pseudomorphin* wurde nach der Methode von Polstorff [3]) mit einigen Modificationen dargestellt, indem nach der Oxydation mit Ferricyankali die über dem Niederschlag stehende Flüssigkeit abgehebert, der Niederschlag in einem geringen Ueberschufs von Natronlauge gelöst und durch Kohlensäure gefällt wurde. Durch Kochen mit verdünnter Salzsäure, Alkalischmachen und Wiederausfällen mit

---

[1]) Ann. Chem. **294**, 206—219. — [2]) Ber. **24**, 82. — [3]) JB. f. 1880, S. 955.

Kohlensäure wurde das Präparat gereinigt, Ausbeute an weißem, krystallinischem Pulver 84 Proc. der Theorie. — *Monomethyl-pseudomorphin* erhält man durch vorsichtiges Erwärmen von 12 g getrocknetem Pseudomorphin mit 200 ccm Methylalkohol, 100 ccm Wasser, 28 ccm Normalnatronlauge und 4 g Jodmethyl am Rück-flußkühler. Wenn die Abscheidung von Nadeln beginnt, unter-bricht man das Erwärmen und filtrirt nach 12 stündigem Stehen. Ausbeute etwa 11 g. Aus dem Filtrat kann durch weitere Be-handlung mit Jodmethyl und Alkali noch etwa 1 g Substanz ge-wonnen werden. Das Product enthält Jod, kann aber durch Aus-kochen mit Wasser bis auf Spuren von demselben befreit werden. Das *Monomethylpseudomorphin*, $C_{35}H_{38}N_2O_6$, $7H_2O$, ist unlöslich in heißem Wasser, Alkohol, verdünnter Natronlauge, Aether, Chloroform, schwärzt sich bei 257 bis 260^0, liefert Salze mit Säuren und löst sich farblos in concentrirter Schwefelsäure. Das Krystallwasser verliert es bei 140^0 und ist dann sehr hygro-skopisch. — Das gleiche Monomethylderivat wurde neben seinem Jodmethylat gewonnen, wenn das Pseudomorphin mit 2 Mol. Jod-methyl und Natron in ähnlicher Weise behandelt wurde. — *Salzsaures Methylpseudomorphin*, $C_{35}H_{38}N_2O_6$, $2HCl$, $4H_2O$, bildet farblose, glänzende, keilförmige Blätter, löst sich leicht in Wasser, schwerer in verdünnter Salzsäure. Es verliert sein Krystallwasser bei 120^0. — Das *Platindoppelsalz*, $C_{35}H_{38}N_2O_6$, $2HCl$, $PtCl_4$, fällt aus salzsaurer Lösung in gelben Flocken. — Das *Sulfat*, $C_{35}H_{38}N_2O_6$, H_2SO_4, ist in Wasser leichter löslich als das Pseudo-morphinsalz und krystallisirt in weißen, an der Luft verwittern-den Krystallen. — *Methylpseudomorphindijodmethylat*, $C_{35}H_{38}N_2O_6$, $2JCH_3 + 4H_2O$. 10 g Methylpseudomorphin wurden mit 5 g Jod-methyl und Methylalkohol fünf Stunden im Rohr auf 100 bis 110^0 erhitzt. Das Jodmethylat krystallirt beim Erkalten in Prismen, es ist in kaltem Wasser schwerer löslich als in warmem. Das Krystallwasser entweicht bei 100^0. Mit Ammoniaklösung liefert es eine krystallinische Fällung eines basischen Jodids, $C_{35}H_{36}N_2O_6$ $(CH_3J)(CH_3OH)$, $6H_2O$, welches, in heißem Wasser schwer lös-lich, daraus in glänzenden Blättchen krystallisirt. — Gelegentlich der Untersuchung des erwähnten verschiedenen Verhaltens von *Pseudomorphin* und *Methylpseudomorphin* gegen Alkalien wurde die Beobachtung gemacht, daß zur Lösung des ersteren nur etwa $^2/_3$ der auf zwei Phenolhydroxyle berechneten Natronmenge noth-wendig ist. — Versuche, die *Anzahl der Phenolhydroxyle im Pseudomorphin* mittelst Chlordinitrobenzols festzustellen, blieben resultatlos. Nach der Schotten-Baumann'schen Methode der

Benzoylirung wurde aus Morphin ein amorphes *Monobenzoyl-morphin*, aus Pseudomorphin ein *Dibenzoylpseudomorphin*, aus Methylpseudomorphin aber sofort ein *Tribenzoylmethylpseudomor-phin* gewonnen. — *Dibenzoylpseudomorphinchlorhydrat* wird aus dem harzig ausfallenden Benzoylirungsproduct durch Lösen in Essigsäure und Fällen mit Chlornatriumlösung in weifsen Nadeln gewonnen. Es ist in warmem Wasser leicht löslich, die Lösung gelatinirt beim Erkalten, ebenso auf Zusatz von Salzsäure. Durch Ammoniak oder Alkalien wird die Base amorph gefällt. Nach dem Ergebnifs der quantitativen Verseifung enthält sie nur zwei Benzoylgruppen, was auch durch die Salzsäurebestimmung im *Chlorhydrat*, sowie die Platinbestimmung in dem weifsgelben, flockig ausfallenden *Platindoppelsalz* bestätigt wurde. — *Tribenzoylmethyl-pseudomorphin* ist ebenfalls amorph. Die quantitative Verseifung ergab das Vorhandensein dreier Benzoylgruppen, worauf auch der Chlorgehalt des in langen Nadeln krystallisirenden, auf gleiche Weise wie das Dibenzoylpseudomorphinchlorhydrat erhaltenen *Chlorhydrats*, sowie der Platingehalt des *Platindoppelsalzes* stim-men. — *Triacetylmethylpseudomorphin* wird durch mehrstündiges Erwärmen von scharf getrocknetem Methylpseudomorphin mit Essigsäureanhydrid und Natriumacetat auf dem Wasserbade er-halten. Das *salzsaure Salz* desselben ist in Wasser schwer lös-lich und krystallisirt in weifsen Nadeln von der Zusammensetzung $C_{41}H_{44}N_2O_9, 2HCl$, ebenso zeigte das aus sehr verdünnter wässerig-alkoholischer Lösung gefällte Platindoppelsalz den für das Tri-benzoylderivat berechneten Platingehalt. (Vgl. d. JB., S. 211.) *Tf.*

R. Otto. Das Verhalten des Narcotins und Papaverins bei dem Stas-Otto'schen Verfahren der Ausmittelung der Alkaloide [1]. — Aus der sauren wässerigen Lösung von *Narcotin*salzen werden beim Ausschütteln mit Aether nicht unbeträchtliche Mengen von Narcotin vom Aether aufgenommen, dagegen gehen bei Anwesen-heit von Papaverinsalzen in der wässerigen Lösung nur sehr geringe Mengen von Papaverin in den Aether über. Der Aether nimmt übrigens das Papaverin auch aus alkalischer Flüssigkeit nicht leicht auf und es ist daher zweckmäfsig, in diesem Falle Chloroform zum Ausschütteln zu verwenden. *Ld.*

C. Liebermann. Ueber Derivate des Isonarcotins [2]). — Analog der Condensation der Opiansäure mit Hydrocotarnin mit Hülfe von 73 proc. Schwefelsäure, die Isonarcotin liefert [3]), wurde

---

[1]) Arch. Pharm. 234, 317—320. — [2]) Ber. 29, 2040—2045. — [3]) Da-selbst, S. 184.

versucht, einerseits Substitutionsproducte der Opiansäure und Aldehyde oder Ketone mit Hydrocotarnin zu vereinigen, andererseits Opiansäure mit anderen Basen zu condensiren. Letztere Versuche ergaben kein positives Resultat. *Chinolin*, *N-Methylpiperidin*, *Kairolin*, *ψ-Tropin*, *Hygrin* zeigten die Reaction nicht. Mit *Hydrohydrastinin* konnte zwar ein Condensationsproduct erhalten werden, doch wich es in seinen Eigenschaften vom Isonarcotin und Hydrastin ab, konnte auch nicht rein erhalten werden. — Folgende Condensationsproducte von Opiansäurederivaten und Hydrocotarnin wurden dargestellt: *Bromisonarcotin*,

$$C_6HBr(OCH_3)_2\begin{matrix}CO\\ \diagdown \\ CH.C_{12}H_{14}NO_3\end{matrix}{>}O.$$

Ein Gemisch von 3 Thln. *Bromopiansäure* und 2 Thln. *Hydrocotarnin* wurde langsam unter Eiskühlung in 15 Thle. 73 proc. Schwefelsäure eingetragen. Nachdem die Mischung eine halbe Stunde auf Eis gestanden hat, läfst man unter Kühlung 20 Thle. englischer Schwefelsäure zutropfen. Die Mischung bleibt eine Viertelstunde auf Eis stehen und wird dann in Wasser gegossen. Durch Soda wird daraus die Base ausgefällt, die durch Umkrystallisiren aus Alkohol unter Wasserzusatz gereinigt wird. Sie schmilzt bei 175°. Das salzsaure und schwefelsaure Salz sind in kaltem Wasser schwer löslich. Das Platin- und Golddoppelsalz sind gelbe, flockige Niederschläge. Durch Zinkstaub und etwas Salzsäure wird die in verdünnter Essigsäure gelöste Base in Isonarcotin verwandelt. — *Nitroisonarcotin*,

$$C_6H(NO_2)(OCH_3)_2\begin{matrix}CO\\ \diagdown \\ CH.C_{12}H_{14}NO_3\end{matrix}{>}O$$

aus *Nitroopiansäure* (5 Thle.) und *Hydrocotarnin* (4 Thle.) und 73 proc. Schwefelsäure (25 Thle.). Zu der verriebenen Masse werden noch 25 Thle. concentrirte Schwefelsäure zugefügt. Nach dreistündigem Stehen wird in Wasser eingetragen, dann mit Soda gefällt. Die Base krystallisirt in gelben Nadeln, die bei 205° unter Zersetzung schmelzen. — *Methylnorisonarcotin*,

$$C_6H_2(OCH_3)(OH)\begin{matrix}CO_2H\\ \diagdown \\ CHC_{12}H_{13}NO_3\end{matrix} \quad \text{oder} \quad C_6H_2(OCH_3)(OH)\begin{matrix}CO\\ \diagdown \\ CH.C_{12}H_{14}NO_3\end{matrix}{>}O,$$

wird nach dem für Isonarcotin (l. c.) angegebenen Verfahren dargestellt. Beim Ausfällen des Reactionsgemisches mit Soda scheidet sich nicht die freie Base, sondern ein Natriumsalz aus, das in das Chlorhydrat verwandelt wird. Durch Behandeln desselben mit der berechneten Menge Soda bildet sich erst ein Gemenge des

Natrium- und des salzsauren Salzes, das sich schliefslich zu reiner Base umsetzt. Diese scheint 1 Mol. Wasser zu enthalten. Sie ist in Wasser nur wenig löslich, in Alkohol ziemlich leicht. Aus heifsem Benzol krystallisirt die Verbindung $C_{21}H_{21}NO_7 + 1/2 C_6H_6$. Die reine Base schmilzt bei 208°, die Benzolverbindung bei 149 bis 151°. Die Base löst sich in concentrirter Schwefelsäure mit rother Farbe. Alkoholische Lösungen der Base geben mit Eisenchlorid Blaufärbung. Die Base läfst sich auch aus Isonarcotin durch Entmethyliren mit starker Salzsäure erhalten. — Das *Natriumsalz*, $C_{21}H_{20}NaNO_7$, das das Natrium entweder an Carboxyl oder (wahrscheinlich) an das Phenolhydroxyl gebunden enthält, ist in Wasser mit schwach alkalischer Reaction löslich, unlöslich in Alkohol, krystallisirt gut aus heifsem Amylalkohol. — *Salzsaures Methylnorisonarcotin*, $C_{21}H_{21}NO_7$, bildet kleine, weifse Blättchen. — Das *Platindoppelsalz*, $(C_{21}H_{21}NO_7, HCl)_2 PtCl_4$, ist ein gelber Niederschlag. — *Oxybenzylhydrocotarnin*, $C_6H_5.CH(OH).C_{12}H_{14}NO_4$, entsteht aus *Benzaldehyd* und *Hydrocotarnin* unter den für die Bildung des Isonarcotins angegebenen Versuchsbedingungen. Die aus der alkoholischen Lösung durch Ausspritzen mit Wasser abgeschiedene Verbindung schmilzt bei 240° und löst sich in concentrirter Schwefelsäure mit schwach gelblicher Färbung. Die Base reagirt alkalisch. — *Zimmtaldehyd* reagirt ähnlich mit Hydrocotarin.   *H. G.*

B. H. Paul und A. J. Cownley. Jaborandi and its Alcaloids [1]. — Es wurde der Alkaloidgehalt verschiedener Jaborandi-Species bestimmt, dabei ergaben sich folgende Resultate:

Pilocarpus spicatus enthielt   0,16 Proc. Alkaloide
Pilocarpus trachylophus enthielt 0,40   „   „
Pilocarpus jaborandi enthielt   0,72   „   „
Pilocarpus microphyllus enthielt 0,84   „   „

Die abgeschiedenen Alkaloide wurden in die Nitrate übergeführt und deren Schmelzpunkte bestimmt. Wahrscheinlich wird immer aus den Jaborandiblättern ein Gemenge von zwei oder mehreren Alkaloiden erhalten, daher der Schmelzpunkt der käuflichen Präparate grofse Differenzen zeigt.   *Ld.*

v. d. Moer. Zur Constitution des Pilocarpins [2]. — *Pilocarpinchlorhydrat* in Chlorwasser gelöst und dem directen Sonnenlichte ausgesetzt, lieferte *Cytisin*, mit Wasserstoffhyperoxyd oxydirt, *Oxycytisin*. Letzteres wird durch Eisenchlorid blau, unter weiterer

---

[1] Pharm. J. [4] 3, 1. — [2] Chem. Centr. 67, I, 170; Ber. pharm. Ges. 5, 257—258.

Einwirkung von Ammoniakdämpfen roth. Das Pilocarpin scheint
daher ein *Dihydroxycytisin* oder *Hydrohydroxycytisin* zu sein. (Vgl.
diesen JB., S. 217.)   *Ld.*
    Peter Knudsen. Zur Constitution des Pilocarpins [1]. —
Hardy und Calmels haben den Abbau des Pilocarpins in folgender Weise ausgeführt. Das Barytsalz des Alkaloids lieferte beim
Erhitzen eine flüchtige Base, deren Zusammensetzung $C_9 H_{14} N_2$
ist und die sie als Jabonin bezeichnen. Ferner erhielten sie
durch Kochen des Pilocarpins mit Wasser eine Spaltung in Trimethylamin und in Pyridinmilchsäure, $C_3 H_9 N O_3$. Genannte
Autoren beschreiben nun auch den synthetischen Aufbau des
Pilocarpins. Aus Pyridinbrompropionsäure und Trimethylamin
erhielten sie eine Substanz, die sich mit Pilocarpidin identisch
erwies und die bei weiterer Methylirung und nachfolgender ge-
mäfsigter Oxydation sich direct in Pilocarpin verwandeln soll. Da
in dieser Arbeit fast stets Beleganalysen fehlen, so hält Verfasser
die Untersuchungen der genannten Autoren nicht für ausreichend,
um die Frage nach der Constitution des Pilocarpins zu lösen.
Er hat deshalb weitere Versuche in dieser Richtung angestellt,
doch dieselben auf ein Homologes der Pyridinmilchsäure, die
Picolinmilchsäure, übertragen. Zu genannter Säure gelangte er,
indem er Picolylmethylketon mit Blausäure behandelte und das
so gewonnene Cyanhydrin (Schmelzp. 103º) mit Salzsäure verseifte.
Die so gewonnene synthetische *Picolinmilchsäure* bildet in reinem
Zustande schöne Blättchen vom Schmelzp. 158 bis 159º, aus ihr
wurde die *Picolinbrompropionsäure* als syrupöse Säure gewonnen.
Als nun die Picolinbrompropionsäure mit Trimethylamin unter
den verschiedensten Bedingungen behandelt wurde, konnte keine
Spur eines methylirten Pilocarpidins erhalten werden, sondern
es entstand einfach unter Abspaltung von Bromwasserstoff die
entsprechende Picolinacrylsäure neben geringen Mengen von
Condensationsproducten, von denen das eine wahrscheinlich als
Trimethylamidocollidin, das andere vielleicht als Trimethylamido-
picolinpropionsäure anzusehen ist. Nicht günstiger erwiesen sich
die entsprechenden Versuche von Picolinbrompropionsäure mit
Dimethylanilin. Wenn auch diese mifslungene Synthese eines
homologen Pilocarpidins noch kein stricter Beweis für die Unrichtigkeit der von oben genannten Autoren aufgestellten Constitutionsformel ist, so dürfte doch immerhin die Constitutionsformel mit einem gewissen Vorbehalt aufzunehmen sein.   *Tr.*

[1] Ber. pharm. Ges. 6, 164—172.

J. Rosenthal. Alkaloid der Rinde der Rabelaisia philippinensis [1]). — Aus der Rinde, sowie aus dem Baste dieser Pflanze
wurde ein die bekannten Alkaloidreactionen gebendes Alkaloid
dargestellt, über dessen Eigenschaften und Zusammensetzung nichts
erwähnt wird.   *Ld.*

E. Jahns. Vorkommen von Stachydrin in den Blättern von
Citrus vulgaris [2]). — Aus dem wässerigen Extracte der Blätter
der bitteren Orange hat Jahns Stachydrin abgeschieden und die
Identität desselben mit dem von A. v. Planta und E. Schulze [3])
in den Wurzelknollen von Stachys tuberifera aufgefundenen
Stachydrin nachgewiesen. Nebst anderen Derivaten, die schon
bekannt · sind, wurden dargestellt: der Stachydrinmethyläther,
$C_7H_{12}(CH_3)NO_2$, und das Chloraurat dieses Aethers. Beim Erhitzen des Stachydrins mit Aetzkali entsteht Dimethylamin. Nach
seinem Verhalten ist das Stachydrin als eine einbasische Säure
aufzufassen, die eine dimethylirte Amidogruppe enthält; dies wird
durch die Formel $C_4H_6[N(CH_3)_2].CO_2H$ ausgedrückt. Ob ein
Derivat der Angelicasäure oder einer isomeren Säure vorliegt, ist
dermalen noch nicht zu entscheiden.   *Ld.*

L. Lewin. Ueber eine forensische Strychninuntersuchung [4]).
— Lewin wendet sich gegen einen Bericht von Mankiewicz [5])
über eine Strychninuntersuchung und erklärt, dafs das ihm vom
Gerichte übergebene Material weder krystallinisch, noch Strychnin
war, ferner, dafs alle weiteren von anderer Seite angestellten
Untersuchungen mit nicht gerichtlich reservirtem Materiale angestellt wurden.   *Ld.*

Furan- und Thiophengruppe.

Orazio Modica. Ricerche farmacologiche sulle idramidi e
sulle rispettive basi isomere con speciale riguardo alla relazione
fra l'azione e la constituzione atomica. Nota seconda. Furfurammide e Furfurina [6]). — Nach den Untersuchungen von Orazio
Modica wird *Furfurin* im thierischen Organismus zersetzt, die
Furfuramidgruppen gehen in Säuren über. Nach der Furfurineinnahme treten Krämpfe auf. Aehnlicher Spaltung unterliegt
auch Furfuramid im Organismus, wirkt aber nicht giftig, weil es
unlöslich ist.   *Wr.*

[1]) Chem. Centr. 67, I, 1127—1128; Sitzungsber. Physikal. Med. Soc.
Erlangen 27, 72—73. — [2]) Ber. 29, 2065—2068. — [3]) Ber. 26, 989. — [4]) Arch.
Pharm. 234, 272—273. — [5]) Daselbst 233, 508. — [6]) Ann. chim. farm. 23,
247—253; vgl. daselbst 1894, Novemberheft.

St. v. Kostanecki und L. Podrajansky. Ueber die Einwirkung von Furol auf Acetophenon [1]). — Wie bei der Einwirkung von Benzaldehyd auf Acetophenon [2]) oder Methyl-p-tolylketon [3]) je vier Condensationsproducte entstehen, ist dies auch bei Anwendung von Furol der Fall. Furol und Acetophenon liefern folgende vier Condensationsproducte: 1. Furalacetophenon entsteht aus Furol und Acetophenon in alkoholischer alkalischer Lösung bei gewöhnlicher Temperatur nach einigem Stehen, wird durch Wasser ausgefällt und nach dem Fractioniren als ein bei 317° siedendes Oel gewonnen. 2. Furaldiacetophenon erhält man aus denselben Körpern nur in entsprechend modificirten Mengenverhältnissen nach 10 Minuten langem Kochen auf dem Wasserbade. Es scheidet sich beim Erkalten von selbst aus und stellt, aus Alkohol umkrystallisirt, prismatische Nadeln vom Schmelzp. 95° dar. 3. Difuraltriacetophenon vom Schmelzp. 175° entsteht aus 9,6 g Furol und 18 g Acetophenon auf Zusatz von Alkohol und Alkali nach tagelangem Stehen bei gewöhnlicher Temperatur. Der dabei entstandene Niederschlag wird aus Eisessigalkohol und nochmals aus Alkohol krystallisirt und als weifse Nadeln erhalten. 4. Difuraltriacetophenon vom Schmelzp. 211 bis 212° entsteht, wenn man das eben angegebene Gemisch eine Zeit lang im Wasserbade kocht, als Krystallkruste, die beim Umkrystallisiren aus Alkohol weifse Nadeln liefern. Auf analoge Weise wie das Furalacetophenon entsteht das Fural-methyl-p-tolylketon, gelbgefärbte Spiefse vom Schmelzp. 67°. Auf analoge Weise wie das Furaldiacetophenon kann auch das Furaldimethyl-p-tolylketon erhalten werden, weifse glänzende Nadeln vom Schmelzp. 112 bis 113°.   *Stl.*

S. Ruhemann und E. A. Tyler. Beiträge zur Kenntnifs des Acetessigesters. Thl. I. Acetonyläpfelsäure [4]). — Nach den Untersuchungen der beiden Verfasser erhält man bei der Einwirkung sowohl von Chlorfumarsäure-Aethyläther als auch von Chlormaleïnsäure-Aethyläther auf Natracetessigäther ein und dieselbe Verbindung, nämlich *Methyldihydrofurfurantricarboxylsäure-*

Aethyläther, $CH_3-\overset{}{C}\overset{|}{O}-C(-COOC_2H_5, -CHCOOC_2H_5, -\overset{|}{C}HCOOC_2H_5)$. Derselbe siedet unter 15 mm Druck bei 188 bis 189°, hat ein specifisches Gewicht von 1,1580 gegen Wasser von 16°, ist unlöslich in Alkalilauge und giebt beim Behandeln mit Phenylhydrazin kein Hydrazon. In Berührung mit starker, wässeriger

---

[1]) Ber. 29, 2248. — [2]) Daselbst, S. 1488. — [3]) Daselbst, S. 2245. — [4]) Chem. Soc. J. 69, 530—535.

Ammoniaklösung verwandelt er sich in eine Verbindung $C_{10}H_{14}N_2O_5$, welche als das *Monamid des Methylhydroxydihydropyridondicarboxylsäure-Aethyläthers* anzusehen ist und lange, farblose, bei 195° schmelzende Nadeln bildet. Beim Kochen mit alkoholischer Kalilauge zersetzt sich der Methyldihydrofurfurantricarboxylsäure-Aethyläther unter Bildung von *Acetonyläpfelsäure*, CH_3–$C(OH)$ $=CH$–CH[–$COOH$, –$CH(OH)COOH$], welche in farblosen, durchsichtigen, bei 145 bis 146° schmelzenden, in Wasser äußerst leicht löslichen Rhomboëdern krystallisirt. Die Salze der Acetonyläpfelsäure mit den Alkalien und alkalischen Erden sind in Wasser leicht löslich. Das *Baryumsalz*, $C_7H_8BaO_6$. H_2O, bildet ein weißes, hygroskopisches, in Wasser äußerst leicht lösliches Pulver. Das *Silbersalz*, $C_7H_8Ag_2O_6$, stellt ein weißes, krystallinisches, in siedendem Wasser leicht lösliches, gegen das Licht unempfindliches Pulver dar. Beim Behandeln der Acetonyläpfelsäure mit Phenylhydrazin erhält man kein Hydrazon, sondern es entsteht ein *Phenylhydrazinsalz* von der Formel $C_7H_{10}O_6$. $NH_2NHC_6H_5$, welches in farblosen, zu Büscheln vereinigten, in kaltem Alkohol wenig, in siedendem Alkohol leicht löslichen Nadeln krystallisirt, Fehling'sche Lösung leicht reducirt und durch verdünnte Kalilauge zersetzt wird. *Wt.*

D. Vorländer und K. Hobohm. Ueber die Condensation von Ketopentamethylen mit Aldehyden [1]. — Dibenzalketopentamethylen entsteht durch Condensation von 1 Mol. Ketopentamethylen und 2 Mol. Benzaldehyd in alkalischer alkoholischer Lösung als gelbe Nadeln, die aus Alkohol umkrystallisirt, bei 189° schmelzen, in Chloroform, Eisessig, Benzol und Schwefelkohlenstoff leicht löslich, in kaltem Alkohol schwer löslich sind. 1 Mol. dieses Körpers mit 2 Mol. Brom in Chloroform gelöst, liefert nach 12 stündigem Stehen farblose Krystalle, das Tetrabromid des Dibenzalketopentamethylens. Es schmilzt bei 175° unter Entwickelung von Bromwasserstoff. Durch Kochen mit Antimonpulver in alkoholischer Lösung wird es in das bromfreie Dibenzalketopentamethylen zurückverwandelt. Nimmt man zur Condensation 2 bis 3 Mol. Ketopentamethylen auf 1 Mol. Benzaldehyd, so erhält man neben der Dibenzalverbindung ein Oel, dessen höher siedende Fraction bei Winterkälte zu farblosen Krystallen erstarrt. Dieser Körper, das Monobenzalketopentamethylen, schmilzt bei 68° und ist mit Wasserdämpfen flüchtig. Ebenso wie Benzaldehyd reagiren andere aromatische Aldehyde. Das in glänzenden Tafeln

[1] Ber. 29, 1836.

krystallisirende Dianisalketon schmilzt bei 212⁰. Difuralketopentamethylen erhält man als orangegelbe Nadeln vom Schmelzp. 163⁰
durch Einwirkung von Furol auf Adipinketon. Es liefert bei der
Bromirung farblose Krystalle von Dibrompyroxanthintetrabromid,
welcher beim Erwärmen mit Phenol oder beim Kochen mit Zink
oder Antimonpulver in alkoholischer Lösung in das von Hill
beschriebene Dibrompyroxanthin übergeht. Letzteres krystallisirt
aus Alkohol in braungelben Nadeln vom Schmelzp. 180⁰. Als
Condensationsproducte aus Aldehyden und Ketohexamethylen
(Pimelinketon) lassen sich das Difuralketohexamethylen (gelbe
Nadeln vom Schmelzp. 144⁰) darstellen und die Benzaldehydverbindung des Ketohexamethylens vom Schmelzp. 118⁰. Di-
masin [1]) (aus Acetonöl) ist nach öfters ausgesprochenen Vermuthungen identisch mit Ketopentamethylen (aus Holzgeistöl).
In der That läfst sich im Acetonöl Ketopentamethylen nachweisen.
Es ist wahrscheinlich, dafs das im Holzgeistöl und Acetonöl vor-
kommende Ketopentamethylen aus Adipinsäure entsteht, die in
Holz enthalten sein kann.   *Stl.*

Eyvind Boedtker. Sur l'action du chlorure d'aluminium
sur le benzène contenant du thiophène [2]). — Bei der Darstellung
des Cumols nach der Friedel-Crafft'schen Reaction hat Verfasser die Entwickelung von Schwefelwasserstoff beobachtet. Das
angewandte krystallisirbare Benzol enthielt Thiophen, wie sich
an der Indopheninreaction erkennen liefs. Dafs dieses die Quelle
für den Schwefelwasserstoff war, zeigte sich daran, dafs thiophen-
freies Benzol bei der gleichen Behandlung keine Spur Schwefelwasserstoff gab. Durch die Zersetzung des Thiophens gebildete
Reste treten in das Benzol ein und so wird eine über 300⁰ siedende Fraction erhalten, die noch schwefelhaltig ist, aber nicht
mehr die Indopherinreaction giebt. M. Hauer [3]) hat schon die
Reinigung des Benzols von Thiophen mittelst Aluminiumchlorid
vorgeschlagen und die Vermuthung der Bildung von Condensationsproducten ausgesprochen, ohne die Zerstörung desselben unter
Schwefelwasserstoffentwickelung zu beobachten. Die praktische
Verwendung dieser Reaction zur Befreiung des Benzols von
Thiophen läfst nach Verfasser zu wünschen übrig. 500 g stark
thiophenhaltiges Benzol zeigten nach 12stündigem Kochen mit
35 g Aluminiumchlorid noch schwach die Indopheninreaction. *Th.*

Karl Keiser. Ueber das Theerthioxen [4]). — Verfasser hat

---

[1]) J. pr. Chem. **13**, 69. — [2]) Compt. rend. **123**, 310—311. — [3]) Monit.
scientif. 1895. — [4]) Ber. **29**, 2560—2564.

festgestellt, daſs das Thioxen sich wie das Xylol im Theer in mehreren Isomeren findet. Er erhielt aus dem Theerthioxen verschiedene Sulfamide, von denen er zwei durch die Analyse als solche erkennen, ein drittes durch seine Uebereinstimmung mit dem des synthetischen 1,4-Thioxens identificiren konnte. Keines der möglichen isomeren Thioxene kann mehr als zwei isomere Sulfosäuren liefern. Da das Thioxen sich durch fractionirte Sulfurirung nicht vom Xylol befreien läſst, wurde das Monobromderivat sulfonirt und das Natriumsalz durch Natriumamalgam entbromt. Die isolirten Sulfamide schmolzen bei 264^0, bei 258^0, bei 225^0 und bei 135^0. Letzteres erwies sich als identisch mit dem p-Thioxensulfamid. *Th.*

A. Töhl und A. Nahke. Ueber Dithiënylphenylmethan und einige Nitroderivate [1]. — Dithiënylphenylmethan wird durch Einwirkung von Phosphorpentoxyd (20 g) auf eine Petrolätherlösung eines Gemisches von Thiophen (17 g) und Benzaldehyd (10 g) gewonnen. Die Einwirkung vollzieht sich in der Kälte in einigen Stunden. Nach Wasserzusatz wird mit Petroläther ausgeschüttelt, die Lösung mit Natronlauge gewaschen, mit Chlorcalcium getrocknet und fractionirt. Die erstarrende Fraction wird in siedendem Alkohol gelöst, nach geringer Abkühlung von den ausgeschiedenen Oeltropfen abgegossen, mit Aether versetzt und das auskrystallisirende Dithiënylphenylmethan aus Alkohol krystallisirt. Farblose Nadeln; Schmelzp. 74 bis 75^0. Zusammensetzung $(C_4H_3S)_2C_6H_5CH$ (analysirt). Mit Isatin und Schwefelsäure braunrothe, beim Erwärmen grüne, beim Verdünnen violett werdende Lösung. Derselbe Körper entsteht auch aus: 1. Benzaldehyd und Thiophen: a) durch mehrstündiges Erhitzen im Rohre auf 100^0; b) durch Erhitzen mit Chlorzink; c) durch kurze Einwirkung von concentrirtem Ammoniak; 2. aus Benzalchlorid, Thiophen und Aluminiumchlorid. — Dithiënyl-m-nitrophenylmethan, $(C_4H_3S)_2(C_6H_4NO_2)CH$, entsteht durch Einwirkung von Phosphorpentachlorid auf ein Gemisch von m-Nitrobenzaldehyd und Thiophen in Aether-Chloroform. Reaction durch Erwärmen eingeleitet, aber in der Kälte zu Ende geführt. Nach Wasserzusatz mit Chloroform ausgeschüttelt, überschüssiges Aldehyd durch Natriumbisulfit entfernt und das ausgeschiedene dunkle Oel mehrmals mit wässerigem Alkohol ausgekocht. Aus den alkoholischen Lösungen krystallisirt das Dithiënyl-m-nitrophenylmethan in blättrigen Krystallen aus. Schmelzp. 72 bis 73^0. Reagirt heftig mit rauchender

---

[1] Ber. **29**, 2205.

Salpetersäure. Bei siebenstündigem Erhitzen mit Salpetersäure im Rohre blieb nach dem Abdampfen ein Oel zurück, das bald erstarrte; Schmelzp. 105°. In alkoholischem Kali violett löslich. Durch zweistündiges Erhitzen mit Salpetersäure auf 220° gelang die Analyse. o- und p-Nitrobenzaldehyd condensiren sich ebenfalls mit Thiophen. Dithiënyl-o-nitrophenylmethan, Nadeln; Schmelzp. 84° (analysirt). Dithiënyl-p-nitrophenylmethan. Aus Aether zu Büscheln vereinigte Nadeln; Schmelzp. 89 bis 90° (analysirt). *Stl.*

Pyrrole und Pyrazolgruppe.

W. F. Laycock. An Examination of the Products obtained by the Dry Distillation of Bran with Lime [1]. — Kleie und ungelöschter Kalk wurden im Mengenverhältnifs 1 : 2 der trockenen Destillation unterworfen. Das erhaltene Destillat bestand aus einem schwarzen Oel, das auf einer wässerigen Lösung schwamm. Letztere bestand aus beträchtlichen Mengen Ammoniak, das hauptsächlich als Bicarbonat vorhanden war, ferner aus Aminen und Pyrrolen, auch waren kleine Mengen von Ketonen und Aethylalkohol vorhanden. Aus dem neuerdings destillirten Oel wurden durch Zusatz von Chlorwasserstoffsäure die Pyridinbasen abgeschieden, die Ketone durch Schütteln mit Natriumbisulfitlösung entfernt. Das restirende Oel bestand aus einer Mischung von Kohlenwasserstoffen und homologen Pyrrolen mit kleinen Quantitäten von Furfuran und Indol.   *L. H.*

Einige Abkömmlinge des Diphenylpyrrols wurden von J. Schmidt [2] bei einer eingehenden, an anderer Stelle zu besprechenden Untersuchung der Diacylbernsteinsäureester aus den isomeren β- und γ-Dibenzoylbernsteinsäureestern dargestellt. Beide Ester werden beim Erwärmen mit Ammoniumacetat in Eisessiglösung in den 2,5-Diphenyl-3,4-dicarbonsäureester verwandelt, der aus Alkohol in Prismen vom Schmelzp. 151 bis 152° krystallisirt. Die Condensation mit Phenylhydrazin führt in analoger Weise zum 1-Phenylamido-2.5-diphenyl-3,4-carbonsäureester (Schmelzp. 184 bis 185°), neben dem sich geringe Mengen des Bisdiphenylpyrazolons (Schmelzp. 316 bis 317°) bilden. Durch halbstündiges Erwärmen mit alkoholischem Kali wird der Ester glatt verseift, die erhaltene Dicarbonsäure spaltet beim Schmelzpunkt (154°) Kohlensäure ab und liefert ein aus kleinen gelbroten

---

[1] Chem. News **73**, 106. — [2] Ann. Chem. **293**, 107—110.

Kryställchen bestehendes Sublimat von Phenylamidodiphenylpyrrol. Die beschriebenen Pyrrolderivate zeigen sämmtlich nicht die Fichtenspahnreaction. *Dd.*

Pyrazolgruppe.

Im Anschlufs an frühere Arbeiten veröffentlichte L. Knorr [1]) eine gröfsere, in Gemeinschaft mit mehreren Schülern ausgeführte Experimentaluntersuchung „Beiträge zur Kenntnifs des Antipyrins". — In derselben ist zunächst das Verhalten des Antipyrins gegen Jodalkyle eingehend studirt. Bei Temperaturen unter 60° verhält sich Antipyrin gegen Jodmethyl wie eine im Sinne folgender Formel ungesättigte Verbindung:

$$\text{I.} \quad \begin{array}{c} CH_3\text{—}N\text{—}N(C_6H_5)\text{—}CO\text{—} \\ \| \qquad\qquad\qquad \| \\ CH_3C\text{-} \text{————}CH \end{array}$$

Die durch Addition von 1 Mol. Jodmethyl entstehenden Producte sind demnach als Jodalkylate der Phenoläther des technischen Pyrazolons aufzufassen und haben sich identisch erwiesen mit den aus den Phenoläthern und Jodalkylen direct hergestellten Verbindungen. Diese „Antipyrinpseudojodalkylate" zeigen im Allgemeinen das normale Verhalten von Halogenalkylaten, sie werden indefs nicht blofs durch Silberoxyd, sondern schon durch Alkalien in unbeständige Ammoniumbasen verwandelt, die leicht in Antipyrin und den entsprechenden Alkohol zerfallen. Es tritt dabei das aus dem Halogenalkyl stammende Alkyl in Form von Alkohol aus, während der ursprüngliche Substituent am Stickstoff unberührt bleibt. Auf diese Weise erklärt sich die auffallende, früher beschriebene Bildung von Antipyrin bei der Methylirung der Phenoläther des technischen Pyrazolons. In ganz gleichem Sinne zerfallen diese Pseudojodalkylate auch beim Schmelzen; sie spalten sich rückwärts in Antipyrin und Jodalkyl, das beim Erhitzen im Rohr weiter auf Antipyrin unter Bildung von Alkylderivaten einwirkt. Letztere bestehen bei Anwendung von Jodmethyl hauptsächlich aus 4-Methylantipyrin und 1-Phenyl-3,4-trimethylpyrazolon; und zwar ist das 4-Methylantipyrin das primäre Reactionsproduct, das durch weitere Einwirkung von Jodmethyl — nicht, wie experimentell sicher zu erweisen ist, durch Umlagerung — in das isomere 1-Phenyl-3,4-trimethylpyrazolon übergeht. Die Bildung dieser beiden Producte, die stattfindet, einerlei von welchem Anti-

---

[1]) Ann. Chem. 293, 1—69.

pyrin man ausgegangen ist, läfst sich nur in der Weise erklären, dafs die Antipyrine mit Jodmethyl bei höherer Temperatur als ungesättigte Verbindungen im Sinne folgender Gleichungen reagiren:

$$
\begin{array}{l}
\text{II.} \qquad\qquad\qquad\qquad\qquad\qquad\quad \text{J} \\[4pt]
\underset{\displaystyle CH_2-C\!\!=\!\!=\!\!=\!\!=\!\!=\!\!=\!\!=CH-}{R-N-N(C_6H_5)-CO} \;+\; JCH_3 \;=\; \underset{\displaystyle CH_3-C\!\!=\!\!=\!\!=\!\!=CH-CH_3}{R-N-N(C_6H_5)-CO} \\[18pt]
\qquad = JR + \;\; \underset{\displaystyle CH_3-C\!\!=\!\!=\!\!=\!\!=CH-CH_3}{N-N(C_6H_5)-CO}
\end{array}
$$

Das zunächst entstehende 1-Phenyl-3,4-dimethylpyrazolon wird unter den gewählten Versuchsbedingungen durch Jodalkyl zunächst in ein 4-Methylantipyrin verwandelt, welch letzteres weiter im Sinne folgender Formeln Jodmethyl zu addiren vermag:

$$
\begin{array}{ccc}
\text{II.} & & \text{III.} \\[4pt]
\underset{\displaystyle CH_3-C\!\!=\!\!=\!\!=C(CH_3)-}{R-N-N(C_6H_5)-CO} & \text{und} & \underset{\displaystyle CH_3-C\!\!=\!\!=\!\!=C(CH_3)}{R-N-N(C_6H_5)-CO}
\end{array}
$$

Der Mechanismus dieser Additionsreactionen wird dann vollkommen durchsichtig, wenn R ein beliebiges anderes Alkyl aufser Methyl ist (Benzyl, Propyl). Bethätigt sich das Antipyrin im Sinne der Formel II, so führt die Anlagerung von Jodmethyl an die ungesättigten Bindungen und die darauf folgende Abspaltung von RJ zu dem 1-Phenyl-3,4-trimethylpyrazolon, während Formel II in der gleichen Weise unter Abspaltung von RJ das 1-Phenyl-2,3,4-trimethylpyrazolon (4-Methylantipyrin) liefert. Das Verhalten des Antipyrins läfst sich mithin, da seine Formulirung als inneres Phenolbetaïn, die nach obigen Reactionen zunächst nahe lag, bei näherer Betrachtung auszuschliefsen ist, dahin zusammenfassen: es kommen im Antipyrinmolekül dadurch, dafs der Stickstoff abwechselnd drei- und fünfwerthig auftritt, Valenzverschiebungen zu Stande, wie sie die Formeln I, II und III wiedergeben. Als vierte schliefst sich diesen die durch Addition von Brom an Antipyrin gegebene Formel

$$
\begin{array}{l}
CH_3-N-N(C_6H_5)-CO \\[6pt]
CH_3-C\;\cdots\;\quad\;\dot{C}H
\end{array}
$$

an. In einem derartigen, „wirklich ungesättigten" Zustand befindet sich nach der Ansicht des Verfassers bei den Additionsreactionen des Antipyrins ein Bruchtheil der gesammten Antipyrinmoleküle und es führt diese Art der „partiellen Dissociation" zu

einer periodisch sich wiederholenden Aenderung der Valenz-
verhältnisse, ähnlich wie es der Verfasser früher [1]) für gewisse
tautomere Substanzen entwickelt hat. In diesem Sinne ist die
gebräuchliche Antipyrinformel zu ergänzen.   *Dd.*
   Der Addition von Jodmethyl an Antipyrin ist die von L. Knorr
und P. Rabe [2]) untersuchte Einwirkung von Benzoylchlorid auf
Antipyrin an die Seite zu stellen. Die Componenten vereinigen
sich schon in der Kälte zu dem bei 130° schmelzenden
Antipyrinchlorbenzoylat, das durch Wasser und Alkali leicht
wieder gespalten wird. Beim Erhitzen für sich liefert es neben
Chlormethyl das von Nef beschriebene Phenylmethylbenzoyl-
pyrazolon vom Schmelzp. 75°. Aus letzterem konnte durch Erhitzen mit Jodmethyl ein Antipyrinjodbenzoylat dargestellt werden,
das durch Chlorsilber in das entsprechende Chlorbenzoylat verwandelt wird. Dies erwies sich identisch mit dem direct aus
Antipyrin und Benzoylchlorid erhaltenen Product. Die Analogie
dieser Reactionen mit dem Verhalten des Antipyrins gegen
Halogenalkyle macht es wahrscheinlich, dafs auch die Einwirkung
von Säurechloriden auf Antipyrin in der gleichen Weise zu formuliren ist. Das Benzoylproduct vom Schmelzp. 75° wäre dann
als 1-Phenyl-3-methyl-5-benzoyloxypyrazol zu bezeichnen. Dasselbe
Benzoylderivat ist neben mehreren anderen Säureestern des
Pyrazolons auch von Himmelbauer [3]) („Beiträge zur Kenntnifs
der Pyrazolonderivate“) beschrieben worden, der die Einwirkung
von Acetyl-, Benzoyl-, Benzoylsulfonchlorid und Chlorkohlensäureester, von Chlorkohlenoxyd sowie von Benzylchlorid und Chlor-
essigsäureester auf das technische Pyrazolon (und zum Theil auf
das 1-Phenyl-3,4-dimethyl-5-pyrazolon) studirte. Er erhielt aus
den zuerst genannten Säurechloriden beim Erhitzen mit Pyrazolon
oder auch schon in der Kälte, eventuell auch in Gegenwart von
Alkali, Säureester des Pyrazolons, die er als (2) Derivate [4]) auffafst:

$$R-N-N(C_6H_5)-CO$$
$$\qquad | \qquad\qquad (R=COCH_3,\ COC_6H_5,\ SO_2C_6H_5,\ COOCH_3,\ COOC_2H_5)$$
$$CH_3Cl \cdots\cdots\cdots CH$$

---

[1]) Ann. Chem. 279, 208. — [2]) Daselbst 293, 42—48. — [3]) J. pr. Chem.
54, 177—214. — [4]) *Bemerkung des Referenten.* Gegenüber dieser Auffassung
wird in einer kurz darauf erschienenen, im nächsten Jahrgang zu referiren-
den Arbeit von F. Stolz in sehr überzeugender Weise dargelegt, dafs die
genannten Säurederivate sämmtlich Abkömmlinge der Phenolform des tech-

$$N-NC_6H_5-C(OR)$$

nischen Pyrazolons $\qquad \|\qquad\qquad \|\qquad$ sind. Siehe J. pr. Chem. 55, 145.
$$CH_3-C- \qquad\qquad CH$$

Es sind gut krystallisirte Verbindungen, die durch verseifende Mittel leicht gespalten werden. Bemerkenswerth ist die Kohlensäureabspaltung des Carbonsäureesters des Pyrazolons beim Erhitzen: sie liefert neben 1-Phenyl-3-methyl-5-methoxypyrazol erhebliche Mengen von Antipyrin, das bei den Versuchsbedingungen secundär aus ersterem entsteht. Ein analoges Verhalten zeigt der aus 1-Phenyl-3, 4-dimethyl-5-pyrazolon mittelst Chlorkohlensäureester dargestellte Carbonsäureester. Zu complicirteren Condensationsproducten führte die Einwirkung von Chlorkohlenoxyd auf geschmolzenes Pyrazolon bei 150 bis 180º. Es wurde der Hauptsache nach ein hochmolekulares rothgefärbtes Product unbekannter Constitution erhalten; daneben entsteht ein Bispyrazolonderivat, in welchem vielleicht an Stelle 4 ein quaternäres Kohlenstoffatom die Bindung zwischen den beiden Pyrazolkernen vermittelt, Carbobisphenylmethylpyrazolon, Nädelchen vom Schmelzp. 235º. Die Einwirkung von Benzylchlorid auf eine wässerig-alkalische Pyrazolonlösung ergab ein Benzylderivat[1]) (Schmelzp. 134 bis 136º), mit monochloressigsaurem Natrium wurde durch 30 Minuten langes Kochen in alkalischer Lösung die bekannte 1-Phenyl-3-methyl-5-pyrazolon-4-essigsäure (Schmelzp. 178º) erhalten, während aus dem 1-Phenyl-3, 4-dimethyl-5-pyrazolon unter denselben Bedingungen je nach der Dauer des Erhitzens zwei isomere Essigsäuren[2]) gewonnen wurden. *Dd.*

Ueber das 4-Oxyantipyrin machten L. Knorr und R. Pschorr[3]) Mittheilung. Diese Verbindung, das Phenol des Antipyrins, entsteht aus dem 4-Bromantipyrin durch Kochen mit Kalilauge oder besser aus dem 1-Phenyl-3-methyl-4-oxy-5-pyrazolon durch Methylirung mit Jodmethyl. Letztere Verbindung stellt den Alkohol des technischen Pyrazolons dar und entsteht aus dem zugehörigen Keton, dem 4-Ketopyrazolon, durch Reduction mit Natriumamalgam. Das näher beschriebene Oxyantipyrin krystallisirt aus Wasser in Nadeln vom Schmelzp. 182º, zeigt vollständig den Charakter eines aromatischen Phenols und liefert mit Benzoylchlorid, Jodmethyl u. s. w. gut krystallisirte Derivate. *Dd.*

---

¹) *Bemerkung des Referenten.* Diese Verbindung schmilzt nach einer neueren Untersuchung von M. Giefse (Dissertation, Jena 1897) bei 146 bis 147º und ist im Gegensatz zu der Annahme Himmelbauer's zweifellos das 4-Benzylderivat. Es besitzt als solches gleichzeitig sauren und basischen Charakter. — ²) *Bemerkung des Referenten.* Da beiden Säuren nach neueren Angaben von Stolz (l. c.) nicht die von Himmelbauer angenommene Constitution zukommt, soll die Constitutionsfrage zusammen mit den ergänzenden Versuchen Stolz' im nächsten Jahresbericht besprochen werden. — ³) Ann. Chem. 293, 49—55.

Zwei sich ergänzende Mittheilungen von L. Knorr und Th. Geuther[1]) und von L. Knorr und Fr. Stolz[2]) behandeln die Reduction des Nitrosoantipyrins und das 4-Amidoantipyrin. Zur Darstellung dieser Base eignet sich am besten die Reduction einer alkoholisch-essigsauren Lösung des Nitrosoantipyrins mit Zinkstaub. Aus der schwach gelbgefärbten Lösung wird die Amidobase mit Benzaldehyd in Form ihrer Benzylidenverbindung abgeschieden, die mit Salzsäure gespalten das Hydrochlorat der Base liefert. Das freie Amidoantipyrin krystallisirt aus Benzol in hellgelben Spiefsen vom Schmelzp. 109°; es vereinigt sich leicht mit aromatischen Aldehyden, mit Acetessigester, Brenztraubensäure u. s. w. unter Wasseraustritt zu gut krystallisirten Derivaten, die durch Säuren wieder in die Componenten zerlegt werden. Der aromatische Charakter der Base zeigt sich in der Bildung von Diazosalzen, die durch auffallende Beständigkeit in wässeriger Lösung ausgezeichnet sind. Ihre wässerige Lösung läfst sich, ohne dafs Zersetzung eintritt, eindampfen und ist bei gewöhnlicher Temperatur beliebig lange haltbar. Mit Anilin vereinigt sich das Diazoantipyrinchlorhydrat in essigsaurer Lösung zu einem Diazoamidokörper (Schmelzp. 136 bis 137°), mit Phenolen, R-Salz u. s. w. zu Azofarbstoffen. *Dd.*

Ueber Verbindungen des Antipyrins mit den Kresolen, mit Hydrochinon, Orcin, Pyrogallol und Phoroglucin machten G. Pateïn und E. Dufai[3]) im Anschlufs an frühere Versuche Mittheilung. Die Componenten treten im Verhältnifs von 1 Mol. zu 1 Mol. zu salzartigen, meist gut krystallisirenden Verbindungen zusammen, die durch Säuern wieder in die Componenten zerlegt werden. *Dd.*

Zur Pyrazolonbildung aus ungesättigten Säuren und Hydrazinen lieferten W. Autenrieth[4]) und S. Ruhemann[5]) Beiträge. Ersterer erhielt durch Condensation der isomeren β-Chlorcrotonsäureester mit Phenylhydrazin das Phenylmethylpyrazolon vom Schmelzp. 127°, aus dem secundär Bispyrazolon und das 4-Phenylhydrazinketopyrazolon entsteht. Die isomeren Ester verhalten sich bei der Condensation vollkommen gleich. Ebenso verläuft die von Ruhemann studirte Condensation von Hydrazinen mit Chlorfumarsäureester ganz analog den frühor[6]) bei der Fumarsäure selbst gemachten Beobachtungen. Phenylhydrazin lieferte

[1]) Ann. Chem. 293, 55—57. — [2]) Daselbst, S. 58—69. — [3]) Bull. soc. chim. [3] 15, 609—610, 611—612, 1048—1050. — [4]) Ber. 29, 1658—1664, 2169—2171. — [5]) Chem. Soc. J. 69, 1394—1397. — [6]) Ber. 26, 117—121.

den Bis-1-phenyl-5-pyrazolon-3-carbonsäureester (Schmelzp. 272°),
Hydrazinhydrat den 5-Pyrazolon-3-carbonsäureester (Schmelzp. 184
bis 185°). S. Ruhemann [1]) ergänzte ferner seine früheren [2]
Mittheilungen über den 5-Pyrazolon-4-carbonsäureester aus Di-
carboxyglutaconsäureäthylester. Durch Vermittelung des Silbersalzes wird das Pyrazolonderivat mittelst Jodmethyl in den
1,4-Dimethyl-5-pyrazolon-4-carbonsäureester (Schmelzp. 88 bis 89°)
übergeführt, der beim Verseifen die bei 222° schmelzende Carbonsäure liefert.　　　　　　　　　　　　　　　　　　　　　*Dd.*

　　Gelegentlich der Untersuchung einiger durch Säureradicale
substituirter Malonsäureester stellte H. Schott [3]) durch Einwirkung
von Phenylhydrazin einige Pyrazolonabkömmlinge dar. Der Mono-
und Diphenacetylmalonsäureester (aus Phenacetylchlorid und Na-
triummalonsäureester gewonnen) geben beide mit Phenylhydrazin
in Eisessiglösung condensirt den 1-Phenyl-3-benzyl-5-pyrazolon-
4-carbonsäureester (Schmelzp. 124 bis 127°). Die Umsetzung ist
keine glatte, da das Phenylhydrazin gleichzeitig spaltend auf die
Acylmalonsäureester einwirkt. Vollständiger verläuft die Pyrazolonbildung bei den Acetylmalonsäureestern, von denen der Diacetyl-
ester in einer Ausbeute von ca. 80 Proc. den 1-Phenyl-3-methyl-
5-pyrazolon-4-carbonsäureester lieferte. Letzterer krystallisirt aus
Aetheralkohol in Prismen vom Schmelzp. 119 bis 121,5°. *Dd.*

　　In einer ausführlichen Abhandlung „Ueber die Constitution
des Tartrazins" klärte R. Anschütz [4]) die Constitution der
Tartrazinfarbstoffe auf, die nach seinen Ergebnissen als Pyrazolonabkömmlinge aufzufassen sind. Dieser Nachweis konnte einmal
durch analytische Bestimmungen des Tartrazins und der aus ihm
leicht zu erhaltenden sauren Salze und weiter durch den genauen
Verfolg der Tartrazinbildung aus Oxalessigester erbracht werden.
Bezeichnet man die Säure

$$N\!-\!N(C_6H_4SO_3H)\!-\!CO$$
$$COOH\!-\!C \qquad\qquad\qquad C\!=\!N . NHC_6H_4SO_3H$$

1-Phenylsulfo-4-phenylhydrazinsulfoketo-5-pyrazolon-3-carbonsäure

mit dem Namen Tartrazinsäure, so stellt das technische Tartrazin
das Trinatriumsalz der Tartrazinsäure dar. Aus dem normalen
Natrium- oder Baryumsalz werden durch Mineralsäuren die
schwerer löslichen und heller gefärbten sauren Salze abgeschieden,
von denen sich das Baryumsalz wegen seiner grofsen Schwerlöslichkeit zur quantitativen Bestimmung des Tartrazins eignet.

---

　　[1]) Ber. 29, 1016—1018. — [2]) Ber. 27, 1661. — [3]) Ber. 29, 1939—1995.
— [4]) Ann. Chem. 294, 219—243.

Die Tartrazinbildung aus Oxalessigester [1]) durchläuft folgende Stadien: 1. Phenylhydrazin-p-sulfosäure vereinigt sich mit Oxalessigester in Gegenwart von Natriumacetat in wässeriger Lösung zu dem Natriumsalz des 1-Phenylsulfosäure-5-pyrazolon-4-carbonsäureesters („Tartrazinogenestersulfosäure"). Dies Pyrazolderivat bildet sich aus dem primär entstehenden Hydrazon allmählich beim Stehen der Lösung, sehr rasch dagegen, wenn man sie kurze Zeit im Sieden erhält. Die fortschreitende Pyrazolonbildung macht sich durch die Ausscheidung des Natriumsalzes bemerkbar. 2. Durch Zusatz einer Lösung von p-Diazobenzolsulfosäure geht das Product über in den Methylester des sauren Dinatriumtartrazinats

$$N-N(C_6H_4SO_3Na)-CO$$
$$COOR-C- \quad - - - \quad -C=N-NHC_6H_4SO_3Na$$

der, mit der berechneten Menge Natronlauge verseift, Tartrazin liefert. Die Tartrazinsynthese aus Dioxyweinsäure ist mithin in derselben Weise zu formuliren, wie es L. Knorr bereits früher [2]) für den Stammkörper des Tartrazins, die Phenylhydrazinketophenylpyrazoloncarbonsäure, befürwortet hat, die sich aus dem gelbgefärbten Osazon der Dioxyweinsäure beim Umkrystallisiren aus Eisessig unter Wasserabspaltung bildet. *Dd.*

C. Harries und G. Loth. Zur Constitution der 1-Phenylpyrazolone [3]). — Vorliegende Abhandlung schliefst sich an die Untersuchung des Phenylhydrazinoessigesters von Harries [4]) an und beschäftigt sich mit den Umwandlungen des entsprechenden Propionsäureesters. Die Untersuchung nahm ihren Ausgang vom *β-Anilidopropionester*, der aus dem Jodpropionester, für den eine bequeme Darstellung angegeben wird, und aus Anilin als eine schwere, rothbraune Flüssigkeit erhalten wird, die unter 18 mm Druck bei 175° als hellgelbes Oel übergeht. Die Säure daraus krystallisirt abzuscheiden, gelang nicht. Durch Nitrit wurde daraus *Nitroso-β-anilidopropionsäureester*, $C_6H_5.N.(NO).CH_2CH_2COOC_2H_5$, als Oel erhalten. Giebt die Liebermann'sche Reaction. Die Reduction zu dem Hydrazin liefs sich am besten nach der Methode von Fischer [5]) mit Aluminiumamalgam durchführen, es resultirte jedoch stets ein Gemenge von Hydrazinoester und regenerirtem Anilidoester. Das Hydrazin wurde in Form des *Pikrats*, $[C_6H_5 .N.(NH_2).CH_2.CH_2.COOC_2H_5]C_6H_2(NO_2)_3OH$, isolirt. 1 g des

---

[1]) Engl. Pat. Nr. 5693, A. D., 1893. — [2]) Ber. 21, 1204. — [3]) Ber. 29, 512—520. — [4]) Ber. 28, 1223. — [5]) Ann. Chem. 190, 162.

Salzes löst sich in 2 bis 3 ccm Alkohol und krystallisirt daraus
in feinen Nadeln, Schmelzp. 131 bis 132⁰. Das *Oxalat* ist in
Wasser leicht, in Aether nicht löslich und schmilzt bei 107⁰.
Durch Titration mit N-Kalilauge wurde der *as-β-Phenylhydrazino-
propionsäureester* in Freiheit gesetzt, er ist unlöslich in Wasser
und hat den Siedep. K_2 174 bis 175⁰. Kaliumcyanat führt zu
dem würfelförmig aus Wasser krystallisirenden *Semicarbazid* vom
Schmelzp. 163 bis 164⁰. Das *Phenylthiosemicarbazid* schmilzt bei
71 bis 74⁰, ist unlöslich in Wasser, Ligroin und Alkohol. Ein
Condensationsproduct mit Benzaldehyd konnte nicht isolirt werden.
Die Verseifung des rohen Esters mit Alkohol und Natrium ergiebt
das *1-Phenyl-3-pyrazolidon*, dessen Natriumsalz, aus der alkoholischen Lösung mit Aether gefällt, in Folge geringer Oxydation
prachtvoll dunkelviolett wird. Das getrocknete Na-Salz wird mit
wenig Wasser aufgenommen, mit Essigsäure versetzt und die Base
aus Benzol umkrystallisirt. Zeigt den von Rothenburg-
Lederer [1]) angegebenen Schmelzp. 119 bis 121⁰. Das *Chlorhydrat*
schmilzt bei 163⁰. Das von v. Rothenburg beschriebene Silbersalz der 1-Phenylpyrazolonisonitrosoverbindung erwies sich als ein
Gemisch von Salzen des 1,3-Phenylpyrazolons und *Nitro-1,3-
phenylpyrazolons*, Schmelzp. 190 bis 192⁰. Das letztgenannte wird
leicht durch warme verdünnte Salpetersäure erhalten. *Acetyl-
1,3-phenylpyrazolidon*, aus Ligroin in farblosen Prismen vom
Schmelzp. 66 bis 67⁰ zu erhalten. Oxydation des Phenylpyrazo-
lidons mit $FeCl_3$ führt zu dem bei 153⁰ schmelzenden 1,3-Phenyl-
pyrazolon. *Chlorhydrat*, Nadeln, dissociirbar durch Wasser,
Schmelzp. 111⁰. In Uebereinstimmung mit Stolz [2]) konnten Verfasser Phenylpyrazolon-4-azobenzol nicht erhalten. Das *Acetyl-
1,3-phenylpyrazolon* bildet Nadeln vom Schmelzp. 62 bis 63⁰. Bei
der Verseifung des Esters verläuft nach Vorstehendem also die
Reaction:

$$C_6H_5N\begin{array}{c}CH_2\\\diagup\diagdown\\|\quad\;CH_2\\H_2N\quad COOC_2H_5\end{array} + NaOH = C_6H_5N\begin{array}{c}CH_2\\\diagup\diagdown\\|\quad\;CH_2\\NH\quad CO\end{array} + NaOH + OHC_6H_5$$

und daraus durch Oxydation das vielumstrittene 1,3-Phenyl-
pyrazolon.   *Mr.*

W. Autenrieth [3]) berichtete über die Einwirkung von Phenylhydrazin auf die isomeren β-Chlorcrotonsäureester. — Er stellte
die beiden β-Chlorcrotonsäureäther dar durch Einleiten von

[1]) Ber. 26, 2974. — [2]) Ber. 27, 407. — [3]) Ber. 29, 1653.

trockenem Salzsäuregas in die concentrirte Lösung von β-Chlorisocrotonsäure resp. β-Chlorcrotonsäure in absolutem Alkohol und erhielt so den β - *Chlorcrotonsäure-Aethyläther*, $C_6 H_9 Cl O_2$, als bei 179 bis 180⁰ destillirendes Oel, während der β - *Chlorisocrotonsäure-Aethyläther*, $C_6 H_9 Cl O_2$, ein farbloses, angenehm riechendes, unter einem Drucke von 740 mm bei 157 bis 158⁰ siedendes Oel darstellt. Die beiden Ester geben beim Behandeln mit Phenylhydrazin die gleichen Verbindungen, nämlich 1-Phenyl-3-methylpyrazolon, Bisphenylmethylpyrazolon, Phenylhydrazinchlorhydrat und einen in gelb- bis rubinrothen Nadeln krystallisirenden, bei 155 bis 156⁰ schmelzenden Körper. Das *1 - Phenyl - 3 - methyl- 5 - pyrazolon* erwies sich als identisch mit der von Knorr[1]) aus Acetessigäther und Phenylhydrazin erhaltenen Verbindung. Der bei 155 bis 156⁰ schmelzende *Körper* wurde als identisch mit dem von Knorr (l. c.) beschriebenen 1-Phenyl-3-methylpyrazolon-4-azobenzol und dem Phenylhydrazin-1-phenyl-3-methyl-4-keto-5-pyrazolon erkannt, welche beide Verbindungen ebenfalls als identisch nachgewiesen wurden. Das *Bisphenylmethylpyrazolon*, $C_{20} H_{18} N_4 O_2$, stellt eine in Wasser und kaltem Alkohol fast unlösliche, weiße Masse dar, welche von den Alkalien gelöst und durch Säuren aus dieser Lösung wieder ausgefällt wird. Das *Diacetyl-Bisphenylmethylpyrazolon*, $C_{24} H_{22} N_4 O_4$, durch Erhitzen des Bisphenylmethylpyrazolons mit Essigsäureanhydrid im Ueberschusse dargestellt, krystallisirt aus Alkohol in feinen, bei 132 bis 134⁰ schmelzenden, in Wasser fast nicht, in Alkohol, Aether und Chloroform ziemlich leicht löslichen Nadeln. Natriumcarbonat wirkt auf dasselbe, selbst in der Hitze, nicht ein, dagegen wird es durch concentrirte Kalilauge verseift. *Dibenzoyl-Bisphenylmethylpyrazolon*, $C_{34} H_{26} N_4 O_4$, durch Schütteln der Lösung des Bisphenylmethylpyrazolons in überschüssiger Natronlauge mit Benzoylchlorid gewonnen, bildet feine, in Alkohol, Aether und Chloroform leicht, in Wasser nicht lösliche, bei 189 bis 190⁰ schmelzende Nadeln. Das *Dibenzolsulfon-Bisphenylmethylpyrazolon*, $C_{32} H_{26} N_4 S_2 O_6$, endlich wird durch Erhitzen einer Lösung des Bisphenylmethylpyrazolons in überschüssiger Natronlauge mit Benzolsulfochlorid in feinen, bei 190⁰ schmelzenden, in Wasser nicht, in kaltem Alkohol wenig, in siedendem Alkohol und in Aether leicht löslichen Nadeln erhalten.

Wt.

W. Filehne. Pyramidon, ein Antipyrinderivat [2]). — Dasselbe ist ein Dimethylamidophenyldimethylpyrazolon und bildet ein gelb-

---

¹) JB. f. 1887, S. 1698. — ²) Pharm. Zeitg. 41, 812.

lich weifses, krystallinisches Pulver, das in Wasser 1:10 löslich ist. Eisenchlorid färbt die Lösung intensiv blauviolett, diese Färbung geht bald in Violett über. Mit Nitrit und Schwefelsäure liefert das Pyramidon eine bald verschwindende Violettfärbung, ähnlich ist die Färbung mit rauchender Salpetersäure. Auf das Nervensystem wirkt Pyramidon ähnlich wie Antipyrin. Der Unterschied zwischen beiden Präparaten besteht nur darin, dafs die Wirksamkeit des Pyramidons durch wesentlich kleinere Dosen hervorgebracht wird und sich langsam entwickelt und langsamer wieder verschwindet als die des Antipyrins.   *Tr.*

Hirsch. Ueber die Verbindung des Antipyrins mit Quecksilberchlorid [1]). — Bringt man eine wässerige Lösung von Antipyrin mit einer wässerigen Lösung von Quecksilberchlorid in äquimolekularen Mengen zusammen, so erhält man einen weifsen Niederschlag, der nach dem Trocknen bei 65 bis 66° schmilzt. Aus Aether erhält man den Körper in kleinen tafelförmigen Krystallgebilden. Die Analyse ergab 63,2 Proc. $HgCl_2$ und 33,43 Proc. Antipyrin, während eine Verbindung $C_{11}H_{12}N_2O \cdot HgCl_2$ 40,9 Proc. Antipyrin und 59,1 Proc. $HgCl_2$ verlangt. Aus weinsaurer Lösung läfst sich die Verbindung mit Aether oder Chloroform ausschütteln. Die Existenz einer Verbindung von Calomel mit Antipyrin konnte Verfasser nicht nachweisen.   *Tr.*

M. E. Marcourt. Étude chimique d'un nouveau composé d'antipyrine et d'aldéhyde formique [formopyrine] [2]). — Eine Verbindung des Antipyrins mit Formaldehyd entsteht, wenn eine 40 proc. Formaldehydlösung mit einer wässerigen Lösung von Antipyrin gemischt wird. Formopyrin, $C_{12}H_{14}N_2O_2$, krystallisirt monoklin, schmilzt bei 142°, ist unlöslich in kaltem Wasser, Aether, Benzol; wenig löslich in siedendem Wasser; löslich in Chloroform, Eisessig, Milchsäure und Alkohol. Als Constitutionsformel ist wohl folgende anzunehmen:

Formopyrin ist löslich in Säuren und bildet mit diesen gut krystallisirende, salzartige Verbindungen. Dieselben wurden erhalten:

---

[1]) Ber. pharm. Ges. 6, 285—287. — [2]) Bull. soc. chim. 15, 520—529.

1. mit Säuren von der Verdünnung 1 : 10, 2. mit concentrirten Säuren. — Sowohl mit verdünnter, als auch mit concentrirter Salzsäure erhält man silberweiße Krystalle, $C_{12}H_{14}N_2O_2$. HCl, die durch den Einfluß des Lichtes rasch gelb werden. — Verdünnte Schwefelsäure liefert seidige Büschel $(C_{12}H_{14}N_2O_2)_2 H_2SO_4$, concentrirte Schwefelsäure dagegen rosenrothe Krystalle $(C_{12}H_{14}N_2O_2)$. H_2SO_4. — Mit verdünnter Salpetersäure erhält man kleine Nadeln, $(C_{12}H_{14}N_2O_2)_2$. HNO_3. Mit concentrirter Salpetersäure bilden sich unter lebhafter Reaction gelbe Krystalle. — Das Phosphat, H_3PO_4 . $(C_{12}H_{14}N_2O_2)$, enthält stets noch etwas freie Phosphorsäure. — Mit Oxalsäure erhält man in beiden Fällen feine, in Wasser unlösliche Nadeln. — Essigsäure, Milchsäure und Weinsäure scheinen keine Verbindungen mit Formopyrin zu liefern.
L. H.

Eine irrthümliche Angabe M. E. Marcourt's über Formopyrin wurde von F. Stolz[1]) richtig gestellt, der in dem Formopyrin Marcourt's das schon beschriebene Methylenbisantipyrin erkannte.
Dd.

Guido Pellizari. Ueber die Identität des Formopyrins mit Methylenbisantipyrin[2]). — Verfasser hat das Methylenbisantipyrin, $CH_2[C_3N_2O(CH_3)(C_6H_5)]_2$, früher sowohl durch das Antipyrinalloxan, als auch aus Antipyrin und Formaldehyd erhalten, nach welcher letzteren Methode es auch später von Schuftan dargestellt worden ist. Neuerdings hat E. Marcourt aus Antipyrin und Formaldehyd einen Körper erhalten, den er Formopyrin nennt und sich durch Addition eines Formaldehydmoleküls an die Methylimidgruppe des Antipyrins entstanden denkt. Pellizari weist die Unhaltbarkeit dieser Formel nach. Das bei 155 bis 160° schmelzende, sogenannte Formopyrin ist nichts anderes als Methylenbisantipyrin mit einem Krystallwasser, $C_{23}H_{24}N_4O_2$, welches beim Trocknen das Wasser verliert und in Methylenbisantipyrin, Schmelzp. 179°, übergeht. Beim Krystallisiren aus wässerigem Alkohol nimmt letzteres wieder Wasser auf und geht in den ersteren Körper über. Es wird dies bewiesen auch durch die Analysen des sogenannten Formopyrins selbst und seiner Salze, welche mit der Annahme Pellizari's viel besser übereinstimmen als mit der Marcourt'schen Formel. Auch die krystallographische Untersuchung ergab die Identität des Formopyrins mit dem auf den verschiedenen Wegen gewonnenen Methylenbisantipyrin.
Schr.

---

[1]) Ber. 29, 1826—1828. — [2]) Gazz. chim. ital. 26, II, 407—412.

J. D. Riedel. Verfahren zur Darstellung von Condensations-
producten des Acetylamidophenylhydrazins mit Acetessigester[1]).
— Beim Erhitzen von p-Acetylamidophenylhydrazin mit einem
Ueberschuſs von Acetessigester auf etwa 150° entsteht das
Condensationsproduct,

$$CH_3-CO-NH.C_6H_4-N\begin{matrix} CO-CH_3 \\ | \\ N==C-CH_3 \end{matrix},$$

welches gelbweiſse Nadeln vom Schmelzp. 280° (uncorr.) bildet,
die in heiſsem Wasser und Alkohol schwer löslich sind. Beim
Erhitzen mit Mineralsäuren wird daraus die Acetylgruppe ab
gespalten. Durch Acetylirung erhält man das aus heiſsem Alkohol
in weiſsen Nadeln krystallisirende und bei 180° schmelzende *Di-
acetylamidophenylmethylpyrazolon.* Das Condensationsproduct des
p-Acetylamidophenylhydrazins mit Methylacetessigester schmilzt
bei 270° (uncorr.).   *Sd.*

 G. Patein und **E. Dufau**[2]) berichten *über Verbindungen des
Antipyrins mit den Oxybenzoësäuren und ihren Derivaten.* Durch
Einwirkung gleicher Moleküle Antipyrin und Säuren auf einander
entstehen das bei 91 bis 92° schmelzende Salipyrin, das bei 78
bis 82° schmelzende Antipyrin-p-oxybenzoat und das flüssige Anti-
pyrin-m-oxybenzoat. Ein Gemisch von Antipyrin und Natriumsalicylat liefert anscheinend eine leicht zersetzliche Verbindung,
die hygroskopisch ist, aber über concentrirter Schwefelsäure wieder
das Wasser verliert. Salicylsäuremethylester und Anissäure bilden
keine molekularen Verbindungen. Saligenin liefert das flüssige
Product, $C_7H_8O_2.C_{11}H_{12}N_2O$. Aus diesen Versuchen und der
Thatsache, daſs sich 2 Mol. Antipyrin mit den Oxybenzoësäuren
nicht vereinigen lassen, dagegen, wie früher gezeigt ist, auch
die Phenole mit Antipyrin Verbindungen geben, geht jedenfalls
hervor, daſs die Phenolgruppe die Bindung bewirkt.   *Ps.*

Imidazole und Oxazole.

 S. Gabriel und **R. Stelzner.** Ueber (Bis-3-) Methylindazol[3]).
— **H. Müller**[4]) hatte aus Nitro-α-m-xylidin durch salpetrige
Säure einen Körper $C_8H_8N_3O_2$ erhalten und ihm eine Constitution
zugeschrieben, die die Verfasser im Hinblick auf die später ent-

---

    [1]) Patentbl. **17**, 252; D. R.-P. Nr. 85 883 vom 6. Dec. 1893. — [2]) Bull.
soc. chim. **15**, 846—850. — [3]) Ber. **29**, 303—309. — [4]) Beitrag zur Kenntniſs
des α-m-Xylidins, Inaug.-Diss., Berlin 1893, S. 20.

deckten Indazolgruppe zu einer Nachprüfung veranlaſste, da es bei der o-Stellung von Amido- uud Methylgruppe sehr wahrscheinlich war, daſs hier *Nitromethylindazol* vorlag. Nitroxylidin erhielten sie aus der Acetylverbindung durch Nitriren und nachheriges Abspalten des Acetyls durch rauchende Salzsäure. Die Nitrobase wurde dann in schwefelsaurer Lösung mit Nitrit versetzt, längere Zeit erhitzt und heiſs filtrirt. Das Nitromethylindazol nach dem Umkrystallisiren aus Alkohol bei 192,5⁰. Die Reduction mit Zinn und Salzsäure führte merkwürdiger Weise in ein *Chloramidomethylindazol* über:

Cl CH
CH₃ NH.
NH₂ N

Die freie Base bildet aus verdünntem Alkohol glänzende Blättchen vom Schmelzp. 195⁰, ihr Acetylderivat schmilzt bei 154⁰. Dagegen giebt Nitroindazol mit besetzter p-Stellung eine chlorfreie Base. *Amidomethylindazol* wurde durch Reduction mit alkoholischem Schwefelammon im Rohr bei 100⁰ erhalten und durch Ueberführung in das Chlorhydrat uud dessen Zersetzen mit Ammoniak gereinigt. Die in farblosen Nadeln krystallisirende Base zeigt den Schmelzp. 172⁰ (unter Zersetzung) und löst sich in Alkohol, siedendem Wasser, Säuren und Alkalien. *Pikrat*, lange, gelbe Nadeln, Schmelzpunkt unter Schäumen bei 183⁰; *Dibenzoylamidomethylindazol*, nach Schotten-Baumann gewonnen, krystallisirt aus Essigäther in schwefelgelben Nadeln, Schmelzp. 186 bis 187⁰. Durch Azotiren lieſs sich nur schwierig das *Bis-3-methylindazol* erhalten, das aus heiſsem Wasser in farblosen Nadeln vom Schmelzp. 116 bis 117⁰ krystallisirt. Siedepunkt bei 747 mm Druck 293 bis 294⁰. Als Imidokörper bildet es eine *Nitrosoverbindung*, citronengelbe Nädelchen aus Ligroin vom Schmelzp. 61⁰. Giebt die Liebermann'sche Reaction. Das *Pikrat* des Methylindazol bildet eigelbe Nadeln vom Schmelzp. 159 bis 160⁰.
Mr.

K. Auwers. Ueber Indazolderivate [1]. — Diese Untersuchung knüpft an eine ältere, in Gemeinschaft mit F. v. Meyenburg [2] über acetylirte Isindazolderivate publicirte Abhandlung an. In ihrem ersten, in Gemeinschaft mit Herrn A. R. Ewing bearbeiteten Theile hat sie zum Gegenstand den Verlauf der Abspaltung der

[1] Ber. 29, 1255—1271. — [2] Ber. 24, 2370.

Acetylgruppen aus den meist schon früher dargestellten Isindazol-
derivaten, was, nebenbei bemerkt, nur unter gleichzeitiger Auf-
spaltung des Ringes gelingt. Es wird also die Darstellung des
Jz-1-Acetylisindazols,

$$C_6H_4 \diamondsuit \begin{matrix} CH \\ N \\ N-C_2H_3O \end{matrix}$$

aus o-Amidobenzaldoxim und Beckmann'schem Gemisch beschrieben. Aus Ligroin farblose Nadeln, die in Wasser, Alkohol
und Chloroform leicht, in Aether, Benzol und Ligroin schwer
löslich sind, Indazolgeruch besitzen und krystallinisches Quecksilberchloriddoppelsalz liefern. Durch Alkali wird schon bei gewöhnlicher Temperatur o-Amidobenzaldoxim zurückgebildet. Ganz
analog verhält sich das *Jz-1,3-Acetylmethylisindazol*,

$$C_6H_4 \diamondsuit \begin{matrix} C.CH_3 \\ N \\ N.C_2H_3O \end{matrix}$$

indem es das Oxim des o-Amidoacetophenons liefert. — Bei Wiederholung der Versuche mit *Jz-1,3-Acetylphenylisindazol*, Schmelzp.
185°, wurde constatirt, dafs die Acetylverbindung des o-Amidobenzophenons bei 88 bis 89° schmilzt. Dieses Isindazolderivat
spaltet sich bei sehr kurzer Wirkungsdauer der Natronlauge in
alkoholischer Lösung zum *monoacetylirten o-Amidobenzophenonoxim*,
perlmutterglänzende Blättchen,

$$C_6H_4 \diamondsuit \begin{matrix} C.C_6H_5 \\ N \\ N.C_2H_3O \end{matrix} + H_2O = C_6H_4 \diamondsuit \begin{matrix} C.C_6H_5 \\ N.OH \\ NH.C_2H_3O \end{matrix}$$

Schmelzpunkt nicht ganz scharf bei 180°, welches durch Essigsäureanhydrid in das bekannte *Diacetyl-o-amidobenzophenonoxim*,

$$C_6H_4 \diamondsuit \begin{matrix} C.C_6H_5 \\ N.OC_2H_3O \\ NH.C_2H_3O! \end{matrix}$$

Schmelzp. 218°, übergeführt wird. Durch etwas längeres Erhitzen
mit Natronlauge entsteht aus Acetylphenylisindazol ein stereoisomeres *o-Amidobenzophenonoxim*, Schmelzp. 125 bis 126°, dessen
höher schmelzende Form, 156°, durch Kochen jener Körper mit
Natronlauge nach längerer Zeit entsteht. Aus der höher schmelzenden Form gelingt manchmal die Darstellung der niedrigschmelzen-
den durch mehrstündiges Erhitzen mit absolutem Alkohol im
Rohr auf 160 bis 170°. — Die weiteren von Ewing begonnenen
Versuche sind in Gemeinschaft mit Herrn Sondheimer durch-

geführt worden. Sie betreffen die Darstellung und nähere Untersuchung eines *Jz-2,3-Oxyphenylindazols*,

$$C_6H_4 \diamondsuit \begin{smallmatrix} C.C_6H_5 \\ N.OH \\ N \end{smallmatrix}$$

aus der Diazoverbindung des o-Amidobenzophenons durch
Natriumsulfit, also auf einem von E. Fischer und Tafel[1] für
Jz-3-Methylindazol vorgezeichnetem Wege:

$$C_6H_4 \diagdown \begin{smallmatrix} CO.C_6H_5 \\ NH.NH.SO_3Na \end{smallmatrix} - H_2O = C_6H_4 \diamondsuit \begin{smallmatrix} C.C_6H_5 \\ N.SO_3Na \\ N \end{smallmatrix}$$

$$C_6H_4 \diamondsuit \begin{smallmatrix} C-C_6H_5 \\ N.SO_3Na \\ N \end{smallmatrix} + H_2O = C_6H_4 \diamondsuit \begin{smallmatrix} C-C_6H_5 \\ N.OH \\ N \end{smallmatrix}$$

Dieses Oxyphenylindazol ist in rohem Zustande ziemlich unbeständig
und nur schwer ohne Verluste umzukrystallisiren, in reinem Zustande ist der Körper haltbar. In heifsem Wasser schwer löslich,
krystallisirt daraus in dünnen Tafeln und Spiefsen, aus Benzol
in diamantglänzenden, flächenreichen Prismen. Schmelzp. 125
bis 126°. In organischen Solventien, mit Ausnahme von Ligroin
und Benzol, leicht löslich. Ueber den Schmelzpunkt erhitzt zersetzt es sich unter Bildung reichlicher Mengen von Benzophenon,
$C_{13}H_{10}N_2O = C_{13}H_{10}O + N_2$. Mit Quecksilberchlorid und Silber-
nitrat bildet es in |Nadeln krystallisirende Doppelverbindungen.
Schwache Säure, in Alkalien löslich, unlöslich in kaltem Ammoniak
und Soda. Bildet mit Säuren keine Salze. Durch Acetylchlorid
wird es völlig zerstört, aus Essigsäureanhydrid krystallisirt es
unverändert aus.| Von kalter Natronlauge wird es, auch bei
längerem Stehen, nicht verändert, durch Kochen mit Natronlauge
oder Soda bildet sich neben (ca. 10 Proc.) Benzophenon, welches
im Dampfstrome abgeblasen wird, (ca. 50 Proc.) ein *Isooxyphenyl-
indazol*, $C_{13}H_{10}N_2O$, welches gegenüber seinen Isomeren weit beständiger und schwerer löslich ist. Aus Alkohol unter Zusatz
von Thierkohle, oder aus viel Benzol umkrystallisirt, bildet es
weifse, perlmutterglänzende Blättchen, Schmelzp. 212°, die sowohl in Aetzalkalien, wie auch in concentrirter Salzsäure löslich
sind, aber aus der letzteren Lösung durch Zusatz von Wasser
unverändert ausgefällt werden. Mit Essigsäureanhydrid und entwässertem Natriumacetat bildet es ein Monacetat, $C_{15}H_{12}N_2O_2$, weifse
Nadeln, Schmelzp. 90 bis 91°. Die Constitution des Körpers bleibt
noch zweifelhaft. — Während die oxydirenden Agentien, z. B.

---

[1] Ann. Chem. **227**, 316.

Fehling'sche Lösung, das Jz-2,3-Oxyphenylindazol leicht und
weitgehend verändern, erleidet der Körper glatt die Reduction
zum *Jz-3-Phenylindazol*,

$$C_6H_4 \diagdown \begin{matrix} C-C_6H_5 \\ | \\ N \end{matrix} NH$$

Zu dem Ende eignen sich besser saure Reductionsmittel, z. B.
Zinnchlorür und Salzsäure, als alkalische. Der Körper entsteht
auch als Nebenproduct bei der Darstellung des Oxyphenylindazols.
Es existirt in zwei Modificationen, die bei 107 bis 108° und 115
bis 116° schmelzen; beim Erhitzen auf ihre Schmelzpunkte gehen
dieselben in einander über. Aus Ligroin kann jede Modification
beliebig oft, ohne Umlagerung zu erleiden, umkrystallisirt werden.
Die niedrig schmelzende bildet Nadeln, höher schmelzende derbe,
flächenreiche Prismen. Bringt man einen fertigen Krystall in
Ligroinlösung ein, so krystallisirt alles in der betreffenden Form.
In organischen Solventien ist das Phenylindazol sehr leicht löslich,
unlöslich in der Kälte, in Alkalien und verdünnten Säuren.
Destillirbar unter geringfügiger Zersetzung. Aus wässerigen Lö-
sungen fällen Silber und Quecksilbersalze nadelförmige Doppel-
verbindungen aus. Die Derivate beider Modificationen sind iden-
tisch; bei ihrer Zersetzung wird ¦immer die niedrig schmelzende
Form regenerirt. — *Sulfat* seideglänzende Nadeln. *Chlorhydrat*
weifser, krystallinischer Niederschlag. *Pikrat* dunkelgelbe Rhomben.
Nitrosoverbindung eigelber Niederschlag. *Acetylverbindung* strahlige
Krystallmasse, Schmelzp. 69 bis 70°. In Säuren unlöslich, gegen
Alkalien ziemlich beständig.   *v. N.*

    Emil Fischer. Neue Bildungsweise der Oxazole [1]. — Durch
Einwirkung von Salzsäuregas auf ätherische Lösungen des Benz-
aldehydcyanhydrins oder besser eines Gemisches dieser Substanz
mit Bittermandelöl entsteht das β-μ-Diphenyloxazol:

$$C_6H_5 . COH + \begin{matrix} HOHCl. C_6H_5 \\ | \\ N\equiv C \end{matrix} = C_6H_5 C \diagdown \begin{matrix} O-C-C_6H_5 \\ \| \\ N-CH \end{matrix} + H_2O$$

neben der Benzaldehydverbindung des Mandelsäureamids, $C_6H_5 . CH$
$= N . CO . CH¦OH . C_6H_5$. Diese neue Bildungsweise der Oxazole
scheint in der aromatischen Reihe allgemein gültig zu sein, versagte aber bisher in der aliphatischen Reihe. Ein Gemisch von (50 g)
Benzaldehydcyanhydrin, (40 g) Benzaldehyd und (300 g) Aether
wurde in Eis gekühlt und mit Salzsäuregas bis zur Bildung eines
dicken Krystallbreies (43 g) gesättigt. Das Umkrystallisiren

---

[1] Ber. 29, 205—214; vgl. Minovici, S. 1709.

aus vierfacher Menge absoluten Alkohols, vortheilhaft unter Einleiten etwas gasförmiger Salzsäure, ergab 25 Proc. des zwischen 160 bis 165° schmelzenden Chlorhydrates, $C_{15}H_{12}NOCl$. [Die Mutterlaugen der ersten Krystallisation des Chlorhydrates aus Aether enthalten (22 g) die Benzaldehydverbindung des Mandelsäureamids. Das Hydrochlorat wird schon durch kaltes Wasser in freie Base $C_{15}H_{11}NO$ verwandelt. Aus Ligroïn umkrystallisirt, schmilzt dieselbe bei 74°, destillirt unzersetzt wenig über 360°. Mit Wasserdämpfen wenig flüchtig, schwer löslich in Wasser und Ligroin, sehr leicht in Alkohol und Aether, in concentrirter Schwefelsäure mit schwach bläulicher Fluorescenz. Krystallisirt in Nadeln. Sie wird von Salzsäure selbst bei 150° nicht verändert, dagegen durch rauchende Jodwasserstoffsäure bei 160 bis 170° 'wird sie völlig zerstört, dabei tritt als Zersetzungsproduct scheinbar das Phenyläthylamin auf. Salpetersäure wirkt nitrirend ein, Natriumnitrit in essigsaurer Lösung verändert die Base nicht. Mit Jodmethyl erzeugt sie das *Jodmethylat*, $C_{15}H_{11}NO.CH_3J$, Schmelzp. 196°. Mit Chromtrioxyd in Eisessiglösung in kleinen Portionen oxydirt geht die Base in das *Phenylglyoxylbenzamid*, $C_6H_5.CO.NH.CO.CO.C_6H_5$, über, welches aus Benzol in flachen Nadeln, Schmelzp. 142 bis 143°, anschiefst. Es löst sich leicht in Aceton, Alkohol, Benzol und Chloroform, schwer in Aether, fast gar nicht in heifsem Wasser. Aetzende Alkalien und Baryumhydroxyd spalten es in der Hitze in Benzoësäure, Ammoniak und Phenylglyoxylsäure, welch letztere leicht als Barytsalz isolirt werden kann. — Bei der Reduction mit Natrium (200 g) in der absolut alkoholischen Lösung (2,5 Liter) des Hydrochlorats (80 g) wurde das Diphenyloxazol in Folge der Addition von sechs Wasserstoffatomen in *Benzylphenyloxäthylamin*, $C_6H_5CH_2.NH.CH_2.CHOH$ .C_6H_5, (11 g) übergeführt. Die Verbindung scheidet sich aus Ligroin in farblosen, schönen Krystallen, oder langen, beiderseits zugespitzten Nadeln, Schmelzp. 100 bis 101°, und destillirt in kleiner Menge unzersetzt. Sie ist leicht löslich in Wasser, Alkohol und Benzol, schwerer in ˙Aether. Das *Hydrochlorat* ist in heifsem Wasser leicht, in Salzsäure sehr schwer löslich und bildet farblose Blättchen, Schmelzp. 220°. Das *Nitrosamin*, $C_6H_5.CH_2$.$N(NO).CH_2.CHOH.C_6H_5$, krystallisirt aus Ligroin in Nadeln, Schmelzp. 93°, und ist in Alkohol, Aceton, Aether und Essigester leicht löslich. Giebt nicht die Liebermann'sche Reaction, wird dagegen durch warme Salzsäure in die ursprüngliche Base zurückverwandelt. Durch Erhitzen des (1 Thl.) Benzylphenyloxäthylamins mit (60 Thln.) Jodwasserstoffsäure vom spec. Gewicht

1,96 zwölf Stunden lang auf 140 bis 150° entsteht in rechteckigen
Tafeln krystallisirendes, bei 227° schmelzendes *Jodhydrat des
Benzylphenyläthylamins*, $C_{15}H_{18}NJ$, das zur Lösung 60 bis 70 Thle.
heifsen Wassers verlangt. Daraus durch Schütteln mit Chlorsilber dargestelltes *Chlorhydrat*, $C_{15}H_{17}N.HCl$, ist in Wasser
leichter löslich und krystallisirt daraus in farblosen Plättchen,
Schmelzp. 264 bis 266°. Das *Sulfat* ist leicht löslich, krystallisirt
in Rauten, welche meist zu Büscheln vereinigt sind und bei 186
bis 187° schmelzen. Die *freie Base*, $C_6H_5.CH_2.NH.CH_2.CH_2.C_6H_5$,
ist ein farbloses Oel vom Siedep. 327 bis 328° bei 750 mm Druck,
mit Alkohol und Aether mischbar; sie kann |bequemer durch
Reduction des Phenyläthylidenbenzylamins, $C_6H_5.CH_2.N:CH$
$.CH_2C_6H_5$, mit Natrium in siedender alkoholischer Lösung dargestellt werden. — Die Constitution des β-μ-Diphenyloxazols wird
gestützt durch die Nichtreactionsfähigkeit dieses Körpers mit
Phenylhydrazin selbst bei 100°, und durch die Bildung desselben
auf dem von Blümlein[1]), später von Levy[2]) aufgefundenen allgemeinen Verfahren aus Benzamid und Phenylbromäthylaldehyd

$$C_6H_5.C\begin{matrix}OH\\ \diagdown\\ NH\end{matrix} + \begin{matrix}BrHC.C_6H_5\\ |\\ O:CH\end{matrix} = C_6H_5C\begin{matrix}O—C.C_6H_5\\ ||\\ N—CH\end{matrix}.HBr + H_2O.$$

Der letztere Körper wurde zum Zwecke dieser Synthese aus Phenyl-
äthylaldehyd (1 Thl.) in Chloroformlösung (4 Thl.) durch Bromiren
mit (1,7 Thln.) Brom gelöst in (4 Thln.) Chloroform bereitet und
in rohem Zustande, d. h. als Rückstand nach Verjagen des Chloroforms im Vacuum bei einer 40° nicht übersteigenden Temperatur,
mit |der Hälfte des eigenen Gewichts an Benzamid im Wasser-
bade durch zwei- bis dreistündiges Erhitzen condensirt. Aus dem
Reactionsproduct wurde in üblicher Weise das β-μ-Diphenyloxazol,
Schmelzp. 74°, isolirt. — Durch zehntägiges Stehenlassen von
(7,1 g) Aethylaldehydcyanhydrin und (10,6 g) Benzaldehyd mit
(90 ccm) Aether, welcher 2 Proc. Chlorwasserstoff enthielt, wurde
das *Benzylidenmilchsäureamid*, $C_6H_5.CH:N.COCHOH.CH_3$, in
Nadeln oder Spiefsen vom Schmelzp. 130 bis 131° erhalten. Es ist
in warmem Alkohol sehr leicht, in Aether schwer löslich. Aus
alkalischen Lösungen wird es durch Säuren ausgefällt. Seine
Umwandlung in ein Oxazol ist bisher nicht gelungen.   *v. N.*

V. Kulisch. Zur Kenntnifs des Lophins und der Glyoxaline[3]).
— Verfasser hat durch Erwärmen molekularer Mengen von salz-

[1]) Ber. **17**, 2580. — [2]) Ber. **20**, 2579; **21**, 924. — [3]) Monatsh. Chem.
17, 300—308.

saurem Benzamidin, Benzoin und Natronlauge bei Gegenwart von 50 proc. Alkohol einen Körper $C_{21}H_{16}N_2$ erhalten, der aus Alkohol in langen Nadeln vom Schmelzp. 275° krystallisirt und sich nicht, wie aus seiner Synthese zu erwarten war, isomer dem Lophin von Radziczewski[1]) erwies, sondern mit diesem identisch war. Die von dem genannten Forscher für das Lophin formulirte Constitution I dürfte demnach aufzugeben sein zu Gunsten der Formulirung II von Japp[2]):

$$\text{I.} \quad \begin{array}{c} C_6H_5.C{=}N \\ | \\ C_6H_5.C{=}N \end{array}\!\!\!\Big\rangle CH.C_6H_5 \qquad\qquad \text{II.} \quad \begin{array}{c} C_6H_5.C{-\!\!\!-\!\!\!-}N \\ \| \\ C_6H_5.C{-}NH \end{array}\!\!\!\Big\rangle CC_6H_5.$$

Das salzsaure Salz des so dargestellten Lophins zeigt den Schmelzp. 155°. Concentrirte alkoholische Kalilauge spaltet unter Lichterscheinung in Benzoësäure und Ammoniak. Lophin wurde ferner mit Jodäthyl auf dem Wasserbade erhitzt. Das Condensationsproduct bildet aus Alkohol kleine Blättchen und spaltet schon bei 150° Jodäthyl ab und geht dabei in das bei 234° schmelzende *Aethyllophin* über. Beim Erwärmen des Aethyllophins mit alkoholischem Kali tritt Zerfall in Benzoësäure, Ammoniak und Aethylamin ein, ein Zusatz von Chloroform bewirkt Carbylamingeruch, so daß damit die Stickstoffalkylbindung, wie die Japp'sche Formel bedingt, bewiesen ist. Ebenso liefert die Methode von Herzig und Meyer den Beweis, daß der Alkylrest am Stickstoff sich befindet. Denselben Beweis konnte Verfasser auch für ein anderes Glyoxalin, für das Aethylglyoxalin, führen, auch hier ergab die Bestimmung nach Herzig und Meyer Stickstoffalkylbindung. Seine Lophinsynthese drückt Verfasser unter Annahme der Wanderung eines Wasserstoffatoms durch folgende Gleichung aus:

$$C_6H_4\!\!\Big\langle\!\begin{array}{c} NH \\ NH_2 \end{array} + \begin{array}{c} HOH.C{-}C_6H_5 \\ | \\ O.C{-}C_6H_5 \end{array} = C_6H_5\!\!\Big\langle\!\begin{array}{c} NH{-}C.C_6H_5 \\ \| \\ N{-\!\!\!-\!\!\!-}C.C_6H_5 \end{array} + 2\,H_2O.$$

$$Mr.$$

O. Hinsberg und P. Koller. Ueber die Einwirkung der Aldehyde auf aromatische o-Diamine[3]). — Die Reaction erfolgt in neutraler Lösung unter Wasseraustritt und Bildung von Verbindungen vom Typus $H_2N.C_xH_y.N = CHR$ und $C_xH_y(N{:}CHR)_2$, in saurer Lösung entstehen Abkömmlinge der Imidazolreihe. — Die ältere von Ladenburg und Rügheimer[4]) eingeführte Formulirung der ersteren Verbindungsclasse als solcher, welche zwei Imidgruppen enthält, z. B. $C_6H_4(NH)_2C(CH_3)CH_2CO_2R$, ist nach Ansicht der

---

[1]) Ber. 16, 1493. — [2]) Ann. Chem. 15, 2418; 16, 284. — [3]) Ber. 29, 1497—1504. — [4]) JB. f. 1879, S. 436.

Verfasser zu verwerfen. *Benzyliden-o-Phenylendiamin*, $H_2N.C_6H_4$.$N:CH.C_6H_3$, wurde in einer Kältemischung in alkoholischer Lösung aus äquimolekularen Mengen seiner Bestandtheile in Form gelber Krystalle, Schmelzp. 60 bis 61°, erhalten. Löslich in Alkohol, Aether und Ligroin, kaum löslich in Wasser. Durch längeres Erbitzen auf 100°, durch Kochen einer alkoholischen oder ätherischen Lösung an der Luft und beim Erwärmen mit Mineralsäuren geht diese Substanz über in das bei 280° schmelzende Imidazol,

$$C_6H_4 \underset{NH}{\overset{N}{\diamondsuit}} C_7H_5.$$

Condensirt man unter denselben Bedingungen, wie oben angegeben, o-Phenylendiamin mit 2 Mol. Benzaldehyd, so entsteht vorübergehend eine homogene Krystallisation, die schon bei gewöhnlicher Temperatur verschmilzt und nach einigen Tagen eine andere, nunmehr bei 106° schmelzende Verbindung, das *Dibenzyliden-o-Phenylendiamin*, $C_6H_4(N:CH.C_6H_5)_2$, liefert. Der Körper krystallisirt in blafsgelben, gestreckten Prismen, die in Alkohol, Aether und Ligroin löslich, in Wasser unlöslich sind. Beim Erwärmen mit Mineralsäuren wird es in seine Componenten zerlegt, welche sich bei längerem Erwärmen wieder zum salzsauren Benzaldehydin,

$$C_6H_4 \underset{N}{\overset{N-CH_2.C_6H_5}{\diamondsuit}} C.C_6H_5,$$

vereinigen. Dieselbe directe Umlagerung findet statt, wenn man obigen Körper für längere Zeit in alkoholischer Lösung sich selbst überläfst, oder über seinen Schmelzpunkt erhitzt. — Durch Vereinigen äquimolekularer Mengen von 1,2-Naphtylendiamin und Benzaldehyd entsteht das *Benzyliden-1,2-Naphtylendiamin*, H_2N $C_{10}H_6.N:CH.C_6H_5$, ein in kaltem Alkohol schwer, in Wasser unlöslicher Körper, der in gelben Kryställchen vom Schmelzp. 156 bis 157° anschiefst. Er ist gegen Oxydationsmittel beständiger als das entsprechende o-Phenylendiaminderivat, und wird erst durch Erwärmen mit einer Auflösung von Brom in Natronlauge in das *Phenylnaphtimidazol*, Schmelzp. 210°, übergeführt. — Beim Schütteln äquivalenter Mengen von o-Phenylendiamin und Acetessigäther entsteht der *Amidophenylimido-β-buttersäureäthyläther*,

$$H_2N.C_6H_4N:C {\overset{CH_3}{\underset{CH_2.COOC_2H_5}{<}}}, \text{ Blättchen, Schmelzp. 85°. Kaum}$$

löslich in Wasser, leicht löslich in Alkohol. Längeres Erhitzen über den Schmelzpunkt bewirkt Spaltung in Essigäther und Methylbenzimidazol. Der Körper oxydirt auch in einer labilen Modification, Nadeln, Schmelzp. 59⁰, welche vielleicht als substituirte Amidocrotonsäure,

$$C_6H_4 \diagdown \begin{matrix} NH.C \diagdown \\ NH_2 \end{matrix} \begin{matrix} CH_3 \\ CH.COOC_2H_5 \end{matrix},$$

aufzufassen ist. — Aus äquimolekularen Mengen des Amidophenylimidobuttersäureesters und p-Nitrobenzaldehyds wurde *p-Nitrobenzylidenamidophenylimido-β-buttersäureäthylester* in scharlachrothen, verfilzten Nadeln, Schmelzp. 99⁰, erhalten, was für die Anwesenheit einer Amidogruppe im Condensationsproducte von Acetessigäther und Phenylendiamin beweisend ist. In den Mutterlaugen wurde p-Nitrophenylbenzimidazol, Schmelzp. 322⁰, aufgefunden. — Aus o-Phenylendiamin und Acetessigsäuremethylester wurde der *o-Amidophenylimidobuttersäuremethylester*, Nadeln, Schmelzp. 87⁰, erhalten. — Aus salzsaurem Triamidobenzol (1, 2, 4) und 2 Mol. Benzaldehyd wurde durch mehrtägiges Stehenlassen das *Chlorhydrat des Amidobenzaldehydins*, $C_{20}H_{17}N_3 . 2HCl$, als weisses Pulver abgeschieden. Die freie Base,

$$H_2N.C_6H_4 \diagdown \begin{matrix} N \diagdown CH_2.C_6H_5 \\ C.C_6H_5 \\ N \diagup \end{matrix}$$

bildete nach Entfärben mit Thierkohle krystallinisches Pulver, Schmelzp. 121⁰, welches in Wasser wenig, leicht in Alkohol mit blauer Fluorescenz löslich war. Aus 1,2-Naphtylendiaminchlorhydrat analog dargestelltes *α-β-Naphtobenzaldehydin* krystallisirte aus Alkohol in Prismen vom Schmelzp. 117⁰. Aus o-Phenylendiamin und Acetaldehyd entstand ein öliges, über 300⁰ siedendes Product, welches in die Aldehydinbase durch Salzsäure nicht verwandelt werden konnte, und demnach scheinbar der neuen, von O. Fischer und Wrzesiński [1] entdeckten Körperclasse angehörte.   *v. N.*

Stephan S. Minovici. Ueber einige aromatische Oxazole und Imidazole [2]. — Die Arbeit von E. Fischer [3] fortsetzend, hat der Verfasser neue Oxazole dargestellt und das Princip der Methode für eine neue Synthese der Imidazole ausgenützt. — Bei einer genau nach Angaben Fischer's geleiteten Operation wurde aus 15 g Benzaldehydcyanhydrin, 15 g Anisaldehyd in 100 g Aether durch Salzsäuregas das *Hydrochlorat des β-Phenyl-μ-methoxyphenyloxazols*,

$$C_6H_5.C\text{---}O \\ \| \quad\quad | \\ CH \quad C.C_6H_4.OCH_3.HCl \\ N \diagup$$

[1] Ber. 25, 2827. — [2] Ber. 29, 2097—2106. — [3] Vgl. d. JB., S. 1704.

dargestellt. Schmelzpunkt unter Entwickelung von Salzsäure bei
173 bis 174⁰; farblose Nadeln oder Prismen. Aus alkoholischer
Lösung fällt durch Wasser die freie⁏Base aus, die aus Ligroin
umkrystallisirt, bei 99⁰ schmilzt und über 360⁰ siedet. Sehr leicht
löslich in Alkohol und Aether, ziemlich schwer in kaltem Ligroin,
sehr schwer in Wasser. Pikrat schmilzt mit Zersetzung bei 195⁰.
Sulfat, Schmelzp. 225⁰. Nitrat, Schmelzp. 116⁰. — Die ätherische Mutterlauge des obigen Chlorhydrates liefert Kryställchen
des *Methoxybenzylidenmandelsäureamids*, $CH_3O.C_6H_4.CH:N.CO$
$.CH.OH.C_6H_5$, Schmelzp. 182⁰. Löslich in Alkohol, unlöslich in
Wasser, Aether und Ligroin. Bei 180⁰ wird es durch verdünnten
Alkohol in Ammoniak, Anisaldehyd und Mandelsäure gespalten. —
Aus Anisaldehydcyanhydrin und Benzaldehyd entsteht eine Mischung
von salzsaurem *β-Methoxyphenyl-μ-phenyloxazol*,

$$CH_2.O.C_6H_4.C\!\!-\!\!O$$
$$\| \quad |$$
$$CH \quad C.C_6H_5.HCl,$$
$$\diagdown N\diagup$$

Schmelzp. 195⁰, und dem von Tiemann und Köhler früher be-
schriebenen [1]) Methoxymandelsäureamid, $CH_3O.C_6H_4.CH(OH)$
$.CO.NH_2$, Schmelzp. 160⁰. Die Trennung und Darstellung des
freien Oxazols gelingt durch Alkalisiren und Ausschütteln mit
Aether. Der Aetherrückstand aus Ligroin umkrystallisirt bildet
Nadeln, Schmelzp. 84 bis 85⁰. Leicht löslich in Alkohol und
Benzol, unlöslich in Wasser. — Die ätherischen Mutterlaugen der
obigen Condensation enthalten *Benzylidenmethoxymandelsäureamid*,
$C_6H_5.CH:N.CO.CH(OH).C_6H_4.OCH_3$, Schmelzp. 183⁰. Unlöslich
in Wasser und Aether, löslich in Alkohol. Durch verdünnten
Alkohol bei 180⁰ wird es in Ammoniak, Benzaldehyd und eine
gegen 230⁰ sublimirende Säure gespalten. — Aus Anisaldehyd-
cyanhydrin und Anisaldehyd entsteht neben geringer Menge
Methoxymandelsäureamid das Hydrochlorat des *β-μ-Dimethoxy-
phenyloxazols*,

$$CH_2.O.C_6H_4.C\!\!-\!\!O$$
$$\| \quad |$$
$$CH \quad C.C_6H_4.OCH_3.HCl$$
$$\diagdown N\diagup$$

Schmelzp. 195⁰ unter Zersetzung. Die freie Base bildet Prismen,
Schmelzp. 145⁰. — Aus Cuminol und Mandelsäurenitril entsteht
das Hydrochlorat des *β-Phenyl-μ-propylphenyloxazols*,

[1]) Ber. 14, 1976

$$C_6H_5.C \overline{}O$$
$$\overset{\|}{C}H \quad \overset{|}{C}.C_6H_4.C_3H_7.HCl,$$
$$\diagdown N \diagup$$

Schmelzp. 152° unter Zersetzung. Prismen in Alkohol leicht löslich. Die freie Base schmilzt bei 50°, Siedepunkt oberhalb 360°. — Aus Cuminol und Anisaldehydcyanhydrin: salzsaures *β-Methoxyphenyl-μ-propylphenyloxazol*,

$$CH_3O.C_6H_4.C \cdots O$$
$$\overset{\|}{C}H \quad \overset{|}{C}.C_6H_4.C_3H_7.HCl,$$
$$\diagdown N \diagup$$

Nadeln, Schmelzp. 160° mit Zersetzung. Leicht löslich in Alkohol. Freie Base, Nadeln, Schmelzp. 55°. — Aus Zimmtaldehyd und Mandelsäurenitril: salzsaures *β-Phenyl-μ-cinnamenyloxazol*,

$$C_6H_5.C \overline{}O$$
$$\overset{\|}{C}H \quad \overset{|}{C}-CH:CH.C_6H_5.HCl,$$
$$\diagdown N \diagup$$

kleine Kryställchen, Schmelzp. 125°. Freie Base: Nadeln, Schmelzp. 62°. — Aus Anisaldehydcyanhydrin und Zimmtaldehyd: salzsaures *β-Methoxyphenyl-μ-cinnamenyloxazol*,

$$CH_3O.C_6H_4.C \overline{}O$$
$$\overset{\|}{C}H \quad \overset{|}{C}.CH:CH.C_6H_5,$$
$$\diagdown N \diagup$$

Schmelzp. 175° unter Zersetzung. Die Base: Schmelzpunkt bei 99 bis 100°. — Aus *β-μ-Diphenyloxazol* (2 g) und alkoholischem Ammoniak (10 ccm) bei 300° entsteht nach sechs bis sieben Stunden das *β-μ-Diphenylimidazol*,

$$C_6H_5.C \overline{}NH$$
$$\overset{\|}{C}H \quad \overset{|}{C}.C_6H_5,$$
$$\diagdown N \diagup$$

Prismen, Schmelzp. 162°. Unlöslich in Wasser, leicht löslich in Aether, Alkohol etc. Das Hydrochlorat, $C_{15}H_{13}N_2Cl$, Schmelzpunkt gegen 273° unter Zersetzung. Asbestartige Krystalle. Dieselbe Base wurde vom Verfasser auch aus Phenylaminoacetonitril und Benzaldehyd erhalten. Das bei dieser Gelegenheit näher untersuchte Phenylaminoacetonitril wurde aus Mandelsäurenitril und alkoholischem Ammoniak dargestellt. Es krystallisirte aus Ligroin in Blättchen vom Schmelzp. 55° und gab ein Hydrochlorat vom Schmelzp. 173° unter Zersetzung. — Aus obigen Oxazolen wurden durch Einwirkung von Chlor unter Spaltung des Ringes folgende Derivate erhalten: Aus β-μ-Diphenyloxazol in methylalkoholischer Lösung das *Phenylglyoxylmethoxybenzylamin*, $C_6H_5.CO.CO.NH.CH(OCH_3).C_6H_5$, Nadeln, Schmelzp. 105°. Unlöslich in Wasser und Ligroin, löslich in Alkohol, Aether, Chloroform etc. In äthylalkoholischer Lösung das *Phenylglyoxyl-äthoxybenzylamin*, $C_6H_5.CO.CO.NH.CH(O.C_2H_5).C_6H_5$, Nadeln, Schmelzp. 116°. In Acetonlösung das *Phenylglyoxylbenzamid*, $C_6H_5.CO.CO.NH.CO.C_6H_5$, Schmelzp. 143°, welches von E. Fischer[1]) auch durch Oxydation mit Chromsäure dargestellt worden ist. Aus β-Phenyl-μ-methoxyphenyloxazol entsteht unter denselben Bedingungen das *Phenylglyoxylmethoxybenzamid*, C_6H_5 $.CO.CO.NH.CO.C_6H_4.O.CH_3$, Prismen, Schmelzp. 150°. — Durch Nitriren des β-μ-Diphenyloxazols wurde ein *Mononitro-derivat*, $C_{15}H_{10}O_3N_2$, erhalten. Gelbe Nadeln, Schmelzp. 185° unter Zersetzung. Schwer löslich in Wasser, Benzol und Alkohol. Beständig gegen Kalilauge, Barytwasser und sogar gegen Chlor. Durch Chromsäure entsteht neben Paranitrobenzoësäure wahrscheinlich ein Nitroderivat des Phenylglyoxylbenzamids. *v. N.*

Thiazole und Thiobiazole.

S. **Gabriel** und **Carl Freiherr von Hirsch**. Ueber eine Darstellungsweise der Thiazoline[2]). — Diese besteht in der Einwirkung von β-Bromalkylaminsalzen auf Thiamide:

$$\begin{matrix} CH_2Br \\ | \\ CH_2NH_2.HBr \end{matrix} + \begin{matrix} HS \\ \\ HN \end{matrix}\Big\rangle CR = 2\,HBr + NH_3 + \begin{matrix} CH_2-S \\ | \\ CH_2-N \end{matrix}\Big\rangle C.R$$

und ergiebt in Folge der theilweisen Zersetzung der Thiamide in Ammoniak und Nitril 40 bis 80 Proc. der theoretischen Ausbeute an Thiazolinen. Es wurden nach diesem Verfahren dargestellt: aus (10 g) Bromäthylaminbromhydrat und (7,5 g) Thiobenzamid bei 160 bis 165° in 3 bis 5 Minuten das *μ-Phenylthiazolin*, $C_2H_4NSC.C_6H_5$, Schmelzp. 275°; auf ganz analoge Weise aus β-Brompropylaminbromhydrat das *β-Methyl-μ-Phenylthiazolin*, $C_3H_6NSC.C_6H_5$; aus (4 g) Thiacetamid und (10 g) Bromäthyl-aminbromhydrat bereits bei 90° das *μ-Methylthiazolin*, C_2H_4NSC $.CH_3$, Siedep. 144°; aus (18 g) Bromäthylaminbromhydrat und (8,5 g) Thiopropionamid bei 125 bis 130° das *μ-Aethylthiazolin*, $C_2H_4NSC.C_2H_5$, als eine bei 162° siedende Flüssigkeit, deren Pikrat bei 135° schmilzt; aus (6 g) β-Brompropylaminbrom-

---

[1]) Ber. **29**, 209. — [2]) Daselbst, S. 2609—2612.

hydrat und (2 g) Thiacetamid bei 135° das *μ-β-Dimethylthiazolin*, $C_3H_6NSC.CH_4$, Schmelzp. 152°. Chloroplatinat, $C_{10}H_{20}N_2S_2PtCl_6$. Pikrat ist sehr leicht löslich. Das Goldsalz bildet schöne Krystalle. Durch Oxydation mit Bromwasser geht es in β-Methyltaurin,

$$CH_2.CH.SO_3H$$
$$|$$
$$CH_2-NH_2 \text{ ,}$$

über. Schliefslich aus (5 g) β-Brompropylaminbromhydrat und (2 g) Thiopropionamid bei 140 bis 150° wurde das *β-μ-Methyläthylthiazolin*, $C_3H_4NSC.C_2H_5$, gewonnen. Wasserhelles Oel. Siedep. 172°. Löslich in Wasser. Bildet ein leicht lösliches Pikrat.   *v. N.*

Brooke, Simpson u. **Spiller Lted.** und **W. S. Simpson.** Verbesserung in der Darstellung von Farbstoffen[1]). — Zur Ersparung der Eindampfungskosten von primulinsulfosaurem Natrium wird nach dem englischen Pat. Nr. 12442 vom 27. Juni 1895 der Genannten die ausgewaschene und getrocknete Primulinsulfosäure mit Natriumcarbonat zusammen fein gemahlen. Das Product ist wie gewöhnliches Primulin verwendbar.   *Y.*

W. Vaubel. Zur Kenntnifs des Dehydrothiotoluidins und der Primulinbase[2]). — Das Dehydrothiotoluidin nimmt, in Eisessig und Salzsäure gelöst, bei der Behandlung mit bromsaurem Kali und Bromkalium 2 At. Brom auf. Das Dibromderivat schmilzt bei 184° (uncorr.), das Primulin hingegen reagirt nicht oder nur äufserst langsam mit nascirendem Brom.   *Th.*

H. v. Pechmann und **A. Nold.** Ueber die Einwirkung von Diazomethan auf Phenylsenföl[3]). — Läfst man die aus je 5 ccm Nitrosomethylurethan erhaltene ätherische Diazomethanlösung mit je 3,2 g Phenylsenföl über Nacht stehen, so krystallisirt bis zum Morgen ein Körper aus, der bei 172,5° unter Zersetzung schmilzt und von den Verfassern als ein Diphenylamin, worin ein Phenyl- durch einen Thiobiazolrest ersetzt ist, aufgefafst wird. Dieses *Phenylamidothiobiazol* entsteht höchst wahrscheinlich nach der Gleichung:

$$C_6H_5N:C:S \atop \underset{N}{CH_2-N} \quad = \quad C_6H_5N:C-S \atop \underset{N}{CH_2 \; N} \quad \longrightarrow \quad C_6H_5.NH.C-S \atop \underset{N}{CH \; N}$$

Es bildet silberglänzende Blättchen, die in den meisten Solventien, mit Ausnahme von Wasser und Ligroin, leicht löslich sind. Die Verbindung ist indifferenter Natur, durch Säuren und Alkalien

---

[1]) Chemikerzeit. **20**, 975. — [2]) J. pr. Chem. **53**, 548—549. — [3]) Ber. **29**, 2588—2593.

erleidet sie Zersetzung bei höheren Wärmegraden. Verdünnte Säuren in der Wärme und saure Reductionsmittel schon in der Kälte entwickeln daraus Schwefelwasserstoff. Die Lösung in concentrirter Schwefelsäure wird durch Salpetersäure blau, was an Diphenylamin erinnert. *Mercuriverbindung*, $C_8H_6N_3SHgCl$, Nadeln, Schmelzp. 193⁰. *Trinitroderivat*, $C_8H_4(NO_2)_3N_3S$, orangegelbe Prismen, Schmelzp. 221⁰. Schwer löslich. Besitzt saure Eigenschaften, liefert mit Alkalien gelbrothe Lösungen und ein schwer lösliches, nadelförmiges Natriumsalz. — *Nitrosophenylamidothiobiazol*, $C_8H_6N_4SO$. Weiße Nadeln, Schmelzp. 98⁰. Giebt die Liebermann'sche Reaction. In concentrirter Schwefelsäure färbt sich beim Stehen roth oder blau. *Acetylphenylamidothiobiazol*, $C_{10}H_9N_3SO$. Weiße Blättchen, Schmelzp. 162⁰. *Benzoylphenylamidothiobiazol*, $C_{15}H_{11}N_3SO$, Nadeln, Schmelzp. 157⁰. Durch Zinkstaub und Schwefelsäure wurde es zu Benzanilid umgesetzt, was den Schluß rechtfertigt, daß Phenyl- und Benzoylgruppe an demselben Stickstoffatom haften.   *v. N.*

Ch. Lauth. Ueber einige Dithiazolderivate[1]. — Durch Erhitzen von Acetanilid mit Schwefel hat A. W. Hofmann 1880 das Oxalamidothiophenol, $C_6H_4{<}_N^S{>}C{-}C{<}_N^S{>}C_6H_4$, erhalten. Die Ueberlegung, daß diese Verbindung dieselbe Atomgruppirung wie das Dehydrothiotoluidin und das Primulin besitzt, führte zu Versuchen, Farbstoffe daraus zu gewinnen. Durch Nitrirung des Körpers mit Salpeter-Schwefelsäure entsteht ein Gemenge zweier *Dinitroproducte*, deren Trennung nicht vollkommen gelang. Dagegen ließen sich die salzsauren Salze der beiden *Diamine*, welche bei Reduction mittelst Zinnchlorür aus dem Gemisch der Dinitroproducte entstehen, auf Grund ihrer verschiedenen Löslichkeit in warmem Wasser trennen. Die aus dem schwerer löslichen Salz dargestellte Base (J) giebt mit Alkohol eine gelbe Lösung von prachtvoller, grüner Fluorescenz und krystallisirt aus diesem Lösungsmittel leicht, die gelbe Lösung der aus dem leichter löslichen Salz gewonnenen Base (S) fluorescirt nicht und hat weniger Neigung, Krystalle abzusetzen. Die Lösungen der Basen und ihrer Salze werden bei längerem Kochen zersetzt, Reductionsmittel zersetzen die Verbindungen gleichfalls unter Entwickelung von Schwefelwasserstoff. Wird die Reduction abgebrochen, sobald die gelben Lösungen entfärbt sind, so zeigt die aus J gewonnene Lösung die Reactionen der Ortho-, die aus S gewonnene die Reactionen

---

[1] Bull. soc. chim. [3] 15, 82—87; Compt. rend. 121, 1152—1154.

der Metadiamine. Die beiden Basen sind Farbstoffe. Sie färben thierische Faser und ungebeizte Baumwolle schön gelb an. Durch Diazotirung derselben und Kuppelung der entstandenen Tetrazoverbindungen mit einer grofsen Anzahl gebräuchlicher Azocomponenten wurde eine Reihe zum Theil sehr schöner Azofarbstoffe erhalten. Dieselben sind sehr widerstandsfähig gegen Säuren und Alkalien, aber wenig lichtbeständig. *Hr.*

M. Busch. Ueber Derivate des Hydrosulfamins[1]). — Das Phenyldithiobiazolondisulfid erleidet mit alkoholischem Ammoniak schon bei gewöhnlicher Temperatur Spaltung in das *Phenyldithiobiazolonhydrosulfamin,*

$$C_6H_5 . N{-}N \qquad N{-}N . C_6H_5 \qquad\qquad C_6H_5 . N{-}N$$
$$SC \quad C . S{-}{-}SC \quad CS \quad + NH_3 = \quad SC \quad C . S . NH_2$$
$$\diagdown S \diagup \qquad \diagdown S \diagup \qquad\qquad\qquad \diagdown S \diagup$$

$$C_6H_5 . N{-}N$$
$$+ \quad SC \quad C . SH$$
$$\diagdown S \diagup$$

welches auf Zusatz von Wasser aus dem Reactionsproduct in weifsen Nädelchen auskrystallisirt, und das in der Mutterlauge enthaltene, daraus erst nach starkem Einengen in seideglänzenden Nadeln sich ausscheidende *Ammoniaksalz des Phenyldithiobiazolonsulfhydrates.* Das Salz ist sehr leicht löslich in Alkohol und Wasser, und schmilzt etwas über 200°. Das Phenyldithiobiazolonhydrosulfamin ist löslich in Aether, Benzol und Chloroform, kaum in Ligroin und Wasser. Aus Chloroform Prismen, Schmelzp. 136° unter Aufschäumen. Beim Kochen der alkoholischen Lösung geht es in Phenyldithiobiazolondisulfid über: $2 C_8H_7N_3S_3 + H_2 = 2 NH_3 + (C_8H_5N_2S_4)_2$. Den zur Reaction nothwendigen Wasserstoff liefert Alkohol, bei Ausschlufs dieses oder eines analogen dehydrirbaren Körpers gelingt die Reaction nicht; dagegen durch Mineralsäuren wird das Hydrosulfamin bereits in der Kälte in gleichem Sinne zerlegt. Beim Erhitzen über seinen Schmelzpunkt erleidet es tiefer gehende Zersetzung; neben reichlichen Mengen von Schmieren entsteht ein in Nadeln, Schmelzp. 131 bis 132°, krystallisirender Körper, der wahrscheinlich ein *Tetrasulfid des Phenyldithiobiazolons*, $C_8H_5N_2S_2 . SSSS . C_8H_5N_2S_2$, darstellt. Der Körper giebt mit Ammoniak unter Abspaltung von Schwefel das erwähnte Ammoniummercaptid. Gegen wässeriges Alkali ist das Biazolonhydrosulfamin indifferent, von alkoholischem Kali

---

[1]) Ber. **29**, 2127—2143.

wird es im Sinne der [Gleichung $3 C_4 H_5 N_2 S_2 NH_2 + C_2 H_5 OH$ $+ 4 KHO = C_3 H_3 N_2 S_2 . OC_2 H_5 + 2 C_3 H_5 N_2 S_2 . SK + K_2 SO_3$ $+ 2 NH_3 + H_2 O$ zersetzt. Aus dem Reactionsproduct wird durch Wasser der neue Körper, das *Aethoxyphenyldithiobiazolon*, in weifsen Nadeln ausgefällt. Schmelzp. 87 bis 88°, Siedep. 230°. — Das Phenyldithiobiazolonhydrosulfamin theilt mit Hydroxylamin, als dessen geschwefeltes Analogon, die Reactionsfähigkeit mit Aldehyden. Es condensirt sich im Wasserbade mit Benzaldehyd unter Bildung des *Phenyldithiobiazolonbenzalsulfims*, $C_8 H_5 N_2 S_2 . N$ $: CH . C_6 H_5$. Wasserklare, rautenförmige, dicke Tafeln, Schmelzp. 155°. Der Körper giebt mit Chlorwasserstoffgas in trocknem Benzol bei [völligem Ausschlufs von Feuchtigkeit ¡und Alkohol bräunlich gelben Niederschlag, aller Wahrscheinlichkeit nach das Chlorhydrat des Sulfims; bei Anwendung der alkoholischen Salzsäure tritt Spaltung ein, unter Bildung des *salzsauren Bensylidenimids*, $C_7 H_7 N . HCl$, Schmelzp. 181°, nach dem Schema: $2 C_8 H_5 N_2 S_2 . N : CH . R + 2 HCl + H_2 = 2 R . CH : NH(HCl)$ $+ (C_3 H_5 N_2 S_2)_2$. — *Phenyldithiobiazoloncinnamalsulfim*, $C_8 H_5 N_2 S_2$ $. N : CH . CH : CH . C_6 H_5$, dargestellt aus dem Sulfamin und Zimmtaldehyd. Gelbliche Nadeln, Schmelzp. 173°. In Benzol und Chloroform ziemlich leicht, weniger in Aether löslich; fast unlöslich in Alkohol. Durch alkoholische Salzsäure wird der Körper in *Cinnamylidenimidchlorhydrat*, $(C_6 H_5 . CH : CH . CH : NH . HCl) X$, gespalten. Aus Benzol wasserhelle Nadeln oder silberglänzende Blättchen. Wird gleich dem vorhergehenden Chlorhydrat durch Wasser momentan in Zimmtaldehyd und Salmiak versetzt. Mit Phenylhydrazin ¡giebt es Cinnamylidenphenylhydrazon, Schmelzp. 168°. — Bei der¡ Einwirkung von Methyl-, ¡Aethyl- oder Dimethylamin auf Phenyldithiobiazolondisulfid erfolgt die Spaltung dieses Körpers in ganz derselben Weise wie bei Anwendung von Ammoniak. Es wurden auf diesem Wege folgende Körper gewonnen: *Das methylırte Phenyldithiobiazolonhydrosulfamin*, $C_3 H_5 N_2 S_3$ $. NH . CH_3$, Nadeln, Schmelzp. 85°. Das betreffende *Aethylhydrosulfamin*, $C_3 H_5 N_2 S_3 . NH . C_2 H_5$, Nadeln, Schmelzp. 96°. *Dimethylirtes Hydrosulfumin*, gelbliches Oel, in dessen Mutterlaugen das *Mercaptıd des Dimethylamins*, $C_4 H_5 N_2 S_2 . SH [NH(CH_3)_2]$, aufgefunden wurde. Blättchen, Schmelzp. 117 bis 118°. — Mit Trimethylamin resp. Tripropylamin entstehen erst beim Kochen mit dem Biazolondisulfid ausschliefslich die entsprechenden Salze des Dithiobiazolonsulfhydrats: $C_4 H_5 N_2 S_2 . SH . N(CH_3)_3$, grofse Säulen, Schmelzp. 145 bis 146°. $C_3 H_5 N_2 S_2 . SHN.(C_3 H_7)_3$, prächtige Blättchen, Schmelzp. 126°. — Durch Kochen mit etwas mehr als 2 Mol.

Anilin giebt das Disulfid das *Phenyldithiobiazolonaminophenylsulfid*, $C_8H_5N_2S_2.S.C_6H_4.NH_2$. Blättchen, Schmelzp. 163 bis 164°. Löslich in Alkohol, Aether, Benzol und Chloroform, schwer in Ligroin, unlöslich in Wasser. Diese Base bildet sich zweifellos nach folgenden Gleichungen:

I. $C_8H_5N_2S_2.S.S.S_2.N_2H_5C_6 + C_6H_5NH_2 = C_8H_5N_2S_2.S.NH.C_6H_5 + C_8H_5N_2S_2.SH,$

II. $C_8H_5N_2.S_2.S.NH.C_6H_5 = C_8H_5N_2S_2.S.C_6H_4.NH_2.$

Das in erster Gleichung als Nebenproduct auftretende Mercaptid findet sich als Anilinsalz in Mutterlaugen. Nadeln, Schmelzp. 155°. Der primäre Charakter der Base ergiebt sich aus der Existenz des *Chlorhydrates*, $C_{14}H_{11}N_3S_3.HCl$; Nadeln, Schmelzp. 194°, durch Wasser dissociirbar — und der Diazotirbarkeit und Kuppelungsfähigkeit derselben: *β-Naphtol-Verbindung*, $C_{14}H_9N_2S_3.N:N.C_{10}H_7O$. Rothe Nadeln, Schmelzp. 218°. Durch Eliminirung der Aminogruppe wurde auf übliche Weise das *Phenyldithiobiazolonphenylsulfid*, $C_4H_5N_2S_3.C_6H_5$, dargestellt. Aus verdünntem Alkohol Blättchen. Indifferent gegen Säuren und Alkalien. — Auf analogen Wegen wurden noch dargestellt: das *Phenyldithiobiazolonaminotolylsulfid*,

$$CH_3$$
$$[C_8H_5N_2S_2.S\langle\rangle NH_2.$$

Aus Aether weifse, krystallinische Masse. Schmelzp. 128°. *Phenyldithiobiazolonäthylaminophenylsulfid*, $C_8H_5N_2S_2.S.C_6H_4.NH.C_2H_5$. Nadeln, Schmelzp. 165°. Leicht löslich in Aether, Benzol und Chloroform, in Alkohol erst in der Wärme. *Nitrosamin*, $C_8H_5N_2S_2.S.C_6H_4N(NO)C_2H_5$, weifse Nadeln, Schmelzp. 136 bis 138°; giebt die Liebermann'sche Reaction. — Das p-Toluidin und Dimethylanilin reagiren nicht mit dem Disulfid, das Phenylhydrazin wirkt nur als reducirendes Agens, ergiebt demnach sein eigenes Mercaptid.   *v. N.*

Triazole, Triazsulfole.

Triazolgruppe.

Ein Verfahren zur Darstellung des Triazols und seiner Homologen, das sich der bekannten Triazolsynthese aus Amidrazonen (Dicyanphenylhydrazin, Amidoguanidin u. a.) an die Seite stellt, ist von A. Freund[1]) angegeben worden. Er erhielt aus den

---

[1]) Ber. **29**, 2488—2490.

Acidylderivaten des Thiosemicarbazids und dessen Alkylsubstitutionsproducten beim Erhitzen über den Schmelzpunkt unter Wasserabspaltung Mercaptane des Triazols resp. der Alkyltriazole. Gelinde Oxydation führt dieselben in die entsprechenden Disulfide über, während bei energischer Oxydation die Triazole selbst entstehen. Das Formylthiosemicarbazid lieferte auf diese Weise Mercaptotriazol, Nadeln vom Schmelzp. 215 bis 216°, das durch Erwärmen mit Wasserstoffsuperoxyd in das Disulfid, gelblichweifse Prismen vom Schmelzp. 222°, übergeht. Energischere Oxydation des Mercaptans mit Wasserstoffsuperoxyd führte zum Bladinschen Triazol. In ganz analoger Weise ˙wurden einige homologe Mercaptotriazole erhalten: das c-Methylderivat vom Schmelzp. 260° (aus Acetylthiosemicarbazid), ferner das n-Methyl- (Schmelzp. 90°), n-Aethyl- (Schmelzp. 96°) und n-Allylmercaptotriazol (Schmelzp. 111°).   *Dd.*

    Mehrere sauerstoffhaltige Triazolabkömmlinge sind fast gleichzeitig von Georg Young[1]) und von O. Widman[2]) aus aromatischen Semicarbaziden der Formel $RNH-NH-CO-NH_2$ auf nur wenig verschiedenen Wegen erhalten worden.⌉ Ersterer fand, dafs ein Gemenge von Phenylsemicarbazid und Benzaldehyd, der Oxydation unterworfen, im Sinne der Gleichung reagirt: $C_7H_9N_3O$ $+ C_7H_6O + O = 2H_2O + C_{14}H_{11}N_3O$. Die Reaction verläuft in zwei Phasen, indem aus dem Phenylsemicarbazid durch Oxydation zunächst das Phenylazocarbamid gebildet wird, das dann weiter mit dem aromatischen Aldehyd zum Triazolderivat condensirt. Das Diphenyloxytriazol (s. o.) schmilzt bei 288° und giebt ein gut krystallisirtes Acetyl- und Benzoylderivat; das Phenylvinylphenyloxytriazol, aus Phenylsemicarbazid und Zimmtaldehyd, schmilzt bei 287° und liefert ein charakteristisches fluorescirendes Natriumsalz. Dieselben Verbindungen sind auch von O. Widman aus den entsprechenden Acidylderivaten des Phenylsemicarbazids durch Einwirkung verdünnten wässerigen Alkalis erhalten worden. Diese Methode zur Darstellung von Oxytriazolen hat sich ziemlich allgemeiner Anwendung fähig gezeigt; sie liefert in einzelnen Fällen bis zu 85 Proc. der theoretischen Ausbeute und hat bisher nur bei dem Acetyl und den substituirten Acetylderivaten versagt, die durch Alkali zu leicht verseift werden. 1-Phenyl-5-äthyl 3-oxytriazol, aus dem Propionylphenylsemicarbazid (Schmelzp. 185 bis 186°) durch Schütteln mit schwach erwärmter 10proc. Kalilauge hergestellt, scheidet sich beim Ansäuern der alkalischen

---

[1]) Chem. Soc. J. 67, 1063; Ber. 29, 2311—2312. — [2]) Ber. 29, 1946—1953.

Lösung als krystallinischer Niederschlag aus, der aus Alkohol in Prismen vom Schmelzp. 191 bis 192⁰ kommt. Das 1-Phenyl-5-propyl-3-oxytriazol, in analoger Weise aus dem Butyrylphenyl-semicarbazid (Schmelzp. 184⁰) hergestellt, schmilzt bei 160⁰, das 1-Phenyl-5-isopropyl-3-oxytriazol bei 242⁰, das 1-Phenyl-5-iso-butyryl-3-oxytriazol bei 164 bis 165⁰. Die Ueberführung dieser sauerstoffhaltigen Triazolabkömmlinge in die sauerstofffreien Alkyl-triazole ist von A. Cleve [1] studirt worden. Sie gelingt am besten durch Vermittelung der entsprechenden Chlortriazole, die beim Erhitzen mit Jodwasserstoffsäure und Phosphor die chlorfreien Verbindungen liefern. So wurde aus dem 1,5-Diphenyl-3-oxy-triazol durch Erhitzen mit der berechneten Menge Phosphorpenta-chlorid und etwas Phosphoroxychlorid auf 150⁰ das 1,5-Diphenyl-3-chlortriazol erhalten, Prismen oder Rhomboëder vom Schmelzp. 96⁰, das durch dreistündiges Erhitzen mit concentrirter über-schüssiger Jodwasserstoffsäure und Phosphor auf 150⁰ ins Di-phenyltriazol vom Schmelzp. 91⁰ verwandelt wurde. Ganz analoge Resultate gaben bei der gleichen Behandlung sämmtliche der genannten Oxytriazole. *Dd.*

Ueber die Bildung von Triazolabkömmlingen durch Conden-sation von aromatischen Nitrilen mit primären Hydrazinbasen mittelst metallischen Natriums veröffentlichte R. Engelhardt [2] eine ausführliche Mittheilung. Diese Triazolsynthese erinnert an die von Pinner früher beobachtete Bildung des Diphenyltriazols aus Benzoylhydrazidin, von der sie sich in der Ausführung aber wesentlich unterscheidet. Sie wird durch Einwirkung einer ge-ringen Menge Natrium oder Natriumäthylat auf ein Gemenge von 2 Mol. Nitril und 1 Mol. Hydrazin bewirkt und verläuft z. B. nach folgender Gleichung: $2 C_6H_5CN + C_6H_5NHNH_2 = NH_3 + C_{20}H_{15}N_3$. Auf Grund dieser Bildungsweise und seines aus-geprägt aromatischen Charakters wird das entstehende Product als 1,3,5-Triphenyltriazol angesprochen. Es schmilzt bei 104⁰ und besitzt ganz schwach basische Natur. Mit Jodmethyl ver-einigt es sich zu einem Jodmethylat, das schon durch Alkali unter Bildung der Ammoniumbasen zerlegt wird. Letztere kommt aus Benzol mit 1 Mol. Krystallbenzol in weifsen, körnigen Kry-stallen vom Schmelzp. 181⁰. Gegen alle chemischen Reagentien ist das Triphenyltriazol aufserordentlich widerstandsfähig, es wird weder durch Permanganat, Chromsäure, starke Jodwasserstoffsäure, noch durch andauerndes Erhitzen mit Alkalien oder Mineralsäuren

[1] Ber. 29, 2671—2677. — [2] J. pr. Chem. 54, 143—169.

verändert. Ganz analoge Eigenschaften zeigen die aus verschiedenen anderen aromatischen Nitrilen und Phenyl- oder Naphtylhydrazin erhaltenen Condensationsproducte, während secundäre Hydrazine unter den angegebenen Bedingungen sich nur mit 1 Mol. Nitril zu Hydrazidinen vereinigen.   *Dd.*

Das Monothiourazol

$$\begin{array}{c} NH\!-\!NH \\ \mid \qquad \mid \\ CO \quad CS \\ \diagdown NH \diagup \end{array}$$

erhielten A. Freund und A. Schauder[1]) aus dem Hydrazothiodicarbonamid durch Erhitzen mit concentrirter Salzsäure unter Ammoniakabspaltung, analog der früher beschriebenen Darstellung des Dithiourazols aus dem Hydrazodithiodicarbonamid. Es krystallisirt aus Wasser in kleinen Warzen vom Schmelzp. 177⁰ und hat gleichzeitig schwach basischen und schwach sauren Charakter. Zu seiner Dartellung geht man am zweckmäfsigsten von Phenylhydrazothiodicarbonamid (aus Thiosemicarbazid und Phenylcyanat) aus, das beim Erhitzen mit Salzsäure unter Anilinabspaltung das Urazolderivat liefert.   *Dd.*

Anhang: *Derivate des Triazsulfols.* — Derivate eines aus Schwefel, Kohlenstoff und drei Stickstoffatomen bestehenden fünfgliedrigen Ringes, des Triazsulfols, sind von A. Freund in Gemeinschaft mit H. Schwarz[2]) und A. Schauder[3]) beschrieben worden. Sie entstehen durch Einwirkung von Natriumnitrit auf Thiosemicarbazid und dessen aliphatische Alkylderivate der Formel $RNHCSNHNH_2$ unter Wasserabspaltung, indem sich, abweichend von den früher bei den aromatischen Alkylthiosemicarbaziden gemachten Erfahrungen, die Sulfhydroxylgruppe an der Wasserabspaltung betheiligt. In Folge dessen führt die Reaction in folgender Weise zu Amidotriazosulfolen:

$$NH\!=\!C\!\diagup^{SH}_{\diagdown NH-NH_2} + HNO_2 = 2H_2O + NH_2\!-\!C\!\diagup^{S-N}_{\diagdown N-N}$$

Zur Stütze dieser Auffassung dient hauptsächlich das Verhalten der Reactionsproducte gegen siedendes Wasser. Sie werden dadurch ziemlich quantitativ zerlegt unter Abspaltung von zwei Stickstoffatomen, einem Schwefelatom und Bildung von Alkylcyanamiden. Alkali zerlegt sie dagegen im Wesentlichen in Stickstoffwasserstoffsäure und Senföle. Das Amidotriazosulfol selbst ent-

---

[1]) Ber. 29, 2506—2511. — [2]) Daselbst, S. 2491—2499. — [3]) Daselbst, S. 2500—2506.

steht in einer Ausbeute von 75 Proc. aus dem Thiosemicarbazid:
Es bildet, aus Alkohol oder viel Aether krystallisirt, lange durchsichtige Nadeln vom Zersetzungspunkt. 128 bis 130°, und hat
gleichzeitig basische und saure Eigenschaften. Beim Erwärmen
mit Alkali wird es in oben angegebenem Sinne, durch Säuren
unter Abspaltung von Stickstoff und Bildung von Thiocyanamid
zersetzt, dessen Chlorhydrat unscharf gegen 180° schmilzt. Das
Methyl- (Schmelzp. 96°), Aethyl- (Schmelzp. 66 bis 67°) und Allyl-
amidotriazsulfol (Schmelzp. 54°), aus den entsprechenden Alkylthiosemicarbaziden hergestellt, sind der Muttersubstanz in ihren
Eigenschaften sehr ähnlich.   *Dd.*

  G. **Pellizari** und C. **Massa**[1]). Synthesen des Triazols und
seiner Derivate. II. Monosubstituirte Triazole. — Im Anschluſs
an die von **Pellizari** aufgefundenen Triazolsynthesen[2]) aus Form-
amiden mit Formhydraziden haben Verfasser einige N-substituirte
Triazole aus verschiedenen substituirten Formhydraziden mit Formamid dargestellt. Die Reindarstellung der Formhydrazide kann
man umgehen, wenn man in Erwägung zieht, daſs letztere sich
auch durch Erhitzen der salzsauren Hydrazine mit Formamid
bilden. Es genügt daher das salzsaure Hydrazin (1 Mol.) mit
Formamid (2 Mol.) zu erhitzen, um die Triazole zu erhalten:

$$\text{I. } RNH.NH_2 + NH_2CHO = NH_3 + RNH.NH.COH$$
$$\text{II. } RNH.NH.CHO + NH_2CHO = 2H_2O + C_2N_3H_2R.$$

Zu bemerken ist, daſs man die Triazole im letzteren Falle theilweise als salzsaure Salze in der Reactionsmasse erhält. 1-p-*Tolyl-*
triazol, $CH_3[4]C_6H_4[1] N {<}^{N=CH}_{CH=N}$, schmilzt bei 67°, siedet bei
265°, besitzt einen pyridinähnlichen Geruch, wurde sowohl durch
Destillation eines Gemisches von p-Tolylformylhydrazin mit Formamid, als durch Erhitzen von salzsaurem p-Tolylhydrazin mit
Formamid auf 200° gewonnen. Sein Platinchloriddoppelsalz,
$(C_9H_9N_3 . HCl)_2 PtCl_4$, schwer löslich in Salzsäure, giebt beim
Kochen mit Wasser oder Erhitzen auf 150 bis 175° 2 Mol. Salzsäure ab unter Bildung eines gelben, unlöslichen Pulvers der
Formel $(C_9H_9N_3)_2 PtCl_4$; bei höherer Temperatur entweichen noch
2 Mol. HCl, es gelang jedoch nicht, den entstehenden Körper in
reinem Zustande zu erhalten. In diesem, allen untersuchten
Triazolen gemeinsamen Verhalten gleichen die Triazole den Pyr-
azolen. — Durch Oxydation mit 5 proc. Kaliumpermanganat in
alkalischer Lösung wird das p-Tolyltriazol in 1-*Triazol-p-benzoë-*

---

[1]) Gazz. chim. ital. **26**, II, 413—429. — [2]) Daselbst **24**, II, 222.

säure, $COOH[4]C_6H_4(N_3C_2H_2)$, übergeführt, *Baryumsalz*, schwer löslich in Wasser. *1-o-Tolyltriazol*, $CH_3[2]C_6H_4[1](N_3C_2H_2)$, Schmelzp. 45°, Siedep. 270°, ist in Bildungsweisen und Verhalten dem p-Derivat vollkommen analog. Die durch Oxydation mit Permanganat gewonnene *1-Triazol-o-benzoësäure* schmilzt bei 264°, bildet ein leicht lösliches Baryumsalz; Kupfersalz blau, unlöslich. *1-α-* und *1-β-Napthyltriazol*, $C_{10}H_7(N_3C_2H_2)$, Schmelzp. 99° und 111°, wurden durch Erhitzen der salzsauren Salze von α- und von β-Naphtylhydrazin mit Formamid auf 200° und Krystallisation der Reactionsproducte aus Wasser bezw. Alkohol erhalten.   *Schr.*

M. Freund und R. L. Heilbrun[1]) erhielten bei der Einwirkung von Salzsäure auf Hydrazo-di-carbonthioallylamid drei Verbindungen, Allyldithiourazol, 1-Allyl-5-allylimido-2-thiourazol, welches schon von Freund und Wischewiansky[2]) auf anderem Wege dargestellt ist, und Dipropylen-ψ-hydrazo-di-carbonthioamid. Näheres siehe diesen JB., S. 903.   *Wt.*

Tetrazole.

Tetrazolgruppe.

Die Aufklärung der Isomerieverhältnisse in der Tetrazolgruppe ist von E. Wedekind[3]) in Angriff genommen worden, der darüber eine einleitende Mittheilung veröffentlicht hat. Der Abbau verschiedener Tetrazolderivate zur Muttersubstanz, dem Tetrazol, hat bisher nur zu ein und derselben Substanz, dem Tetrazol Bladin's vom Schmelzp. 157°, geführt, während von vornherein das Auftreten von zwei Isomeren zu erwarten gewesen wäre, die sich durch die verschiedene Stellung eines Wasserstoffatoms von einander unterscheiden würden. Um festzustellen, ob die Isomerieverhältnisse hier ähnlich liegen wie in der Pyrazolgruppe, wo die Tautomerie der Muttersubstanz bei den Derivaten in Isomerie übergeht, hat E. Wedekind die Darstellung und genaue Vergleichung zweier Phenyltetrazole, die nach ihrer Bildungsweise an verschiedener Stelle im Tetrazolkern substituirt sind, versucht. Folgender, durch die Arbeiten v. Pechmann's vorgezeichneter Weg sollte zu einem, dem bekannten Phenyltetrazol aus Dicyanphenylhydrazin isomeren Phenyltetrazol führen:

---

[1]) Ber. **29**, 859. — [2]) Ber. **26**, 2878. — [3]) Ber. **29**, 1846—1855.

$$C_6H_5C\underset{N=N-C_6H_4(OCH_3)}{\overset{N-NH-C_6H_5}{<}} \rightarrow C_6H_5C\underset{N=N<\overset{Cl}{C_6H_4OCH_3}}{\overset{N-N-C_6H_5}{<}}$$

p-Monoäthoxyformazylbenzol   p-Monoäthoxytriphenyltetrazoliumchlorid

$$\rightarrow C_6H_5C\underset{N=N<\overset{OH}{C_6H_4(OH)}}{\overset{N-N-C_6H_5}{<}} \rightarrow C_6H_5C\underset{N=N}{\overset{N-N-C_6H_5}{<}}$$

p-Monooxytriphenyltetrazoliumhydroxyd   Diphenyltetrazol

$$\rightarrow NH_2C_6H_4\underset{N=N}{\overset{N-NC_6H_5}{<}} \qquad HC\underset{N=N}{\overset{N-NC_6H_5}{<}}$$

Amidodiphenyltetrazol   Phenyltetrazol

In der vorliegenden Mittheilung sind diese Verbindungen bis zum Diphenyltetrazol einschließlich (Schmelzp. 106 bis 107⁰) beschrieben, die entscheidende Aboxydation der Phenylgruppe steht noch aus.
Dd.

Repräsentanten einer noch unbekannten Reihe von Tetrazolverbindungen sind von A. Busch und Jul. Becker[1] aus dem Diphenylthiosemicarbazid durch Einwirkung von salpetriger Säure erhalten worden. Die primär entstehende Nitrosoverbindung des Diphenylthiosemicarbazids spaltet spontan intramolekular Wasser ab, gleichzeitig wird unter dem Einfluß der salpetrigen Säure der Schwefel durch Sauerstoff ersetzt. Das entstehende Product, dunkelrothe Nadeln vom Zersetzungspunkt 110⁰, wird als 1,4-Diphenylisotetrazolon

$$OC\underset{N \quad ---N-C_6H_5}{\overset{NC_6H_5-N}{<}}$$

aufgefaßt. Es ist eine einsäurige Base, die Farbstoffcharakter besitzt. Durch nascirenden Wasserstoff wird sie unter Abspaltung von Ammoniak in Diphenylsemicarbazid verwandelt. Versuche, direct aus letzterem durch salpetrige Säure zum Diphenylisotetrazolon zu gelangen, führten nicht zum Ziel. Es entstand nur ein sehr unbeständiges Nitrosoderivat, das unter Abspaltung von salpetriger Säure und Oxydation leicht in das Phenylazocarbonanilid (Schmelzp. 121 bis 122⁰) überging. *Dd.*

Guido Pellizzari. Ueber Diphenyltetrazolin[2]. — Aehnlich wie Formamid und Formhydrazide Triazole liefern, sollten Formhydrazide, für sich erhitzt, um ein Stickstoffglied reichere, sechsgliedrige Ringe ergeben, für welche Verfasser den Namen Tetrazoline vorschlägt:

---

[1] Ber. 29, 1686—1688. — [2] Gazz. chim. ital. 26, II, 430—433.

$$\begin{matrix} C_6H_5NH \\ | \\ NH-CHO \end{matrix} + \begin{matrix} OCH-NH \\ | \\ NC_6H_5 \end{matrix} = 2H_2O + \begin{matrix} C_6H_5N-CH=N \\ | \\ N=CH-NC_6H_5 \end{matrix}.$$

Derartige Substanzen sind bereits von Ruhemann aus aromatischen Hydrazinen mit Chloroform und Kali, sowie von Pinner durch Isomerisation der aus Imidoäthern mit Hydrazin erhaltenen sogenannten Dihydrotetrazine dargestellt worden. *Diphenyltetrazolin*, identisch mit dem aus Phenylhydrazin mit Chloroform und Kali erhaltenen Product, entsteht durch mehrstündiges Erhitzen von Formylphenylhydrazin auf 200°. Die Ausbeute ist gering.   *Schr.*

Indol, Carbazol.

Farbenfabriken vorm. F. Bayer u. Co. in Elberfeld. Verfahren zur Darstellung von Indol [1]). — Die einsäurigen Salze des o-Diamidostilbens (oder Mischungen derselben, oder der zweisäurigen Salze mit freiem o-Diamidostilben) erhitzt man im Vacuum auf höhere Temperaturen. Es entsteht hierbei neben *Indol* Anilin.   *Sd.*

G. Ciamician. Ueber die Constitution der Basen, welche aus den Indolen durch Einwirkung der Jodalkyle entstehen [2]). — In dieser Abhandlung werden die experimentellen Resultate drei folgender, in Gemeinschaft mit A. Piccinini, G. Boeris und G. Plancher, publicirter Mittheilungen theoretisch beleuchtet und zusammengefaßt. Speciell werden die früher von Ferratini [3]) beschriebenen Versuche anders gedeutet. Das Wesentlichste dieser Publication wird in den drei folgenden Referaten berücksichtigt.
                                                              v. N.

G. Ciamician und A. Piccinini. Ueber das Dihydrotrimethylchinolin [4]). — Das *α-γ-Dimethyltetrahydrochinolin* geht beim Oxydiren mit Quecksilberacetat im Rohr in das *α-γ-Dimethylchinolin* über, während die *secundäre hydrirte Indolbase*, für welche jetzt eine der beiden Formeln vorgeschlagen wird,

diese Reaction nicht eingeht, sondern zu harzigen Producten führt. Auffallend bleibt die Thatsache, daß dieser Körper bei der

---

[1]) Patentbl. 2, 27; D. R.-P. Nr. 84578 v. 29. März 1895. — [2]) Ber. 29, 2460—2465. — [3]) Ber. 26, 1811. — [4]) Ber. 29, 2465—2471.

Destillation des Chlorhydrates über Zinkstaub neben α-β-Dimethyl-
indol α-γ-Dimethylchinolin| ergiebt. Oxydirt man das *Dihydro-*
trimethylchinolin mit Chromsäuremischung, oder in alkalischer
Lösung mit Kaliumpermanganat, destillirt in erstem Fall im
Dampfstrom, zieht in letztem das Reactionsproduct mit Aether
aus, so erhält man in beiden Fällen das von Brunner[1] schon
beschriebene *Trimethylindolinon*, Schmelzp. 55 bis 56°,

$$C_6H_4 \diamondsuit \begin{matrix} C(CH_3)_2 \\ CO \end{matrix} \\ N.CH_3$$

Derselbe Körper entsteht bei der Oxydation der hydrirten Indolbase in alkalischer Lösung mit Chamäleon. Dahingegen giebt das
damit für gleichconstituirt gehaltene *n-α-γ-Trimethyltetrahydro-*
chinolin bei der Oxydation geringe Mengen eines näher nicht
untersuchten Oeles. Das zum Versuch nothwendige n-α-γ-Tri-
methyltetrahydrochinolin wurde durch Methylirung des α-γ-Di-
methyltetrahydrochinolins dargestellt. Es siedete bei 59 mm bei
ca. 250° und gab ein in Prismen krystallisirendes *Pikrat*, Schmelzp.
126 bis 127°. — Durch Reduction des Brunner'schen Trimethyl-
indolinons mit Natrium und Alkohol entsteht das ebenfalls von
ihm schon dargestellte| *quaternäre Hydrat*, welches aber auch als
secundärer Alkohol aufgefaßt werden dürfte: ·

$$C_6H_4 \diamondsuit \begin{matrix} C(CH_3)_2 \\ CH.OH] \end{matrix} \quad oder \quad C_6H_4 \diamondsuit \begin{matrix} C(CH_3)_2 \\ CH \end{matrix} \\ N CH_3 \qquad\qquad N CH_2OH$$

Farblose Prismen, Schmelzp. 97 bis 98° (Brunner fand 95°).
Pikrat 136 bis 137 (Brunner 133°). Beim Kochen mit Salzsäure
entsteht daraus *α-β-n-Trimethylindol*,

$$C_6H_4 \diamondsuit \begin{matrix} C.CH_3 \\ C.CH_3 \end{matrix} \\ N.CH_3$$

Jodwasserstoffsäure und Phosphor reduciren |obiges ¶Hdrat ";zum
Jodhydrat des β-β-n-Trimethylindols, $C_{11}H_{15}N.HJ$, farblose Prismen, Schmelzp. 184 bis 185°, neben welchem auch das α-β-n-Tri-
methylindol entsteht. Die freie Base

$$C_6H_4 \diamondsuit \begin{matrix} C(CH_3)_2 \\ CH_2 \end{matrix} \\ N CH_3$$

[1] Monatsh. Chem. 17, 270.

siedet bei 224 bis 227°. *Chlorhydrat* zerfliefslich, Schmelzp. 175°, sublimirbar. *Jodmethylat*, $C_{10}H_{12}NCH_3 . CH_3J$, perlglänzende Blättchen, verflüchtigt sich, ohne zu schmelzen, bei 204 bis 205°. Aus Trimethylindolin wurde nach Herzig's Entmethylirungsmethode durch Erhitzen mit Jodwasserstoffsäure und Jodammonium das *β-β-Dimethylindolin,*

$$C_6H_4 \diamondsuit \begin{array}{c} C(CH_3)_2 \\ CH_2 \\ NH \end{array}$$

dargestellt. Farbloses, unter 758 mm bei 224 bis 230° siedendes Oel. *Chlorhydrat*, krystallinisch nicht zerfliefslich. *Chloroplatinat*, lichtgelb, krystallinisch. Zersetzung 217°. Das Chlorhydrat giebt über Zinkstaub destillirt das α-β-Dimethylindol und kleine Mengen einer Chinolinbase.   *v. N.*

Giacomo Ciamician und Antonio Piccinini. Ueber die Constitution der Basen, die sich durch Einwirkung von Jodalkylen auf Indole bilden [1]. — Bekanntlich wird bei der Einwirkung von Jodmethyl auf Indol oder im Pyrrolkern methylirte Indole eine Base erhalten, welche nach den Untersuchungen von E. Fischer und von Ferratini ein Trimethyldihydrochinolin von der schematischen Formel

$$C_6H_4 < \begin{array}{c} C(CH_3)-CH_2 \\ N(CH_3)-C(CH_3) \end{array}$$

ist. Es handelt sich nun darum, die Verwendung der beiden noch frei bleibenden C-Valenzen festzustellen, wobei zunächst die beiden Formulirungen

$$C_6H_4 < \begin{array}{c} C(CH_3)=CH \\ N(CH_3)-CH(CH_3) \end{array} \quad \text{und} \quad C_6H_4 < \begin{array}{c} CH(CH_3)-CH \\ N(CH_3)--\ddot{C}(CH_3) \end{array}$$

in Betracht kommen. Bei der Oxydation mit alkalischer Permanganatlösung oder mit Kaliumbichromat und Schwefelsäure giebt das Trimethyldihydrochinolin eine sauerstoffhaltige, mit Wasserdämpfen flüchtige, schwach basische Substanz vom Schmelzp. 55 bis 56° und der Formel $C_{11}H_{13}NO$; sie ist wahrscheinlich ein Keton und entsteht auch durch Oxydation des sogenannten Trimethyltetrahydrochinolins, welches man durch Reduction des Trimethyldihydrochinolins erhält. Durch Reduction mit Natrium und Alkohol erhält man aus dem Keton einen um 2 H-Atome reicheren, wahrscheinlich hydroxylhaltigen Körper $C_{11}H_{15}NO$ vom

[1] Accad. dei Lincei Rend. [5] 5, II, 50—57.

Schmelzp. 97 bis 98°. Letzterer ist identisch mit einer neuerdings von K. Brunner synthetisch aus Isobutylidenmethylphenylhydrazon mittelst alkoholischen Chlorzinks erhaltenen Substanz, welche durch Oxydation mit Silbernitrat in das Keton $C_{11}H_{13}NO$ übergeführt werden kann. Durch Reduction des hydroxylhaltigen Körpers $C_{11}H_{15}NO$ endlich mit Jodwasserstoffsäure und Phosphor im Rohr bei 150° erhält man eine Base $C_{11}H_{15}N$, die bei 226 bis 236° siedet, *Jodhydrat*, Schmelzp. 181 bis 182°, *Jodmethylat* bei 204 bis 205° ohne Schmelzen flüchtig. Diese Base ist das niedere Homologe des oben erwähnten sogenannten Trimethyltetrahydrochinolins. Sie ist aber ebenso wenig identisch mit einem Tetrahydro-n-methyl-lepidin oder -chinaldin wie das sogenannte Trimethyltetrahydrochinolin aus Indol mit einem der auf synthetischem Wege gewonnenen trimethylirten Tetrahydrochinoline. Eliminirt man nach der Methode von Herzig[1]) die Stickstoff-Methylgruppe, so erhält man aus der tertiären Base $C_{11}H_{15}N$ eine secundäre Base $C_{10}H_{13}N$, welche ebenfalls mit Tetrahydro-chinaldin oder -lepidin nicht identisch ist, und welche bei der Destillation mit Zinkstaub α,β-Dimethylindol liefert. — Will man die Verschiedenheit der Indol-Chinolinderivate von den auf anderen Wegen gewonnenen bekannten Chinolinabkömmlingen unter Beibehaltung der oben angenommenen Formeln erklären, so ist man mit Ferratini auf die Annahme von stereochemischen Isomerieen hingewiesen, welche durch das Vorhandensein von asymetrischen C-Atomen und N-Atomen in diesen Körpern gerechtfertigt wird. Verfasser sind indessen anderer Ansicht. Sie stellen für das ursprüngliche sogenannte Trimethyldihydrochinolin folgende Formel (I.) auf, aus welcher sich die Formel III. für das Keton $C_{11}H_{13}NO$ unter Annahme eines Zwischenproductes (II.), und die Formeln IV., V. und VI. für den hydroxylhaltigen Körper $C_{11}H_{15}NO$, die Base $C_{11}H_{15}N$ und entmethylirte Base $C_{10}H_{13}N$ entwickeln:

Es wird auf die Analogie dieser Formel für das Trimethyldihydrochinolin mit der von Baeyer für das Caron neuerdings auf-

---

[1]) Monatsh. Chem. 17, 216.

gestellten hingewiesen. K. Brunner (s. o.) nimmt für den hydroxylhaltigen Körper (IV.) gemäfs seiner Entstehung aus Isobutylidenmethylphenylhydrazin die Formel einer quaternären Base an, welche mit der oben aufgestellten durch eine Art Tautomerie verknüpft sein könnte, welche den Uebergang in das Keton (III.) erklärlich macht:

$$C_6H_4 \underset{N(CH_3)(OH)}{\overset{-C(CH_3)_2-}{\diagup\diagdown}} CH \rightarrow C_6H_4 \underset{N(CH_3)}{\overset{C(CH_3)_2}{\diagup\diagdown}} CH(OH) \rightarrow C_6H_4 \underset{N(CH_3)}{\overset{C(CH_3)_2}{\diagup\diagdown}} CO.$$

Den Uebergang des Trimethyldihydrochinolins in das sogenannte Trimethyltetrahydrochinolin, welches durch Oxydation ebenfalls das Keton (I.) giebt (s. o.), stellen Verfasser sich in folgender Weise vor:

$$C_6H_4 \underset{N(CH_3)-C(CH_3)}{\overset{C(CH_3)-CH_2}{\diagup\diagdown}} \rightarrow C_6H_4 \underset{N(CH_3)}{\overset{C(CH_3)_2}{\diagup\diagdown}} CH(CH_3) \rightarrow C_6H_4 \underset{N(CH_3)}{\overset{C(CH_3)_2}{\diagup\diagdown}} CO.$$

Schr.

Giacomo Ciamician und Giovanni Boeris. Ueber Einwirkung von Jodalkylen auf Indole und die hierbei entstehenden Basen [1]. — Es wurde bereits früher [2] dargethan, wie das aus Indol mit Jodmethyl gewonnene sogenannte Trimethyldihydrochinolin durch Destillation seines Jodhydrats in Jodmethyl und Trimethylindol zerfällt. Verfasser haben den Versuch in gröfserem Mafsstabe wiederholt und aus 150 g Jodhydrat 40 g Trimethylindol erhalten, identisch mit dem synthetisch gewonnenen Körper. Daneben liefsen sich noch einige Gramme des Gemisches einer secundären und einer tertiären Base isoliren. Durch Behandlung dieses Gemisches mit Jodmethyl und Krystallisation aus Alkohol liefsen sich mechanisch zwei Krystallisationen trennen, von denen die eine, bei 253° schmelzende, sich als Trimethyldihydrochinolinjodhydrat, die andere, nach weiterer Reinigung bei 251° ohne Schmelzen flüchtige, als das Jodmethylat des sogenannten Trimethyltetrahydrochinolins [3] zu erkennen gab. Es war demnach anzunehmen, dafs bei der Destillation des Jodhydrats der ursprünglichen Base auch theilweise eine Abspaltung des Stickstoffmethyls und theilweise eine Reduction eingetreten war. Ferner haben die Verfasser durch Einwirkung von Jodäthyl auf Trimethylindol die von Fischer und Steche [4] bereits erhaltene, dem Trimethyl-

---

[1] Accad. dei Lincei Rend. [5] 5, II, 155—164. — [2] Siehe vorstehendes Referat. — [3] Siehe vorstehendes Referat. — [4] Ann. Chem. 242, 359.

dihydrochinolin homologe Base dargestellt und untersucht. Sie erhielten in guter Ausbeute das Jodhydrat der Base $C_{13}H_{17}N$, welches bei 229° unter Zersetzung schmolz. Wäre die Annahme von Fischer und Steche richtig, daſs die Aethylgruppe des Jodäthyls an der Erweiterung des Indolringes zum Chinolinringe sich betheiligt, so wären für diese Base folgende Formeln zu discutiren und dieselbe als Tetramethyldihydrochinolin zu bezeichnen:

$$C_6H_4 \begin{array}{c} \diagup C(CH_3)\!=\!C(CH_3) \\ \quad\quad | \\ \diagdown N(CH_3)\!-\!CH(CH_3) \end{array} \quad \text{oder} \quad C_6H_4 \begin{array}{c} \diagup CH(CH_3)\!-\!C(CH_3) \\ \quad\quad \| \\ \diagdown N(CH_3)\!-\!C(CH_3) \end{array}$$

$$\text{oder} \quad C_6H_4 \begin{array}{c} \diagup C(CH_3)\!-\!CH(CH_3)\,^1) \\ \quad\quad | \\ \diagdown N(CH_3)\!-\!C(CH_4) \end{array}$$

Nach Ansicht der Verfasser sind diese Formeln jedoch aus folgenden Gründen zu verwerfen. Das Trimethyldihydrochinolin giebt bei weiterer Methylirung ein Pentamethylderivat, ein Vorgang, bei dem das oben formulirte Tetramethylproduct ein Zwischenglied bilden müſste; man sollte also erwarten, daſs die Base $C_{13}H_{17}N$ leicht ebenfalls dieses Pentamethylderivat liefert, was jedoch nicht der Fall war. Ferner sollte man die Bildung dieses Pentamethylderivates auch erwarten bei der Einwirkung von Isopropyljodid auf Trimethylindol, falls dieselbe analog der des Jodmethyls und Jodäthyls und in der von Fischer und Steche angenommenen Richtung verlief. Jedoch auch auf diesem Wege war das Pentamethylderivat nicht zu erhalten. Ist es nicht die Aethylgruppe, so muſs eine der Methylgruppen an der Bildung des Chinolinringes sich betheiligen, und Verfasser stellten demnach für die Jodäthylbase folgende Formeln auf:

$$C_6H_4 \begin{array}{c} \diagup C(C_2H_5)\!-\!CH_2 \\ \quad\quad | \\ \diagdown N(CH_3)\!-\!C(CH_3) \end{array} \quad \text{oder} \quad C_6H_4 \begin{array}{c} \diagup C(CH_3)\!-\!CH_2 \\ \quad\quad | \\ \diagdown N(CH_3)\!-\!C(C_2H_5) \end{array}$$

Zum Schluſs kommen Verfasser auf die Untersuchungen von Ciamician und Piccinini²) zurück, deren wichtigstes Ergebniſs ihnen in der Feststellung der Gruppe $>C<^{CH_3}_{CH_3}$ in den Indol-Chinolinkörpern zu liegen scheint, welche durch die Ueberführung des Dihydrotrimethylchinolins in das β,β-Dimethyldihydroindol erreicht wurde. Als gleichberechtigt mit der dort gegebenen Formulirung stellen sie eine neue in dem folgenden Schema skizzirte auf:

---

¹) Ann. Chem. 242, 359. — ²) Siehe vorstehendes Referat.

$$C_6H_4{<}{C(CH_3)_2{-}CH \atop N(CH_3){-}\ddot CH} \rightarrow C_6H_4{<}{C(CH_3)_2 \atop N(CH_3)}{>}CO \leftarrow C_6H_4{<}{C(CH_3)_2{-}CH_2 \atop N(CH_3){-}CH_2}$$

Trimethyldihydro-   Keton $C_{11}H_{13}NO$ Trimethyltetrahydrochinolin   chinolin

$$C_6H_4{<}{C(CH_3)_2{-}CH \atop {N(CH_3){-}\ddot CH \atop H\diagdown J}} \rightarrow \left[C_6H_4{<}{C(CH_3)_2 \atop N(CH_3)}{>}C(CH_3) \right]$$

Trimethyldihydrochinolin-
jodhydrat   J

$$\rightarrow C_6H_4{<}{C(CH_3) \atop N(CH_3)}{>}C(CH_3)$$

Trimethylindol

$$C_6H_4{<}{C(CH_3)_2 \atop N(CH_3)}{>}CHOH \rightarrow \left[C_6H_4{<}{C(CH_3)_2 \atop N(CH_3)}{>}CH \right]$$

Hydroxylhaltige Substanz   Cl
$C_{11}H_{15}NO$

$$\rightarrow C_6H_4{<}{C(CH_3) \atop N(CH_3)}{>}C(CH_3).$$

Trimethylindol.

Schr.

G. Ciamician und G. Boeris. Ueber die Beziehungen des Trimethylindols zu den Dihydroalkylchinolinen[1]). — Destillirt man das Jodhydrat des Dihydrotrimethylchinolins, so entsteht als Hauptproduct Trimethylindol und daneben in kleiner Menge die entsprechende entmethylirte secundäre Base und die tertiäre hydrirte Indolbase (d. i. Tetramethylindolin oder $n\gamma\gamma$-Trimethyltetrahydrochinolin), was schon an dem Verhalten des Gemisches der Chlorhydrate beider Basen gegenüber Natriumnitrit zu erkennen war. Digerirt man das Gemisch beider letzten Basen mit Jodmethyl bei 100°, so findet sich im Reactionsproduct neben regenerirtem Jodhydrat des Dihydrotrimethylchinolins das Jodhydrat der hydrirten Indolbase, deren Chlorplatinat aus gelben Nadeln bestand und gegen 208° unter Zersetzung schmolz. Den Vorgang der Zersetzung des Dihydrotrimethylchinolins könnte man folgendermafsen deuten:

$$C_6H_4{<}{C(CH_3)_2 \atop {\diagup CH \atop {\| \atop CH} \atop N.CH_3.HJ}} \rightarrow C_6H_4{<}{C(CH_3)_2 \atop NCH_3J}{>}C.CH_3 \rightarrow C_6H_4{<}{CCH_3 \atop NCH_3}{>}CCH_3.$$

Durch Einwirkung von Jodäthyl auf Trimethylindol entstehen weifse, bei 229° unter Zersetzung schmelzende Nädelchen von der Zusammensetzung $C_{13}H_{17}N.HJ$ des Jodhydrates einer dem gewöhnlichen Dihydrotrimethylchinolin homologen Base. Die freie Base

---

[1]) Ber. 29, 2472—2475.

bildet ein farbloses, an der Luft sich sofort röthendes Oel, welches unter 21 mm bei 128 bis 130° siedet. Bei der Alkylirung mit Jodmethyl liefert diese Base das ursprüngliche Jodhydrat, $C_{13}H_{17}N$. HJ, Schmelzp. 229°; daneben entsteht aber wahrscheinlich noch eine andere, höher methylirte Base. $v. N.$

K. B r u n n e r. Eine Indoliumbase und ihr Indolinon [1]). — Verfasser liefs auf Isobutylidenmethylphenylhydrazin alkoholisches Chlorzink einwirken und erhielt so einen Körper, $C_{10}H_{13}NO$, den er nach seinem Verhalten und in Analogie zur Chinoliumbase als *Pr-1ª-Methyl-3,3-Dimethylindoliumoxydhydrat* betrachtet. Die Base krystallisirt am besten in Prismen aus Petroläther, löst sich in organischen Solventien, färbt sich an der Luft bald gelb, geht mit Wasserdämpfen unverändert über, ist etwas flüchtig mit thymolartigem, zum Niesen reizenden Geruch und verliert, wenn man bei 100° Wasserstoff überleitet, Wasser. Ihre sauren Lösungen färben sich gelb. Der Körper ist monomolekular. Eisenchlorid erzeugt gelbe Fällung. Die Base hat aufserordentlich reducirende Wirkung. In Folge der Unbeständigkeit gelang es nicht, farblose Salze zu erhalten. Das Pikrat schmilzt bei 133°. Das Chlorhydrat schmilzt unter Schäumen bei 131°, das saure Sulfat wasserfrei bei 129°. Mit Quecksilberchlorid wurde ein Doppelsalz vom Schmelzp. 125° erhalten. Das Platindoppelsalz bräunt sich bei 130° und schmilzt unter Gasentwickelung bei 161°. Die Base ist ein ziemlich starkes Krampfgift. Concentrirte H_2SO_4 giebt bei längerem Sieden ein Oel, blafsgelb, mit schwacher Fluorescenz, Siedep. 283 bis 284°. Der Körper erwies sich identisch mit dem Trimethylindol [2]). Salpetersäure giebt ein *Dinitroproduct*, $C_{11}H_{11}NO(NO_2)_2$, das bei 148° schmilzt, ebenso werden 2 At. Brom aufgenommen. Das *Dibromid*, $C_{11}H_{11}NOBr_2$, schmilzt bei 122 bis 124°. Die Reduction mit Zinkstaub gab einen bei 129° schmelzenden Körper, $(C_{11}H_{14}N)_2$. Die Oxydation wurde mit einer alkoholisch-ammoniakalischen Silbernitratlösung ausgeführt. Verfasser erhielt ein farbloses, minzeartig riechendes, bei 264 bis 265° siedendes Oel, $C_{11}H_{13}ON$, das bei Winterkälte erstarrte. Die so erhaltenen Krystalle brachten auch das Oel im Zimmer zur Erstarrung; die in der Kälte erstarrten schmelzen sehr niedrig, etwa bei 25°, die durch Berührung erstarrten bei 50°. Die ersteren gehen in höher schmelzende, stabile Form über, doch sind beide Formen von gleichem Molekulargewichte. Die Verbindung ist trotz ihrer Flüchtigkeit mit Wasserdämpfen ein Lactamäther:

[1]) Monatsh. Chem. 17. 253—281. — [2]) Ann. Chem. 236, 161.

$$C \overset{\diagup}{\underset{\diagdown}{}} C <\overset{CH_3}{\underset{CH_3}{}}$$
$$ C{=}O$$
$$\overset{|}{N}CH_3$$

Dieses *Pr-1ⁿ-Methyl-3,3-dimethyl-2-indolinon* löst sich in concentrirter Salzsäure, giebt ein Chloroplatinat mit $1^1/_2$ Mol. H_2O, ein Aurat, eine $HgCl_2$-Doppelverbindung und entfärbt alkalische Permanganatlösung nicht. Die farblose Lösung in concentrirter H_2SO_4 wird durch Braunstein oder Bichromat kirschroth. Sein *Dibromid* schmilzt bei 126° und ist mit dem aus der Indoliumbase identisch. Mit Salpetersäure wurde zunächst eine *Mononitroverbindung*, $C_{11}C_{12}NONO_2$, Schmelzp. 201 bis 202°, erhalten, die durch rauchende Säure in den aus der Base sofort erhaltenen Dinitrokörper übergeht.   *Mr.*

    Karl Brunner. Ueber Indolinone [I. Abhandlung] [1]). — Verfasser hat früher [2]) durch Condensation von Isobutylidenmethylphenylhydrazon mit alkoholischem Chlorzink ein Trimethylindoliumhydroxyd dargestellt, das sich durch Oxydation in Trimethylindolinon, $C_6H_4 <\overset{C(CH_3)_2}{\underset{N(CH_3)}{}}>CO$, überführen liefs. Es ist Verfasser nun gelungen, dieses Trimethylindolinon direct durch Condensation von Isobutyrylmethylphenylhydrazin beim Erhitzen mit Kalk auf 230 bis 260° darzustellen. Diese Reaction der Bildung von Indolinonen aus Acidylalkylphenylhydrazonen beim Erhitzen mit Kalk scheint der Verallgemeinerung fähig zu sein. Acetmethylphenylhydrazid gab nur sehr geringe Ausbeuten; glatter verläuft die Reaction mit Propionylmethylphenylhydrazid; es entsteht *n,β-Dimethylα-indolinon*, $C_6H_4[C_2H(CH_3)ON(CH_3)]$, Schmelzp. 22,5 bis 23°, Siedep. 273 bis 277°, Goldchloriddoppelsalz, $(C_{10}H_{11}NO)_2HCl.AuCl_3$, scheidet leicht Gold ab, Quecksilberchloridverbindung, $C_{10}H_{11}NO$ $.HgCl_2$, Schmelzp. 118°, schwer lösliche Blättchen, Tribromproduct, $C_{10}H_8Br_3NO$, Schmelzp. 180°, mit Bromwasser in schwefelsaurer Lösung. Das Dimethylindolinon wird durch Oxydationsmittel leichter angegriffen als das Trimethylindolinon.   *Schr.*

    G. Ciamician und **G. Plancher.** Ueber die Einwirkung von Jodäthyl auf α-Methylindol [Methylketol] [3]). — Bei der Einwirkung von Aethyljodid auf Methylketol entstehen, wie schon E. Fischer und Steche [4]) gezeigt haben, in Salzsäure unlösliche

----

    [1]) Monatsh. Chem. **17**, 479—490; Sitzungsber. d. K. Akad. d. Wissensch. Wien, **96**, 465. — [2]) Monatsh. Chem. **17**, 253; Sitzungsber. d. K. Akad. d. Wissensch., Nat.-Math.-Cl., Wien, **105**, 216. — [3]) Ber. **29**, 2475—2482. — [4]) Ann. Chem. **242**, 359.

äthylirte Indole und zwei weitere Basen, von denen die eine, $C_{18}H_{17}N$, sich wie eine secundäre verhält, während die andere, $C_{13}H_{16}NC_2H_5$, sicher tertiärer Natur ist. Von den Indolen bildet sich desto weniger, je länger die Dauer der Erhitzung war; eines derselben, $C_{11}H_{13}N$, siedete unter 12 mm bei 156 bis 158°. Das in salzsaurer Lösung enthaltene Basengemenge wurde frei gemacht und mit Essigsäureanhydrid und Natriumacetat acetylirt. Die secundäre Base lieferte dabei ein flüssiges, durch Alkali spaltbares Acetylderivat, die tertiäre ein alkalibeständiges, festes Pseudoacetylproduct, — was die Trennung beider Körper ermöglichte. Die Verseifung gelingt durch dreistündiges Kochen mit 20 Proc. alkoholischem Kali, die Reinigung durch Wasserdampfdestillation (wobei das eventuell beigemengte feste Acetylderivat als schwerflüchtig zurückbleibt) und Ueberführen in das Pikrat, seideglänzende Nadeln, Schmelzp. 189 bis 190°. Die freie Base $C_{13}H_{17}N$ siedet unter 25 mm bei 139 bis 140°, riecht campherartig und röthet sich nicht an der Luft. Mit salpetriger Säure giebt die Base eine ölige Ausscheidung, widersteht in der Kälte der Einwirkung von Kaliumpermanganat und Chromsäure, reagirt in der Wärme mit Phenylisocyanat, liefert mit Benzoylchlorid und Natronlauge ein bei 74 bis 75° schmelzendes Benzoylderivat. Die Einwirkung von Jodmethyl gab identische Resultate mit denjenigen von E. Fischer und Steche, die Aethylirung führt zu $C_{13}H_{16}NC_2H_5 \cdot HJ$, Schmelzp. 145 bis 146°. Reduction mit Natrium und Alkohol ergab eine hydrirte secundäre Base, $C_{13}H_{19}N$, welche mit Natriumnitrit ein durch die Liebermann'sche Reaction charakterisirtes *Nitrosamin* liefert. *Chlorhydrat*, $C_{13}H_{19}N \cdot HCl$, Schmelzp. 217°. Monoklin, $a:b:c = 1,33138:1:1,28410$. *Pikrat*, Schmelzp. 138°. Triklin, $a:b:c = 1,97272:1:1,41341$. — *Phenylharnstoff*, $C_{13}H_{18}N \cdot CO$ $\cdot NH \cdot C_6H_5$, Nadeln, Schmelzp. 149 bis 150°. Mit Jodmethyl entsteht zuerst das Jodhydrat einer methylirten Base, Schmelzp 192°, dann ein quaternäres, durch Kali unzersetzbares Ammoniumjodid, Schmelzp. 192°. — Das Eingangs erwähnte feste *Acetylproduct* der tertiären Base, $C_{13}H_{15}(C_2H_3O)NC_2H_5$, schmilzt bei 116 bis 117°. Trikline Tafeln oder Prismen, $a:b:c = 1,46532:1:1,60701$. *Chloroplatinat*, $(C_{17}H_{23}NO)_2H_2PtCl_6$, hellgelbe, krystallinische Fällung, Schmelzp. 200°. Das Acetylderivat wird durch 10 proc. Salzsäure in freie Base, $C_{13}H_{16}N \cdot C_2H_5$, gespalten: farbloses, an der Luft sich sogleich röthendes Oel von chinolinartigem Geruch, bei 18 mm Siedep. 138 bis 140°. Es entsteht auch, wie oben angegeben, durch Einwirkung von Jodäthyl auf die Base $C_{13}H_{17}N$, *Jodhydrat*, Schmelzp. 145 bis 146°. *Benzoylderivat*. $C_{13}H_{15}(CO \cdot C_6H_5)NC_2H_5$,

Prismen, Schmelzp. 125 bis 126°, kalibeständig, wie das Acetylderivat. Durch Natrium und Alkohol wird die tertiäre Base reducirt
zu $C_{13}H_{18}NC_2H_5$; geruchloses, an der Luft sich nicht röthendes
Oel. *Pikrat*, hochgelbe Prismen, Schmelzp. 117 bis 119°. *v. N.*
  Arnold Reifsert. Umwandlungen des o-Nitrobenzylmalonsäureesters I. — Alkalische Verseifung, Synthese neuer Indol-
abkömmlinge [1]). — Wird o-Nitrobenzylmalonsäureester mit 33 proc.
Natronlauge im Verhältnifs von 1 Mol. Ester zu 2 Mol. Natron
auf dem Wasserbade erwärmt, so bildet sich unter heftiger Reaction *o-Nitrobenzylmalonsäure*, o-$NO_2.C_6H_4.CH_2.CH(COOH)_2$. Die
durch Ueberführung in das in Alkohol schwer lösliche Ammonsalz gereinigte Säure krystallisirt aus der wässerigen Lösung in
farblosen, rechtwinkligen Stäbchen, die unter Gasentwickelung bei
161° schmelzen, sich in Holz- und Weingeist, Eisessig, Aether und
heifsem Wasser leicht lösen und in Benzol, Chloroform und Ligroin
fast unlöslich sind. — Das *primäre Ammonsalz*, $C_{10}H_8NO_6(NH_4)$,
scheidet sich aus der concentrirten Lösung des secundären
Salzes aus und krystallisirt in schön ausgebildeten Prismen vom
Schmelzp. 169°. Calcium-, Baryum- und Magnesiumsalze erzeugen
in seiner Lösung keine Fällung, ebensowenig Kupfer- und Ferrosulfat und Quecksilberchlorid, Ferrichlorid bewirkt beim Erwärmen
Zersetzung, Blei- und Silbernitrit geben weifse, schwer lösliche
Niederschläge. — Das *secundäre Ammonsalz*, $C_{10}H_7NO_6(NH_4)_2$,
durch Vermischen der alkoholischen Lösungen von Base und Säure
entstanden, ist in Wasser leichter löslich als das primäre Salz und
schmilzt bei 172°. — Die wässerige Lösung giebt mit Magnesiumsulfat keinen Niederschlag, Calcium- und Baryumchlorid geben nach
einigem Stehen in concentrirter Lösung sofort krystallinische Niederschläge. Blei- und Silbernitrat geben schwer lösliche, weifse Niederschläge, ebenso Mercurichlorid, Kupfersulfat giebt beim Erhitzen eine
blaue Fällung, Ferrosulfat beim Erhitzen eine Trübung, Ferrichlorid
eine gelbliche Trübung, beim Erhitzen einen gelblichen Niederschlag.
— Alle Salze erleiden beim Erhitzen heftige Zersetzung. — Die
Säure geht bei Reduction mit sauren Reductionsmitteln in *Carbo-*
styril-β-carbonsäure über, Schwefelammonium erzeugt *Oxyindol-*
carbonsäure, ebenso Kochen mit überschüssigem Natron. — *n-Oxy-*
indol-α-carbonsäure.

$$C_6H_4 \diamondsuit \begin{smallmatrix} CH \\ C.COOH, \\ N \\ | \\ OH \end{smallmatrix}$$

—··   ¹) Ber. 29, 639.

läfst sich am bequemsten aus o-Nitrobenzylmalonsäureester darstellen, indem 12 g Ester erst mit dem gleichen Gewicht 33 proc.
Natronlauge erwärmt (Verseifung) und hierauf nach Verdünnen
mit der einfachen oder doppelten Menge Wasser nochmals mit
8 g Lauge unter Rückflufs gekocht werden. Nach Abgiefsen vom
unveränderten Dinitroester, der dem Ausgangskörper beigemengt
war, wird unter starker Abkühlung mit 10 proc. Salzsäure neutralisirt. Der abgesaugte und getrocknete Niederschlag wird
zunächst in das Kalksalz übergeführt und daraus mit Salzsäure
die Säure ausgefällt. Durch Lösen in Aceton und Ausspritzen
mit Wasser oder durch Waschen mit Benzol und Lösen in
Aceton wird der Körper in weifsen, sternförmig vereinigten
Prismen vom Schmelzp. 159,5° erhalten. Beim Schmelzen tritt
heftige Zersetzung und Bildung eines grünen Oels auf. — Die
Säure ist leicht in Alkohol, Aether, Eisessig und Aceton, schwer
in Benzol, Chloroform und Ligroin löslich. In heifsem Wasser
löst sie sich ziemlich leicht, die Lösung färbt sich mit der
Zeit grün. — Concentrirte Salpetersäure giebt sowohl mit dem
festen Körper, als auch in den Lösungen eine tief kirschrothe, mit der Zeit in Gelb übergehende Färbung. Concentrirte
Schwefelsäure löst den Körper farblos, beim Erwärmen entsteht
eine blaue Färbung, die auch beim Verdünnen erhalten bleibt.
Ammoniak verändert die Farbe in Grün. Alkalische Lösungen
färben sich beim Stehen an der Luft erst grün, dann blau. Eisenchlorid erzeugt in der Lösung eine Blaufärbung und eine rothe
Säure, die sich in Ammoniak grün färbt. Auf vorsichtigen Zusatz
von Chlorkalk entsteht eine dem Indigo ähnliche Fällung, ebenso
verhalten sich Wasserstoffsuperoxyd und Bromwasser. Chromsäure, Permanganat, Ferridcyankalium erzeugen rothe bis rothbraune Färbungen. Fehling'sche Lösung wird von Oxyindol-
carbonsäuren und allen ihren Derivaten, die an Stickstoff
gebundene Hydroxylgruppe frei oder durch einen leicht abspaltbaren Substituenten besetzt enthalten, in der Hitze energisch
reducirt. — Die *Salze* sind meist unbeständig. Das *Kalksalz*
fällt aus concentrirten Lösungen als gelblicher Niederschlag, das
Barytsalz bildet eine ziemlich schwer lösliche weifse Fällung.
Mit Ferrosulfat liefert die Ammonsalzlösung eine grünlichschwarze,
in Blau übergehende Lösung, Ferrichlorid giebt einen violetten,
Kupfersulfat einen braunen Niederschlag, Silbernitrat giebt eine
weifse, Quecksilberchlorid eine gelbliche Fällung. — Der *Methylester*, $C_8H_6NO.COOCH_3$, durch Einwirkung von methylalkoholischer Salzsäure dargestellt, krystallisirt aus Ligroin in weifsen,

glänzenden, langen Nadeln vom Schmelzp. 100 bis 101°, er löst
sich in den meisten organischen Lösungsmitteln leicht auf. Er
ist in Alkalien löslich und wird durch Kohlensäure wieder ausgefällt. — Der *Aethylester*, $C_3H_6NO.COOC_6H_5$, krystallisirt aus
Ligroin in derben, farblosen, zugespitzten Prismen und schmilzt
bei 65°. Die Ester geben mit Salpetersäure nicht die Rothfärbung, wie die freie Säure, sondern bilden nur braune Flüssigkeiten. — *n-Benzoxy-α-indolcarbonsäure*,

$$CH$$
$$C_6H_4{<}C.COOH,$$
$$N{-}OC_7H_5O$$

entsteht beim Durchschütteln einer Lösung von 1 Mol. Säure in
verdünnter Natronlauge (2 Mol.) mit 1 Mol. Benzoylchlorid. Durch
Ansäuern wird ein Theil der Verbindung ausgefällt, ein anderer
Theil läfst sich durch Extraction mit Aether gewinnen. Das
Reactionsproduct krystallisirt aus Benzol in weifsen Kryställchen,
die bei 151° unter Zersetzung schmelzen, sich in Aether, Aceton,
heifsem Holz- und Weingeist, Chloroform und Eisessig leicht
lösen, in Benzol etwas schwerer, in Ligroin und Wasser schwer
löslich sind. Der Körper zeigt nicht die Rothfärbung mit Salpetersäure. Werden 5 g Oxyindolcarbonsäure mit 25 g *Essigsäureanhydrid* übergossen, so löst sich dieselbe allmählich. Die Reaction ist beendet, wenn eine Probe von Salpetersäure nicht mehr
roth gefärbt wird. Beim Eintragen der Mischung in etwas mehr
als die berechnete Menge 5 proc. Natriumbicarbonatlösung scheidet
sich ein Theil der Reactionsproducte ab, ein anderer geht in
Lösung. Der unlösliche Theil ist *n-Acetoxy-α-indolcarbonsäure-
Essigsäureanhydrid*,

$$CH$$
$$C_6H_4{<}C.COO.COCH_3.$$
$$N{-}OCOCH_3$$

Der aus Ligroin oder Aceton umkrystallisirte Körper bildet farblose Nadeln, die unter vorherigem Sintern bei 107° schmelzen und
leicht in den meisten Lösungsmitteln, aufser in Ligroin, löslich
sind. Beim Kochen mit Wasser tritt Zersetzung ein. Verdünnte
Natronlauge regenerirt Oxyindolcarbonsäure. Concentrirte Natronlauge verwandelt den Körper in Indoxin. — *n-Acetoxy-α-indolcarbonsäure*,

$$CH$$
$$C_6H_4{<}C{-}COOH,$$
$$NOCOCH_3$$

findet sich in der Natriumbicarbonatlösung vor, aus der sie beim
Ansäuern ausfällt. Die durch Lösen in Aceton und Ausspritzen
mit Wasser gereinigte Säure bildet kleine, weiße Nädelchen, die
bei 161° schmelzen und sich leicht in Aceton, Alkohol, Aether und
Eisessig, etwas schwerer in Benzol und Chloroform, schwer in
Ligroin und Wasser lösen. Beim Kochen mit Wasser erfolgt Zersetzung. Verdünnte Natronlauge spaltet die Acetylgruppe ab. Mit
concentrirter Salpetersäure erfolgt keine Rothfärbung. — *n-Methoxy-
α-indolcarbonsäure*,

$$C_6H_4 \diamond \begin{matrix} CH \\ C-COOH. \\ NO.CH_3 \end{matrix}$$

Das Natriumsalz entsteht beim Kochen einer Lösung der Oxy-
indolcarbonsäure (1 Mol.) in Methylalkohol mit einer Lösung von
Natrium (2 Mol.) in Methylalkohol und 2 Mol. Methyljodid. Die
mit Thierkohle entfärbte wässerige Lösung des Natriumsalzes
scheidet beim Ansäuern die Säure aus. Die mehrfach durch
Lösen in Aceton und Ausspritzen mit heißem Wasser gereinigte
Verbindung bildet farblose, glänzende Nadeln, die bei 165° unter
Zersetzung schmelzen, in heißem Methyl- und Aethylalkohol,
Aether, Benzol, Eisessig und Aceton leicht löslich sind, etwas
schwerer in Chloroform, sehr schwer in Ligroin und Wasser. Sie
wird weder von Wasserstoffsuperoxyd in alkalischer Lösung, noch
durch Eisenchlorid, Natriumnitrit und Salzsäure, noch durch
heiße Fehling'sche Lösung angegriffen. Die ammoniakalische
Lösung verhält sich gegen Metallsalzlösungen folgendermaßen:
Calciumchlorid giebt beim Erwärmen einen aus mikroskopischen,
abgestumpften Prismen bestehenden Niederschlag. *Baryumchlorid*
scheidet unter denselben Bedingungen sternförmig vereinte, flache
Nadeln aus. Magnesiumchlorid giebt weder in der Kälte, noch
in der Wärme eine Fällung. *Bleinitrat, Alaun* und *Quecksilberchlorid* geben sofort weiße Niederschläge. *Silbernitrat* giebt ein
in viel 'heißem Wasser lösliches Silbersalz, *Ferrichlorid* eine
braunrothe Fällung, *Kupfersulfat* ein grünes, unlösliches Salz. —
Der *Methylester*, $C_9H_8NO.COOCH_3$, läßt sich sowohl durch
Esterificirung der Säure mit methylalkoholischer Salzsäure, als
auch durch Kochen der methylalkoholischen Lösung des Oxyindol-
carbonsäuremethylesters mit 1 Mol. Natriummethylat und 1 Mol.
Jodmethyl gewinnen. Läßt man dagegen Jodmethyl und Natriummethylat auf Methoxyindolcarbonsäure einwirken, so bilden sich
selbst bei längerem Kochen nur Spuren des Esters. Der durch
Auskrystallisiren der mit Thierkohle entfärbten methylalkoholischen

Lösung gereinigte Körper bildet kurze, dicke, wasserhelle Rhomben, die bei 68° schmelzen. — Das *Chlorid*, $C_9H_8NO.COCl$, wird durch Einwirkung von 10 g Phosphoroxychlorid und 4,5 g Phosphorpentachlorid auf 2 g Säure erhalten. Der aus Ligroin unter Zusatz von Thierkohle umkrystallisirte Körper bildet lange, weifse Nadeln vom Schmelzp. 61°, ist in den organischen Lösungsmitteln sehr leicht löslich und wird erst durch Kochen mit Wasser langsam in die Säure zurückverwandelt. — Das *Amid* $C_9H_8NO.CONH_2$, durch Kochen des Chlorids mit Ammoniak bereitet, krystallisirt aus Wasser in weifsen, seideglänzenden Blättchen vom Schmelzp. 108°, die sich in allen organischen Lösungsmitteln aufser in Ligroin sehr leicht lösen. Es löst sich in concentrirten Mineralsäuren und wird daraus durch Wasser wieder abgeschieden. Bei Einwirkung von *Brom* auf die Chloroformlösung entsteht ein in weifsen, kurzen, glänzenden Prismen krystallisirendes Bromderivat vom Schmelzp. 175°. — *β-Brom-n-methoxy-α-indolcarbonsäure,*

$$C_6H_4 \begin{array}{c} CBr \\ \diagdown \\ N\!-\!OCH_3 \end{array} C.COOH.$$

Die n-Methoxyindolcarbonsäure giebt bei Einwirkung von 1 Mol. Brom auf die in der zehnfachen Menge Eisessig gelösten Säure (1 Mol.) die gebromte Säure. Die aus Eisessig umkrystallisirte Verbindung bildet glänzende, kurze Nadeln, die bei 189° schmelzen. Sie löst sich schwer in Wasser und Ligroin, leicht in den übrigen Lösungsmitteln. — Bei der Oxydation mit Chromsäure und Eisessig scheint sie das n-Methoxypseudoisatin zu geben (siehe weiter unten), woraus folgt, dafs das Brom in den Pyrrolkern eingetreten ist. — *Reduction der Oxyindolcarbonsäure.* α-*Indolcarbonsäure,*

$$C_6H_4 \begin{array}{c} CH \\ \diagdown \\ N \\ | \\ H \end{array} C.COOH.$$

Wird die Säure in 15 Thln. Eisessig gelöst und in die siedende Lösung Zinkstaub in kleinen Portionen eingetragen, bis die Färbung der Flüssigkeit nicht mehr heller wird, so erhält man Indolcarbonsäure. Man filtrirt vom Zinkstaub nach vorherigem Zusatz von etwas Wasser, verdünnt weiter, stumpft die Essigsäure durch Ammoniak ab und extrahirt mit Aether. Die so erhaltene Säure ist mit der von E. Fischer[1]) und von Ciamician und

---

[1]) Ber. 19. 167; Ann. Chem. **236**, 142.

Zulli[1]) beschriebenen α-Indolcarbonsäure identisch, was durch
den Schmelzpunkt und die Ueberführung in das Anhydrid bewiesen wird. Auch durch Natriumamalgam läfst sich die Reduction bewirken, doch mit schlechterer Ausbeute, da sich hierbei
Indoxin bildet. Die n-Methoxyindolcarbonsäure liefert bei der
Reduction der alkalischen Lösung mit Natriumamalgam gleichfalls α-Indolcarbonsäure. — *Oxydation der Oxyindolcarbonsäure:*
1. *mit Kaliumpermanganat.* Oxydirt man eine kalt gehaltene
Lösung von 8 g Oxyindolcarbonsäure in 100 ccm 5 proc. Natronlauge durch Zufliefsenlassen einer 2 proc. Lösung von 19 g Permanganat, so bildet sich *o-Azoxybenzoësäure,*

$$HCOO . C_6H_4 . N—N . C_6H_4 . COOH,$$
$$\diagdown O \diagup$$

die durch die Uebereinstimmung sämmtlicher Eigenschaften mit der
von Griefs[2]) und von Homolka[3]) beschriebenen o-Azoxybenzoësäure als solche erkannt wurde. Die o-Azoxybenzoësäure reducirt Fehling'sche Lösung beim Kochen. — 2. *Oxydation mit
Chromsäure.* Die Lösung von 5 g Säure in 50 ccm Eisessig wird
mit einer concentrirten, kalten, wässerigen Lösung von Chromsäure unter Umschütteln versetzt. Es tritt sofort Erwärmung und
Kohlensäureabspaltung ein. Man kocht noch einige Minuten, entfernt die Essigsäure durch Eindampfen, zuletzt mit Wasser. Der
Rückstand wird mit Wasser extrahirt. Aether entzieht dem Wasser
das Oxydationsproduct, das als *Isatin* agnoscirt wurde. — *Oxydation der n-Methoxyindolcarbonsäure.* n-Methoxypseudoisatin,

Wird die methylirte Säure in gleicher Weise, wie oben angegeben, mit Chromsäure oxydirt, so erhält man durch Extrahiren mit Wasser und Ausschütteln der wässerigen Lösung mit
Aether eine hellrothe, halbfeste Masse, die wieder mit heifsem
Wasser extrahirt wird. Von den beim Erkalten ausfallenden
Verunreinigungen wird abfiltrirt, dann wird wieder ausgeäthert
und der Rückstand der Aetherlösung aus wenig heifsem Wasser
umkrystallisirt. Man erhält so das n-Methoxypseudoisatin in
kleinen, hell ziegelrothen Nädelchen, die bei 110° schmelzen und
in kleinen Mengen schon bei 100° sublimiren. Der Körper löst
sich leicht in Alkohol, Aether und heifsem Wasser. Er ist in
Alkalien löslich, mit thiophenhaltigem Benzol und concentrirter

[1]) Ber. 21. 1930. — [2]) Ber. 7, 1611. — [3]) Ber. 17, 1903.

Schwefelsäure giebt er eine Blaufärbung von Isatin. — Das *Phenylhydrazon*, $C_9H_7 . NO_2 : N_2H . C_6H_5$, entsteht beim Erwärmen der wässerigen Lösung mit essigsaurem oder salzsaurem Phenylhydrazin. Das zuerst ausfallende Oel erstarrt beim Erkalten. Die aus wenig Alkohol umkrystallisirte Verbindung bildet kleine, glänzende Kryställchen, die bei 128 bis 129° schmelzen. — Wird n-Methoxypseudoisatin mit Natriumamalgam reducirt, so scheint *Dioxindol* zu entstehen. — *Indoxin*, $C_{18}H_{12}N_2O_4$ (?), entsteht, wenn man eine 1 proc. Lösung der Oxyindolcarbonsäure erwärmt, 50 ccm einer 3 proc. Wasserstoffsuperoxydlösung zusetzt und langsam weiter erhitzt. Die sich ausscheidende blaue, stark kupferglänzende Masse wird aus wenig Chloroform unter Zusatz von Ligroin umkrystallisirt. — Eine andere Bildungsweise besteht darin, dafs man fein gepulvertes n-Acetoxyindolcarbonsäure-Essigsäureanhydrid (5,2 g) mit 33 proc. Natronlauge (7,2 g) durchschüttelt. Nach wenigen Secunden tritt heftige Reaction unter Wärmeentwickelung ein und der Farbstoff scheidet sich aus, während die Flüssigkeit die alkalische Reaction verliert. Die weitere Reinigung erfolgt wie oben. Das ursprüngliche Filtrat entwickelt beim Ansäuern Kohlensäure und läfst eine schmutzig gefärbte Masse ausfallen. Bei der Destillation entweicht reichlich Essigsäure. Die Ausbeuten an Indoxin sind bei beiden Darstellungsweisen gering. Das Indoxin krystallisirt in mikroskopischen, blauen, sternförmig gruppirten, feinen, bei 223° schmelzenden Nädelchen mit intensivem, kupferfarbigem Oberflächenschimmer und ähnelt sehr dem Indigblau. Es löst sich sehr leicht in Chloroform, leicht in Aether, Alkohol, Benzol, Aceton, schwer in Eisessig und Ligroin. In Wasser ist es in der Hitze ziemlich löslich. In Alkalien löst sich der Farbstoff mit smaragdgrüner Farbe leicht auf, Wasserzusatz bewirkt Blaufärbung. Kohlensaure Alkalien lösen das Indoxin nicht leichter, als Wasser. Daraus läfst sich auf die Anwesenheit von phenolartigen Hydroxylgruppen schliefsen. Das Indoxin färbt die Faser ohne Beizen mit indigblauähnlicher Nüance, doch scheint es nicht seifenecht zu sein. — *Einwirkung von salpetriger Säure auf Oxyindolcarbonsäure. n-Nitroindol-α-carbonsäure,*

$$C_6H_4 \diagup\!\!\!\diagdown^{CH}_{N . NO_2}\!\!\!C{-}COOH,$$

entsteht, wenn man je 5 g Oxyindolcarbonsäure, in 100 ccm verdünnter Natronlauge gelöst, mit 2 g in Wasser gelöstem Natriumnitrit versetzt und die Mischung mit Salzsäure ansäuert. Es treten

zunächst tiefviolette Färbungen auf, unter Aufschäumen entweichen
salpetrige Dämpfe, und es entsteht ein schwarzbrauner, in Alkali löslicher Niederschlag. Das Reactionsproduct wird mit Calciumcarbonat
und Wasser gekocht, die erkaltete, filtrirte Lösung angesäuert und der
Niederschlag mit Holzgeist ausgekocht. So erhält man die Nitrosäure als eine mikrokrystallinische, citronengelbe Masse, die in
allen indifferenten Lösungsmitteln sehr schwer löslich, in Alkalien
und Alkalicarbonaten leicht löslich ist und unter Aufschäumen
bei 189° schmilzt. Eine bequemere Bildungsweise wird weiter
unten mitgetheilt werden. Die Säure ist nicht, wie nach der
Darstellung zu erwarten wäre, ein Nitrosamin, denn sie zeigt nicht
die Liebermann'sche Reaction. Sie löst sich in concentrirter
Schwefelsäure mit rothgelber Farbe und wird durch Wasserzusatz
unverändert wieder ausgeschieden. Benzoylchlorid und Natronlauge wirken nicht auf die Säure ein. — *Einwirkung von salpetriger Säure auf Oxyindolcarbonsäuremethylester.* Je 4 g des
Methylesters werden in 80 ccm absolutem Alkohol gelöst, der
Lösung 3 g Eisessig und darauf eine Lösung von 1,5 g Natriumnitrit in 5 ccm Wasser zugesetzt. Aus der sich bald gelb färbenden Lösung scheiden sich nach und nach kleine, harte, gelbe
Krystalle aus. Man saugt sie ab und fällt aus der alkoholischen
Lösung den Rest des Gelösten durch Wasser aus. Der Niederschlag, der noch viel von der ersten Verbindung enthält, wird
mit kaltem Aether ausgezogen, bis der Rückstand in concentrirter Schwefelsäure mit rein gelbrother Farbe löslich ist. Der
Rückstand ist mit der zuerst ausgeschiedenen Substanz identisch.
Diese ist in allen Lösungsmitteln schwer löslich, aus viel Eisessig krystallisirt sie in kleinen Nädelchen vom Schmelzp. 224 bis
225°. Die Formel konnte bis jetzt noch nicht für die Verbindung
ermittelt werden, doch dürfte sie nach ihrem Verhalten der
Methylester der Nitroindolcarbonsäure sein. — Wird die Lösung
in verdünnter Natronlauge durch Salzsäure 'gefällt, so scheidet
sich die oben beschriebene *n-Nitroindolcarbonsäure* aus, was die
beste Darstellungsweise für diese Säure ist. Durch Kochen mit
Schwefelammonium wird der bei 224 bis 225° schmelzende Körper
in eine schön krystallisirende Base vom Schmelzp. 136° übergeführt,
die vielleicht der *Methylester der n-Amidoindolcarbonsäure,*

$$C_6H_4 \diagup_{N.NH_2}^{CH} C-COOCH_3.$$

ist. Dies deutet darauf hin, daſs in der Nitroindolcarbonsäure
die beiden Stickstoffatome direct gebunden sind. In der ätherischen

. ....̊o, ...ᴋeinigung des schwer löslichen Körpers erhalten wird, findet sich eine schwach gelbliche, in Alkalien mit
tiefgelber Farbe lösliche, in Nadeln krystallisirende Verbindung,
die beim Erhitzen im Schmelzröhrchen sich erst roth färbt, dann
wieder farblos wird und bei 285° noch nicht schmilzt. Sie konnte
noch nicht ganz rein erhalten werden, scheint aber dieselbe Zusammensetzung wie Oxyindolcarbonsäuremethylester zu haben. Aus
den Mutterlaugen von der Reinigung des zuletzt beschriebenen
Körpers wurden zwei Substanzen isolirt, von denen die in Alkali
unlösliche zum Theil aus *Indolcarbonsäuremethylester* besteht, dem
noch eine bei 97° schmelzende Verbindung beigemengt ist, während
die andere n-Oxyindolcarbonsäuremethylester zu sein scheint. *H. G.*

Badische Anilin- u. Sodafabrik in Ludwigshafen a. Rh.
Verfahren zur Darstellung von Indoxyl und Indoxylsäure[1]. —
Erhitzt man Phenylglycin-o-carbonsäure mit Aetznatron auf Temperaturen über 200° und trägt die Schmelze in verdünnte Mineralsäure ein, so scheidet sich *Indoxylsäure* als weifser bis grünlicher
Niederschlag aus. Wird jedoch die Phenylglycin-o-carbonsäure
bei Luftabschlufs mit Aetzkali auf Temperaturen über 200° erhitzt, so enthält die Schmelze im Wesentlichen *Indoxylkalium*
neben schwankenden Mengen von indoxylsaurem Kalium. Zur
Trennung wird die Lösung der Schmelze erst mit Kohlensäure
behandelt und das Indoxyl mit Aether entzogen, worauf beim
Versetzen mit Mineralsäure sich die Indoxylsäure ausscheidet.
Die Abscheidung des Indoxyls und der Indoxylsäure kann auch
direct auf der Faser vorgenommen werden.   *Sd.*

Gelegentlich der Untersuchung des früher[2] beschriebenen
Pr-Phenyloxindols aus dem Oxim des Benzoins erhielt E. Fischer[3]
die o-Nitrosobenzoësäure. Dieselbe entsteht neben Anthranilsäure
und Benzoësäure bei der Oxydation des genannten Indolderivats
mit Permanganat in alkalischer Lösung. Die aus absolutem
Alkohol umkrystallisirte Säure schmilzt unscharf gegen 210° unter
totaler Zersetzung, sie zeigt wie Nitrosobenzol die charakteristische
Eigenthümlichkeit, dafs sie in festem Zustande farblos, in gelöstem
grün gefärbt ist. Reduction mit Schwefelammonium verwandelt
sie in Anthranilsäure. Ein sicherer Entscheid zwischen den beiden
für das Phenyloxindol nach seiner Bildungsweise möglichen
Formeln:

$$(I) \quad \begin{array}{c} C_6H_5\,C{=}C(OH) \\ | \qquad | \\ HN{-}C_6H_4 \end{array} \quad \text{und} \quad (II) \quad \begin{array}{c} C_6H_5\,C{=}CH \\ | \qquad | \\ (HO)N{-}C_6H_4 \end{array}$$

[1] Patentbl. 2, 139; D. R.-P. Nr. 85071 vom 3. April 1894. — [2] Ber.
28, 585—587. — [3] Ber. 29, 2062—2064.

nicht gewinnen, da die Oxydation gleichzeitig erhebliche Mengen
von Benzoylanthranilsäure liefert (Formel I).

E. Schunk und Marchlewsky. Zur Kenntnifs des Isatins [1]).
— Während Isatin und o-Phenylendiamin unter Bildung von
Indophenazin [2]) auf einander einwirken, konnte bei Einwirkung
von Acetyl-ps-isatin die Abspaltung von nur 1 Mol. Wasser beobachtet werden. Verseift man das entstandene Product I, so erhält man ebenfalls kein Indophenazin, sondern eine Verbindung
mit offener Kette, die erst in saurer Lösung solches bildet. Verfasser verwerfen daher für dieses Verseifungsproduct II die Diketon-
formel III und nehmen den Uebergang von Laktam in Laktim an
unter Wanderung eines Wasserstoffatoms; Säuren machen die
Atomverschiebung rückgängig, worauf dann Phenazinbildung, IV,
eintritt:

$$
\begin{array}{ccc}
\text{I} & \text{II} & \text{III} \\
C:NC_6H_4NH_2 & C:NC_6H_4N_2 & C:NC_6H_4NH_2 \\
C_6H_4{<}\!\!\begin{array}{c}CO\\N-COCH_3\end{array} & \longrightarrow \quad C_6H_4{<}\!\!\begin{array}{c}\\C.OH\end{array} & \longrightarrow \quad C_6H_4{<}\!\!\begin{array}{c}CO\\NH\end{array}
\end{array}
$$

$$
\text{IV} \\
\longrightarrow \quad C_6H_4{<}\!\!\begin{array}{c}C:N\\C:N\end{array}\!\!{>}C_6H_4.
$$

Ein analoger Vorgang dürfte sich bei der Condensation des freien
Isatins in essigsaurer Lösung vollziehen. Die Bildung von Indo-
phenazin in neutraler Lösung wird auf Spuren von Isatinsäure
als umlagerndes Agens zurückgeführt. Tautomerie des freien
Isatins halten Verfasser für ausgeschlossen, da es keinesfalls ge-
lingt, daraus ein Dioxim oder Diphenylhydrazon zu gewinnen. —
Acetylamidophenimesatin (I) entsteht aus Acetyl-ps-isatin und
Diaminchlorhydrat in alkoholischer Lösung und wurde nach
häufigem Umkrystallisiren aus Alkohol in weifsen, verfilzten
Nädelchen vom Schmelzp. 285 bis 286° erhalten. In kaltem
Alkohol und Eisessig schwer löslich. Leicht löslich in Alkalien
und starken Säuren. Fällt aus der alkalischen Lösung durch
Essigsäure gallertartig und unverändert aus. Kaustische Alkalien
spalten daraus Acetyl ab unter Bildung von o-*Amidopheni-
mesatin* (II), aus absolutem Alkohol goldgelbe Nadeln, Schmelzp.
260 bis 261°, ziemlich leicht löslich in Aether und Benzol. Die
Löslichkeit in Alkalien wird auf Bildung eines Salzes der Isatin-

---

[1]) Ber. **29**, 194—203. — [2]) Ber. **28**, 2525.

säure zurückgeführt.   Mit HCl befeuchtet wird ein weifses, in Wasser dissociirendes Salz gebildet.   Die gelben Lösungen in concentrirten Säuren färben sich auf Zusatz von Aether blutroth, beim Verdünnen wird die Färbung rosa, beim Erwärmen die ursprüngliche Nuance rückgebildet.   Mit ammoniakalischem Silbernitrat wird eine gelbe Fällung, mit PtCl$_4$ eine weifse Fällung erhalten.   Die freie Amidogruppe läfst sich diazotiren und mit β-Naphtol combiniren.   Die Acetylirung gelang nicht, vielmehr wurde Indophenazin erhalten.   Ebenso wirkten andere Säuren. Für die Nomenclatur der Indophenazinderivate wird folgendes Schema aufgestellt:

B_3-Methylindophenazin, aus p-Methylisatin und o-Diamin erhalten, bildet gelbe Nädelchen, die bei 248° schmelzen.   Schwer löslich in kalten Alkalien.   Durch Acetylirung entsteht daraus Pr-Acetyl-B_3-methylindophenazin, aus Alkohol schneeweifse, leicht verseifbare Nadeln, Schmelzp. 204°.   Dibromindophenazin [B$_{1,3}$-Dibromindophenazin?[1])] bildet orange Nadeln, Schmelzp. 275°.   Acetylderivat, hellgelbe Nädelchen.   Nitroindophenazin, aus siedendem Eisessig hellbraune Nädelchen, die bei 305° noch nicht schmelzen.   Schwer löslich in Alkalien, leicht in Säuren.   Das Acetylderivat bildet aus Eisessig hellgelbe, hochschmelzende .Nadeln. — Aus dem Acetyl-ps-isatin konnte ein Dioxim erhalten werden, weifse, wasserunlösliche Nädelchen, die bei 240° unter Aufschäumen und Acetamidgeruch schmelzen.   Mr.

G. Mazzara und M. Lamberti-Zanardi.   Einwirkung von Sulfurylchlorid auf Carbazol[2]). — Verfasser werden zu dieser Untersuchung geführt durch Betrachtungen über die Arbeiten anderer Forscher bezüglich der chlorirenden Wirkung von Sulfurylchlorid auf Phenole.   Es scheint sich nämlich dabei die Gesetzmäfsigkeit zu ergeben, dafs so viel Chloratome in das Phenolmolekül eintreten, als Hydroxylgruppen vorhanden sind, und dafs diese Chloratome sich meist in Para-Stellung zu den Hydroxylgruppen begeben.   Auf Phenoläther dagegen reagirt das Sulfurylchlorid nicht.   Da sich das Carbazol in vielen Punkten den Phenolen analog verhält, wird auch dies in den Kreis der Untersuchung gezogen.   Läfst man auf Carbazol in Chloroform etwas

---

[1]) Ber. 15, 2098. — [2]) Gazz. chim. ital. 26, II, 236—242.

mehr als die äquimolekulare Menge Sulfurylchlorid einwirken, so vollzieht sich die Reaction schon in der Kälte unter Entbindung von Chlorwasserstoff und Schwefeldioxyd. Der nach dem Abdestilliren des Chloroforms bleibende Rückstand wird durch Krystallisation aus Alkohol und aus einem Gemisch von Benzol und Chloroform von färbenden Beimengungen befreit und schmilzt dann bei 192 bis 193⁰. Die Chlorbestimmungen des so gewonnenen *Monochlorcarbazol*, $C_{10}H_7Cl:NH$, fielen jedenfalls in Folge geringer, schwer zu entfernender Beimengungen von Carbazol etwas zu niedrig aus. Mit Essigsäureanhydrid bei 180 bis 200⁰ im Rohr liefert es *Acetylmonochlorcarbazol*, $C_{12}H_7Cl:N.COCH_3$, Schmelzp. 124 bis 125⁰. Mit der auf 2 Mol. Sulfurylchlorid gegen 1 Mol. Carbazol berechneten Menge erhält man bei 202 bis 203⁰ schmelzendes *Dichlorcarbazol*, $C_{10}H_6Cl_2:NH$, dessen Acetylderivat, $C_{10}H_6Cl_2:NCOCH_3$, den Schmelzp. 185 bis 186⁰ zeigt. Dagegen ist auf Benzoylcarbazol selbst beim Kochen kaum irgend welche Einwirkung des Sulfurylchlorids zu bemerken.   *Schr.*

Manfredo Lamberti-Zanardi. Einwirkung von Chlor auf Benzoylnitrocarbazol [1]). — Im Anschluſs an frühere Untersuchungen über Chlorderivate des Carbazols hat Verfasser durch Einwirkung von Chlor auf die kochende Chloroformlösung von Benzoylnitrocarbazol (Schmelzp. 181⁰) *Monochlorbenzoylnitrocarbazol* vom Schmelzp. 257 bis 258⁰ dargestellt, welches durch Spaltung mit alkoholischer Kalilauge *Nitrochlorcarbazol*, Schmelzp. 285 bis 286⁰, liefert; letzteres giebt beim Erhitzen mit Essigsäureanhydrid auf 170 bis 180⁰ *Acetylnitrocarbazol*, Schmelzp. 205 bis 206⁰. Zum Schluſs der Abhandlung findet sich eine Zusammenstellung der Schmelzpunkte der vom Verfasser dargestellten gechlorten Carbazolderivate mit den analogen gebromten Abkömmlingen, die von Mazzara und Leonardi [2]) bereitet wurden, aus welcher eine Analogie der Constitution beider Reihen hervorgehen soll.   *Schr.*

Pyrongruppe.

Ferruccio Severini. Ueber das Phenylcumalin [3]). — Rauchende Salzsäure polymerisirt bei 110⁰ und viertägiger Einwirkung Phenylcumalin (I) zu $(C_{11}H_8O_2)_3$, einer Verbindung vom Schmelzp. 219⁰. Reduction mit Natriumamalgam oder JH führt zu

---

[1]) Gazz. chim. ital. 26, I, 289—293. — [2]) Daselbst 25, 395—400. — [3]) Chem. Centr. 67, II, 1107—1108; Gazz. chim. ital. 26, II, 826—850.

der δ-Phenylvaleriansäure. Mit Pikrinsäure entsteht eine Verbindung vom Schmelzp. 81 bis 82⁰, triklin, $a : b : c = 1,3443 : 1 : 1,7030$, nur in festem Zustande beständig. Aehnliche Körper entstehen mit Salicylsäure, Schmelzp. 93⁰, und mit Hydrochinou, Schmelzp. 113⁰. Methylirt man zum Dimethylphenylcumalin vom Schmelzp. 100 bis 101⁰, so läfst sich dieses nicht mehr polymerisiren. Erwärmen mit Anilin führt zu Nadeln vom Schmelzp. 115 bis 118⁰ (mit Krystallbenzol), aus siedendem Alkohol vom Schmelzp. 142⁰. Verfasser schreibt ihnen die Constitution II zu:

$$
\text{I} \qquad
\begin{array}{c}
\text{CH} \\
\text{CH} \diagup \quad \diagdown \text{CH} \\
\text{C}_6\text{H}_5 . \text{C} \quad \text{CO} \\
\text{O}
\end{array}
\qquad\qquad
\text{II} \qquad
\begin{array}{c}
\text{CH} \\
\text{H}_2\text{C} \diagup \quad \diagdown \text{CH} \\
\text{C}_6\text{H}_5\text{C} \quad | \quad \text{CONH}.\text{C}_6\text{H}_5 \\
\text{OH} \quad \text{NHC}_6\text{H}_5
\end{array}
$$

Die *Anilinverbindung* geht beim Kochen mit concentrirter Salzsäure in *n-Phenyl-α-phenyl-α'-pyridon* über, das aus Aether in bei 144 bis 146⁰ schmelzenden Nädelchen krystallisirt. Aehnlich entsteht beim Behandeln mit Ammonacetat und Eisessig *α-Phenyl-α'-pyridon* vom Schmelzp. 197⁰, sein Chlorhydrat schmilzt bei 104⁶ und wird durch Wasser sofort dissociirt. Destillation des Phenylpyridons über Zinkstaub führt zum *o-Phenylpyridin*, welches ein bei 175⁰ schmelzendes *Pikrat* und ein bei 204⁰ schmelzendes Chloroplatinat liefert. Einwirkung von PCl₅ auf Phenylpyridon bei 150⁰ führt zum *α-Phenyl-α-chlorpyridin*, das aus Petroläther in bei 34⁰ schmelzenden Nadeln erhalten wird.   *Mr.*

O. Hesse. Bemerkungen über Phenylcumalin[1]). — Entgegen den Angaben von Leben[2]), der in Uebereinstimmung mit Ciamician und Silber[3]) als Schmelzpunkt des Phenylcumalins 68⁰ gefunden hat, hält Verfasser den früher[4]) von ihm zu 61 bis 62⁰ angegebenen Schmelzpunkt für richtig.   *Th.*

G. Ciamician u. P. Silber. Herrn Hesse zur Antwort[5]). — Verfasser weisen die Ausführungen von Hesse zurück und bezweifeln hinsichtlich des von ihm zu niedrig gefundenen Schmelzpunktes des Phenylcumalins die Reinheit seines Präparates. Auch machen sie ihm den Vorwurf, in anderen Arbeiten Substanzen mit auf eine bestimmte Constitution hinweisenden Namen belegt zu haben, deren Natur nicht mit der nöthigen Sicherheit festgestellt sei (β-Phenylcumalinsäure, Oxyphenylcumalin etc.).   *Th.*

Farbwerk Mühlheim, vorm. A. Leonhardt & Co., D. R.-P.

---

[1]) Ber. 29, 2322—2323. — [2]) Daselbst, S. 1673. — [3]) Ber. 28, 1556. — [4]) Daselbst, S. 2507. — [5]) Ber. 29. 2659—2662; vgl. vorstehendes Referat.

Nr. 84955. Verfahren zur Darstellung basischer, alkylirter Farbstoffe der Pyrongruppe [1]). — Der aus Formaldehyd und o-Amido-p-kresol ($C_6H_3.CH_3.NH_2.OH = 1.2.4$, s. Patentschrift Nr. 75138) erhaltene Orangefarbstoff der Pyrongruppe geht durch Alkylirung in röthere Derivate von hohem technischen Werthe über. Variirung der Temperatur oder des Alkylirungsmittels bedingt eine mehr oder weniger grofse Verschiebung der Nüance nach Roth. *Stl.*

D. Vorländer und K. Hobohm. Ueber die Einwirkung von Benzaldehyd auf Diäthylketon [2]). — Bei der Behandlung von Diäthylketon (1 Mol.) mit Benzaldehyd (1 Mol.) erhielten die Verfasser Monobenzaldiäthylketon (Schmelzp. 31°, Siedep. 163° unter 20 mm Druck), aus welchem sie mit Malonester den Phenyldimethylhydroresorcylsäureester und hieraus das Phenyldimethylhydroresorcin gewannen. Bei Einwirkung von 2 Mol. Benzaldehyd auf 1 Mol. Diäthylketon entstand dagegen ein bei 106° schmelzender, bei 235 bis 237° unter 20 mm Druck siedender Körper von der Zusammensetzung $C_{19}H_{20}O_2$ bezw. $C_{19}H_{18}O + H_2O$ (analysirt). Weder Destillation noch mehrstündiges Kochen mit Essigsäureanhydrid veränderte denselben. Dadurch ist die Möglichkeit, dafs dem Körper die Formel

$$CH_3.CH.CO.C.CH_3$$
$$C_6H_5.CH.OH.CH.C_6H_5$$

zukomme, ausgeschlossen, da eine so constituirte Substanz leicht unter Wasserverlust in Dibenzaldiäthylketon übergehen mufste. Brom wirkt nicht addirend, sondern substituirend. Das Bromproduct, aus Weingeist in Nadeln krystallisirend, schmilzt bei 144° unter Zersetzung. Formel: $C_{19}H_{18}O_2Br_2$ (Analyse). Demnach verbinden sich jedenfalls 2 Mol. Benzaldehyd mit Diäthylketon zunächst zu einem Ketoglycol, aus welchem dann unter Wasserabspaltung eine gesättigte ringförmige Verbindung, das Diphenyldimethyltetrahydro-γ-pyron entsteht:

$$CH_3.CH.CO.CH.CH_3 \qquad CH_3.CH.CO.CH.CH_3$$
$$C_6H_5.CH \qquad CH.C_6H_5 \quad = \quad C_6H_5.CH—O—CH.C_6H_5$$
$$OH \quad OH$$

Für das Bromproduct sind vielleicht die Formeln

$$CH_3.CBr.CO.CBr.CH_3 \qquad CH_3.CH.CO.CH.CH_3$$
$$C_6H_5.CH—O—CH.C_6H_5 \quad \text{oder} \quad C_6H_5.CBr.O.CBr.C_6H_5$$

in Betracht zu ziehen. *Stl.*

[1]) Patentschriften 1896, S. 123. — [2]) Ber. 29, 1352.

Pyridin und Homologe.

A. Cossa. Nuove ricerche sulla reazione di Anderson[1]). —
Die Reaction von Anderson, welche darin besteht, daß aus dem
Chloroplatinat des Pyridins sich 2 Mol. Chlorwasserstoff abspalten,
scheint einer Verallgemeinerung fähig zu sein. Setzt man bei
gewöhnlicher Temperatur zu einer concentrirten und neutralen
Lösung von Pyridinchlorhydrat eine neutrale Lösung von Kaliumchloropalladit, so beginnt nach kurzer Zeit eine krystalline gelbe
Ausscheidung, die sich als kleine orthoëdrische Prismen mit merklichem Dichroismus erweist. Die entstandene Verbindung besitzt
die Zusammensetzung $Pd(C_5 H_5 N)_2 Cl_2$ und ist identisch mit dem
Palladosopyridinchlorid, das man auch direct aus Palladosochlorid
und wenig Pyridin in der Siedehitze erhält. Auch das Chloropalladit des Anilins verliert leicht 2 Mol. HCl unter Bildung des
Palladosoanilinchlorids, welches ebenfalls aus gelben orthoëdrischen
Prismen besteht, die in Wasser und Alkohol so gut wie unlöslich
sind. Beim Chloroplatinit des Anilins verläuft die Reaction von
Anderson weit langsamer. Zur Darstellung des *Platosanilinchlorids*
werden neutrale Lösungen von Anilinchlorhydrat und Kalium-
chloroplatinit auf 10° erwärmt, es fällt dann das Chlorid des
Platosanilids als gelbes Pulver aus, das aus kleinen monoklinen
Prismen mit der Auslöschung 34° besteht. Aus p-Toluidinchlor-
hydrat und Kaliumchloropalladit erhielt Verfasser bei gewöhnlicher Temperatur das Chlorid des Palladoso-p-toluidins als
mikrokrystallinisches Pulver. Das bei Siedehitze erhaltene Pla-
toso-p-toluidinchlorid ist ein kryptokrystallines Pulver. Bei dieser
Reaction gelang es auch, das Zwischenproduct $Pt(C_7 N_7 N H_2)_2 Cl_2$
$. (C_7 H_7 N H_2 H Cl)_2 . Pt Cl_2$ als röthlichgelbe, monokline Lamellen
zu erhalten. — Trotzdem das Benzylamin dem p-Toluidin isomer
ist, giebt es nicht die Anderson'sche Reaction. — Die Reaction
von Anderson ist eine begrenzte und die Geschwindigkeit ist
nicht nur eine Function der Concentration, sondern auch abhängig
von der Menge der eliminirten Salzsäure. Zusätze von salzsäure-
bindenden Körpern (Calcit) vervollständigen die Reaction. *Mr.*

Felix B. Ahrens. Ueber Steinkohlentheerbasen[2]). — Wenn
die bei 164 bis 165° siedende Fraction von Steinkohlentheerbasen
in saurer Lösung mit 3 Mol. Quecksilberchlorid versetzt wird, so
resultirt ein Gemenge eines festen und eines öligen Doppelsalzes.

---

[1]) Accad. dei Lincei Rend. [5] 5, I, 245—246. — [2]) Ber. 29, 2996.

Durch Zersetzen des mit kaltem Alkohol gewaschenen und mehrfach bis zur Constanz des Schmelzpunktes umkrystallisirten festen Quecksilberchloriddoppelsalzes mit Aetzlauge erhält man eine bei 163,5 bis 164,5⁰ siedende Base C_7H_9N, welche bei der Oxydation mit Permanganat Cinchomeronsäure liefert und dadurch als β-γ-Dimethylpyridin

$$
\begin{array}{c}
\text{C—CH}_3 \\
\text{HC} \quad \text{C—CH}_3 \\
\text{HC} \quad \text{CH} \\
\text{N}
\end{array}
$$

charakterisirt ist. Chlorhydrat, Bromhydrat und Jodhydrat dieser Base bilden Nadeln. Das Platindoppelsalz, $(C_7H_9N.HCl)_2 PtCl_4$ $+ 2H_2O$, krystallisirt in schwer löslichen, glänzenden, bei 215⁰ schmelzenden Krystallen. Das charakteristische in leichten, feinen, hellgelben Nadeln sich abscheidende Golddoppelsalz, $C_7H_9N.HCl$ $.2AuCl_3$, schmilzt bei 160 bis 162⁰. Das Quecksilberdoppelsalz, $C_7H_9N.HClHgCl_2$, bildet weiſse Nadeln, das Pikrat sintert bei 163⁰. Das oben erwähnte ölige Quecksilbersalz, welches auf Zusatz von mehr Quecksilberchlorid erstarrt, besteht aus einem Gemenge. Scheidet man indes aus ihm die Basen ab und löst dieselben in Pikrinsäurelösung, so krystallisirt ein orangefarbenes Pikrat, das nach dem Umkrystallisiren bei 128 bis 131⁰ schmilzt. Die ihm entsprechende, bei 165 bis 168⁰ siedende Base liefert mit Permanganat Berberonsäure und ist daher als α, β, γ-Trimethylpyridin

$$
\begin{array}{c}
\text{C—CH}_3 \\
\text{HC} \quad \text{C—CH}_3 \\
\text{CH}_3\text{—C} \quad \text{CH} \\
\text{N}
\end{array}
$$

anzusprechen. Die Base ist charakterisirt durch das rothe Chloroplatinat, $(C_8H_{11}N.HCl)_2 PtCl_4$, Schmelzpunkt 205⁰, und das in gelben Nadeln ausfallende Golddoppelsalz, $C_8H_{11}N.HCl.AuCl_3$, Schmelzp. 129 bis 131⁰. *H.*

Felix B. Ahrens. Elektrosynthesen in der Pyridin- und Chinolinreihe[1]). — 1. Reduction von Pyridin und Homologen. Pyridin in 10proc. Schwefelsäure, ohne Diaphragma (12 Amp. pro 100 qcm), mit Bleikathode bei einer bis gegen 55⁰ steigenden Temperatur elektrolysirt, liefert, indem zunächst kein Wasserstoff auftritt, 95 Proc. der Theorie an *Piperidin*. Ganz in gleicher Art

---

[1]) Zeitschr. Elektrochem. **2**, 577—581.

geht Picolin in *Pipecolin* über (wahrscheinlich verhalten sich auch
andere Homologen so). Zuweilen versagt die Reaction (unter
sofortiger Wasserstoffentwickelung nach Stromschluſs), desgleichen,
wenn das Pyridin an der Kathode in concentrirter Schwefelsäure
gelöst ist. Bei Verdünnung derselben mit etwas Wasser, Platin-
kathode und niedrigeren Stromdichten erscheint zuweilen (offenbar
von der Concentration der Schwefelsäure abhängig) ein *brauner
Ueberzug*, dem laut Analysen die Formel $C_7 H_{16} N S O_4$ ertheilt
wird. — Aehnlich wie Pyridin in Piperidin geht auch Nitrosopiperidin (mit Thondiaphragma, 5 bis 6 Volt) an der Kathode in
Piperidin und *Piperylhydrazin*, $C_5 H_{10} N . N H_2$, über. Von letzterem
wurden Chlorhydrat (Schmelzp. 163 bis 164°), Bromhydrat (Schmelzp.
174 bis 175°) und Jodhydrat, Chloroplatinat, Monobenzoylverbindung (Schmelzp. 195°) und deren salzsaures Salz (Schmelzp. 183 bis
184°) dargestellt. — Ebenso liefert Nitroso-α-pipecolin *Ammoniak*,
α - Pipecolin und *α - Methylpiperylhydrazin*, $C_5 H_9 (C H_3) N . N H_2$
(Schmelzp. 162 bis 165°), dessen Chlorhydrat und Monobenzoylderivat bei 175°, bezw. 165 bis 166° schmelzen. Das. Quecksilberdoppelsalz geht mit überschüssiger Kalilauge erwärmt unter Freiwerden der Base und Reduction des gebildeten Quecksilberoxyds
zu Metall in bei 56 bis 57° schmelzendes *α-α-Dimethyldipiperyl-
tetrazon*, $C_5 H_9 (C H_3) N . N : N . N (C H_3) C_5 H_9$, über. — Auch Nitroso-
Aldehydcopellidin reagirte in ähnlichem Sinne unter Bildung von
nicht ganz reinem *Methyläthylpiperylhydrazin*, $C_5 H_8 (C H_3) (C_2 H_5) N$
. $N H_2$. — Unter ähnlichen, noch variirten Bedingungen, wie an
der Kathode, elektrolysirt, liefert nicht zu viel Nitrosopiperidin in
30 proc. Schwefelsäure und etwas Alkohol gelöst an der *bei längerem
Gebrauch angegriffenen Anode* (bei Platinelektroden und gekühlter
Kathode) neben einem *hellgelben Oel* ein *Dipiperidyl* (Schmelzp.
96 bis 97°), welches Gold- und Silberlösung momentan reducirt.
Das Monobenzoylderivat, $C_{10} H_{19} N_2 (C_7 H_5 O)$, ist ein dicker, farbloser Syrup (Schmelzpunkt des salzsauren Salzes desselben 145 bis
147°). — Es miſslang, Piperidin selbst (wie auch Pyridin) an der
Anode zu oxydiren. — Chinolin in 10 proc. Schwefelsäure (17 Amp.
pro 100 qcm, 5,5 Volt Spannung, Platinanoden) giebt an einer Bleikathode *Tetrahydrochinolin* (Chlorhydrat, Sulfat, Chloroplatinat etc.
dargestellt) neben zwei als *Hydrochinolin*, $(C_9 H_9 N)_2$, Schmelzp.
160 bis 161°, und als *trimolekulares Hydrochinolin*, $(C_9 H_9 N)_3$, an-
gesprochenen Körpern. Der erstere ist ein gelbliches, der zweite
ein amorphes, weiſses Pulver, sich nitrosiren lassend [Nitroso-
derivat = $(C_9 H_8 N . N O)_3$] und zum Theil aufspaltbar. Die Anoden-
flüssigkeit färbte sich während der Elektrolyse immer tiefer roth

und liefs glänzend braune, Wolle anfärbende Nädelchen fallen. Schliefslich gelang es, aus Chinaldin, ähnlich wie beim Chinolin, *Tetrahydrochinaldin* und weifses, amorphes, pulverförmiges *Hydrochinaldin*, $(C_{10}H_{11}N)_3$, zu erhalten. Letzteres lieferte eine Nitrosoverbindung $(C_{10}H_{10}N.NO)_3$. *Sch.*

J. Guareschi. Synthesen von Pyridinverbindungen aus Ketonäthern und Cyanessigester in Gegenwart von Ammoniak und von Aminen[1]. — Bei der Einwirkung von Ammoniak auf die Homologen des Acetessigesters bildet sich neben einem Aminoester auch ein β-Ketonsäureamid. Ist bei dieser Reaction auch Cyanessigester zugegen, so entsteht Cyanacetamid, welches mit dem β-Ketonsäureamid unter Abspaltung von Wasser sich zu einem Pyridinderivat condensirt:

$$
\underset{\substack{OC \\ NH_2}}{\overset{\substack{CH_3 \\ CO}}{C_2H_5.HC}} \;+\; \underset{\substack{CO \\ H_2N}}{\overset{CH_2CN}{\;}} \;=\; \underset{\substack{OC \\ N.NH_4}}{\overset{\substack{CCH_3 \\ C_2H_5.HC \quad C.CN}}{CO}} \;+\; H_2O.
$$

Das entstehende Ammoniumsalz wird durch Salzsäure unter Bildung einer sauren Verbindung:

$$
\underset{\substack{OC \\ NH}}{\overset{\substack{C.CH_3 \\ C_2H_5.HC \quad C.CN}}{CO}} \quad \text{oder} \quad \underset{\substack{HOC \\ N}}{\overset{\substack{C.CH_3 \\ C_2H_5.HC \quad C.CN}}{CO}}
$$

zerlegt. Diese Reactionen verlaufen auch direct zwischen β-Ketonsäureamiden und Cyanacetamid, oder zwischen Ketonsäureestern und Cyanacetamid, oder endlich zwischen Ketonsäureamid und Cyanessigester. Diese neuen sauren Verbindungen geben leicht Farbstoffe; durch Eisenchlorid werden sie blauviolett gefärbt oder geben gefärbte Niederschläge. Verwendet man bei der Herstellung Amine, so entstehen am Stickstoff alkylirte Körper von sauren Eigenschaften. Die mittelst Acetessigester erhaltenen Verbindungen geben mit Kupfersulfat oder Acetat Niederschläge und färben sich mit Kaliumnitrit und mit Bromwasser. Die neuen Verbindungen sind als Derivate des Glutaconimids aufzufassen:

---

[1] Ann. chim. farm. **24**. 337—356 u. 386—393; Ref.: Chem. Centr. **67**, I, 601—603; Estr. d. Mem. d. Reale Accad. d. Scienze di Torino **2**, 46.

$$\begin{array}{c} CH \\ H_2C \diagup \diagdown CH \\ CO \diagdown \diagup CO \\ NH \end{array}.$$

Auf diesem Wege entstehen: *α-Keto-β-cyan-γ-methyl-β'-äthyl-α'-oxy-α β'-dihydropyridin (Aethylcyanmethylglutaconimid)*, aus Aethylacetacetamid, Ammoniak und Cyanessigester; es bildet farblose, bei 234 bis 235° schmelzende, in kaltem Wasser wenig lösliche Krystalle, Natrium-, Magnesium-, Ammonium- $(C_9 H_9 . N H_4 . N_2 O_2)$ und Kupfersalze $[C_9 H_8 Cu N_2 O_2$ und $(C_9 H_9 N_2 O_2)_2 Cu]$. — *α-Keto-β-cyan-γ-methyl-α'-oxy-α β'-dihydropyridin (Cyanmethylglutaconimid)*, aus Acetessigester, Ammoniak und Cyanessigester; es bildet Krystalle, welche bei 295° sich bräunen und bei 300 bis 304° verkohlen. Mit Brom liefert es ein zersetzliches Bromderivat. Von Salzen wurden das Ammonium-, Natrium-, Baryum-, Silber-, Kupfer- und das Cuprammoniumsalz hergestellt und theilweise analysirt. — *N-Methyl-α-keto-β-cyan-γ-methyl-α'-oxy-Δ³,⁶-dihydropyridin (Cyanmethylglutaconmethylimid)*, aus Acetessigester, Cyanessigester und Methylamin; es bildet farblose, glänzende, kleine Krystalle, welche bei etwa 285° schmelzen und ein krystallisirtes Silbersalz liefern. — *N-Aethyl-α-keto-β-cyan-γ-methyl-α'-oxy-Δ³,⁶-dihydropyridin (Cyanmethylglutaconäthylimid)*, analog dem vorigen aus Acetessigester, Cyanessigester und Aethylamin gewonnen; es schmilzt bei etwa 242°. — *N-Allyl-α-keto-β-cyan-γ-methyl-α'-oxy-Δ³,⁶-dihydropyridin (Cyanmethylglutaconallylimid)*, aus Acetessigester, Cyanessigester und Allylamin; es bildet farblose, bei 222° schmelzende Krystalle. — *α-Keto-β-cyan-γ-methyl-β'-methyl-α'-oxy-α β'-dihydropyridin (Methylcyanmethylglutaconimid)*, aus Methylacetessigester, Ammoniak und Cyanessigester; es bildet farblose, bei 270 bis 272° schmelzende Krystalle. Dargestellt wurden die Ammonium-, Natrium-, Silber-, Baryum- und Kupfersalze. — *N-Methyl-α-keto-β-cyan-γ β'-dimethyl-α'-oxy-Δ³,⁶-dihydropyridin (Methylcyanmethylglutaconmethylimid)*, aus Methylacetessigester, Cyanessigester und Methylamin; es bildet Tafeln, welche bei 264 bis 265° schmelzen und durch Eisenchlorid zu einer bei etwa 235° schmelzenden Verbindung oxydirt werden. — Bei der Einwirkung von Benzoylessigester auf Cyanessigester und Ammoniak konnten das *Aminobenzoylacetamid*, $C_6 H_5 . C(N H_2):CH.CO.N H_2$ (Schmelzp. 164,5 bis 165°), und das *Cyanphenylglutaconimid* (Schmelzp. 280 bis 282°) erhalten werden.   *Sd.*

C. Harries. Ueber die Oxime cyklischer Ketonbasen und

das p-Aminotrimethylpiperidin [1]). — Verfasser versuchte, von den Oximen cyklischer Ketonbasen ausgehend, zu den p-Aminopiperidinen zu gelangen. Die Reduction mit Zinkstaub und Eisessig führte jedoch hier zu einer Spaltung des Ringes, so spaltete sich das Benzaldiacetonaminoxim in Benzylacetat, Ammoniak und eine diacetonaminähnliche Base:

$$\underset{\mathrm{NH}}{\underset{\mathrm{C_6H_5 . HC}}{\overset{\mathrm{C=NOH}}{\overset{\mathrm{H_2C}}{\diagup}}\overset{\mathrm{CH_2}}{\diagdown}}\overset{}{\underset{}{}}\mathrm{C:(CH_3)_2}} + \mathrm{H} + \mathrm{C_2H_4O_2} = \mathrm{C_6H_5CH_2OOC_2H_3} + \mathrm{NH_3}$$

$$+ \;\mathrm{CH_3CHOHCH_2 . \underset{\overset{|}{\mathrm{NH_2}(?)}}{C}(H_3C)_2}$$

Dagegen führte die Reduction mit alkoholischer Salzsäure und Zinkstaub in der Kälte vom Vinyldiacetonaminoxim zu dem p-Aminotrimethylpiperidin. *Vinyldiacetonamin* wurde nach E. Fischer dargestellt und daraus das *Oxim*, aus Alkohol trübe Tafeln vom Schmelzp. 150 bis 151°, erhalten. Löst sich in verdünnten Säuren und Alkalien, starke Alkalien scheiden die Base ölig ab. Kochen mit Salzsäure spaltet Hydroxylamin ab. *Triacetonaminoxim*, $C_9H_{18}N_2O$, bildet aus Alkohol sechsseitige Prismen, Schmelzp. 152 bis 153°, Eigenschaften wie die der vorigen Verbindungen. *Benzaldiacetonaminoxim*, aus Alkohol in weißen, vierseitigen Tafeln krystallisirend, schmilzt bei 140 bis 141°. — Das Reductionsproduct des erstgenannten Oxims mit alkoholischer Salzsäure und Zinkstaub wurde als Oel erhalten und in zwei Fractionen zerlegt. Die Fraction zwischen 50 bis 100° bei 10 mm wurde mit Jodwasserstoff bei guter Kühlung in das neutrale, sehr hoch schmelzende *Jodhydrat* des *p-Aminotrimethylpiperidins*, $C_8H_{20}N_2J_2$, übergeführt. Die freie *Base* siedet unter Atmosphärendruck bei 100 bis 180° unter Zerzetzung, bei 7,5 mm Druck liegt der Kochpunkt bei 60° In der Kälte werden schiefe Würfel vom Schmelzp. 25 bis 26° erhalten. Die Base zieht CO_2 an zu einem festen carbaminsauren Salze. Seine Salze sind aufser dem Jodhydrat leicht löslich. Das charakteristische *Aurat* bildet rothe, schiefe, sechsseitige Tafeln, die schwer löslich in Wasser sind. *Chloroplatinat*, Prismen, leicht löslich. *Pikrat*, schiefe Prismen. Die Base bildet ein *neutrales* und ein *saures Oxalat*. Die Condensation mit Ameisensäure scheint zu einem bei 216 bis 217° unter Zesetzung schmelzenden *Monoformylaminopiperidinformiat* zu führen. Die *Monoacetyl-*

---

[1]) Ber. 29, 520—529.

verbindung, aus Acetanhydrid und der Base bei gewöhnlicher Temperatur zu erhalten, krystallisirt aus Alkohol in regelmäfsigen Würfeln vom Schmelzp. 206 bis 207°. Die Verbindung ist basisch. Ihr *Aurat* schmilzt bei 235°. Im Einschlufsrohre mit überschüssigem Acetanhydrid vier Stunden auf 160° erhitzt, konnte die Base in ihre *Diacetylverbindung* übergeführt werden, die aus Ligroin in Prismen vom Schmelzp. 88 bis 89° erhalten wurde. Siedepunkt unter 8 mm Druck 160 bis 170°. Bildet ein *Aurat*, ist also noch basisch. Als Hauptproduct trat jedoch eine andere Base auf, die Verfasser als eine monomolekulare *Anhydrobase* des Diacetylkörpers auffafst. Siedep. 200° bei 8 mm Druck. — Aminotrimethylpiperidin reagirt mit Chlorkohlensäureester und Jodmethyl. Natriumnitrit diazotirt nicht. Amylnitrit scheint die Imingruppe zu nitrosiren. Chloroform und alkoholische Kalilauge giebt nicht die Isonitrilreaction. Schwefelkohlenstoff giebt ein aus Wasser in schief abgeschnittenen Prismen krystallisirendes *thiocarbaminsaures Salz*, $C_9 H_{18} N_2 S_2$, Schmelzp. 187 bis 188° unter Zersetzung. Constitution:

$$
\begin{array}{c}
\text{CH}\!\!-\!\!\!- \quad \text{NH} \\
\text{H}_2\text{C} \diagup \backslash \text{CH}_2 \\
\text{CH}_3\text{HC} \backslash \diagup \text{C(CH}_3)_2 \quad \overset{|}{\text{CS}} \\
\text{NH}\!\!-\!\!\!-\!\!\!-\!\!\!\text{HS}
\end{array}
\quad \text{oder} \quad
\left[\begin{array}{l} \text{HNC}_8\text{H}_{15}\text{NHCS.SH} \\ \text{HSCS.NHC}_8\text{H}_{15}\text{NH} \end{array} \right].
$$

Beide Formeln erklären das Verhalten gegen $HgCl_2$, das sich der Gleichung gemäfs vollzieht:

$$(C_8 H_{17} N_2) C S S H + Hg Cl_2 = (C_8 H_{16} N_2 C S) 2 H Cl + Hg S.$$

Die entstandene Verbindung krystallisirt aus Benzol in Prismen vom Schmelzp. 79 bis 80°, die nicht die Eigenschaften der Senföle zeigen. Verfasser glaubt dies Verhalten durch Annahme intramolekularer Umlagerung unter Ringschlufs aus dem primär entstehenden Senföl mit folgender Formulirung ausdrücken zu können:

$$
\begin{array}{c}
\text{CH} \\
\text{CH}_2 \quad \overset{|}{\text{NH}} \quad \text{H}_2 \\
\text{CH}_3 . \text{HC} \diagdown \underset{\text{N}}{\text{CS}} \diagup \text{C.(CH}_3)_2
\end{array}
$$

Mr.

K. Micko. Ueber das *α-Acetacetylpyridyl* [1]). — Analog wie **Weidel** [2]) *α-Acetacetylchinolyl* erhielt, stellte Verfasser durch Condensation von Picolinsäureäthylester und Aceton mittelst Natrium-

---

[1]) Monatsh. Chem. 17, 442—461. — [2]) Daselbst, S. 401—420.

äthylat das Acetacetylpyridyl dar. In die benzolische Lösung von reinem Ester und wasserfreiem Aceton läfst Verfasser unter Kühlung eine Natriumäthylatlösung eintropfen und beendigt die Reaction auf dem Wasserbade. Es scheidet sich beim Abkühlen das Natriumsalz aus, das man durch CO_2 zerlegt, und dann das Pyridyl mit Benzol ausschüttelt. *Acetacetylpyridyl*, $C_5H_4COCH_2CO.CH_3$, wird durch Destillation im Vacuum gereinigt und geht unter 15 mm Druck bei 137 bis 143° über. Das schwach gelbe Destillat erstarrt bald unter bedeutender Wärmeentwickelung. Man prefst den Krystallkuchen ab und krystallisirt aus Petroläther um. Je nach den Concentrationsbedingungen werden derbe Spiefse, feine Nadeln oder wohlausgebildete monokline Pyramiden ($a : b : c$ $= 0{,}4679 : 1 : 0{,}4824$, $\eta = 82°\,2'$) erhalten. Das Pyridyl schmilzt bei 49 bis 50° und ist in allen organischen Mitteln leicht löslich, unlöslich dagegen in Wasser. Eisenchlorid giebt die intensiv rothe Färbung wie bei den β-Diketonen. Das *salzsaure Salz* ist sehr zersetzlich und entwickelt bei 100° stechende Dämpfe. Das Chloroplatinat ist ebenfalls leicht zersetzlich und enthält lufttrocken 2 Mol. H_2O. Das Aurat zersetzt sich schon beim Eindampfen. Bildet mit $HgCl_2$ zwei Doppelverbindungen. Die erste entspricht der Formel $C_9H_9NO_2.HCl.HgCl_2.2H_2O$, Pyramiden, und entsteht beim Verdunsten der alkoholischen Lösungen beider Componenten. Beim Umkrystallisiren aus verdünntem Alkohol bilden sich Nadeln der zweiten Verbindung von der Formel $C_9H_9NO_2.HgCl_2$. Concentrirte Alkalien spalten das Pyridyl in Aceton und Picolinsäure; Phenylhydrazin bildet aus dem β-Diketon *1-Phenyl-5-methyl-3-pyridylpyrazol*:

$$C_5H_4-C-CH=C-CH_3$$
$$\underset{N-----N-C_6H_5}{\|\qquad\quad}$$

Dieses Pyrazol ist ein nicht erstarrendes, gelbliches Oel, welches unter 15 mm Druck bei 215° siedet und unlöslich in Wasser und Petroläther ist. Mit Jodäthyl entsteht daraus das blätterige Additionsproduct $C_{15}H_{13}N_3 + JC_2H_5$, das bei 181 bis 183° unter Zersetzung schmilzt. Mit frisch gefälltem Chlorsilber geschüttelt, entsteht daraus das Chloräthylproduct, das ein Chloroplatinat giebt. Hydroxylamin in alkalischer Lösung führt das Pyridyl in ein *Monoxim* über, das der Lösung mit Aether entzogen wird. Der syrupöse Aetherrückstand setzt allmählich Krystalle ab, die nach dem Umkrystallisiren bei 78° schmelzen. Eine Umlagerung nach Beckmann gelang nicht, sondern es trat Wasserabspaltung unter Bildung eines *Isoxazols*, $C_5H_4N-C(O)=CH-C(=N)-CH_3$, ein.

In salzsaurer Lösung und bei einem Ueberschufs von Hydroxylamin geht das Monoxim in das *Dioxim* über, leicht in Alkohol, schwer in Aether löslich. Die schmalen, vierseitigen Prismen schmelzen bei 146 bis 147°. Bei dem Umlagerungsversuch nach Beckmann entsteht ein dem aus Monoxim erhaltenen *stereoisomeres Isoxazol* vom Schmelzp. 37,5°, das sich im Gegensatz zu seinem Isomeren äufserst leicht in Petroläther löst. Durch Einwirkung von Ammoniak auf das Diketon wurde zunächst eine *Ammoniumverbindung*, $C_5 H_4 N–CO . CH(. NH_4)–CO . CH_3$, gebildet, die jedoch ihr Ammoniak leicht quantitativ abspaltet. Im Rohre mit Ammoniak erhitzt, gab das Diketon monosymmetrische Tafeln des *Aminoacetacetylpyridyls*. Axenverhältnifs $a : b : c = 0,7004 : 1 : 9785$, $\eta = 71° 54'$. Der Aminokörper schmilzt bei 149 bis 150° und enthält, da er mit Phenylhydrazin und Hydroxylamin reagirt, noch eine Ketogruppe. Constitution: $C_5 H_4 N . CO . CH : C(N H_4)$ $. CH_3$. Salze konnten nicht erhalten werden. Die Reduction mit Natriumalkoholat, sowie mit Natriumamalgam gab keine Resultate, wohl aber Zink und Essigsäure. Es wurden so Nadeln (aus Petroläther) des *Ketonalkohols*, $C_5 H_4 N–CHOH–CH_2 . CO . CH_3$, vom Schmelzp. 74° erhalten. Dieser Alkohol ist mit Ausnahme von Petroläther in allen Lösungsmitteln leicht löslich. Das Chloroplatinat bildet schön orangerothe Krystalle, die in Wasser ziemlich löslich sind. Hydroxylamin giebt ein Oxim, kleine Prismen aus Alkohol, Schmelzp. 120°. Kaliumpermanganat spaltet ih Picolinsäure und Essigsäure. Bei der Einwirkung von Alkalien konnte keine Spaltung wie beim Acetacetylpyridyl erhalten werden, woraus zu schliefsen ist, dafs die mit dem Pyridinring verbundene C OGruppe in den Alkoholrest CHOH umgewandelt ist.   *Mr.*

C. Harries. Stereochemische Untersuchungen der Piperidinreihe [1]). — Verfasser, der früher [2]) aus dem Vinyldiacetonaminoxim mit Zinkstaub und alkoholischer Salzsäure das p-Aminotrimethylpiperidin erhielt, fand, dafs dasselbe Oxim mit Natrium und Amylalkohol in der Wärme ein isomeres p-Aminotrimethylpiperidin giebt. Salpetrige Säure erzeugt aus beiden Basen zwei verschiedene Alkamine. Das von E. Fischer [3]) früher durch directe Reduction des Vinyldiacetonamins erhaltene Vinyldiacetonalkamin vom Schmelzp. 123° entsteht aus dem ersten Aminopiperidin, aus dem anderen gewinnt man ein solches vom Schmelzp. 160 bis 161°. Auch durch Reduction des Vinyldiacetonamins mit

---

[1]) Ber. 29, 2730—2731. — [2]) Daselbst, S. 521; vgl. diesen JB., S. 1752. — [3]) Ber. 16, 2237; 17, 1797.

Natriumamalgam gewinnt man diese beiden Producte, welche durch fractionirte Krystallisation getrennt werden können. Indessen ist der bei 123° schmelzende Körper nicht einheitlich, obwohl er beim Umkrystallisiren den Schmelzpunkt nicht verändert, sondern ein Gemisch von der Base vom Schmelzp. 160 bis 161° und einem neuen Alkamin vom Schmelzp. 137 bis 138°. Die Trennung gelingt leicht vermittelst der Chlorhydrate. Den Anstofs zu dieser Entdeckung gab die von Willstätter[1]) beobachtete Umlagerung des Tropins durch Natriumamylat. Das Alkamingemisch vom Schmelzp. 123°, sowie das Alkamin vom Schmelzp. 160 bis 161° geben bei gleicher Behandlung quantitativ die bei 137 bis 138° schmelzende stabile Base. *Th.*

Franchimont und H. J. Taverne. Einige Piperidide und die Einwirkung von Salpetersäure auf dieselben[2]). — Verfasser zogen auch einige Piperidide in den Kreis ihrer Untersuchungen. Sie stellten durch Einwirkung von Trichloracetylchlorid auf Piperidin in ätherischer Lösung das *Trichloracetpiperidid* dar, dasselbe bildet farblose, grofse Krystalle vom Siedep. 45°, unlöslich in Wasser und wird von diesem beim Kochen nicht zersetzt. Dasselbe ist, in dem fünffachen Gewicht Salpetersäure gelöst, nach 1 1/2 Stunden unverändert und wird erst nach 24 Stunden angegriffen. Dagegen liefert das Benzolsulfopiperidid von Hinsberg (Siedep. 93°) fast unmittelbar beim Eintragen in das fünffache Gewicht NHO$_3$ das *Nitropiperidin*, welches bei — 5° schmilzt. Das Picrylpiperidid schliefslich (Siedep. 106°) von Turpin liefert mit Salpetersäure in einer Ausbeute von 92 Proc. das Picrylnitrodehydropiperidid vom Siedep. 195°, welches dem Nitrodehydropiperylurethan (Rec. trav. chim. Pays-Bas 8, 300) analog constituirt ist. Im Ganzen zeigen die beschriebenen Piperidide das gleiche Verhalten, wie die ihnen entsprechenden Dimethylamide. *Mg.*

Franchimont und van Erp. Das Oxalpiperidid und die Einwirkung von Salpetersäure auf dasselbe[3]). — Verfasser untersuchten das Oxalpiperidid in gleicher Richtung. Dasselbe wurde durch 11 stündiges Kochen von Oxaläther mit Piperidin und nachheriges Destilliren dargestellt und die bei 300° übergehende Fraction aus Ligroin krystallisirt, wobei es in schönen Nadeln vom Siedep. 89 bis 90° erhalten wurde. Es reagirt mit Salpetersäure weder unter Entwickelung rother Dämpfe, noch unter Nitrirung, sondern bildet mit 2 Mol. Salpetersäure eine salzartige Verbindung,

---

[1]) Ber. 29, 944. — [2]) Rec. trav. chim. Pays-Bas 15, 69—75. — [3]) Daselbst, S. 66—68.

welche die Säure im Vacuum allmählich abgiebt. Analog wurde
früher das Verhalten des Dimethyloxamids befunden. Den Verfassern scheint die Gruppe –CO–CO– einen schützenden Einfluſs
auf die am Stickstoff haftenden Radicale auszuüben.   *Mg.*

S. H. **Baer** und A. B. **Prescott.** Dipyridinmethylenjodid und
die Nichtexistenz der entsprechenden Monopyridinproducte [1]. —
Das Additionsproduct von Pyridin und Methylenjodid erhält man
am besten, wenn man Pyridin und Methylenjodid in äquimolekularen Mengen, nach Zusatz des gleichen Volumens Alkohol im
Kolben am Rückfluſskühler auf dem Wasserbade erhitzt. Durch
Zusatz von wenig Aether zur 50 proc. alkoholischen Lösung erhält man das Reactionsproduct in feinen, gelben Nadeln, die
sich bei 220° zersetzen. Dieselben sind löslich in Wasser, schwer
löslich in heiſsem Alkohol, unlöslich in kaltem Alkohol, Aether,
Chloroform, Benzin und Amylalkohol. Die Verbindung entspricht
der Formel:

$$HC \begin{smallmatrix} CH-CH \\ CH=CH \end{smallmatrix} N \begin{smallmatrix} CH_2 \\ J \end{smallmatrix} N \begin{smallmatrix} CH=CH \\ CH-CH \end{smallmatrix} CH.$$

Pyridin und Aethylenbromid geben beim längeren Erhitzen im
Rohre *Dipyridinäthylenbromid*, $(C_5 H_5 N)_2 C_2 H_4 Br_2$, welches farb-
lose Platten bildet, die bei 295° unter Zersetzung schmelzen.
Monopyridinproducte wurden nicht erhalten.   *Tr.*

C. **Paal.** Ueber *a-α'*-Diphenylpyridin und -piperidin [2]. —
Gewisse Differenzen in der Löslichkeit und dem Schmelzpunkte
des Platindoppelsalzes der von **Paal** und **Strasser** [3] aus Diphen-
acylmalon- und -essigsäure erhaltenen *α-α'-Diphenylpyridins* und
des neuerdings von M. **Scholtz** [4] aus dem Oxim des Cinnamylen-
acetophenons gewonnenen α-α'-Diphenylpyridins gaben die Veranlassung, diesen Körper nochmals aus Diphenacylmalonsäure
darzustellen. Es zeigte sich nun, daſs die auf den zwei verschiedenen Wegen erhaltenen α-α'-Diphenylpyridine identisch sind und
daſs nur geringe Verunreinigungen bei der früheren Darstellung
die Ursache der Löslichkeits- und Schmelzpunktsdifferenzen waren.
Das entsprechende *α-α'-Diphenylpiperidin* konnte nunmehr in
groſsen farblosen Tafeln vom Schmelzp. 69° erhalten werden.
Das aus diesem in alkoholischer Lösung mit alkoholischer Salzsäure und Aether gewonnene Chlorhydrat schmolz bei 315 bis
316°.   *Sd.*

---

[1] Amer. Chem. Soc. J. **18**, 988—989; Ref.: Chem. Centr. **68**, I, 241. —
[2] Ber. **29**, 798—800. — [3] JB. f. 1887, S. 822 f. — [4] Ber. **28**, 1726.

O. Kühling. Ueber den Ersatz der Isodiazogruppe durch
cyklische Reste. II.[1]). — Verfasser wies darauf hin, dafs seine
frühere Annahme[2]), dafs bei der unter Stickstoffabspaltung und
Bildung von Diphenylderivaten verlaufenden Einwirkung von
p-Nitrophenylnitrosaminnatrium auf cyklische Verbindungen der
nach Abspaltung der Diazogruppe entstandene Rest in die Parastellung zum Substituenten der cyklischen Verbindung bezw. in
die γ-Stellung des Pyridinkernes eintritt, eine irrige ist. Er fand
nämlich, dafs das früher (l. c.) von ihm beschriebene Nitrophenylpyridin nicht in der γ-Stellung, sondern in der α-Stellung substituirt ist, und dafs wahrscheinlich in allen anderen Fällen neben
dem di-para- gleichzeitig das o-para-Derivat gebildet wird, was
von ihm wenigstens für die Producte der Einwirkung von Nitrophenylnitrosaminnatrium auf Nitrobenzol bestimmt nachgewiesen
wurde. Er erhielt nämlich durch Einwirkung von Nitrophenylnitrosaminnatrium auf Nitrobenzol in der früher (l. c.) von ihm
beschriebenen Weise in weifsen, in Alkohol schwer löslichen, bei
233° schmelzenden Nadeln krystallisirendes *p-p-Dinitrodiphenyl*[3])
und aus der Mutterlauge desselben in gelben, bei 92 bis 93° schmelzenden Nadeln krystallisirendes *o-p-Dinitrodiphenyl*[4]). Der directe
Nachweis, dafs das schon von ihm (l. c.) beschriebene, bei 103
bis 104° schmelzende *Nitrophenyltolyl*, $NO_2-C_6H_4-C_6H_4-CH_3$, die
Di-para-Verbindung, und dafs neben demselben entstehende ölige
Isomere das o-p-Derivat ist, konnte bisher nicht erbracht werden.
Durch Oxydation mit Kaliumpermanganat wurde das bei 103 bis
104° schmelzende Nitrophenyltolyl in eine in spiefsigen, häufig
sternförmig vereinigten, bei 222 bis 225° schmelzenden, in Wasser
sehr schwer, in heifsem Alkohol ziemlich leicht löslichen Nadeln
krystallisirende *Nitrophenylbenzoësäure*, $NO_2-C_6H_4-C_6H_4-COOH$,
und diese durch Kochen mit Zinn und 10 proc. Salzsäure in die
aus Wasser in kurzen, feinen Nadeln, aus verdünntem Alkohol in
dünnen, weifsen Blättchen krystallisirende, bei 106 bis 110° unter
theilweiser Zersetzung schmelzende, in kaltem Wasser, Aether und
kaltem Benzol wenig, in heifsem Wasser ziemlich schwer, in
Alkohol leichter, in Säuren und Alkalien leicht lösliche *Amidophenylbenzoësäure*, $NH_2-C_6H_4-C_6H_4-COOH$, übergeführt. Diese lieferte aber beim Behandeln mit Aethylnitrit, absolutem Alkohol und
concentrirter Schwefelsäure nicht die erwartete krystallinische
Phenylbenzoësäure, sondern eine ölige Säure, deren Untersuchung

---

[1]) Ber. **29**, 165—169. — [2]) Ber. **28**, 41 u. 523. — [3]) Fittig, Ann. Chem.
124, 276. — [4]) Daselbst.

wegen Mangels an Material nicht ausgeführt werden konnte. Das ebenfalls schon früher (l. c.) beschriebene Nitrophenylpiperidin wurde durch Behandeln mit Zinn und 25 proc. Salzsäure in das *Amidophenylpyridin*, $NH_2-C_6H_4-C_5H_4N$, übergeführt, welches in feinen, weißen, sich schnell roth färbenden, bei 101 bis 102° schmelzenden Blättchen krystallisirt. Das *salzsaure Salz* bildet ein weißes, mikrokrystallinisches Pulver, das *Pikrat* schöne gelbe, unscharf bei 210° schmelzende Krystalle. Aus dem salzsauren Salz wurde durch Behandeln desselben mit Natriumnitrit in absolut alkoholischer Lösung das schon von Skraup und Cobenzl[1]) beschriebene *α-Phenylpyridin* erhalten, dessen *Pikrat* bei 169° zu sintern beginnt und bei 173° vollständig schmilzt. Das durch Condensation von Nitrophenylnitrosaminnatrium mit Chinolin mit Hülfe von Eisessig gewonnene *Nitrophenylchinolin*, $NO_2-C_6H_4-C_9H_6N$, bildet gelbe, in Wasser fast unlösliche, in Benzol und Aether sehr leicht, in Alkohol etwas schwerer lösliche, bei 158 bis 160° nach vorhergehendem Sintern schmelzende Krystallaggregate. Das endlich durch Eintragen von getrocknetem Nitrophenylnitrosaminnatrium in geschmolzenes Naphtalin und durch Versetzen dieses Gemenges mit Eisessig erhaltene *Nitrophenylnaphtalin*, $NO_2-C_6H_4-C_{10}H_7$, stellt hellorange gefärbte, in Wasser fast unlösliche, in heißem Alkohol ziemlich leicht, in kaltem Alkohol schwer, in Aether leicht lösliche, bei 129° schmelzende Nädelchen dar.   *Wt.*

W. Roth. Ueber *β-Naphtylpiperidin* und *β-Naphtyl-α-pipecolin*[2]). — Verfasser hat seine Methode zur Darstellung des α-Naphtylpiperidins[3]) auf die β-Derivate mit bestem Erfolge ausgedehnt. Molekulare Mengen Piperidin und β-Naphtol wurden in zugeschmolzenen Röhren vier Stunden auf 240 bis 260° erhitzt. Der krystallinische Rohrinhalt wurde von unverändertem Naphtol befreit und *β-Naphtylpiperidin*, $C_{15}H_{17}N$, aus Aethylalkohol in farblosen, glänzenden Krystallen erhalten, die an Luft grau werden. Wasserunlöslich, die Lösungen in organischen Mitteln fluoresciren. *Chlorhydrat*, krystallisirt, schmilzt unter Bräunung bei 214°. *Nitrat*, leicht zersetzlich. *Sulfat*, aus Wasser umkrystallisirt, Schmelzp. 105°. *Aurat*, dunkelgelb, Schmelzp. 131 bis 132°. Das in Wasser und Ligroin unlösliche *Pikrat* schmilzt bei 188°. *Ferrocyanat*, leicht beständig, farblos, zersetzt sich beim Erhitzen. Das *Quecksilbersalz* konnte nur als Oel erhalten werden.

---

[1]) Monatsh. Chem. 4, 472; JB. f. 1883, S. 1329. — [2]) Ber. 29, 1175—1181. — [3]) Ber. 28, 3106.

Bichromat verharzt die Base, die durch $ZnCl_2$ weifs gefällt wird.
Die Reduction nach der Vorschrift von Bamberger[1]) ergab
Tetrahydro-β-naphtylpiperidin, klares, gelbliches Oel von schwach
basischem Charakter, unlöslich in Wasser, doch mit Wasserdämpfen flüchtig, reducirt Silberlösung. Der physiologisch inactive
Körper siedet bei 274 bis 276° (corr.). Das *Chlorhydrat* ist krystallisirt, Schmelzp. 210 bis 211°. Das *Chloroplatinat*, Schmelzp.
156 bis 159°, zersetzt sich beim Kochen mit Wasser oder Salzsäure. Das *Aurat*, aus concentrirter HCl umkrystallisirt, schmilzt
bei 135°. *Pikrat*, Schmelzp. 166°. Das *Ferrocyanat* ist leicht
zersetzlich. Die Oxydation mit Kaliumpermanganat ergiebt vorwiegend Adipinsäure, daneben etwas Oxalsäure, die Hydrirung
war demnach sicher im stickstofffreien Kern erfolgt. Jodmethyl
lagert sich an Naphtylpiperidin nicht an. Das aus *α-Nitro-β-*
naphtol dargestellte, sehr schwach basische *α-Nitro-β-naphtyl-*
piperidin war nicht gut in Krystallen zu erhalten, seine ätherische
Lösung fluorescirt grün, die salzsaure zeichnet sich durch dunkelrothe Farbe aus. — *β-Naphtyl-α-pipecolin* wurde analog erhalten.
Es ist ein geruchloses, gelbliches Oel, unlöslich in Wasser, siedet
unter 10 mm Druck bei 186 bis 190° (corr.). Bildet schwieriger
Salze. *Chlorhydrat*, kleine glänzende Krystalle. *Chloroplatinat*,
Schmelzp. 145°. *Pikrat*, Schmelzp. 153 bis 154°. Bildet ein öliges
Aurat. Im Uebrigen ist es dem Piperidinderivat sehr ähnlich.

Mr.

L. Pesci. Ueber Mercuriopyridinverbindungen[1]). — Verfasser
hat seine Untersuchungen über die Chinolinmercurioderivate auf
das Pyridin ausgedehnt. *Mercuriopyridinhydrat*: .

$$\left(\begin{matrix}C_5H_5N\\C_5H_5N\end{matrix}>Hg\right)\begin{matrix}OH\\OH\end{matrix},$$

wurde nur in wässeriger Lösung durch Behandeln des Sulfates
mit Baryumcarbonat erhalten. Verhalten wie die entsprechende
Chinolinverbindung. Das *Chlorid*, $[(C_5H_5N)_2Hg]Cl_2$, schmilzt bei
108°, zerfällt beim Erhitzen mit Wasser und Alkohol zum Theil
in Pyridin und das *Chloromercurat*, $[(C_5H_5N)_2Hg]Cl_2HgCl_2$,
Schmelzpunkt ungefähr 180°. Aus siedender 4 proc. Sublimatlösung krystallisirt das Chlorid mit 2 Mol. $HgCl_2$ aus, das entstandene *Chloromercurat*, $[(C_5H_5N)_2Hg]Cl_2.2HgCl_2$, ist identisch
mit dem von Molinari erhaltenen. Als Jodid und Bromid

---

[1]) Ber. 22, 1296. — [2]) Chem. Centr. 67, I, 443; Gazz. chim. ital. 25, II,
423—433.

obigen Hydrats sind die Verbindungen von **Groos** aufzufassen.
Das *Nitrat*, das, ohne zu schmelzen, bei höherer Temperatur sich
zersetzt, krystallisirt aus siedendem Wasser mit $2 H_2O$, das *Sulfat*
mit $4 H_2O$, von denen zwei über H_2SO_4 entweichen.   *Mr.*

J. Goldstein. Ueber das Verhalten von aromatischen Basen
gegen Benzal- und Furfuralmalonsäureester [1]. — Verfasser hat in
Fortsetzung ähnlicher Versuche [2]) aus dem Benzalmalonester und
Phenylmethylhydrazin den *β - Methylphenylhydrazidobenzymalon-*
säurediäthylester als weißes, in Wasser nicht, in organischen Mitteln

leicht lösliches Krystallpulver erhalten: $C_6H_5 . N(CH_3) . \overline{N}HC_6H_5$

$.\overline{C}H . CH(COOC_2H_5)_2$. Das salzsaure Salz dissociirt in wässeriger
Lösung. Verseifen mit Kalilauge führt zu dem Kaliumsalz der
Säure, die Kupfer- und Silbersalze reducirt. Die freie Säure
konnte nicht erhalten werden, beim Ansäuern wurde Malonsäure
und *Methylbenzylidenhydrazon*, aus Alkohol gelbe Nadeln vom

Schmelzp. 106° erhalten: $C_6H_5N(CH_3) . \overline{N}H C_6H_5\overline{C}H . CH(COOH)_2$
$= C_6H_5N . (CH_3) . N : CH . C_6H_5 + CH_2(COOH)_2$. Piperidin und
der erstgenannte Ester geben die entsprechende *β - Piperido-*

verbindung: $C_5H_{10} . \overline{N} C_6H_5 \overline{C}H . CH(COOC_2H_5)_2$. Schmelzp. 58 bis
59°, unlöslich in Wasser und kaltem Ligroin. Der Versuch,
nach dem Verseifen aus dem Kalisalz die freie Säure zu erhalten, führte nicht zum Ziel, es resultirten Piperidin, Benzaldehyd und Malonester. Aus absolut alkoholischer Lösung
konnte durch Natriumalkoholat ein Trinatriumsalz erhalten werden, wodurch bewiesen wird, daß die Condensation am β-Kohlen-
stoff eingreift. Die *Anilidobenzylmalonsäure* giebt ebenfalls ein
Trinatriumsalz, hört also auch der β-Reihe an. *β - Piperido-*
furfuralmalonsäureester bildet aus Aether bei 35 bis 37° schmelzende Nadeln. Bei Einwirkung des Benzalesters auf Coniin tritt
unter partieller Alkoholabspaltung Ringbildung zu *Tetrahydro-*
propylphenylazindoncarbonsäureester ein:

[1]) Ber. **29**, 813—818. — [2]) Ber. **28**, 1450.

. Schmilzt, aus Alkohol krystallisirt, bei 150 bis 152°, ist unlöslich in Wasser, Aether, Ligroin. Wird aus der salzsauren Lösung durch Wasser unverändert gefällt, giebt ein lichtempfindliches *Aurat* und ein in Wasser schwer lösliches *Chloroplatinat*. Die freie Säure vom Schmelzp. 85° verliert beim weiteren Erhitzen CO_2 und geht in das *Azindon* über, das bei 212° schmilzt.   *Mr.*

H. Hartmann. Ueber Einwirkung des Trimethylamins und Pyridins auf einige Chlorhydrine [1]. — Das durch Einwirkung von Trimethylamin auf α-Monochlorhydrin von Scholten bereits dargestellte Glyceryltrimethylammoniumchlorid giebt ein *Chloroplatinat*, Schmelzp. 230° (Scholten: 220°), ein *Aurat*, Schmelzp. 155° (Scholten: 190°). Im Gegensatz zu Scholten hat Verfasser constatiren können, dafs Acylchloride nur unvollständig einwirken, wogegen die Säureanhydride vollkommen in Reaction treten. Ebenso erhielt er schon bei 100° zwei Verbindungen: $C_3H_5J_2-N.J.(CH_3)_3$ und $CH_3J.CHOH.CH_2.N.J.(CH_3)_3$. Salpetersäure spaltet Glyceryltrimethylammoniumplatinchlorid neben Trimethyl zu einem Homooxybetaïn (?). *Chloroplatinat*:

$$P Cl_4 [(CH_3)_3.N.CH_2CHOHCOOH]_2,$$
$$Cl$$

Schmelzp. 233°, *Aurat*:

$$(CH_3)_3N.CH_2CHOH.COOH.AuCl_3,$$
$$Cl$$

Schmelzp. 168 bis 172°, α-Dichlorhydrin und Trimethylamin condensiren sich zu *Oxypropylenhexamethyldiammoniumchlorid* (Chloroplatinat, Schmelzp. 266°), und zu *Monochloroxypropyltrimethylammoniumchlorid*, Aurat, Schmelzp. 163°, Chloroplatinat, Schmelzp. 168°. β-Dibrom- und β-Dichlorhydrin reagiren zuerst mit einem Molekül des Amins, es bildet sich ein *Epihalogenhydrin*, das sich mit zwei weiteren Molekülen des Amins zu der genannten Oxypropylverbindung unter Aufnahme von 1 Mol. Wasser vereinigt. Epichlorhydrin wird daher in dieselbe Verbindung übergeführt, daneben entstand Anhydrohomoisomuscarin. Allyltribromid reagirt unter Bildung von Monobromallyltrimethylammoniumchlorid. — β-Dichlorhydrin und Pyridin bilden ein unbeständiges Additionsproduct. Mit Epichlorhydrin wurden zwei Verbindungen mit Pyridin erhalten:

---

[1] Chem. Centr. 67, I, 999—1001; Inaug.-Diss. Marburg 1896.

$$\text{I.} \quad
\begin{array}{l}
\quad\ \text{Cl} \\
\quad\ | \\
\text{CH}_2\text{N}\,.\,\text{C}_5\text{H}_5\text{Au}\,\text{Cl}_3 \\
\quad\ | \\
\text{CHOH} \\
\quad\ | \\
\text{CH}_2\,.\,\text{N}\,\text{C}_5\text{H}_5\text{Au}\,\text{Cl}_3 \\
\quad\ | \\
\quad\ \text{Cl}
\end{array}$$

$$\text{II.} \qquad
\begin{array}{l}
\text{Au}\,\text{Cl}_3\,.\,\text{CH}_2\,\text{Cl}\,.\,\text{CHOHCH}_2\,\text{N}\,\text{C}_5\text{H}_5 \\
\qquad\qquad\qquad\qquad\qquad | \\
\qquad\qquad\qquad\qquad\ \ \text{Cl}
\end{array}$$

Aurat I schmilzt bei 235°, Aurat II bei 146°.   *Mr.*

L. Levy und R. Wolffenstein. Ueber stereoisomere Copellidine [1]. — Die Reduction des Collidins [2]) wurde mit 500 g Rohbase ausgeführt und die Trennung des salzsauren *Isocopellidins* vom salzsauren *Copellidin* in folgender Weise bewerkstelligt: Das Gemisch wurde mit Aceton gewaschen, wobei das Copellidinsalz rein zurückblieb. Die Mutterlauge enthielt alles Isocopellidinsalz neben gewissen Mengen Copellidinsalz. Sie wurde verdunstet und der Syrup im Vacuum krystallisiren gelassen. Die Krystallmasse wurde auf Thon fein vertheilt und ein bis zwei Tage an der Luft stehen gelassen. Das hygroskopische Isocopellidinsalz wurde vom Thon aufgesogen, während das luftbeständige Copellidinsalz zurückblieb. Dem Thon wurde dann wieder mit Aceton das Isocopellidinhydrochlorat entzogen und dieses derselben Operation noch zwei Mal unterzogen.

	Copellidin			Isocopellidin		
	Racemisch	rechts	links	Racemisch	rechts	links
Siedepunkt . .	162—162,5 / 759 mm	162—162,8 / 772 mm	162—´64 / 762 mm	162—164 / 763 mm	162,2—162,5 / 776 mm	163—166 / 770 mm
Spec. Gewicht .	0,8362 18°	0,8375 15°	0,8347 19°	0,84-4 21°	0,8435 17°	0,8500 18°
Spec. Drehungsvermögen . .	—	+ 36,93°	— 16,26°	—	— 57,03	+ 4,23°
Schmelzpunkt d. HCl Salzes .	173°	215°	—	zerfliefsl.	—	—
Schmelzpunkt d. HBr-Salzes .	169°	216°	—	108—114°	113—115°	—
Schmelzpunkt d. Goldsalzes . .	105°	89°	—	75—85°	115°	—
Schmelzpunkt d. Bitartrats . .	—	61°	Syrup	—	61—62°	Syrup

[1]) Ber. 29, 1959—1960. — [2]) Ber. 28, 2270.   *Tf.*

Die beiden Copellidine wurden mit Rechtsweinsäure in die optisch activen Formen übergeführt und so sechs stereoisomere Copellidine erhalten, deren Isomerie durch die Formeln

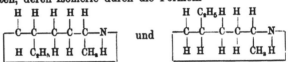

und

erklärt und deren Eigenschaften in nebenstehender Tabelle zusammengestellt sind.

M. Marckwald. Ueber die optisch activen α-Pipecoline und das sogenannte Isopipecolin[1]). — Nach dem etwas modificirten Verfahren Ladenburg's[2]) wurde mittelst Rechtsweinsäure aus dem *α-Pipecolin* das *d-α-Pipecolin* abgeschieden, aus der Mutterlauge wurde durch Anwendung von Linksweinsäure das saure l-weinsaure Salz des *l-Pipecolins* erhalten und es ist somit das α-Pipecolin in die Rechts- und Linksform zerlegt worden. Ladenburg hatte beobachtet, daſs das salzsaure d-α-Pipecolin bei der Destillation über Zinkstaub ein schwächer drehendes Pipecolin liefert und damit die Existenz des *Isopipecolins* unter den asymmetrischen Stickstoffverbindungen zu erweisen versucht. Marckwald hat die bezüglichen Versuche wiederholt, ist aber zu einem anderen Resultate gelangt; er zeigt, daſs das sogenannte Isopipecolin nichts anderes als theilweise racemisirtes d-α-Pipecolin ist, es wurde nämlich in dem Isopipecolin neben dem d-α-Pipecolin auch das inactive Pipecolin nachgewiesen. *Ld.*

A. Ladenburg. Ueber das Isopipecolin[3]). — Ladenburg will die abfällige Kritik Marckwald's, betreffend die Versuche über das *Isopipecolin*, widerlegen; die Gesammtheit der von ihm beobachteten Thatsachen führten zu dem unwiderleglichen Schlusse, daſs das Gemenge, welches durch Destillation von d-α-Pipecolin über Zinkstaub erhalten wird, nicht aus d- und l-Pipecolin bestehen könne, sondern daſs es Isopipecolin enthalten müsse. Die Rechnung Marckwald's beweise nichts über die Natur des das α-Pipecolin begleitenden Körpers. *Ld.*

W. Marckwald. Ueber das Isopipecolin Ladenburg's[4]). — Die Einwendungen Ladenburg's werden als nicht stichhaltig erklärt und es wird darauf hingewiesen, daſs in Marckwald's früherer Abhandlung der positive Beweis dafür, daſs das *Isopipecolin* ein Gemenge von d- und *l-Pipecolin* ist, auf experimentellem

———
[1]) Ber. 29, 43—51. — [2]) Ber. 26, 860; 27, 856. — [3]) Ber. 29, 422—424. — [4]) Daselbst, S. 1293—1296.

Wege erbracht wurde; die Ergebnisse der experimentellen Untersuchungen hat Ladenburg bisher nicht angefochten.   *Ld.*

Chemische Fabrik auf Actien (vorm. Schering). Eucaïn [1]).
— *Benzoylmethyltetramethyl-γ-oxypiperidincarbonsäuremethylester:*

$$C \begin{cases} O.OC.C_6H_5 \\ COOCH_3 \end{cases}$$

$$H_2C \diagup \diagdown CH_2$$

$$(CH_3)_2 C \diagdown \diagup C(CH_3)_2$$

$$\dot{N}.CH_3$$

wird als Cocaïnersatz empfohlen. Es ist ein locales Anästheticum,
welches im Gegensatz zu Cocaïn das Herz nicht beeinflufst. —
H. Kiesel [2]) bestätigt die Vorzüge dieses Anästheticums vor
Cocaïn.   *Mr.*

G. Merling. Ueber Eucaïn [3]). — Durch Anlagerung von Cyanwasserstoff an Triacetonamin und die diesem analog constituirten
Verbindungen (Vinyldiacetonamin, Benzaldiacetonamin etc.) und
Verseifen der so gebildeten Cyanhydrine hat Verfasser γ-Oxy-
piperidincarbonsäuren, die Analoga des Ecgonins sind, dargestellt.
Diese γ-Oxycarbonsäuren lassen sich, indem man in ihnen den
Carboxylwasserstoff durch Alkoholradicale, den Hydroxylwasserstoff
durch Benzoyl ersetzt, in alkaloidartige Körper überführen, die,
wie Cocaïn, starke locale Anästhesie erzeugen. Zu diesen Körpern
gehört auch das Eucaïn, dessen salzsaures Salz als Ersatzproduct
für Cocaïn in den Handel kommt und als n-Methylbenzoyltriacetonalkamincarbonsäuremethylester von der nachstehenden Formel
anzusehen ist:

$$C_6H_5COO \diagdown \diagup COOCH_3$$

$$C$$

$$CH_2 \diagup \diagdown CH_2$$

$$(CH_3)_2 C \diagdown \diagup C(CH_3)_2$$

$$\dot{N}(CH_3)$$

Die freie Eucaïnbase bildet grofse, glasglänzende Prismen vom
Schmelzp. 104°. Das salzsaure Salz grofse, leicht verwitternde
Prismen, die in 10 Thln. Wasser von gewöhnlicher Temperatur
sich lösen.   *Tr.*

Fritz Mende. Die Spaltung der Pipecolinsäure in ihre
beiden optischen Componenten [4]). — Die Spaltung der Pipecolinsäure gelang nicht durch Strychnin, wohl aber leicht nach der

[1]) Chem. Centr. 67, I, 1131; Zahnärztl. Rundsch. 1896, Nr. 196. —
[2]) Chem. Centr. 67, I, 1131—1132; Zahnärztl. Rundsch. 1896, Nr. 196. —
[3]) Ber. pharm. Ges. 6, 173—176. — [4]) Ber. 29, 2887—2889.

Methode Ladenburg's mittelst Weinsäure und fractionirter Krystallisation der Bitartrate. Die heifsen alkoholischen Lösungen der zur Bildung des sauren Salzes erforderlichen Mengen d-Weinsäure und Pipecolinsäure werden zusammengebracht. Aus der erkaltenden Lösung fällt die saure d-weinsaure d-Pipecolinsäure in kleinen Kryställchen als dichter Niederschlag aus. Das Bitartrat ist leicht löslich in Wasser, weniger leicht in Alkohol und schmilzt bei 187°. Aus der vom r-Bitartrat abgesaugten Lösung wird die noch vorhandene Weinsäure durch essigsaures Blei entfernt und letzteres wieder durch Schwefelwasserstoff. Durch l-Weinsäure wird nun die l-weinsaure l-Pipecolinsäure, die ganz dem r-Bitartrat gleicht, gefällt. Bis auf die optischen Eigenschaften gleichen sich die l- und d-Säure völlig. Beide schmelzen bei 270°. *Th.*

B. Jeiteles. Ueber β-Benzoylpicolinsäure und β-Phenylpyridylketon [1]). — Die von Bernthsen und Mettegang [2]) dargestellte β-*Benzoylpicolinsäure* [3]) wurde im Oelbade bei 147 bis 150° bis zum Aufhören der Kohlensäureentwickelung erwärmt, der braune, dickflüssige Rückstand, das β-*Phenylpyridylketon* [1]), in absolutem Alkohol gelöst und zur Ueberführung in das Oxim mit 5 bis 6 Mol. salzsaurem Hydroxylamin und der berechneten Menge wasserfreier Soda vier bis fünf Stunden auf dem Wasserbade gekocht. Aus der vom Chlornatrium abfiltrirten Lösung schieden sich Krusten von Krystallkörnern aus, die bei 136° sinterten und bei 141 bis 143° schmolzen. Bei Anwendung von nur $2^1/_2$ Mol. Hydroxylamin bei im Uebrigen gleicher Behandlung wurden da-

---

[1]) Monatsh. Chem. 17, 515—527. — [2]) JB. f. 1887, S. 2085. — [3]) Zur Darstellung derselben wurde Chinolinsäureanhydrid, das, aus Benzol umkrystallisirt, prächtige lange Nadeln von schwach brauner Farbe bildet, in Benzol gelöst und mit frischem Aluminiumchlorid in kleinen Portionen versetzt, bis sich am Boden eine harte schwarze Kruste gebildet hatte und das Benzol klar und gelblich erschien, darauf bis fast zum Aufhören der Salzsäureentwickelung auf dem Wasserbade erwärmt (drei bis vier Stunden), abgekühlt, das Benzol abgegossen, der Rückstand vorsichtig mit Wasser erwärmt, worin er sich bis auf Spuren Harz löst und die Lösung mit Kupfersulfat versetzt. Hierdurch wird die Benzoylpicolinsäure als hellblauvioletter Niederschlag gefällt (im Filtrat schieden sich nach tagelangem Stehen dunkelblaue Krystallkrusten von chinolinsaurem Kupfer aus). Der ausgewaschene und in Wasser suspendirte Niederschlag gab, mit Schwefelwasserstoff zersetzt, die bei 147° schmelzende Säure in strahligen Nadeln. Die heifse wässerige, mit Silbernitrat versetzte Lösung gab beim Erkalten dicke prismatische Krystalle des sauren *Silbersalzes*, $C_6H_5 . CO . C_5H_3COOAg + C_6H_5 . CO . C_5H_3NCOOH$, das aus verdünnter Salpetersäure unverändert krystallisirt und leicht beständig ist.

gegen dicke Prismen vom Schmelzp. 162 bis 163⁰ erhalten. Beide
Krystallisationen besitzen die Zusammensetzung eines *Phenyl-
pyridylketoxims*, $C_6H_5C(NOH)C_5H_4N$. Beide sind in Wasser fast
unlöslich, in heifsem Alkohol sehr leicht und auch in kaltem
ziemlich löslich. Bei dem Versuch der Umwandlung der Oxim-
modificationen in einander nach Hantzsch [1]) durch Lösen in verdünnter Salzsäure [2]) und Fällen mit Natriumcarbonat blieb das
niedriger schmelzende unverändert, das höher schmelzende sinterte
nach der Behandlung bei 140⁰ und schmolz bei 153⁰, war also
theilweise umgewandelt. Zur Bestimmung der *Configuration* der
stereoisomeren Oxime wurden sie durch Behandlung mit Phos-
phorchlorid in ätherischer Lösung der Beckmann'schen Umlagerung unterzogen und hierbei aus dem niedriger schmelzenden
Oxim ein bei 59 bis 65⁰ schmelzendes Amid, aus dem höher
schmelzenden Oxim ein bei 114 bis 117⁰ schmelzendes Amid
erhalten. Ersteres gab beim Erhitzen mit Salzsäure im geschlossenen Rohre auf 160⁰ als Producte Nicotinsäure und Anilin, letzteres Benzoësäure und β-Amidopyridin, daneben beide zurück-
gebildetes Phenylpyridylketon. Hieraus wird geschlossen, dafs das
niedriger schmelzende Oxim die Syn-, das höher schmelzende die
Antiverbindung sei:

$$C_6H_5—C—C_5H_4N \qquad C_6H_5—C—C_5H_4N$$
$$HON \qquad\qquad NOH$$
Synphenylpyridylketon   Antiphenylpyridylketon

Wird β-Benzoylpicolinsäure (2 g) in absolutem Alkohol gelöst, mit
salzsaurem Hydroxylamin (2 g) und Soda (3,4 g) zwei Stunden auf
dem Wasserbade erwärmt und vom Kochsalz abfiltrirt, so scheiden
sich beim Verdunsten des Alkohols weifse, schiefe, zu Drusen
gruppirte Prismen von *β-benzoylpicolinketoximsaurem Natron*,
$C_6H_5—C(NOH)C_5H_3NCO_2Na$, aus. Beim Ansäuern seiner concentrirten Lösung wird nicht freie Ketoximsäure abgeschieden, sondern ein *Anhydrid* [3]) derselben oder *Phenylpyridylorthooxazinon*:

[1]) JB. f. 1891, S. 1133. — [2]) Die Behandlung mit warmer concentrirter
Salzsäure war ausgeschlossen, weil hierdurch das Ketoxim in Keton zurück-
geht. — [3]) Analoge Ringbildungen der Ketoximcarbonsäuren sind beobachtet
von Gabriel an der Acetophenoncarbonsäure (JB. f. 1883, S. 1215) und
von Hantzsch und Miolati (Zeitschr. physik. Chem. 11, 747).

Derselbe Körper wird auch erhalten, wenn man die Benzoylpicolinsäure in wässeriger alkalischer Lösung oximirt und nach zwei-
tägigem Stehen mit verdünnter Salzsäure eindampft. Die so
erhaltenen rosettenförmigen Krystalle schmelzen nach dem Umkrystallisiren aus Alkohol, worin sie sehr schwer löslich sind, bei
187 bis 193⁰ unter schwacher Gasentwickelung. Aus der Mutterlauge schied sich dieselbe Substanz in glänzenden Schuppen aus.
Ihr salzsaures Salz bildet eine dickflüssige, im Exsiccator allmählich erstarrende Masse. — Wird β-Benzoylpicolinsäure mit
Phenylhydrazin in Alkohol zwei Stunden auf dem Wasserbade erwärmt und die Lösung dann in Wasser gegossen, so scheiden sich
gelbe, bei 233 bis 235⁰ schmelzende Täfelchen, $C_{19}H_{18}N_3O$, aus,
die auch in siedendem Alkohol ziemlich schwer löslich, in Wasser
und in Natriumcarbonat unlöslich sind. Sie stellen wie die vorige
Substanz ein inneres Anhydrid des Phenylhydrazons der Benzoylpicolinsäure:

$$C_6H_5-C \overset{\displaystyle N-N \cdot C_6H_5}{\underset{\displaystyle CH \diagdown_{CH-CH} \diagup N}{\diagdown_C=C} \diagup CO}$$

dar [1]) und können, in Analogie mit dem von Gabriel [2]) eingeführten Namen „Phtalazon", als *1n-Phenyl-3-Phenylchinolinazon,*
oder auch mit Benutzung der Liebermann'schen [3]) „Pyridazons"
als *1-Phenyl-3-Phenylpyridopyridazon* bezeichnet werden. — Goldschmiedt theilt anhangsweise mit, dafs Freund eine analoge
Untersuchung mit dem Condensationsproduct aus Cinchomeron-
säureanhydrid und Benzol unternommen hat. Die entstehende
Ketonsäure ist *α-Benzoylpicolinsäure*; sie liefert, mit Kalk erhitzt,
dasselbe Phenylpyridylketon wie die β-Säure.   S.

W. J. Sell. Studium über Citrazinsäure [4]). — *Citrazinsäure*
(25 g) wurde der Tiemann-Reimer'schen Reaction mit Chloroform (125 g) und Natron (200 g) unterworfen. Die Flüssigkeit
färbt sich dabei erst tief purpurroth, dann gelblichbraun. Nach
sechsstündigem Erhitzen wurde filtrirt und mit Kohlensäure saturirt, wobei ein Niederschlag ausfiel, der beim Umkrystallisiren das
Dinatriumsalz eines Monoaldehydes, $C_7H_3NO_5Na_2 + 2H_2O$, ergab;
wurde jedoch die bei gewöhnlicher Temperatur gesättigte Lösung
abgekühlt, so entstanden grofse transparente Prismen mit 5 Mol.
Krystallwasser. Die wässerige Lösung des Dinatriumsalzes giebt,

---

[1]) Vgl. Roser, JB. f. 1885, S. 1448. — [2]) Ber. 26, 524. — [3]) Daselbst,
S. 532. — [4]) Chem. Soc. J. 69 u. 70, 1447—1451.

kalt mit einem Ueberschufs von Salzsäure vermischt, die freie *Monoaldehydsäure* in schwach gelben, in kaltem Wasser schwer, leichter in heifsem Wasser, Alkohol, Aether und Aceton löslichen Nadeln. Mit heifser Salzsäure ausgeschieden, tritt unter Rothfärbung der Flüssigkeit theilweise Zersetzung der Säure ein. Beim Erhitzen verliert die Monoaldehydsäure, $C_7 H_5 N O_5 + 2 H_2 O$, bei 130 bis 140° ihr Krystallwasser, färbt sich dann purpurroth bis schwarz, ohne zu schmelzen. Sie zeigt nicht die Schiff'sche Reaction und reducirt nicht Fehling'sche Lösung; dagegen reducirt die Säure alkalische Silberlösung. Das *Oxim* der Monoaldehydsäure krystallisirt ebenfalls mit 1 Mol. Wasser. Phenylhydrazin liefert mit der Säure das *Phenylhydrazinsalz des Hydrazons*, $C_{19} H_{19} N_5 O_4$, in gelben Nadeln. Neben der beschriebenen Monoaldehydsäure entsteht bei der angegebenen Reaction aus Citrazinsäure noch in geringerer Menge eine sehr beständige und wenig lösliche *Säure* der einfachsten Formel $C_4 H_1 N O_2$. *Sd.*

W. Koenigs und Fritz Wolff. Ueber Reductionsproducte der Cinchomeronsäure und Apophyllensäure [1]. (Mitgetheilt von W. Koenigs.) — In der Fortsetzung ihrer früheren Studien über die Reduction der Cinchomeronsäure [2] bedienten sich die Verfasser wegen der Schwerlöslichkeit des Natriumsalzes jener Säure in absolutem Alkohol des nach Vorschrift von Strache [3] dargestellten Cinchomeronsäuremonoäthylesters. 1 Thl. desselben wurde in 100 Thln. Alkohol mit 10 Thln. Natrium schliefslich im Oelbade bei 140° reducirt, das Reactionsproduct mit Salzsäure versetzt, vom Kochsalz abfiltrirt und der Alkohol im Vacuum abdestillirt. In der verseiften Masse enthaltene Hexahydrosäure wurde von der unveränderten Säure durch Ueberführung in das in Aether lösliche Nitrosamin getrennt und durch Chlorwasserstoffgas regenerirt. Ausbeute 40 Proc. der angewandten Cinchomeronsäure. Das *Chlorhydrat der Hexahydrocinchomeronsäure*, $C_7 H_{11} N O_4 Cl$, schmilzt bei 237° unter Gasentwickelung. Es ist in Wasser sehr leicht, in Alkohol schwer löslich. Optisch inactiv. *Golddoppelsalz*, $C_7 H_{12} N O_4 Au Cl_4$, schmilzt unter Zersetzung bei 205°. Die wässerige Lösung scheidet beim Kochen Gold aus, ähnlich wie das Goldsalz der Hexahydrochinolinsäure. — Durch Schütteln des salzsauren Salzes mit Silbercarbonat, Ausfällen des in Lösung gegangenen Silbers durch Schwefelwasserstoff und Einengen des Filtrats wurde *Hexahydrocinchomeronsäure* selbst dargestellt. Schmelzpunkt mit Zersetzung bei 256°. In Wasser leicht löslich.

---

[1] Ber. 29, 2187—2192. — [2] Ber. 28, 3148. — [3] Wien. Monatsh. 11, 135.

In schwefelsaurer Lösung in der Kälte beständig gegen Permanganat. *Kalksalz,* $C_{11}H_{20}N_2O_8Ca + 5H_2O$. Entgegengesetzt den von Besthorn an Hexahydrochinolinsäuren gemachten Beobachtungen konnte hier nur ein inactives Nitrosamin isolirt werden, auch ein Ueberführen der Hexahydrocinchomeronsäure in eine isomere Säure durch Erhitzen mit Natrium und Alkohol auf 180 bis 200° gelang nicht. — Gestützt auf die von Roser[1] ermittelte Constitution des Cotarnins haben die Verfasser eine neue Methode zur Darstellung der Apophyllensäure ausgearbeitet: Ein Gemenge von 10 g salzsauren Cotarnins wurde mit 25 g Phosphorpentachlorid im Fractionirkolben auf 160 bis 170° erhitzt; dabei destillirte das gebildete Phosphortrichlorid über und der Rückstand wurde auf Eiswasser gegossen, durch Aufkochen der Lösung in Salzsäure Kohlensäure und ein o-Dioxyderivat zersetzt, welches in Form dunklen Harzes isolirt und mit Salpetersäure, wie vermuthet, leicht in Apophyllensäure, Schmelzp. 242°, oxydirt wurde. Nach einer von Jahns[2] für n-Methyl-Nipecotinsäure ausgearbeiten Methode wurde jene Säure in *n-Methyl-Hexahydrocinchomeronsäure* übergeführt: 1 Thl. Apophyllensäure wurde mit 3 Thln. Zinn und 10 bis 12 Thln. concentrirter Salzsäure bis zur Lösung des Zinns erwärmt. Daraus wie üblich erhaltenes Chlorhydrat wurde in absolut alkoholischer Lösung mit Salzsäuregas gesättigt, Alkohol verjagt und der alkalisirte Rückstand mit Aether ausgeschüttelt. Der im Aether enthaltene n-Methylhexahydrocinchomeronsäureester wurde an Salzsäure gebunden, durch längeres Erwärmen dieser Lösung verseift und zur Trockne verdampft. Es krystallisirt die salzsaure n-Methylhexahydrocinchomeronsäure, $C_8H_{14}NO_4Cl$, Schmelzpunkt unter Gasentwickelung 206 bis 207°. — Der Aethylester in schwefelsaurer Lösung entfärbte Permanganat erst nach längerem Stehen.   *v. N.*

Zd. H. Skraup. Ueber die Cincholoiponsäure[3]. — Die früher vom Verfasser aus dem Cinchonin durch Oxydation dargestellte Cincholoiponsäure, $C_8H_{13}NO_4$, ist inzwischen auch als Abbauproduct anderer bekannteren Chinabasen und deren Umwandlungsproducten, dem Chinicin und Cinchonicin, aufgefunden worden. Zu ihrer Darstellung ist zweckmäfsig das Cinchonin mit Permanganat in Cinchotenin zu oxydiren und dann erst mit Chromsäure zu behandeln; von der Cinchoninsäure befreite syrupöse Säure wird durch Barytsalz gereinigt, mit Schwefelsäure zerlegt

---

[1] Ann. Chem. **254**, 354. — [2] Arch. Pharm. **229**, 669. — [3] Monatsh. Chem. **17**, 365—394.

und an Salzsäure gebunden. Das so dargestellte krystallisirte Chlorhydrat der Cincholoiponsäure bildete das Ausgangsmaterial zu den meisten folgenden Versuchen. Durch Erhitzen mit concentrirter Schwefelsäure auf 260 bis 270° geht es in γ-Methylpyridin über, welches durch Ueberführung in γ-Pyridincarbonsäure, Schmelzp. 317°, als solches erkannt wurde. Neben dieser Base entstehen bei der Einwirkung der Schwefelsäure noch Ammoniak und zwei isomere Säuren; die wahrscheinlich structurverschiedene *Methylpyridincarbonsäuren* sind derart entstanden, dafs von den zwei Carboxylen der Cincholoiponsäure zum Theil das eine, zum Theil das andere abgespalten worden ist. Die eine dieser Säuren ist als *Goldsalz*, $C_7H_{13}NO_2AuCl_4H + \frac{1}{2}H_2O$, schmale Blätter, Schmelzp. 174°, die andere als *Platinsalz*, $(C_7H_{13}NO_2)_2PtCl_6H_2 + 1\frac{1}{2}H_2O$, orangegelbe Krystallkörner, Schmelzp. 200 bis 202° mit Gasentwickelung, analysirt worden. — Die Behandlung des Cincholoiponsäurechlorhydrats mit Essigsäureanhydrid führte zum *Acetylcincholoiponsäureanhydrid*, $C_8H_{10}NO_3 . C_2H_3O$. Prismen, Schmelzp. 130 bis 131° (unscharf); durch warmes Wasser enstand daraus die *Acetylcincholoiponsäure*, $C_8H_{12}NO_4 . C_2H_3O$, Schmelzp. 168°, die mit Kupferacetat ein neutrales Salz, $C_8H_{10}(C_2H_3O)NO_4Cu + 2H_2O$, in mikroskopischen Kügelchen ergiebt. — Mit Phosphorpentachlorid wurde aus Cincholoiponsäurechlorhydrat ein gelber, amorpher, in Alkohol sehr leicht löslicher Körper erhalten, $C_{27}H_{30}P_5Cl_{11}N_3$, der wahrscheinlich aus einem Gemenge bestand. — Chromsäure-Schwefelsäuremischung greift die Cincholoiponsäure nur bei grofsen Concentrationen an und verbrennt sie dann zu Kohlensäure und Blausäure; Kaliumpermanganat erzeugt sehr geringe Mengen der *Loiponsäure*. $C_7H_{11}NO_4$, welche bequemer und zweckmäfsiger aus den eingangs erwähnten Mutterlaugen des cincholoiponsauren Baryums isolirt werden können. Dieselben werden zunächst durch Aetzbaryt von Schwefelsäure, dann durch Schwefelwasserstoff von Schwermetallen befreit und schliefslich zur Trennung von Salzsäure mit genau hinreichenden Mengen von Silberoxyd behandelt. Die zur Syrupsdicke eingedampften Filtrate liefern nach längerem Stehen, schneller nach Einimpfen, mikroskopische Krystalle der Loiponsäure, die aus Wasser in derben, unregelmäfsigen Prismen anschiefsen. Sehr leicht löslich in Säuren und Alkalien, in Alkohol fast unlöslich. Schmelzpunkt unter vorhergehendem Sintern unter Aufschäumen 259 bis 260°. Ihr *Chlorhydrat*, $C_7H_{11}NO_4 . HCl$, bildet flächenreiche Prismen, Schmelzpunkt unscharf 216 bis 220°. *Platinsalz* strahlig krystallinisch. *Goldsalz*, $C_7H_{11}NO_4 . AuCl_4H + H_2O$, viereckige Tafeln, Schmelzp. 201 bis 202°. *Kalisalz*, mikroskopische Blätter,

enthält nur ein Alkaliatom. Beim dreistündigen Kochen mit überschüssigem Essigsäureanhydrid entstand das *Acetylloiponsäure-*
anhydrid, $C_7 H_3 N O_3 . C_2 H_3 O$, weiße Krystallwarzen, in Alkohol
sehr schwer, in Eisessig leicht löslich. Schmelzp. 161 bis 163°.
Durch Wasser geht es in schwerer lösliche *Acetylloiponsäure*
über, Schmelzp. 204°. Andauernde Einwirkung des Chlorwasser-
stoffes auf die alkoholische Lösung der Loiponsäure ergiebt einen
öligen Diäthylester, der in Form des schwer löslichen Platinsalzes,
$[C_7 H_9 N O_4 (C_2 H_5)_2]_2 H_2 PtCl_6$, analysirt wurde.—Trockene Destillation
der Cincholoiponsäure mit Kalk ergab statt des erwarteten Methyl-
piperidins resp. Dimethylpyrrolidins viel Ammoniak, wenig einer
Base von der Zusammensetzung eines Aethyl- oder Dimethyl-
piperidins, welche als orangegelbes, in unregelmäßigen Prismen, Schmelzp. 194 bis 196°, krystallisirtes *saures Chloroplatinat*,
$C_7 H_{11} . N . H_2 PtCl_6$, analysirt wurde, und größere Mengen von Pyrolen
sehr complicirter Zusammensetzung. Bei der Einwirkung von Jodmethyl auf freie Cincholoiponsäure unter Druck entstehen spielend
leicht lösliche Syrupe, dagegen aus dem Cincholoiponsäureäthyl-
ester (dessen Platinsalz, $[C_4 H_{11} N O_4 (C_2 H)_2]_2 H_2 PtCl_6$, in monoklinen
Tafeln oder Blättchen, Schmelzp. 181°, anschießt) nach zwei verschiedenen Verfahren, die im Originale nachzusehen sind, ein *Jod-*
methylmethylcincholoiponsäurediäthylester, $C_5 H_{10} (C H_3) N O_4 (C_2 H_5)_2$
$CH_3 J$ Krystalle, Schmelzp. 176°. In Alkohol sehr leicht, schwerer
löslich in Chloroform und Wasser. Sublimirbar. Optisch activ:
.0,5 g in 100 ccm Wasser gelöst zeigten bei 20° im 100 mm-Rohr
bei einer Dichte 20 4 = 1,0058 eine Ablenkung von —0,2155°.
Daraus durch Umsetzung mit Chlorsilber dargestellte *quaternäre*
Chlorverbindung krystallisirt über Schwefelsäure strahlig, *Platin-*
salz bildet Blättchen, Schmelzp. 210 bis 213°, *Goldsalz* goldglänzende, große Blätter, Schmelzp. 80 bis 82°; wird die Ent-
jodung mit möglichst wenig Silberoxyd vorgenommen, so entsteht
in Folge der partiellen Verseifung ein Syrup, dessen *Platinsalz*
bei 197 bis 198° schmilzt, *Goldsalz* rechteckige, gekreuzte Täfelchen,
Schmelzp. 90 bis 95°, von der Zusammensetzung $C_5 H_{11} (CH_3)_2 N O_4$
$. C_2 H_5 . AuCl_4$ bildet. [Dieses entspricht dem Verhalten des Jodmethylates des Tropinsäureesters [1]).] Wird die wässerige kochende
Lösung des obigen Jodmethylates mit Pottaschelösung vermischt,
so fällt ein bald erstarrendes Oel aus, eines mit vorigem *iso-*
meren Jodids. Prismen, Schmelzp. 120°, Drehungsvermögen unter
den früher mitgetheilten Bedingungen — 0,4450. Sein *Platinsalz*,

---

[1]) Ber. 28, 3281.

$[C_8 H_{10} NO_4 (CH_3)_2 (C_2 H_5)_2]_2 Pt H_2 Cl_6$, bildet sechseckige Blättchen, Schmelzp. 216° unter Schäumen. Der Verfasser meint, daß hier ähnliche Verhältnisse obwalten wie bei der Maleïn- und Fumarsäure, und verspricht eine eingehende Untersuchung dieser eigenthümlichen Isomeren.   *v. N.*

Guido Goldschmiedt und Alfred Kirpal. Ueber die Einwirkung von Jodmethyl auf Papaverinsäure[1]). — Den Gegenstand dieser eingehenden Untersuchung bilden die drei, von Schranzhofer[2]) aus Papaverinsäure und Jodmethyl bei Gegenwart von Methylalkohol erhaltenen und mit *A*, *B* und *C* bezeichneten Substanzen. Für diese letzte, bei 122 bis 124° schmelzende Substanz wurde von Herzig und Meyer constatirt[3]), daß dieselbe vier Methylgruppen enthalte, aber kein Methyl am Stickstoff gebunden sei. Da die Verfasser jetzt diesen Körper durch Kochen der alkoholischen Lösung des Papaverinsäuremethylesters (Schmelzp. 152°) mit Schwefelsäure erhalten haben, so unterliegt es keinem Zweifel, daß er ein neutraler Methylester der Papaverinsäure ist

$$CH_3 O \qquad CO_2 CH_3 \qquad CO_2 CH_3$$
$$CH_3 O - \langle\rangle - CO - \langle\rangle \quad .$$
$$N$$

Die Substanz *B*, Schmelzp. 195 bis 197°, wurde durch Esterificiren der Papaverinsäure mit Methylalkohol und Schwefelsäure dargestellt; da dieselbe drei Methoxyle enthält, so ergiebt sich für sie die Constitutionsformel eines γ-Monomethylesters der Papaverinsäure,

$$CH_3 O \qquad COOH \qquad COOCH_3$$
$$CH_3 O - \langle\rangle - CO - \langle\rangle \quad .$$
$$N$$

dem früher aus Papaverinsäureanhydrid und Methylalkohol[4]) dargestellten Isomeren, Schmelzp. 153°, würde die β-Formel entsprechen:

$$OCH_3 \qquad COOCH_3 \qquad COOH$$
$$CH_3 O - \langle\rangle - CO - \langle\rangle \quad ,$$
$$N$$

für wässerige Lösungen der Ammoniaksalze dieser beiden Ester werden Reactionen mit verschiedenen Metallsalzen angegeben. Die Darstellung des Pyropapaverinsäuremethylesters durch Schmelzen des γ-Esters unter Abspaltung von Kohlensäure gelang nicht, er

---

[1]) Monatsh. Chem. 17, 491—505. — [2]) Daselbst 14, 521. — [3]) Daselbst 16, 599. — [4]) Daselbst 13, 697.

wurde aber auf übliche Weise aus der Pyropapaverinsäure selbst bereitet: $C_{16}H_{13}NO_5$, seideglänzende Nadeln, Schmelzpunkt 108°. Das vermeintliche Baryumsalz, $C_{17}H_{13}NO_7Ba$, von Schranzhofer hat sich als papaverinsaures Baryum, $C_{16}H_{11}NO_7Ba$, erwiesen. — Auch die Auffassung der bei 192 bis 194° schmelzenden Substanz A als Methylbetaïn der Papaverinsäure erwies sich als unrichtig. Es wurde vor Allem constatirt, dafs der Körper fünf Methoxyle auf ein an Stickstoff gebundenes Methyl enthält, in Folge dessen seine frühere Formel zu verdoppeln ist: $C_{34}H_{30}N_2O_{14}$. Auf einen derartigen Körper stimmen gut die früher unverständlichen Resultate der Analysen des Platinsalzes, welches bei 100° getrocknet die Zusammensetzung $(C_{34}H_{30}N_2O_{14}.2HCl)_2PtCl_4 + 8H_2O$ besafs, und bei 125° $2HCl + 8H_2O$ verlor. Obwohl die Structur dieses Körpers noch nicht endgültig gelöst ist, so scheint es doch sehr wahrscheinlich, dafs sein Molekel aus gleichen Molekeln des noch unbekannten Betaïns und des sauren Esters besteht. *v. N.*

Chinolingruppe.

Chr. A. Knueppel. Ueber eine Verbesserung des Skraup-schen Verfahrens zur Darstellung von Chinolin und Chinolin-derivaten [1]. — Der Verfasser empfiehlt die Anwendung der Arsensäure an Stelle von Nitrobenzol als Oxydationsmittel im Skraup'schen Verfahren. Bei substituirten aromatischen Aminen, z. B. Nitranilinen, sind dann die Ausbeuten an entsprechenden Chinolinderivaten bedeutend günstiger, nur bei der Darstellung von Chinolin und Toluchinolin unter Anwendung von Nitrobenzol oder Nitrotuluol sind, weil diese ebenfalls zur Ausbeute beitragen, bei gleichen Mengen verwendeter Amine, die Resultate nach altem Verfahren etwas besser als nach neuem. — Die Arsensäure wird im Verlaufe der Reaction zur arsenigen Säure reducirt, gemäfs der Gleichung: $2C_6H_5NH_2 + 2C_3H_8O_3 + 2H_3AsO_4 = 2C_9H_7N + 11H_2O + As_2O_3$. In der Ausführung der Reaction und Iso-lirung der gebildeten Chinolinderivate tritt gegenüber dem alten Skraup'schen Verfahren beinahe keine Abänderung ein. Die neue Methode wurde erprobt am Anilin, o-Toluidin, o-, m- und p-Nitranilin, m- und p-Amidodimethylanilin, β-Naphtylamin, β-Anthramin, β-Amidoalizarin und an der Sulfanilsäure, — es sind somit nach dem Verfahren des Verfassers Chinolin, o-Tolu-

---

[1] Ber. **29**, 703—709.

chinolin, o-, m- und p-Nitrochinolin, m- und p-Dimethylamido-
chinolin, β-Naphtochinolin, β-Anthrachinolin, Alizarinblau und
Parachinolinsulfosäure dargestellt worden. Aus α-Amidoalizarin
wurde ein noch nicht näher untersuchter Körper erhalten, in dem
möglicher Weise die dem Alizarinblau entsprechende α-Verbindung
vorliegt.   *v. N.*

Chr. A. Knueppel. Verfahren zur Darstellung von Chinolin
und Chinolinderivaten [1]). — Anilin und dessen Derivate, sowie
Naphtylamin und Anthramin und deren Derivate erhitzt man
mit Arsensäure (Metaarsensäure oder Arsenpentoxyd), Glycerin und
concentrirter Schwefelsäure, wobei die Reaction mit grofsen
Substanzmengen und ohne Harzbildung glatt zu den entsprechenden *Chinolinderivaten* führt. So wurden die *Nitrochinoline* aus
o-, m- und p-Nitroanilin, die *m*- und *p-Dimethylamidochinoline*
(Siedep. 310 bezw. 330⁰) aus m- und p-Amidodimethylanilin, das
β-Naphtochinolin und das *β-Anthrachinolin* aus β-Naphtylamin
bezw. β-Anthramin und das *Alizarinblau* aus β-Amidoalizarin gewonnen.   *Sd.*

W. v. Miller und J. Plöchl. Ueber Thioaldolanilin und
Aldehydgrün [2]). — In der Abhandlung der Verfasser über Aldehydgrün [3]) wurde dargethan, dafs dieser Farbstoff aus dem Pararos-
anilin durch Einwirkung von Paraldehyd und Schwefelsäure in
der Weise entsteht, dafs von den drei Amidogruppen die eine
chinaldisirt wird, während die beiden anderen in die Anhydro-
verbindungen von Aldol übergeführt werden, worin also noch die
den Schiff'schen Basen eigene Atomgruppe =C:N- zweimal enthalten ist. Diese Gruppe besitzt ein charakteristisches Anlagerungsvermögen für elementare Körper sowohl, wie für einfacher
zusammengesetzte Verbindungen, so dafs die Vermuthung ausgesprochen wurde, der Schwefelgehalt im technischen Aldehydgrün könne auf dieses Anlagerungsvermögen zurückgeführt werden.
Es wurde in Folge dessen das Aldolanilin [4]) auf Schwefelanlage-
rung geprüft. Das Aldolanilin, $C_6H_5N=CH.CH_2.CHOH.CH_3$, ist
ein leicht zersetzliches Oel. Mit Schwefelwasserstoff konnte kein
Additionsproduct erhalten werden. Dagegen gelingt es, Schwefel
selbst anzulagern. Das Aldolanilin wird in absolutem Alkohol
gelöst und mit krystallisirtem Schwefelammon im Ueberschufs
digerirt. Die nach dem Verdunsten des Alkohols zurückbleibende
braune, schmierige Masse erstarrt nach längerem Stehen zu einem

---

[1]) Ber. 29, Ref. 723; D. R.-P. Nr. 87334. — [2]) Ber. 29, 59—61. —
[3]) Ber. 24, 1700. — [4]) Ber. 27, 1292.

Krystallbrei, aus dessen ätherischer Lösung sich glasglänzende, zu Büscheln und sternförmigen Gebilden verwachsene Nadeln absetzen. Die anfangs weifse Substanz färbt sich nach einiger Zeit gelblich, ohne sich weiter zu verändern. Sie schmilzt bei 92° und wird von Aether, Alkohol und Benzol leicht aufgenommen. Die Analyse bestätigte die Zusammensetzung des Körpers als *Thioaldolanilin*, C_6H_5N⟩$_S$⟨$CH.CH_2.CHOH.CH_3$. Die früher gegebene Formel des Aldehydgrüns ist mit der des Thioaldolanilins in Einklang zu bringen und dementsprechend zu modificiren. Das einfach geschwefelte Grün von Cherpin besitzt demnach die Formel:

$$\begin{array}{l} HO \\ Chinaldin \end{array}\Big\rangle C \Big\langle \begin{array}{l} C_6H_4N{-\!-}CH.CH_2.CHOH.CH_3 \\ C_6H_4N{=\!=}CH.CH_2.CHOH.CH_3 \end{array},$$

das zweifach geschwefelte von Lucius dagegen:

$$\begin{array}{l} HO \\ Chinaldin \end{array}\Big\rangle C \Big\langle \begin{array}{l} C_6H_4N{-\!-}CH.CH_2.CHOH.CH_3 \\ C_6H_4N{-\!-}CH.CH_2.CHOH.CH_3 \end{array}.$$

Hr.

Albert Edinger. Ueber die Einwirkung von Halogenschwefel auf aromatische Amine [1]). — Enthält als beiläufige Mittheilung die Zusammenfassung derjenigen Resultate, welche im Journal für praktische Chemie Gegenstand der zwei folgenden besonderen Abhandlungen bilden. *v. N.*

A. Edinger. Ueber die Einwirkung von Bromschwefel auf aromatische Amine [2]). — Chinolin liefert mit fertigem Bromschwefel, S_2Br_2, oder mit Brom und Schwefelblüthe behandelt, das *β-Bromchinolin* und ein *Tribromchinolin*, Nadeln, Schmelzp. 166°. Das Auftreten von Thiochinanthren wurde nicht beobachtet. Die Reaction mit S_2Br_2 mufs unter Eiskühlung ausgeführt werden, diejenige mit Schwefel und Brom bei 200° im Kolben im Oelbade. Die Trennung des Monobromchinolins von kaum basischem Tribromchinolin erfolgt mit Hülfe von Salzsäure. *v. N.*

A. Edinger und H. Lubberger. Ueber die Einwirkung von Chlorschwefel auf Chinolin [3]). — Erhitzt man ein Gemisch von 1 Vol. Chinolin mit circa 3 Vol. S_2Cl_2 mehrere Stunden auf 150°, zieht das Reactionsproduct mit Salzsäure aus und neutralisirt es mit Alkalien, so entsteht ein Niederschlag einer *Thiochinanthren* genannten Base, die eine der vier folgenden Formeln besitzen

---

[1]) Ber. 29, 2456—2460. — [2]) J. pr. Chem. 54, 355—358. — [3]) Daselbst, S. 340—355.

dürfte: 1. C_9H_6NSH;   2. $N.C_9H_6S—S.C_9H_6N$;   3. C_9H_6SN;

4. $NC_9H_5\underset{S}{\overset{S}{<>}}C_9H_5N$.   Lange Nadeln.   Schmelzp. 306⁰.   Aufser

in kochendem Eisessig, Xylol und Naphtalin ist es in den übrigen
Lösungsmitteln fast ganz unlöslich.   Seine mineralsauren Salze
dissociiren mit Wasser.   Das Sulfat bildet mit 2 Mol. Wasser
hellgelbe Krystalle, das Chlorhydrat gelbbraunes Pulver, das
Platindoppelsalz feinpulverigen rothen Niederschlag.   Die Verbindung mit Trinitrophenol bildet goldgelbe Krystalle.   Schmelzp.
281⁰.   Das Jodmethylat, kleine, dunkelrothe Krystalle, 2 Mol.
Krystallwasser enthaltend; — daraus durch Umsetzung mit
Chlorsilber dargestelltes Chlormethylat bildet Nadeln.   Schmelzp.
284 bis 285⁰ mit Zersetzung.   Zahlreiche an der neuen Base
mit Chromsäure und Kaliumpermanganat unternommene Oxydationsversuche ergaben kein günstiges Resultat, nur durch
Salpetersäure wurde scheinbar ein Gemenge von Pyridinmono-
und Pyridindicarbonsäure erzeugt.   Den sämmtlichen, auch den
kräftigsten Reductionsmitteln widerstand die Base, was nach Ansicht der Verfasser die Anthracenformel wahrscheinlich macht.
Unter vermindertem Druck von 20 mm sublimirt die Base bei
170⁰. — Durch Einwirkung (sehr heftig) von Schwefeldichlorid,
SCl_2, auf das Chinolin entsteht aufser der obigen Base ein Mono-
chlor- und ein Trichlorchinolin.   Die Trennung kann unter anderen
auch auf folgendem Wege erfolgen: Das Reactionsproduct wird
mit verdünnter (1:2) Salzsäure ausgekocht, wodurch das Mono-
chlorchinolin und die schwefelhaltige Base in Lösung gehen,
während das Trichlorderivat ungelöst bleibt.   Vorsichtiges Ab-
stumpfen der salzsauren Lösung mit Alkali bringt die schwefelhaltige Base zur Abscheidung, vollkommenes Alkalischmachen der
Filtrate schlägt *β-Monochlorchinolin* als gelbes Oel nieder.   Dieses
letztere, in Aether aufgenommen und, wie üblich, gereinigt, sott
bei 255⁰ unter 743 mm Druck.   Chlorhydrat, Nadeln, Schmelzp.
210⁰, sublimirbar.   Platindoppelsalz, $(C_9H_6ClN.HCl)_2.PtCl_4$
$+ 2H_2O$, feine Nadeln.   Sulfat, Nadeln, Schmelzp. 148 bis 150⁰.
Bichromat, $(C_9H_6ClN)_2H_2Cr_2O_7$, rothgelbe Nadeln, Schmelzp. 118
bis 119⁰.   Jodmethylat, lange, goldgelbe Nadeln, unzersetzt
sublimirbar bei 276⁰.   Nitrirung mit Salpeterschwefelsäure ergab
ein Gemenge zweier isomerer *Chlornitrochinoline*, Schmelzp. 105
bis 107⁰ und 127⁰C.   Dieses letztere bildet ein bei 95⁰ schmelzendes
Chlorhydrat und wird mit Salpetersäure (spec. Gew. 1,13) im
Rohr bei 215 bis 220⁰ zu β-Chlornicotinsäure, Schmelzp. 235⁰,
oxydirt.   Das neben obigem β-Chlorchinolin entstehende *Trichlor-*

chinolin krystallisirt aus Eisessig in Nadeln, Schmelzp. 186°, bildet *kein* Chlorhydrat, Platindoppelsalz und Jodmethylat. *v. N.*

Arnold Reifsert. Umwandlungen des o-Nitrobenzylmalonsäureesters II. Reduction, Bildung von Chinolinderivaten [1]). — Die Reduction wurde, wie folgt, ausgeführt: Je 6 g Ester, der möglichst vom Di-Ester befreit ist, werden in 100 ccm absolutem Alkohol gelöst, die Lösung wird mit trockenem Chlorwasserstoff gesättigt und darauf bringt man unter kräftiger Kühlung so lange Zinkstaub ein, bis starke Wasserstoffentwickelung eintritt. Die filtrirte Flüssigkeit wird eingedampft, mit Wasser und überschüssigem Ammoniak versetzt und mit Aether ausgezogen. Der Aetherrückstand wird durch Aufstreichen auf Thon oder durch Umkrystallisiren aus viel Wasser von öligen Beimengungen befreit und zur vollständigen Reinigung durch Lösen in Benzol und Ausscheiden von Ligroinzusatz gereinigt. Man erhielt so weiche, verfilzte Nädelchen vom Schmelzp. 137 bis 138°, die sich leicht in Chloroform, Benzol, Aether, warmem Methyl- und Aethylalkohol, schwer in Ligroin und Wasser lösen. In concentrirten Säuren ist der Körper schon bei schwachem Erwärmen löslich. Er ist ein *Hydrocarbostyril-β-carbonsäureäthylester,*

$$C_8H_4 \diagup^{CH_2}_{NH-CO} CH.COOC_2H_5.$$

Durch schwaches Erwärmen mit Natronlauge geht der Ester in *Hydrocarbostyril-β-carbonsäure,*

$$C_8H_4 \diagup^{CH_2}_{NH-CO} CH.COOH,$$

über. Sie krystallisirt aus der angesäuerten Lösung aus und wird durch Kochen mit Calciumcarbonat unter Zusatz von Thierkohle in das Kalksalz übergeführt. Daraus ausgeschieden, krystallisirt die Säure in kleinen, glänzenden, weifsen Krystallen, welche unter dem Mikroskop die Gestalt kurzer, dicker Prismen zeigen. Sie schmilzt bei 146° unter Kohlensäureentwickelung und Bildung von *Hydrocarbostyril*, C_9H_9NO (Schmelzp. 163°). Die Säure löst sich leicht in Eisessig, Alkohol und Wasser in der Hitze, sehr schwer in Aether, Benzol und Chloroform, nicht in Ligroin. — Die Ammoniaklösung der Säure giebt folgende Reactionen mit Metallsalzlösungen: Mit *Calciumchlorid* nach einigem Stehen eine krystallinische, weifse Fällung, die in heifsem Wasser leicht löslich ist; mit *Burymchlorid* keinen Niederschlag, mit *Magnesiumsulfat*

---

[1]) Ber. 29, 665—667.

in der Kälte keinen Niederschlag, beim Erhitzen eine krystallinische Fällung; mit *Ferrosulfat* eine Trübung, beim Kochen einen dunkelgelben, krystallinischen Niederschlag; mit *Ferrichlorid* eine gelbrothe Fällung, die sich beim Erhitzen auflöst, in der Kälte wieder ausfällt; mit *Kupfersulfat* ein auch in der Hitze schwer lösliches, schwach blaugrün gefärbtes, mikrokrystallinisches Salz; mit *Silbernitrat* einen feinkrystallinischen, weifsen Niederschlag, der sich in heifsem Wasser unter Gelbfärbung löst und beim Erkalten wieder auskrystallisirt; mit *Bleinitrat* und *Quecksilberchlorid* schwer lösliche, weifse Fällungen. Die Hydrocarbostyril-β-carbonsäure entsteht auch bei der Reduction der o-Nitrobenzylmalonsäure in saurer Lösung.   *H. G.*

    Ad. Claus.   Meta-para- und Para-ana-Dibromchinolin [1]).
VII. o-m-p-Tribromchinolin; VIII. m-p-ana-Tribromchinolin und
IX. m-p-β-Tribromchinolin. — Claus und Geisler [2]) haben schon früher gezeigt, dafs bei der Skraupirung des m-p-Dibromanilins m-p- und p-ana-Dibromchinolin neben einander entstehen. Näheres darüber enthalten die Freiburger Dissertationen von Lodholz (1891) und Hirschbrunn (1892), denen auch die folgenden Angaben zum grofsen Theil entnommen sind. — Die Trennung beider Dibromchinoline kann durch Destillation mit Wasserdampf oder durch fractionirte Krystallisation erreicht werden. Das *m-p-Dibromchinolin* ist mit Wasserdampf flüchtig, resp. in Alkohol viel leichter löslich als das Isomere. Das m-p-Dibromchinolin bildet nach einmaliger Sublimation Nadeln vom Schmelzp. 68°, womit die früheren Angaben corrigirt werden. Das p-ana-Dibromchinolin schmilzt bei 135°; sein *Platindoppelsalz*, $(Br_2 C_9 H.N.HCl)_2 PtCl_4$, gelber krystallinischer Niederschlag oder orangegelbe Säulchen, schmilzt noch nicht bei 300°. *Jodmethylat*, $Br_2.C_9 H_5 N.CH_3 J$, aus Componenten im Rohr bei 120 bis 125°. Orangegelbe Nadeln, schmilzt unter Zersetzung bei 302°. *Hydrobromatdibromid.* $Br_2.C_9 H_5 N.HBr.Br_2$, wird durch Einwirkung von Bromwasserstoffgas auf die Chloroformlösung der Base und darauf folgende weitere Einwirkung von 1 Mol. Brom als blutrothe Krystallmasse erhalten. Bei vier- bis fünfstündigem Erhitzen dieser Verbindung auf 230 bis 240° im offenen Gefäfs wird neben anderen Producten das *p-ana-β-Tribromchinolin* in einer Ausbeute von 60 Proc. gebildet. Farblose Nadeln, Schmelzp. 149°; identisch mit dem von Claus und Reinhard [3]) irrthümlich als p-ana-γ-Tribrom-

---

¹) J. pr. Chem. [2] 53, 25—38. — ²) Daselbst [2] 40, 380. — ³) Daselbst [2] 49, 538.

chinolin Nr. III bezeichneten Präparat. *Platindoppelsalz*, (p-ana-
β-Br$_2$.C$_9$H$_4$N.HCl)$_2$PtCl$_4$, gelbbraune Kryställchen, die bei 300°
nicht schmelzen. — Wird 1 Thl. p-ana-Dibromchinolin in 4 Thln.
eines Gemisches aus 1 Thl. rauchender Salpetersäure und 2 Thln.
Schwefelsäurehydrat ohne zu kühlen eingetragen, so entsteht
immer das nämliche einzige *o-Nitro-p-ana-dibromchinolin*. Farblose Nadeln, Schmelzp. 152°. Es besitzt nur noch schwach basische
Eigenschaften. Es verbindet sich nicht mit Jodmethyl, was für
die ortho-Stellung der Nitrogruppe spricht. *Platindoppelsalz*,
(o-NO$_2$-p-ana-Br$_2$.C$_9$H$_4$N.HCl)$_2$PtCl$_4$, gelbbraune Kryställchen,
die bei 265° zu erweichen und sich zu schwärzen beginnen.
Die Stellung der Nitrogruppe im o-Nitro-p-ana-dibromchinolin
wurde einwandsfrei bewiesen durch Ueberführung dieses Körpers
in o-p-ana-Tribromchinolin, Schmelzp. 159°[1]). Von Derivaten
des m-p-Dibromchinolins beschreibt der Verfasser das *Platindoppelsalz*, gelber Niederschlag, der bei 295° sich zu schwärzen
beginnt. *Jodmethylat*, feurig gelbe Krystallnädelchen, die unter
Aufschäumen bei 255 bis 260° schmelzen. Beim Nitriren giebt
das m-p-Dibromchinolin stets zwei isomere Mononitroderivate, die
bei der Oxydation mit Kaliumpermanganat glatt Pyridincarbonsäure liefern, demnach die Nitrogruppen im Benzolkern enthalten.
Gestützt auf ihr verschiedenes Verhalten gegen Jodmethyl nimmt
der Verfasser für den einen Körper die *ortho*-, für den anderen
die *ana*-Stellung der Nitrogruppe an. *o-Nitro-m-p-dibrom-
chinolin* entsteht vorwiegend beim Nitriren bei gewöhnlicher
Temperatur. Nahezu farblose Kryställchen, Schmelzp. 191°. In
Wasser unlöslich, in Alkohol schwer, in Chloroform und Aether
leicht löslich. Mit Wasserdampf nicht flüchtig. Verbindet sich
nicht mit Jodmethyl. *Platindoppelsalz*, (o-NO$_2$-m-p-Br$_2$.C$_9$H$_4$N
.HCl)$_2$PtCl$_4$, krystallinischer, gelber Niederschlag, der bei 280°
unter Zersetzung schmilzt. Durch Reduction mit Zinnchlorür
und Salzsäure entsteht aus der Nitroverbindung das *o-Amido-
m-p-dibromchinolin*. Feine, mit Wasserdampf flüchtige Nadeln,
Schmelzp. 68°. Nach Sandmeyer wurde der Körper in (VII.)
o-m-p-Tribromchinolin übergeführt. Concentrische Aggregate farbloser Nädelchen, Schmelzp. 84°. *Salzsaures Salz* glasglänzende
Säulchen, die sich schon an der Luft unter Trübwerden zersetzen. *Platindoppelsalz* gelbe Nadeln, die gegen 270° unter Aufschäumen schmelzen. — *ana-Nitro-m-p-dibromchinolin* entsteht in
gröfserer Menge beim Nitriren in der Wärme. Farblose Nadeln,

---

[1]) J. pr. Chem. [2] 51, 481.

Schmelzp. 165⁰. *Jodmethylat* aus Componenten beim Erhitzen auf 120⁰ im Rohr. In Aether etc. unlöslich, in Alkohol und Wasser in der Wärme leicht löslich. Granatrothe Säulchen und Nadeln, die gegen 250 bis 252⁰ unter Aufschäumen schmelzen. *Platindoppelsalz*, gelbe Kryställchen, Zersetzungspunkt 260 bis 262⁰. — *ana-Amido-m-dibromchinolin.* Farblose Nadeln, Schmelzp. 119⁰. Ueber die Diazoverbindung wurde es nach Sandmeyer in (VIII.) *m-p-ana-Tribromchinolin* übergeführt. Nadeln, Schmelzp. 124⁰. — Das (IX.) *m-p-β-Tribromchinolin* wurde nach Claus-Collischonn'schem Verfahren aus m-p-Dibromchinolin bereitet. Das Hydrobromatdibromid wurde vier bis fünf Stunden lang im Rohr auf 200⁰ erhitzt, das Reactionsproduct in Eisessig aufgelöst und mit Wasser fractionirt ausgefällt. Nadeln, Schmelzp. 116,5⁰. Arbeitet man bei 240⁰ im offenen Gefäſs, so bilden sich höher gebromte, bei 155⁰ und 135⁰ schmelzende, näher nicht beschriebene Producte. *Platindoppelsalz*, $(m-p-\beta-Br_3 . C_9H_4N . HCl)_2 PtCl_4$, röthlichbraune Prismen, die bei 300⁰ noch nicht schmelzen. *Jodmethylat*, $m-p-\beta-Br_3 . C_9H_4N . CH_3J$. Aus Componenten im Rohr bei 130⁰ dargestellt. Krystallisirt aus wässeriger Lösung in rothen Prismen, die gegen 250⁰ sich schwärzen und bei 290⁰ unter Zersetzung schmelzen.   *v. N.*

Ad. Claus. Zur Kenntniſs des Carbostyrils und seiner Derivate, ein Beitrag zur Lösung der Tautomeriefrage[1]). — Die Ergebnisse der Untersuchung der Bromirung des Carbostyrils stehen nicht im Einklang mit der Natur desselben als α-Oxychinolin, und nöthigen, nach Ansicht des Verfassers, zur Annahme seiner Tautomerieformel mit viervalentiger Bindung[2]):

Das in der Mittheilung niedergelegte experimentelle Material ist von Herrn Schottländer bearbeitet worden. Erhitzt man Carbostyril mit etwas überschüssigem Brom im Rohr etwa drei Stunden lang auf 150 bis 160⁰, oder überläſst man es sehr lange Zeit der Einwirkung von Bromdampf bei gewöhnlicher Temperatur, so entsteht immer neben höher bromirten Producten nur das bei 266⁰ schmelzende γ-Bromcarbostyril, das beim Erhitzen mit

---

[1]) J. pr. Chem. [2] 53, 325—334. — [2]) Daselbst [2] 51, 342.

Phosphorpentabromid (120°) in das *α-γ-Dibromchinolin*, Schmelzp. 89°, übergeht. Die Versuche der Bromirung des Carbostyrils nach Claus-Collischonn'schem Verfahren ergaben negative Resultate. Unter denselben Bedingungen gab das α-Bromchinolin neben höher bromirten Producten nur das eine *α-β-Dibromchinolin*, Schmelzp. 97°. Letzteres gab mit Salzsäure, bei 150° im Rohr, *β-Bromcarbostyril*, Schmelzp. 253°, welches auch bei 250° von Salzsäure nicht weiter verändert wurde; das α-γ-Dibromchinolin gab bei 150° γ-Bromcarbostyril, Schmelzpunkt 266°, welches mit Salzsäure schon bei 220 bis 230° in das *α-γ-Dioxychinolin*, Schmelzp. 320 bis 327°, übergeht. Weil das aus α-β-Dibromchinolin resp. β-Bromcarbostyril in der Kalischmelze entstehende Dioxychinolin mit Phosphorpentabromid das bei 89° schmelzende α-γ-Dibromchinolin ergab, so ist damit nachgewiesen, daſs in der Kalischmelze statt des aus der β-Stellung austretenden Halogenatoms die Hydroxylgruppe in die γ-Stellung getreten ist. Dasselbe hat früher auf etwas anderem Wege Paul Klavehn bewiesen [1]. — Schlieſslich hebt der Verfasser die Vorzüge seiner kürzlich aufgestellten [2] Theorie der *tautomeren Centralbindung* hervor, gegenüber den älteren Erklärungen der Tautomerieerscheinungen auf Grund der Annahmen von *racemischen Formen* oder von *fortwährend wechselnden Bindungen.*   *v. N.*

Ad. Claus und L. Schnell. p-Nitrochinolin und p-Amidochinolin [3]. — Das p-Nitrochinolin wurde dargestellt nach den Angaben von La Coste [4] mit der wesentlichen Abänderung des Verfahrens, daſs es aus der neutralisirten Reactionsmasse durch Wasserdampf übergetrieben wurde. Alle Versuche, es weiter zu nitriren, blieben erfolglos, dagegen ging die Bromeinführung nach dem Claus-Collischon'schen Verfahren leicht vor sich. Das bei dieser Gelegenheit dargestellte *bromwasserstoffsaure Salz*, p-NO$_2$. C$_9$H$_6$N . HBr, bildet aus harten Kryställchen bestehendes Pulver, Schmelzp. 245°, das *p-Nitrochinolinhydrobromatdibromid*, p-NO$_2$. C$_9$H$_6$N . HBr . Br$_2$, gelbrothe Krystalle. Dieses letztere geht bei 170 bis 180° in *β-Brom-p-nitrochinolin* über. Mit Wasserdampf übertreibbar, krystallisirt in Nädelchen, sublimirbar. Schmelzp. 165°. Es lieſs sich nicht höher nitriren. Sein *Jodmethylat*, β-Br-p-NO$_2$. C$_9$H$_6$N . CH$_3$J, dargestellt aus Componenten durch mehrstündiges Erhitzen im Rohr auf 130°, bildet hochrothe Nadeln und Säulen, Schmelzp. 235°. In kaltem Wasser und Alkohol

---

[1] Inaug.-Dissert. Freiburg i. B. 1893. — [2] Daselbst. — [3] J. pr. Chem. [2] 53, 106—126. — [4] JB. f. 1883, S. 1316.

sehr wenig löslich. Die β-Stellung des Bromatoms wurde bewiesen 1. durch Oxydation der Verbindung zu β-Brompyridin-
dicarbonsäure und Ueberführung der Säure in β-Bromnicotin-
säure, 2. durch Ueberführung auf üblichem Wege in das bekannte,
von Claus und Welter zuerst [1]) dargestellte p-β-Dibromchinolin,
Schmelzp. 130°. — Durch Reduction des p-Nitro-β-bromchino-
lins mit Zinnchlorür und Salzsäure oder besser mit Eisenpulver,
Wasser und etwas Eisessig entsteht das *p-Amido-β-bromchinolin*.
Nadeln, Schmelzp. 106°. Sublimirbar, mit Wasserdampf nicht
flüchtig. Leicht löslich in heifsem Wasser und Alkohol. Dieses
geht durch Bromiren in Eisessig- oder Chloroformlösung quantitativ in das *bromwasserstoffsaure Salz eines Dibromamidochino-
lins* über. Das Salz bildet feuriggelbes Krystallpulver, Schmelzp.
210°, und wird durch Alkali in *ana-Brom-p-amido-β-bromchinolin*,
Schmelzp. 146°, umgewandelt. Aus Alkohol sowie durch Sublimation feine Nadeln. Der Stellungsnachweis für das neueingetretene
Bromatom geschah durch Ueberführung in das bekannte *p-ana-
β-Tribromchinolin*, Schmelzp. 149°, resp. nach Eliminiren der
NH$_2$-Gruppe in das *ana-β-Dibromchinolin*, Schmelzp. 85 bis 86°.
— Für die Darstellung des bei 114° schmelzenden *p-Amidochinolins*
empfehlen die Verfasser die Anwendung des Eisenpulvers und die
Wasserdampfdestillation. Von neuen Derivaten wurden dargestellt:
das *Jodmethylat*, p.NH$_2$.C$_9$H$_6$N.CH$_3$J, rothe Krystalle, oder durch
Fällen der absolut alkoholischen Lösung mit Aether gelber, undeutlich krystallinischer Niederschlag, Schmelzp. 199°, aufserordentlich
leicht löslich in Wasser und Alkohol; *p-Acetamidochinolin*, p-(NH
.C$_2$H$_3$O).C$_9$H$_6$N, Nadeln, Schmelzp. 75°, in Wasser und Alkohol
leicht, in Benzol und Petroläther weniger löslich. *p-Benzoylamidochinolin*, p-(NH.C$_7$H$_5$O).C$_9$H$_6$N, Blättchen, Schmelzp. 130°, sublimirbar, aber mit Wasserdampf nicht flüchtig; in Alkohol sehr leicht,
in Wasser kaum löslich. — Wird p-Amidochinolin in Eisessiglösung mit 1 Mol. Brom behandelt, so entsteht ein bei 230° schmelzendes bromwasserstoffsaures Salz, welches durch Alkali in das
m-Brom-p-amidochinolin übergeht. Farblose, schillernde Blättchen,
Schmelzp. 67°, in Alkohol leicht, in Wasser wenig löslich. Die
Constitution des Körpers wurde einwandsfrei bewiesen durch
Ueberführung in das bei 68° schmelzende m-p-Dibromchinolin.
An derselben m-Stelle erfolgt die Bromirung des acetylirten
p-Amidochinolins; — das bei dieser Gelegenheit isolirte *m-Brom-
p-acetamidochinolin* schmilzt bei 165° und krystallisirt aus heifsem

---

[1]) JB. f. 1889, S. 1017.

Wasser in bronzeglänzenden Blättchen. Sein bromwasserstoffsaures Salz bildet einen gelben, krystallinischen Niederschlag,
Schmelzp. 241°. — Bei Versuchen, durch Einwirkung von überschüssigem Brom auf das p-Amidochinolin, dessen Acetyl- und
Benzoylderivate zu höher bromirten Verbindungen zu gelangen,
erzielte man das Ende der directen Substitution schon bei folgendem *Dibrom-p-amidochinolin* aus Alkohol, kleine Kryställchen,
Schmelzp. 170°, und *Dibrom-p-benzoylamidochinolin*, aus Alkohol
nadelförmige Kryställchen, Schmelzp. 159°; sein *Hydrobromat*,
Schmelzp. 227°. Mit der näheren Untersuchung dieser weiter
bromirten Substanzen ist Hr. Rinck beschäftigt.   *v. N.*

Ad. Claus und G. Hartmann. Ortho-ana-, Ortho-para-
und Meta-ana-Dinitrochinolin [1]. — Die Arbeit enthält den
Stellungsnachweis an beiden durch directes Nitriren des Chinolins
entstehenden und vor längerer Zeit von Claus und Kramer [2]
beschriebenen Dinitrochinolinen. — Entgegen den früheren Angaben wurde gefunden, dafs bei Anwendung genügend starken
Nitrirungsmittels das ana-Nitrochinolin in ein Dinitroproduct
übergeht; wenn man nämlich 3 g ana-Nitrochinolin mit einem Gemisch von 50 g rauchender Salpetersäure (spec. Gew. 1,5) mit
50 g Schwefelsäurehydrat drei bis vier Stunden lang im Sieden
erhält und die in Eiswasser eingetragene Reactionsmasse vorsichtig mit so viel Alkali, als zur Sättigung aller Schwefelsäure
nöthig ist, versetzt, so scheidet sich ein bei 182° schmelzendes
Dinitrochinolin ab, welches identisch ist mit dem durch Weiter-
nitriren von o-Nitrochinolin erhältlichem Dinitroproduct. Dieser
Körper ist demnach als ein o-ana-Dinitrochinolin, identisch mit
Claus und Kramer'schem α-Dinitrochinolin, aufzufassen. Einen
weiteren Beweis der angegebenen Constitution erbrachten die
Verfasser durch Ueberführen der Dinitroverbindung in das bei
127 bis 128° schmelzende o-ana-Dibromchinolin am Wege des
entsprechenden Diamins und der Diazotirung seiner bromwasserstoffsauren Lösung. — Das o-ana-Dinitrochinolin geht in Chloroformlösung unter Einflufs des' Bromwasserstoffgases in ein bei
280° schmelzendes bromwasserstoffsaures Salz über, welches leicht
zwei Bromatome unter Bildung des Bibromides aufnimmt. Erhitzt
man dieses einige Stunden im Rohr über 150°, so bildet sich
o-ana-Dinitro-β-bromchinolin, ein in Alkohol schwer, in Wasser
kaum löslicher, in Nadeln, Schmelzp. 152°, krystallisirender Körper. — Versetzt man 10 g Dinitrochinolin, die unter Rückflufs

[1] J. pr. Chem. [2] 53, 198—210. — [2] JB. f. 1885, S. 966—969.

mit 250 g Alkohol erhitzt wurden, tropfenweise mit 50 ccm concentrirten Schwefelammonium und erhält die tiefbraun gefärbte
Reactionsmasse eine Stunde im wallenden Kochen, so krystallisirt aus dem Filtrate unter prachtvollem Farbenspiel in hochrothen, säulenförmigen Krystallen das *o-Amido-ana-nitrochinolin*,
Schmelzp. 184⁰. Dafs die partielle Reduction des Dinitrochinolins
sich auf die orthoständige Nitrogruppe erstreckt hat, wurde dadurch festgestellt, dafs aus Nitroamidochinolin durch Diazotiren
in schwefelsaurer Lösung mit Natriumnitrit und Umsetzung mit
Kupferbromür ein mit früher von Claus und Howitz[1] dargestelltem o-Brom-ana-nitrochinolin, Schmelzp. 137⁰, identischer
Körper entstand. Mit der Constitutionsauffassung des Amidonitro-
chinolins stimmt die Fähigkeit, Jodmethyl zu addiren, überein.
Dieses gegen 170⁰ unter Zersetzung schmelzende *Jodmethylat*,
o-NH₂-ana-NO₂.$C_9H_3N.CH_3J$, entsteht durch Erhitzen beider
Componenten im Rohr auf 90⁰. Am isomeren ana-Amido-o-nitro-
chinolin, Schmelzp. 180⁰, konnte die Addition von Jodmethyl
unter keinen Umständen verwirklicht werden. — Das *Chloroplatinat*, (o-NH₂-ana-NO₂.C_9H_5N.HCl)₂PtCl₄, schmilzt mit Zersetzung bei 246⁰. Dissociirt sofort beim Zusammenkommen mit
Wasser. — *o-Acetamido-ana-nitrochinolin*, dargestellt durch 1¹/₂-
bis 2 stündiges Kochenlassen der Amidoverbindung mit einer
Mischung aus doppeltem Gewicht Eisessig und dem gleichen Gewicht Essigsäureanhydrid. Die auf Eis gegossene Reactionsmasse
wurde durch Kochen der alkalischen Lösung mit Thierkohle
gereinigt und sublimirt. Hellgelbe Nadeln, Schmelzp. 220⁰. In
kochendem Wasser und Alkohol schwer löslich. — Bei der näheren
Untersuchung des Claus-Kramer'schen β-Dinitrochinolins wurde
festgestellt, dafs dasselbe, abweichend von früheren Angaben
(133 bis 134⁰), bei 144⁰ schmolz. Andererseits wurde der Schmelzpunkt des synthetischen, von La Coste[2] dargestellten o-p-Di-
nitrochinolins um 5⁰ niedriger, bei 144⁰ gefunden. Die beiden
Substanzen erwiesen sich demnach unerwarteter Weise als identisch. Der Identitätsnachweis wurde bekräftigt durch Ueberführung von Präparaten beiderlei Herkunft nach Claus-Collischonn'schem Verfahren des *β-Brom-o-p-dinitrochinolin*, kleine
farblose Nadeln, Schmelzp. 120⁰, in Alkohol schwer, in Wasser
fast gar nicht löslich, — und durch partielle Reduction mit
Schwefelammonium in *o-Amido-p-nitrochinolin*, hochrothe Nadeln
oder Säulen, Schmelzp. 194⁰, wenig in heifsem Wasser, reichlicher

---

[1] J. pr. Chem. [2] 48, 153. — [2] JB. f. 1882, S. 1075.

in heifsem Alkohol löslich. Dieses letztere Präparat, beiderlei Herkunft, wurde noch weiter durch Umtausch der Amidogruppe gegen Brom in ein und dasselbe, bei 164° schmelzende, in farblosen Blättchen von Perlmutterglanz krystallisirende *Brom-nitrochinolin* verwandelt. Nachdem dieses Präparat verschieden war von einem von Claus und Reinhard[1]) aufgefundenen p-Brom-o-nitrochinolin, so mufste es unzweifelhaft ein o-Brom-p-nitrochinolin darstellen, was noch von Herrn Roettle durch Synthese des Körpers aus 2-Brom-4-nitroanilin bestätigt wurde. Das *Jodmethylat*, o-NH_2-p-NO_2-C_9H_5N.CH_3J, entsteht aus Componenten beim Erhitzen im Rohr auf 130°; es krystallisirt in hochrothen Nadeln und Säulen, die bei 176° schmelzen, in kaltem Wasser schwer, in heifsem Alkohol leicht löslich sind. — Das *Chloroplatinat*, (o-NH_2-p-NO_2-C_9H_5,N.$HCl)_2PtCl_4$, dunkelrothe Krystalle, die bei 180° Zersetzung erleiden; es dissociirt sich schon bei Berührung mit verdünnten wässerigen Säuren. — Das *o-Acet-amido-p-nitrochinolin* ist in Wasser und Alkohol nicht sehr löslich, Schmelzp. 224°. *m-ana-Dinitrochinolin* wurde synthetisch aus 3,5-Dinitroanilin dargestellt. In Wasser beinahe unlöslich, sehr leicht löslich in Alkohol, Aether und Chloroform. Sublimirt in hellgelben, glasglänzenden Nadeln, Schmelzp. 179°. Das *salzsaure Salz* ist nur aus stark sauren Lösungen in farblosen Kryställchen, Schmelzp. 86°, zu erhalten. Das *Chloroplatinat*, (m-NO_2-ana-NO_2.C_9H_5N.$HCl)_2PtCl_4$, bildet kaum gelb gefärbte Nädelchen, die beim Zusammenkommen mit Wasser oder Alkohol dissociiren. *β-Brom-m-ana-dinitrochinolin*, dargestellt nach Claus und Collischonn'schem Verfahren durch dreistündiges Erhitzen des Hydrobromatdibromids im Rohr auf 180°. Farblose Nadeln. Schmelzp. 161°. Sublimirbar. *v. N.*

A. Claus und E. Setzer. Zur Kenntnifs des ana-Nitro- und des o-Nitro-, des ana-Amido- und des o-Amido-Chinolins[2]). — Verreibt man 100 g Chinolin unter Abkühlung mit 50 g Schwefelsäurehydrat und trägt das entstandene Sulfat in ein auf — 20° abgekühltes Gemisch aus 150 g Salpetersäure (spec. Gewicht 1,52) und 300 g 40 proc. anhydridhaltiger Schwefelsäure ein, so entsteht ein Gemisch des o- und ana-Nitrochinolins, welches auf Grund der verschiedenen Löslichkeit der salpetersauren Salze geschieden wird. Aus dem ana-Nitrochinolin entsteht durch Erhitzen im Rohr auf 80 bis 85° mit molekularer Menge Jodmethyl, das charakteristische *ana-Nitrochinolin-Jodmethylat*, welches in

---

[1]) J. pr. Chem. [2] **49**, 528. — [2]) Daselbst [2] **53**, 390—413.

dunkelrothen Prismen von scheinbar hexagonalem Habitus, oder
in kleinen, nadelförmigen Krystallen sich ausscheidet. Schmilzt
unter Bräunung und Zersetzung bei 215⁰. — Erhitzt man das
Hydrobromatdibromid des ana-Nitrochinolins auf 180 bis 200⁰, so
entsteht als Hauptproduct das von Claus und Decker[1]) früher
dargestellte *β-Brom-ana-nitrochinolin*, Schmelzp. 136⁰. Vom ana-
Nitrochinolin gelangt man durch Carbostyrilirung am Wege des
Unterchlorigsäure-Additionsproductes nach einem Verfahren, welches demjenigen von Klavehn[2]) nachgebildet ist, zum *ana-
Nitrocarbostyril*, das in kaltem Wasser und Alkohol wenig löslich ist, in Nädelchen und Plättchen, Schmelzp. 304⁰, krystallisirt.
Dieses ana-Nitrocarbostyril ist offenbar identisch mit einem von
Claus und Pollitz[3]) aus dem Nitroderivat des α-Bromchinolins
durch Umsetzung mit kochenden Säuren dargestellten Körper. —
Aus o-Nitrochinolin konnten keine analogen Verbindungen erhalten werden. — Erhitzt man das Nitrocarbostyril (5 Thle.)
mit Phosphorpentachlorid (25 Thle.) unterm Rückfluss auf 200⁰,
so entsteht das *ana-Nitro-α-chlorchinolin*, das in gelbgrünlich
gefärbten Nädelchen, Schmelzp. 130⁰, krystallisirt. In Aether
leicht löslich. — Durch Reduction mittelst Zinnchlorür gelangt
man zum *ana-Amidocarbostyril*. Seideglänzende, farblose Nadeln,
Schmelzp. 250⁰. In heißem Wasser leicht löslich. — Durch
Aetherificirung des ana-Nitrocarbostyrils mit Jodmethyl gelingt
die Ueberführung in das von Decker[4]) früher dargestellte *ana-
Nitromethylchinolin*, Schmelzp. 165⁰. — Behufs Darstellung beider
Amidochinoline ist es von Vortheil, das rohe Nitrochinolingemisch
dem Eisenpulver-Reductionsverfahren zu unterwerfen. Die Isolirung
beider Isomeren gelingt leicht durch fractionirte Destillation.
Bezüglich des *o-Amidochinolins* finden die Verfasser, daß es, entgegen den früheren Angaben, nicht bei 67⁰, sondern bei 70⁰
schmilzt. Es krystallisirt in Nadeln und Säulen, ist flücht'g mit
Wasserdämpfen, giebt mit Säuren intensiv rothgefärbte Salze. —
ana-Amidochinolin, Nadeln, Schmelzp. 110⁰, Siedep. 310⁰. —
Beim Bromiren des o-Amidochinolins entsteht, ähnlich wie beim
p-Amidochinolin, schon in der Kälte ein Bromsubstitutionsderivat,
in diesem Falle *stets sogleich* ein *bromwasserstoffsaures Dibrom-
amidochinolin*, Schmelzp. 265⁰. Die freie Base, das *m-ana-Di-
brom-o-Amidochinolin*, bildet mit Wasserdampf übertreibbare,
farblose Krystallnadeln, Schmelzp. 127⁰. Sie ist identisch mit

---

[1]) J. pr. Chem. [2] 39, 314. — [2]) Inaug.-Dissert. Freiburg i. B. 1892. —
[3]) J. pr. Chem. [2] 41, 44. — [4]) Daselbst [2] 45, 178.

einem von Claus und Ammelburg[1]) früher dargestellten Körper. Ihre Ortsbestimmungen sind festgestellt worden durch Ueberführung in m-ana-Dibrom- und o-m-ana-Tribromchinolin. — Die Monobromirung des o-Amidochinolins gelingt nur am Umwege des *o-Acetamidochinolins*. Dieser Körper, dargestellt aus der freien Base und Essigsäureanhydrid in Benzollösung bei möglichst niedriger Temperatur, bildet platte Nädelchen, Schmelzp. 103⁰. Bromirt man dasselbe mit 1 Mol. Brom in Eisessiglösung in der Kältemischung, so entsteht ein *ana-Brom-o-acetamidochinolin*, welches aus dem ins Wasser eingegossenen Reductionsproducte durch vorsichtiges Neutralisiren mittelst Alkali in Form ᶠkäsiger Flocken ausgeschieden wird. Aus Alkohol krystallisirt es in Nadeln, Schmelzp. 140⁰. Die Entacetylirung wird am besten durch Kochen mit concentrirter Salzsäure erreicht. *ana-Bromo-amidochinolin*. Nadeln, Schmelzp. 104⁰. Identisch mit dem von Claus und Vifs[2]) dargestellten Präparate. Die Ortsbestimmung erfolgte hier durch Ueberführung des Körpers in das bekannte *o-ana-Dibromchinolin*. — Gleiche Reactionen der Bromirung etc. wurden auch am ana-Amidochinolin durchgeführt: *Bromwasserstoffsaures o-p-Dibrom-ana-amidochinolin*, röthlichgelbes Krystallpulver, schmilzt unter Zersetzung bei 235⁰. — *o-p-Dibrom-anaamidochinolin*, Blättchen, Schmelzp. 179⁰. Zur Ortsbestimmung wurde es in o-p-Dibrom- resp. o-p-ana-Tribromchinolin übergeführt. Derselbe Körper ist bereits früher von Claus und Caroselli hergestellt worden[3]). — *ana-Acetamidochinolin*: Nadeln, Schmelzp. 178⁰. *o-Brom-ana-acetamidochinolin*, Krystallnädelchen und Flitterchen, Schmelzp. 250⁰. Durch Entacetylirung entstand daraus das von Claus und Howitz[4]) früher dargestellte o-Bromana-amidochinolin. *v. N.*

Ad. Claus und E. Dewitz. Meta-ana-Dinitro-ortho-oxychinolin[5]). — Das zur Untersuchung nothwendige, im Titel genannte Ausgangsmaterial wurde nach der Vorschrift Neugebauer's durch Nitriren in Eisessiglösung aus dem o-Oxychinolin gewonnen. Es bräunt sich bei etwa 276⁰ und zersetzt sich bei 320⁰. Unlöslich in gebräuchlichen indifferenten Solventien, löslich zu Salzen in heifsen Alkalien und concentrirten Säuren, aus diesen letzteren Lösungen wird es durch Wasser in dunkelgelben Krystallplättchen ausgeschieden, ein Verhalten, welches als bequeme Reinigungsmethode zu empfehlen ist. — *Kaliumsalz*, $OK.C_9H_4(NO_2)_2N$

---

[1]) J. pr. Chem. [2] 50, 34. — [2]) Daselbst [2] 48, 269. — [3]) Daselbst [2] 51, 479. — [4]) Daselbst [2] 48, 155. — [5]) Daselbst [2] 53, 532—548.

$+ \frac{1}{2} H_2O$, dunkelgelbe, feine Nädelchen. *Natriumsalz*, NaO .$C_9H_4(NO_2)_2N + \frac{1}{2}H_2O$, orange- bis hellgelbes, mikrokrystallinisches Pulver. *Ammoniumsalz*, ein grünlichgelbes oder gelbbraunes, sublimirbares Krystallpulver. *Kupfersalz*, $Cu(O.C_9H_4(NO_2)_2N)_2$ $+ H_2O$, hellgrünes, amorphes Pulver, das beim Erhitzen verpufft. Es wurde erhalten durch doppelten Umsatz von Kupfersulfat mit Alkalisalzen, eine Reaction, die bei folgenden Metallsalzen nicht gelingt, sondern zu Doppelsalzen führt: *Chlorbaryumverbindung*, $KO.C_9H_4(NO_2)_2N + 2BaCl_2 + 3H_2O$, fällt zunächst als gelatinöse, hellgelbe Masse aus, die durch Kochen in einen flockigen Niederschlag übergeht und zu dünnen, amorphen Schichten eintrocknet. *Chlorcalciumverbindung*, $KO.C_9H_4(NO_2)_2N + 2CaCl_2 + 6H_2O$, hellgelbe Flocken, die zum gelben Pulver austrocknen. Aehnliche Niederschläge entstehen mit Chlorstrontium, Chlormagnesium und Quecksilberchlorid. *Silbernitratverbindung*, $KO.C_9H_4(NO_2)_2N + AgNO_3 (+ \frac{1}{2}H_2O?)$, gallertige Masse, die nach längerem Kochen flockig wird. In lufttrockenem Zustande gelbbraunes, amorphes Pulver. *Bleinitratverbindung*, $OK.C_9H_4(NO_2)_2N + Pb(NO_3)_2$ $(+ \frac{1}{2}H_2O?)$, gelbes Pulver. Die Versuche, den Alkalisalzen des Dinitro-o-oxychinolins entsprechende Alkylderivate, also Ester darzustellen, haben bis jetzt nur negative Resultate ergeben. Von Säuresalzen ist die *Platinchloriddoppelverbindung*, $[OH(NO_2)_2C_9H_4N$.$HCl]_2 . PtCl_4 + H_2PtCl_6$, analysirt worden. Dunkelgelbe Krystallblättchen. Durch Reduction des Nitrokörpers mit Zinnchlorür und concentrirter Salzsäure gelangt man am üblichen Wege (Ausfällen des Zinns mit Schwefelwasserstoff) zum *m-ana-Diamido-o-oxychinolin-Chlorhydrat*, das in zwei Formen von abweichender Zusammensetzung existirt, nämlich: scharlachrothe Krystallnadeln, $C_9H_4N_3O . 2HCl$, und dunkelbraune, metallglänzende Krystallnadeln, $C_9H_4N_3O . 3HCl$. Das Salz schwärzt sich bei 300° und zersetzt sich unter lebhaftem Aufschäumen. Da auch hier, wie in analogen Fällen, nur das erste Salz beständig ist und der eigentliche Träger des basischen Charakters der Chinoline das Ringstickstoffatom ist, so ist der Schluß gerechtfertigt, daß bei Di- oder Triaminochinolinderivaten die eine Amidogruppe ihre Basicität einbüßt, und nur der zweite resp. dritte Amidorest seine basische Function zum Effect bringt. *Platindoppelsalz*, $OH.C_9H_4(NH_2)_2N$.$2HCl . PtCl_4 (+ H_2O?)$, kaum krystallinisches, dunkelrothes Pulver. Das freie *m-ana-Diamido-o-oxychinolin* wird rein erhalten, indem man die nicht zu verdünnte Lösung des salzsauren Salzes mit geringem Ueberschuß von Soda versetzt, mit Chloroform ausschüttelt und die entwässerte Chloroformlösung nach Zusatz von

Petroläther durch Verdunstung zur Krystallisation bringt. Matt-hellroth gefärbtes Krystallpulver. In Wasser und den meisten Solventien leicht löslich. Die *Diacetylverbindung*, $C_9 H_7 N_3 O (C_2 H_3 O)_2$, krystallisirt aus Alkohol in hellgelben, seideglänzenden Nadeln, die bei 240° unter Zersetzung und Aufschäumen schmelzen. Die *Dibenzoylverbindung*, $C_9 H_7 N_3 O . (CO . C_6 H_5)_2$, gelbe Nadeln, die bei 263 bis 264° schmelzen und unzersetzt sublimirbar sind. — Wird das salzsaure Salz des Diamidooxychinolins mit verdünnter Jod-wasserstoffsäure, etwas Jod und amorphem Phosphor drei bis vier Stunden lang am Rückflufskühler gekocht, so vollzieht sich glatt die Reduction der Hydroxylgruppe, und es scheiden sich, je nach Umständen, fast schwarze oder hochrothe Krystalle der *jodwasser-stoffsauren Salze des m-ana-Diamidochinolins* ab. Analysirt wurde vorläufig nur die rothe Modification, Schmelzp. 215 bis 216°: $C_9 H_5$ $(NH_2)_2 N . 2 HJ$. Direct aus diesem Salze wurde das *Platindoppel-salz*, $C_9 H_5 (NH_2)_2 N . 2 HCl . PtCl_4$, dargestellt; bräunlich dunkel-rothe, pulverige Ausscheidung. — Erhitzt man das Dinitrooxychino-lin mit überschüssigem Ammoniak unter Zusatz einer kleinen Menge Alkohol drei bis vier Stunden lang im geschlossenen Rohr auf 180°, so entsteht das *o-Amido-m-ana-dinitrochinolin*, $C_9 H_4$ $(NH_2)(NO_2)_2 N$. Aus Benzol hellgelbe Krystallnadeln, Schmelzp. 187 bis 188°. Unlöslich in Wasser, löslich in Alkohol, Chloro-form, Aether, Ligroin, Eisessig und in Mineralsäuren, aus diesen letzteren wird es durch Wasserzusatz unverändert ausgefällt. Durch Zinnchlorür und Salzsäure wird es glatt zum *o-m-ana-Triamidochinolin* reducirt. Rothbraune bis schwarze Krystallaus-scheidungen, die bei 350° noch nicht schmelzen. Das *salzsaure Salz*, $C_9 H_4 (NH_2)_3 N . 3 HCl$, in Wasser leicht lösliche, nahezu schwarz gefärbte Krystallausscheidung. Sowohl das Studium dieses Triamido-, wie auch des oben erwähnten Diamidochinolins, soll nach verschiedenen Richtungen hin fortgesetzt werden. *v. N.*

Ad. Claus. Zur Kenntnifs des ana-Oxychinolins [1]). — In einer vorläufigen Mittheilung beschreibt der Verfasser die gemein-schaftlich mit Herrn R. Hartwig angestellten Versuche über Bromiren und Sulfoniren des ana-Oxychinolins. Dieser Körper zeigte dabei ein dem o-Oxyverbindung völlig analoges Verhalten. Beim Bromiren in äquimolekularem Verhältnisse in Eisessiglösung in der Kälte wurde stets ein Gemenge der bromwasserstoffsauren Salze von unbromirtem, mono- und dibromirtem ana-Oxychinolin gebildet. Die Trennung gelang auf Grund der verschiedenen

---

[1]) J. pr. Chem. [2] **53**, 335—339.

Basicität der Bestandtheile durch fractionirtes Fällen ihrer wässerigen Lösung. Die beiden neuen Bromderivate sind in Alkohol und Eisessig leicht löslich und zeichnen sich durch grofse Neigung zur Bildung violettbrauner Farbstoffe aus. Das *Monobrom-ana-oxychinolin* beginnt bei 165 bis 170⁰ sich dunkel zu färben und schmilzt bei etwa 190⁰. Das *Dibromderivat* nimmt bei 130 bis 140⁰ unter beginnender Zersetzung dunkle Farbe an, kommt aber bis 300⁰ nicht zum Schmelzen. Das erste dürfte aller Wahrscheinlichkeit nach als o-Brom-ana-Oxychinolin, das zweite, welches bei der Oxydation mit Kaliumpermanganat nur Pyridincarbonsäure liefert, als o-p-Dibrom-ana-Oxychinolin aufzufassen sein. Der Weg zur definitiven Ortsbestimmung des Broms ist zwar in der Mittheilung vorgezeichnet, aber noch nicht vollständig durchgeführt. Gelegentlich dieser Versuche wurde aus p-Brom-ana-Amidochinolin über das Diazosulfat das *p-Brom-ana-Oxychinolin* von Herrn Cäsar in gelblichen Krystallnädelchen, Schmelzp. 162⁰, gewonnen. Beim Sulfoniren des ana-Oxychinolins in der Kälte mit fünf- bis sechsfachem Gewicht 25 proc. Anhydrid enthaltender Schwefelsäure entsteht quantitativ *ana-Oxychinolin-o-sulfonsäure*, ein in Wasser und indifferenten Lösungsmitteln schwer lösliches, in goldgelben Schüppchen und Prismen mit 1 Mol. Wasser krystallisirendes Präparat. Schmelzp. ca. 300⁰. Neutrales Natriumsalz ana-OH . C_9H_5N-o-SO_3Na $+$ H_2O, krystallisirt in dunkelgranatrothen Prismen. Beim Sulfoniren in der Wärme entsteht eine ana-Oxychinolindisulfonsäure. *v. N.*

Friedrich Hirsch. Ueber den Chininsäureester und dessen Ueberführung in p-Oxykynurin [1]). — Die Chininsäure, die nach der von Skraup [2]) angegebenen Methode dargestellt war, wurde durch Einleiten von Chlorwasserstoff in die absolut alkoholische Lösung in den *Chininsäureäthylester*, $C_9H_5(OCH_3)N.COOC_2H_5$, übergeführt. Die Reinigung gelang durch Destillation im Vacuum, Schütteln mit gesättigter Natriumcarbonatlösung und Benzol, Umkrystallisiren aus Benzol-Ligroin unter Zusatz von Thierkohle. Ausbeute 85 bis 90 Proc. Schmelzp. 69⁰. Farblose Nadeln. In Wasser fast unlöslich. *Aethylesterchlorhydrat*, $C_9H_5(OCH_3)NCOOC_2H_5.HCl$. Aus Alkohol platte Nadeln von schwefelgelber Farbe. Schmelzp. 160⁰ mit Zersetzung. *Chloroplatinat*, 2 ($C_9H_5(OCH_3)N.COOC_2H_5.HCl$) $PtCl_4$ $+$ 2 H_2O. Nadelförmige, orangerothe Krystalle, Schmelzp. 228⁰ mit Zersetzung. *Chininsäureamid*, $C_9H_5(OCH_3)N.CONH_2$, wurde durch Erhitzen von je 5 g Ester mit 15 ccm concentrirter

---

[1]) Monatsh. Chem. 17, 327—342. — [2]) JB. f. 1881, S. 988.

alkoholischer Ammoniaklösung im Rohr während 24 Stunden auf 100° dargestellt. Der Röhreninhalt wurde im Vacuum zur Trockne gebracht, mit Benzol behufs Entfernung des unveränderten Chininsäureäthylesters extrahirt und der Rückstand aus Essigäther unter Zusatz von Thierkohle umkrystallisirt. Nadeln. Schmelzp. 197°. In Wasser und Aether schwer, in Alkohol leicht löslich, in Benzol und Ligroin unlöslich. *Chlorhydrat*, $C_9H_5(OCH_3)N$. $CONH_2$. HCl. Citronengelbe Krystallnadeln. Schmelzp. 244° mit Zersetzung. In Wasser und verdünnter Salzsäure leicht, in Alkohol schwer löslich. *Chloroplatinat*, $2 [C_9H_5(OCH_3)N$. $CONH_2$. HCl]PtCl_4$, bildet Krystalle von scheinbar monoklinem Habitus. — Das Amid wurde entsprechend der Gleichung $C_9H_5 (OCH_3)N$. $CONH_2 + KOBr = C_9H_5(OCH_3)N$. $NH_2 + KBr + CO_2$ in das *p-Methoxy-γ-Amidochinolin* übergeführt. Je 2 g Chininsäureamid wurden in 100 ccm einer Lösung, welche in 1 Liter 16 g Brom und 32 g KOH (80 Proc.) enthält, gelöst und im Wasserbade erwärmt. Es schied sich dabei eine sehr geringe Menge einer nicht näher untersuchten Verbindung, von der das Filtrat nach halbstündigem Erwärmen im Wasserbade, in Eis eingestellt, eine Ausscheidung unreinen p-Methoxy-γ-amidochinolins liefert. Das Filtrat enthält chininsaures Kalium, entstanden in Folge der Verseifung des Amids. Aus Wasser und Benzol umkrystallisirtes p-Methoxy-γ-amidochinolin bildet weiße Nadeln. Schmelzp. 120°. *Chlorhydrat:* perlmutterglänzende Krystallschuppen, Schmelzp. 249°, in Wasser und Alkohol leicht löslich. *Chloroplatinat:* orangerothe Krystallplättchen, Schmelzp. 230° mit Zersetzung. Je 2 g des obigen Methoxyamidochinolins wurden in 40 g concentrirter Salzsäure gelöst und bei 0° mit 1,2 g Kaliumnitrit (83 Proc.) in 40 ccm Wasser allmählich versetzt. Da aus der purpurroth gefärbten Lösung die Diazoverbindung nicht isolirt werden konnte, wurde aufgekocht, wobei Entfärbung eintrat, und im Vacuum destillirt. Der mit Natriumcarbonat versetzte Destillationsrückstand gab an Aether das *p-Methoxy-γ-chlorchinolin* ab. Aus Ligroin krystallisirt es in Nadeln, Schmelzp. 76,5° C. *Chlorhydrat*, $C_9H_5(OCH_3)NCl$. HCl. Nadeln, Schmelzp. 191°. *Aurichlorat*, Schmelzp. 177°. — Durch Erhitzen im Rohr auf 140° während drei bis vier Stunden geht dieser Körper unter Einfluß der berechneten Menge von Natriummethylat in das *p-γ-Dimethoxychinolin*, welches als Rohproduct (gelbes, dickliches Oel) gleich durch Einwirkung von Salzsäure im Einschmelzrohr bei 190° während vier Stunden zum *p-γ-Dioxychinolin* verseift wurde. Um die Umsetzung vollständig durchzuführen, mußte das Rohr nach

Entweichen des Chlormethyls nochmals verschlossen und ein zweites resp. drittes Mal auf die angegebene Temperatur erhitzt werden. Der nach dem Abdestilliren im Vacuum verbleibende Rückstand wurde durch Silberoxyd von Salzsäure befreit und im Wasserbade zur Krystallisation eingeengt. Langgestreckte, vierseitige, scheinbar dem monoklinen Krystallsystem angehörende Prismen. Der Körper färbt sich bei 100° citronengelb, bei 230° braun, höher erhitzt zersetzt er sich, ohne vorher zu schmelzen. In kaltem Alkohol und Wasser schwer löslich. Die wässerige Lösung wird durch Eisenchlorid kirschroth gefärbt. *Aurichlorat*, $[C_7H_5N(OH)_2 HCl]AuCl_3$, röthlichgelbe, verwachsene Nadeln, die bei 305° noch nicht schmelzen.   *v. N.*

G. Vulpius. Chinosol und Diaphterin [1]). — Beides sind Namen von Präparaten, die seit kurzem als Antiseptica in den Handel gebracht werden. Chinosol ist ein *oxychinolinschwefelsaures Kalium*, $C_9H_6N.SO_4K + aq$, gelbes, wasserlösliches, krystallinisches Pulver von aromatischem, safranartigem Geruch und Geschmack. Diaphterin, auch Oxychinaseptol genannt, ist eine Verbindung von 1 Mol. Oxychinolin und 1 Mol. phenolsulfosaurem Oxychinolin, $HO.C_9H_6N.HSO_3.C_6H_4.OH.NC_9H_6OH$. Beide Präparate werden in wässeriger Lösung 1:10000 durch Eisenchlorid grün gefärbt, was auch bei 1:25000 noch deutlich ist.
                                                    v. N.

Paul Cohn. Ueber Chinolin-Oxychinoline [2]). Erhitzt man Py-α-Chlorchinolin mit überschüssigem Bz-1-Oxychinolin auf 150 bis 165°, so entsteht unter Entweichen von Salzsäuregas ein glasartiges Product, welches nach Auswaschen mit Alkali, Alkohol oder Aether zurückbleibt und aus Chloroform, in dem es leicht löslich ist, in vierseitigen, zugespitzten Prismen, Schmelzp. 175°, erhalten wird. Der Körper besitzt die Constitution

Chlorhydrat, gelbliche Prismen, $C_{18}H_{12}N_2O.HCl$. Chloroplatinat, $C_{18}H_{12}N_2O.PtCl_6H_2$, feine, gelbe Nädelchen. Palladiumsalz, $C_{18}H_{12}N_2OPdCl_4H_2 + H_2O$, braungelbe, in Wasser unlösliche, in Salzsäure lösliche Nädelchen. Sulfat, warzenförmige oder kugelige Krystallaggregate. Aus Py-α-Chlorchinolin und Bz-3-Oxychinolin

---

[1]) Pharm. Central-H. [N. F.] 17, 165; Ref.: Chemikerzeit. 20, Rep. 117. — [2]) Monatsh. Chem. 17, 667—671.

entsteht bei 175° ein wie oben zu isolirendes Product, welches aus
50 Proc. Alkohol in Nadeln, Schmelzp. 120°, krystallisirt. In
Aether, Alkohol und Chloroform leicht löslich. Chlorhydrat, dicke
Prismen. Nitrat, weiſse Nadeln. Platinverbindung, $C_{18}H_{12}N_2O$
. $PtCl_6 H_2$, gelb gefärbte Nadeln.   *v. N.*
Farbwerke vorm. Meister, Lucius u. Brüning in
Höchst a. M. Verfahren zur Darstellung von p-Jod-ana-oxy-
chinolin-o-sulfonsäure [1]. — An Stelle der o-Oxychinolin-ana-
sulfonsäure des Hauptpatentes [2] wird die beim Sulfuriren des
ana-Oxychinolins erhältliche ana-Oxychinolin-o-sulfonsäure dem
Jodirungsprocesse unterworfen. Die *p-Jod-ana-oxychinolin-o-sulfon-
säure* unterscheidet sich von der m-Jod-o-oxychinolin-ana-sulfon-
säure nur in einigen untergeordneten physikalischen Eigenschaften.
                                                                  Sd.
Ad. Claus und R. Giwartovsky. o-Oxychinolin-ana-sulfon-
säure und Derivate [3]. — Eine glatte Bromirung der freien o-Oxy-
chinolin-ana-sulfonsäure läſst sich auch bei Anwendung genau
äquimolekularer Mengen von Brom nicht erreichen: neben unverändertem Ausgangsmaterial entsteht immer unter Abscheiden
der Schwefelsäure das Dibromoxychinolin, welches unter Umständen
in gröſseren Mengen auftreten kann, als die gesuchte *m-Brom-o-
oxychinolin-ana-sulfonsäure*. — Diese letzte Verbindung entsteht
glatter und in besserer Ausbeute, wenn man die berechnete
Menge in Eisessig gelösten Broms in siedende bromwasserstoffsaure Auflösung der Oxychinolinsulfonsäure oder in kalte, wässerige
Lösung ihres neutralen Kalisalzes einträgt, sowie auch nach dem
im D. R.-P. Nr. 72942 für die Gewinnung des Loretines beschriebenen Verfahren. Die bromirte Säure krystallisirt in zwei
verschieden gefärbten Formen: röthlichgelbe Säulen ohne ausgesprochene Endflächen und gelbgrüne, octaëder- oder rhomboëder-
ähnliche Formen. Der Stellungsnachweis des Br-Atoms wurde
durch Oxydation der Verbindung mit Permanganat oder Salpetersäure in Nicotinsäure, und durch Ueberführen der bromirten Säure
unter Abspaltung der Sulfogruppe in *m-Brom-o-oxychinolin*, lange
Nadeln, Schmelzp. 138°, geliefert. Die m-Brom-o-oxychinolin-
ana-sulfonsäure enthält in exsiccatortrocknem Zustande $1/2$ Mol.
Krystallwasser und bildet mit Alkalien, Erden- und Schwermetallen krystallisirte Salze. Bei Einwirkung von Bromphosphor
entsteht keine bromirte Säure, sondern nur Dibromoxychinolin,

---

[1] Ber. 29, Ref. 1195; D. R.-P. Nr. 89600. — [2] Ber. 27, Ref. 283; 28,
Ref. 1078; D. R.-P. Nr. 72942. — [3] J. pr. Chem. [2] 54, 377—391.

Tribromoxychinolin, Hydrobromat des ersteren und unveränderte Oxysulfonsäure. Durch Weiterbromiren mit Bromphosphor entsteht m-ana-β-Tribrom-o-oxychinolin. — Nach 48 stündiger Einwirkung von Zinn und Salzsäure entsteht aus der Oxysulfonsäure die *Tetrahydrochinolin-ana-sulfonsäure*, Schmelzp. 315°, welche nur neutrale Salze bildet, nach 24 stündiger Einwirkung kann die *Tetrahydro-o-oxychinolin-ana-sulfonsäure*, welche basische Salze bildet und bei 320° noch nicht schmilzt, als Mittelglied gefalst werden. Als Nebenproduct entsteht bei allen Reductionsversuchen ein in sämmtlichen Solventien unlöslicher Körper als körnig krystallinisches, bei 360° noch nicht schmelzendes Pulver, das mit Alkalien leicht Salze bildet und wahrscheinlich ein Dichinoylderivat darstellt:

$$\begin{matrix} C_9 & H_4 N . SO_2 H \\ & >O \\ C_9 & H_4 N . SO_2 H \end{matrix}$$

Bei Einwirkung von Chlorgas auf Oxysulfonsäure sind keine glatten Reactionen zu erzielen; erst bei der Einwirkung von Chlorkalk und Salzsäure, oder von Phosphorpentachlorid konnten je nach Umständen wechselnde Mengen von *m-Chlor-oxychinolinsulfonsäure*, $C_9 H_6 ClNSO_4 + H_2 O$, Krystallnadeln, bei 300° noch nicht schmelzend, *m-ana-Dichlor-o-oxychinolin*, Krystallnadeln, Schmelzp. 179°, isolirt werden. Der erste Körper konnte in üblicher Weise in Pyridindicarbonsäure, Nicotinsäure und m-Chloro-oxychinolin, Schmelzp. 145°, übergeführt werden. — Im Gegensatz zur Wirkungsweise von Bromphosphor konnte mit Chlorphosphor keine m-ana-β-Trichlorverbindung erhalten werden, dahingegen gelingt es leicht durch sechsstündige Einwirkung von Phosphorpentachlorid auf scharf getrocknete Oxysulfonsäure, bei 170° die Sulfongruppe durch Halogen zu ersetzen, unter Bildung von *ana-Chlor-o-oxychinolin*, Schmelzp. 129°. Bei forcirter Einwirkung von Chlorphosphor entstehen fast ausschliefslich amorphe Producte; dieses beweist von Neuem, dafs die dem Br-Atom leicht zugängliche β-Stellung des Chinolinkernes durch Chlor direct nach den gewöhnlichen Methoden nicht substituirt werden kann. *v. N.*

A. Claus und E. Mohl. Zur Kenntnifs der o-Oxychinolin-Alkylate [1]). — Aus o-Oxychinolinjodmethylat und Silbersulfat entsteht das *o-Oxychinolinsulfatmethylat*, $[C_9 H_7 ONCH_3]_2 SO_4 + 3 H_2 O$, goldgelbe Prismen und Säulen, in Wasser leicht, in Alkohol etwas schwerer löslich, Schmelzp. 226°. Bei Einwirkung von 1 Mol.

---

[1]) J. pr. Chem. [2] 54, 1—17.

Kalihydrat geht die Hälfte des Sulfatmethylates in Oxychinolin-methyloxydhydrat über und die andere Hälfte bleibt unverändert zurück. —, *o-Oxychinolin-bichromatmethylat*, $C_{20}H_{20}N_2O_2 . Cr_2O_7$ $+ 2H_2O$, dunkelgelbe, kleine Nadeln, und *o-Oxychinolin-oxalat-methylat*, $C_{20}H_{20}N_2O_2 . C_2O_4 + H_2O$, dunkelgelbe Kryställchen, Schmelzp. 151°, verhalten sich gegen 1 Mol. Kalihydrat ebenso wie Sulfatmethylat, was im Gegensatz steht mit dem Verhalten des Jodmethylates gegenüber Kalihydrat, welche ein intermediäres, halb verseiftes Product ergeben. Diese Verschiedenheit wird auf einen Unterschied in den Functionen der Halogenwasserstoffsäuren im Gegensatz zu den Sauerstoffsäuren zurückgeführt. — *o-Oxy-chinolin-bromäthylat*, $C_{11}H_{12}ONBr + 1\frac{1}{2}H_2O$, gelbe, prismatische Krystalle, Schmelzp. 166°; daraus entsteht beim Verseifen das intermediäre Product: $HO_{[3]} . C_9H_6N(C_2H_5)O . C_9H_6N(C_2H_5)Br$ $+ 3H_2O$. Das *o-Oxychinolinäthyloxydhydrat* hat die Zusammensetzung $C_{11}H_{13}NO_2 + 2H_2O$, *o-Oxychinolinchlorbenzylat*, $C_{16}H_{14}ONCl$ $+ 1\frac{1}{2}H_2O$. Aus letzterem entstehendes intermediäres Product der halben Verseifung, $OH . C_9H_6N(C_7H_7) . O . C_9H_6N(C_7H_7)Cl$ $+ 3H_2O$, bildet mehrere Modificationen, wie orangegelbe Nadeln, granatrothe Säulen oder Tafeln, die alle bei 145° schmelzen. — *o-Oxychinolinbenzyloxydhydrat*, $OH . C_9H_6N . (C_7H_7) . OH + XH_2O$, bildet ebenfalls rothe Nadeln oder granatrothe Prismen. — *ana-Brom-o-oxychinolinjodmethylat*, $C_9H_6BrON . CH_3J + H_2O$, aus Componenten im Rohre bei achtstündigem Erhitzen auf 135° dargestellt. Goldgelbe Blättchen, Schmelzp. 157°. In Alkohol und warmem Wasser löslich. Mit $\frac{1}{2}$ Mol. Alkali liefert es ein intermediäres Product in blutrothen Kryställchen, Schmelzp. 182°: HO $. C_9H_5 . BrN(CH_3) . O . C_9H_5BrN(CH_3) . J$. Mit überschüssigem Kalihydrat entsteht *quaternäres Methyloxydhydrat*, $OH . C_9H_5BrN : CH_3$ $. OH$, braunrothe, prismatische Krystalle, Schmelzp. 180°. — Das früher von Claus und Howitz dargestellte[1] *o-Methoxychinolinjod-methylat* wurde jetzt aus dem inneren Anhydrid des o-Oxychinolin-methylhydroxydes und Jodmethyl gewonnen. *o-Aethoxychinolinjod-methylat*, $C_2H_5O . C_9H_6N : CH_3J$, hellgelbe Prismen, Schmelzp. 200°. In heifsem Wasser und Alkohol leicht löslich. *o-Aethoxychinolin-chlormethylat*, $C_2H_5O . C_9H_6N . CH_3Cl + 2H_2O$, Säulchen, Schmelzp. 107°. In Wasser und Alkohol äufserst leicht löslich. — Die beschriebenen o-Alkoxychinolinjodmethylate geben mit Alkalien keine intermediären Verseifungsproducte, sondern, den p-Alkoxychinolin-verbindungen analog, in Aether lösliche *Alkylenchinoliniumbasen*.

---

[1] J. pr. Chem. [2] 42, 228.

Dagegen verhalten sich diese beide Reihen von Verbindungen gegenüber Silberoxyd total verschieden; die p-Alkoxychinolinverbindungen liefern damit in Aether unlösliche quaternäre Ammoniumhydroxyde, während die o-Alkoxychinolinverbindungen unter denselben Bedingungen in Aether lösliche Alkylenchinoliniumbasen ergeben. Die auf Körper der p-Oxychinolinreihe bezüglichen Versuche hat vor mehreren Jahren Howitz ausgeführt, dieselben sollen demnächst veröffentlicht werden.   *v. N.*

C. Grimaux. Sur la para-éthoxyquinoléine [1]). — Nach der Methode von Skraup aus p-Phenetidin dargestelltes *p-Aethoxychinolin* ist flüssig, siedet ohne Zersetzung bei 290 bis 292°, schwach basisch. Die Salze mit organischen Säuren dissociiren unter dem Einflusse von Wasser, diejenigen mit anorganischen Säuren krystallisiren schön und . in Lösungen fluoresciren sie ähnlich den Chininsalzen. *Chlorhydrat,* $C_{11}H_{11}NO.HCl + 1^1/_2 H_2O$, Nadeln, leicht löslich in Wasser. *Sulfat,* $C_{11}H_{11}NO.H_2SO_4$, wenig löslich in Wasser, löslich in 50 Theilen Alkohol bei 25°. Neutrales Sulfat ist unbeständig. *Nitrat,* wenig löslich in Wasser, Nadeln, Schmelzp. 165°. *Nitro-p-äthoxychinolin,* $C_{11}H_{10}NO(NO_2)$, entsteht in Form des Nitrats durch Einwirkung der Salpeter-Schwefelsäure und wird durch Alkalien in Freiheit gesetzt. Es krystallisirt in Nadeln oder Prismen, Schmelzp. 110°. Sehr wenig löslich in Wasser, bedeutend leichter löslich in Alkohol. Schwache Base. *Chlorhydrat,* dissociirbar durch Wasser. *Nitrat,* feine Nadeln, Schmelzp. 193°, in kaltem Wasser praktisch unlöslich, was die Verbindung zum qualitativen Nachweis der Salpetersäure verwendbar macht. *Amido-p-äthoxychinolin,* $C_{11}H_{10}NO$ $(NH_2) + H_2O$. Schwefelgelbe Blättchen, die ihr Krystallwasser schon bei längerem Stehen an der Luft verlieren und dann bei 110° schmelzen. Die einsäurigen Salze dieser Base sind röthlich, die zweisäurigen farblos. Sie läfst sich diazotiren und zu Azofarbstoffen combiniren. — Das p-Aethoxychinolin besitzt, gegen Erwarten, keine therapeutischen Eigenschaften.   *v. N.*

Julius Diamant. Ueber die directe Einführung von Hydroxylgruppen in Oxychinoline [2]). — Analog dem bekannten Verhalten der aromatischen Phenole gegenüber geschmolzenen Aetzalkalien können auch Oxychinoline durch dieses Agens in höher hydroxylirte Derivate übergeführt werden. Werden 30 g o-Oxychinolin mit der zehnfachen Menge Aetznatrons und etwas Wasser bei langsam

---

[1]) Compt. rend. 121, 749—751. — [2]) Monatsh. Chem. 16, 760—772; Wien. Akad. Ber. [IIb] 104, 619—631.

steigender Temperatur verschmolzen, so findet bei ca. 350⁰ lebhafte Wasserstoffentwickelung statt, welche bei 380⁰ ihren Höhepunkt erreicht. Der chokoladebraune Schmelzkuchen wurde in verdünnte Salzsäure (1 : 5) eingetragen, von kleinen Mengen schmieriger Zersetzungsproducte heifs filtrirt und erkalten gelassen. Die ausgeschiedenen Krystallkrusten des neuen *Dioxychinolins* wurden durch Umkrystallisiren aus Wasser unter Zusatz von Thierkohle in stark glänzenden, dünnen Krystallblättchen erhalten. Sie sind kaum löslich in gebräuchlichen Solventien, leicht löslich in wässeriger Boraxlösung, aus welcher durch Essigsäure die Substanz in Flocken ausgefällt wird. Mit Eisenchlorid schmutziggrüne Färbung, die auf Zusatz einer verdünnten Sodalösung in Roth übergeht. Beim Erhitzen schmilzt die Substanz erst oberhalb 260⁰ mit starker Zersetzung. Die Ausbeute beträgt ca. 70 Proc. vom angewandten o-Oxychinolin. *Salzsäureverbindung,* $C_9H_7NO_2 . HCl + H_2O$. Blättchen und Nadeln. Durch Wasser dissociirbar. Bei 100⁰ verliert sie Salzsäure und Wasser. Sie giebt mit Metallchloriden keine Doppelverbindungen. Beim Acetyliren konnte nur ein *Monoacetyldioxychinolin* erhalten werden. Farblose, glänzende Krystallblättchen. Schmelzp. 244 bis 247⁰. Leicht löslich in Amylalkohol und Eisessig. Da die wässerige Lösung mit Eisenchlorid keine Farbenreaction giebt, so ist es wahrscheinlich, dafs die Acetylgruppe mit dem im Benzolkern befindlichen Hydroxyl verbunden ist. Alkalische Lösungen des Dioxychinolins verharzen bei längerem Stehen an der Luft, analog denjenigen des Pyrogallols. Durch Kaliumpermanganat wurde

$$3 C_9H_7NO_2 + 16 KMnO_4 + 5 H_2O = 3 C_5H_2N(OH)(COOH)_2$$
$$+ 6 CO_2 + 8 KOH + 16 MnO_2,$$ das Dioxychinolin, in üblicher Weise zur Königs-Körner'schen[1]) α'-Oxychinolinsäure oxydirt. Durch Erhitzen der eisessigsauren Lösung der Säure auf 250⁰ wurde die Abspaltung, 1 Mol. Kohlensäure, unter Bildung der α'-Oxynicotinsäure erreicht. Dieses wurde schliefslich durch trockene Destillation des Silbersalzes in α-Oxypyridin übergeführt. Die ganze Reactionsreihe beweist die α-Stellung der Oxygruppe im neuen o-α-Dioxychinolin. — Verschmilzt man das o-α-Dioxychinolin mit Aetznatron bei 380⁰ in gleicher Weise, wie das beim o-Oxychinolin geschehen ist, so entsteht ein neues *Trioxychinolin,* welches durch Ueberführung in das salzsaure Salz vortheilhaft gereinigt werden kann. Dieses Trioxychinolin krystallisirt aus Wasser in langen, farblosen, concentrisch gruppirten Nadeln, die

---

¹) JB. f. 1883, S. 1214.

bei 310° unter Zersetzung schmelzen. Es zeichnet sich durch einen intensiv süfsen Geschmack aus. In wässeriger Lösung mit Eisenchlorid eine schmutziggrüne Färbung, welche durch Natriumcarbonat in eine gelbbraune übergeht. Verhalten gegen Alkalien wie beim Dioxychinolin und Pyrogallol. *Salzsäureverbindung*, $C_5H_7NO_3 . HCl + 2H_2O$. Feine, verfilzte Krystallnädelchen. Durch Wasser dissociirbar. Verlieren Wasser und Salzsäure bei 150°. Besitzen noch den süfsen Geschmack. Beim Acetyliren mit Essigsäureanhydrid, eventuell auch unter Zusatz von essigsaurem Natron entsteht ein *Diacetylderivat*. Das α-Hydroxyl bleibt auch hier intact. Die Acetylverbindung bildet wollige, glanzlose Krystallnadeln, Schmelzp. 225 bis 228°. Zum Zwecke der Constitutionsbestimmung am Trioxychinolin unternommene Oxydationsversuche ergaben negative Resultate. — Selbstverständlich kann die Darstellung des Trioxychinolins direct aus dem o-Oxychinolin ausgeführt werden. Die Ausbeute beträgt circa 70 Proc. — Die Diresp. Tri-Hydroxylirung durch schmelzendes Aetznatron findet auch beim p- und ana-Oxychinolin statt.   *v. N.*

· **Th. Zincke**: Ueber die Einwirkung von Chlor auf Oxychinoline [1]). (Dritte Mittheilung.)   *v. N.*

Th. Zincke und E. Winzheimer. Ueber Chloroxy-α-chinolinchinon und dessen Umwandlungsproducte, Hydrinden-, Indenund Acetophenonderivate der Pyridinreihe. — Für das B-2, 3, 1, 4-Chloroxychinolinchinon haben die Verfasser eine Reihe von Umwandlungen durchgeführt, die ganz analog denen des Chloroxynaphtochinons verliefen [2]). Das Ausgangsmaterial wurde auf dem von **Zincke und Müller** vorgezeichneten [3]) Wege aus p-Oxychinolin, durch folgende Zwischenproducte dargestellt: Tetrachlorketohydrochinolin, Dichloroxychinolin, Tetrachlorketochinolin, Anilidotrichlorketochinolin, Monochloranilidochinolinchinonanilid. Ueber die günstigsten Bedingungen dieser Umsetzungen enthält die Abhandlung gegenüber früheren Angaben einige ergänzende Details. Von den Derivaten des *Chloroxychinolinchinons*

$$\begin{array}{c}\text{CO}\\ \text{COH}\\ \text{CCl}\\ \text{N} \quad \text{CO}\end{array}$$

wurden neu dargestellt: *Natriumsalz*, $C_9H_3ClNO_3Na$, krystallisirt aus heifsem Wasser in dunkelgranatrothen Blättchen. Es läfst

---

[1]) Ann. Chem. **290**, 321—359. — [2]) Zincke u. Gerland: JB. f. 1887, S. 1331; f. 1888, S. 1677 u. 1683. — [3]) Ann. Chem. **264**, 201.

sich leicht in die Salze der schweren Metalle, des Baryums und des Calciums, überführen: braunrothe, amorphe Niederschläge. *Acetylverbindung*, $C_{11}H_8ClNO_4$, krystallisirt aus Aether in gelblich gefärbten, feinen Nädelchen, die bei 176 bis 177° unter Zersetzung zu einer rothen Flüssigkeit schmelzen. *Anilinsalz*, $C_{15}H_{11}ClN_2O_3$, dargestellt durch Zusammenbringen von Chloroxychinolinchinon in Eisessig mit überschüssigem Anilin, Erwärmen und Ausfällen mit Wasser. Ziegelrothe, mikroskopische Nädelchen, leicht in Eisessig, schwer in Alkohol löslich. Es entfärbt sich von 180° und schmilzt unter Zersetzung bei 194°; wird durch Alkalien in Componenten zersetzt. *Monoxim*, $C_9H_5ClN_2O_3$, entsteht unter Einwirkung des salzsauren Hydroxylamins in stark alkalischer Lösung. Gelbes, amorphes, nur in Alkali lösliches Pulver. Ester des Chloroxychinolinchinons konnten nicht dargestellt werden. — *B-2,1,3,4-Chloroxychinolinhydrochinon,*

$$C_5H_2N\left\langle\begin{array}{c}C(OH):C(OH)\\|\quad\quad|\\C(OH):CCl\end{array}\right.,$$

wurde erhalten durch Reduction des Chloroxychinolinchinons oder des sogleich zu besprechenden Dichlortriketohydrochinolins mit Zinnchlorür in Eisessig. Da dieses Hydrochinon nur in saurer Lösung beständig ist, so muſs es aus *reinem* Chlorhydrat (gelbe, feine Nadeln) vorsichtig durch essigsaures Natron in Freiheit gesetzt werden. Es scheidet sich hierbei in silbergrauen, metallisch-glänzenden, sich schnell röthenden Blättchen aus; enthält 1 Mol. Krystallwasser, schmilzt wasserfrei bei 225°. In organischen Lösungsmitteln sehr wenig löslich. In fester Form sowie in saurer Lösung]beständig, oxydirt sich sofort in alkalischer Lösung. Beim Lösen in Aetznatron zeigt es vorübergehend Blaufärbung, was dem Auftreten eines Chinhydrons entsprechen würde, sodann geht es in das rothe Natriumsalz des Chloroxychinolinchinons. — *B-2,1,3,4-Dichlortriketohydrochinolinhydrat,*

$$C_5H_2N\left\langle\begin{array}{c}CO.C(OH)_2\\|\quad\quad|\\CO.CCl_2\end{array}\right.,$$

entsteht in Form des salzsauren Salzes durch Einwirkung von Chlor auf das in der zehnfachen Menge Eisessig vertheilte Chloroxychinolinchinon. Das Salz wird durch Verreiben mit kaltem Wasser zerlegt und das freie Triketon aus Aceton-Benzol umkrystallisirt. Nadeln oder schnell verwitternde Prismen, die je nach der Art des Erhitzens etliche Grade unter oder über 100° unter Aufschäumen, Rothfärbung und Bildung von Chloroxychinolinchinon schmelzen. Schwer löslich in Aether, Benzol und Chloroform, sehr leicht löslich in Aceton. Durch Zinnchlorür wird es zum Chloroxyhydrochinon reducirt. Es besitzt schwach basische Eigenschaften: bildet mit Mineralsäuren Salze, welche aber durch Wasser zerlegt werden. Das *salzsaure Salz*, $C_9H_3Cl_2NO_3 . HCl$ $4H_2O$, farbloses, krystallinisches Pulver. Beim Erhitzen auf 110° giebt es salzsaures Chloroxychinon. *β-Chlor-α-oxypyrindon,*

$$C_8H_2N\underset{\overset{|}{C(OH)}}{\overset{\overset{CO}{|}}{\diagdown}}C.Cl,$$

wird am bequemsten aus dem salzsauren Dichlortriketohydrochinolinhydrat durch Erhitzen mit 10 Thln. Wasser bis zum Aufhören der Kohlensäureentwickelung dargestellt. Ausbeute 90 Proc. In Alkohol sehr wenig löslich, leicht löslich in Wasser und Eisessig. Aus Wasser krystallisirt es in Nadeln oder orangerothen Prismen, aus Eisessig in Blättchen. Beim Erhitzen verkohlt es, ohne vorher zu schmelzen. Es zeigt das Verhalten eines Oxychinons: wird sowohl in essigsaurer wie in alkalischer Lösung durch Chlor in ein Ketochlorid, durch Acetylchlorid in ein äufserst leicht verseifbares Derivat übergeführt. Es löst sich in verdünnten Alkalien und bildet mit Mineralsäuren durch Wasser dissociirbare Salze. *Natriumsalz*, $C_8H_3ClNO_2Na$, hellorangefarbene Blättchen. *Kaliumsalz*, seideglänzende Nadeln von prachtvoller Orangefärbung. *Anilid*,

$$C_8H_2N\underset{\overset{|}{C-NH.C_6H_5}}{\overset{\overset{CO}{|}}{\diagdown}}CCl \quad ,$$

entsteht beim Zusammenbringen des in Eisessig suspendirten Chloroxypyrindons mit Anilin. Aus Alkohol orangefarbene Nädelchen, Schmelzpunkt 162 bis 163°. Angesichts seiner Alkalilöslichkeit könnte der Körper auch als eine Oxyverbindung,

$$C_8H_2N\underset{\overset{|}{C=N.C_6H_5}}{\overset{\overset{C(OH)}{|}}{\diagdown}}C.Cl \quad ,$$

aufgefafst werden. *β-Dichlor-α-γ-ketoxypyrhydrindencarbonsäure*,

$$C_8H_2N\underset{\overset{|}{CO}}{\overset{\overset{C.(OH).CO_2H}{|}}{\diagdown}}C:Cl_2 \quad ,$$

bildet sich als Zwischenproduct beim Uebergang von Triketon zum Chloroxypyrindon. Zur Darstellung der Säure löst man das Triketon in gekühlter, 10 proc. Sodalösung, säuert sofort an und schüttelt mit Aether aus. Den Aetherrückstand löst man am besten in con-

centrirter Salzsäure und fällt daraus durch vorsichtigen Wasserzusatz die Säure in deutlichen Krystallen aus, die meist zwischen
105 bis 110° unter Aufschäumen schmelzen. Durch Zufall wurden
einmal sehr schöne monokline Krystalle erhalten, an denen die
Flächen eines Verticalprismas, einer Schiefendfläche, der Längs-
fläche und Basis deutlich ausgebildet sind. In Aether, Benzol,
Benzin und Chloroform wenig löslich, sehr leicht löslich in Aceton
und Eisessig, in diesem letzteren unter Zersetzung. Bei 100° geht
sie unter Verlust von Kohlensäure und Salzsäure in Chloroxy-
pyridin über. *Methylester*, $C_{10}H_7Cl_2NO_4$, monokline Krystalle oder
Nadeln, Schmelzp. 171°. — *β - Dichlor - α - γ - diketopyrhydrinden*,

$C_5H_3N{<}{CO \atop CO}{>}C.Cl_2$, entsteht in Form des salzsauren Salzes
(kurzprismatische Krystalle) durch Sättigung mit Chlor, einer Suspension aus 1 Thl. Chloroxypyrindon in 5 Thln. Eisessig und
dem halben bis gleichen Volumen concentrirter Salzsäure. Das
freie Diketon wird aus dem Chlorhydrat durch Wasser abgeschieden. Weiße Nadeln, Schmelzp. 106 bis 107°. Schwache Base.
Platindoppelsalz: goldgelbe Prismen, die über 200° schmelzen.
Durch Zinnchlorür und Salzsäure wird das Dichlordiketopyrhydrin-
den in das salzsaure Salz des Chloroxypyrindons übergeführt,
durch Sodalösung in *β-Dichloracetopicolinsäure*,

Die Säure bildet sich auch beim Chloriren des Chloroxypyrindous
in Sodalösung. Aus Eisessig krystallisirt die Säure in harten,
glänzenden Prismen, die bei 151° unter Bräunung und starkem
Aufschäumen schmelzen. Leicht löslich in Alkohol und Aceton,
weniger in Benzol, kaum noch in Aether und Benzin. In kaustischem oder alkoholischem Alkali löst sie sich unverändert auf.
Beim Erhitzen der Säure mit Kalk entsteht Pyridin. Durch Jodwasserstoff und Phosphor wird sie zu Aethylpyridincarbonsäure
reducirt, welche durch Destillation mit Kalk in β-Aethylpyridin
und dieses durch Oxydation in Nicotinsäure übergeführt. Erwärmt
man die Dichloracetopicolinsäure zwei Stunden lang im Wasserbade mit rauchender Schwefelsäure und gießt auf Eis, so scheidet
sich sogleich das *Lacton der β-Dichloroxyvinylpicolinsäure*,

$$C_5H_3N{<}{C{=}CCl_2 \atop CO}{>}O \quad ,$$

aus. Weiſse Nadeln oder compacte Prismen. Schmelzp. 135 bis 136°. In organischen Solventien und Wasser leicht löslich. Die Zurückführung in die Säure gelingt erst mit alkoholischem Kali. — β - *Trichloracetopicolinsäure*, $C_5 H_3 N {<}^{COCCl_3}_{COOH}$, entsteht beim Chloriren einer Lösung der Dichloracetopicolinsäure in kohlensaurem Natron oder bequemer durch Einwirkung von überschüssigem Chlorkalk auf das 'Chloroxychinolinchinon oder Triketonderivat. Aus heiſser, verdünnter Salzsäure krystallisirt sie in farblosen Blättchen, Schmelzp. 174°. Durch Aetznatron wird sie in Chloroform und Chinolinsäure gespalten. — Lacton der β - *Oxymethylpicolinsäure* (Pyridinphtalid), $C_5 H_3 N{<}^{CH_2}_{CO}{>}O$, entsteht aus der β-Dichloracetopicolinsäure oder dem Lacton der β - Dichloroxyvinylpicolinsäure durch Erhitzen mit concentrirter Salzsäure auf 165° im Rohr, drei Stunden lang. Aus Methylalkohol oder Wasser krystallisirt der Körper in Nadeln, Schmelzp. 161°; in übrigen Solventien unlöslich. Sublimirt beim Erhitzen über den Schmelzpunkt. *Platindoppelsalz*, $(C_7 H_5 N O_2 H Cl)_2 PtCl_4$ $+ 2 H_2 O$. Gelbe Nädelchen. In heiſsem Wasser ziemlich löslich, sehr wenig in Salzsäure, Alkohol und Aether. Im Barytwasser löst sich das Phtalid, zum *Baryumsalz der β - Oxymethylpicolinsäure*, $\left(C_5 H_3 N{<}^{CH_2 OH}_{COO}\right)_2 Ba\ {+}\ 2 H_2 O$, auf. Prismen.

β-*Methylpicolinsäure*, $C_5 H_3 N{<}^{CH_3}_{COOH}$, bildet sich durch Reduction des Phtalids (0,5 g) mittelst rothen Phosphors (0,4 g) und Jodwasserstoff (4 ccm vom spec. Gewicht 1,7) im geschlossenen Rohre während 1¹/₂- bis 2 stündigen Erhitzens auf 150 bis 160°. Das in gelben Nadeln anschieſsende jodwasserstoffsaure Salz wurde durch Schütteln mit Silberoxyd, eventuell auch durch Behandlung mit Schwefelwasserstoff in die freie Säure übergeführt. Kurze, zu Warzen vereinigte Prismen, Schmelzp. 111°. In Wasser sehr leicht, weniger in Alkohol löslich. *Salzsaures Salz*, weiſse, in Wasser leicht lösliche Blättchen. *Platindoppelsalz*, $(C_7 H_7 N O_2$. $HCl)_2 PtCl_4 + 2 H_2 O$, kleine, gelbe Prismen, die bei 192° unter Aufschäumen schmelzen. — Durch Chloriren des Chloroxypyridons, bei Abwesenheit der Salzsäure, entsteht ein im Pyridinkern chlorirter Körper, das β - *Dichlor - $\alpha\gamma$ - diketochlorpyrhydrindon*, $C_5 H_2 Cl N{<}^{CO}_{CO}{>}CCl_2$. Aus Essigsäure Krystalle von nicht ganz scharfem Schmelzpunkt bei 100°. Leicht löslich in Alkohol, Aether,

Benzol, Aceton und Chloroform, unlöslich in Wasser und verdünnter Salzsäure. Durch Reduction mit Zinnchlorür geht der
Körper in *Chloroxychlorpyrindon*,

$$\text{C}_5\text{H}_2\text{ClN} \langle \text{CO, CCl, C.OH} \rangle ;$$

aus heifsem Eisessig lebhaft rothes, krystallinisches Pulver, welches
von 150° ab dunkelt, über 170° zusammensintert und gegen 180°
unter Zersetzung schmilzt. In Alkohol und Eisessig leicht löslich,
sehr wenig in Benzol und Wasser. Der Körper besitzt gleichzeitig
phenolischen und basischen Charakter. *o-Dichloracetochlorpyridin-
carbonsäure*, $\text{C}_5\text{H}_2\text{ClN} \langle \begin{smallmatrix} \text{COCHCl}_2 \\ \text{COOH} \end{smallmatrix}$, entsteht aus entsprechendem,
oben erwähnten Diketoderivat durch Einwirkung von Sodalösung.

Aus Benzol Nadeln, die bei 148° zu einer rothen Flüssigkeit
schmelzen. Die Stellung des Chloratoms im Pyridinkern in diesen
drei Körpern ist nicht ermittelt worden. Die wichtigsten in der
Arbeit beschriebenen Verbindungen und Uebergänge stellen die
Verfasser in vorstehender Tabelle zusammen.   *v. N.*

   Th. Zincke und **K. Wiederhold**. Ueber Dichlor-β-chino-
linchinon und dessen Umwandlungsproducte [1]). (Vierte Mittheilung.) — Im Anschluſs an die vorhergehende Untersuchung haben
die Verfasser aus dem **Mathëus**'schen [2]) Amido-p-oxychinolin
neue Chinolinderivate dargestellt, in analoger Weise, wie das
früher für die entsprechenden Naphtalinderivate aus dem β-Amido-
naphtol geschehen ist. Die folgende Tabelle giebt eine Uebersicht
der zu beschreibenden Umsetzungen:

B-1,2,3,4-Dichlorchinolinchinon (Dichlor-β-chinolinchinon) entsteht als gelbes Pulver bei der Einwirkung von Chlorgas auf
in Eisessig (30 g) gelöstes ana-Amido-p-oxychinolin (6 bis 7 g).

---

[1]) Ann. Chem. 290, 359—382. — [2]) JB. f. 1888, S. 1277.

Glänzende, gelbe Blättchen, Schmelzp. 180°. Es ist ziemlich leicht löslich in Methyl- und Aethylalkohol, Chloroform und Eisessig, weniger leicht in Aether und den übrigen Lösungsmitteln. Das *salzsaure Salz*, $C_9H_4NO_2Cl_2 \cdot HCl + H_2O$, hellgelbes, krystallinisches Pulver, schmilzt bei 199 bis 200° unter Zersetzung. — *B-1,2,3,4-Dichlorchinolinhydrochinon* (Dichlor-β-chinolinhydrochinon) entsteht durch Reduction der vorhergehenden Verbindung in absolut-alkoholischer Lösung mit Zinnchlorür und wird aus dieser dunkelroth gefärbten Lösung durch Wasser ausgefällt. Rothes Pulver, welches bei 150° zu sublimiren und sich zu zersetzen anfängt. In gebräuchlichen Lösungsmitteln fast unlöslich, deswegen wurde es analysirt in Form des *salzsauren Salzes*, $C_9H_5O_2NCl_2 \cdot HCl + H_2O$; gelbe, bei 170° unter Zersetzung schmelzende Nadeln. Durch Wasser dissociirbar. — *B-2,3,4,1-Chloroxychinolinchinonanilid*, ein schon früher von Zincke[1]) und Müller auf anderem Wege dargestellter Körper, entsteht auch durch Einwirkung von Anilin auf Dichlorchinolinchinon in Eisessiglösung. Die alte Schmelzpunktangabe (195°) wird corrigirt, schon von 175° an tritt Zersetzung ein. — Durch Einwirkung von p-Toluidin ganz analog dargestelltes *B-2,3,4,1-Chloroxychinolinchinon-p-toluid*, krystallisirt aus Alkohol oder besser aus Benzol und Benzin in langen, dunkelrothen Nadeln, Schmelzp. 177 bis 180°. Sowohl dieses p-Toluidid wie auch das Anilid geben beim Kochen in Alkohol mit concentrirter Salzsäure ein in gelben Blättchen sich ausscheidendes salzsaures Salz des *B-2,3,1,4-Chloroxychinolinchinons* (Chloroxy-α-chinolinchinon), welches, in Soda gelöst und mit verdünnter Schwefelsäure vorsichtig versetzt, das freie Chinon, ein dunkelrothes Krystallpulver, liefert (vergl. vorangehendes Referat). Bei der Einwirkung von kohlensaurem Alkali auf Dichlor-β-chinolinchinon entsteht in geringer Menge ebenfalls das Chloroxychinolinchinon; dagegen freies Alkali führt es über concentrirte graue, schwer zu isolirende Oxysäure in Folge gleichzeitiger Oxydation in das zugehörige Indon,

das *α-β-Dichlorpyrindon*, über. Durch absichtlichen Zusatz von Oxydationsmitteln, z. B. Natriumperoxyd, wird die Bildung des

---

[1]) JB. f. 1891, S. 972.

Indons begünstigt: freies oder salzsaures Dichlor-β-chinolinchinon wird mit Eiswasser verrieben, dann mit 5 proc. Natronlauge und etwas Natriumsuperoxydlösung so lange versetzt, bis eine Probe der braunrothen Lösung mit Salzsäure einen gelben, im Ueberschufs des Fällungsmittels klar löslichen Niederschlag giebt; nun wird mit Salzsäure angesäuert, von etwas unangegriffenem Dichlorchinon abfiltrirt, und das Filtrat mit Aether ausgeschüttelt. Das beim Verdunsten der Aetherextracte zurückbleibende Indon bildet, aus Methylalkohol umkrystallisirt, feine, gelbe Nadeln, Schmelzp. 112°; in höherer Temperatur verflüchtigt er sich, ebenso mit Wasserdampf. Riecht chinonartig, stechend. Besitzt basische Eigenschaften. In Eisessiglösung mit Anilin versetzt, bildet er das *α-Anilido-β-chlorpyrindon*,

feine, hellrothe Nädelchen, Schmelzp. 162 bis 163°; löslich in Alkohol, Aether, Benzol und Aceton. Durch Erhitzen mit Säuren tritt Spaltung ein, unter Bildung des *Chloroxypyrindons*. (Bezüglich dieser beiden Körper vergl. das vorhergehende Referat.) — Das Dichlorpyrindon wird in Eisessiglösung nicht chlorirt; in Chloroformlösung entsteht eine gelbe, harzige Masse, die nicht analysirt werden konnte, das *Tetrachlorpyrhydrindon*, welches durch Natronlauge gelöst und mit Salzsäure ausgefällt *Trichlorvinylpyridincarbonsäure* ergab. Aus Benzol weifsgraue, dicke Nadeln, Schmelzp. 153 bis 154°. In Alkohol und in Eisessig leicht löslich. Starke, auch in essigsaurem Natron lösliche Säure. — Das Dichlorpyrindon wird, abweichend von der entsprechenden Indonverbindung, durch wässeriges Alkali unter Sprengung des Ringes in *Dichlorvinylpyridincarbonsäure* übergeführt. Zur Darstellung wird das rohe Dichlorpyrindon in verdünnter Natronlauge gelöst, mit Salzsäure versetzt, der Niederschlag abfiltrirt und getrocknet. Der Aetherauszug der Mutterlauge wird zur Extraction des Niederschlages verwendet, Aether wird abdestillirt und der Rückstand aus Benzol umkrystallisirt. Nadeln oder Körner, Schmelzp. 139°. In Alkohol leicht, in Aether schwerer löslich. — Wird das Dichlor-β-chinolinchinon in heifsem Methylalkohol gelöst, erkalten gelassen, mit Eisessig angesäuert und mit eisessigsaurer Lösung des o-Phenylendiamins versetzt, so entsteht das *B-1,2-Dichlorchinolinphenazin*, ein schwach gelbes, krystallinisches Pulver, Schmelzp. 230 bis 240°. Schwache Base. — Wird das Chloroxy-α-chinolinchinon mit äquivalenter Menge des o-Phenylendiamins in Eisessiglösung so lange gekocht, bis alles in Lösung gegangen ist, so entsteht ein Eurhodol, das *B-2,1-Chloroxychinolinphenazin*, welches sowohl saure, wie auch basische Eigenschaften zeigt. Gereinigt durch Umkrystallisiren aus Eisessig, dann aus einem Gemisch von Benzol und wenig Benzin, bildet es gelbe Nädelchen, die sich oberhalb 200° zersetzen. Seine Metall- und Säuresalze sind schön roth gefärbt. Durch vorsichtige Oxydation mit Salpetersäure (spec. Gewicht 1,4) in Eisessiglösung geht das Eurhodol unter Austritt des Chloratoms in das Monohydrat eines Chinonderivates, das *B-1,2-Diketochinolinphenazinhydrat*,

über. Das Rohproduct wird zur Entfernung chlorhaltiger Beimischungen mit Natriumacetlösung zusammengebracht, zur Verjagung polyhydratischen Wassers erhitzt und aus Eisessig umkrystallisirt. Gelbes, oberhalb 270° sich zersetzendes Krystallpulver. In Eisessig schwer, leichter in Alkohol, sehr leicht löslich in Salpetersäure und Salzsäure, hier wohl unter Bildung von Salzen. — Wird es in Eisessiglösung mit o-Phenylendiamin erwärmt, so entsteht ein in Nadeln und Blättchen aus Alkohol krystallisirender Körper, in dem wahrscheinlich ein Diphenazinderivat vorliegt. *v. N.*

K. Nencki, Ueber die Einwirkung von o-Aldehydosäuren auf Chinaldin bei Gegenwart von Chlorzink[1]. — Die von M. Nencki[2] beobachtete Condensation der aromatischen Aldehyde mit Chinaldin wurde auf o-Phtalaldehydsäure ausgedehnt. Es ist wahrscheinlich, dafs sowohl diese wie auch die Opiansäure nicht in der aldehydischen, sondern in der tautomeren Oxyphtalidform

$$\begin{array}{c} —CO \\ \qquad\ >O \\ —CHOH \end{array}$$ gegen die CH_3-Gruppe des Chinaldins reagiren. Das

in Kalilauge unlösliche Opianylchinaldin von M. Nencki dürfte die Structur

[1]) Ber. 29, 187—190. — [2]) Ber. 27, 1974.

besitzen, nach längerem Kochen mit 30 Proc. Alkali aus jenem hervorgehendes Salz $(CH_3 O)_2 C_6 H_2 {<}^{COOH}_{CHOH\,.\,CH_2\,.\,C_9 H_6 N}$. Aus dem Reactionsproducte der Phtalaldehydsäure und Chinaldin zieht verdünnte Salzsäure *Monophtalidylchinaldin*,

$$C_6 H_4 {<}^{CO}_{CH\,.\,CH_2\,.\,C_9 H_6 N} O,$$

aus. Weiße Nadeln. Schmelzp. 104°. In Wasser unlöslich, leicht löslich in organischen Solventien. *Platindoppelsalz*, $(C_{18} H_{13} O_2 N\,.\,HCl)_2$ $PtCl_4$, gelber, krystallinischer Niederschlag. *Goldsalz*, $C_{18} H_{13} NO_2$ $.\,HCl\,.\,AuCl_3$. Neben diesem Körper findet sich in dem in Säuren unlöslichen Antheil *Diphtalidylchinaldin*,

$$\left(C_6 H_4 {<}^{CO}_{CH}{>}O\right)_2 CH\,.\,C_9 H_6 N$$

Nadeln. Schmelzp. 192°. Sehr schwer löslich in Alkohol und Eisessig, leichter in Benzol, unlöslich in Aether. — Mehrfach methylirte Chinaldine condensiren sich ebenfalls mit o-Aldehydosäuren: *Opianyl-o-p-dimethylchinaldin*. Weiße Nadeln. Schmelzp. 132°. Leicht löslich in Säuren und organischen Solventien. *Platindoppelsalz*, $(C_{23} H_{21} O_4 N\,.\,HCl)_2 PtCl_4$, gelbe Krystalle. *Monophtalidyl-o-p-dimethylchinaldin*, $\left(C_6 H_4 {<}^{CO}_{CH}{>}O\right).CH_2.C_9 H_4 N(CH_3)_2$. Nadeln. Schmelzp. 116°. Leicht löslich in Säuren, organischen Solventien, unlöslich in verdünnten Alkalien. *Diphtalidyl-o-p-dimethylchinaldin*, $\left(C_6 H_4 {<}^{CO}_{CH}{>}\right)_2 CH\,.\,C_9 H_4 N(CH_3)_2$. Aus Eisessig weiße Krystalle vom Schmelzp. 224°. Unlöslich in Alkohol, Aether, Chloroform, etwas löslich in Benzol.   *v. N.*

A. Ladenburg. Ueber den asymmetrischen Stickstoff [1]). (IV. Abhandlung.) — Verfasser tritt den Ausführungen Wolffenstein's [2]) entgegen, der zu dem Schlusse gelangte, daß das Isoconiin keine stereochemisch selbständige Form des Coniins darstelle, sondern ein bloßes Gemenge von Rechtsconiin mit inactivem Coniin sei. Es werden verschiedene Thatsachen aufgeführt, die für die Existenz des Isoconiins als eines selbständigen Individuums sprechen. 1. Wenn man d- und r-Coniin mengt und daraus das Platinsalz herstellt, so erweist sich dieses als leicht löslich in

---

[1]) Ber. 29, 2706—2709; vgl. Ber. 26, 854; 27, 853 und 859. — [2]) Ber. 29, 1956.

Aether-Alkohol. Wird nun d-Coniinchlorhydrat mit Zinkstaub destillirt und das Destillat in der früher beschriebenen Weise weiter behandelt und schliefslich ins Platinsalz verwandelt, so erhält man vielfach beim Abdampfen und Behandeln mit Aether-Alkohol einen krystallinischen Rückstand, der als das Platinsalz des Isoconiins betrachtet wird. Verfasser sieht keine Möglichkeit, diese Thatsachen in anderer Weise als durch die Existenz einer stereoisomeren Form des Coniins zu erklären. 2. Nach den Untersuchungen des Verfassers, sowie denjenigen von Wolffenstein ist es nicht möglich, wenigstens nicht durch die Weinsäuremethode, ein höher als $+15,6^{0}$ resp. $15,7^{0}$ drehendes Coniin aus der natürlichen Base abzuscheiden. Verfasser hat nun nachgewiesen [1], dafs aus synthetischem Coniin auf dieselbe Weise eine Base erhalten wird, deren Drehungsvermögen $+18,3^{0}$, also wesentlich höher ist. Diese Thatsache ist nur durch die Existenz eines dem natürlichen Coniin beigemengten Stereoisomeren mit niedrigerem Drehungsvermögen zu erklären. Dieses Isoconiin mufs danach ein Bitartrat bilden, welches leichter löslich ist, als das des d-Coniins, aber sich doch nur unvollständig von ihm trennen läfst. 3. Durch Mengen von r- und d-Coniin wurden Basen mit dem Drehungsvermögen $7,81^{0}$ und $8,48^{0}$ dargestellt, während für das Drehungsvermögen des Isoconiins früher $8,2^{0}$ gefunden worden war. Die daraus gewonnenen Benzoylverbindungen zeigten das Drehungsvermögen von $25,5^{0}$ und $28,4^{0}$; der früher für Benzoylisoconiin gefundene Werth $29,1^{0}$ liegt noch jenseits dieser beiden Gröfsen und zeigt, dafs das Isoconiin als ein selbständiges Individuum aufgefafst werden mufs. 4. Aus Isoconiin läfst sich durch die Weinsäurespaltung eine Base von höchstens $13,5^{0}$ Drehungsvermögen darstellen, während das natürliche Coniin in derselben Weise eine Base mit $15,6^{0}$ Drehungsvermögen und synthetisches Coniin eine Base mit $18,3^{0}$ Drehungsvermögen liefert. *Th.*

P. C. Plugge. Dr. J. A. J. Tonella's Untersuchungen über α-Normalpropyltetrahydrochinolin und Coniin [2]. — Die Untersuchung bezweckte festzustellen, ob ein Zusammenhang zwischen Constitution und physiologischer Wirkung besteht. Das α-Normalpropylchinolin bereitete Verfasser, indem er Propylmethylketon auf o-Amidobenzaldehyd bei Gegenwart von Natronlauge einwirken liefs, oder durch Erhitzen von α-Propyl-γ-chinolincarbonsäure mit Natronkalk. (Die genannte Säure, $C_9H_5N(C_3H_7)COOH$

---

[1] Ber. 27, 3062. — [2] Nederl. Tijdschr. Pharm. 8, 365—388; Ref.: Chem. Centr. 68, I, 242.

$+ 2 H_2 O$, erhielt Verfasser durch Erhitzen von 9,2 g Brenztrauben-
säure, 7,5 g Normalbutylaldehyd und 9,7 g Anilin in 80 g Alkohol.
Dieselbe bildet ein gelbes Pulver vom Schmelzp. 152,5°.) Das
α-Normalpropylchinolin ist flüssig, es bildet ein krystallinisches
Chlorhydrat, sowie ein Platindoppelsalz $[C_9 H_6 N (C_3 H_7) H Cl]_2 PtCl_4$
$+ 2 H_2 O$. Durch Reduction mit Zinn und Salzsäure liefert die
Base das *Tetrahydro-α-propylchinolin*, welches durch Destillation
mit Wasserdampf und Ausschütteln mit Aether gereinigt wird.
Die freie Base reagirt neutral, nicht chinolinartig, siedet bei 258°,
hat das spec. Gew. 0,959, ist optisch inactiv und zeigt bei Na-Licht
den Brechungsindex 1,56726. Sie giebt die allgemeinen Alkaloidreactionen. Mit Kaliumdichromat und Schwefelsäure giebt die
Base eine stark braune Färbung und schwache Trübung. Beim
Vergleich der physiologischen Wirkung mit Coniin ergab sich:
1. Chinolin- mit Pyridinbase erzeugen bei Fröschen Lähmung.
2. Die Chinolinbase ist ein Herzgift, somit ein Protoplasmagift;
ein starkes Gift für niedere Organismen, ein schwaches Gift für
warmblütige Thiere; Coniin verhält sich gerade umgekehrt. Auf
kaltblütige Thiere wirken beide Basen ungefähr gleich ein. *Tr.*

    E. Besthorn. Ueber Hexahydrochinolinsäuren. II[1]). — Der
Verfasser hat seine Arbeiten vom vorigen Jahre[2]) weiter geführt und dabei gefunden, dafs die cis-Hexahydrochinolinsäure,
Schmelzp. 227°, deren optische Spaltung früher mit Hülfe ihrer
Cinchoninsalze nicht gelingen wollte, jetzt an Strychninsalzen des
Nitrosoderivates dieser Säure durchgeführt worden ist. Die Nitrosoverbindung der cis-Hexahydrochinolinsäure wird gegenwärtig als
feste, weifse Krystallmasse, Schmelzp. 138 bis 139°, unter Zersetzung und Bräunung, beschrieben. Das schwerlösliche Strychnin-
salz dieser Nitrososäure mit Natronlauge zersetzt ergab Säure
von kräftiger Rechtsdrehung, in der syrupösen Mutterlauge war
eine solche, die stark nach links drehte, enthalten. Aus optisch-
activen Nitrososäuren durch Salzsäuregas in Freiheit gesetzte
Hexahydrochinolinsäuren zeigten in 10 proc. Lösung im Decimeterrohr auffallender Weise keine Ablenkung der Polarisationsebene,
doch tritt diese *Eigenschaft* wieder ein nach Behandlung mit Nitrit.
Die l-Nitrososäure schmolz bei 152 bis 153° und ist in Aether
schwerer löslich als die racemische Form. Die salzsauren Salze
aller drei Formen der cis-Hexahydrochinolinsäuren bilden klare,
prächtig ausgebildete Krystalle. Die für Chinolinsäure charakteristische Eisenvitriolreaction tritt bei den hexahydrirten Säuren

---

    [1]) Ber. 29, 2662—2666. — [2]) Ber. 28, 3151.

nicht ein. Beim Erhitzen mit Salzsäure auf 250° gab die Hexahydrosäure keine Kohlensäure, dieses erfolgt erst beim Schmelzen der Säure im Wasserstoffstrom. Versuche der Anhydridbildung ergaben bisher kein greifbares Resultat. Gegen trockenes Brom ist die Säure auch bei 150° beständig, — durch Brom in Anwesenheit von Wasser wird sie in eine bromhaltige Verbindung, Schmelzp. 112°, übergeführt. Dieselbe ist jedoch aus Mangel an Material nicht analysirt worden.   *v. N.*

H. Weidel. Ueber das γ-Acetacetylchinolyl[1]). — Dieser Körper wurde nach der allgemeinen, von Claisen ersonnenen Methode aus Cinchoninsäureester und Aceton, $C_9H_6NCO_2C_2H_5$ + $CH_3COCH_3 = C_2H_5OH + C_9H_6NCO.CH_2COCH_3$, dargestellt. Eine absolut trockene Mischung aus 100 g des reinen Esters, 30 g Aceton und 30 g Benzol wurde auf Natriumäthylat (bereitet durch Auflösen von 11,5 g Metall in absolutem Alkohol) vorerst unter Kühlung, dann während zwei bis drei Stunden unter Erwärmen auf 50 bis 60° einwirken gelassen. Der nach dem Erkalten mit 10 g Aetznatron in 300 g Wasser versetzten und tüchtig durchgeschüttelten Reactionsmasse wurde durch Benzol der unveränderte Cinchoninsäureester entzogen und aus der wässerigen Lösung mit verdünnter Essigsäure das *Acetacetylchinolyl* als bald erstarrendes Oel ausgefällt. Der Körper läfst sich mit Benzol ausschütteln und im Vacuum bei 17 mm zwischen 205 bis 207° unzersetzt destilliren. Aus Petroläther seideglänzende Nadeln, Schmelzp. 64 bis 65°. In siedendem Wasser kaum löslich, leicht löslich in Alkohol, Aether, Benzol, in verdünnten Säuren und Alkalien. Die alkalischen Lösungen zeigen auf Zusatz von Eisenchlorid erstlich einen rothen Niederschlag, der sich im Ueberschufs des Chlorids mit intensiv blutrother Farbe löst. *Chlorhydrat*, $C_{13}H_{11}NO_2.HCl$, seideglänzende, licht schwefelgelbe Nadeln, Schmelzp. 180 bis 181°. Durch Wasser zum Theil dissociirbar. *Oxalat*, $C_{13}H_{11}NO_2.C_2H_2O_4$, gelblich weifse, in Alkohol leicht lösliche Nadeln, Schmelzp. 166 bis 167°. Durch Wasser dissociirbar. *Chloroplatinat*, $(C_{13}H_{11}NO_2)_2$ H_2PtCl_6, orangegelbe Krystallnadeln, Schmelzp. 192 bis 193° mit Zersetzung. *Jodmethyl-Additionsproduct*, $C_{13}H_{11}NO_2CH_3J + H_2O$, nach Heberdey's Messungen scheinbar rhombische, rothgelbe Krystalle. Schmelzp. 189 bis 191° unter Zersetzung. *Natriumsalz*, $C_{13}H_{10}NaNO_2$, zu Drüsen verwachsene Nadeln. Wird durch andauerndes Kochen in wässeriger Lösung in Aceton und Cinchoninsäure gespalten. Obiges Chlorhydrat giebt mit Phenyl-

---

[1]) Monatsh. Chem. 17, 401—420.

hydrazinchlorhydrat und concentrirter Natriumacetatlösung die
Abscheidung eines dicken Oeles, welches aus Ligroin in prächtigen
(Heberdey), monoklinen Krystallen, Schmelzp. 120⁰, anschiefst.
Es ist das *1-Phenyl-3-chinolyl-5-methylpyrazol*,

$$C_9H_6N-C\begin{matrix} CH=C-CH_3 \\ | \\ N---N-C_6H_5 \end{matrix}.$$

In Wasser fast unlöslich, leicht löslich in Aether, Alkohol, Benzol,
Ligroin. Mit Hydroxylamin entsteht ein stabiles *Monoxim*, $C_{13}H_{11}NO$
$:NOH$, das nach Heberdey triklin krystallisirt. Schmelzp. 170
bis 171⁰. In kaltem Wasser, Aether und Benzol so gut wie unlöslich, in heifsem Alkohol leicht löslich. Ein Dioxim läfst sich
nicht darstellen. Beim Einleiten von trockenem Ammoniak in
die alkoholische Lösung des Acetacetylchinolyls entsteht das
Aminoacetacetylchinolyl, $C_9H_6N.CO:CH:C.(NH_2).CH_3$. Anscheinend monokline Krystallnadeln, Schmelzp. 184⁰. Liefert mit
Säuren Salze. *Anilacetacetylchinolyl*, $C_9H_6N.CO.CH:C(NH.C_6H_5)$
$.CH_3$, wurde aus salzsauren Salzen seiner Bestandtheile als *Chlorhydrat*, $C_{19}H_{16}N_2O.2HCl$, scharlachrothe Krystallnadeln, durch
Wasser dissociirbar, dargestellt. Die freie Base ist ziemlich zersetzlich. Citronengelbe Krystalle, Schmelzp. 129,5⁰. — Die Einwirkung von 2 Mol. o-Amidobenzaldehyd auf Acetacetylchinolyl
verläuft in alkalischer Lösung unter Bildung von *α-Dichinolylchinolin*,

$$\begin{matrix} C_6H_4 \\ C\dot OH\quad NH_2 \\ CH_3.CO.CH_2.CO.C_9H_6N \\ C\dot OH\quad NH_2 \\ C_6H_4 \end{matrix} = 4H_2O + \begin{matrix} C_6H_4 \\ CH\quad N \\ CH-C-C-C_9H_6N. \\ CH\quad N \\ C_6H_4 \end{matrix}$$

Dasselbe krystallisirt aus der wässerig alkalischen Lösung in
asbestartigen Nadeln, Schmelzp. 150 bis 151⁰. In Wasser und
Aether kaum, leicht löslich in Benzol, Essigäther und Alkohol.
Chlorhydrat, $C_{27}H_{17}N_3.3HCl$, gelblichweifse Krystallnadeln. Durch
Wasser dissociirbar. *Chloroplatinat*, $2(C_{27}H_{17}N_3.3HCl)+3PtCl_4$,
hellgelbe monokline Nadeln, die sich über 200⁰ zersetzen, ohne
zu schmelzen. *Aurichlorat*, $C_{27}H_{17}N_3.3HCl.3AuCl_3$, glänzende,
hellgelbe Krystallnadeln, die bei 255⁰ unter Aufschäumen schmelzen. Mit Jodmethyl im Rohr bei 160⁰ entsteht ein *Jodmethylat*,
$C_{27}H_{17}N_3.3CH_3J + 2H_2O$, dunkelrothe, zu Drusen verwachsene
Nadeln, Schmelzp. 201⁰ mit Zersetzung. Additionsproducte, mit
1, resp. 2 Mol. CH_3J in einheitlichem Zustande darzustellen,

gelang dem Verfasser nicht. — Die alkalisch wässerigen Mutter-laugen vom Dichinolylchinolin enthielten Chinaldin, welches da-durch entstanden ist, dafs ein Theil des Acetacetylchinolyls in Cinchoninsäure und Aceton sich gespalten hat, welch letzteres mit o-Amidobenzaldehyd Chinaldin ergab.   *v. N.*

Farbwerke vorm. Meister, Lucius u. Brüning in Höchst a. M. Verfahren zur Darstellung braungelber Acridin-farbstoffe aus Diamidobenzophenon und m-Diaminen [1]). — Erhitzt man Diamidobenzophenon oder dessen Diacetylverbindung mit m-Phenylendiamin oder m-Toluylendiamin, so bilden sich zunächst gelbe, dem Amidobenzoflavin sehr nahe stehende *Acridinfarbstoffe*, welche beim weiteren Erhitzen in mehr braungelbe Farbstoffe übergehen. Diese letzteren Farbstoffe lösen sich leicht in Wasser mit brauner Farbe und färben mit Tanninbeize versehene Baum-wolle sowie Leder in braungelben Nüancen an.   *Sd.*

Amé Pictet und A. Hubert. Ueber eine eigenthümliche Bildung des Acridons [2]). — In der Absicht, Phenanthridon synthe-tisch darzustellen, unterwarfen die Verfasser das Salicylanilid der trockenen Destillation. Dem stark aufgeblähten, kohligen Rück-stande entzog Alkohol statt des erwarteten Phenanthridons das isomere Acridon, Schmelzp. 350°. Bei der hohen Temperatur er-leidet offenbar das Salicylanilid eine Umlagerung

$$C_6H_4{<}^{CO\,.\,NH\,.\,C_6H_5}_{OH} = C_6H_4{<}^{COOH}_{NH\,.\,C_6H_5}$$

in Phenylanthranilsäure, welche dann Wasser abspaltet unter Bildung des Acridons:

$$C_6H_4{<}^{COOH}_{NHC_6H_5} = C_6H_4{<}^{CO}_{NH}{>}C_6H_4 + H_2O.$$

Das Auftreten im Destillate des Diphenylamins, eines Spaltungs-productes der Phenylanthranilsäure, stützt diese Auffassung. — Diese Reaction wurde ausgedehnt auf das Salicyl-o- und -p-Toluid. Das *Salicyl-o-toluid*, dargestellt durch Einwirkung von Phosphor-oxychlorid auf das äquimolekulare Gemisch von Salicylsäure und o-Toluidin, Lösen des Products in Natronlauge und Fällen mit Kohlensäure, bildet weifse Nadeln, Schmelzp. 144°. Daraus durch trockene Destillation entstand das bekannte o-Methylacridon, Schmelzp. 345°. — Das Salicyl-p-toluid ergab das mit ihm isomere p-Methylacridon, Schmelzp. 338°.   *v. N.*

Amé Pictet und A. Hubert. Ueber eine neue Synthese der Phenanthridinbasen [3]). — Nach dem neuen, den Bernthsen'schen

---

[1]) Ber. **29**, Ref. 1191; D. R.-P. Nr. 89660. — [2]) Ber. **29**, 1189—1191. — [3]) Daselbst, S. 1182—1189.

Synthesen der Acridine analogen Verfahren entstehen die Phenanthridinbasen durch Wasserabspaltung aus den Säurederivaten des
o-Aminobiphenyls:

$$\begin{matrix} C_6H_5 & CO-R \\ | & | \\ C_6H_4 & -NH \end{matrix} = H_2O + \begin{matrix} C_6H_4-C-R \\ | & \| \\ C_6H_4-N \end{matrix}$$

Die Condensationen erfolgen am besten durch Erhitzen eines
Gemisches des Anilids mit 3 bis 4 Thln. Chlorzink auf 250 bis
300°, während $1^{1}/_2$ bis 2 Stunden, bis zum Aufhören der Gasentwickelung. Das Reactionsproduct wird durch Ausziehen mit
Salzsäure von harzigen Verunreinigungen getrennt, mit Natronlauge im Ueberschufs versetzt und mit Aether extrahirt. Die als
Ausgangsmaterialien zu benutzenden Anilide werden aus Gräbe
und Rateanu's[1] o-Aminobiphenyl nach üblichen Methoden dargestellt. — o-Formaminobiphenyl, $C_6H_5 . C_6H_4 NH . COH$, sehr leicht
löslich in Alkohol, Aether, Benzol und Chloroform, etwas weniger
in kochendem Wasser. Nadeln. Schmelzp. 75°. Daraus durch
Condensation entstandenes Phenanthridin, Schmelzp. 104°, wurde
durch Ueberführung in das unlösliche Quecksilberdoppelsalz gereinigt. — Auf ganz analogem Wege wurde aus o-Acetaminobiphenyl, Schmelzp. 117°, das ms-Methylphenanthridin dargestellt.
Dieser in sämmtlichen organischen Solventien sehr leicht lösliche
Körper verharrt gerne in öligem Zustande und ist nur aus Ligroin umzukrystallisiren. Nadeln. Schmelzp. 85°. Siedet unzersetzt oberhalb 360°. Sein Chlorhydrat, $C_{14}H_{11}N . HCl$, krystallisirt
aus heifs gesättigten wässerigen Lösungen in weifsen Nadeln,
Schmelzp. 285°. Nitrat und Sulfat sind in Wasser leicht löslich.
Chlorplatinat, $(C_{14}H_{11}N . HCl)_2 PtCl_4 + 2H_2O$, fleischfarbene Nadeln, Schmelzp. 272°. Chloraurat, hellgelbe Nadeln, Schmelzp.
163 bis 164° unter Zersetzung. Chlormercurat in heifsem Wasser
schwer löslich, weifse Nadeln, Schmelzp. 247°. Dichromat, orangegelbe Nadeln, bei 270° noch nicht schmelzend. Pikrat, sternförmig
gruppirte, gelbe Nadeln, Schmelzp. 233° unter Zersetzung. Jodmethylat, dargestellt aus Componenten im Rohr bei 100°. Nadeln.
Schmelzp. 246 bis 247° unter Zersetzung — daraus durch Umsetzung
mit Alkali darstellbares Methylhydrat ist in Wasser unlöslich, in
Aether leicht löslich. — o-Propionaminobiphenyl, Schmelzp. 65°,
siedet bei 350°. Weifse Nadeln, in Alkohol, Aether, Benzol und
Chloroform leicht, in Ligroin wenig, in Wasser nicht löslich.
ms-Aethylphenanthridin, aus Ligroin, Nadeln 54 bis 55° C. Chlorhydrat, Nadeln, 205°, in Wasser und Alkohol leicht löslich. Chlor-

---

[1] Ann. Chem. 279, 266.

platinat $(C_{15}H_{13}N . HCl)_2 PtCl_4 + 2H_2O$. Gelbe Nadeln, Schmelzp. 241 bis 242°. *Chloraurat*, hellgelbe Nadeln, Schmelzp. 149° unter Zersetzung. *Chlormercurat*, Nadeln, 214°. *Dichromat*, goldgelbe Nadeln, die sich ohne zu schmelzen zersetzen. *Pikrat*, gelbe Nadeln, Schmelzp. 210° unter Zersetzung. — Die sämmtlichen Salze dieser drei Phenanthridine mit farblosen Säuren fluoresciren bläulich. — *o-Benzaminobiphenyl*, weiſse, perlmutterartig glänzende Blättchen, Schmelzp. 85 bis 86°. Etwas löslich in kochendem Wasser, leicht in Alkohol, Aether, Benzol und Chloroform. — *ms-Phenylphenanthridin* bildet sich auch durch Einwirkung von Zinkchlorid auf ein Gemisch von Aminobiphenyl und Benzoësäure, farblose, viereckige Tafeln, Schmelzp. 109°. Siedet ohne Zersetzung oberhalb 400°. In kochendem Wasser etwas löslich, leicht in organischen Solventien, in Ligroin schwer löslich. In starken Mineralsäuren löslich mit violetter Fluorescenz. Schwache Base. *Chlorhydrat*, $C_{19}H_{13}N . HCl + H_2O$. Weiſse Nadeln. Schmelzp. 220°. *Nitrat* in Wasser sehr schwer löslich. Kleine Nadeln. Schmelzp. 205°. *Chlorplatinat*, $(C_{19}H_{13}N . HCl)_2 PtCl_4 + 2H_2O$, gelbe Nadeln. Zersetzung gegen 300°. *Chlormercurat*, hellgelbe Nadeln. Schmelzp. 220°. *Pikrat*, gelbe Nadeln. Schmelzp. 242° unter Zersetzung. — Durch Condensation des *o-Biphenylurethans* (Schmelzp. 186°, weiſse Nadeln, leicht löslich in organischen Solventien) mittelst Chlorzink entsteht unter Alkoholabspaltung

$$\begin{array}{ccc} C_6H_5 & COOC_2H_5 & C_6H_4-CO \\ | & | & = C_2H_5OH + \quad | \qquad | \\ C_6H_4-NH & & C_6H_4-NH \end{array}$$

das bekannte *Phenanthridon*, Schmelzp. 289°.   *v. N.*

St. Niementowski. Ueber das Chinacridin [1]). — Unter dem Namen „Chinacridin" beschreibt der Verf. eine neue Base von der empirischen Zusammensetzung $C_{20}H_{12}N_2$, die als Muttersubstanz eines Condensationsproductes der Anthranilsäure mit Phloroglucin erkannt wurde, und deren Constitution einer der beiden folgenden Formeln entsprechen dürfte:

[1]) Ber. **29**, 76—83; ausführlicher in: Rozpr. Wydz. mat. przyr. Acad. umiej. w Krakowie **31**, 101.

Erhitzt man gleiche Gewichtstheile Anthranilsäure und Phloroglucin auf 150°, so tritt eine heftige Reaction unter Entwickelung von Wasserdampf und etwas Kohlensäure ein, im Sinne der Gleichung $2 C_7 H_7 NO_2 + C_6 H_6 O_3 = 4 H_2 O + C_{20} H_{12} N_2 O_3$. Das gebildete *Oxychinacridon* wird auf Grund seiner beinahe vollkommenen Unlöslichkeit in organischen Solventien von Nebenproducten durch Auskochen mit Aceton getrennt. Es wird in sehr geringer Menge durch siedendes Phenol oder Phenylhydrazin aufgenommen und krystallisirt daraus in mikroskopischen Kügelchen, welche bei 1000 facher Vergröfserung in concentrisch gruppirten Nadeln aufgelöst erscheinen. Von 370 bis 410° schwärzt es sich in Folge langsamer Zersetzung. Unlöslich in verdünnten Säuren und Alkalien, auch alkoholischen — löslich in concentrirter Schwefelsäure mit lebhaft grüner Fluorescenz. *Acetoxychinacridon*, $C_{20} H_{11} N_2 O_2 (O_2 C_2 H_3)$. Amorph, unlöslich in sämmtlichen Solventien. Schmilzt noch nicht bei 360°. *Trinitrooxychinacridon*, $C_{20} H_9 (NO_2)_3$ $N_2 O_3 + H_2 O$, wurde dargestellt durch Eintragen von 5 g Oxychinacridon in 40 g Salpetersäure (spec. Gewicht 1,52). Es zersetzt sich unter Schwärzung bei 270 bis 280°. In organischen Lösungsmitteln unlöslich, löslich in alkalischen Laugen. Es färbt chromgebeizte Wolle und Baumwolle in hell rehbraunen Tönen, egalisirt schwer, ist nicht vollständig walkecht und auch auf Baumwolle nur mäfsig seifenecht. Seine Farbstoffnatur beweist den chromogenen Charakter dieser neuen Körperclasse. *Chinacridin*, $C_{20} H_{12} N_2$, wurde durch Zinkstaubdestillation des Oxychinacridons dargestellt. Aus Alkohol oder Benzol farblose Plättchen, Schmelzp. 221°. Seine Lösungen in Aether und Aethylacetat zeigen lebhafte bläuliche Fluorescenz. Löslich in Säuren, unlöslich in Alkalien. Zugleich mit diesem Chinacridin entsteht bei der Zinkstaubdestillation ein gleich zusammengesetzter Körper, der bei 213° schmilzt und demnach als das zweite theoretisch mögliche Isomere, oder wahrscheinlicher als verunreinigtes Chinacridin aufzufassen ist, — eine geringe Menge von Acridin, Schmelzp. 107°, Spuren von Anilin und vielleicht auch Chinolin, Substanzen, die ihre Entstehung wahrscheinlich einem Zerfall des Chinacridinmoleküls unter dem Einflufs hoher Hitzegrade verdanken. Durch Reduction des Chinacridins mit Natriumamalgam in alkoholischer Lösung entsteht das *Tetrahydrochinacridin*, $C_{20} H_{16} N_2$. Es krystallisirt aus Benzol in grofsen, goldgelben Blättchen, die bei 255° erweichen und bei 272° schmelzen. In organischen Solventien bedeutend schwerer löslich als Chinacridin, — am leichtesten in kochendem Benzol mit prächtig grüner Fluorescenz. In Wasser,

Säuren und Alkalien unlöslich. In Essigsäureanhydrid löst es sich in der Kälte mit carminrother, in der Wärme mit blutrother Farbe auf; beim Erkalten krystallisirt daraus eine geringe Menge des Chinacridins. *v. N.*

Isochinolin.

A. Edinger. Zur Kenntnifs des Jodisochinolins und der beiden isomeren Jod-o-Phtalsäuren[1]). — Seine früheren Studien[2]) im stickstoffhaltigen Kern monosubstituirten Jodisochinolins erweiterte der Verfasser auf ein im Benzolring substituirtes *α-Jodisochinolin*. Dieses wurde nach Sandmeyer's Verfahren aus Claus u. Gutzeit'schem[3]) α-Amidoisochinolin dargestellt. Je 2 g Amidoisochinolin wurden in einem Gemenge von 4 g Schwefelsäure und 4 g Wasser gelöst, mit 6,7 ccm einer 15 proc. Natriumnitritlösung versetzt, in concentrirte Lösung von 5 g Jodkalium hineingetropft und 12 Stunden lang stehen gelassen. Aus alkalisirtem Reactionsproducte wurde das gebildete Jodisochinolin mit Wasserdampf übergetrieben. Weifse Nädelchen, Schmelzp. 98°, sublimirbar. Leicht löslich in organischen Solventien, schwer in heifsem Wasser. Starke tertiäre Base: *Jodmethylat*, $C_9H_6JN.CH_3J$, gebildet aus äquivalenten Mengen der Componenten in ätherischer Lösung, Schmelzp. 306. *Platindoppelsalz*, $(C_9H_6JN.HCl)_2PtCl_4$. Unlöslich in Wasser, zersetzt sich bei 298°. *Pikrat*, C_9H_6JN . $C_6H_2(NO_2)_3OH$, Schmelzp. 224°. *Bichromat*, $C_9H_6JN.H_2Cr_2O_7$, fängt von 150° an zu verkohlen. — Je 5 g Jodisochinolins wurden in neutraler, schwefelsaurer Lösung mit 18,6 g Kaliumpermanganat bei 60° im Laufe von vier Stunden oxydirt. Aus den heifs filtrirten wässerigen Lösungen und aus den alkoholischen Extracten des Braunsteinniederschlages krystallisirt in weifsen Nadeln, Schmelzp. 238°, das *Imid der α-Jodphtalsäure*. Aus den angesäuerten Filtraten entzog Aether weitere Mengen des Oxydationsproductes, welches nach der Sublimation in Form des *Anhydrides*, Schmelzp. 153°, isolirt wurde. Zur Feststellung der Constitution der Oxydationsproducte wurden dieselben mit synthetisch dargestellten Jodphtalsäurederivaten verglichen. Ausgehend von Bernthsen u. Semper's[4]) α-monoamidophalsaurem, essigsaurem Zink wurde durch Diazotiren etc. in üblicher Weise das α-Jodphtalsäureanhydrid, Imid und die Säure selbst dargestellt, und mit vorher

---

[1]) J. pr. Chem. [2] **53**, 375—389. — [2]) Daselbst [2] **51**, 204. — [3]) Daselbst [2] **52**. 18. — [4]) JB. f. 1886. S. 1680.

beschriebenen Oxydationsproducten identisch befunden. Dieselbe
Säure wurde noch durch Diazotiren etc. des α-Amido-o-phtalsäure-
esters am Wege des in prachtvollen Blättchen (Schmelzp. 70°)
krystallisirenden *α-Jodphtalsäurediäthylesters* gewonnen. Die *α-Jod-
o-phtalsäure*, Schmelzp. 206°, enthält 3 Mol. Krystallwasser. Ihr
Kaliumsalz, $C_6H_3J(COOK)_2 + 3H_2O$, ist sehr leicht löslich in
Wasser. *Baryumsalz*, $C_6H_3J(COO)_2Ba$, leicht löslich in Wasser.
Silbersalz fängt bei 235° an sich zu bräunen und bläht sich bei
260° in ähnlicher Weise auf wie das Quecksilberrhodanid. *Kupfersalz*, $C_6H_3J(COO)_2Cu + 2^1/_2H_2O$. Auf ganz analogem Wege
wurde aus β-Amido-o-phtalsäureester die $1^1/_2$ Mol. Kystallwasser
enthaltende *β-Jod-o-phtalsäure*, Schmelzp. 182°, dargestellt.
Ihr *Imid* schmilzt bei 222 bis 224°; *Anhydrid*, weifse Nadeln,
Schmelzp. 123°. Eine zweite Methode, β-Jodphtalsäure zu gewinnen, bietet sich in der Oxydation eines durch Einwirkung
25 proc. anhydridhaltiger Schwefelsäure auf β-Jodnaphtalin entstehenden Gemenges der β-Jod-α$_3$- und β-Jod-α$_4$-naphtalinsulfo-
säure, durch Kaliumpermanganat. *Kupfersalz*, $C_6H_3J(COO)_2Cu$
$+ 3H_2O$, ist unlöslich in Wasser und Alkohol. *Silbersalz* zeigt,
gleich den Isomeren, oberhalb 250° explosionsartiges Aufquellen.
Kaliumsalz zerfliefslich. *Baryumsalz*, $C_6H_3J(COO)_2Ba.BaO$, schwer
löslich in Wasser. — Beide Jodphtalsäuren bilden mit Phenolen,
z. B. Resorcin etc., schöne und gut charakterisirte Farbstoffe.
Beim Behandeln mit alkoholischer Salzsäure giebt die α-Säure
den sauren, in Sodalösung löslichen Monoäthylester, die β-Säure
den gegen Sodasolution unempfindlichen neutralen Diäthylester.

v. N.

Farbwerke vorm. Meister, Lucius u. Brüning in
Höchst a. M. Verfahren zur Darstellung von Homologen des
Isochinolins. D. R.-P. Nr. 69138 vom 9. September 1892 [1]). —
o-Cyanbenzylcyanid wird entweder durch Einwirkung des Anhydrids und des Alkalisalzes einer organischen Säure, oder eines
organischen Säurechlorids und Natronlauge, sowie durch eine ge-
eignete weitere Behandlung in *Cyanalkylisocarbostyrile*, $\overset{\displaystyle\vdash}{C_6H_4{-}C}$
$(CN){=}C(R){-}NH{-}CO$, übergeführt. Im ersten Falle erhält man

als Zwischenproduct ein *Diacidylderivat des Cyanbenzylcyanids*,
$C_6H_4(CN){-}C(CN)(COR)_2$, das durch Kochen mit Alkalilauge
in Cyanalkylisocarbostyril übergeht: $C_6H_4(CN){-}C(CN)(COR)_2$
$+ NaOH = C_6H_4{-}C(CN){=}C(R){-}NH{-}CO + NaO.COR$ Im

[1]) Ber. 26, Ref. 653.

zweiten Falle bildet sich zuerst *Cyanalkylisocumarin*, C_6H_4-C $(CN)=C(R)-O-CO$, aus dem durch Erhitzung mit alkoholischem Ammoniak das Cyanalkylisocarbostyril gewonnen wird. Kocht man letzteres mit Säuren, so wird das Cyan durch Wasserstoff ersetzt, und es bildet sich *Alkylisocarbostyril*, $C_6H_4-CH=C(R)$ $-NH-CO$, welches bei der Reduction mit Zinkstaub *Alkyliso-chinolin*, $C_6H_4-CH=C(R)-N=CH$, liefert. Es gelingt auch, die Cyanalkylisocarbostyrile direct durch Destillation mit Zinkstaub in die Alkylisochinoline überzuführen. *Sd.*

Jacques M. Albahary. Synthese des 3-Propylisochinolins[1]). — Auf Veranlassung von S. Gabriel condensirte der Verfasser 10 g o-Cyanbenzylcyanid mit 6 g n-buttersaurem Natron und 20 g n-Buttersäureanhydrid durch einstündiges Erhitzen auf 160 bis 170°. Das durch Auswaschen mit eiskaltem Alkohol von etwas Harz befreite Reactionsproduct schmolz bei 105 bis 261° und gab neben unlöslichem polymeren o-Cyanbenzylcyanid, Schmelzp. 260 bis 261°, an Alkohol das in verfilzten, perlmutterglänzenden Nadeln, Schmelzp. 105°, krystallisirende *Pseudobutyryl-o-cyanbenzyl-cyanid* ab,

$$C_6H_4 \begin{cases} C(CN)=C.C_3H_7 \\ CN \quad O.CO.C_3H_7 \end{cases}.$$

Sehr leicht löslich in den meisten organischen Solventien, sehr schwer in Ligroin, fast gar nicht in Wasser. Durch alkoholisches Kali geht dieser Körper in ein Gemisch zweier Körper über: als löslich in mit Wasser stark verdünnter Lauge und daraus durch Salzsäure fällbar, erwies sich *3-4-Propylcyanisocarbostyril*,

$$C_6H_4 \begin{cases} C(CN):C.C_3H_7 \\ CO\text{---}NH \end{cases}.$$

Nadeln, Schmelzp. 221°, schwer löslich in Alkohol, Ligroin, Schwefelkohlenstoff, unlöslich in Wasser, sehr leicht löslich in Aether, Eisessig, Aceton, Benzol, Chloroform und kochendem Alkali; daneben als in Wasser und Laugen unlöslich entstand eine Verbindung von der Constitution

$$C_6H_4 \begin{cases} C(CN):C.C_3H_7 \\ CN \quad O.C_2H_5 \end{cases}.$$

---

[1]) Ber. 29, 2391—2398.

Rhombische Krystalle, Schmelzp. 80⁰. Löslich in Alkohol, Aether,
Aceton, Eisessig, Chloroform, Benzol, sehr schwer löslich in
Schwefelkohlenstoff und Ligroin. Sie geht durch Bromwasserstoff
in Bromäthyl und Propylcyanisocarbostyril über. Erhitzt man
diesen letzteren Körper mit Schwefelsäure, solange noch Kohlensäure sich entwickelt, und giefst dann das Product in Wasser, so
entsteht *3-Propylisocarbostyril*, $C_{12}H_{13}NO$. Gelb gefärbte Nadeln,
Schmelzp. 130 bis 131⁰. In den meisten Solventien, mit Ausnahme
von Wasser und Ligroin, leicht löslich. Durch Phosphoroxychlorid
entsteht daraus *1,3 - Chlorpropylisochinolin*. Mit Wasserdampf
flüchtiges, gelbes Oel, Siedep. 302 bis 303⁰ bei 746 mm Druck.
Chlorplatinat, $(C_{12}H_{12}NCl)_2H_2PtCl_6$, gelbe Krystalle, Schmelzp.
195⁰ unter Zersetzung. Goldsalz, $(C_{12}H_{12}NCl.HCl)AuCl_3$, hellgelbe Nädelchen, Schmelzp. 140 bis 141⁰. Beide Salze werden
durch heifses Wasser unter Abscheidung der Base zerlegt. Das
Chloratom der Base kann unter Einflufs von Natriummethylat,
-Aethylat oder Natriumphenolat durch Oxyalkyle resp. Phenoxyl
ersetzt werden; auf diesem Wege wurden dargestellt: *1,3 - Meth-
oxypropylisochinolin*, $C_{12}H_{12}N(OCH_3)$, Oel, Siedep. 281⁰ (756 mm
Druck). Pikrat, Schmelzp. 130 bis 134⁰. Platinat, Krystallnadeln,
Schmelzp. 169 bis 170⁰. Goldsalz, Krystallblättchen, Schmelzp. 130
bis 132⁰ unter Zersetzung. *1,3-Aethoxypropylisochinolin*, $C_{12}H_{12}N$
(OC_2H_5), Siedep. 287⁰ (756 mm Druck). Pikrat, gelbe Nadeln,
Schmelzp. 130⁰. Platinat, Nadeln, die sich bei 178 bis 182⁰ unter
Aufschäumen zersetzen. Goldsalz, Krystallblättchen. *1,3 - Phen-
oxypropylisochinolin*, $C_{12}H_{12}N(OC_6H_5)$, ein gelbes Oel, welches
nicht unzersetzt siedet. Pikrat, Nadeln, Schmelzp. 96 bis 98⁰.
Die Chlorbase geht durch Jodwasserstoffsäure und rothen Phosphor im Rohre bei 170⁰ in das *3-Propylisochinolin* über,

$$C_6H_4\begin{matrix}\diagup CH:C.C_3H_7\\ \cdot \\ \diagdown CH:N\end{matrix},$$

Oel, Siedep. 271⁰ (760 mm Druck), spec. Gew. 24⁰ = 1,01561.
Platinat, dunkelgelbe Krystallnadeln, Zersetzung bei 189⁰. Gold-
salz, Nadeln, Schmelzp. 118⁰ unter Aufschäumen. Pikrat, Nadeln,
Schmelzp. 161⁰.   *v. N.*

   C. A. Harper. Ueber einige Abkömmlinge des Isocumarins,
Isocarbostyrils und Isochinolins [1]. — Die früheren Untersuchungen
von S. Gabriel [2] weiter verfolgend, liefs der Verfasser 15 g o-Cyanbenzylcyanid mit 26 g m-Nitrobenzoylchlorid auf dem Wasser-

---

[1] Ber. 29, 2543—2549. — [2] Ber. 27, 828.

bade verschmelzen, fügte dazu 300 ccm 10 proc. Natronlauge, wodurch in kurzer Zeit ein dicker, gelber Niederschlag ausgefällt
wurde, welcher bald in alkalischer Flüssigkeit sich wieder auflöste.
Nun wurde mit concentrirter Salzsäure übersättigt und fünf Minuten
gekocht. Der ausgeschiedene schwarzbraune Niederschlag wurde
mit verdünntem Ammoniak und dann mit Wasser ausgewaschen
und aus Eisessig umkrystallisirt: *3-m-Nitrophenyl-4-cyanisocumarin*.
Gelbes Krystallpulver von rhombischem Habitus, Schmelzp. 210
bis 211°. Wenig löslich in Alkohol, unlöslich in Aether und Ligroin, löslich in Chloroform, heifsem Benzol und Toluol. Die
Reaction verläuft in zwei Phasen:

$$C_6H_4{<}^{CH_2-CN}_{CN} + C_6H_4{<}^{NO_2}_{CO.Cl} + NaOH = C_6H_4{<}^{C(CN):C.C_6H_4NO_2}_{CO \quad ONa}$$
$$+ H_2O + HCl,$$

$$C_6H_4{<}^{C(CN):C.C_6H_4NO_2}_{CN \quad ONa} + H_2O + 2HCl = C_6H_4{<}^{C(CN):C.C_6H_4NO_2}_{CO\underline{\quad}O}$$
$$+ NaCl + NH_4Cl.$$

Die Ausbeute beträgt nur 19 Proc. der Theorie. Durch rauchende
Salzsäure (2 Thle.) und Eisessig (1 Thl.) bei 180° während zwei
Stunden geht der obige Körper (1,7 g) in das *3-m-Nitrophenyliso-
cumarin*,

$$C_6H_4{<}^{CH:C.C_6H_4.NO_2}_{CO.O},$$

über. Ausbeute 40 Proc. der Theorie. Unlöslich in Alkohol und
Aether, sehr leicht löslich in Eisessig. Schmelzp. 232 bis 233°.
3 g m-Nitrophenyl-4-cyanisocumarin mit 20 Thln. alkoholischem
Ammoniak im Rohre 12 Stunden im Dampfbade erhitzt gaben
3-m-Nitrophenyl-4-cyanisocarbostyril,

$$C_6H_4{<}^{C(CN):C.C_6H_4NO_2}_{CO\underline{\quad}NH}.$$

Citronengelbe, schuppige Krystalle, Schmelzpunkt über 315°. Unlöslich in Alkohol und Aether, löslich in Eisessig und Nitrobenzol.
Durch Erhitzen im Rohre auf 180° mit einer Mischung von
Eisessig und rauchender Salzsäure geht der Körper in das
3-m-Nitrophenylisocarbostyril,

$$C_6H_4{<}^{CH:C.C_6H_4.NO_2}_{CO.NH},$$

über. Zu kugeligen Gruppen vereinigte Nadeln, Schmelzp. 298
bis 300°. Unlöslich in Alkohol und Aether, löslich in Eisessig

und Nitrobenzol. Die Einwirkung von (15 ccm) Phosphoroxychlorid auf (3 g) 3-m-Nitrophenylisocarbostyril ergiebt schon im Wasserbade und nach 15 Minuten das *3-m-Nitrophenyl-1-chlorisochinolin.*

$$C_6H_4 \begin{cases} CH : C.C_6H_4.NO_2 \\ | \\ CCl : N \end{cases}.$$

Weiße haarähnliche Fäden, Schmelzp. 220 bis 223°. Unlöslich in Aether und kaltem Alkohol, löslich in heißem Alkohol, Nitrobenzol und Eisessig. — Auf demselben Wege wie Eingangs beschrieben, nur in kleinen Portionen, wurde aus je (1 g) o-Cyanbenzylcyanid und (0,5 g) p-Toluylchlorid das *3-p-Tolyl-4-cyanisocumarin*

$$C_6H_4 \begin{cases} C(CN) : C.C_6H_4.CH_3 \\ . \\ CO\text{——}O \end{cases},$$

dargestellt. Citronengelbe, nadelförmige Prismen, Schmelzp. 193 bis 195°. Unlöslich in Natronlauge, löslich in heißem Aether, Alkohol, Eisessig und Nitrobenzol. — Das Zwischenproduct dieser Condensation, das *p-Methyl-o-α-dicyan-β-oxystilben*, wurde in Form seines Acetylderivates,

$$C_6H_4 \begin{cases} C(CN) : C.C_6H_4.CH_3 \\ . \\ CN \quad O.COCH_3 \end{cases},$$

nach dem Vorgange von Gabriel und Posner[1]) isolirt. Rhombische Krystalle, Schmelzp. 186 bis 188°. Unlöslich in Alkohol und Aether, löslich in Xylol. — Durch Erhitzen von 3-p-Tolyl-4-cyanisocumarin in Eisessiglösung mit rauchender Salzsäure auf 140 bis 160° entsteht die *p-Methyldesoxybenzoin-o-carbonsäure.*

$C_6H_4 < \begin{matrix} CH_2.CO.C_6H_4.CH_3 \\ COOH \end{matrix}$, welche bei 147 bis 148° unter Aufschäumen schmilzt und dabei in das *3-p-Tolylisocumarin,* $C_{16}H_{12}O_2$, übergeht. Dieser letztere Körper ist identisch mit dem früher von A. Ruhemann[2]) dargestellten Isoxylalphtalid, Schmelzp. 116°. Auch das von dem Verfasser dargestellte *3-p-Tolylisocarbostyril* erwies sich identisch mit entsprechendem, unter dem Namen Iso-p-xylalphtalimidin von Ruhemann beschriebenem Körper. — Aus 3-p-Tolyl-4-cyanisocumarin und alkoholischem Ammoniak entsteht das *3-p-Tolyl-4-cyanisocarbostyril*

$$C_6H_4 \begin{cases} C(CN) : C.C_6H_4.CH_3 \\ . \\ CN\text{——}NH \end{cases}.$$

Gelbe, nadelförmige Krystalle, Schmelzp. 290 bis 292°.   *v. N.*

---

[1]) Ber. 27, 881. — [2]) Ber. 24, 3973; 25, 3564.

J. Norman Collie und N. T. W. Wilsmore. Bildung von Naphtalin- und von Isochinolinderivaten aus Dehydracetsäure [1]. — J. Norman Collie hat schon früher [2] darauf hingewiesen, daſs Diacetylaceton sich unter gewissen Bedingungen condensirt, unter Bildung einer gelben, krystallinischen Verbindung, die anscheinend ein *Benzolderivat* darstellt. Diese gelbe, krystallinische Verbindung condensirt sich leicht weiter unter Bildung einer zweiten gelben Verbindung, welche ein *Naphtalinderivat* darstellt. Im Durchschnitt entspricht die Ausbeute an der ersten gelben Verbindung einem Viertel des Gewichts der angewendeten Dehydracetsäure. Von dieser ersten gelben Verbindung wurde ein *Dioxim* in annähernd reinem Zustande dargestellt. Bei der Destillation des Diacetats der zweiten gelben Verbindung mit Zinkstaub wurde ein bei 75 bis 78° schmelzender Naphtalinkohlenwasserstoff gewonnen, welcher anscheinend die Zusammensetzung eines *Dimethylnaphtalins* besitzt. Bei der Oxydation mit verdünnter Salpetersäure liefert derselbe eine Säure, die die Fluoresceïnreaction giebt, bei 115 bis 120° schmilzt und anscheinend mit der *Phenyl-1-methyl-3,4-dicarbonsäure* identisch ist. Ihr Silbersalz besitzt die Formel $C_9 H_6 O_2 Ag_2$. Bei der Einwirkung von concentrirter Schwefelsäure auf die zweite gelbe Verbindung entsteht ein farbloser Körper. Beim Behandeln der ersten gelben Verbindung mit concentrirter Ammoniaklösung erhält man eine in Wasser und Alkohol mit intensiv gelber Farbe lösliche basische *Verbindung* von der Formel $C_{14} H_{15} N O_2$, deren salzsaures Salz und Platinchloriddoppelsalz dargestellt wurden. Beim Erhitzen mit concentrirter Schwefelsäure spaltet diese Verbindung $C_{14} H_{15} N O_2$ Essigsäure ab und es entsteht das Sulfat einer zweiten *Base*, welche die Zusammensetzung $C_{12} H_{13} N O$ hat und bei der Oxydation anscheinend in eine *Lutidindicarboxylsäure*, $C_9 H_9 N O_4$, übergeht. Die Verfasser nehmen an, daſs diese beiden, durch Condensation des ersten gelben Benzolderivates mit Ammoniak entstehenden Basen wahrscheinlich *Isochinolinderivate* sind. *Wt.*

E. Bamberger u. W. Dieckmann. Ueber das Tetrahydrür des Isochinolins [3]. — Das Tetrahydroisochinolin verhält sich gegenüber dem Tetrahydrochinolin wie eine Benzylaminbase zu einem Alkylanilin. Das *Tetrahydroisochinolin*, erhalten durch Reduction von Isochinolin in absolutem Alkohol mit Natrium, wurde durch Umkrystallisiren des Chlorhydrats aus absolutem Alkohol

---

[1]) Chem. News 73. 128. — [2]) Chem. Soc. J. 63, 329. — [3]) Ber. 26, 1205—1221.

von dem beigemengten Tetrahydrochinolin befreit. Die Trennung
gelingt auch mittelst Diazobenzolsulfosäure, wobei das Tetrahydroisochinolin unverändert bleibt, während das Tetrahydrochinolin
einen tiefrothen Azofarbstoff liefert, oder mit ätherischem Schwefelkohlenstoff, wobei das Tetrahydroisochinolin sofort als Dithio-
carbaminat gefällt wird, während der isomere Körper unverändert
bleibt. Aus dem Carbaminat läfst sich das Tetrahydroisochinolin
mittelst Salzsäure wieder zurückgewinnen. In einer nicht allzu
verdünnten Lösung des Tetrahydroisochinolinchlorhydrats erzeugt
Quecksilberchlorid einen weifsen, in kaltem Wasser schwer löslichen Niederschlag eines bei 151° schmelzenden Doppelsalzes;
Kaliumdichromat weder eine Fällung noch Färbung; Bromwasser
eine intensiv gelbe, ölige, in heifsem Wasser lösliche Fällung;
Ferrocyankalium nach dem Ansäuern einen weifsen, in heifsem
Wasser leicht löslichen, beim Erkalten in feinen Nadeln kry-
s⁺allisirenden Niederschlag; Benzochinon nach kurzer Zeit eine
allmählich nachdunkelnde, himbeer- bis biuretrothe Färbung, die
beim Erwärmen in Carmoisin umschlägt; Chlorkalk eine starke
Trübung unter Ausscheidung eines Chlorimides, welches in alkoholischer Lösung mit Anilin und Salzsäure eine grüne, beim Erwärmen violett- bis bordeauxrothe Färbung annimmt; wässerige
Pikrinsäure einen in kaltem Wasser fast unlöslichen Niederschlag
des in reinem Zustande bei 195° schmelzenden *Pikrates*. — *Di-*
azoamidobenzoltetrahydroisochinolin, $C_9H_{10}N.N_2C_6H_5$, aus Tetrahydroisochinolin, Diazobenzolnitrat und Natriumacetat gewonnen,
bildet, aus Ligroin umkrystallisirt, farblose, lange, platte Prismen
vom Schmelzp. 61,5°, die sich an der Luft bräunen und welche
alle typischen Reactionen der Diazoamidoverbindungen zeigen. —
Nitrosotetrahydroisochinolin, $C_9H_{10}N.NO$, erhalten beim Aufkochen
einer verdünnten salzsauren Auflösung von Tetrahydroisochinolin
mit Natriumnitrit, scheidet sich als erstarrendes Oel aus, das
beim Umkrystallisiren aus Ligroin farblose, stark lichtbrechende,
flache Nadeln von zimmtähnlichem Geruch liefert, die bei 53°
schmelzen. Es ist in den organischen Lösungsmitteln und in concentrirter Salzsäure leicht löslich. — *Tetrahydroisochinolyldithio-*
carbaminsaures Tetrahydroisochinolin, $C_9H_{10}N-CS-SH.NHC_9H_{10}$,
entsteht als schneeweifser Niederschlag, wenn man Schwefelkohlenstoff in eine absolut ätherische Lösung von Tetrahydroisochinolin giefst. Aus Alkohol umkrystallisirt, bildet es rosetten-
förmig gruppirte Nadeln, welche unter Bräunung bei 173 bis 174°
schmelzen. Durch concentrirte Salzsäure wird die Verbindung
zerlegt. In der verdünnten alkoholischen Lösung derselben er-

zeugt Kupferacetat rothbraune Flocken, Quecksilberchlorid einen weifsen, krystallinischen Niederschlag, Bleiacetat weifse, voluminöse Flocken, Silbernitrat einen voluminösen, beim Erwärmen sich schwärzenden, hell citronengelben Niederschlag. — *Tetrahydroisochinolylharnstoff*, $NH_2–CO–NC_9H_{10}$, aus dem Chlorhydrat der Base mit cyansaurem Kali gewonnen, bildet, aus heifsem Wasser umkrystallisirt, kleine perlmutterglänzende Blättchen vom Schmelzp. 169°, welche in Aether schwer löslich sind. — *Phenyltetrahydroisochinolylharnstoff*, $C_6H_5NH–CO–NC_9H_{10}$, kann aus Tetrahydroisochinolin und Phenylcyanat gewonnen werden. Er krystallisirt aus Alkohol in feinen, sternförmig gruppirten Nadeln vom Schmelzp. 144°, die in Wasser unlöslich, in Aether und kaltem Alkohol schwer löslich sind. — *Phenyltetrahydroisochinolylthioharnstoff*, C_6H_5NH $–CS–NC_9H_{10}$, mittelst Phenylsenföl erhalten, krystallisirt aus heifsem Alkohol in feinen, glänzenden Nadeln vom Schmelzp. 140°. — Die Methylirung des Tetrahydroisochinolins mifslang. Bei der Behandlung mit Jodmethyl in ätherischer Lösung bildeten sich nur Spuren von *Methyltetrahydroisochinolin*; dagegen war ein Theil in *quaternäres Jodid* (Nadeln oder Blättchen vom Schmelzp. 189°) übergegangen. — *Acetyltetrahydroisochinolin*, mittelst Essigsäureanhydrid gewonnen, bildet ein bei 220 bis 225° (unter 70 mm Druck) siedendes Oel, welches erst nach wochenlangem Stehen zu wasserklaren, bei 46° schmelzenden Krystallen erstarrt. — *Benzoyltetrahydroisochinolin*, am besten nach der Schotten-Baumschen Methode gewonnen, bildet nach umständlicher Reinigung anscheinend rhombische, stark lichtbrechende Krystalle vom Schmelzp. 129°. Es siedet unter 50 mm Druck unter Bräunung bei 245 bis 250°. — Durch Oxydation mit Kaliumpermanganat und Sodalösung wird das Tetrahydroisochinolin gröfsteutheils in $o-\omega-$*Benzoylamidoäthylbenzoësäure*, $C_6H_4(CO_2H)CH_2 . CH_2NH$ (COC_6H_5) (neben Benzamid, Benzoësäure, Phtalsäure und etwas Oxalsäure), übergeführt. Diese Säure krystallisirt aus heifsem Wasser in filzartig verwobenen, seideglänzenden Nädelchen vom Schmelzp. 172°, welche in Alkohol, Aceton und Eisessig reichlich, in kaltem Wasser, Aether und Chloroform nur wenig, in Beuzol und Ligroin unlöslich sind. Die Salze der schweren Metalle sind meist in Wasser sehr schwer löslich (analysirt wurden das Silber-, Kupfer- und das leicht lösliche Baryumsalz). Durch Kochen mit Essigsäureanhydrid geht die Säure in das Anhydrid, das *Benzoylhydroisocarbostyril*, $C_6H_4–CO–N(COC_6H_5)–CH_2–CH_2$, über, das aus 96 proc. Alkohol in glasglänzenden Prismen vom Schmelzp. 132° krystallisirt. Dieses Anhydrid ist unlöslich in Wasser und concentrirter Salzsäure, leicht löslich in Eisessig, Alkohol und Aether. Beim Kochen mit Natronlauge wird die Benzoylgruppe abgespalten und es entsteht *Hydroisocarbostyril*, welches durch die Alkaloidreagentien leicht nachgewiesen werden kann. — Erhitzt man die Benzoylamidoäthylbenzoësäure mit concentrirter Salzsäure im Rohre auf 150 bis 160°, so wird unter Abspaltung der Benzoylgruppe *Amidoäthylbenzoësäure*, $C_6H_4(CO_2H).CH_2.CH_2$ $-NH_2$, neben etwas Anhydrid dieser Säure gebildet. Diese Säure kann als *Chlorhydrat* aus Alkohol in farblosen, krystallinischen Blättchen vom Schmelzp. 199 bis 200° erhalten werden. Das Chlorhydrat ist in Wasser leicht, in Alkohol ziemlich leicht und in Aether unlöslich; es bildet ein *Chloroplatinat* in feinen, gelben, unter Zersetzung bei 230° schmelzenden Nadeln. Zur Isolirung der freien Säure muß man das Chlorhydrat in alkoholischer Lösung mit frisch gefälltem Silberoxyd behandeln. Die freie Säure bildet dann, aus Alkohol umkrystallisirt, farblose, glänzende, lichtbrechende Nädelchen vom Schmelzp. 160 bis 165°. Sie löst sich sehr leicht in Wasser, etwas weniger leicht in Alkohol. Beim Erhitzen geht die Säure unter Aufschäumen in ihr Anhydrid (Dihydroisochinolon oder Hydroisocarbostyril) über. Die mit Mineralsäuren und Schwermetallen gebildeten Salze der Amidosäure sind in Wasser leicht löslich. — *Dihydroisochinolon* oder *Hydroisocarbostyril*, $C_6H_4.CH_2.CH_2.NH.CO$, aus dem Benzoyl-

anhydrid mit Natronlauge, oder am besten durch Zerlegung der Benzoylsäure durch Destillation gewonnen, bildet, aus leicht flüchtigem Ligroin umkrystallisirt, glasglänzende, rosettenförmige Nadeln vom Schmelzp. 70 bis 71°. Es löst sich ziemlich leicht in Wasser und wird aus dieser Lösung durch Alkalien wieder abgeschieden. Aus der verdünnten salzsauren Lösung extrahirt Aether das Dihydroisochinolon. Es ist in Alkohol, Chloroform und Aether leicht löslich, mit Wasserdämpfen nicht flüchtig und destillirt unzersetzt oberhalb 300°. Mit den specifischen Alkaloidreagentien (Phosphorwolframsäure, Phosphormolybdänsäure, Jod-Jodkalium, Kalium-Wismuthjodid) entstehen charakteristische Niederschläge. Gegen kochende Salzsäure und selbst gegen heiße 10 proc. Kalilauge ist das Dihydroisochinolon sehr beständig. Die Methylirungs- und Reductionsversuche blieben erfolglos. Mit Essigsäureanhydrid konnte jedoch das in glänzenden Prismen krystallisirende *Acetylhydroisocarbostyril*, $C_6H_4.CH_2.CH_2.N(COCH_3).CO$,

erhalten werden, das in Wasser unlöslich, in heißem Alkohol leicht löslich ist und welches bei 100° schmilzt.   *Sd.*

Otto Bromberg. Zur Kenntnifs der Phtalazinderivate [1]). —

1-Benzylphtalazon, $O\overset{\frown}{C}.C_6H_4C.(C_7H_7){=}\overset{\frown}{N_2}H$, wurde in fast quantitativer Ausbeute erhalten, wenn Benzalphtalid mit etwas Alkohol und wässerigem Hydrazin im Rohre zwei Stunden auf 100° erhitzt wurde. Durch Methylirung wurde *1-3-Benzylmethylphtalazon*,

$O\overset{\frown}{C}.C_6H_4C(C_7H_7){=}\overset{\frown}{N_2}.CH_3$, gewonnen, das aus Alkoholen in glänzenden Krystallen vom Schmelzp. 148° erhalten wurde. Das entsprechende *Aethylderivat* schmilzt bei 106°. Durch Reduction mit Zink und Salzsäure wurde das bereits beschriebene *1-Benzylphtalimidin*, $\overset{\frown}{CO}.C_6H_4CH(C_7H_7).\overset{\frown}{N}H$, vom Schmelzp. 137° erhalten. Aus 1-4-Benzylchlorphtalazin wurde mit Natriumäthylat *1-4-Benzyläthoxyphtalazin*, $(OC_2H_5).\overset{\frown}{C}.C_6H_4.C.(C_7H_7){=}\overset{\frown}{N_2}$, aus Alkohol in Krystallen vom Schmelzp. 84 bis 86° krystallisirend, erhalten. Das mit Phenolnatrium erhaltene *1-4-Benzylphenoxyphtalazin*, (OC_6H_5) $.\overset{\frown}{C}.C_6H_4.C.(C_7H_7){=}\overset{\frown}{N_2}$, krystallisirt aus Essigester in würfelähnlichen Krystallen, die in concentrirter Salzsäure löslich sind, und aus dieser Lösung durch $PtCl_4$ gefällt werden. Der Versuch, durch Reduction des 1-4-Benzylchlorphtalazins zum Dihydroisoindolderivat zu gelangen, war ergebnifslos. — *Propylidenphtalid*, $O\overset{\frown}{C}.C_6H_4.C({=}CH_2C_2H_5){-}\overset{\frown}{O}$, wurde aus Phtalsäureanhydrid, Buttersäureanhydrid und buttersaurem Natrium bei 175° erhalten und bildet bei gewöhnlicher Temperatur ein Oel, das in der Kälte erstarrt und unter 12 mm Druck bei 169 bis 170° siedet. Kalilauge verseift zu *Butyrophenon-o-carbonsäure*, $HOOC.C_6H_4{-}CO$ $.CH_2CH_2CH_3$, die aus Essigester-Ligroin in büscheligen Krystallen vom Schmelzp. 89° krystallisirt. Durch Hydrazin wird das Phtalid in *1-Propylphtalazon*, $C_{11}H_{12}ON_2$, das in Wasser unlöslich, in Säure löslich ist, übergeführt. Krystallisirt aus Alkohol in Nadeln vom Schmelzp. 156°. Die Reduction führt zum *Propylphtalimidin*, $C_{11}H_{13}ON$, das aus siedendem Wasser in langen, bei 135 bis 136° schmelzenden Nadeln krystallisirt. Phosphoroxychlorid und das Phtalazon geben bei längerem Erwärmen auf dem Wasserbade

1-4-Propylchlorphtalazin, $Cl\overset{\frown}{C}.C_6H_4C.(C_3H_7){=}\overset{\frown}{N_2}$, aus sehr verdünntem Alkohol in langen Nadeln vom Schmelzp. 67° erhalten. Durch Reduction mit Zink in salzsaurer Lösung liefs sich das Chlorphtalazin in das *Chlorhydrat* des *Propyldihydroisoindols* über-

---

[1]) Ber. 29, 1434.

führen, das bei 203° schmolz; daraus die Base rein darzustellen, gelang nicht. — *i-Butylidenphtalid*, aus Isovaleriansäureanhydrid, valeriansaurem Natrium und Phtalsäureanhydrid dargestellt, bildet schwach gelbe Krystalle vom Schmelzp. 97°. Durch Verseifung wurde daraus *Valerophenon-o-carbonsäure*, $HOOC.C_6H_4COC_4H_9$, dargestellt; die Säure zeigt grofsen Krystallisationsverzug und krystallisirt in bei 88° schmelzenden Nadeln. Das aus dem Phtalid erhaltene *i-Butylphtalazon* krystallisirt aus verdünntem Alkohol mit dem Schmelzp. 113°. Sein *Chlorphtalazin* liefs sich nicht zum Krystallisiren bringen, es wurde daher in Form seines bei 122° schmelzenden *Pikrats* und seines bei 216° schmelzenden *Chloroplatinats* analysirt. Das daraus dargestellte *i-Butyldihydro isoindol*, $C_{12}H_{17}N_2$, ist ein sehr zersetzliches Oel, bildet jedoch ein gut krystallisirtes *Chloroplatinat*, das bei 170° sich ohne scharfen Schmelzp. zersetzt.   *Mr.*

Chinazoline.

C. Paal. Ueber Chinazolinsynthesen [1]) (II. Mittheilung). — In seinen zusammenfassenden Betrachtungen, die zugleich Einleitung bilden zu den vier folgenden Abhandlungen seiner Mitarbeiter, der Herren G. Kromschröder, H. Poller und W. Schilling, weist der Verfasser auf die Abnormität der reactionshemmenden Wirkung der ortho-Substituenten bei den vom o-Nitrobenzylchlorid und o-substituirten Anilinen derivirenden Condensationsproducten hin. Dieses Verhalten steht im Gegensatz zu dem früher an m- und p-Substituenten beobachteten [2]); es wird vom Verfasser sterisch erklärt, ähnlich wie die Abnormitäten bei der Esterificirung der Carbonsäuren von V. Meyer oder bei den Condensationen im Gebiete der Tetrahydro-, Tetrahydrothiochinazolinen und β-Phentriazinen von M. Busch.   *v. N.*

Geo. Kromschröder. Versuche zur Synthese des 3(n)-o-Amidophenyldihydrochinazolins [3]). — o-Nitrobenzylchlorid und o-Nitranilin verbinden sich beim Erhitzen auf 130°, oder besser beim rückfliefsenden mehrstündigen Erhitzen in concentrirter alkoholischer Lösung unter Zusatz von etwas calcinirter Soda zu

o-Nitrobenzyl-o-nitranilid, $C_6H_4 {<}^{NO_2}_{CH_2} \quad {}^{NO_2}_{NH}{>} C_6H_4$. Goldglänzende Blätter oder Schuppen, Schmelzp. 137°. Ziemlich schwer löslich

---

[1]) J. pr. Chem. [2] **54**, 258—264 (resp. bis 288). — [2]) Daselbst [2] **48**, 537 f. — [3]) Daselbst [2] **54**, 265—270.

in Alkohol, leichter in Benzol und Eisessig. Es ließ sich in keiner Weise formyliren resp. acetyliren. *o-Nitrobenzyl-o-phenylendiamin*, $C_6H_4{<}{{NO_2}\atop{CH_2-NH}}{NH_2\atop}{>}C_6H_4$, entsteht in Form des Chlorhydrates (Nadeln, Schmelzp. 202°), $C_{13}H_{13}N_3O_2$. HCl, durch zweistündiges Kochen äquimolekularer Mengen von o - Nitrobenzylchlorid und o-Phenylendiamin in concentrirter alkoholischer Lösung. Die freie Base bildet rothe Nadeln, Schmelzp. 115°, welche sich mäßig in Alkohol und Aether, leichter in Eisessig, Essigäther, Chloroform und Benzol lösen. Mit überschüssiger, wasserfreier Ameisensäure mehrere Stunden gekocht, giebt es ein *Monoformylderivat*, wahrscheinlich von der Structur

$$C_6H_4{<}{{NO_2}\atop{CH_2-N-C_6H_4NH_2}}{HCO\atop}{,}$$

in kaum 10 proc. Ausbeute. Dicktafelförmige Krystalle, Schmelzp. 158°. In den meisten Solventien leicht löslich. In größerer Menge entsteht daneben ein anderer, meist amorph sich ausscheidender, näher nicht untersuchter Körper. Durch Reduction mit Zinn (oder Zinkstaub) und Salzsäure geht dieser Monoformylkörper in eine Base über, die wahrscheinlich *o-Amidophenyldihydrochinazolin*,

$$C_6H_4{<}{{N=\!\!=CH}\atop{CH_2-N-C_6H_4NH_2}}{,}$$

darstellt. Gelblich gefärbte Kryställchen, Schmelzp. 165°. In den meisten Solventien, mit Ausnahme von Ligroin, leicht löslich. *Chlorhydrat* ist gallertartig, leicht zersetzlich. *Pikrat*, $C_{14}H_{13}N_3$. $C_6H_3N_3O_7$, gelbe Nadeln, Schmelzp. 184°. *Oxalat*, $C_{14}H_{13}N_3$. $C_2H_2O_4 + 2H_2O$, weiße, leicht lösliche Nadeln. *v. N.*

H. Poller. Synthese des 3(n)-p-Amidophenyldihydrochinazolins [1]). — *o-Nitrobenzyl-p-nitranilid*, $C_6H_4{<}{{NO_2}\atop{CH_2-NH}}{NO_2\atop}{>}C_6H_4$, entsteht leichter und in besserer Ausbeute (70 Proc.) als sein o-substituirter Analog aus o-Nitrobenzylchlorid und p-Nitranilin. Bronzeglänzende, große Blätter, Schmelzp. 202°. In den meisten Solventien sehr schwer, nur in kochendem Eisessig oder Amylalkohol leichter löslich. Durch Reduction mittelst Zinkstaub und Eisessig, unterhalb 40°, geht es in *o-Amidobenzyl-p-phenylendiamin* über, welches weniger glatt auch aus o-Nitrobenzylchlorid und p-Phenylendiamin gebildet wird. Aus Benzolligroin Krystalle vom

---

[1]) J. pr. Chem. [2], **54**, 271—277.

Schmelzp. 114⁰. Die Base selbst wie auch ihr Chlorhydrat und Oxalat, die beide zerflieſslich sind, verharzt in Lösung an der Luft. *o-Nitrobenzylformyl-p-nitranilid,*

$$C_6H_4 \underset{CH_2-N-C_6H_4}{\overset{NO_2\quad CHONO_2}{\big\langle}},$$

bildet derbe, gelbliche Prismen, Schmelzp. 155 bis 156⁰. Sehr schwer löslich in Alkohol, leichter in Benzol und Eisessig. Es giebt bei der Reduction *3 (n)-p-Amidophenyldihydrochinazolin:*

Flache, gefiederte Nadeln, Schmelzp. 175⁰. Kaum löslich in Wasser und Ligroin, leicht in verdünnten Mineralsäuren, Alkohol und Chloroform, schwerer in Essigäther und Benzol. *Chlorhydrat,* $C_{14}H_{13}N_3 . 2\,HCl + 2\,H_2O$, Nadeln. *Bromhydrat,* $C_{14}H_{13}N_3 . 2\,HBr$, Nadeln. Zersetzt sich über 260⁰. *Platinsalz,* $C_{14}H_{13}N_3 . H_2PtCl_6$, gelber krystallinischer Niederschlag. Zersetzung bei 220⁰. *Zinnchlorürsalz,* $C_{14}H_{13}N_3(HCl . SnCl_2)_2$, halbkugelig gruppirte Nadeln, auch Blätter. Zersetzung 242⁰. *Oxalat,* $C_{14}H_{13}N_3 . C_2H_2O_4$, Nadeln, Schmelzp. 237⁰. *Pikrat,* $C_{14}H_{13}N_3 . C_6H_3N_3O_7$, seideglänzende, gelbe Nadeln, Schmelzp. 199⁰. Aus obiger Base durch Reduction mit Natrium in alkoholischer Lösung entsteht das *3 (n)-p-Amidophenyltetrahydrochinazolin,* $C_{14}H_{15}N_3$, Nadeln, Schmelzp. 138⁰, welche sich fast gar nicht in Wasser und Ligroin, leicht in Alkohol und Essigäther, schwerer in Aether, Chloroform und Benzol lösen. Seine Salze und Doppelsalze sind äuſserst unbeständig und nicht krystallisirend.   *v. N.*

W. Schilling. Synthese des 3(n)-o-Anisyldihydrochinazolins [1]). — Aus 1 Mol. o-Nitrobenzylchlorid und 2 Mol. o-Anisidin entsteht nach sechsstündigem rückflieſsenden Kochen in concentrirter alkoholischer Lösung das *o - Nitrobenzyl - o - anisidin.*

$$C_6H_4 \underset{CH_2-NH}{\overset{NO_2\, CH_3O}{\big\langle}} C_6H_4,$$ rubinrothe Säulen oder Tafeln vom

Schmelzp. 80⁰. In den meisten Solventien leicht löslich. *Chlorhydrat,* $C_{14}H_{14}N_2O_3 . HCl$, sternförmig gruppirte Prismen. Schmelzp. 158⁰. In geringfügiger Menge tritt daneben *Bis-o-nitrobenzyl-o-anisidin,* $\left(C_6H_4 \underset{CH_2}{\overset{NO_2}{\big\langle}} \right)_2 N . C_6H_4 . OCH_3$, auf, welches zum Haupt-

---

[1]) J. pr. Chem. [2] 54, 277—283.

product wird bei der Einwirkung von 2 Mol. Chlorid auf 1 Mol. o-Anisidin im Oelbad bei 130⁰. Die Scheidung beider Körper beruht auf der Nichtbasicität des letzteren. Derbe, gelbe Tafeln, Schmelzp. 117⁰, in heifsem Alkohol mäfsig, leichter in Eisessig und Benzol löslich. — Das o-Nitrobenzyl-o-anisidin geht durch Zinkstaub in essigsaurer Lösung unterhalb 30⁰ in *o-Amidobenzyl-o-anisidin*, $C_6H_4 {<}^{\substack{NH_2\\CH_2}} {}^{\substack{CH_3O\\NH}} {>} C_6H_4$, über. Nadeln, Schmelzp. 95⁰. Bildet mit Mineralsäuren beständige Salze. *o-Nitrobenzylformyl-o-anisidin*,

Prismen, Schmelzp. 82⁰. In Alkohol und Aether leicht löslich. Geht durch vorsichtige Reduction in *o-Amidobenzylformyl-o-anisidin* über. Nadeln, Schmelzp. 98⁰. Schwer löslich in Ligroin, leicht in übrigen organischen Solventien. Beim Erwärmen mit Säuren liefert es *3 (n)-Anisyldihydrochinazolin*,

welches auch direct bei etwas energischer Reduction des o-Nitro-benzylformyl-o-anisidins entsteht. Die Base bleibt stets ölig. *Chlorhydrat*, Blätter, Schmelzp. 128⁰. *Zinnchlorürsalz*, $C_{15}H_{14}N_2O$. HCl . $SnCl_2$, Tafeln, Schmelzp. 140⁰. *Pikrat*, gelbe Nadeln, Schmelzp. 197⁰. — Durch Reduction mit Alkohol und Natrium entsteht daraus *3 (n)-o-Anisyltetrahydrochinazolin*, $C_{15}H_{16}N_2O$, sternförmig gruppirte Nadeln, Schmelzp. 96⁰, leicht löslich in den meisten Solventien.   *v. N.*

W. Schilling. Synthese des 3(n)-p-Anisyldihydrochin-azolins [1]). — *o-Nitrobenzyl-p-anisidin* bildet aus Aether rothe Krystalle, Schmelzp. 73⁰. In Wasser unlöslich, in Ligroin sehr schwer, sonst leicht löslich. *Chlorhydrat*, $C_{14}H_{14}N_2O_3$.HCl, Nadeln, Schmelzp. 185⁰. *o-Nitrobenzylformyl-p-anisidin*, $C_{15}H_{14}N_2O_4$, Säulen, Schmelzp. 69⁰. In den meisten Solventien leicht löslich; besitzt keinerlei basische Eigenschaften. *3 (n)-p-Anisyldihydro-chinazolin*,

---

[1]) J. pr. Chem. [2] 54, 283—288.

$$\underset{\overset{|}{CH_2}}{\underset{\underset{N-\!\!\!\bigcirc\!\!-OCH_3}{}}{\overset{\overset{N}{\diagdown}}{\bigcirc\!\!\bigcirc}\overset{}{\diagup}CH}}'$$

in organischen Solventien leicht lösliche Tafeln vom Schmelzp. 115⁰.
Chlorhydrat, aus Alkoholäther, Prismen, Schmelzp. 237⁰. Schmeckt
bitter und brennend. Chlorzinkdoppelsalz, $C_{15}H_{14}N_2O.HCl.ZnCl_2$,
Tafeln. Platinsalz, $(C_{15}H_{14}N_2O)_2H_2PtCl_6$, goldgelbe Blättchen.
Pikrat, gelbe, seideglänzende Nadeln, Schmelzp. 181⁰. — Durch
Bromwasserstoffsäure im Rohr bei 130⁰ wird aus der obigen Base
p-Oxyphenyldihydrochinazolin, $C_{14}H_{12}N_2O$, in Folge der Abspaltung
von Brommethyl erzeugt. Gelblich gefärbte Prismen, Schmelzp.
235⁰. Löslich in Mineralsäuren und Alkalien, nur schwer in
den meisten organischen Solventien. Ein in geringer Menge hier
auftretendes, bei 105⁰ schmelzendes Nebenproduct konnte nicht
näher untersucht werden. 3 (n) - p - Anisyltetrahydrochinazolin,
$C_{15}H_{16}N_2O$, in üblicher Weise dargestellt, bildet perlmutterglänzende Blättchen, Schmelzp. 134⁰. In den meisten organischen
Lösungsmitteln in der Wärme leicht löslich. Bildet wie andere
tetrahydrirte Chinazolinderivate keine krystallisirbaren Salze. v. N.

M. Busch. Zur Kenntnifs der o-Amidobenzylamine [1]. —
Schon früher [2]) hatte Verfasser gefunden, dafs Aldehyde sich mit
dem o-Amidobenzylamin je nach den Condensationsbedingungen
zu verschiedenen Producten vereinigen. Während die directe
Vereinigung von Formaldehyd und o-Amidobenzylamin zu leicht
spaltbaren öligen Substanzen führt, resultiren bei der Reaction
in alkalisch-alkoholischer Lösung Derivate des Tetrahydrochinazolin, wobei unter Wasserabspaltung folgende Reaction stattfindet:

$$\underset{CH_2NHR}{\overset{NH_2}{\bigcirc\!\!\bigcirc}}\quad +\ CH_2O\ =\ H_2O\ +\ \underset{\overset{|}{CH_2}}{\underset{NR}{\overset{NH}{\bigcirc\!\!\bigcirc}\overset{CH_2}{}}}.$$

Die Einwirkung von Formaldehyd auf das Amidobenzylamin erfolgt unter Bildung eines basischen Körpers, der amorph und
ohne scharfen Schmelzpunkt war. Zur weiteren Reinigung wurde
die Base durch alkoholische Salzsäure in das ungemein leicht
lösliche Chlorhydrat vom Schmelzp. 192⁰ übergeführt, woraus
starke Basen das leicht lösliche Tetrahydrochinazolin in Blättchen
fällten. Jenes amorphe Product scheint durch die Salzsäure um-

---

[1]) J. pr. Chem. 53, 414—427. — [2]) Daselbst 51, 113 u. 257; 52, 373.

gelagert zu sein. Formaldehyd und o-Amidobenzylanilin führten zu weißen, glänzenden Nädelchen des *3-Phenyltetrahydrochinazolins*. Löst sich in kalter, verdünnter Schwefelsäure, bei starkem Verdünnen fällt die Base wieder aus. Unzersetzt destillirbar. Ebenso verhält sich das bei 127⁰ schmelzende *p-Tolyltetrahydrochinazolin*. Kocht man dagegen beide Verbindungen mit Säuren, so tritt unter bemerkbarem Geruch nach Formaldehyd eine weitergehende Zersetzung ein. Das *o-Tolyltetrahydrochinazolin* wurde zunächst als Oel erhalten und schied sich aus Alkohol bei vorsichtigem Wasserzusatz in derben Krystallen vom Schmelzp. 140⁰ aus. Verdünnte Schwefelsäure löst erst beim Erwärmen, wobei aber Zersetzung eintritt. Concentrirte Salzsäure bildet o-Amidobenzyltoluidin zurück. Läßt sich nicht unzersetzt destilliren. Da die Hydrirung mit Natrium und Alkohol nicht möglich ist, liegt wirklich ein Chinazolinderivat und keine Methylenverbindung, $CH_2 : N-C_6H_4 . CH_2 . NHC_7H_7$, vor. Das *o-Anisyltetrahydrochinazolin* wurde beim Verdunsten seiner ätherischen Lösung in derben Krystallen vom Schmelzp. 141 bis 142⁰ erhalten. Schwefelsäure spaltet schon in der Kälte Formaldehyd ab, ebenso tritt beim Destilliren Zersetzung ein. Charakteristisch ist in beiden vorstehenden Fällen der Einfluß des o-Substituenten auf die Stabilität der Verbindungen. m-Nitrobenzaldehyd und die Base vereinigen sich in alkoholischer Lösung auf dem Wasserbade leicht zum *2-m-Nitrophenyltetrahydrochinazolin*, schwach gelbliche Prismen, Schmelzp. 84 bis 85⁰. Verdünnte Säuren spalten schon in der Kälte. Mit o-Nitrobenzaldehyd konnte keine cyklische Verbindung erhalten werden, dagegen resultirte in gelben glasglänzenden Säulen die zwischen 125 bis 128⁰ schmelzende *Verbindung* $NO_2 . C_6H_4 CH : N . C_6H_4 . CH_2 N : CH . C_6H_4 NO_2$. Aus p-Oxybenzaldehyd wurden farblose Nadeln des bei 167 bis 168⁰ unter schwacher Zersetzung schmelzenden *2-p-Oxyphenyltetrahydrochinazolins* erhalten. Verdünnte Säuren bewirken Spaltung, auch Natronlauge bewirkt Lösung. Eine Dibenzylidenverbindung wie im vorigen Falle konnte auch bei Gegenwart von überschüssigem Alkohol nicht erhalten werden. Dagegen ergiebt Salicylaldehyd nur die *o-Dioxydibenzylidenverbindung* $OH . C_6H_4 . CH=N . C_6H_4 . CH_2 . N=CH . C_6H_4 OH$. Die Substanz krystallisirt in gelben Prismen oder Nädelchen vom Schmelzp. 107 bis 108⁰, wird von Alkali aufgenommen und aus dieser Lösung durch Essigsäure gefällt. Mineralsäuren zersetzen die Verbindung. o-Amidobenzylphenylhydrazin und Formaldehyd geben keinen Siebenring, sondern es resultiren nach dem Umkrystallisiren aus Alkohol

Prismen oder Nadeln vom Schmelzp. 84°, die 1 Mol. Krystallalkohol enthalten und nach der Formel $CH_2:N-C_6H_4CH_2N$
$(C_6H_5).N:CH_2$ zusammengesetzt waren.   *Mr.*

S. Gabriel und **R. Stelzner.** Zur Kenntnifs der Chinazolinverbindungen[1]. — Die Verfasser versuchten vorerst ausgehend
vom o-Amidobenzophenon durch dessen Reductionsproduct, das
o-Amidobenzhydrol, zu cyklischen Condensationsproducten, Chinazo-
lin- bezw. Thiochinazolinderivaten zu gelangen. Sie beschreiben
ausführlich die zweckmäfsigsten Methoden zur Gewinnung des
o-Nitrodiphenylmethans, dessen Oxydation zu o-Nitrobenzophenon
und darauffolgende Reduction mit Zinnchlorür und rauchender
Salzsäure zu o-Amidobenzophenon. Dieses wurde durch Reduction
mit $2^1/_2$ proc. Natriumamalgam in wässerig-alkoholischer Lösung in
das bei 120° schmelzende *o-Amidobenzhydrol*, $C_6H_4{<}^{CH(OH)C_6H_5}_{NH_2}$,
verarbeitet. Glasglänzende Prismen, leicht löslich in organischen
Solventien und verdünnten Säuren, die dabei entstehenden Salze
konnten bisher nicht isolirt werden. '*Acetyl-o-amidobenzhydrol,*
$C_6H_4{<}^{CH(OH).C_6H_5}_{NH.CO.CH_3}$, farblose Nadeln, Schmelzp. 118°. Das
o-Amidobenzhydrol vereinigt sich im Wasserbade mit Rhodanwasserstoff unter Abspaltung von Wasser zum *4-Phenyltetrahydro-
thiochinazolin,*

$$C_6H_4{<}^{CH(C_6H_5)-NH}_{NH---\;\;CS},$$

welches aus Alkohol in rhombischen Täfelchen, Schmelzp. 230°,
anschiefst. (2 g) dieses Körpers gelöst in (32 ccm) Eisessig und
(8 ccm) Wasser, liefern mit (4 bis 5 g) Brom das *bromwasserstoffsaure 2-4-Bromphenyldihydrochinazolin*, welches Brom an Stelle
des S-Atoms enthält. $C_{14}H_{12}N_2S + Br_8 + 3H_2O = 6HBr$
$+ SO_3 + C_{14}H_{12}Br_2N_2$. Gelbliche Krystalle, Schmelzp. 273 bis
274° mit Zersetzung. Fast unlöslich in Eisessig, leicht in wasserhaltigem Alkohol. Die freie Base besteht aus flachen Nadeln,
Schmelzp. 165°. Schon durch Kochen mit Eisessig, leichter mit
Sodalösung erfolgt Abspaltung des locker gebundenen Halogens,
$C_{14}H_{12}Br_2N_2 + H_2O = 2HBr + C_{14}H_{12}N_2O$, unter Bildung des
4-Phenyltetrahydro-2-ketochinazolins,

$$C_6H_4{<}^{CH(C_6H_5).NH}_{NH---\;\;CO}.$$

---

[1] Ber. 29, 1300—1316.

Rhombische Tafeln resp. flache Nadeln, Schmelzp. 193°. Leichter wird dieser Körper durch Erhitzen von o-Amidobenzhydrol mit Harnstoff auf 165 bis 175° dargestellt; dieses gelingt nicht bei Anwendung von Kaliumcyanat. Sein Acetat, $C_{14}H_{12}N_2O . C_2H_4O_2$, bildet Nadeln, Schmelzp. 132 bis 133°. Das Phenyltetrahydrothiochinazolin (2 g) wird durch Alkohol (100 ccm) und Natrium (9 g) entschwefelt, es entsteht das *4-Phenyltetrahydrochinazolin*, welches bisher nur in Form des salzsauren Salzes,

$$C_6H_4\begin{array}{c} \diagup CH(C_6H_5)NH \\ \quad\quad\quad | \\ \diagdown NH \rule{1cm}{0.4pt} CH_2 \end{array} . HCl,$$

isolirt werden konnte. Radialfaserige Kügelchen, Zersetzung bei circa 200°. — Aus o-Amidobenzophenon (2 g) und Harnstoff (1 g) entsteht bei 195° das *4-Phenylchinazolon*, (4-Phenyldihydro-2-keto-chinazolin),

$$C_6H_4\begin{array}{c} \diagup C(C_6H_5)=N \\ \quad\quad\quad | \\ \diagdown NH \rule{1cm}{0.4pt} CO \end{array} .$$

Rhomboëdrische Krystalle resp. Nadeln. Schmelzp. 250 bis 251°. Ausgesprochene Base: das Chlorhydrat bildet feine, gelbliche Nadeln, das Platindoppelsalz, gelbe Körner, beide Salze werden durch Wasser dissociirt. Durch Phosphorpentachlorid (5 g) und Phosphoroxychlorid (20 ccm) wird Phenylchinazolon (4 g) nach viertelstündigem Kochenlassen in das *2-Chlor-4-phenylchinazolin*,

$$C_6H_4\begin{array}{c} \diagup C(C_6H_5)=N \\ \quad\quad\quad | \\ \diagdown N \rule{1cm}{0.4pt} C . Cl \end{array} ,$$

gelbe Nadeln, Schmelzp. 113°, übergeführt. Diesem kann das Chlor durch Phosphor und Jodwasserstoffsäure entzogen werden, die neue Base, das *4-Phenyldihydrochinazolin*,

$$C_6H_4\begin{array}{c} \diagup CH(C_6H_5)-NH \\ \quad\quad\quad | \\ \diagdown N \rule{1.2cm}{0.4pt} =CH \end{array} ,$$

bildet aus Alkohol rhombische resp. octoëdrische Krystalle vom Schmelzp. 165 bis 166°. Sie entsteht auch auf gleichem Wege aus dem eingangs erwähnten bromwasserstoffsauren 2-4-Bromphenyldihydrochinazolin. Ihr Chlorhydrat, $C_{14}H_{12}N_2 . HCl$, bildet Blättchen oder rhomboëdrische Krystalle. Schmelzp. 242 bis 243°, Chloroplatinat, $(C_{14}H_{12}N_2)_2 H_2PtCl_6$, orangefarbene, salmiakähnliche Krystalle, Schmelzpunkt mit Zersetzung 234°, Pikrat, $C_{14}H_{12}N_2$ $. C_6H_3N_3O_7$, citronengelbe Nadeln, Schmelzp. 213 bis 214°, Chloroaurat, $C_{14}H_{12}N_2 . HAuCl_4$, Nadeln, Schmelzp. 181 bis 182°. Nitrosoderivat, $C_{14}H_{12}N_2 . NO$, gelbe Nadeln, schmilzt unter Zersetzung bei 131° und zeigt die Liebermann'sche Reaction. — In analoger Richtung haben die Verfasser noch zwei andere Ketochinazoline untersucht, und zwar das *Chinazolon* (Dihydro-2-ketochinazolin),

$$C_6H_4\begin{cases}CH\!=\!N\\NH\!-\!CO\end{cases},$$

welches aus o-Amidobenzaldehyd und der vierfachen Menge Harnstoff nach früheren Vorschriften [1]) dargestellt war, wurde durch Phosphorpenta- und Phosphoroxychlorid im Verlauf von $^3/_4$ Stunden im Oelbade in Lösung gebracht, auf Eis gegossen und aus der klaren Lösung das Reactionsproduct mit Ammoniak ausgeschieden. Dieses *2-Chlorchinazolin*,

$$C_6H_4\begin{cases}CH\!=\!N\\N\!=\!\!=\!\!C\cdot Cl\end{cases},$$

bildet gelbliche Nadeln, Schmelzp. 108°. Sein Chlorgehalt dissociirt mit Wasser. 1 g der Chlorbase mit 5 ccm rauchender Jodwasserstoffsäure und 1 g Jodphosphorsäure reducirt, mit Kali übersättigt, giebt an Aether 0,2 bis 0,3 g bald erstarrenden Oeles ab, welches sich als identisch mit dem von Gabriel und Jansen [2]) untersuchten Dihydrochinazolin, Schmelzp. 126 bis 127° erwies. — Das nach v. Niementowski [3]) dargestellte *4-Oxychinazolin* (Dihydro-4-ketochinazolin),

$$\left|\,C_6H_4\begin{cases}C(OH)\!=\!N\\N\!=\!\!=\!\!CH\end{cases}\right.\left(\text{resp. } C_6H_4\begin{cases}CO\!-\!NH\\N\!=\!\!=\!\!CH\end{cases}\right),$$

wurde in das *4-Chlorchinazolin*,

$$C_6H_4\begin{cases}CCl\!=\!N\\N\!=\!\!=\!\!CH\end{cases},$$

übergeführt. Weiße Krystallnadeln, Schmelzp. 96°. Leicht löslich in üblichen Solventien, reizt zum Niesen. Die Umwandlung des Körpers in das Chinazolin gelang nicht. — Schließlich erwähnen die Verfasser, daß sie ausgehend vom o-Cyandiphenylmethan, $CN\cdot C_6H_4\cdot CH_2\cdot C_6H_5$, durch Chloriren ein Oel erhielten, welches *o-Cyan-α-chlordiphenylmethan*, $CN\cdot C_6H_4 CHCl\cdot C H_5$, enthielt. Dieses gab beim Erhitzen mit Salzsäure auf 150° Phenylphtalid, Schmelzp. 115° und mit Cyankalium anstatt des erwarteten o-α-Dicyandiphenylmethans, $CN\cdot C_6H_4 CH(CN)C_6H_5$, das *o-Cyan-α-oxydiphenylmethan*, $CN\cdot C_6H_4\cdot CH(C_6H_5)OH$.   *v. N.*

---

[1]) Ber. **28**, 1037. — [2]) Ber. **22**, 3097. — [3]) J. pr. Chem. [2] **51**, 565.

St. Niementowski. Zur Kenntnifs der Oxydationsvorgänge in der Chinazolinreihe [1]). — Die ursprünglich zum Zwecke der Constitutionsbestimmung an Nitroderivaten des m-Methyl-o-uramidobenzoyls unternommenen Versuche wurden später auf einige δ-Oxychinazolinverbindungen ausgedehnt, jedoch hier meistens mit negativem Erfolge. — Durch Oxydation des m-Methyl-o-uramidobenzoyls in saurer oder alkalischer Lösung mit Kaliumpermanganat wurde die *o-Uramidobenzoyl-m-carbonsäure* gewonnen:

Traubenartige, hellgelbe Gebilde. Zersetzungspunkt ca. 405⁰. Praktisch unlöslich in sämmtlichen indifferenten Lösungsmitteln. Löslich in Alkalien. Die verdünnte ammoniakalische Lösung fluorescirt bläulich. Es neigt zur Bildung colloidaler, gummöser, schwer trocknender Massen hin. Das Silbersalz ist weifs und flockig, in Wasser unlöslich. Durch Oxydation des δ-Oxychinazolins mit Chromsäure in Eisessiglösung wurde das längst bekannte *o-Uramidobenzoyl* dargestellt:

Aufserdem wurden im Laufe der Untersuchung folgende Salze der δ-Oxychinazoline beobachtet und analysirt: *Chromat des δ-Oxychinazolins*, $C_9H_6N_2O.CrO_3$, krystallisirt in derben, pomeranzrothen vierseitigen Täfelchen. Schmelzpunkt unter Zersetzung bei ca. 200⁰. — *Chlorhydrat des β-Methyl-δ-oxychinazolins*, $C_9H_4N_2O.HCl$, krystallisirt aus Wasser in derben Plättchen, aus organischen Solventien in Nadeln. Schmelzpunkt unter Zersetzung bei 336⁰. *Nitrat*, $C_9H_8N_2O.HNO_3$, weifse Nadeln. Schmelzpunkt unter Zersetzung bei 195⁰. *Chromat*, $C_9H_8N_2O.CrO_3$. Gelbe Warzen. Zersetzt sich momentan bei 182⁰. Lichtempfindlich. Gegenüber verschiedenen Oxydationsagentien erwies sich das β-Methyl-δ-oxychinazolin entweder vollkommen beständig, oder es verbrannte zu Kohlensäure.   *v. N.*

---

[1]) Ber. 29, 1356—1361.

Pyrazine, Chinoxaline.

Pyrazingruppe.

Von C. Stoehr sind im Anschluſs an frühere Mittheilungen
zwei weitere Abhandlungen über Pyrazine und Piperazine erschienen. In Gemeinschaft mit P. Brandes[1]) stellte er das Auftreten des Pyrazins, des Methyl- und 2,6-Dimethylpyrazins unter
den Producten der Einwirkung von Ammoniak auf Traubenzucker
fest. Diese Basen bilden sehr wahrscheinlich auch den Hauptbestandtheil der bei der alkoholischen Gährung entstehenden
basischen Producte, der sog. Fuselbasen. Zu ihrer Darstellung
wurde Traubenzucker mit überschüssigem Ammoniak längere Zeit
auf 100⁰ erhitzt und das in üblicher Weise abgeschiedene Basengemenge (2,5 Proc. des angewandten Traubenzuckers) durch fractionirte Destillation und Fällen mit Quecksilberchlorid in die
einzelnen Antheile zerlegt. Den Hauptantheil bildet das Methylpyrazin vom Siedep. 135 bis 137⁰, neben dem sich geringe Mengen
von Pyridin, Pyrazin und eines festen, wahrscheinlich des 2,6-Di-
methylpyrazins (Schmelzp..47 bis 48⁰) vorfinden.   *Dd.*

Zur Gewinnung homologer Pyrazinbasen benutzten P. Brandes
und C. Stoehr[2]) das leicht zugängliche 2,5-Dimethylpyrazin, das
beim Erhitzen seines Brommethylats auf höhere Temperaturen
ein Gemenge des bisher unbekannten Trimethylpyrazins und des
Tetramethylpyrazins (Schmelzp. 87 bis 88⁰) lieferte. Die Tri-
methylbase ist ein sehr leicht flüchtiges Oel vom Siedep. 171 bis
172⁰, sie ist einsäurig; ihr Gold- und Platinsalz wandelt sich in
der früher näher beschriebenen Weise leicht um in charakteristische, säurefreie Modificationen. Wie alle Pyrazinbasen verbindet
sich das Trimethylpyrazin nur mit 1 Mol. Jodmethyl zu einem
krystallinischen Jodmethylat (Zersetzungsp. 231⁰).   *Dd.*

Gelegentlich der Untersuchung des Oxäthylbenzylamins,
$HOC_2H_4NHC_7H_7$, stellten S. Gabriel und R. Stelzner[3]) das
Dibenzylpiperazin dar. Die erstgenannte Base bildet sich bei der
Reduction des μ-Phenyloxazolins mit Natrium in amylalkoholischer
Lösung; sie wird am besten synthetisch aus Benzylamin und
Aethylenoxyd hergestellt. Wird das Hydroxyl dieser Alkoholbase
durch Erhitzen mit concentrirter Bromwasserstoffsäure durch Brom
ersetzt und die gebromte Base mit Alkali behandelt, so entsteht

---

[1]) J. pr. Chem. 54, 481—495. — [2]) Daselbst 53, 501—512. — [3]) Ber. 29,
2381—2391.

neben geringen Mengen von Vinylbenzylamin das mit Wasserdämpfen nicht flüchtige Dibenzylpiperazin. Es krystallisirt aus
Alkohol in rhombischen Krystallen vom Schmelzp. 92°. Dieselbe
Base wurde auch direct beim Erhitzen von Piperazin mit Benzylchlorid erhalten. *Dd.*

Ueber hydrirte Azine haben O. Hinsberg u. H. Garfunkel[1])
Versuche mitgetheilt, durch die ältere Angabe von Claus bestätigt und ergänzt werden. Das nach seiner Vorschrift aus dem
Phenazin durch Reduction mit Schwefelammonium hergestellte
Dihydrophenazin lieferte mit Essigsäureanhydrid ein gut krystallisirtes Diacetylproduct vom Schmelzp. 180°. Gelinde Oxydationsmittel verwandeln das Dihydrophenazinchlorhydrat in das salzsaure Salz einer chinhydronartigen Verbindung, das umgekehrt
auch aus dem Phenazin durch Reduction mit Natriumamalgam
oder Zinnchlorür in salzsaurer Lösung erhalten wurde. Es ist
intensiv grün gefärbt und in saurer Lösung gegen Reductionsmittel sehr beständig. In analoger Weise gaben Naphtophenazin
und Phenanthrophenazin violette, chinhydronähnliche Producte,
die nach der Analyse aus 1 Mol. Phenazinchlorhydrat und 1 Mol.
Dihydrophenazinchlorhydrat bestehen. Die Bildung solcher intensiv gefärbter Zwischenproducte kann als Stütze für die Auffassung
der Phenazine als Chinonimide angesehen werden. — Zu einigen
Abkömmlingen des Phenylphenanthrophenazins führte die Condensation von Phenanthrenchinon mit o-Amidodiphenylamin. *Dd.*

Ein Derivat eines achtgliederigen, phenazinähnlichen Ringes
ist von A. Sondheimer[2]) aus o-Amidobenzophenon erhalten
worden. Erhitzt man dessen salzsaures Salz allmählich auf 130°,
so treten 2 Mol. des Ketons unter Abspaltung von 2 Mol. Wasser
zusammen. Das gebildete Anhydrodi-o-amidobenzophenon („Di-
phenylphenhomazin") bildet gelbliche, derbe Kryställchen vom
Schmelzp. 190° und verhält sich gegen alle chemischen Agentien
aufserordentlich indifferent. *Dd.*

G. Rosdalsky. Ueber Abkömmlinge des Piperazins[3]). —
Das aus weifsen Krystallen bestehende Ausgangsmaterial besafs
einen Wassergehalt von 55 Proc., absorbirte an der Luft unter
theilweiser Verdampfung lebhaft Wasserdampf und Kohlensäure
und zeigte nach dem Trocknen den Schmelzp. 104° und den
Siedep. 140°. — *Dicarboxäthylpiperazin*, $C_4H_8N_2 . (COOC_2H_5)_2$,
entsteht beim Schütteln einer wässerigen, mit Kali versetzten

---

[1]) Ann. Chem. 292, 258—271. — [2]) Ber. 29, 1272—1275. — [3]) J. pr.
Chem. [2] 53, 19—24.

Piperazinlösung mit Chlorkohlensäureäther. Durch Extrahiren mit Aether erhält man ein allmählich zu Nadeln vom Schmelzp. 42° erstarrendes Oel, welches in den gebräuchlichen Lösungsmitteln leicht löslich ist und gegen 315° siedet. — *Dicarbaminpiperazin*, $C_4H_8N_2 . (CONH_2)_2$, fällt krystallinisch aus beim Vermischen concentrirter kalter Lösungen von salzsaurem Piperazin und cyansaurem Kali. Aus heifsem Wasser scheidet es sich in glänzenden, rhombischen Prismen, aus kochendem Alkohol in kurzen Prismen ab. Die Verbindung ist unlöslich in Aether und Benzol. — *Diphenylcarbaminpiperazin*, $C_4H_8N_2 . (CONHC_6H_5)_2$, entsteht durch Einwirkung von Phenylisocyanat auf wässeriges Piperazin als amorphes, in den meisten Lösungsmitteln unlösliches Product. Molekulargröfse mittelst des Eykmann'schen Depressimeters gefunden 305 und 299 (ber. 324). — *Tricarbonylpiperazin*, $[C_4H_8N_2 . CO]_3$, scheidet sich als amorpher Niederschlag beim Einleiten von Chlorkohlenoxyd in eine dauernd alkalisch zu haltende wässerige Lösung von Piperazin ab. Nach der Bestimmung der Molekulargröfse in Phenollösung kommt der in den gebräuchlichen Solventien unlöslichen Verbindung die dreifache Formel zu (gef. 326, ber. 336). — *Triphtalylpiperazin*, $[C_4H_8N_2 . C_6H_4C_2O_2]_3$, bildet sich als amorphe Fällung bei Einwirkung von Phtalylchlorid auf wässerige, alkalische Piperazinlösung. Molekulargewicht gef. 594 statt 632. Beim Schütteln von Benzolsulfonchlorid mit einer wässerig-alkoholischen (?) Piperazinlösung bildet sich *Diphenylsulfonpiperazin*, $C_4H_8N_2 . (SO_2C_6H_5)_2$, als amorphe Fällung. *Methylenpiperazin*, $C_4H_8N_2 . CH_2$, ist das Product der Wechselwirkung wässeriger Lösungen von Piperazin und Formaldehyd. Bei gelindem Erwärmen der Mischung bildet sich ein flockiger, weifser Niederschlag, der die ganze Flüssigkeit gelatinös erstarren läfst. Das ausgewaschene und getrocknete Präparat ist in Wasser, Alkohol, Aether, Benzol, Natronlauge unlöslich. Durch Säuren, auch durch Essigsäure, wird es sofort in Piperazin und Formaldehyd zersetzt. Molekulargewicht in Phenollösung gef. 84 und 80, ber. 98. — *Aetheroxalsaures Piperazin*, $C_4H_8N_2H_2 . (HO.CO.COOC_2H_5)_2$, bildet sich als Hauptproduct beim Erhitzen von wasserhaltigem Piperazin mit Oxaläther in alkoholischer Lösung in schönen, weifsen Nadeln; aus Wasser krystallisirt es in derben Prismen vom Schmelzp. 181°. Aus der Lösung des Salzes in alkoholischem Ammoniak schied sich nach einiger Zeit ein Krystallbrei ab, welcher aus verdünntem Alkohol in monoklinen Tafeln erhalten wurde und sich als *oxaminsaures Piperazin*, $C_4H_8N_2H_2 . (HOCO.CONH_2)_2$, erwies. — *Diäthoxalylpiperazin*, $C_4H_8N_2 . (COCOOC_2H_5)_2$, entsteht aus *trockenem* Piperazin und Oxaläther in absolut-alkoholischer Lösung und krystallisirt aus siedendem Benzol in Blättchen vom Schmelzp. 115⁰. Die von Schmidt und Wichmann [1]) beschriebene Verbindung, welche 1 Mol. Wasser mehr enthält, ist wohl ätheroxalsaures Aethoxylpiperazin gewesen. — *Piperazyldicrotonsäureester*, $C_4H_8N_2 . [C(CH_3)=CH . COOC_2H_5]_2$, entsteht leicht aus Acetessigester und Piperazin in der Wärme unter Austritt von Wasser. Die Verbindung

$$C_2H_4 \diagup {}^{N}_{NH_2} {}^{\displaystyle{=\!=\!=\!=}} {}^{CO}_{} C_2H_4 \diagdown {}^{CO}_{O} ,$$

ein Analogon des carbaminsauren Ammons, entsteht beim Einleiten von Kohlensäure in die alkoholische Lösung des Piperazins als krystallinische Fällung. Sie ist unbeständig, zumal an feuchter Luft. Im Exsiccator getrocknet, zeigt sie die Zusammensetzung eines durch Zusammentreten gleicher Moleküle von Piperazin und CO_2 entstandenen Productes. *Y.*

A. Kolb [2]). Ueber einige Derivate des Phenylacetons. — Verfasser hat die Producte untersucht, welche bei der Einwirkung von Ammoniak auf bromirtes Phenylaceton entstehen, und dabei festgestellt, dafs die Reaction ähnlich verläuft, wie bei der Einwirkung von Ammoniak auf bromirtes Acetophenon und dafs das Methylen im Keton allein bestimmend auf den Verlauf der Reaction einwirkt. Die Bromirung wurde in Eisessig für das Monobromid, in Chloroform für das Dibromid vorgenommen. 26,8 g Phenylaceton wurden in 150 g Eisessig gelöst, abgekühlt, mit 32 g Brom versetzt, fünf Minuten in der Kälte stehen gelassen, hierauf auf angeheiztem Wasserbade bis zur Entfärbung erwärmt und sofort in Wasser gegossen, wobei sich das. Bromid als schweres Oel abschied. 107,2 g Keton gaben 160 g Bromid. Mono- und Dibromid sind flüssig und reizen stark die Augen. Das Monobromid wird in alkoholischer Lösung unter Kühlung mit alkoholischem Ammoniak allmählich versetzt, bis der Geruch des letzteren nach längerer Zeit nicht mehr verschwindet; hierauf wird die Lösung nach dem Filtriren mit Salzsäure neutralisirt, der Alkohol zu zwei Drittel abdestillirt, der Rückstand mit Wasser verdünnt und mit Aether geschüttelt. Die *wässerige* Lösung enthält eine *hochschmelzende Base*, die auf Zusatz von Natronlauge ausfällt; die *ätherische* Lösung enthält ein Gemisch dreier Körper, welches nach dem Abdestilliren des Aethers allmählich krystallinisch erstarrt. Diese Masse zerreibt man mit wenig Alkohol und

---

[1]) Ber. **24**, 3237. — [2]) Ann. Chem. **291**, 253.

saugt ab. Der Rückstand wird aus Alkohol krystallisirt. Die
abgeschiedenen Krystalle, Schmelzp. 125 bis 126°, sind *Dimethyldiphenylpyrazin*. Aus der alkoholischen Mutterlauge fällt
auf Zusatz von Wasser eine blätterig krystallinische Substanz, die
sich durch Umkrystallisiren aus Benzol in einen darin schwer
und einen leicht löslichen Körper trennen läfst. Der *schwer lösliche* schmilzt bei 89 bis 90°, der leicht lösliche bei 102°. Letzterer
ist ein *dihydrirtes Dimethyldiphenylpyrazin*. Die *hochschmelzende
Base*, $C_{87}H_{86}N_6$, Schmelzp. 225°, ist in Aether, Benzol ziemlich schwer, in Alkohol leichter löslich und krystallisirt daraus
in weifsen Blättchen bezw. Nadeln. Warme, verdünnte Salzsäure
löst sie leicht, beim Erkalten der Lösung krystallisirt das *salzsaure* Salz, $C_{33}H_{86}N_6 . 3\,HCl$, in Nadeln aus. Schmelzp. 234 bis
235°. Die wässerige Lösung des Salzes giebt mit Quecksilberchlorid, Goldchlorid, Platinchlorid, Pikrinsäure krystallinische
Niederschläge. Das *Sulfat* bildet weifse Nadeln, das *Pikrat* gelbe
Nädelchen, Schmelzp. 165 bis 166°, das *Chromat* rothe Nädelchen, das *Quecksilberchloriddoppelsalz* ästig verzweigte Nadeln,
das *Platinsalz*, $(C_{42}H_{16}N_6 . 3\,HCl)_2 . 3\,PtCl_4 . 3\,H_2O$, rothgelbe rhombische Prismen, Schmelzp. 228°, das *Goldsalz*, $C_{12}H_{96}N_6\,3\,HCl$
$. 3\,AuCl_3$, rhombische Krystalle, Schmelzp. 165 bis 166°. *Dimethyldiphenylpyrazin*, $C_{18}H_{16}N_2$, Schmelzp. 125 bis 126°, krystallisirt aus Alkohol in Nadeln, aus Essigäther in Säulchen.
Warme, concentrirte Salzsäure löst es, Wasser scheidet aus dieser
Lösung die Base wieder ab. Das *Pikrat* bildet gelbe Nädelchen,
Schmelzp. 153 bis 154°. Durch längeres Kochen dieses Pyrazins
mit einer 2 proc. Permanganatlösung erhält man die *Diphenyl-
pyrazindicarbonsäure*, die aus Wasser in schönen Nadeln krystallisirt, in Alkohol sehr leicht löslich ist und bei 190° schmilzt. Aus
dieser Säure wurden das Kalium-, Ammonium-, Silbersalz und
aus letzterem der Aethyläther, Schmelzp. 104°, hergestellt. Die
Säure spaltet beim Erhitzen mit Eisessig im geschlossenen Rohre
bei 150 bis 180° 2 Mol. Kohlensäure ab und geht in *Diphenylpyrazin* (Staedel's Isoindol) über, wodurch die Constitution des
Dimethyldiphenylpyrazins bewiesen ist. *Base*, C_9H_9NO, Schmelzp.
89 bis 90°, krystallisirt aus Benzol in grofsen Blättern; Alkohol
und Salzsäure lösen sie sehr leicht, heifses Wasser nur wenig.
Aus einer alkoholischen Lösung kann mit Salzsäure und Platinchlorid ein in gelben, quadratischen Blättchen krystallisirendes Platinsalz gewonnen werden. *Dihydrodimethyldiphenylpyrazin*,
$C_{14}H_{18}N_2$, Schmelzp. 102°, krystallisirt aus Alkohol in gelblichen
Tafeln. Warme, verdünnte Salzsäure löst es, beim Erkalten der

Lösung scheidet sich das Chlorhydrat in feinen, weifsen, seideglänzenden Nadeln aus, die bei 104 bis 106° schmelzen, bei 106° wieder erstarren, um bei 180 bis 186° von Neuem unter Gasentwickelung zu schmelzen. Die Lösung des Chlorhydrats giebt mit Quecksilberchlorid, Goldchlorid, Platinchlorid, Pikrinsäure Niederschläge. Das *Quecksilberchloridsalz* krystallisirt aus Wasser in langen Nadeln, das *Platinsalz*, $(C_{18}H_{18}N_2HCl)_2PtCl_4 . 2H_2O$, aus Alkohol in rothgelben, rhombischen Prismen, das *Goldsalz*, $C_{18}H_{14}N_2HCl . AuCl_3 . H_2O$, aus Alkohol in rothgelben Nadeln, Schmelzp. 144 bis 145°. Das Dimethyldiphenylpyrazin läfst sich auch noch aus dem *Isonitrosophenylaceton* gewinnen. Letzteres wird nach der Claisen'schen Methode dargestellt und mit Zinn und Salzsäure reducirt; aus dem entstandenen Chlorhydrat des *Amidoketons* fällt auf Zusatz von Natronlauge nicht das freie Amidoketon, sondern das *Pyrazin* aus, daneben bilden sich Ammoniak und Benzaldehyd. Das Chlorhydrat löst sich in Wasser leicht auf, die wässerige Lösung reducirt Fehling'sche Lösung und Quecksilberchlorid nach Zusatz von Natronlauge. Mit Platinchlorid entstehen zwei Körper, rothe, sechsseitige Säulchen, $(C_9H_{11}NO . HCl)_2 . PtCl_4$, und gelbe, leicht verwitternde Nadeln. — *Isonitrosophenylaceton*, $C_6H_5C{=}NOHCO.CH_3$, Schmelzp. 165°, das aus Phenylaceton, Amylnitrit und alkoholischem Natriumäthylat erhalten wird, krystallisirt aus Alkohol in Tafeln. In Aetzalkalien löst es sich leicht; Lösung ist gelb gefärbt. *Acetverbindung*, Schmelzp. 61 bis 62°, *Aethyläther*, aus molekularen Mengen Natrium, Alkohol, Isonitrosoketon und Aethyljodid, konnte nicht in fester Form gewonnen werden, *Benzyläther*, nach analogem Verfahren, Schmelzp. 62°. Bei der Darstellung des Isonitrosoketons ist aufserdem die Bildung vier anderer Körper beobachtet worden, darunter einer von der Zusammensetzung $C_{34}H_{30}O_4$, Schmelzp. 209°. Für den Nachweis der Stellung der NOH-Gruppe ist das Isonitrosoketon mit verdünnter Schwefelsäure destillirt worden, im Destillat fand sich ein Oel vor, das durch seine Eigenschaften mit dem *Methylphenyldiketon* von Müller und v. Pechmann [1]) identificirt werden konnte. Dieses Resultat bestätigt die oben angenommene Formel. Aus dem Diketon wurde das bei 144° schmelzende Hydrazon, aus letzterem das bei 205 bis 206° schmelzende Hydrazoxim erhalten, vergl. l. c. Durch die Darstellung eines isomeren Hydrazoxims, welches den Hydrazinrest an der dem Methyl benachbarten Carbonylgruppe enthält, wäre die Constitution des

---

[1]) Ber. **22**, 2128; JB. f. 1889, S. 1538.

Hydrazons erwiesen als $C_6H_5C=N.NH.C_6H_5CO.CH_3$. Dieses isomere *Hydrazoxim* läfst sich, wenn auch schwer, herstellen, wenn
man 1,63 g Isonitrosoketon mit 10 g Alkohol und 1 g Phenylhydrazin
im geschlossenen Rohre sieben Stunden auf 95 bis 100° erhitzt,
das Product hierauf mit Wasser abscheidet, letzteres aus wenig
Benzol krystallisirt und die abgeschiedenen Kryställchen mit Benzol
schüttelt, hierbei bleibt das Hydrazoxim in schwach gelblichen
Kryställchen zurück. Dasselbe löst sich in Alkohol leicht und
scheidet sich daraus in gelblich gefärbten Tafeln, Schmelzp. 154°, ab.
Ausbeute gering. Natronlauge löst es nicht. Durch seine Reaction
mit concentrirter Schwefelsäure und Eisenchlorid ist es von dem
Isomeren leicht zu unterscheiden, das Pechmann'sche giebt eine
blaue und grüne, das andere eine violette Farbenreaction. Das
Isonitrosoketon läfst sich mit Hydroxylaminchlorhydrat in ein
Dioxim[1]) verwandeln, das sich beim Kochen von 1,6 g Isonitrosoketon mit 0,7 g Hydroxylaminchlorhydrat in wässerig-alkoholischer
Lösung abscheidet, als Nebenproduct enthält es noch einen zweiten
bei 117 bis 118° schmelzenden Körper, $C_{27}H_{27}N_3O_7$, der sich jedoch durch Auskochen mit Benzol entfernen läfst. Das *Dioxim*,
Schmelzp. 239 bis 240°, löst sich in kaltem Alkohol schwer (Nadeln),
ferner in Aetzalkalien zu einer farblosen Flüssigkeit. *Monobenzyläther*, $C_6H_5C=NOCH_2C_6H_5C=NOH.CH_3$, aus benzylirtem Isonitrosoketon, Hydroxylaminchlorhydrat und Natriumacetat, krystallisirt aus verdünntem Alkohol in langen Nadeln, Schmelzp.
155 bis 156°. Der *Dibenzyläther*, aus Dioxim, Benzylchlorid und
alkoholischem Natriumäthylat, enthält als Nebenproduct den vorstehenden Monoäther. Die Trennung gelingt mit Ligroin, das
den Dibenzyläther leicht löst und denselben beim Abdunsten in
grofsen Nadeln zurückläfst. Schmelzp. 55 bis 56°. Das Dioxim ist
ebenfalls der Reduction unterworfen worden, lieferte dabei aber
nicht das erwartete Amin, sondern das Chlorhydrat eines *Amid-
imidoketons*, weifse Nadeln, aus denen sich mit Natronlauge Dimethyldiphenylpyrazin, Benzaldehyd und Ammoniak bilden. Das
Salz zersetzt Fehling'sche Lösung in der Kälte. Das *Platinsalz*
krystallisirt in gelbrothen, sechsseitigen Tafeln. Im Hinblick auf
die leicht vor sich gehende Reduction giebt Verfasser der Formel
$C_6H_5C=NHCH.NH_2CH_3HCl$ den Vorzug gegenüber der möglichen
Formel $C_6H_5CH.NH_2C=NH.CH_3.HCl$.   *Stl.*

    O. Hinsberg. Ueber einige Chinoxalinabkömmlinge[2]). (Zweite
Abhandlung.) — Der Verfasser beschreibt in dieser Abhandlung

---

   [1]) Ber. **22**, 2129; JB. f. 1889, S. 1539. — [2]) Ann. Chem. **292**, 245—258.

einige einfachere Abkömmlinge des vom o-Phenylendiamin derivirenden Chinoxalins, darunter sind die Oxyderivate des Chinoxalins von Herrn L. Aladjilian, die Chinoxalinäthyljodide von Herrn H. Garfunkel bearbeitet worden. *Chinoxalinjodmethylat*, $C_8 H_6 N_2$.$CH_3 J$, aus Alkohol gelbrothe Blättchen, Schmelzp. 175° unter Zersetzung. Beim Erhitzen mit Alkali riecht es höchst unangenehm. In Wasser leicht löslich. *Chinoxalinjodäthylat*, $C_8 H_6 N_2 . C_2 H_5 J$. Rothe Nadeln, Schmelzp. 146° unter Zersetzung. Sonstiges analog wie bei vorhergehendem Körper. *Mono-6-phenylchinoxalin,*

$$C_6 H_4 \Big\langle {}^{N=CH}_{N=C-C_6 H_5}\Big.'$$

entsteht aus o-Phenylendiamin und Monobromacetophenon durch zweitägiges Erwärmen im Wasserbade in alkoholischer Lösung. Nadeln, Schmelzp. 78°. Leicht löslich in Alkohol, Aether und Benzol, in concentrirter Schwefelsäure mit gelbrother Farbe. *Ureïd der 6-Carbonsäure des 7-Oxychinoxalins,*

$$C_6 H_4 \Big\langle {}^{N=C-OH}_{N=C-CO.NH.CO.NH_2}\Big.'$$

entsteht in wässerigen Lösungen von Alloxan- und Phenylendiamin. Gelbe Nadeln, Schmelzp. 250° unter Dunkelfärbung. Leicht löslich in Natronlauge, schwer in Alkohol, kaum löslich in Wasser. Mit concentrirter Schwefelsäure rothe Lösung. *6-Oxychinoxalin-7-carbonsäure*, $C_9 H_6 N_2 O_3$, aus der vorhergehenden Substanz durch Verseifung mit Natronlauge. Aus Alkohol gelbe Nadeln. Die Alkalisalze sind farblos und leicht löslich in Wasser. Das Chlorhydrat roth und leicht dissociirbar. Schmilzt bei 265° unter Kohlensäureabgabe und Bildung von *6-Oxychinoxalin*, Nadeln, Schmelzp, 265°, sublimirbar. Schwer löslich in Wasser, mäfsig in Alkohol. Salze mit Mineralsäuren sind gelb. Brenztraubensäure und Phenylendiamin ergeben in wässeriger Lösung das *6-Oxy-7-methylchinoxalin*, Schmelzp. 245°. (*2- oder 3-)Methoxy-6-methyl-7-oxychinoxalin,*'

$$CH_3 . O . C_6 H_3 \Big\langle {}^{N=C-OH}_{N=C-CH_3}\Big.'$$

wird aus *Nitro-p-anisidin*, $(OCH_3 : NO_2 : NH_2 = 1 : 3 : 4$, tiefrothe Nadeln, Schmelzp. 129°), bereitet, indem man das Reductionsproduct (Zinkstaub und Natronlauge) desselben in wässeriger Lösung mit Brenztraubensäure zusammenbringt. Aus Alkohol Nadeln, Schmelzp. 197°, sublimirbar. Mit Mineralsäuren gelbe, mit Alkalien farblose Salze. *6-Dimethyl-7-ketotetrahydrochinoxalin,*

$C_{10}H_{12}N_2O$, entsteht durch Erwärmen von 1 Mol. Mono-(α-)brom-isobuttersäureäthylester mit $1^1/_2$ Mol. Diamin 24 Stunden lang im Wasserbade. Blättchen, Schmelzp. 177°. Schwer löslich in Wasser, löslich in Alkohol und Aether. Bildet mit Mineralsäuren farblose, in Wasser leicht lösliche Salze. Die Reaction zwischen Chloressigäther und Phenylendiamin verläuft im Wasserbade nach der Gleichung $2\,C_6H_4(NH_2)_2 + 2\,Cl.CH_2.COOC_2H_5 = C_6H_4(NH_2)_2$ $.2\,HCl + C_2H_5OH + C_{12}H_{14}N_2O_3$ unter Bildung einer Verbindung $C_{12}H_{14}N_2O_3$, der wahrscheinlich die Structur

$$C_6H_4\!\!\begin{array}{c} \diagup N \diagdown \begin{array}{c} CH_2.COOC_2H_5 \\ CO \\ | \end{array} \\ \diagdown NH\text{-}CH_2 \end{array}$$

entspricht. Prismen, Schmelzp. 163°. Kaum löslich in Wasser, ziemlich leicht in Alkohol, Benzol und Eisessig. Durch a) alkoholische Natronlauge geht der Körper in $C_{10}H_{10}N_2O_3$, aus Alkohol, Nadeln, Schmelzp. 212°, ist zugleich Base und Säure; b) Natriumnitrit und Eisessig in $C_{10}H_{10}N_2O_3$ (?), Prismen, Schmelzp. 155°, zugleich Base und Säure, in Wasser mäfsig löslich; c) Kaliumbichromat und Eisessig in eine neue Säure, Schmelzp. 275°, welche auch aus dem Körper $C_{10}H_{10}N_2O_3$ entsteht. *3-Nitrochinoxalin*, $C_8H_5N_2.NO_2$, aus 1, 3, 4 - Nitro-o-phenylendiamin und Glyoxalnatriumbisulfit in wässeriger Lösung im Wasserbade. Bräunliche, lange Nadeln, Schmelzp. 177°. In Wasser schwer, in Alkohol und Aether mäfsig, leicht löslich in Chloroform. In concentrirten Mineralsäuren gelb löslich. *3,6,7-Nitrodiphenylchinoxalin*, $C_{20}H_{13}N_2.NO_2$, aus Benzil und 1, 3, 4-Nitrophenylendiamin. Blättchen, Schmelzp. 188°. Kaum löslich in kaltem Wasser, mäfsig in Alkohol und Benzol, leicht löslich in Chloroform. In concentrirter Schwefelsäure roth löslich. Vorsichtig reducirt, ergiebt es *3,6,7-Aminodiphenylchinoxalin*, $C_{20}H_{13}N_2.NH_2$, welches auch aus Benzol und salzsaurem Triaminobenzol (1, 3, 4) entsteht. Gelbe Krystalle, Schmelzp. 175°. Kaum löslich in Wasser, mäfsig in Alkohol und Aether mit prächtig gelbgrüner Fluorescenz. *Chlorhydrat*, $C_{20}H_{15}N_3.HCl$, tiefrothe Blättchen, Schmelzpunkt ca. 250°. In Wasser ziemlich schwer löslich, dissociirbar. *Acetylverbindung*, $C_{20}H_{14}N_3.CO.CH_3$. Aus Chloroform seideglänzende Schuppen, Schmelzp. 252°. *Ureïd der (2- oder 3-)amino-7-oxychinoxalin-(6)-carbonsäure*,

$$C_6H_2\!\!\begin{array}{c} \diagup NH_2 \\ \diagup N\!\!=\!\!C\!\!-\!\!OH \\ \diagdown N\!\!=\!\!C\!\!-\!\!CO.NH.CO.NH_2 \end{array}\quad ,$$

aus Triaminobenzol und Alloxan, gelber, krystallinischer Niederschlag. In Wasser, Aether und Benzol kaum, in Alkohol und
Eisessig schwer löslich, mit schwacher, gelbgrüner Fluorescenz.
In concentrirter Schwefelsäure dunkelroth, schmilzt noch nicht
bei 300°. *6-Oxy-7-keto-8(n)-benzylchinoxalin,*

$$C_6H_4 \Big\langle {}^{N<{}^{CH_2 \,.\, C_6H_5}_{CO}}_{N=C-OH} \,,$$

aus Benzyl-o-phenylendiamin und überschüssiger Oxalsäure bei
160°. Blättchen, Schmelzp. 265°. Leicht löslich in Eisessig, schwer
in Alkohol und Wasser. Mit Alkalien bildet es Salze, mit Phosphorpentachlorid 6,7-Dichlorchinoxalin.   *v. N.*

O. Hinsberg und J. Pollak. Ueber einige Abkömmlinge
des Dichlorchinoxalins [1]). — Durch Erhitzen des α-β-Dioxychin-
oxalins mit 2 Mol. Phosphorpentachlorid im Oelbade auf 160°
entsteht das *α-β-Dichlorchinoxalin*, $C_8H_4N_2Cl$, farblose Krystalle,
Schmelzp. 150°, leicht löslich in Alkohol, Chloroform und Eisessig, unlöslich in Wasser. Mit 2 Mol. o-Phenylendiamin auf 120
bis 130° erhitzt, bildet es neben salzsaurem o-Phenylendiamin und
kleinen Mengen von Fluorindin, welche nach einander durch Auskochen mit Wasser, Auswaschen mit Alkohol und Eisessig entfernt
werden, das *Fluoflavin,*

$$C_6H_4 \Big\langle {}^{N=C-NH}_{N=C-NH} \Big\rangle C_6H_4,$$

welches aus kochendem Eisessig in gelb gefärbten Nadeln krystallisirt. Es schmilzt über 360°, löst sich in Eisessig mit stark gelbgrüner
Fluorescenz auf und zeichnet sich durch seine Beständigkeit gegenüber Reductionsmitteln, Essigsäureanhydrid u. dergl. aus. Der
Körper entsteht auch, aber mit geringerer Ausbeute, durch Erhitzen von o-Phenylendiamin mit Dioxychinoxalin, resp. von 2 Mol.
o-Phenylendiamin mit 1 Mol. Oxalsäure auf 240°. Das Chlorhydrat, $C_{14}H_{10}N_4 . 2 HCl$, ist gelb gefärbt, in Salzsäure schwer
löslich und wird durch Wasser dissociirt. Durch mannigfachste
Oxydationsmittel läfst sich das Fluoflavin in das *Chinoxalophenazin*,
$C_{14}H_8N_4$, überführen. Dieses krystallisirt aus Chloroform in rothbraunen Blättchen oder Nadeln, die über 370° schmelzen, löst sich
ziemlich schwer in Alkohol und Eisessig, sehr schwer in Aether.
Durch längeres Kochen mit Alkohol und Natronlauge wird unter
Aenderung des ursprünglichen Azins blaue Lösung gebildet.
Reductionsmittel, wie Schwefelwasserstoff, Zinnchlorür, Hydrochinon,

---

[1]) Ber. **29**, 784—787.

verwandeln es mit grofser Leichtigkeit in Fluoflavin zurück, z. B.
$C_{14}H_8N_4 + C_6H_6O_2 = C_{14}H_{10}N_4 + C_6H_4O_2$. — Mit starker Salzsäure verbindet sich das Azin sofort zum *Monochlorfluoflavin*,

$$C_6H_4 \begin{array}{c} N=C-NH \\ | \\ N=C-NH \end{array} C_6H_3Cl;$$

aus Eisessig gelbe Kryställchen, Schmelzpunkt über 360°. Es wird
durch Oxydation in ein Monochlorazin übergeführt. — Mit Benzolsulfinsäure in Eisessig zusammengebracht, bildet das Azin *Phenylfluoflavylsulfon*,

$$C_6H_5SO_2C_6H_3 \begin{array}{c} NH-C=N \\ | \\ NH-C=N \end{array} C_6H_4,$$

welches, aus Eisessig einige Male umkrystallisirt, als gelbes, krystallinisches Pulver, Schmelzpunkt über 340°, erscheint. Schwer löslich
in Alkohol, leichter in Eisessig. Wird durch Kaliumbichromat
und Eisessig in Chinoxalophenazin umgewandelt.   *v. N.*

Safranine und Induline.

Ch. Gafsmann. Ueber einige Lösungsmittel für Farbstoffe[1]).
— Verfasser bespricht die Anwendung der *Lävulinsäure*, des
Lävulylglycerids und seines *Acetilirungsproductes*, der *Acetine*,
Glycerinchlorhydrine und *Glycerinchloracetine*, der *Weinsäure*,
Aethylweinsäure, des *Weinsäureglycerids* und *Acetylweinsäure-
glycerids*, sowie der *Glycolacetine* und des *Benzylacetats* als Lösungs-
mittel für die unlöslichen Induline in der Farbenindustrie. *Wt.*

Léon Lefèvre[2]) berichtete über die neueren Arbeiten von
Jaubert[3]), O. Fischer und Hepp[4]), Nietzki[5]) und Kehrmann[6]) auf dem Farbstoffgebiete der „*Induline und Safranine*"
und machte Vorschläge zu einer wissenschaftlichen Nomenclatur[7])
in beiden Farbstoffreihen.   *Ca.*

G. P. Jaubert. Beitrag zur Nomenclatur der Farbstoffe der
Phenazinreihe[8]). — Im Anschlufs an seine Synthese[9]) verschiedener Safraninabkömmlinge stellt Verfasser folgende Nomenclatur
für die Farbstoffe der Phenazinreihe auf, indem er für den

---

[1]) Compt. rend. 122, 937—939. — [2]) Monit. scientif. [4] 10, I, 408—412.
— [3]) Ber. 28, 270—276, 508—513, 1578—1585; Chemikerzeit. 20, 5—7. —
[4]) Ber. 28, 2283—2289. — [5]) Daselbst, S. 1354—1360. — [6]) Daselbst,
S. 1709—1717; Chemikerzeit. 19, 1229; Ann. Chem. 290, 247—306. — [7]) Bezüglich der Nomenclatur mufs auf die Originalabhandlung verwiesen werden.
— [8]) Ber. 29, 414—418. — [9]) Ber. 28, 270, 508, 1578.

Phenazinkern dieser Farbstoffe die von Gräbe[1]) für das Acridin angewendete Nomenclatur vorschlägt, nämlich:

$$\begin{array}{ccc} 1' & N & 1 \\ 2' & \alpha & 2 \\ 3' & \beta & 3 \\ 4' & N & 4 \end{array}$$

wobei er die beiden Stickstoffatome mit den griechischen Buchstaben α und β bezeichnet. Er theilt die Phenazinderivate in zwei Classen ein: in die Eurhodine und die Induline. Die *Eurhodine* sind Körper mit einer orthochinoiden Bindung von folgender Constitution:

$$C_6H_4\underset{N}{\overset{N}{\diagdown}}C_6H_3{-}NH_2,$$

und die *Induline* sind Körper mit einer parachinoiden Bindung von folgender Form:

$$C_6H_4\underset{NH}{\overset{N}{\diagdown}}C_6H_3{=}NH.$$

Die einfachsten Repräsentanten der Eurhodine und Induline sind isomere Körper. Die für dieselben hier aufgestellten Formeln erklären sehr gut das verschiedene Verhalten dieser Farbstoffclassen, insbesondere die stärkere Basicität der Eurhodine gegenüber den Indulinen und ferner die Diazotirbarkeit der Eurhodine und die Nichtdiazotirbarkeit der Induline. Die alte Eintheilung in Mauveïne und Safranine fällt fort; die Mauveïne sind als Safranine und die Safranine als Aminoderivate der Induline aufzufassen. Die Muttersubstanz der Eurhodine der orthochinoiden Derivate ist das einfachste *Eurhodin* oder *Aminophenazin*. Wird in diesem die Aminogruppe durch Hydroxyl ersetzt, so entsteht das einfachste *Eurhodol* oder *Oxyphenazin*. Wird in das Eurhodin in die Parastellung zum α-Stickstoff eine Aminogruppe eingeführt, so entsteht das *Aminoeurhodin (Phenylenroth)*, dessen Dimethylderivat unter dem Namen „Neutralviolett" in den Handel kommt. Beim Ersetzen der einen Aminogruppe in dem Aminoeurhodin durch Hydroxyl erhält man das *Aminoeurhodol (Oxyeurhodin)*, beim Ersetzen beider Aminogruppen durch Hydroxyl das *Oxyeurhodol*. — Die Muttersubstanz der Induline, der parachinoiden Derivate, ist das vorläufig noch nicht dargestellte, einfachste *Indulin*. Durch Ersetzen der Iminogruppe des Indulins durch Sauer-

---

[1]) Ber. **27**, 3066.

stoff erhält man das einfachste *Indulon*. Wird in diesen einfachsten Derivaten der Azinwasserstoff durch CH_3, C_2H_5, C_6H_5,
$C_{10}H_7$ u. s. w. ersetzt, so wendet Verfasser, um diese Substituenten
in der Azingruppe von denjenigen in der Iminogruppe (bei den
Indulinen) oder in der Imino- und Aminogruppe (bei den Safraninen) zu unterscheiden, für die Substitution in der Azingruppe,
dem Wittkopf'schen Phenosafranin ähnlich, die Präfixe Metho-,
Aetho-, Pheno-, α- und β-Naphto- u. s. w. an, dagegen für die
Substitution in den Imino- und Aminogruppen die gebräuchlichen
Benennungen: Methyl-, Aethyl-, Phenyl- u. s. w. Demgemäfs wird
das Azosafranin *Phenoindulin* und das Safranon *Phenoindulon*
heifsen. Führt man in dem einfachsten Indulin eine Aminogruppe
in die Parastellung zum α-Stickstoff ein, so erhält man das ein-
fachst denkbare *Safranin (Aminoindulin)*. Wird die Iminogruppe
des Safranins durch Sauerstoff ersetzt, so entsteht das *Aminoindulon*, und ersetzt man die Aminogruppe des Aminoindulons
durch Hydroxyl, so entsteht das *Oxyindulon* oder *Safranol*.
Schliefslich weist Verfasser noch auf die Analogie zwischen Malachitgrün und p-Rosanilin, Indulin und Safranin hin. Wird in
dem frei bleibenden Benzolkern des grünen Farbstoffes aus Di-
aminotriphenylmethan (unmethyltes Malachitgrün) in die Parastellung zum Methankohlenstoff eine Aminogruppe eingeführt, so
entsteht das p-Rosanilin. Wird diese Aminogruppe dagegen in
eine andere, z. B. o- oder m-Stellung, eingeführt, so entstehen
Farbstoffe, welche mit dem p-Rosanilin nichts Gemeinschaftliches
haben. Dasselbe gilt für die Bildung von Safranin aus Indulin.
Die Einführung einer Aminogruppe in den Indulinkern ergiebt
ein Safranin nur in dem Fall, wo der Eintritt in die Parastellung
zum α-Stickstoff erfolgt. Die Safranine sind also als einfachste
Induline zu betrachten. Der β-substituirte Stickstoff hat hier
wohl hauptsächlich die Wirkung, das Molekül zu befestigen, und
daher die sonst den Indaminen eigene Spaltbarkeit durch Säuren
aufzuheben.   *Wt.*

F. Kehrmann. Ueber die Beziehungen der Induline zu den
Safraninen[1]. — Verfasser bespricht im theoretischen Theil die
Constitution der Induline und Safranine. Während dem nach verschiedenen Bildungsweisen erhaltenen Eurhodol im freien Zustande
nur die Formel

$$O = C_6H_3 \underset{NH}{\overset{N}{\diagup\diagdown}} C_6H_4$$

_____

[1] Ann. Chem. **290**, 247—306.

zuzukommen scheint, zeigt die Einwirkung von Jodmethyl auf die
Na-Verbindung Tautomerie zwischen obiger Formel, wobei ein
Stickstoffäther entsteht, und dem Typus:

$$OH . C_9H_5 \underset{N}{\overset{N}{\diagup\!\!\!\diagdown}} C_6H_4,$$

wobei der Sauerstoffäther entsteht. Indon und Indulin erscheinen
dann als stickstoffalkylirte, also parachinoide Eurhodol- oder
Eurhodinderivate. Diese Indon- und Indulinbildung ist jedoch
ein secundärer Vorgang, der der Anhydridbildung aus dem Azoniumtypus:

und der Parachinonumlagerung entspricht. Daher erscheinen auch
alle Azoniumbasen, welche nicht sich parachinoid umlagern können,
als Hydrate. Bei den Indulinen und Indonen tritt in den Salzen
Rückbildung zu dem Azoniumtypus ein. — Ueber *Condensationsproducte aus 4-Acetamino-1-2-naphtochinon mit Phenyl-o-phenylendiamin.* Das Chinon und das Chlorhydrat der Base werden in
alkoholischer Lösung sich selbst überlassen und schliefslich die
Reaction durch Erhitzen zum Sieden beendigt. Das Reactionsproduct erwies sich als ein Gemisch der beiden theoretisch möglichen Azoniumchloride:

Die fractionirte Lösung in Alkohol führte nicht vollkommen zum
Ziel, dagegen liefs sich das schwer lösliche Chlorid I durch Ammoncarbonat vollkommen fällen. Aus dem Filtrat wird das leicht
lösliche Chlorid II ausgesalzen. Das *Chlorid I* ist als Base ausgeschieden, die durch alkoholische Salzsäure zurückverwandelt wird.
Chlorid I: rothe Nadeln mit grünem Metallreflex, deren Lösungen
gelbgrün fluoresciren. Abspaltung von Acetyl führt zum Rosindulinchlorid, wodurch seine Constitution bewiesen ist. Zersetzungsp.
290°. Das Chlorid II bildet dunkel braunrothe, bläulich glänzende
Tafeln, deren Lösungen dunkelroth sind und nicht fluoresciren.

Abspaltung von Acetyl führt zum *Isorosindulinchlorid*. Zersetzungsp. 260°. Charakteristisch ist das Verhalten gegen concentrirte H_2SO_4. Beide Lösungen sind zunächst violett und nach dem Kochen grün, dagegen wird durch Verdünnung mit Wasser die Lösung von Chlorid I blutroth, von Chlorid II grünlichblau. Das *Acetylrosindulin* wird aus Chlorid I durch Alkalien oder deren Carbonate gefällt, krystallisirt aus Alkoholbenzol in dunkelrothen, goldglänzenden Tafeln. Die Analyse des bei 100° getrockneten Präparates führte zu der Formel eines in der Iminogruppe acetylirten Rosindulinanhydrids, welches identisch war mit einem aus Rosindulin erhaltenen Acetylderivat. Sieden mit Salzsäure verseift zum Rosindulinchlorid, woraus Ammoniak *Rosanilinhydrat* zunächst colloidal, dann krystallinisch fällt, der Niederschlag wird getrocknet und entspricht der Formel $C_{22}H_{17}N_6O$. Wenn man rasch erhitzt, liegt der Schmelzpunkt des Hydrats bei 185 bis 187°; bei längerem Trocknen bei 100 bis 110° spaltet sich 1 Mol. H_2O ab. *Rosindulincarbonat*, $[H_2N.C_{22}H_{14}.N_2-O-CO-O-N_2H_{14}C_{22}.NH_2 + 4H_2O]$, fällt aus der kalten Chloridlösung durch Ammoncarbonat in langen Nadeln oder durch Einleiten von CO_2 in die Lösung des Hydrats. Erwärmen mit überschüssigem Ammoncarbonat führt zum Anhydrid. In der Kälte schwer löslich, bei 40 bis 50° leicht löslich, beim Sieden entwickelt sich CO_2. Besonders die Bildung und das Verhalten des Carbonats spricht sehr für die Annahme der Azoniumformel. Diese Carbonatbildung kommt auch noch schwächeren Basen zu. So konnte ein *Oxydationsproduct des Phenylo-o-phenylendiamins* nur als Anhydrid:

$$(NH_4-),(C_6H_5-N)=C_6H_2\diamond\begin{matrix}N\\C_6H_4,\\N-Ph\end{matrix}$$

erhalten werden. Seine wässerige Lösung wird durch CO_2 allmählich unter Bildung des Carbonats unter vorhergehender Hydratation gefällt. Durch Sieden wird wieder die Anhydridbase gefällt. Ebenso liefert das isomere Anilinoaposafranin, das nur die Gruppe NHC_6H_5 an anderer Stelle enthält, ein Carbonat, dagegen kein Hydrat. Prägnanter tritt dies Verhalten noch bei dem entsprechenden *Oxydationsproduct des Aethyl-o-phenylendiamins* hervor. Durch Eisenchlorid oxydirt, krystallisirt das *Chlorid* langsam aus. Die daraus erhaltene Base zieht so energisch CO_2 an, dafs sie nicht rein zu erhalten war. Das *Carbonat* giebt beim Sieden nur langsam CO_2 ab. — *Isorosindulin* konnte nicht durch Verseifen mit verdünnter Salzsäure aus Chlorid II erhalten werden. Dagegen führte die Behandlung mit Sulfit und englischer H_2SO_4

zum Ziel. Das erhaltene *Sulfat*, dunkelblaue Nadeln, wurde durch wiederholtes Behandeln mit NH_4Cl in das aus Wasser in langen, schwarzblauen Nadeln krystallisirende *Chlorid* übergeführt. Zersetzungsp. 270°. *Nitrat*, schwer lösliche, bronzeglänzende, dunkelblaue Nadeln. Aetzalkalien, nicht deren Carbonate, fällen aus den Salzen die *Base* als olivengrünen, flockigen Niederschlag von bitterem Geschmack. Längeres Kochen mit Schwefelsäure führt zu dem *Oxazoniumsulfat*:

I.

C_6H_5

N—OH

OH

N

II.

C_6H_5

N—OH

O=

NH

Die Oxyverbindung besteht in zwei Modificationen, die erste (I) wird aus dem beim Verseifen entstehenden Sulfat in blauen Nadeln durch Ammoncarbonat erhalten, sie ist nur trocken beständig, geht leicht in die rothe Modification II über. Die blauen Nadeln zeigen Dichroismus. Ihre anfangs blauen oder grünen Lösungen in Wasser, Alkohol, Benzol verfärben sich schnell und liefern die rothe Base. Säuren lösen *sofort* mit rother Farbe. Zersetzungsp. 164°. Das *Sulfat* ist schon oben beschrieben, das *Chlorid* bildet dunkelrothe Blättchen. *Chloroplatinat*, braunrothe glitzernde Nädelchen. Die Lösung der Base in concentrirter H_2SO_4 zeigt Dichroismus (grünroth). Die rothe Base, die durch längere Einwirkung von Alkalien auf die Salze der blauen Base entsteht, wird aus Alkohol in fast schwarzen, glänzenden Prismen erhalten. Zersetzungsp. 164°. Ihre Lösungen in Alkohol, Aether, Benzol sind blutroth; die Krystalle sind *unlöslich* in kalten, verdünnten Säuren, beim Sieden werden die Salze der blauen Modification erhalten. Concentrirte H_2SO_4 löst kirschroth in der Kälte, Erwärmen auf 60 bis 70° bewirkt Umschlag in die blaugrüne Lösung der blauen Base. Die alkalischen Lösungen beider Basen enthalten ein Na-Salz der rothen Verbindung, da diese mit CO_2 daraus fällt. In alkalischer Lösung konnte ein Oxim erhalten werden, die rothe Modification enthält also den Complex $O=C<$, was obige Formel II ausdrückt. Diese Basen entsprechen den beiden *desmotropen* Oxynaphtophenazinen. Im Auschluß hieran wird noch eine zum Theil hier schon angewandte Nomenclatur begründet. — Verfasser studirte ferner die Einwirkung verschiedener Monoalkyl-o-diamine auf Chinone. Zu dem Ziele wurde *Benzylo-phenylendiamin*, $NH_2-C_6H_4-NH.CH_2C_6H_5$, aus Chlornitrobenzol und Benzylamin und durch Reduction der Nitrogruppe dargestellt. Auf eine Verunreinigung war das gleichzeitige Entstehen von *p-Nitrobenzylanilin*, Schmelzp. 147°, zurückzuführen. Molekulare Mengen des o-Diamins und des Acetamino-1,2-naphtochinons wurden combinirt, das Reactionsproduct bestand aus Benzylchlorid, $C_6H_5CH_2Cl$, Acetaminophenazin, sowie dem erwarteten *Acetylbenzylrosindulin*, aus dem durch Abspaltung von Acetyl *Benzylrosindulin* in grün glänzenden Krystallen erhalten wurde. Da das Benzylacetylrosindulinchlorid offenbar der Formel des früher genannten Chlorids I entspricht, erklärt Verfasser die Bildung von Benzylchlorid und Acetaminophenazin durch Spaltung eines Chlorids vom Typus des Chlorids II. Ebenso ergiebt die Condensation mit 2-Oxy-1,4-naphtochinon, dafs dieses auch tautomer als 4-Oxy-1,2-naphtochinon reagiren kann, nur so wird die Bildung von *Oxynaphtophenazin* neben Benzylchlorid (oder -alkohol), sowie von parachinoidem *Benzylrosindon* verständlich. Letzteres krystallisirt entweder in Prismen oder in Nadeln, Schmelzp. 262 bis 264°. — *Synthese einiger Azonderivate.* Oxynaphtochinon und Aethyl-o-phenylendiamin führten zu dem bei 192 bis 193° schmelzenden, aus Benzolalkohol in granatrothen, grün metallisch glänzenden Prismen krystallisirenden *Aethylphenonaphtazon.* Unlöslich in Wasser und Alkali. Die Lösungen fluoresciren gelbgrün. *2-Oxyphenylphenazon* wurde aus dem Ammonsalz des Dioxychinons durch Zersetzen des Salzes mit berechneter Menge HCl und Zusatz von 1 Mol. Phenyl-o-phenylendiaminchlorhydrat in wässeriger Lösung nach zwölfstündigem Stehen erhalten. Aus Benzolalkohol rothbraune Prismen, Schmelzpunkt unscharf, zwischen 275 und 280°. Löslich in Alkali, fast unlöslich in Wasser. *2-Oxyäthylphenazon*, auf analogem Wege erhalten, aus Essigsäurealkohol in scharlachrothen Nadeln, Schmelzp. 230 bis 240°. Löslich in Säuren und Alkalien. Ein *1-Methyl-2,3-dioxyphenazin* oder 1-Methyl-2-oxyphenazon wurde aus Dioxytoluchinonammonium und o-Phenylendiamin in ziegelrothen verfilzten Nadeln von unscharfem Schmelzpunkt (265 bis 275°) erhalten. Das alkalilösliche Product besitzt Formel I oder II:

$$\text{I.} \quad C_6H_4 \underset{N}{\overset{N}{\diamondsuit}} C_7H_4(OH)_2 \qquad\qquad \text{II.} \quad C_6H_4 \underset{NH}{\overset{N}{\diamondsuit}} C_7H_4 {<}^{OH}_{O}$$

$$\text{Phenazin} \qquad\qquad\qquad\qquad \text{Phenazon}$$

1- oder 4-Methyl-2-oxyphenylphenazon wurde aus dem Dioxytoluchinon und Phenyl-o-phenylendiamin in dunkelrothen, kupferigen Blättern (aus Eisessig), unscharf zwischen 245 bis 265° schmelzend, erhalten. Kaum basisch, dagegen leicht alkalilöslich. Das entsprechende *Oxyäthylphenazon* wurde aus Alkoholbenzol in granatrothen, blau metallisch glänzenden Krystallen vom Schmelzp. 206° erhalten. *1- oder 4-Chlor-2-methoxyphenazon* konnte aus Chlordioxychinon und Methyl-o-phenylendiamin und Krystallisiren aus Alkohol in braunrothen, messingglänzenden Prismen vom Schmelzp. 200 bis 201° erhalten werden. Das analoge *Chloräthoxyphenazon* krystallisirt aus Alkohol in dunkelrothen, messingglänzenden Prismen, Schmelzp. 215 bis 216°. *1- oder 4-Chlor-2-oxybenzylphenazon* krystallisirt aus Eisessig in dunkel scharlachrothen Nadeln vom Schmelzp. 234°. Für die Bezeichnung ist das Schema

maßgebend. *Mr.*

W. **Vaubel.** Ueber die Configuration der Chinonimidfarbstoffe [1]. — Der Verfasser versucht seine Benzolconfiguration zur Deutung der Chinonimidfarbstoffe zu verwenden. *v. N.*

O. **Fischer** und E. **Hepp.** Nachträge zur Kenntnifs der Induline und Safranine [2]. — Verfasser halten die Auffassung von **Kehrmann**, wonach den Safraninsalzen die Azoniumformel [3] zukommt, nicht für genügend begründet und verweisen hier auf das äufserst schwach basische Aposafranon von **Jaubert**, sowie auch auf das Rosindon und die Oxyindone. Es scheint ihnen vielmehr, dafs die Imidgruppe der Safranine und Induline deren Basicität bedingt. Letztere Verbindungen würden nach der Azoniumformel eine freie Amidogruppe enthalten, die jedoch nicht durch Nitrit, Aldehyde und Ketone nachzuweisen ist. Bezüglich der Hydratbildung des Rosindulins verweisen Verfasser darauf, dafs viele Basen, so auch das Rosanilin, derartige Hydrate bilden und man wohl mit gleicher Berechtigung dem Hydrat folgende Formel zuschreiben kann:

---

[1] J. pr. Chem. [2] 54, 292—304. — [2] Ber. 29, 361—371. — [3] Vgl. diesen JB., S. 1852.

Die früher schon aufgefundene Reaction von Anilin mit Aposafraninsalzen führt zu zwei Basen, von denen die eine *Anilidoaposafranin* (I), $C_{24}H_{18}N_4$, die andere *Phenylanilidoaposafranin* (II) ist:

I.   II.

$$C_6H_5HN \begin{array}{c} : N \cdot \\ \\ HN : \quad N \cdot \\ | \\ C_6H_5 \end{array}$$

$$C_6H_5NH \begin{array}{c} : N \cdot \\ \\ C_6H_5N : \quad \cdot N \cdot \\ | \\ C_6H_5 \end{array}$$

Ihre Constitution wurde durch Ueberführung der ersten in Anilidosafranon — Ersetzung der Imidogruppe durch Sauerstoff — und weiter in Oxyaposafranon, wobei der Anilidorest durch OH ersetzt wird, bewiesen. *Anilidoaposafraninchlorid*, grün schimmernde Blättchen. Oxyaposafranon wurde in den *Methyläther* übergeführt, der in rothen, sternförmig gruppirten Nadeln oder rothen Prismen vom Schmelzp. 246 bis 248⁰ krystallisirt. p-Toluidin führt in analoger Weise zum *p-Toluidoaposafranon*, Schmelzp. 218⁰, und zum *Tolyltoluidoaposafranin*, Blättchen, Schmelzp. 238 bis 240⁰. p-Phenylendiamin condensirt sich mit Aposafranin zum p-Amidoanilidoaposafranin, $C_{24}H_{19}N_5$, blaugrüne Prismen, Schmelzp. 227⁰. Spaltet sich unter Druck mit verdünnter H_2SO_4 in seine Componenten. o-Phenylendiamin condensirt sich mit Aposafranin unter Abspaltung von Ammoniak zum *Phenylfluorindin*:

$$C_6H_4 \begin{array}{c} NH \\ \diamondsuit \\ N \end{array} C_6H_2 \begin{array}{c} N \\ \diamondsuit \\ N(C_6H_5) \end{array} C_6H_4.$$

Aus Benzoëester umzukrystallisiren. Die mineralsauren Lösungen sind blau mit blutrother Fluorescenz. Eine Molekulargewichtsbestimmung des *Phenylanilidoaposafranins* mit Naphtalin als Lösungsmittel bestätigte die Formel $C_{30}H_{22}N_4$. *Amidophenylindulin* besitzt die Formel $C_{20}H_{23}H_5$. Das Chlorid krystallisirt mit $\frac{1}{2}$ Mol., das *Nitrat* mit 1 Mol. Wasser. Verdünnte Schwefelsäure bei 170⁰ führt zum *Amidooxyaposafranon*, dicke, grün glänzende Prismen. Nitrit führt dieses in eine Diazoverbindung über, aus der Oxyaposafranon erhalten wurde. Bei 230 bis 250⁰ spaltet verdünnte H_2SO_4 *Dioxyaposafranon* ab, braungelbe Nadeln, Schmelzp. über 280⁰. Alkalische Spaltung führt zum symmetrischen *Safranol* und zu dem *Anilidosafranol*. Dem Amidophenylindulin kommt nach diesem die Constitution eines Anilidophenylphenosafranins (Anilidomauveïn) zu. Die salzsauren Salze des Phenosafranins, Mauveïns und Phenylmauveïns, sowie Amidophenylindulin geben mit Anilin dasselbe *Indulin*, $C_{49}H_{32}N_6$. Ihr Zusammenhang ist dadurch bewiesen. *Mr.*

O. Hinsberg und A. Himmelschein. Ueber Benzolsulfinsäure als Reagens [1]). — Da nach älteren Arbeiten von Hinsberg [2]) die Benzolsulfinsäure mit Chinonen resp. Chinonimiden der Benzol- und Naphtalinreihe unter Bildung des Diphenyl- resp. Phenylnaphtylsulfons reagirt, so war es besonders interessant, die Reaction auf derartige Verbindungen auszudehnen, deren chinoïde Structur noch zweifelhaft ist. Es wurden mit positivem Resultate vor Allem zwei Verbindungen untersucht, nämlich das Phenazin und das in saurer Lösung aus p-Aminobenzylalkohol entstehende gelbe Condensationsproduct, dem also die chinoïde Formel $C_6H_4{<}^{NH}_{CH_2}$ zukommt. Beim Phenazin erfolgt die Reaction leicht in alkoholisch-salzsaurer Lösung unter Bildung des schwer löslichen *Phenazylphenylsulfons* und in Lösung als grünes Doppelsalz, $C_6H_4N_2C_6H_4 . HCl + C_6H_4N_2H_2C_6H_4 . HCl$, verbleibenden Dihydrophenazins, entsprechend den Gleichungen:

1. $C_6H_5 . SO_2H + C_6H_4{<}^{N}_{N}{>}C_6H_4 = C_6H_4{<}^{NH}_{NH}{>}C_6H_2 . SO_2 . C_6H_5,$

2. $C_6H_4{<}^{NH}_{NH}{>}C_6H_2 . SO_2 . C_6H_5 + C_6H_4{<}^{N}_{N}{>}C_6H_4$
$= C_6H_4{<}^{N}_{N}{>}C_6H_2 . SO_2 . C_6H_5 + C_6H_4{<}^{NH}_{NH}{>}C_6H_4.$

Das Phenazylphenylsulfon krystallisirt aus Eisessig in hellgelben Blättchen, Schmelzp. 244°. In Wasser kaum, in Alkohol schwer löslich. Alkalien verändern es nicht bei 100°. Zinkstaub und Salzsäure bilden Phenylmercaptan. Als Nebenproduct entsteht bei obiger Reaction ein Körper, Schmelzp. 275°, vielleicht das Disulfon, $C_{12}H_6N_2(SO_2C_6H_5)_2$. — Die salzsauren Auszüge des technischen Anhydroaminobenzylalkohols liefern mit Benzolsulfinsäure das in gelb gefärbten Nadeln, Schmelzp. 176°, krystallisirende *Aminotolylphenylsulfon*, $C_6H_3{-}^{CH_4}_{NH_2}{>}SO_2C_6H_5$. In heifsem Wasser mäfsig, ziemlich schwer löslich in Alkohol und Eisessig. Es läfst sich in Diazoverbindung überführen und mit Naphtolnatrium zu einem gelbrothen Farbstoff combiniren. *Acetylverbindung*, farblose Nadeln, Schmelzp. 201°. · *v. N.*

---

[1]) Ber. 29, 2019—2023. — [2]) Ber. 27, 3259; 28, 1315.

W. Vaubel. Ueber das Verhalten der Chinonimidfarbstoffe gegen nascirendes Brom [1]). — Der Verfasser behauptet, ohne näher auf den Gegenstand einzugehen, dafs das Indazin, Rosindon, Meldola's Blau und Methylenblau je ein Atom Brom aufnehmen, das Phenosafranin und Resorufin deren vier. Für Rosindulindisulfosäure konnte wegen Unreinheit des Präparates keine Bestimmung ausgeführt werden.   *v. N.*

Otto Fischer und **A. Dischinger.** Ueber die Oxydationsproducte des Orthoamidodiphenylamins [2]). — Um die Streitfrage nach der Constitutionsformel des Oxydationsproductes des Orthoamidodiphenylamins ihrer Entscheidung entgegen zu bringen, wurden von Verfassern folgende Versuche angestellt: das o-Amidodiphenylamin wurde in verdünnt alkoholischer Lösung durch Eisenchlorid oxydirt, das Eisensalz durch Natronlauge zerlegt und die freie Base mit siedendem Benzol der Lösung entzogen. Die Benzollösung enthält neben *Anilidoaposafranin*, Schmelzp. 203 bis 204°, geringe Mengen eines höher schmelzenden, Schmelzp. 258 bis 259°, Körpers, dessen Scheidung am besten in Form des Chlorhydrates gelingt. — Das salzsaure Anilidoaposafranin bildet cantharidengrüne, flache Nädelchen, die freie Base bläulich schimmernde Prismen, von gleichem Schmelzp. 203 bis 204°, wie das aus Aposafranin und Anilin früher von **Fischer** und **Heiler** [3]) dargestellte Product. Die Spaltung dieses Körpers verläuft in gleichem Sinne unter Bildung des Anilidoaposafranons (Anilidobenzolindon) und des Oxyaposafranons (o-Oxybenzolindon),

$$C_6H_5 . HN . \langle \rangle : N . \langle \rangle \qquad HO . \langle \rangle : N . \langle \rangle$$
$$O : \langle \rangle . N . \langle \rangle \qquad O : \langle \rangle . N . \langle \rangle ,$$
$$C_6H_5 \qquad\qquad\qquad C_6H_5$$

wodurch die Structurformel des Anilidoaposafranins

$$C_6H_5 . HN . \langle \rangle : N . \langle \rangle$$
$$HN : \langle \rangle . N . \langle \rangle$$
$$C_6H_5$$

nach Ansicht der Verfasser gestützt wird. Der zweite bei der Oxydation des o-Amidodiphenylamins entstehende Körper unterscheidet sich von vorhergehendem durch höheren Schmelzp. 258 bis 259° und seine Schwerlöslichkeit in kaltem Benzol, Alkohol und Aether, und ein in messinggelben Blättchen krystallisirendes

---

[1]) J. pr. Chem. [2] 54, 289—291. — [2]) Ber. 29, 1602—1608. — [3]) Ber. 26, 378.

Hydrochlorat. Die Base bildet prächtige rothe Prismen von stahl-
blauem Schimmer, läfst sich durch verdünnte Schwefelsäure in
zwei näher noch nicht untersuchte Körper spalten, und mit einem
Gemisch von o-Phenylendiamin und dessen salzsaurem Salz auf
200° erhitzt, bildet sie ein in Alkohol fuchsinroth, mit violettbrauner Fluorescenz lösliches Fluorindin. Der Körper besitzt
wahrscheinlich die Zusammensetzung:

$$C_{24}H_{27}N_5 = \begin{matrix} C_6H_5 \cdot HN \cdot \\ C_6H_5NH \cdot C_6H_4 \cdot N : \end{matrix} \langle\rangle \begin{matrix} : N \cdot \\ \cdot N \cdot \\ C_6H_5 \end{matrix} \langle\rangle .$$

An diese Mittheilung knüpfen sich noch einige Bemerkungen von
O. Fischer und E. Hepp zur Klärung des Sachverhaltes in der
Polemik mit Kehrmann und Bürgin. *v. N.*

Otto Fischer. Bemerkungen zu der Abhandlung: „Die
Constitution der Safranine" von R. Nietzki [1]). — Der Verfasser
wendet sich gegen die Nietzki'sche Azoniumtheorie der Safranine.
Er bestreitet vor allem den von Nietzki behaupteten, ausgeprägten,
stark basischen Charakter jener Körperclasse, indem er z. B.
behauptet, dafs die Basicität des Aposafranins keineswegs stärker ist
als die des o-Phenylendiamins. Ferner sollen Nietzki's Angaben
über die Beständigkeit der gelben salzsauren Salze des Acetylros-
indulins, Diacetylsafranins und des Acetylaposafranins gegen verdünnte Alkalicarbonate auf Irrthum beruhen. In letzterem Falle
ist das gerechtfertigt durch die ebenfalls gelbe Farbe des entstehenden Carbonates, welches langsam mit Wasser dissociirt und
erst beim Schütteln mit Aether an denselben die Base mit violettrother Farbe abgiebt. Der Verfasser beharrt bei seiner Parachinon-
theorie der Safranine, Mauveïne, Rosinduline etc. *v. N.*

Otto Fischer. Ueber Phenazinbildungen [2]). — Auf ähnlichem Wege wie seiner Zeit [3]) von O. Fischer und O. Heiler
aus o-Amidodiphenylamin mit Bleioxyd Phenazin dargestellt wurde,
können auch andere Phenazinderivate entstehen. Herr Albert
Levy hat durch Reduction des o-Nitrophenyltoluidins *o-Amidophenyltolylamin* dargestellt, Tafeln, Schmelzp. 76 bis 77°, und
dieses durch Destilliren über Bleioxyd in das bekannte *Toluphenazin*, Schmelzp. 117°, übergeführt. E. Besthorn hat durch
Oxydation des 1-2-4-Diamidodiphenylamins das ebenfalls schon
bekannte *p-Amidophenazin*, Schmelzp. 274°, dargestellt, ein Ver-

---

[1]) Ber. 29, 1870—1873. — [2]) Daselbst, S. 1873—1876. — [3]) Ber. 26, 383.

such, der R. Nietzki und Bauer [1]) nicht gelungen ist. Schliefslich hat W. Reess, ausgehend von 1 Mol. Bromdinitrobenzol und
2 Mol. p-Anisidin; das *Dinitro-p-methoxydiphenylamin*, Schmelzp.
141°, dargestellt ¡und durch Reduction mit Zinn und Salzsäure
in das *Diamido-p-methoxydiphenylamin* übergeführt. Farblose
Tafeln, Schmelzp. 118 bis 120°. Löslich in Wasser und Alkohol,
schwerer in Benzol und Aether. Durch Bleioxyd geht es in das
p-Amidomethoxyphenazin über:

Röthlichgelbe Nadeln, Schmelzp. 216 bis 217°. Es bildet orangerothe Salze.   *v. N.*

Otto Fischer und Eduard Hepp. Zur Kenntnifs der
Isorosinduline [2]). — Die Verfasser haben das von Nietzki und
Otto [3]) entdeckte *Isorosindulin* der näheren Untersuchung unterzogen. Die Darstellung des Körpers erfolgte aus Chinondichlordi-
imid und β-Phenylnaphtylamin mit Umgehung des Zinksalzes auf
dem Wege des schön in fast schwarzen Prismen krystallisirenden
Nitrates. Aus diesem Salze kann man durch Umsetzen mit Kaliumsulfat oder Natriumchlorid das Chlorhydrat oder Sulfat der Base
gewinnen: grünlich schimmernde, metallglänzende Nadeln. Die
alkoholischen Lösungen der Isorosindulinsalze besitzen schwach
bräunliche Fluorescenz, zersetzen sich durch Carbonate. Die violette Isorosindulinbase ist unbeständig gegen ätzende Alkalien. —
Aus 15 g Nitrosodiphenylamin und 11 g β-Phenylnaphtylamin in
250 g Alkohol entsteht nach Zusatz von 15 g 40 proc. Salzsäure
das *salzsaure Phenylisorosindulin*,

in kupferroth glänzenden Prismen. *Nitrat*, dicke, metallglänzende
Prismen oder Nadeln. Die freie Base bildet aus Benzol-Ligroin
kupferglänzende Krystallwarzen, Schmelzp. 169 bis 171°, die in
Alkohol, Benzol, Aether und concentrirter Schwefelsäure mit
blauer Farbe löslich sind. Durch 10 stündiges Erhitzen auf 230

---

[1]) Ber. 28, 2979. — [2]) Ber. 29, 2752—2760. — [3]) Ber. 21, 1600.

bis 240° mit einem Gemisch von Eisessig und concentrirter Salzsäure geht es in *Isorosindon*:

über, welches leichter aus 12 g Nitrosophenol und 14,5 g Phenyl-
naphtylamin in 300 bis 400 g absolutem Alkohol und 15 g concentrirter Salzsäure entsteht. Das dabei in wohlausgebildeten,
grünlich schimmernden Säulen sich ausscheidende Chlorhydrat
dissociirt sich leicht mit Wasser, vollständig durch Natriumacetat
unter Bildung der freien Base. Dunkel bronzeglänzende Prismen,
Schmelzp. 223 bis 224°. In concentrirter Schwefelsäure mit violetter Farbe löslich, beim Verdünnen wird die Lösung roth,
dann gelb. Das *Eisendoppelsalz* bildet goldgelbe, zu Büscheln vereinigte Nadeln. — Durch alkoholisches Kali wird das Indon zu
Oxyisorosindon:

oxydirt. Aus der rothen, bläulichgrün fluorescirenden Lösung des
Kaliumsalzes wird es durch Essigsäure in bronzeglänzenden, rothen
Nadeln abgeschieden. Aus Alkohol grün schimmernde, aus Nadeln
bestehende Krystallwärzchen. In concentrirter Schwefelsäure violett-
löslich. Sein *Methyläther* bildet aus Alkohol grünlich schimmernde
Nadeln, Schmelzp. 274°. — Durch 10stündiges Erhitzen des salzsauren Isorosindulins mit Anilin und salzsaurem Anilin in alkoholischer Lösung erhält man das *Anilidoisorosindulin*:

Aus Benzol braunrothe, bläulich schimmernde Nädelchen, Zersetzung
151 bis 152°. Löst sich in Eisessig violettroth, in concentrirter
Schwefelsäure schmutzigroth, beim Verdünnen mit Wasser zuerst
blau, dann violettroth, in concentrirter Salzsäure blau. *Salzsaures
Salz:* grün schimmernde Prismen. — Wird obige Reaction ohne
Alkoholzusatz bei 150 bis 160° durchgeführt, so entsteht das
Phenylanilidoisorosindulin:

$$C_6H_5HN\cdot$$
$$C_6H_5N:$$

(Struktur mit $\dot{C}_6H_5$)

Aus Benzol dunkel bronzeglänzende Nadeln (mit Krystallbenzol).
Die Lösung in Benzol ist roth, in Eisessig blauviolett, in concentrirter Salzsäure grünstichigblau, in concentrirter Schwefelsäure grünlichblau, beim Verdünnen violett. — Das salzsaure Anilido-isorosindulin geht durch 8stündiges Erhitzen auf 160 bis 170° mit verdünnter Schwefelsäure wahrscheinlich in *Anilidoisorosindon* über. Alkaliunlöslich. Aus Benzol-Alkohol bronzeglänzende Nadeln. — Aus Chinondichlorimid und Monoäthyl-β-Naphtylamin erhielten die Verfasser das *ms-Aethylisorosindulin,*

$$NH:$$

(Struktur mit $\dot{C}_2H_5$)

dessen *Chlorhydrat* aus Alkohol in Prismen, das schwerer lösliche *Nitrat* in Nadeln krystallisirt. — Aus Nitrosophenol und salzsaurem Aethyl-β-naphtylamin entsteht das *ms-Aethylisorosindon*:

$$O:$$

(Struktur mit $\dot{C}_2H_5$)

Aus Alkohol braunrothe Nadeln, aus Benzol-Ligroin Krystallwarzen, Schmelzp. 178°. Die Lösung in concentrirter Schwefelsäure ist rothviolett, beim Verdünnen zuerst braungelb, dann hellgelb. Das Chlorhydrat bildet dunkelbraune Prismen. — Das Isorosindulin läſst sich, wie schon Nietzki und Otto angeben, in stark saurer Lösung diazotiren, und die Diazoverbindung durch Alkohol in das *Phenylnaphtophenazoniumchlorid,*

(Struktur mit Cl C_6H_5)

überführen, welches identisch ist mit dem von Kehrmann[1]) erhaltenen Producte. Die Base krystallisirt aus Aether in rothbraunen, bronzeglänzenden Blättchen, Schmelzp. 199°.   *v. N.*

---

[1]) Ber. **29**, 2318.

R. Nietzki. Ueber die Constitution der Safranine [1]. — In dieser polemischen, hauptsächlich gegen O. Fischer, zum Theil auch gegen Jaubert gerichteten Abhandlung vertritt R. Nietzki, gestützt auf die neueste wichtige Arbeit von Kehrmann, der die Diazotirbarkeit des Aposafranins und seiner Analogen bewiesen hat, seine bekannte Azoniumtheorie der Safraninfarbstoffe. *v. N.*

F. Kehrmann und H. Bürgin. Synthese des Aposafranons [2]. — Die rothe Schmelze, welche aus Dinitrophenyl-o-aminodiphenylamin und Benzil nach älteren Beobachtungen [3] entsteht, enthält nach Untersuchungen der Verfasser das Aposafranon:

An seiner Bildung nimmt demnach das Benzil keinen Antheil, wirkt nur als Verdünnungsmittel und kann mit gleichem Erfolge durch Benzoësäure ersetzt werden. Bei Anwendung dieser letzten Substanz mufs das Reactionsproduct mit Ammoniak behandelt und aus Alkohol umkrystallisirt werden. Geringe Mengen eines unlöslichen violetten Körpers bleiben zurück und das *Aposafranon* krystallisirt in grünglänzenden Nadeln, Schmelzp. 248 bis 249⁰.

v. N.

F. Kehrmann und H. Bürgin. Ueber ein mit Diphenylfluorindindichlorhydrat isomeres Azoniumchlorid [4]. — Schmilzt man 3,5 g des Chlorides des rothen Oxydationsproductes des Orthoamidodiphenylamins mit 3,8 g Phenyl-o-phenylendiamin, beide als Chloride, und 75 g Benzoësäure als Verdünnungsmittel bei 260⁰, zieht dann die Schmelze mit Alkohol aus und säuert mit 5 ccm 20 proc. Salzsäure an, so krystallisirt in metallisch-grünen Nadeln ein mit Diphenylfluorindindichlorhydrat isomeres Chlorid aus, das wahrscheinlich nach folgender Gleichung entstanden ist:

---

[1] Ber. **29**, 2771—2773. — [2] Daselbst, S. 1819—1820. — [3] Kehrmann und Messinger, J. pr. Chem. [2] **46**, 572. — [4] Ber. **29**, 1820—1822.

Es löst sich in Wasser und Alkohol mit blauer Farbe, ohne Hydrolyse. Diese Lösungen zeigen keine Fluorescenz. Auf Zusatz von
Ammoniak oder fixen Alkalien fällt die Base als blaugrüner,
fein krystallinischer, in Wasser unlöslicher Niederschlag. Mit
Bezug auf die S. 1860 referirte Arbeit von O. Fischer und
Dischinger bemerken die Verfasser, dafs sie die Bildung des
Monophenylfluorindins aus Anilinoaposafranin und Orthophenylen-
diamin ebenfalls festgestellt haben. Für das Anilinoaposafranin
wird bei raschem Erhitzen der Schmelzpunkt bei 189 bis 190°
angegeben.   *v. N.*

F. Kehrmann und E. Locher. Ueber die Azoniumverbindungen aus β - Naphtochinonsulfosäure und Phenyl-o-phenylendiamin [1]). (Vorläufige Mittheilung.) — 1 Mol. 1-2-Naphtochinon-
4-sulfosäure condensirt sich in schwach saurer Lösung mit nicht
ganz 1 Mol. Phenyl-o-phenylendiaminchlorhydrat glatt unter
Bildung zweier Azoniumverbindungen:

Zur Trennung löst man je 2 g des Rohproductes in 50 ccm siedendem Eisessig — beim Erkalten krystallisirt unter diesen Bedingungen der erste Körper, während der zweite in der Mutterlauge
zurückbleibt. Der Körper I. bildet bräunlichgelbe, glitzernde
Krystallkörner, Schmelzp. 302 bis 304°, in Alkohol und Essigsäure
mit hellgelber Farbe und grünlichgelber Fluorescenz löslich. In
alkoholischer Lösung bringt eine Spur von Anilin in Folge der
Bildung von Phenylrosindulin carminrothe Färbung. — Der Körper II. bildet schief abgeschnittene, rothbraune Prismen, Schmelzp.
360°. Die Lösungen fluoresciren nicht. Besitzt intensiv süfsen
Geschmack. Mit Anilin oder Dimethylanilin in alkoholischer
Lösung gekocht, giebt es prachtvoll violettblaue Färbung und
scheidet bald kupferglänzende Krystalle ab. In Gemeinschaft mit
Helwig hat Kehrmann β-Naphtochinon mit Phenyl-o-phenylendiamin condensirt, und behält sich über diesen Gegenstand Näheres
mitzutheilen vor.   *v. N.*

---

[1]) Ber. 29, 2072—2075.

F. Kehrmann. Umwandlung des Phenosafranins und des Rosindulins in die zu Grunde liegenden Azoniumverbindungen [1]). — Die seitens R. Nietzki [2]) vergeblich erstrebte Ueberführung des Phenosafranins in Phenylphenazonium ist dem Verfasser auf folgende Weise gelungen: Die intensiv grüne, gut gekühlte, schwefelsaure Lösung des Aposafranins wurde bis zum Auftreten der dunkel orangerothen Färbung mit Natriumnitritlösung und dann sofort mit dem dreifachen Volumen Alkohol versetzt und zum Vollziehen der Diazotirung mindestens sechs Stunden stehen gelassen. Die in der Lösung enthaltene Azoniumbase wurde in Form des Eisenchloriddoppelsalzes, $C_{18}H_{13}N_2Cl + FeCl_3$, rothbraune, glänzende Prismen, analysirt. Vorsichtiger Zusatz von Ammoncarbonat fällt das Eisen und bringt die Base als Carbonat in Lösung, filtrirt man dasselbe in Salzsäure hinein, so entsteht das Chlorid des Phenylphenazoniums:

Durch überschüssiges Ammoniumcarbonat oder Ammoniak entsteht aus dem Eisenchloriddoppelsalze, in Folge der Empfindlichkeit der orthochinoïden Verbindung, das ursprüngliche Aposafranin, durch Dimethylamin das Dimethylaposafranin, durch Natronlauge das Aposafranon. — In derselben Weise wurden Rosindulin und sein Isomeres zu den Chloriden des Phenylnaphtophenazoniums (I.) und des Phenyl-iso-naphtophenazoniums (II.) entazotirt:

Die Salze des letzteren sind goldgelb gefärbt und fluoresciren nicht. — Schliefslich knüpft der Verfasser an diese Mittheilung einige kritische Bemerkungen, durch welche er die orthochinoïde Azonium-Formel der Safranine und Rosinduline gegenüber der von Jaubert

---

[1]) Ber. 29, 2316—2322. — [2]) Ber. 19, 3017; 21, 1590; 29, 1445.

und von **Fischer** und **Hepp** vertheidigten p-Chinonformel, als die richtigere, hervorhebt.   *v. N.*

F. Kehrmann und **W. Schaposchnikoff.** Ueber die Azoniumverbindungen aus Aposafranin, Rosindulin und dessen Isomeren [1]. — Die letzte Publication von O. **Fischer** und E. **Hepp**[2]), welche das von **Kehrmann**[3]) neu erschlossene Gebiet theilweise berührt, nöthigt die Verfasser zur Veröffentlichung ihrer Resultate. *Phenylphenazonium-Eisenchloriddoppelsalz*, $C_{18}H_{13}N_2Cl + FeCl_3$, wird am besten nach früheren Angaben aus chemisch reinem Aposafraninsalz dargestellt. Hell rothbraune, glänzende Nadeln, Schmelzp. 186°. Leicht löslich in Wasser, siedendem Alkohol und Eisessig. *Phenylphenazoniumnitrat*, $C_{18}H_{13}N_2.NO_3$, würfelförmige, braungelbe Krystalle, Schmelzp. 192°. Leicht löslich in Wasser und Alkohol. — *Phenylnaphtophenazonium-Eisenchloriddoppelsalz*, $C_{22}H_{15}N_2Cl.FeCl_3$, wird am besten aus dem **Nietzki-Otto**'schen Isorosindulin durch Diazotiren in schwefelsaurer Lösung und Umsetzen mit Alkohol, auf Zusatz von Eisenchlorid, erhalten. Schmelzp. 202°. Das Salz ist identisch mit analogem Producte aus Rosindulin. *Phenylnaphtophenazoniumnitrat*, $C_{22}H_{15}N_2$. NO_3, aus Alkohol orangegelbe Blätter, Schmelzp. 225°. In Wasser leicht löslich mit orangegelber Farbe und gelber Fluorescenz. *Platinchloriddoppelsalz*, $[C_{22}H_{15}N_2]_2.PtCl_6$, ziegelrothes, in Wasser fast unlösliches Krystallpulver. *Bichromatsalz*, $[C_{22}H_{15}N_2]_2Cr_2O_7$, krystallinisches, hochrothes Pulver. *Jodid*, $C_{22}H_{15}N_2J$, aus Alkohol glänzende, fast schwarze Blätter. *Mercurichloriddoppelsalz* aus Eisessig rothe Nadeln, in Wasser kaum löslich. — Die weiteren Versuche zur Entamidirung der Induline und Safranine sind im Gange.   *v. N.*

J. T. Hewitt and **Henry E. Stevenson.** The three Chlorobenzeneazosalicylic acids[4]). — *o-Chlorbenzolazosalicylsäure*, $o-C_6H_4Cl$ $.N_2.C_6H_3(OH)COOH$, wurde durch Combination von o-Chlordiazobenzolchlorid mit einer Lösung von Salicylsäure in überschüssigem Natron und Ausfällen des entstandenen Salzes mit Salzsäure dargestellt. Der Niederschlag wurde durch Auflösen in warmem Ammoniak, Filtriren, Wiederausfällen mit Säure und schliefslich durch Umkrystallisiren aus Alkohol gereinigt. So wurden gelbe Krystallaggregate vom Schmelzp. 194° erhalten. Der Körper ist unlöslich in Wasser, spärlich löslich in Chloroform, kaltem Benzol- und Petroläther. Von den meisten übrigen Lösungs-

---

[1]) Ber. **29**, 2967—2972. — [2]) Daselbst, S. 2759; vgl. diesen JB., S. 1862. — [3]) Ber. **29**, 2316; vgl. diesen JB., S. 1867. — [4]) Chem. Soc. J. **69**. 1257.

mitteln wird er gelöst. Dargestellt und analysirt wurden das *Ammoniumsalz*, $C_{13}H_8N_2ClO_3(NH_4)$, das *Kalisalz*, $C_{13}H_8N_2ClO_3K$, und das braungelbe *Silbersalz*, $C_{13}H_8N_2ClO_3Ag$. Aus der Lösung des Ammonsalzes fällen *Mercurosalze* bräunlichgelbe Flocken, *Mercurisalze* einen gelben krystallinischen Niederschlag, *Bleisalze* einen braunen krystallinischen Niederschlag. *Kupfersalze* geben ein dunkel rothbraunes, *Ferrosalze* ein dunkelbraunes, *Ferrisalze* ein schwarzes Präcipitat. Die Fällung mit *Zinksalzen* ist roth, mit *Magnesiumsalzen* braun, mit *Calciumsalzen* blafsgelb, krystallinisch, mit *Baryumsalzen* gelb, krystallinisch. — Der *Methylester*, $C_{14}H_{11}N_2ClO_4$, wurde durch Kochen der Säure mit Holzgeist und Schwefelsäure erhalten und bildet gelbe Nadeln, die bei 109° schmelzen und in Wasser nicht, in kaltem Eisessig, Amylalkohol und Petroläther wenig löslich, in den übrigen organischen Lösungsmitteln leicht löslich sind. — Der *Aethylester*, $C_{15}H_{13}N_2ClO_4$, in analoger Weise dargestellt, schmilzt unscharf zwischen 90 und 96°. Beim Erhitzen der o-Chlorbenzolazosalicylsäure mit Ammoniak auf 175° bleibt sie ungeändert. Wird sie mit dem vierfachen Gewicht Anilin drei Stunden unter Rückflufs gekocht, so sublimirt Chlorammonium und es entsteht eine dunkle Masse, aus der nach dem Abtreiben des Anilins ein geringer alkalilöslicher Antheil, wahrscheinlich *Benzinduloncarbonsäure*, $C_{19}H_{12}N_2O_3$, und eine alkaliunlösliche Masse, aus einer rothbraunen und einer violetten Substanz (Hauptproduct) bestehend, erhalten wird. Die violette Substanz kann durch Lösen in Chloroform und Ausfällen mit Petroläther isolirt werden. Sie hat die Formel $C_{25}H_{17}N_3O_2$ und wird als *Anilid der Benzinduloncarbonsäure* angesprochen. Ihre Constitution wird durch eine der beiden folgenden Formeln ausgedrückt:

Formel I wird als die wahrscheinlichere angesehen. Der Körper ist in Alkalien und verdünnten Säuren unlöslich, concentrirte Schwefelsäure löst ihn mit tief indigblauer Farbe. Es ist noch nicht gelungen, aus dem Anilid die freie Carbonsäure darzustellen. Von der *m-Chlorbenzolazosalicylsäure*, $mClC_6H_4.N_2.C_6H_3(OH)COOH$, die schon früher [1]) beschrieben wurde, wurden einige Salze dar-

---

[1]) **Hewitt**, Ber. **28**, 803.

gestellt und analysirt. *Ammoniumsalz*, $C_{13}H_8ClN_2O_3NH_4$, *Kali-salz*, $C_{13}H_8ClN_2O_3K$, *Silbersalz*, $C_{13}H_8ClN_2O_3Ag$, gelber Nieder-schlag, *Baryumsalz*, $(C_{13}H_8ClN_2O_3)_2Ba$, gelber Niederschlag. Das *Mercuro-*, *Mercuri-* und das *Bleisalz* sind lederfarbig, das *Kupfer-salz* ist dunkelroth, das *Kobaltsalz* braun, das *Zinksalz* hellbraun, das *Magnesiumsalz* braun, das *Ferrosalz* blaſsgelb, mit *Ferrisalzen* entsteht ein schwarzer Niederschlag. Das *Calciumsalz* ist gelb. — Der *Methylester*, $C_{14}H_{11}ClN_2O_3$, wie die Orthoverbindung bereitet, krystallisirt in gelben Nadeln und schmilzt bei 114⁰. — Der *Aethylester*, $C_{15}H_{13}ClN_2O_3$, schmilzt bei 102 bis 103⁰. — *p-Chlorbenzolazosalicylsäure*, $pClC_6H_4.N_2.C_6H$ (OH)COOH, durch Einwirkung von p-Chlordiazobenzolchlorid auf alkalische Salicyl-säurelösung bereitet, krystallisirt aus Alkohol in kleinen Krystall-aggregaten und schmilzt bei 237⁰. Sie ist unlöslich in Wasser, Chloroform, Petroläther und Schwefelkohlenstoff, schwer löslich in Eisessig und Benzol, löslich in kaltem Aceton, Aethylalkohol, Amylalkohol und Aether, während sie von Toluol, Xylol und Anilin in der Wärme aufgenommen wird. — Von Salzen wurden das *Ammonsalz*, $C_{13}H_8ClN_2O_3(NH_4)$, das *Kalisalz*, $C_{13}H_8ClN_2O_3K$, das *Silbersalz*, $C_{13}H_8ClN_2O_3Ag$, und das *Baryumsalz*, $(C_{13}H_8ClN_2O_3)_2Ba$ + $2H_2O$, analysirt, die letzteren beiden wurden durch Fällung der Ammonsalzlösung mit entsprechenden Metallsalzen als gelbe Niederschläge erhalten. Zinksalze geben in der Lösung des Ammonsalzes hellbraune, Mercurosalze hell lederfarbene, Mercuri-salze und Bleisalze lederfarbene, Kupfersalze dunkelrothe, Magne-sium- und Kobaltsalze braune, Ferro- und Calciumsalze gelbe, Ferrisalze schwarze Niederschläge. — Der *Methylester*, $C_{14}H_{11}ClN_2O_3$, krystallisirt aus einer Acetonchloroformmischung in gelben Nadeln vom Schmelzp. 152⁰. — Der *Aethylester*, $C_{15}H_{13}ClN_2O_3$, kry-stallisirt aus Alkohol in gelben Nadeln, die bei 113⁰ schmelzen. — Noch wurden der Methyl- und der Aethylester von nicht substituirter *Benzolazosalicylsäure*, $C_6H_5N_2.C_6H_3$(OH)COOH, durch Erwärmen mit Alkohol und Schwefelsäure dargestellt. Ersterer schmilzt bei 106⁰, letzterer bei 88 bis 89⁰. — Das *benzolazosalicylsaure Kalium* besitzt die normale Zusammensetzung $C_{13}H_9N_2O_3K$.   *H. G.*

O. Fischer u. Albert. Zur Kenntniſs der Naphtazine[1]). — Verfasser haben das aus α-Nitroso-β-naphtylamin und Naphtylamin bei Gegenwart von Naphtylaminchlorhydrat entstehende Product vom Schmelzp. 296⁰ erneuten Untersuchungen unterzogen. Zu-

---

[1]) Ber. **29**, 2086—2091.

nächst ergab sich, daſs es nicht identisch war mit α-β-β-β-*Naphtazin*, da dieser Körper aus β-Naphtochinon und 2,3-Naphtylendiamin zugänglich war und aus siedendem Nitrobenzol in gelbbraunen Nadeln vom Schmelzp. 240^0 erhalten wurde. Lösung in concentrirter H_2SO_4 violettroth, Benzollösung zeigt gelbgrüne Fluorescenz, dagegen zeigt die Lösung in Eisessig keine Fluorescenz. Die Base sublimirt über ihren Schmelzpunkt unter Zersetzung. Der bei 296^0 schmelzende Körper erwies sich als Naphtalido-symm.-naphtazin. Unter Druck gelang die Spaltung mit Eisessig und Salzsäure bei 250^0. Es wurde so β-Naphtylamin und *Oxynaphtazin* erhalten, welch' letzteres in Form seines schwer löslichen Na-Salzes, prachtvolle goldglänzende, zu Sternen gruppirte Nadeln, isolirt wurde. Mit Essigsäure wurde Oxynaphtazin, $C_{20}H_{12}N_2O$, in Freiheit gesetzt und aus Nitrobenzol in wolligen, gelben Nadeln erhalten, die trocken stark elektrisch sind und bei 380^0 nicht schmelzen. Benzoësäureester löst mit blauer, Eisessig mit schwach grüner Fluorescenz. Concentrirte H_2SO_4 löst dichroitisch rothblau. Sublimirt nur unvollständig. Mit Zinkstaub erhitzt, sublimiren bei 242 bis 243^0 schmelzende Nädelchen des symm. Naphtazins von Mathes. Dasselbe Spaltungsproduct liefert das aus Nitroso-β-naphtylamin und α-Naphtylamin neben α-β-Naphtazin entstehende α-*Amido-symm.-naphtazin*, hellgelbe Nädelchen, Schmelzp. 325^0. Zeigt gelbgrüne Fluorescenz in Alkohol und Benzol, in Eisessig dagegen intensiv braune Fluorescenz. Bildet rothe Salze, läſst sich diazotiren, enthält demnach eine freie Amidogruppe. Naphtylamin und salzsaures Naphtylamin condensiren sich damit zu dem vorher beschriebenen β-Naphtalido-symm.-naphtazin vom Schmelzp. 296^0. Dessen Constitutition ist demnach:

$$\overset{=N}{\underset{}{=N}}$$

NH . β . $C_{10}H_7$.   *Mr.*

Die Farbenfabriken vorm. Friedr. Bayer u. Co. in Elberfeld [1]) haben ein *Verfahren zur Darstellung von rothen bis violetten Azinfarbstoffen* beschrieben, das [wie ihr [2]) früheres Verfahren zur Darstellung derselben Farbstoffreihe] das durch directes Phenyliren u. s. w. aus dem o-p-Toluylendiamin erhältliche m-Amido-

[1]) D. R.-R. Nr. 84442 v. 3. Nov. 1894; Ber. 29, Ref. 61. — [2]) D. R.-P. Nr. 81963 v. 11. Mai 1894; Ber. 28, Ref. 819.

tolylphenylamin [1]) (Phenyl-p-amido-orthotoluidin) und dessen Homologen zu Ausgangsmaterialien nimmt und darin besteht, dafs man
entweder die aus denselben darstellbaren Azofarbstoffe (z. B. ihre
Combination mit diazotirter Sulfanilsäure) mit primären, secundären und tertiären Aminen der Benzol- oder Naphtalinreihe
(z. B. mit α-Naphtylamin) unter Zusatz von Phenol als Ver-
flüssigungsmittel erhitzt, oder dafs man aus diesen Azofarbstoffen
zuerst durch Reductionsspaltung die entsprechenden Alphyltriamido-
toluole darstellt und letztere dann mit den genannten aromatischen
Aminen auf trockenem oder nassem Wege zusammen oxydirt. Ca.

Dieselben [2]) ersetzten in den vorerwähnten Verfahren ihres
Hauptpatentes (Nr. 81963) und ersten Zusatzpatentes (Nr. 84504)
die dort verwendeten Alphylderivate des p-Amidoorthotoluidins
durch deren Benzylsubstitutionsproducte. Man erhitzt z. B. das
durch Benzyliren von Phenyl-p-amidoorthotoluidin erhaltene
symmetrische Phenylbenzyltoluylendiamin in alkoholischer Lösung
mit Nitrosodimethylanilin bis zum Verschwinden der Nitrosoverbindung. Der beim Erkalten auskrystallisirende Farbstoff färbt
tannirte Baumwolle in blaueren und klareren Tönen als der frühere,
nicht benzylirte Farbstoff. Der in analoger Weise mittelst der
Nitrosoverbindung des Monomethyl-o-toluidins erzeugte Azinfarb-
stoff färbt auf tannirter Baumwolle ein feuriges, rhodaminähnliches
Roth.   Ca.

Die Farbenfabriken vorm. Friedr. Bayer u. Co. in Elberfeld [3]) änderten das vorstehend beschriebene Verfahren ihres
Patentes Nr. 84442 dahin ab, dafs sie die dort verwendeten
Amido- oder Azoderivate der Alphyl-p-amidoorthotoluidine durch
die entsprechenden Derivate der Alphyl-p-amidobenzylorthoto-
luidine ersetzten. Es wird z. B. der Azofarbstoff aus diazotirter
Sulfanilsäure und Phenyl-p-amidobenzylorthotoluidin mit α-Naphtylamin unter Zusatz von Phenol als Lösungs- und Verflüssigungs-
mittel so lange auf 90 bis 110° erhitzt, bis eine rein rothe
Schmelze entstanden ist. Der so erhaltene Farbstoff ist leicht
löslich in Wasser und färbt tannirte Baumwolle lebhaft blau-
stichigroth.   Ca.

Nach dem von den Farbenfabriken vorm. Friedr. Bayer
u. Co. in Elberfeld [4]) beschriebenen *Verfahren zur Darstellung*

---

[1]) D. R.-P. Nr. 80977; Ber. 28, Ref. 664. — [2]) D. R.-P. Nr. 84992
vom 19. März 1895 (zweiter Zusatz zu D. R.-P. Nr. 81963); Ber. 29, Ref. 205.
— [3]) D. R.-P. Nr. 84993 vom 19. März 1895 (erster Zusatz zu D. R.-P.
Nr. 84442); Ber. 29, Ref. 206. — [4]) D. R.-P. Nr. 86109 vom 14. April 1894;
Patentbl. 1896, S. 309 (Ausz.).

von Sulfosäuren der am Azinstickstoff alkylirten Eurhodine wird Phenyl- (bezw. Tolyl-)α_1-naphtylamin-n_4-sulfosäure mit Amidoazo-para-toluol (Schmelzp. 118,5°) bei Gegenwart eines Lösungs- oder Verdünnungsmittels (z. B. Phenol) auf dem Wasserbade erhitzt, bis eine Probe sich in concentrirter Schwefelsäure mit grüner Farbe löst. Die so entstandene, im Naphtalinkern sulfonirte Eurhodinmonosulfosäure ist in Wasser unlöslich. Durch Erwärmen mit concentrirter Schwefelsäure auf dem Wasserbade wird sie sodann in eine leicht lösliche Disulfosäure übergeführt und diese, in Form ihres Natronsalzes, durch Erhitzen mit Jodmethyl in verdünnt-methylalkoholischer Lösung am Azinstickstoff alkylirt. Die Farbstoffe färben Wolle roth und sind durch Lichtechtheit und gutes Egalisirungsvermögen ausgezeichnet. *Ca.*

Die Compagnie Parisienne de Couleurs d'Aniline[1]) beschrieb ein „Verfahren zur Darstellung von blauen, basischen Farbstoffen", darin bestehend, daſs man *alkylirte Safranine* mit aromatischen Diaminen in indifferenten Lösungsmitteln auf 150 bis 200° unter Druck erhitzt. Ein derartiger Farbstoff entsteht z. B. durch vier- bis sechsstündiges Erhitzen von *Dimethylsafranin* (aus Dimethyl-p-phenylendiamin und Anilin) mit *Diamidodiphenyl-methan* und Wasser auf 180° bis zum Verschwinden der roth-violetten Safraninfarbe. Die Schmelze wird dann mit Wasser und der erforderlichen Salzsäuremenge kochend gelöst und der Farbstoff durch concentrirte Salzsäure oder durch Kochsalz und Chlorzink ausgefällt. Er ist leicht in Wasser löslich. *Ca.*

Die Actiengesellschaft für Anilinfabrikation in Berlin[2]) beschrieb ein *Verfahren zur Darstellung indulinartiger Farbstoffe,* darin bestehend, daſs man unsymmetrisch alkylirte Para-Diamine bezw. deren Sulfosäuren (z. B. p-Amidodimethylanilin) mit secundären Aminen (z. B. Diphenylamin) in einem passenden Lösungsmittel (z. B. in verdünnter alkoholisch-salzsaurer Lösung) gemeinsam oxydirt und dann die so entstandenen Indamine bei Gegenwart von primären aromatischen Aminen (z. B. Anilin oder p-Toluidin) durch weitere gemeinsame Oxydation in die indulinartigen Farbstoffe überführt. Der aus p-Amidodimethylanilin, Diphenylamin und Anilin erhaltene Farbstoff wird als leicht löslich in Wasser, beständig gegen Alkalien und Säuren und von beträchtlicher Lichtechtheit beschrieben. Tannirte Baumwolle färbt er schön blauviolett. *Ca.*

---

[1]) Monit. scientif. [4] 10, 134 (Brevets); Franz. Pat. Nr. 252 415 (Ausz.). — [2]) D. R.-P. Nr. 84 337 vom 25. Sept. 1894; Patentbl. 1896, S. 5 (Ausz.).

Das Farbwerk Mühlheim vorm. A. Leonhardt u. Co. in Mühlheim a. M.[1]) änderte das früher beschriebene[2]) *Verfahren zur Darstellung blauvioletter, basischer Farbstoffe* in der Art ab, dafs an Stelle der dort angewandten Azoderivate des m-Amidokresols in gleicher Weise das Nitroso-m-amidophenol bezw. -kresol mit α-Naphtylamin oder dessen Alkylsubstitutionsproducten in Gegenwart eines indifferenten Verdünnungsmittels (z. B. Alkohol) erhitzt werden. Man kann auch die acetylirten Nitrosoverbindungen anwenden und dann durch kurzes Erwärmen der so entstandenen Farbstoffe mit concentrirter Schwefelsäure die Acetylgruppe abspalten.   *Ca.*

Dahl u. Co. in Barmen[3]) beschrieben eine Neuerung in ihrem *Verfahren zur Darstellung grüner Beizenfarbstoffe*, das in der Condensation gleicher Moleküle von β-Naphtochinon bezw. dessen Sulfosäuren und von einer Reihe Sulfosäuren des $α_1$, $β_1$- oder $β_1$, $α_1$-Orthoamidonaphtols bestanden hatte. In diesem Verfahren lassen sich nun mit gleicher Wirkung die β-Naphtochinonsulfosäuren durch ihre entsprechenden β-Naphtohydrochinonsulfosäuren und die Orthoamidonaphtolsulfosäuren durch die entsprechenden Nitrosonaphtolsulfosäuren ersetzen. Wird z. B. die aus der Schaeffer'schen β-Naphtolsulfosäure dargestellte Nitrosoverbindung mit einer Lösung von β-naphtolhydrochinonsulfosaurem Kalium vermischt und unter Sodazusatz zum Kochen erhitzt, so scheidet sich aus der braunen Lösung der früher beschriebene Farbstoff aus der $α_1, β_1$-Amidonaphtol-$β_4$-sulfosäure ab, der chromgebeizte Wolle gelbgrün färbt.   *Ca.*

Die Farbenfabriken vorm. Friedr. Bayer u. Co. in Elberfeld[4]) erweiterten ihr ursprüngliches *Verfahren zur Darstellung von rothen bis violetten Azinfarbstoffen* dahin, dafs sie an Stelle der darin zur Einwirkung auf m-Amidotolylphenylamin und dessen Homologen gelangenden Nitrosoverbindungen mit gleichem Erfolge p-Amidoazoverbindungen (z. B. Amidoazobenzol oder Benzolazo-α-naphtylamin) oder Chinonimide (z. B. Benzo- oder Naphtochinondichlordiimid) in Reaction treten liefsen. Auch durch gemeinsame Oxydation mit Paradiaminen der Benzol- oder Naphtalinreihe wurden die entsprechenden Azinfarbstoffe erhalten.

---

[1]) D. R.-P. Nr. 84 668 vom 16. März 1894 (Zusatz zu D. R.-P. Nr. 77 885); Ber. 29, Ref. 203. — [2]) D. R.-P. Nr. 77 885; Ber. 28, Ref. 202. — [3]) D. R.-P. Nr. 84 850 vom 20. Juni 1895 (zweiter Zusatz zu D. R.-P. Nr. 82 740); Ber. 28, Ref. 882); Ber. 29, Ref. 204. — [4]) D. R.-P. Nr. 84 504 vom 3. Nov. 1894 (erster Zusatz zu D. R.-P. Nr. 81 963); Ber. 29, Ref. 62.

Wurde z. B. m-Amidotolylphenylamin (Phenyl-p-amidoorthotoluidin) mit Benzolazonaphtylaminchlorhydrat in Eisessiglösung bis zum Verschwinden des Azokörpers auf dem Wasserbade erhitzt, so entstand ein wasserlöslicher, tannirte Baumwolle blaustichig roth färbender alkali-, säure- und lichtechter Farbstoff.   *Ca.*

Die Farbwerke vorm. Meister, Lucius u. Brüning in Höchst a. M.[1]) erweiterten die von ihnen[2]) früher beschriebenen *Verfahren zur Darstellung rother bis violetter basischer Azinfarbstoffe* aus m-Amidodimethylparatoluidin[3]) durch Anwendung von α_1, α_2-Naphtylendiamin oder p-Amidodiphenylamin bezw. Nitrosodiphenylamin an Stelle der früher benutzten p-Amido- und Nitrosoderivate des Dimethylanilins. Der durch gemeinschaftliche Oxydation gleicher Moleküle α_1, α_2-Naphtylendiamin und m-Amidodimethyl-p-toluidin, Aufkochen u. s. w. entstandene Farbstoff färbt tannirte Baumwolle in safraninähnlicher Nüance. Der in analoger Weise aus p-Amidodiphenylamin gebildete oder durch Erhitzen des alkylirten Metadiamins mit Nitrosodiphenylamin erhaltene Farbstoff färbt tannirte Baumwolle und Seide in blauvioletten Tönen von bedeutender Seifen- und Lichtechtheit.   *Ca.*

Dieselben[4]) beschrieben eine weitere Abänderung ihrer vorstehend erwähnten Verfahren, bestehend in der gemeinsamen Oxydation des m-Amidodimethyl-p-toluidins mit α_1, α_2-Naphtylendiamin oder dessen Phenyl- bezw. Tolylsubstitutionsproducten unter Anwendung von Phenol als Lösungsmittel und Braunstein als Oxydationsmittel. So wird z. B. der rothe, am Azinstickstoff methylirte Farbstoff, $C_{18}H_{17}N_4Cl$, durch Mischen von m-Amidodimethyl-p-toluidin mit α_1, α_2-Naphtylendiaminsulfat, Kochsalz und Braunstein unter Zusatz von Phenol und schliefslichem Erwärmen auf dem Wasserbade dargestellt. Der in analoger Weise aus Phenyl-$\alpha_1 \alpha_2$-naphtylendiamin erzeugte Farbstoff $C_{24}H_{21}N_4Cl$ färbt tannirte Baumwolle und Seide echt rothviolett.   *Ca.*

Die Compagnie Parisienne de Couleurs d'Aniline[5]) patentirte ein „Verfahren zur Darstellung von Farbstoffen der *Rosindulinreihe*", darin bestehend, dafs man 1,4-Nitronaphtylamin oder 1,2,4-Dinitronaphtylamin oder die α-Nitro-α-naphtylamin-β-sulfo-

[1]) D. R.-P. Nr. 85231 vom 2. Nov. 1892 (zweiter Zusatz zu D. R.-P. Nr. 69188); Patentbl. 1896, S. 186 (Ausz.). — [2]) Ber. 28, Ref. 637 u. 26, Ref. 733. — [3]) Aus Dimethyl-p-toluidin durch Nitriren in schwefelsaurer Lösung und Reduciren. — [4]) D. R.-P. Nr. 85232 vom 21. Dec. 1892 (dritter Zusatz zu D. R.-P. Nr. 69188); Patentbl. 1896, S. 186 (Ausz.). — [5]) Monit. scientif. [4] 10, 133 (Brevets); Franz. Pat. Nr. 251529 (Ausz.).

säure des D. R.-P. Nr. 73502 [1]) mit einem Gemisch von primären aromatischen Aminen und deren Chlorhydraten schmilzt und die so erhaltenen Rosinduline in leicht lösliche Sulfosäuren überführt. *Ca.* **F. Kehrmann** und **H. Bürgin.** Zur Constitution der Fluorindine III [2]). — Die hier beschriebenen Körper leiten sich vom Typus des Phenofluorindins ab:

Ausgehend von früher beschriebenem [3]) *9- oder 10-Methylphenyl-phenofluorindin,* dessen indigofarbenes Platinsalz, $(C_{2i}H_{18}N_4 . HCl)_2$ $PtCl_4$, jetzt analysirt wurde, stellen die Verfasser durch Kochen mit Benzoësäureäthylester dessen Benzoylderivat:

dar. Goldglänzende, dunkelrothe Prismen, in Alkohol unlöslich, darin suspendirt und mit Salzsäure versetzt, geht dasselbe mit intensiv blauer Farbe, ohne Fluorescenz, in Lösung. Beim Neutralisiren mit Ammoniak fällt die Substanz unmittelbar unter Entfärbung der Flüssigkeit krystallinisch aus, — ein anderes Verhalten zeigt die nicht benzoylirte Base. Im Allgemeinen werden die Monalkylfluorindine beim Kochen mit Benzoëäther in Benzoylderivate verwandelt, während Diphenylfluorindine daraus unverändert auskrystallisiren. Auf zwei verschiedenen Wegen wurde das *Phenylphenofluorindin* erhalten und zwar 1. durch Verschmelzen von 2-Oxyphenylphenazon (0,4 g) mit o-Phenylendiaminchlorhydrat (0,7 g) und Benzoësäure (10 g), und 2. durch Verschmelzen des Chlorides des Oxydationsproductes des Orthoaminodiphenylamins (2,3 g) mit o-Phenylendiaminchlorhydrat (2,1 g), Phenylendiaminbase (0,6 g) und Benzoësäure (30 g) bei 250°. Aus Alkohol krystallisirt das Chlorhydrat des Phenylphenofluoridins, $C_{24}H_{16}N_4 . HCl$, in cantharidengrünen Nadeln. Aus seiner blauen alkoholischen

---

[1]) L. Cassella u. Co., Ber. **27**, Ref. 440. — [2]) Ber. **29**, 1246—1254. — [3]) Ber. **28**, 1545.

Lösung fällt Ammoniak die freie Base als cantharidenglänzendes rothes Krystallpulver aus. Die Lösung ist violettstichig roth, mit intensiv rother Fluorescenz. In allen Fällen entstehende Base ist identisch mit dem von Fischer und Hepp[1]) aus Aposafranin und o-Phenylendiamin erhaltenen Phenylphenofluorindin. Durch Benzoëäther geht diese Base in ein Benzoylderivat über, welches Fischer und Hepp wahrscheinlich unbewußt unter den Händen gehabt haben. — Durch Condensation von (1,1 g) Phenyl-o-phenylendiamin mit dem Chlorhydrate seines Oxydationsproductes (1 g) in Gegenwart von Benzoësäure (16 g) entsteht das *Diphenylphenofluorindin*, welches früher auf verschiedenen anderen Wegen von Fischer und Hepp dargestellt worden ist[2]). Sein Dichlorhydrat, $C_{30}H_{20}N_4 . 2HCl$, bildet kupferglänzende, derbe Krystalle. — Erhitzt man 3,8 g Chlorid des Oxydationsproductes von Methyl-o-phenylendiamin mit 7,5 g o-Phenylendiaminchlorhydrat und 100 g Benzoësäure bis zum Blauwerden der Schmelze auf 260°, so entsteht das Methylphenofluorindin,

welches in Form seines Chlorhydrates, $C_{19}H_{16}N_4Cl_2$, aus der mit 500 ccm Alkohol und wenig Salzsäure versetzten Schmelze, in mikroskopisch kleinen, bronzeglänzenden Blättchen auskrystallisirt. Die freie Base verschmiert leicht beim Umkrystallisiren. *v. N.*

Oxazine, Triazine, Cyanine.

Farbwerk Mühlheim vorm. A. Leonhardt u. Co. in Mühlheim a. M.[3]) beschrieb ein *Verfahren zur Darstellung blauer basischer Oxazinfarbstoffe*, darin bestehend, daß salzsaures Nitrosodimethylamidokresol mit Alkylsubstitutionsproducten des α-Naphtylamins in Gegenwart eines geeigneten Lösungs- und Verdünnungsmittels (Alkohol, Eisessig) nach der Analogie des Nilblau-Verfahrens[4]) erhitzt wird. *Ca.*

---

[1]) Ber. 29, 367; vgl. diesen JB., S. 1861. — [2]) Ber. 23, 2790; 28, 295, 301. — [3]) D. R.-P. Nr. 84667 vom 29. Juli 1892 (zweiter Zusatz zu D. R.-P. Nr. 75753; Ber. 27, Ref. 909); Ber. 29, Ref. 202. — [4]) D. R.-P. Nr. 45268; Ber. 21, Ref. 921.

Farbwerk Mühlheim vorm. A. Leonhardt u. Co. in Mühlheim a. M. Verfahren zur Darstellung blauer basischer Oxazinfarbstoffe[1]). — Salzsaures Nitrosoamidophenol wird mit o-Amidodimethylparatoluidin in alkoholischer Lösung bis zum Verschwinden des Nitrosokörpers erwärmt. Der so gebildete Oxazinfarbstoff scheidet sich beim Erkalten aus.   *Ca.*

Farbwerk Mühlheim vorm. A. Leonhardt u. Co. in Mühlheim a. M. Verfahren zur Darstellung violettblauer basischer Farbstoffe[2]). — Salzsaures Metamidokresol wird mit salzsaurem Benzolazo-α-naphtylamin und Alkohol bis zum Verschwinden des Azokörpers gekocht. Aus der violett gewordenen Lösung krystallisirt der Farbstoff aus. In ähnlicher Weise läfst sich Benzolazoäthylnaphtylamin verwenden.   *Ca.*

Nach dem Verfahren von **L. Durand, Huguenin u. Co.** in Hüningen i. E.[3]) zur *Darstellung eines grünen, beizenfärbenden Oxazinfarbstoffes* wird der durch Einwirkung von Anilin auf das Condensationsproduct von Nitrosodimethylanilin und Tanninanilid erhaltene blaue Farbstoff[4]) zunächst durch Erwärmen mit 92 proc. Schwefelsäure sulfonirt und dann vorsichtig nitrirt. Das so entstandene Mononitroderivat färbt chromirte Wolle in echten, lebhaft grünen Tönen. Durch weiter gehende Nitrirung entstehen gelbere Farbstoffe.   *Ca.*

F. Kehrmann und **H. Bürgin.** Synthese von Dioxazinderivaten[5]). — Aus 2 g Dioxytoluchinon und 5 g salzsaurem Orthoaminophenol entsteht im Wasserbade das *Oxytoluphenoxazon*:

Braunrothe, prismatische Krystalle, Schmelzp. 215 bis 216°. In Schwefelsäure mit braunrother, in Benzol, Alkohol und Eisessig mit gelbrother Farbe löslich und nicht fluorescirend. — 1 g dieser Substanz mit 2 g o-Aminophenolchlorhydrat und 20 g Benzoësäure bis zum Aufkochen der letzteren erhitzt, giebt eine rothe Schmelze des *Methyltriphendioxazins*:

---

[1]) D. R.-P. Nr. 86966 vom 16. März 1894 (sechster Zusatz zu D. R.-P. Nr. 74918, Ber. 27, Ref. 769); Ber. 29, Ref. 607. — [2]) D. R.-P. Nr. 86706 vom 17. Juni 1893 (siebenter Zusatz zu D. R.-P. Nr. 62367; Ber. 25, Ref. 657); Ber. 29, Ref. 527. — [3]) D. R.-P. Nr. 86415 vom 22. Oct. 1895; Patentbl. 1896, S. 364 (Ausz.). — [4]) „Gallanilindigo"; D. R.-P. Nr. 56991; Ber. 24, Ref. 685. — [5]) Ber. 29, 2076—2078.

Das Reactionsproduct wird in Alkohol aufgenommen, mit Wasser und Ammoniak gefällt, der Niederschlag in Eisessiglösung mit Thierkohle gekocht, nochmals mit Ammoniak ausgefällt und schliefslich aus Toluol umkrystallisirt. Dunkelrothe Kryställchen mit grünem Metallglanz, in Benzol, Toluol, Nitrobenzol und Eisessig leichter löslich als das Triphendioxazon selbst. Die Lösungen in Benzol und Toluol sind gelblichroth mit grüner Fluorescenz, in Schwefelsäure kornblumenblau, in Eisessig braunviolett. *v. N.*

J. Pinnow u. Sämann. Ueber Derivate des o-Amidobenzonitrils [1]). — Verfasser haben das Verhalten des o-Amidobenzenylamidoxims gegenüber salpetriger Säure einer näheren Prüfung unterzogen. Zu dem Zweck reducirten sie o-Nitrobenzonitril und versetzten eine alkoholische Lösung des entstandenen o-Amidobenzonitrils mit Hydroxylaminchlorhydrat in wenig Wasser und Natriumalkoholat, nach achtstündigem Sieden wurde noch Natronlauge hinzugefügt und nach Entfernung von Amid und unverändertem Nitril durch Ausäthern das *Oxim* durch CO_2 in Freiheit gesetzt, mit Aether ausgezogen und aus Benzol in glänzenden Blättchen vom Schmelzp. 84 bis 85° erhalten. Löslich in organischen Solventien mit Ausnahme von Ligroin. Das *Pikrat* bildet aus Alkohol gelbe Nadeln, die bei 182° schmelzen; das äufserst leicht in Wasser lösliche *Chlorhydrat* schmilzt bei 196°. Zu einer zwischen — 5 und 0° gehaltenen salzsauren Lösung des Chlorhydrats wurde Nitrit hinzugefügt; der Niederschlag, mit Eiswasser gewaschen, krystallisirte aus Alkohol in hellgelben, bei 181° schmelzenden Nadeln, die beim Trocknen 1 Mol. Krystallalkohol verlieren und dann hoch gelb werden. Das leicht dissociirbare *Chlorhydrat* schmilzt bei 151°. Der ammonunlösliche Körper ist *Dihydroketophentriazinoxim*:

Durch Reduction am besten mit $SnCl_2$ und Salzsäure wurde eine aus Benzol in glänzenden, bei 156° schmelzenden Blättchen krystallisirende Base $C_7H_7N_3$ erhalten, deren leicht lösliches *Chlorhydrat* den Schmelzp. 169° zeigt, deren schwer lösliches *Sulfat*

---

[1]) Ber. 29, 623—632.

bei 225°, deren *Pikrat* bei 241° schmilzt. Die Base giebt nicht
die Isonitrilreaction und wirkt stark reducirend auf Fehling's
Lösung. Der mit Nitrit erzeugte gelbe Niederschlag wird der
Aetherlösung durch Kali mit blutrother Farbe entzogen. Das Dibenzoylderivat krystallisirt aus Alkohol in Nadeln vom Schmelzp.
182°; die Diacetylverbindung schmilzt bei 179°. Nach dem Verhalten kommt der Base die Constitution zu:

Sie ist als n-Dihydro-β-phentriazin zu bezeichnen. — Acetanhydrid
führt das Amidoxim in das *Acetylderivat* des *o-Amidobenzenyl-
äthenylazoxims*, $C_{11} H_{11} N_3 O_2$, über, das, aus Ligroin krystallisirt,
den Schmelzp. 96° zeigt. Salzsäure spaltet Essigsäure ab und
aus dem bei 178 bis 179° schmelzenden Chlorhydrat schied Soda
eine diazotirbare Base $C_9 H_3 N_4 O$ vom Schmelzp. 117° ab, die in
organischen Lösungsmitteln löslich ist. Verfasser erhielten ferner
aus o-Amidobenzonitril zunächst durch Nitrit *o-Dicyandiazoamidobenzol*, das aus Benzol in bei 133° unter Zersetzung schmelzenden,
gelben Nadeln erhalten wurde und das beim Kochen mit Alkohol
sich zersetzt. Siedende Kupfercyanürcyankaliumlösung führt in
schlechter Ausbeute in das alkali- und säureunlösliche *Phtalonitril*
über, das, aus der Reactionsmasse mit Wasserdampf übergetrieben,
in Nadeln vom Schmelzp. 141°, die beim Erhitzen stechend riechen,
erhalten wird. An Derivaten des o-Amidobenzonitrils wurden
dargestellt: mit Acetanhydrid das aus Wasser in langen, seidenglänzenden Nadeln krystallisirende *Acetylderivat* vom Schmelzp.
133°, mit Benzoylchlorid das aus Alkohol in bei 216° schmelzenden Krystallen erhältliche *Benzoylderivat*, ferner den über 300°
schmelzenden *o-Cyanphenylharnstoff*, nur in Alkoholen löslich, den
o-Cyandiphenylharnstoff, aus Alkohol Blättchen vom Schmelzp.
194°, der mit Phenylsenföl erhaltene, nur in viel heifsem Amylalkohol lösliche *Sulfoharnstoff*, der über 300° schmilzt. Mit CS_2
wurde *o-Dicyansulfoharnstoff* aus Amylalkohol in über 300°
schmelzenden Blättchen erhalten.   *Mr.*

   Adriano Ostrogovich. Ueber das Methyldioxytriazin[1]). —
Verfasser hat früher[2]) aus Acetylurethan und Harnstoff das
Methyldioxytriazin:

--- ------

   [1]) Ann. Chem. 288, 318—321; Gazz. chim. ital. 25, II, 442—447. —
   [2]) Gazz. chim. ital. 25, II, 442; Ann. Chem. 288, 318.

$$NH\!-\!C\,(CH_3)\!=\!N$$
$$CO\!-\!\!-\!NH\!-\!\!-\!CO$$

dargestellt; als Nebenproducte entstehen dabei Acetylharnstoff und Acetylbiuret. Auch aus Acetylharnstoff und Urethan bei 180 bis 185⁰ entsteht das Methyldioxytriazin neben Acetylbiuret und Cyanursäure. Die Silberverbindung des Methyldioxytriazins liefert mit Jodmethyl und Jodäthyl durch Alkylirung der zwischen den beiden CO-Gruppen befindlichen NH-Gruppe: Dimethyl- und Methyläthyldioxytriazin, die durch Spaltung mit Kalilauge Methyl- bezw. Aethylamin liefern. Aus Acetylbiuret mit Acetylchlorid entsteht nicht das erwartete Methyldioxytriazin, sondern ein Di-methyloxytriazin. *Wy.*

Nach Untersuchungen von Alexandre Biétrix[1] „über die Einwirkung von Nitrosodimethylanilin auf einige Bromderivate der Gallussäure" verhalten sich *Dibromgallussäure, Dibromgallus-säuremethylester* und *Dibromgallanilid* bezüglich Reactionsverlauf und Resultat ganz analog der Gallussäure und ihren entsprechen-den, nicht bromirten Abkömmlingen. In allen Fällen wirken gleiche Moleküle der Nitrosoverbindung (in Form ihres Chlor-hydrats) und des dibromirten Körpers unter Bildung eines blauen oder blauvioletten *Monobromderivats* des Gallocyanins und seiner Farbstoffderivate[2] auf einander ein. Vom Gallocyanin unter-scheidet sich der bromirte Farbstoff durch die Indifferenz seiner blauen Lösungen gegen Säuren und Alkalien. *Ca.*

G. Herfeldt. Zur Kenntnifs der Kyanalkine, insbesondere des Kyanbenzylins[3]. — Das zuerst von Wache[4] dargestellte *Kyanbenzylin*, $C_{24}H_{21}N_3$, wird in gröfseren Mengen am besten in der Weise gewonnen, dafs man frisch hergestelltes, vollkommen trockenes Natriumalkoholat in einem weithalsigen Autoclaven mit Benzylcyanid zu einem steifen Brei anrührt, die Masse dann sechs bis acht Stunden auf 160 bis 170⁰ erhitzt, das Product nach dem Erkalten in eine Schale bringt, zwei Tage an der Luft stehen läfst, darauf im Mörser zerkleinert, zur vollkommenen Zersetzung des überschüssigen Natriumalkoholats in Wasser einträgt und nach dem Filtriren aus Alkohol umkrystallisirt. Das so erhaltene *Kyanbenzylin* krystallisirt in rein weifsen, bei 106⁰ schmelzenden, verfilzten Nadeln. Löst man dasselbe in der doppelten Menge Eisessig und erhitzt es mit 1 Mol. Brom unter Zusatz von con-

---

[1] Bull. soc. chim. [3] 15/16, 404—408. — [2] JB. f. 1888, S. 1329 (Gallo-cyanin); Ber. 23, 309c (Ref.: D. R.-P. Nr. 50998). — [3] J. pr. Chem. [2] 53, 246—250. — [4] Daselbst [2] 39, 256; JB. f. 1889, S. 644 ff.

centrirter Salzsäure im Druckkolben auf 100°, so erhält man *Mono-bromkyanbenzylin*, $C_{24}H_{20}BrN_3$, in kleinen, weifsen Krystallen. Wird dieses mit concentrirter Salzsäure im geschlossenen Rohre auf 140° erhitzt, so entsteht unter Abspaltung von Ammoniak und Wasseraufnahme das bei 120° schmelzende, undeutlich krystallinische *Bromoxyphenyldibenzylmiazin*, $C_{24}H_{18}BrN_2(OH)$, welches durch Behandeln mit Jodmethyl und Einwirkung von Kalilauge auf das so gewonnene Product ein in weifsen, bei 135° schmelzenden Nadeln krystallisirendes *Methylderivat*, $C_{24}H_{18}(CH_1)N_2(OH)$, liefert. Das durch Einleiten von Chlor in eine Lösung von Kyanbenzylin in der fünf- bis sechsfachen Menge Tetrachlorkohlenstoff erhaltene *Monochlorkyanbenzylin*, $C_{24}H_{20}ClN_3$, bildet, aus Alkohol krystallisirt, schwach gelb gefärbte, bei 65° schmelzende Krystalle von wenig charakteristischer Form. Kyanbenzylin und Jodmethyl wirken schon bei 100° im geschlossenen Rohre auf einander ein unter Bildung des hellgelben *Additionsproductes* $C_{24}H_{21}N_3 \cdot CH_3J$, aus welchem zwar nicht die freie Base, das Methylkyanbenzylin, wohl aber deren *Chloroplatinat*, $[C_{24}H_{20}(CH_1)N_3 \cdot HCl]_2 \cdot PtCl_4$, in bräunlichen Krystallen erhalten wurde. Mit Säurechloriden (1 Mol.) vereinigt sich Kyanbenzylin (1 Mol.) zu in Nadeln gut krystallisirenden Verbindungen, von denen das *Kyanbenzylinacetylchlorid* bei 116°, das *Kyanbenzylinbenzoylchlorid* bei 129° schmilzt. Die analog dargestellten Verbindungen von Kyanäthin und Kyanpropin mit Acetylchlorid enthalten auf 1 Mol. Chlorid 2 Mol. Kyanalkin. Das *Kyanäthinacetylchlorid*, $(C_9H_{15}N_3)_2 \cdot CH_3COCl$, schmilzt bei 142°, das *Kyanpropinacetylchlorid*, $(C_{12}H_{21}N_3)_2$ $\cdot CH_3COCl$, bei 210°. Das in gleicher Weise dargestellte *Additionsproduct von Kyanbenzylin mit Phenylisocyanat*, $C_{31}H_{26}N_4O$ $=C_{24}H_{19}N_2NH \cdot CONHC_6H_5$, schmilzt bei 162°. Durch Einwirkung endlich von salpetriger Säure auf Kyanbenzylin wurde ein sauerstoffreiches, in gelben, verfilzten, bei 210° schmelzenden Nadeln krystallisirendes *Product* von der muthmafslichen Zusammensetzung $C_{24}H_{15}N_3O_5(+\ ^1/_2H_2O)$ erhalten. Versuche, aus Kyanbenzylin durch nascirenden Wasserstoff eine wasserstoffreichere Verbindung zu gewinnen, haben ein bestimmtes Resultat nicht ergeben. *Wt.*

L. Durand, Huguenin u. Co. in Hüningen i. E. [1] beschrieben ein *Verfahren zur Darstellung eines Leukofarbstoffs der Gallocyaningruppe* durch die Condensation von Resorcin mit dem Gallocyaninfarbstoff, der durch die Einwirkung von Gallaminsäure auf

---

[1] D. R.-P. Nr. 84775 vom 5. Juli 1895 (zweiter Zusatz zu D. R.-P. Nr. 77452; Ber. 28, Ref. 127); Ber. 29, Ref. 203.

salzsaures Diäthylamidoazobenzol bezw. salzsaures Nitrosodiäthyl-
anilin entsteht. Wird dieser Farbstoff mit Resorcin und verdünnter Salzsäure auf Wasserbadtemperatur bis zum Verschwinden
der blauen Färbung erhitzt, so scheidet sich ein in reinem Wasser
wieder löslicher Leukokörper aus, der sich in alkalischer Lösung
bei Luftzutritt schnell zu einem blauen Farbstoff oxydirt. Der
Leukokörper eignet sich zum Zeugdruck und liefert durch Oxydation auf der Faser blauere Nüancen als das ihm homologe
Gallaminblau [1]) aus Gallaminsäure und salzsaurem Nitrosodimethylanilin.   · Ca.

Diazoverbindungen.

C. W. Blomstrand. Zur Diazofrage [2]). — Bezugnehmend
auf einige frühere Aufsätze sucht Verfasser die Bamberger'sche
Ansicht über die Isomerie der Diazoverbindungen gegenüber der
Hantzsch'schen Auffassung zu vertheidigen. Er hebt in seiner
Einleitung hervor, dafs es nicht gut angehe, bei der Beurtheilung
der fraglichen Isomerie, wie Hantzsch es thue, von der Voraussetzung auszugehen, dafs rein chemische Reactionen für die
Stickstoffverbindungen überhaupt in allen an sich zweifelhaften
Fällen nicht das Geringste bewiesen. Verfasser bespricht sodann
die Aufnahme, welche die zuerst von ihm aufgestellte Formel der
Salze des Diazobenzols mit starken Säuren als Salze eines Ammonium ähnlichen Metalls erfuhr, weist darauf hin, dafs dieselbe
zuerst nach langem, unbeachtetem Dasein vom Bamberger wieder
angenommen ist, und erst später auch von Hantzsch, der sie
zuerst bekämpft hatte, als etwas ganz Neues angenommen sei.
Bei der Herbeischaffung des experimentellen Materials ist zunächst
Goldschmidt zu nennen, welcher durch kryoskopische Bestimmungen bereits 1890 bewies, dafs $-C_6H_5N_2-$ sich in den
Diazoniumsalzen wie ein ionisirbares Metall verhält, sodann Bamberger, welcher feststellte, dafs die Lösungen der Diazoniumsalze
neutral reagiren, und Hantzsch, welcher durch elektrolytische
Bestimmungen sowie durch Darstellung von Doppelsalzen die
Ammoniumnatur des Diazoniums nachzuweisen suchte. Hantzsch
scheint dem Verfasser mit Unrecht in der „Stärke" des Diazo-
radicales den fast alleinigen Inhalt der Diazoniumformel zu suchen,
ihn interessiren diese Fragen in erster Linie, weil sie einen Be-

---

[1]) „Gallaminblau": D. R.-P. Nr. 48996; Ber. 22, Ref. 851. — [2]) J. pr.
Chem. 54, 305; vgl. auch diesen JB., S. 237.

weis von der Fünfwerthigkeit des Stickstoffs in den Salzen des
Ammoniums im Gegensatz zum dreiwerthigen nicht Salz-, sondern
Radical bildenden liefert, der Unterschied zwischen „Salzbindung"
und „Paarungsbindung" erklärt nach dem Verfasser die beobachteten labilen und stabilen isomeren Diazoverbindungen besser,
wie die von Hantzsch angenommene Syn- und Antistellung der
Substituenten am Radical, $C_6H_5N_2$. Die beobachteten Isomerien
in der Diazochemie theilen sich in zwei Classen, in solche mit
„paarungsfähigen" Grundstoffen und solche mit dem nicht
paarungsfähigen Sauerstoff. Paarungsfähig, d. h. fähig zum Aufbau eines complexen Radicals, ist der vierwerthige Kohlenstoff,
der dreiwerthige Stickstoff und der sechswerthige Schwefel. Besonders typisch für „Paarungsbindung" ist der Kohlenstoff; in

Folge dessen ist die Verbindung $C_6H_5N\overset{\displaystyle\nearrow N}{\searrow_{C\equiv N}}$, das labile Diazo-

niumcyanid, in welchem nicht Paarungs-, sondern Salzbindung
vorliegt, aufserordentlich geneigt, in die gepaarte, daher stabile
Verbindung überzugehen.   Die physikalischen Verschiedenheiten
der isomeren Cyanide sind nicht so unbedeutend; die Färbung
der labilen Form spräche nicht gegen die Diazoniumformel, da
ja auch manche Diazoniumjodide gefärbt zu sein scheinen. Bei
Abschwächung des Basencharakters fehlt die Salzform ganz, nur
die gepaarte Form ist existenzfähig bei den Oxybenzoldiazocyaniden.
Der dreiwerthige Stickstoff lieferte bisher nur gepaarte Verbindungen.   Die Existenz zweier isomerer Sulfonate von der Formel
$C_6H_5N_2$–SO_3R erklärt sich in der Weise, dafs das stabile Sulfonat
eine normal gepaarte Sulfonsäure von der Formel $C_6H_5N=N$–SO_3K
darstellt, dafs das labile Salz, dem silber- oder quecksilbersulfon-
sauren Kali analog, eine gepaarte Verbindung darstellt, in wel-

cher das complexe Metall $C_6H_5-\overset{\overset{\displaystyle N}{|||}}{N}-$ das Metall $\dfrac{(Hg)}{2}$ resp. Ag

vertritt. Verfasser bespricht nun die Sachlage bei den isomeren
Salzen des Diazobenzols mit Alkalien, die Hantzsch für stereoisomer erklärt, während Bamberger dem direct kuppelnden
normalen Salze die Formel $C_6H_5N\equiv N$, dem nicht direct kuppeln-

$$\overset{|}{O}K$$

den die Azoformel $C_6H_5N=NOK$ zuschreibt. Gegen die Bamberger'sche Auffassung kann geltend gemacht werden, dafs ein
Ion von der Art und annähernden Stärke eines Ammoniums niemals als Säure auftreten könne. Nach dem Verfasser handelt

es sich jedoch gar nicht um eine Umkehrung der Eigenschaften des Diazoniums, da ja dasselbe in den Säuresalzen als $C_6H_5N_2-$, in den Alkalisalzen als $C_6H_5N_2O$ vorhanden sei. Es sei sehr wohl möglich, daſs diese verschieden zusammengesetzten Ionen auch in ihrer Basicität beträchtliche Unterschiede zeigten. Der Nachweis, daſs nur Verbindungen vom Syndiazotypus unter N-Entwickelung zerfielen, sei Hantzsch nicht geglückt. Dieses Postulat stamme eigentlich aus der Zeit, als der Diazoniumtypus nicht eingeführt war, und labile Form und Synform für Hantzsch identisch war. In einer Reihe von experimentellen Thatsachen, welche von Bamberger zur Verdeutlichung der Unterschiede zwischen normalen und Isosalzen mitgetheilt sind, glaubt Blomstrand nun directe Beweise für die Ammoniumnatur der normalen Salze zu erblicken. Es ist dieses: 1. Normales Diazobenzolkali wird im Gegensatz zu Isodiazobenzolkali von Natriumamalgam in alkalischer Lösung nicht angegriffen, und zwar deshalb, meint Blomstrand, weil die Reduction beim normalen Salze nur unter gleichzeitiger Veränderung der Function der Stickstoffatome vor sich gehen könne, während beim Isosalz eine gewöhnliche Doppelbindung gelöst würde, keine Valenzänderung der N-Atome nöthig sei. 2. Bildung von Körpern von der Formel $[C_6H_5N_2]_2O$ aus Diazoniumsalzen und Alkali, resp. Alkalidiazotaten und Säuren, welche zeigen, daſs das Diazonium nicht dem Kalium und Ammonium, sondern mehr den Schwermetallen Hg, Ag ähnlich ist. 3. Normale Salze geben nach Schotten-Baumann benzoylirt Nitrosobenzanilid, während Isosalze unter gleichen Bedingungen zu normalen isomerisirt werden, da, wie Verfasser meint, nur bei normalem Diazotat durch doppelten Umtausch primär neue Salze entstehen könnten $\left(KCl \text{ und } \begin{array}{c} C_6H_5-N\equiv N \\ | \\ O-COC_6H_5 \end{array} \right)$. Daſs sich das Diazoniumbenzoat sogleich in eine „gepaarte" Verbindung verwandeln muſs, rührt von der schwach sauren Natur der Benzoësäure her. 4. Die Bildung von Diazoestern aus normalen Salzen mit Alkoholen scheint dem Verfasser im Einklange mit der Ausnahmestellung der Säure Diazobenzol zu sein. Im Gegensatz zu Hantzsch, welcher die Diazoester bestimmt für Körper der Antireihe erklärt, abweichend von Bamberger, welcher noch kein abschlieſsendes Urtheil fällen will, erklärt Blomstrand die Diazoester für Diazoniumkörper $\left(\text{Diazoniummethyloxyd,} \begin{array}{c} C_6H_5N\equiv N \\ | \\ OCH_3 \end{array} \right)$, was mit ihren Eigenschaften im Einklang stehe. Zum Schluſs

macht der Verfasser darauf aufmerksam, dafs das Diazonium im
Gegensatz zu allen anderen Ammoniumradicalen nicht durch Er-
niedrigung der Sättigungscapacität in ein Ammoniumderivat übergehen könne, im Sinne der Spaltung des Ammoniumhydroxydes
in $NH_3 + H_2O$. Diese gewissermafsen besonders vollkommene
quaternäre Natur des Diazoniums könne vielleicht eine Erklärung
bieten für den Umstand, dafs ein an und für sich eminent positives Radical in Verbindung mit Sauerstoff gegen Alkalien negativ
auftreten könne. Der Wechsel der Valenz ist in diesem Falle
besser geeignet, die Isomerie bei Diazokörpern zu erklären, als
sterische Anschauungen.   *Mg.*

C. **Schraube** und **Fritsch**. Wanderungen der Diazogruppen[1].
— In saurer Lösung wandert, wie schon **Griefs** an einer Mischung
von Diazosulfanilsäure und salzsaurem p-Toluidin fand und wie
es später H. **Goldschmidt** und **Meldola** für andere Componenten
feststellten, die Diazogruppe stets nach der elektropositiven, die
Imidogruppe befindet sich dagegen stets auf elektronegativer Seite
der Diazoamidoverbindungen. Derselbe Vorgang vollzieht sich,
wie Verfasser fanden, auch in neutraler Lösung. In Bezug auf
die Reactionsgeschwindigkeit besteht jedoch ein markanter Unterschied, in neutraler Lösung spielt sich die Wanderung in wenigen
Minuten ab, bei saurer Lösung viel langsamer und zwar ist die
Dauer abhängig von der Säureconcentration, ja sie kann sogar
bei grofsem Ueberschufs vollkommen aufhören. So vollziehen
sich die Reactionen bei den Säurediazosalzen, bei den Alkalisalzen
treten andere Reactionen ein. Verfasser liefsen ein Gemisch von
diazosulfanilsaurem Natrium und p-Toluidin in wässeriger Lösung
einwirken und erhielten dabei 1. in Lösung die Diazoamidoverbindung der Sulfanilsäure, und 2. als Niederschlag Diazoamido-
toluol, Wanderung war also in beschränktem Mafse eingetreten. Ein
Ueberschufs an Alkali verhinderte diese vollkommen. Ebenso bilden
sich aus Diazotoluolnatrium und sulfanilsaurem Natrium molekulare
Mengen der einfachen Diazoamidokörper. Eine Erklärung finden
Verfasser in Ausdehnung der Ansicht von V. **Meyer**[2] über die
Wanderung in saurer Lösung, wogegen sie bei alkalischer Reaction
Bildung von intermediären Bisdiazoverbindungen annehmen. *Mr.*

J. **Walter**. Beitrag zur Erklärung der **Sandmeyer**'schen
Reaction[3]. — Verfasser ist der Ansicht, dafs das Kupferchlorür
das Diazobenzolchlorid zu Phenylhydrazin reducirt und dabei
selbst in Kupferchlorid übergeht, während Kupferchlorid bei Gegen-

[1] Ber. 29, 287—294. — [2] Ber. 14, 2447. — [3] J. pr. Chem. 53, 427—430.

wart von Salzsäure das Phenylhydrazin zu Chlorbenzol oxydirt und Kupferchlorür regenerirt wird. Das Kupfer wirkt demnach auch nur als Sauerstoffüberträger; wenn beim Diazobenzol nicht eine Spur Kupferchlorür genügt, so ist dies nach dem Verfasser dadurch zu erklären, daſs durch Umhüllung durch ölige Reactionsproducte Salz der Reaction entzogen wird; wo dies nicht der Fall ist, genügt wie bei den Sulfosäuren eine Spur des Reagenzes. In Uebereinstimmung mit dieser Anschauung konnte Verfasser Phenylhydrazin mit Kupferchlorid und Salzsäure zu Chlorbenzol oxydiren, wobei ausgeschlossen ist, daſs etwa zunächst Diazobenzol und Kupferchlorür gebildet wird und dieses dann die Reaction bewirkt, da Eisenchlorür das Kupferreagens nicht ersetzen kann, wohl aber Eisenchlorid Phenylhydrazin zu Chlorbenzol oxydirt. Das intermediäre Phenylhydrazin nachzuweisen, gelang jedoch dem Verfasser mit der Tartrazinprobe nicht. Auch die Reaction von Jodwasserstoff dürfte analog angesehen werden, so daſs der Reactionsverlauf hier in zwei Phasen verläuft:

$$C_6H_5N.N.Cl + 4HJ = C_6H_5NH.NH_2HCl + 4J,$$
$$C_6H_5NH.NH_2HCl + 4J = C_6H_5J + 3HJ + HCl + N_2. \quad Mr.$$

H. Oddo und H. Ampola. Sulla stabilità di alcuni diazoniocomposti [1]. — Um die Beständigkeit der Diazoniumverbindungen bei verschiedenen Temperaturen und den Einfluſs von Substituenten auf die Diazoniumgruppe zu prüfen, versetzen die Verfasser äquimolekulare Mengen der entsprechenden Base mit Salzsäure und Wasser und erwärmen auf die Versuchstemperatur, dann wird diese constant gehalten und allmählich eine titrirte Nitritlösung hinzufliesen gelassen. Nun filtrirt man und prüft auf die Menge der vorhandenen Diazoverbindung mit einer alkalischen β-Naphtollösung und ebenso mit p-Nitranilinchlorhydratlösung. Beide Reagentien dürfen als sehr empfindlich für Diazoverbindungen gelten. Bei 100 bis 105° gaben mit den Reagentien kräftige Niederschläge: p-$C_6H_4NH_2.NO_2$, m-$NO_2C_6H_4NH_2$, p-Cl .$C_6H_4NH_2$, $(N\overset{2}{O}_2)C_6H_3\overset{1}{N}O_2.NH_2$, $C\overset{4}{H}_3.N\overset{5}{O}_2C_6H_4NH_2$ und $C\overset{4}{H}_3N\overset{6}{O}_2.C_6H_3.NH_2$. Dagegen gaben folgende Verbindungen geringe Niederschläge oder nur rothe Färbung mit β-Naphtol: m-Cl.$C_6H_4NH_2$, m-Br.$C_6H_4NH_2$, o-$NO_2C_6H_4NH_2$, p-$COOHC_6H_4$ .NH_2 und $N\overset{4}{O}_2C_6H_3\overset{5}{C}H_3\overset{2}{N}H_2$. Bei 80 bis 85° gaben die letztgenannten noch kräftige Niederschläge, während Anilin, p-Toluidin,

---

[1] Accad. dei Lincei Rend. [5] 5, II, 231.

α- und β-Naphtylamin nur schwach reagirten. Bei 60 bis 65°
erschienen auch diese noch sehr beständig im Vergleich zum
o-Toluidin und p-Xylidin, welch letzteres bei 40 bis 45° beständig
erschien. Die quantitative Verfolgung der Zersetzung ließ sich
leider nicht erreichen, doch ergiebt sich auch so das Resultat,
daß die Beständigkeit von der Stellung der Substituenten abhängig ist und von der Art derselben. Negative Substituenten
begünstigen augenscheinlich die Beständigkeit. Zum Schluß stellen
Verfasser noch die Formel $-N\equiv N-$ für Diazoverbindungen zur
Discussion.   *Mr.*

J. Altschul. Ueber die Ueberführung von Phenylhydrazin
in Diazobenzol durch salpetrige Säure [1]). — Verfasser beobachtete
die bisher unbekannte Thatsache, daß Phenylhydrazin durch
salpetrige Säure bis zu 80 Proc. unter geeigneten Bedingungen
in Diazobenzolsalz übergeführt wird und war bemüht, diese Verhältnisse quantitativ zu untersuchen. Die Menge des gebildeten
Diazobenzols ist größer in salzsaurer Lösung als in essigsaurer
und spielt dabei die Säure eine von N_2O_3 unabhängige Rolle.
Die Umwandlung, welche bei Anwendung von 1 Mol. Nitrit auf
ca. 34 Proc. der Gesammtmenge sich beläuft, kann durch Anwendung von 4 bis 6 Mol. Nitrit auf 80 Proc. gebracht werden.
Bei der Erklärung dieses Vorganges scheint der Zerfall von
Nitrosophenylhydrazin in Diazobenzol und Hydroxylamin nach
dem Schema:

$$C_6H_5N\text{—}NH_2 + 2\,HCl = C_6H_5N\overset{N}{\underset{Cl}{\diagdown}} + H_2O + NH_2OH \cdot HCl$$
$$|$$
$$NO$$

nicht in Betracht zu kommen. Eher scheint eine Oxydations-
wirkung des Nitrits vorzuliegen, vielleicht nach der Gleichung:

$$C_6H_5NH\text{—}NH_2HCl + 4\,HCl + 4\,NaNO_2 = C_6H_5\text{—}N_2\text{—}Cl + 4\,NaCl$$
$$+ NO + 4\,H_2O$$

oder

$$C_6H_5NH\text{—}NH_2HCl + 2\,HCl + 2\,NaNO_2 = C_6H_5N_2Cl + 2\,NaCl + N_2O + 3\,H_2O.$$

Jedoch wird auch diese Erklärung mit Vorbehalt gegeben. *Mg.*

J. Altschul. Ueber die Diazotirung des Anilins bei Gegenwart von Essigsäure oder ungenügender Menge Salzsäure [2]). —
Anilin wird in 1 proc. Lösung bei Gegenwart von ca.

2½ Mol. Essigsäure zu 19 Proc.
11 „   „   „   97 „
19 „   „   „   98 „
36 „   „   „ 100 „

[1]) J. pr. Chem. 54, 496. — [2]) Daselbst, S. 508—510.

in Diazobenzol verwandelt. Anilin wird bei Gegenwart von
1 Mol. HCl in

10 proc. Lösung zu 32 Proc.
1 „   „   „ 20 „
0,1 „   „   „ 11 „

in Diazobenzol übergeführt.   *Mg.*

E. Bamberger. Experimentalbeiträge zur Chemie der Diazóverbindungen [1]). (XXV. Mittheilung über Diazokörper.) — Im
Gegensatz zu Hantzsch hält Verfasser seine Structurformeln für
die Diazometallsalze: (Alph-, MeO-)N:N und Alph-N:N–OMe
für die den Thatsachen entsprechenderen, und stützt diese Auffassung durch eine umfassende Kritik des vorhandenen oder von
ihm neu beschafften Materials zur Chemie der Diazometallsalze.
Mit Sicherheit ist nur ein normales Diazometallsalz bekannt, das
diazobenzolsulfonsaure Kalium von Hantzsch. Bei den Versuchen
zur Darstellung von Metallsalzen aus den Diazoniumsalzen (Alph-,
X-)=N:N wurden intensiv gelb gefärbte Zwischenproducte, wahrscheinlich Diazoanhydride, z. B. $C_6H_5\overline{N:N\,O\,N:N}.C_6H_5$, beobachtet. Ein weiterer Unterschied von den Isodiazoverbindungen
ist der leichte Uebergang in Diazoester, $C_6H_5N_2OCH_3$, wobei sie
in gewisser Beziehung den Decker'schen Chinoliniumhydroxyden
entsprechen. Diese Esterificirbarkeit erklärt auch die Unbeständigkeit in alkoholischer Lösung. Die Normalsalze liefern kein, die
Isodiazosalze 72 bis 75 Proc. Hydrazin bei der Reduction. Am
wichtigsten ist jedoch der Unterschied gegen Säuren, die entstehenden Isodiazohydroxyde sind *farblos*, sofern nicht Nitrogruppen
hier schwachgelbe Färbung bedingen, die Normalsalze liefern
intensiv gelbe, äufserst explosive Verbindungen, die als Diazoanhydride gedeutet werden. Diese Anhydride können auch aus
den Diazoniumsalzen gewonnen werden. — Die Darstellung des
p-Diazotoluolanhydrids, $C_6H_4CH_3N_2ON_2C_6H_4CH_3$, geschah aus
festem Diazotoluolkalium. Dies letztere wurde bereitet, wenn das
aus 15 g p-Toluidin, 30 g concentrirter HCl und einer sehr concentrirten Lösung von 11 g Nitrit bereitete Diazoniumchlorid
tropfenweise zu einer auf 0° bis — 5° gehaltenen Lösung von
300 g Kali in 200 g H_2O unter kräftigem Rühren hinzugefügt
wurde. Jeder Tropfen erzeugt eine vorübergehende gelbe Ausscheidung. Der resultirende Krystallbrei wird abgesaugt und ist
auf Thon gestrichen im kohlensäurefreien Exsiccator ohne Isomerirung haltbar. Methylalkohol bewirkt Geruch nach Diazoester.

---

[1]) Ber. **29**, 446—473.

In difficiler Operation bei — 20 bis — 25° wurde das aufserordentlich explosive Anhydrid, das mit Farbstoffcomponenten momentan und intensiv kuppelt, erhalten. Bei — 5° konnte durch 60 proc. Lauge das Salz in Krystallblättchen wieder gewonnen werden. Säuren entfärben unter Bildung von Diazoniumsalzen. Bei — 5° in ätherische Anilinlösung eingetragen, bildet sich eine Diazoamidoverbindung. Methyl- und Aethylalkohol erzeugen betäubenden Geruch nach Diazoester. Trägt man das Oxyd in concentrirtes Ammoniak ein, so entsteht *Bis-p-toluoldiazoimid*, gelbe Nädelchen, die bei 79° verpufften und die identisch mit dem Präparat von v. Pechmann waren. Da die Verbindung selbst mit essigsaurem Naphtylamin sich erst langsam röthet, hält Verfasser diese Imidoverbindung trotz ihrer Explosionsfähigkeit für ein Glied der Isoreihe. *Diazobenzolanhydrid* ist noch schwieriger in der Darstellung und diese gelingt nur mit 50 proc. Essigsäure, es bildet einen äufserst zersetzlichen krystallinischen gelben Niederschlag; er explodirte einmal innerhalb der Lösung bei — 18°. Im Weiteren zeigt Verfasser, dafs das *Normaldiazokaliumsalz* von Griefs in Wirklichkeit Isosalz gewesen und sein „Diazobenzol" Isodiazohydroxyd. Ebenso war das von Schraube und Schmidt erhaltene Salz stark mit Isosalz gemengt. Die Darstellung von reinem Normalsalz geht vom Diazobenzolchlorid aus. Eine Reinigung gelang durch Lösung in absolutem Alkohol bei — 5°, dann wird von Na-Salzen filtrirt und mit Aether versetzt: eine Operation, die sehr schnell ausgeführt werden mufs, da sonst Esterbildung eintritt. Es ist hygroskopisch und färbt sich bald rosa. *p-Chlordiazobenzolanhydrid*, $Cl.C_6H_4N_2–O–N_2.C_6H_3Cl$, konnte zur Analyse gebracht werden. Das nöthige *Normalsalz* wurde dem Toluolsalz ähnlich dargestellt und ist ebenfalls in kohlensäurefreier Atmosphäre haltbar. Isomerirt sich beim Erwärmen sehr schnell. Concentrirte wässerige Lösung bei 0° mit Essigsäure versetzt, fällt einen leuchtend gelben, etwas grünstichigen Niederschlag, der mit Eiswasser gewaschen werden kann. In verdünnter Lösung entsteht dies Anhydrid nicht. Das trockene Anhydrid ist schwer in kalter Säure löslich. Lauge regenerirt das Normalsalz. Chloranilin entsteht hierbei nicht. Die Kupplung mit Farbstoffcomponenten geht langsamer vor sich, Alkohole erzeugen sofort Ester. Das frisch gefällte Oxyd ist ätherlöslich, das getrocknete schwierig, aus der Lösung wurde das Oxyd nicht unzersetzt wieder erhalten. Besser gelingt noch die Darstellung aus Diazoniumchlorid und 8 proc. Natronlauge. Die Explosivität übertrifft die des Diazobenzolnitrats. Es gelang, einige Chlorbestimmungen mit befriedigendem Resultat auszuführen. Benzol führt in p-Chlordiphenyl über, identisch mit dem Präparat von Schulz. Brom liefert Chlordiazobenzolperbromid. Jod in ätherischer Lösung giebt neben Monochlorbenzol (Siedep. 130 bis 131°) das bei 54° schmelzende p-Chlorjodbenzol, Anilin aufser massenhafter Harzbildung goldgelbe Nadeln des bei 86° schmelzenden *p-Chlordiazoamidobenzols*. Mit Phenylmercaptan wird wahrscheinlich p-Chlorphenyldiazomercaptanphenylester erzeugt [1]. *p-Bromdiazobenzolkalium*, das vielleicht schon P. Griefs in den Händen hatte, wurde analog und mit den gleichen Eigenschaften wie die Chlorverbindung erhalten, daraus oder aus dem Diazoniumsalz durch Lauge wurden gelbe krystallinische Flocken des *Anhydrids* erhalten, das sich in seinen Reactionen dem Chlorderivat sehr ähnlich verhielt. Benzol liefert unter N-Entwickelung p-Bromdiphenyl, durch Jod wurde p-Bromjodbenzol, Schmelzp. 90,5°, erhalten. Kochende Mineralsäuren führen in p-Bromphenol über. Mit Anilin wurde p-Bromdiazoamidobenzol in sehr geringer Menge gebildet. *p-Nitrodiazobenzolanhydrid*, voluminöser, grünstichiggelber Niederschlag, war sehr zersetzlich und geht nach wenigen Minuten in ein braunes unexplosives Harz über. Doch konnte daraus der krystallisirende, bei 82° schmelzende Diazomethylester erhalten werden. Das Anhydrid geht äufserst leicht mit Benzol in p-Nitrodiphenyl über. Anilin führt zum p-Nitrodiazoamidobenzol, Schmelzp. 148°. *m-Nitrodiazobenzolanhydrid* ist noch zersetzlicher als das vorgenannte. Benzol giebt in sehr schlechter Ausbeute m-Nitrodiphenyl. *m-Chlor-* und *m-Bromdiazobenzolanhydride* sind ebenfalls äufserst explosive unbeständige Verbindungen. *Mr.*

E. Bamberger. Ueber die Zusammensetzung der Isodiazohydroxyde [2]. — Die Isosalze liefern bei der Behandlung mit Säuren im Gegensatz zu den aus Normalsalzen entstehenden gelben Oxyden Hydroxyde, deren Farbe der ihrer Salze entspricht. *p-Nitroisodiazobenzol*, $C_6H_4(NO_2)N_2.OH$, ist nicht so zersetzlich, dafs es nicht drei bis vier Stunden unverändert sich aufbewahren liefse, und war daher auch der Analyse zugänglich, die die obige Formel bestätigt. Sein *Natriumsalz* wurde im offenen Kaliexsiccator constant nach der Formel $NO_2.C_6H_4N_2ONa + 2H_2O$ zusammengesetzt gefunden, das im Vacuum über Schwefelsäure getrocknete Präparat nahm an der

[1] Vgl. Hantzsch und Freese, Ber. 28, 3237; dieser JB., S. 1899. —
[2] Ber. 29, 1383—1388.

Luft 2 Mol. Wasser wieder auf. *p - Nitroisodiazobenzolsilber* entspricht der Formel $NO_2C_6H_4N_2OAg$ und explodirt leicht. *Isodiazobenzol* und *-p-toluol* sind farblose, leicht zersetzliche Oele, die sich aus ihren ätherischen Lösungen nicht unverharzt abscheiden lassen. Um Isodiazobenzol frei von der Normaldiazoverbindung zu erhalten, empfiehlt Verfasser, der Isodiazosalzlösung in Eiswasser aufgeschlämmtes Bicarbonat hinzuzufügen. *Isodiazop-toluolkalium* wird durch Umlagerung von Normalsalz und Krystallisiren aus Alkoholäther erhalten. Die *Isodiazohydroxyde* des *p-Chlor-* und *p-Bromanilins*, des *β-Naphtylamins* sind glänzend weiße, krystallinische Niederschläge, die äußerst leicht sich zersetzen. Aus seinem Dikaliumsalz ließ sich *primäres* isodiazosulfonsaures Kalium, $K.O_3S.C_6H_4N_2OH.H_2O$, gewinnen, glänzend weißer Niederschlag, in Wasser schwer, jedoch mit saurer Reaction löslich. Kochen zersetzt es stürmisch. Alkalien lösen es auf, aus welchen Lösungen das primäre Salz wiederum fällt. *Disilbersalz*. zunächst voluminöser, dann krystallinisch werdender Niederschlag. — Nitroisodiazobenzol und Benzaldehydphenylhydrazon wirken auf einander unter Formazylbildung ein. Dabei wurde in schlechter Ausbeute *Phenyl-α-p-nitrophenyl-h-phenylmethylformazyl* erhalten:

$$C_6H_5.C<^{N_2CH_2.C_6H_5}_{N_2C_6H_4NO_2}$$

Krystallisirt aus siedendem Amylalkohol oder Benzol in metallisch schimmernden, bronzeglänzenden Nadeln vom Schmelzp. 201 bis 202°.   *Mr.*

G. Favrel. Ueber die Einwirkung von Natriumcyanessigsäure-Propyl-, Butyl- und Amylester auf Diazobenzolchlorid[1]. — Verfasser erhielt durch Einwirkung von Diazobenzolchlorid auf den Natriumcyanessigsäure - Propylester den *Phenylazocyanessigsäure - Propylester*, $C_6H_5N_2CH(CN)COOC_3H_7$, in folgender Weise: 100 ccm einer 1 Mol. Anilin auf 3 Mol. Salzsäure im Liter enthaltenden Lösung von salzsaurem Anilin wurden mit dem gleichen Volum Wasser verdünnt, ·die Lösung durch Zusatz von Eis auf 0° abgekühlt und mit 100 ccm einer Natriumnitritnormallösung versetzt. Das so gewonnene Diazobenzolchlorid wurde nach und nach zu einem Gemisch einer Lösung von 12,7 g Cyanessigsäure-Propylester in 20 g Propylalkohol und einer Lösung von 2,3 g Natrium in 60 g Propylalkohol hinzugegeben und der hierbei entstehende gelbe Niederschlag in Kalilauge gelöst, aus der Lösung mit verdünnter Schwefelsäure wieder ausgefällt und aus Petrol-

---

[1] Compt. rend. 122. 844—846.

äther umkrystallisirt. Der so gewonnene *Phenylazocyanessigsäure-Propylester*, $C_6H_5N_2CH(CN)COOC_3H_7$, bildet feine, hellgelbe, bei 78 bis 80° schmelzende Nadeln, er wird als die *α-Modification* bezeichnet. Beim Schmelzen und Lösen der Schmelze in Petroläther verwandelt er sich in die *β-Modification*, welche bei 102 bis 103° schmilzt und gelbe, längliche, prismatische Krystalle oder rhomboïdale oder hexagonale Tafeln bildet. Die analog dargestellte *α-Modification des Phenylazocyanessigsäure-Butylesters*, $C_6H_5N_2CH(CN)COOC_4H_9$, wird, aus Petroläther krystallisirt, in hellgelben, feinen, seideglänzenden, bei 118 bis 120° schmelzenden Krystallen erhalten und verwandelt sich beim Lösen in Natronlauge und Ausfällen aus dieser Lösung mit Kohlensäure in die *β-Modification*, welche aus Benzol in hellgelben, bei 98 bis 101° schmelzenden, prismatischen Krystallen krystallisirt. Von dem *Phenylazocyanessigsäure-Amylester*, $C_6H_5N_2CH(CN)COOC_5H_{11}$, endlich bildet die *α-Modification*, aus Ligroin krystallisirt, hellgelbe, bei 77 bis 78° schmelzende Nadeln, die *β-Modification*, welche durch längeres Kochen der Ligroinlösung der α-Modification erhalten wird, gelbe, bei 57 bis 59° schmelzende, prismatische Krystalle. *Wt.*

Eugen Bamberger. Notiz, betreffend die Ionenzahl der diazobenzolsulfonsauren Salze [1]). — Verfasser glaubte, in der Berechnung der Ionenzahlen aus dem kryoskopischen Verhalten von Hantzsch, diesem einen Rechenfehler nachweisen zu können, berichtet jedoch an späterer Stelle [2]), dafs er selbst im Irrthum gewesen sei. *Mr.*

D. Gerilowski und A. Hantzsch. Weiteres über die stereoisomeren Salze aus Diazosulfanilsäure [3]). — Die Umwandlung der Diazoniumsulfanilsäure durch Alkalien vollzieht sich nach den Verfassern im Sinne folgenden Schemas:

$$\underset{\text{betaïnähnlich}}{\overset{C_6H_4}{\underset{SO_3}{\diagdown}}\hspace{-0.3em}N:N} + \overset{ONa}{\underset{Na}{\cdot}} = \underset{\text{oximähnlich}}{\overset{C_6H_4}{\underset{SO_3Na}{\diagdown}}\hspace{-0.3em}N:N^{\overset{ONa}{|}}}$$

$$\underset{\text{Synsalz}}{SO_3Na.C_6H_4\overset{ONa}{\diagup}}_{N=N} \longrightarrow \underset{\text{Antisalz}}{SO_3Na.C_6H_4}_{\underset{\underset{ONa}{|}}{N=N}}$$

Diese sterische Auffassung hatten Verfasser besonders auf kryoskopische Ergebnisse, wonach beide Salze sich dreiionig erwiesen,

---

[1]) Ber. 29, 608—610. — [2]) Daselbst, S. 1052. — [3]) Daselbst, S. 743—755.

wenn auch das Synsalz stärkere Hydrolyse aufwies, gestützt. Eine
weitere Bestätigung ihrer Ansichten erwarteten sie von den Leitfähigkeiten der Syn-: und Antinatriumsalze der Säure. Wegen der
Zersetzlichkeit des normalen Salzes wurde unter Ausschlufs von
Luftkohlensäure und bei 0^0 gearbeitet. Antisalz. Für ein mehrfach umgefälltes, fast neutrales Salz ergaben sich die Werthe:

$$v \ldots\ 32 \quad\ 64 \quad\ 128 \quad\ 256 \quad\ 512 \quad\ 1024$$
$$\mu \ldots\ 80{,}2 \quad 85{,}3 \quad 89{,}2 \quad 92{,}6 \quad 95{,}0 \quad 94{,}0$$

Zuwachs der Leitfähigkeit $\varDelta_{v_{32} - v_{1024}} = 17{,}1.$ Für die Dinatrium-
salze nicht hydrolytisch gespaltener zweibasischer Säure fand
Ostwald $\varDelta^{25^0}_{v_{32} - v_{1024}} = 20.$ Verfasser bestimmten für Dinatrium-
succinat bei 0^0 $\varDelta_{v_{32} - v_{1024}} = 18{,}76.$ Hieraus ergiebt sich, dafs
Antidiazohydrat eine *normal dissociirende Säure* ist. — Synsalz.
Es wurde die Leitfähigkeit der Lösungen des festen Salzes, sowie
die des in Lösung durch 1 Mol. Säure und 2 Mol. NaOH erhaltenen Salzes bestimmt. Für die Verdünnungen bei festem Salz
$v = 32$, $v = 64$, $v = 128$ wurden gut unter einander stimmende
Werthe etwa 81,7, 88,3, 94,3 gefunden, bei gröfseren Verdünnungen
sind die Abweichungen etwas gröfser. Für das in Lösung erzeugte
Salz wurden die Werthe: v_{32}, μ 80,6; v_{64}, μ 86,4; v_{124}, μ 92,3,
gefunden. Der Zuwachs ergab sich zu $\varDelta_{32 - 1024} = 30$ für festes
Salz, für die in Lösung erzeugte Verbindung $\varDelta_{32 - 1024} = 32.$ Eine
Vergleichung mit den Werthen für Antisalz ergiebt für geringe
Verdünnung gleiches Verhalten, bei gröfseren Verdünnungen ist
Synsalz, wie auch seine alkalische Reaction zeigt, hydrolytisch
gespalten. Ein Vergleich des Synsalzes mit gewöhnlichem Anis-
aldoximnatrium ergab allerdings denselben Zuwachs für das
letztere $\varDelta_{32 - 1024} = 32$, da aber in ersterem für die normale
Gruppe SO_3Na acht Einheiten in Abzug zu bringen sind, so ergiebt
sich für die Syngruppe der Werth 23, diese ist also stärker als
die Oximgruppe $\dfrac{R.(CH)}{HON}$ und noch wesentlich stärker als die
entsprechende Antioximstellung, wie der Vergleich mit der stabilen
Phenylglyoxylsäure zeigte. Diazosulfanilsäure leitet aufserordentlich schlecht, besitzt also wahrscheinlich Betaïnstructur. Die Auffassung des Syndiazo als Diazoniummetallsalz [1]) ist nach Verfasser
unhaltbar, da ein solches Salz sehr stark hydrolysirt sein müfste,
ebenso dürfte in Lösung aus gleichem Grunde ein Salz, $NaSO_3$
$.C_6H_4-(N:)N.OH$, nur in geringem Umfange vorhanden sein.

---

[1]) Ber. 28, 2017.

Die Lösung enthält wahrscheinlich daher die drei Verbindungen beziehungsweise deren Ionen:

$$C_6H_4\!\!<^{N_2}_{SO_3} \qquad C_6H_4\!\!<^{N_2OH}_{SO_3Na} \qquad C_6H_4\!\!<^{N_2ONa}_{SO_3Na}$$

Aus dem Gesagten geht hervor: *Syndiazohydroxyd* ist eine *Säure* und besitzt nicht die von Bamberger behauptete Diazoniumformel. Verfasser besprechen zum Schluſs noch den Uebergang von Syn- in Antisalze. *Mr.*

Dimiter Gerilowski. Ueber stereoisomere Salze der o-Diazobenzolsulfosäure [1]). — Verfasser hat aus der Diazoniumbenzolo-sulfonsäure,

$$C_6H_4\!\!<^{N=N\,(1)}_{SO_2\,(2)}\!\!>O$$

nach der Vorschrift, die für das Synsalz der p-Sulfonsäure gegeben ist [2]), das Synnatriumsalz der o-Sulfonsäure dargestellt und erhielt es in seidenglänzenden Nädelchen, die im Exsiccator über Natronkalk und Chlorcalcium nach einigen Tagen auf die Formel $C_6H_4N_2SO_4K_2$ gewichtsconstant wurden, an der Luft unter Zerfließen und Stickstoffentwickelung sich zersetzten und mit β-Naphtol direct zu einem orangerothen Farbstoff kuppelten. Es gelang nicht, die äußerst leicht lösliche Antiverbindung zu isoliren, ihre Lösung kuppelt jedoch erst nach dem Ansäuern. Dagegen erhielt Verfasser sowohl Syn- als auch Antikaliumsalz. Die o-Diazoniumsulfonsäure wurde mit Wasser überschichtet und gefrieren gelassen, dann mit Kalilauge unter Eiskühlung gelöst, und das Salz in Form eines gelblichen, schweren, sandigen Niederschlages durch ein Tuchfilter filtrirt und im Exsiccator getrocknet. Die Analyse stimmt auf das Salz $+ \; ^1/_2\,H_2O$. Kocht man Synsalz mit der Mutterlauge, so erhält man Antisalz, das aus Wasser auf Zusatz von Alkohol in moosartig gruppirten Nädelchen mit $^1/_2\,H_2O$ krystallisirt. Reagirt schwach alkalisch. Das chemische Verhalten gleicht dem der Natriumsalze. Die Umwandlung bei Ansäuern in Diazoniumsulfosäure erfolgt bei der Synreihe in unmeſsbarer, bei der Antireihe in meſsbarer Geschwindigkeit. *Mr.*

Eug. Bamberger und E. Kraus. Das Verhalten einiger Diazoverbindungen gegen Kaliumsulfit [3]). (XXVIII. Mittheilung über Diazokörper.) — Schüttelt man mehrere Stunden die ätherische Lösung des p-Nitrodiazobenzolmethylesters mit verdünnter wässeriger

---

[1]) Ber. 29, 1075—1078. — [2]) Ber. 28, 2005. — [3]) Ber. 29, 1829—1835.

Lösung von Kaliumsulfit, so entsteht ein aus schwefelgelben Nadeln bestehender Niederschlag des *Dikaliumsalzes der p-Nitrophenylhydrazindisulfosäure*, $NO_2 . C_6H_4 . NSO_3K . NHSO_3K$, welches in kochendem Wasser leicht löslich ist und durch Aetzkali mit tiefrother Farbe in das *Trikaliumsalz obiger Disulfosäure*, $NO_2 . C_6H_4 . NSO_3K . NKSO_3K$, übergeht. Dieses Salz entsteht auch neben dem Dikaliumsalze und neben dem p-nitrophenylsulfonsauren Kalium durch Einwirkung von Kaliumsulfit auf p-Nitroisodiazobenzolkalium; es verbleibt in den Mutterlaugen der ersten Abscheidung des Dikaliumsalzes und wird daraus durch reichliche Mengen Stangenkali in rubinrothen, flachen Nadeln oder Blättchen ausgefällt; bei Zusatz von weniger Kali entstehen compacte orangerothe Prismen, welche in kaltem Wasser schwer löslich sind und aus siedendem Wasser leicht umkrystallisirt werden dürften, des *p-nitrophenyldiazosulfonsauren Kaliums*, $NO_2 . C_6H_4 . N_2 . SO_3K$. Das Dikaliumsalz der p-Nitrophenylhydrazindisulfosäure entsteht momentan durch Einwirkung von 2 Mol. Sulfit auf 1 Mol. p-Nitrodiazobenzolnitrat, welch letzteres, nebenbei bemerkt, mit Natriumpikrat ein schwer lösliches, in gelben Nadeln krystallisirendes, bei 109 bis 110° unter Aufschäumen sich zersetzendes *Diazoniumpikrat* bildet. Aus äquimolekularen Mengen von Kaliumsulfit und p-Nitrodiazobenzolnitrat entstehen, je nach den Versuchsbedingungen, entweder das schon beschriebene (stabile) p-nitrophenyldiazosulfonsaure Kalium, $NO_2 . C_6H_4 . N . N . SO_3K$, welches durch sehr rasches Abkühlen und Schütteln auch in Form von goldgelben, atlasglänzenden Blättchen oder flachen Nadeln erhalten werden kann (eine Form, die in trockenem Zustande haltbar, in Wasser in oben erwähnte compacte schwere Prismen übergeht) oder es

entsteht ein *(labiles) Isomeres,* $\overset{NO_2 . C_6H_4 . N . SO_3K}{\underset{\ddot{N}}{}}$, in prächtig

glänzenden, orangegefärbten Kryställchen, die in hohem Grade selbstzersetzlich, sogar ohne äußere Ursachen explosibel sind. Diese labile Form unterscheidet sich weiter vom stabilen Salz durch stärkere Löslichkeit in Wasser und vor allem durch die Fähigkeit momentaner Farbstoffbildung gegenüber alkalischen Phenollösungen. Die wässerige Lösung entfärbt Permanganat und Jodlösung momentan. — Die Verseifung des Dikaliumsalzes der p-Nitrophenylhydrazindisulfosäure mit Salzsäure liefert in quantitativer Ausbeute das *p-Nitrophenylhydrazin*, welches durch vorsichtige Neutralisation des Verseifungsproductes rein erhalten wird, Schmelzp. 157°. *Chlorhydrat*, $NO_2 . C_6H_4 . N_2H_3 . HCl$, bildet diamantglänzende, hell bräunlich-orangerothe Blätter. Durch Ein-

wirkung von Kaliumsulfit auf normales und Isodiazobenzolkalium
entsteht das nämliche Product, das stabile benzoldiazosulfonsaure
Kalium, $C_6H_5 . N:N . SO_3K$. *v. N.*

A. Hantzsch und W. Davidson. Ueber Diazophenole [1]. —
Verfasser haben die Arbeiten von R. Schmitt über die Diazophenole fortgeführt, in der Absicht, zu untersuchen, in wie weit
sich diese Verbindungen in die Gruppen: Diazoniumsalze, Syn-
und Antidiazokörper, einreihen lassen. Es ergab sich, dafs die
Diazophenolsalze echte *Oxydiazoniumsalze* sind, wobei allerdings
die aufserordentlich starke Hydrolyse, vor allem des o-Diazo-
phenolchlorids, in Betracht zu ziehen ist. Merkwürdig bleibt
immerhin, dafs gerade die Hydroxylgruppe das starke Diazonium
so schwächt, während Eintritt von Chlor (Trichlordiazonium)
keinen nachweisbaren Einflufs übt. Oxydiazonium ist sicher
schwächer als das normal sich dissociirende Phenoltrimethyl-
ammonium. Die *freien Diazophenole* reagiren je nach ihrer Natur
und den Bedingungen entweder als Syndiazophenolanhydrid I oder
als Diazoanhydride II.:

$$\text{I. } C_6H_4\underset{O}{\overset{N}{\diagup}}N \qquad\qquad \text{II. } \underset{N}{\overset{C_6H_4 . NO}{\cdots}}$$

Dies gilt für die wässerigen Lösungen, in organischen Mitteln
sowie bei negativ substituirten Diazophenolen scheinen nur Syn-
diazoanhydride vorzuliegen. Damit ist auch der Befund der
physikalischen Methoden, sowie die nur bei ringförmigen Diazokörpern stets beobachtete Färbung in Uebereinstimmung. Die
Oxydiazotate sind leicht zersetzlich unter N-Abspaltung und werden
demgemäfs als Syndiazoverbindungen, die dagegen sehr stabilen
Oxydiazosulfonate als echte Antidiazoverbindungen aufgefafst.
Dasselbe gilt vom Diazophenolcyanid. — Die Diazophenolchloride
wurden aus den reinen Amidophenolen mit Amylnitrit und Salzsäure bei 0° erhalten, man fällt mit Aether und reinigt durch
Lösen in Alkohol und Fällen mit Aether. *o-Diazophenolchlorid*
verlor selbst bei anhaltendem Kochen mit Wasser nur 12 bis
14 Proc., mit Soda nur 11,8 Proc., mit verdünnter H_2SO_4 nur
4,7 Proc. N, dagegen verlor es ihn quantitativ mit Cu_2Cl_2. *p-Diazophenolchlorid* verliert leicht seinen Stickstoff. m-Diazophenol-
chlorid, nicht rein erhalten, entwickelt schon bei 0° Stickgas.
p-Diazophenolmercurichlorid, $HO . C_6H_4N_2Cl . HgCl_2 . H_2O$, Nadeln,
Zersetzungspunkt 156°. Kuppelt nicht mit β-Naphtol. p-Diazo-

---

[1] Ber. **29**, 1522—1536.

phenoljodidquecksilberjodid, $HOC_6H_4N_2J.HgHJ_2$, wurde mittelst Kaliumquecksilberjodid erhalten, löslich in Aethylacetat, dunkelgelbe Krystalle, Schmelzp. 110^0. In Alkohol löst es sich und scheidet dann unter Zersetzung gelbe Krystalle des beständigen *Doppelsalzes* $HO.C_6H_4J.HgS_2.C_6H_4N_2O$ aus. Zersetzungspunkt 132^0. Dieses entsteht auch bei Verwendung verdünnter Lösungen der Diazo- und der Quecksilberverbindung. Mit Cadmiumjodid wurde ein Gemisch des Doppelsalzes $HOC_6H_4N_2J.CdJ_2C_6H_4N_2O$, gelbe Prismen, Schmelzp. 134^0, und des *Salzes*, $(HOC_6H_4N_2J)_2$ $CdJ_2.C_6H_4N_2O$, gelbe Nadeln, Schmelzp. 110^0, dargestellt. Beide Salze kuppeln direct. Beide Salze lassen sich leicht in einander umwandeln. In der Mutterlauge war ein *Salz* der Zusammensetzung $HOC_6H_4N_2Cl.2CdCl_2.C_6H_4N_2O.2H_2O$ vorhanden. Gelbe, hochschmelzende Nadeln. *p-Diazophenolbromidkupferbromür*, $HOC_6H_4N_2Br.Cu_2Br_2$, orangefarbene Kryställchen, ist ebenso wie die entsprechende *o-Verbindung* leicht zersetzlich. *Freies p-Diazophenol*, aus dem Chlorid mit Silberoxyd erhalten, intensiv gelbe Nadeln vom Schmelzp. 38 bis 39^0, entspricht lufttrocken der Formel $C_6H_4N_2O + 4H_2O$, explodirt wasserfrei bei 79^0, reagirt neutral. Kuppelt mit alkoholischem β-Naphtol und . entwickelt schwierig Stickstoff. Mit Jodcadmium wurde die bei 168^0 schwach verpuffende *Verbindung* $C_6H_3N_2OCdJ_2$ erhalten. *Dibrom-p-diazophenol* verpufft bei 152^0 (Merte 137^0), entwickelt mit Alkalien Stickstoff, kuppelt mit β-Naphtol. Das reine *Chlorhydrat* ist farblos, feucht partiell unter Gelbfärbung in die Componenten gespalten. Die entsprechende *o-Verbindung* färbt sich ohne Gasentwickelung purpurroth. Sie ist monomolekular, ebenso wie das *Dinitro-o-diazophenol*, das direct kuppelt. Dibromphenol-p-diazosulfosäure krystallisirt in nicht kuppelnden, gelben Nadeln mit $2H_2O$ und besitzt die Antiform. Mit Cyankalium wurde Antip-diazophenolcyanid, $OH.C_6H_4N_2CN$, in Form gelber Nadeln, die nicht kuppeln und bei 117 bis 118^0 verpuffen, dargestellt. Leicht zersetzlich, doch durch concentrirtes, alkoholisches Kali in seine Carbonsäure, die ebenfalls nicht kuppelt, überzuführen. Ferner stellten Verfasser aus m-Dimethylamidophenol das *Jodmethylat* vom Schmelzp. 182^0 und daraus das *m-Trimethylamidophenol*, $HO.C_6H_4N(CH_3)_3OH + \frac{1}{2}H_2O$, weiße Nadeln, sehr bitter, Schmelzp. 110 bis 111^0, her. Die Kryoskopie ergab für p-Diazophenol ($M_{ber.} = 120$) $M = 124$, Ionenzahl 0,97, für o-Trimethylamidophenol ($M_{ber.} = 151$) $M = 140$, Ionenzahl 1,08, für die p-Verbindung $M = 136$, Ionenzahl 1,11. Die Leitfähigkeiten der Diazophenole, sowie der Trimethylamidophenole sind sehr gering und schwanken bei ersteren für v_{82} zwischen 1,3 und 0,8, für die letzteren zwischen 2,6 bis 1,7. Dagegen ergab sich für die Chlorhydrate: o-Diazophenolchlorhydrat $\varDelta_{82-1024} = 96,5$, p-Diazophenolchlorhydrat $\varDelta_{82-1024} = 127,5$, für o-, m-, p-Trimethylphenolammonchlorid die Werthe 11,7, 7,2 und 12,2. Die starke Hydrolyse der Diazophenole tritt sehr deutlich hervor. Verfasser gelang es, aus dem Semichlorid, $COOH.C_6H_4N_2.C_6H_4CO_2N_2$, durch Silberoxyd die *freie Diazoanthranilsäure* in weifsen, glänzenden Nadeln zu erhalten. Es ist eine leicht zersetzliche, beim Reiben explodirende Verbindung. *Mr.*

A. **Hantzsch** und H. **Freese**. Ueber Thiodiazoverbindungen[1]). — Die Diazoäther, die ihrer Configuration nach Antidiazoverbindungen sind, sind von v. **Pechmann**[2]) und **Bamberger**[3]) zuerst dargestellt. Verfasser hofften bei den entsprechenden Thioäthern vielleicht zu der isomeren Classe der Syndiazoäther zu gelangen. Zu der Darstellung wurde die Einwirkung von Phenylmercaptan auf Diazoniumsalze benutzt: $RN_2Cl + NaSC_6H_5 = RN_2S.C_6H_5 + NaCl$. Die dargestellten Thioäther zeigen sämmtlich das Verhalten der Antiverbindungen, der Syntypus ist also auch hier wie bei den Sauerstoffäthern labil, nur bei dem Thioäther aus p-Chlordiazoniumchlorid wurde ein äufserst zersetzliches Product erhalten, welches wahrscheinlich eine Syndiazoverbindung darstellt. — Das Phenylmercaptan wurde nach der Methode von **Leuckart**[4]) gewonnen und in seine alkalische Lösung das Diazoniumsalz in Lösung eingetragen. *Diazobenzolthiophenyläther* zersetzt sich schon während der Reaction etwas unter Gasentwickelung, selbst wenn die Reaction bei — 5° geschieht. Aus der Aetherlösung hinterbleibt ein bei — 5° nicht erstarrendes, nicht vollkommen zu reinigendes Oel, das Stickstoff bei gewöhnlicher Temperatur entwickelt, kalt nicht mit β-Naphtol in Alkali- oder Alkohollösung kuppelt; ebenso tritt kein Kuppelungsvermögen nach dem Schütteln mit verdünnter Salzsäure ein. Concentrirte Salzsäure spaltet in die Componenten. *Anti-p-chlordiazobenzolthiophenyläther* wurde am p-Chlordiazoniumchlorid bei 0° gewonnen, wo ebenfalls schon geringe Zersetzung eintritt. Aus der absoluten Aetherlösung krystallisiren gelbe Blättchen, Schmelzp. 60 bis 61°. Leicht löslich in Aether und Benzol, schwerer in kaltem Alkohol. Verpufft beim Erhitzen auf dem Platinblech und mit heifsem Wasser. Kuppelt in der Kälte ebenfalls nicht. Der Thioäther wird nicht wie der

---

[1]) Ber. 28. 3237—3250. — [2]) Ber. 27, 572. — [3]) Daselbst, S. 1702. — [4]) J. pr. Chem. 41, 184.

Sauerstoffäther durch Eisessig verseift, ebenso verändert er sich in Berührung mit verdünnten Säuren nicht, concentrirte Säure spaltet dagegen in die Componenten. Natriumäthylat löst in der Kälte anscheinend ohne Zersetzung. Alkohol liefert beim Erwärmen bei 60 bis 61° unter N-Entwickelung p-Chlorphenylsulfid. Bei Temperaturen des Gefrierpunktes der Reactionsflüssigkeiten wurde ein primäres Product erhalten, das schon bei 0° sich vollständig zersetzte und sogar in feuchtem Zustande explodirte. Eine Reinigung dieses vermuthlichen, nicht kuppelnden Synkörpers war nicht möglich. Auch Salzsäuregas führt die Antiverbindung nicht in Syndiazo über, sondern bildet ein Additionsproduct in rothen, grün fluorescirenden Blättchen, das leicht seine Salzsäure unter Rückbildung von Antikörper verliert. *p-Bromdiazobenzolthiophenyläther*, $Br–C_6H_5N_2.S.C_6H_5$, bildet dunkel rothbraune Blättchen, Schmelzp. 44°, und ist zersetzlicher als die Chlorverbindung. Die noch zersetzlichere *Jodverbindung* ist ein nicht zu reinigendes explosives Oel. *o-Chlordiazobenzolthiophenyläther*, ebenfalls nur als Oel erhalten, entwickelt merkwürdiger Weise keinen Stickstoff bei der Darstellung. *o-p-Dichlordiazothiophenyläther*, sowie die analoge *Dijodverbindung* und *2,4,6-Tribromverbindung* sind ebenfalls nicht vollkommen rein zu erhalten. Im Gegensatz zu anderen Körperclassen zeigen in vorliegenden Fällen die Chlorverbindungen die höchsten Schmelzpunkte. *p-Nitrodiazobenzolthiophenyläther* ist ziemlich beständig, läfst sich aus lauwarmem Alkohol umkrystallisiren und wird in goldgelben Blättchen vom Zersetzungspunkt 96 bis 97° erhalten. Salzsäuregas bildet ein Additionsproduct. Brom und Jod wirken unter Spaltung ein, ebenso Chlorjod. Die Nitroverbindung ist sowohl aus dem Diazoniumsalz, wie auch aus dem Antinatriumsalz des p-Nitrodiazobenzols zu erhalten. *Diazosulfanilsäurethiophenyläther* konnte nur in Form seines gelbe Blättchen bildenden Natronsalzes isolirt werden. Die Auflösung des letzteren zersetzt sich bald unter Bildung von Phenylsulfid und Stickstoff neben anderen nicht isolirten Stoffen. Nur aus dem Synsalz der Diazosulfanilsäure konnte der Thioäther gewonnen werden, Antisalz reagirt überhaupt nicht mit Phenylmercaptan. — *Einwirkung von SH₂ auf Diazophenole*. Die freien Diazophenole werden in stark gekühlter Lösung mit H_2S gesättigt, bis die Flüssigkeit hellroth und klar erscheint und SH_2 dann durch CO_2 verdrängt; so wurden erhalten: p-OH $.C_6H_4N_2SH_2.H_2S$, *p-Diazophenolsulfhydratschwefelwasserstoff*, tiefrothe, sehr zersetzliche Nadeln, Schmelzp. 74 bis 75° (unter Zersetzung) und die analoge *o-Verbindung*, dunkelrothe Nadeln, Zersetzungspunkt 69 bis 70°. Die Körper zersetzen sich augenblicklich mit Alkalien unter Stickstoffentwickelung. *Mr.*

Eug. Bamberger und E. Kraus. Ueber Thiodiazoverbindungen [1]). — Durch das Erscheinen einer Abhandlung von Hantzsch und Freese [2]), in welcher die Producte der Einwirkung von Schwefelwasserstoff auf o- und p-Diazophenol beschrieben sind, veranlafst, veröffentlichen die Verfasser ihre schon seit längerer Zeit gemachten Erfahrungen über die Einwirkung von Schwefelwasserstoff auf das p-Nitrodiazobenzol, wobei dieselben zu besser charakterisirten Verbindungen gelangt sind und reichhaltigere Resultate erzielen konnten. Es sind drei schwefelhaltige Verbindungen erhalten worden. *Di-p-nitrophenyldiazosulfid,* $(NO_2.C_6H_4.N_2)_2S$, entsteht beim Einleiten von Schwefelwasserstoff in eine stark verdünnte Lösung von p-Nitrodiazobenzolchlorid, welche mit Natronlauge annähernd neutralisirt ist. Es fällt sogleich ein eigelber Niederschlag aus, der aus abgekühltem Aceton durch Ausspritzen mit Eiswasser in Form glänzender, schwefelgelber Nädelchen erhalten werden kann. Die getrocknete Substanz ist aufserordentlich explosiv schon beim Drücken und Reiben. Sie zeigt einen scharfen Verpuffungspunkt bei 89° und ist, mit Ausnahme von Aceton, in den meisten organischen Solventien ziemlich schwer löslich. Durch aromatische Kohlenwasserstoffe wird das Diazosulfid bereits in der Kälte unter Stickstoff- und Schwefelwasserstoffentwickelung zersetzt. Benzol erzeugt auf diese Weise Nitrodiphenyl, Toluol Nitrophenyltolyl: $(NO_2.C_6H_4.N_2)_2S$ + $(C_6H_6)_2 = (N_2)_2 + H_2S + 2(NO_2.C_6H_4.C_6H_5)$. Pyridin wirkt nach Art des Benzols ein und erzeugt p-Nitrophenylpyridin. Mit alkalischem α-Naphtol oder Resorcin zusammengebracht, zeigt das Diazosulfid typische Kuppelungsfarben. — *p-Nitrophenyldiazomercaptanhydrosulfid,* $NO_2.C_6H_4.N_2SH, H_2S$. Wird in eine verdünnte Lösung von Nitrodiazobenzolchlorid ohne Neutralisation unter Eiskühlung Schwefelwasserstoff eingeleitet, so scheidet sich ein orangegelber Niederschlag ab, der nach fünf- bis sechsstündigem Durchleiten des Gases roth wird. Der abgesogene Niederschlag löst sich in Ammoniak mit tief blutrother Farbe. Essigsäure fällt aus der filtrirten Lösung schön rothe, krystallinische Flocken, welche durch Krystallisiren aus heifsem Ligroin oder kaltem Aceton gereinigt werden können. Man erhält so prächtig ponceaurothe, metallisch glänzende Nadeln mit blauem Oberflächenschimmer, welche bei 86° unter Aufschäumen schmelzen

---

• [1]) Ber. **29**, 272—286. — [2]) Siehe vorstehendes Referat.

und zu einer hellgelben Masse erstarren. Die Substanz ist in
den gewöhnlichen Lösungsmitteln leicht löslich. Die Lösungen
zersetzen sich in der Wärme unter Gasentwickelung und Auf-
hellung der Farbe. Mol.-Gewicht gefunden 215, 224, 200,8, 198
(ber. 217). Alkalien und Ammoniak lösen den Körper mit tiefrother Farbe, Säuren scheiden denselben unverändert wieder ab.
Die alkalischen Lösungen kuppeln mit Phenolen weder für sich,
noch nach dem Ansäuern. Das Mercaptanhydrosulfid besitzt saure
Eigenschaften; es giebt mit Bleiacetat einen bronzeglänzenden,
mit Silbernitrat einen braunrothen, sich bald schwärzenden, mit
Mercurichlorid einen krystallinischen, hell orangegelben Niederschlag von der Zusammensetzung $C_6 H_4 N_3 S_2 Hg_{1,5} O_2$. Beim
Schmelzen zerfällt das Mercaptanhydrosulfid unter Bildung von
Schwefel, p-Nitranilin, p-Nitrophenylhydrazin und Dinitrodiphenyldisulfid. Die tiefrothe Lösung desselben in Ammoniak wird beim
Stehen an der Luft, schneller bei Durchsaugung eines Luftstromes
hellgelb unter Bildung von Dinitrodiphenyldisulfid und Abscheidung von Schwefel, in gleicher Weise wirkt alkoholische Jodlösung. Bei Einwirkung von Benzol in der Wärme bilden sich
aufser den Producten der oben erwähnten Schmelzprocesses auch
p-Nitrodiphenyl, bei Einwirkung von Toluol p-Nitrophenyltolyl. —
Di-p-nitrophenyldiazodisulfid, $NO_2.C_6H_4N_2.S.S.N_2.C_6H_4.NO_2$, entsteht bei längerer Einwirkung von Schwefelwasserstoff auf die
salzsaure Lösung von Nitrodiazobenzolchlorid. Dieser Körper und
das gleichzeitig entstandene, oben beschriebene Monosulfid können
durch ihre Unlöslichkeit in Ammoniak von dem Mercaptanhydrosulfid getrennt werden. Das Disulfid ist in Aceton wesentlich
leichter löslich als das Monosulfid und kann durch wiederholtes
Ausziehen des in Ammoniak unlöslichen Antheils mit ungenügenden
Mengen von Aceton und nachheriges Abscheiden durch Wasser
rein erhalten werden. Es ist nicht explosiv, bildet flimmernde,
hell schwefelgelbe Nädelchen oder Blättchen, die bei 120 bis 123°
unter Gasentwickelung schmelzen. Seine Lösungen zersetzen sich
beim Erwärmen unter Gasentwickelung, hierbei entsteht Dinitrodiphenyldisulfid. Siedendes Benzol veranlafst auch hier die Bildung von p-Nitrodiphenyl. Mit alkalischem α-Naphtol erzeugt es
zwar dunkle Färbungen, ohne indefs das charakteristische Violettroth der p-Nitrophenylazo-α-naphtollösungen mit hinreichender
Deutlichkeit erkennen zu lassen. Das primäre Einwirkungsproduct
von Schwefelwasserstoff auf p-Nitrodiazobenzol ist das Dinitro-
phenyldiazosulfid, welches durch weitere Einwirkung des Gases
einerseits in das Mercaptanhydrosulfid, andererseits in das Di-

sulfid übergeführt werden kann. Ueber die Constitutionsformeln der angeführten Verbindungen wird nichts Bestimmtes ausgesagt. Es wird vermuthet, dafs das Monosulfid der normalen Reihe angehört und dafs seine Constitution durch die Formel $NO_2.C_6H_4.N.S.N.C_6H_4NO_2$ wiederzugeben ist, während das Diazo
　　　　　　　　N　N

disulfid vielleicht den Isodiazoverbindungen zuzuzählen und als NO_2 $.C_6H_4.N:N.S_2.N:N.C_6H_4.NO_2$ zu formuliren sein dürfte. Das Mercaptanhydrosulfid ist vielleicht als ein disulfhydrirtes Nitrophenylhydrazin anzusehen: $\begin{array}{c} NO_2.C_6H_4.N.NH \\ \quad\quad\quad\quad .\;\; . \\ SH\,SH \end{array}$. Das Iso-p-nitrodiazobenzolhydrat, welches aus seinem Natriumsalz, dem „Nitrosaminroth", $NO_2.C_6H_4.N_2ONa + H_2O$, durch Essigsäure ausgefällt wurde, lieferte beim Einleiten von Schwefelwasserstoff bei niedriger Temperatur kein schwefelhaltiges Product, sondern wird zu p-Nitrophenylhydrazin und p-Nitranilin reducirt.　　　*Hr.*

　　A. Hantzsch und Benno Hirsch. Ueber intramolekulare Umlagerung von Diazoniumrhodaniden[1]). — *Benzoldiazoniumrhodanid*, $(C_6H_5-, NCS-)=N\,⫶\,N$, wurde aus einer kalten, absolut alkoholischen Lösung von Diazoniumchlorid durch Hinzufügen von Rhodankalium in demselben Lösungsmittel erhalten. Im Filtrat von Kaliumchlorid wird es durch viel Aether gefällt. Das dunkelgelbe Rhodanid explodirt bei dem Versuch, es zu filtriren, man decantirt daher und bereitet eine ziemlich beständige wässerige Lösung, die Rhodanreaction giebt und stark kuppelt. Zerfällt langsam in Phenol, Stickstoff und Rhodanwasserstoff. Zur Darstellung von *p-Chlordiazoniumrhodanid* mufs man von ganz reinem, neutral reagirendem Diazoniumchlorid, für dessen Bereitung Verfasser eine genaue Vorschrift geben, ausgehen. Dieses Rhodanid läfst sich absaugen und auf Thon pressen, ganz trocken zerfällt es unter Explosion. Es ist in Lösungsmitteln ziemlich schwer löslich, reagirt neutral und kuppelt sofort. Dieses Salz läfst sich nun leicht in *p-Rhodandiazoniumchlorid* durch Lösung in gewöhnlichem Alkohol und Versetzen mit etwas Salzsäure umlagern. Unter Verschwinden der Rhodanreaction tauschen Rhodan und Halogen ihre Plätze. Es ist schwach gelblich und an der Luft haltbar. Seine Lösung ist neutral und farblos. Das Salz sintert bei 104° und explodirt bei 110 bis 114° und ist viel leichter löslich als sein Isomeres. Das feste Salz zersetzt sich langsam, wobei der Geruch nach *Chlorrhodanbenzol* auftritt. Letztere Ver

---

[1]) Ber. 29, 947—952.

bindung entsteht aus vorgenanntem Salz auch durch Cu_2Cl_2; nachdem der Stickstoff unter Schäumen entwichen ist, filtrirt man und treibt p-Chlorrhodanbenzol mit Wasserdampf in weifsen Nadeln über. Aus Alkohol umkrystallisirt, schmelzen sie bei 35 bis 36⁰. Lösen sich nicht in Wasser und besitzen einen sehr die Augen angreifenden Geruch. *Mr.*

C. Bülow[1]) studirte das schon früher von Ladenburg[2]) untersuchte Verhalten des o-Nitro-p-phenylendiamins gegen salpetrige Säure und fand, dafs das von Ladenburg (l. c.) beobachtete braune, amorphe Pulver eine secundäre Erscheinung ist. — Wird o-Nitro-p-phenylendiamin als salzsaures Salz unter Zusatz eines starken Ueberschusses von Essigsäure in Wasser gelöst und bei 5 bis 10⁰ mit 20 proc. Nitritlösung behandelt, so erhält man die Diazoverbindung desselben, das *p-Amido-m-nitrodiazobenzol*, welches beim Behandeln mit einer sodaalkalischen Lösung von β-Naphtoldisulfosäure R, *(1)-Amido-(2)-nitrobenzol-(4)-azo-β-naphtoldisulfosäure*, einen in grünschillernden, nadelförmigen, im durchfallenden Licht dunkelblau erscheinenden Azofarbstoff liefert, der beim Diazotiren in schwach salzsaurer Lösung bei 10 bis 15⁰ mit einem kleinen Ueberschusse von Natriumnitrit einen in blaurothen, schwer löslichen Flocken sich abscheidenden Diazonitroazokörper giebt, welcher sich mit Aminen, Phenolen, Amidophenolen, deren Sulfosäuren und Carbonsäuren zu violetten, aber gegen Licht und chemische Reagentien unechten Tetrazofarbstoffen vereinigen läfst. p-Amido-m-nitrodiazobenzol und das p-amido-m-nitrobenzolazo-β-naphtoldisulfosaure Natrium lassen sich durch Aetzalkali in die entsprechenden, mit einer alkalischen Lösung von β-Naphtoldisulfosäure R nicht reagirenden Nitrosamine umwandeln, welche durch Mineralsäuren leicht wieder in die reactionsfähigen Diazoverbindungen zurück verwandelt werden. *Wt.*

R. Meldola und Fr. W. Streatfield. Untersuchung gemischter, eine Orthonitrogruppe enthaltender Diazoamide[3]). — Die Verfasser wiesen darauf hin, dafs das schon früher von ihnen[4]) dargestellte und beschriebene *Orthodinitrodiazoamidobenzol* sich anscheinend auf gewöhnlichem Wege nicht ätherificiren läfst und damit die erste Ausnahme von der von den Verfassern[5]) aufgestellten allgemeinen Regel für die Alkylirung der Diazoamide bildet. Im Weiteren zeigten die Verfasser dann noch, dafs das

[1]) Ber. 29, 2284. — [2]) JB. f. 1884, S. 675. — [3]) Chem. News 73, 129—130. — [4]) Chem. Soc. J. 65, 52. — [5]) Daselbst 49, 624; JB. f. 1896. S. 998 ff.

auf gewöhnlichem Wege aus dem o- und p-Nitranilin dargestellte gemischte *Diazoamid*, (o) NO_2–C_6H_4–N_3H–C_6H_4–NO_2 (p), goldgelbe, unter Zersetzung bei 192 bis 193° schmelzende Schuppen bildet und durch concentrirte Salzsäure bei gewöhnlicher Temperatur in die vier Producte, o- und p-Nitranilin und die beiden correspondirenden Diazochloride zersetzt wird. Durch Einwirkung von Jodäthyl auf das Kaliumsalz desselben in alkoholischer Lösung erhält man die Aethylverbindung in orangerothen, bei 177 bis 179° schmelzenden Nadeln. Die gleiche Verbindung entsteht auch durch Combinirung von diazotirtem o-Nitranilin mit Aethyl-p-nitranilin. Ihr Verhalten gegen Salzsäure bildet wieder die erste von den Verfassern beobachtete Ausnahme von der Regel, indem man hier nicht vier, sondern nur zwei Zersetzungsproducte, Aethyl-p-nitranilin und o-Nitrodiazobenzolchlorid, erhält.   *Wt.*

R. **Meldola** und Fr. W. **Streatfield**. Beziehung zwischen der Constitution und dem Schmelzpunkte des Allyl-p-dinitrodiazo-amidobenzols [1]). — Das *Allyl-p-dinitrodiazoamidobenzol* wurde durch Behandeln von p-Dinitrodiazoamidobenzol mit Allyljodid und Aetzkali in kleinen, bei 164 bis 165° schmelzenden Nadeln gewonnen. Da nun der Schmelzpunkt des p-Dinitrodiazoamido-benzols bei 236°, der des Methyl-p-dinitrodiazoamidobenzols bei 219°, der des Aethyl-p-dinitrodiazoamidobenzols bei 191 bis 192° und der des Benzyl-p-dinitrodiazoamidobenzols bei 190° liegt, so beträgt die durch die Einführung der Alkylgruppe in das p-Di-nitrodiazoamidobenzol hervorgerufene Schmelzpunktserniedrigung beim Methyl 17°, beim Aethyl 44° und beim Allyl 71° und die Differenz der Schmelzpunkte der Aethyl- und der Allylverbindung ist ganz dieselbe wie bei der Methyl- und der Aethylverbindung, sie beträgt nämlich 27°. Da die Benzylverbindung dieselbe Schmelz-punktserniedrigung aufweist, wie die Aethylverbindung, so scheint hiernach die Natur der in directer Verbindung mit dem Stickstoff-atom stehenden Gruppe von überwiegendem Einfluß, die mit dieser Gruppe verbundenen anderen Radicale, wie hier die Phenyl-gruppe in der Benzylgruppe, von untergeordnetem Einflusse auf die Schmelzpunktserniedrigung zu sein.   *Wt.*

R. **Gnehm** und L. **Benda**. Ueber die Einwirkung von Diazokörpern auf Tartrazin [2]). — Nach M. **Böniger** entstehen bei der Einwirkung von Diazokörpern auf *Tartrazin* sehr echt färbende Umwandlungsproducte. Fügt man zu einer kühl ge-haltenen Lösung von Tartrazin in Wasser und Natronlauge eine

---

[1]) Chem. News 73, 130. — [2]) Ber. 29, 2017—2019.

Lösung von diazotirtem, salzsaurem p-Nitranilin, so tritt lebhaftes
Schäumen ein. Beim Ansäuern nach längerem Stehen fällt ein
Niederschlag aus, der aus heifsem Wasser beim Abkühlen sich in
gelben Nädelchen abscheidet, die bei 260° noch nicht schmelzen,
am Platinblech erhitzt, jedoch unter starker Aufblähung verkohlen.
Sodalösung färbt die wässerige Lösung des Körpers schön roth.
Mit concentrirter Natronlauge übergossen, färbt sich die Substanz
rothbraun bis violett, ohne sich zu lösen. Wahrscheinlich bildet
sich dieser Körper durch Ersatz eines Phenylhydrazinsulfosäure-
restes im Tartrazin durch einen Rest des diazotirten Nitranilins.
Derselbe Körper $C_{16}H_{12}N_5O_9NaS$ bildet sich auch aus Dioxyweinsäure (1 Mol.), p-Nitrophenylhydrazin (1 Mol.) und p-Phenyl-
hydrazinsulfosäure (1 Mol.). *Sd.*

Farbwerke vorm. Meister, Lucius und Brüning in
Höchst a. M. Verfahren zur Darstellung von haltbaren Diazoverbindungen in concentrirter flüssiger oder fester Form [1]. — Die
Diazoverbindungen zeigen bei Anwesenheit von überschüssigen
Mengen Mineralsäure die bemerkenswerthe Beständigkeit, dafs
sich ihre derartigen Lösungen bei Temperaturen bis 45° im luft-
verdünnten Raume bis zur Trockne eindampfen lassen. Die Ent-
zündlichkeit beseitigt man durch Beimengen von unverbrennlichen
Mitteln, wie Schwefelsäure, Thonerde oder Natriumsulfat. *Sd.*

Fabriques de Produits Chimiques de Thann et de
Mulhouse in Thann und Ad. Feer. Verfahren zur Darstellung
haltbarer Diazosalze [2]. — Diazo- und Polyazosalze, welche nicht
nur haltbar, sondern auch genügend löslich sind, werden gewonnen, indem man Diazobasen mit Nitrobenzolsulfonsäure und
deren Homologen verbindet. Die Amine werden in möglichst
concentrirter Lösung mit Schwefelsäure diazotirt, ein Ueberschufs
der Säure mit Kreide entfernt und die abfiltrirte Lösung der
Diazosulfate mit einer concentrirten Auflösung von nitrobenzol-
sulfonsaurem Natron versetzt. Das neue Diazosalz fällt meist
sofort krystallinisch aus; die Fällung kann durch Salzzusatz vervollständigt werden. Nach dem Abfiltriren werden die Diazosalze
bei 40 bis 50° getrocknet. Die *Diazosalze der Nitrobenzolsulfonsäure* sind weifse, schön krystallinische Körper. *Sd.*

E. Froehlich. Verfahren zur Darstellung [von Doppelverbindungen des Chlorjods mit Diazokörpern [3]. — Bei der Einwirkung von Chlorjod oder Chlorjodsalzsäure auf Diazokörper

---

[1] Patentbl. 2, 183; D. R.-P. Nr. 85387 vom 28. Oct. 1894. — [2] Ber. 29,
Ref. 1025; D. R.-P. Nr. 88949. — [3] Ber. 29, Ref. 746; D. R.-P. Nr. 87970.

entstehen meist gelb gefärbte, krystallinische Doppelverbindungen, welche als pharmaceutische Producte verwendet werden sollen. Sie sind vollständig geruchlos und zerlegen sich bei längerer Berührung mit Wasser unter Jodabscheidung und Bildung von Phenolen. Aus Diazotoluolchlorid erhält man so einen im trockenen Zustande sehr beständigen, nicht explosiven Körper, der bei 110° unter Zersetzung schmilzt, aus Alkohol in goldgelben Nadeln krystallisirt und mit Wasser sich allmählich unter Bildung von Jod, Kresol und Jodkresol zersetzt. Mit Wasser gekocht, tritt diese Zersetzung momentan ein. Alle bisher dargestellten *Chlorjoddiasochloride* sind hellgelbe, fein krystallinische Pulver; nur die Chlorjoddoppelverbindung der o-Diazobenzoësäure krystallisirt in bräunlichgelben Blättern.   *Sd.*

Farbwerke vorm. Meister, Lucius und Brüning in Höchst a. M. Verfahren zur Darstellung beständiger Chlorzinkdoppelsalze der Diazo- beziehungsweise Tetraazoverbindungen von Amidoazokörpern [1]). — Die Diazo- sowie die Tetraazoverbindungen von Amidoazo- und Diamidoazokörpern bilden mit Chlorzink gut haltbare, braune, krystallinische Doppelsalze, welche in Wasser leicht, in verdünnter oder concentrirter Salzsäure schwer beziehungsweise unlöslich sind. Ihre wässerigen Lösungen werden durch Natriumacetat nicht gefällt, dagegen von Ammoniak und Alkalien. Im letzteren Falle tritt Zersetzung ein.   *Sd.*

Azofarbstoffe.

Die Actien-Gesellschaft für Anilin-Fabrikation in Berlin [2]) benutzt in ihrem „Verfahren zur Darstellung von Polyazofarbstoffen aus dem primären Disazofarbstoff aus p-Phenylendiamin und Amidonaphtoldisulfosäure H" die Fähigkeit dieses (durch Kuppelung von 1 Mol. der Disulfosäure mit 2 Mol. p-Nitrodiazobenzl und Reduction der Nitrogruppen, oder durch Combination von 1 Mol. der Disulfosäure mit 2 Mol. diazotirtem Acetyl-p-phenylendiamin und Verseifung der Acetylgruppen darstellbaren) Disazofarbstoffs:

$$(NH_2)C_6H_4N=N- \underset{6}{\overset{OH \ NH_2}{\underset{SO_3H}{\overset{8 \quad 1}{\bigcirc\bigcirc}}}} \overset{3}{\underset{SO_3H}{}} -N=NC_6H_4(NH_2)$$

---

[1]) Ber. **29**, Ref. 1027; D. R.-P. Nr. 89437. — [2]) D. R.-P. Nr. 84390 vom 21. Februar 1895; Ber. **29**, Ref. 61.

vermöge seiner Amidogruppen eine *Tetrazo*verbindung zu bilden und aus dieser dann durch Combination mit *2 Mol.* eines Amins, Phenols oder Amidophenols eine Reihe von Polyazofarbstoffen zu erzeugen. Der auf diesem Wege durch Combination der Tetrazoverbindung mit 2 Mol. m - Toluylendiamin erhältliche Farbstoff färbt ungebeizte Baumwolle in tiefschwarzen Tönen von grofser Intensität und Lichtbeständigkeit. Der entsprechende β-Naphtolfarbstoff färbt Baumwolle schwarzblau. *Ca.*

Dieselbe [1]) fand sodann, dafs sich *Polyazofarbstoffe* auch in der Weise darstellen lassen, dafs man in dem primären Disazofarbstoff der vorstehenden Constitutionsformel [2]) zunächst nur *eine* Amidogruppe diazotirt und die so erhaltene *Diazo*verbindung mit je 1 Mol. eines Amins, Phenols oder Amidophenols combinirt. Bei Anwendung von m - Toluylendiamin . als endständige Componente entsteht ein Farbstoff, der ungebeizte Baumwolle echt grau bis schwarz färbt, der entsprechende β-Naphtoltrisazofarbstoff färbt Baumwolle bläulichschwarz. *Ca.*

Dieselbe [3]) beschrieb ferner unter dem Titel „Verfahren zur Darstellung direct färbender Polyazofarbstoffe aus primären Disazofarbstoffen" eine Neuerung in dem vorstehenden Verfahren des Patentes Nr. 84390, darin bestehend, dafs man in dem dort angewandten primären Disazofarbstoff aus p-Phenylendiamin und Amidonaphtoldisulfosäure „H" letztere durch die entsprechende Dioxynaphtalindisulfosäure ersetzt und im Uebrigen wie früher verfährt. Die durch schliefsliche Combination mit 2 Mol. m-Toluylendiamin, beziehungsweise β-Naphtol, erhaltenen Farbstoffe erzeugen auf ungebeizter Baumwolle im Salz- oder Seifenbade intensiv grünlichschwarze Töne von bemerkenswerther Echtheit. *Ca.*

Dieselbe [4]) ersetzte den in ihrem Verfahren ursprünglich angewandten Disazofarbstoff aus p-Phenylendiamin und der Amidonaphtoldisulfosäure „H" durch den isomeren Farbstoff, den man in analoger Weise aus der α_1-α_4-Amidonaphtol-α_2-monosulfosäure durch Combination mit den Diazoverbindungen von je 1 Mol. p-Nitranilin und p-Nitranilinsulfosäure und darauf folgender Reduction der beiden Nitrogruppen zu Amidogruppen darstellt. Wird nun dieser Disazofarbstoff in seine Tetrazoverbindung übergeführt und dann in alkalischer Lösung mit *2 Mol.* m-Toluylen-

[1]) D. R.-P. Nr. 84659 vom 2. Juni 1895; Patentbl. 1896, S. 75 (Ausz.). — [2]) D. R.-P. Nr. 84390. — [3]) D. R.-P. Nr. 86199 vom 23. März 1895 (erster Zusatz zu D. R.-P. Nr. 84390); Ber. 29, Ref. 465. — [4]) D. R.-P. Nr. 86915 vom 11. April 1895 (zweiter Zusatz zu D. R.-P. Nr. 84390); Ber. 29, Ref. 572.

diamin combinirt, so entsteht ein Farbstoff, der auf ungebeizter Baumwolle im Salz- oder Seifenbade intensiv schwarze und echte Färbungen erzeugt.. *Ca.*

Dieselbe [1]) ersetzte ferner die Amidonaphtoldisulfosäure „H" ihres ursprünglichen Verfahrens durch die entsprechende α_1-α_4-Di-amidonaphtalin-β_2-β_3-disulfosäure, stellte aus dieser in der oben [2]) beschriebenen Weise den analogen p-Phenylendiamindisazofarbstoff dar und combinirte dann dessen Tetrazoverbindung mit *2 Mol.* m-Toluylendiamin beziehungsweise β-Naphtol. Der so erhaltene Polyazofarbstoff aus m-Toluylendiamin färbt ungebeizte Baum-wolle intensiv und echt schwarz; der β-Naphtolfarbstoff färbt schwärzlichblau. *Ca.*

Dieselbe [3]) beschrieb einen weiteren Ersatz der α_1-α_4-Amido-naphtoldisulfosäure „H" in dem von ihr ursprünglich angewandten p-Phenylendiamindisazofarbstoff durch die isomere α_1-α_4-Amido-naphtol-α_2-β_3-disulfosäure. Im Uebrigen blieb das Verfahren un-geändert. Der durch Combination mit *2 Mol.* m-Toluylendiamin erhaltene Farbstoff färbt ungebeizte Baumwolle in tiefschwarzen Tönen, die sich durch gröfsere Intensität und Echtheit vor denen des ursprünglichen Verfahrens auszeichnen. Der entsprechende β-Naphtolfarbstoff färbt Baumwolle schwarzblau. *Ca.*

Dieselbe [4]) wandte an Stelle der in den vorstehenden Ver-fahren benutzten primären Disazofarbstoffe den in analoger Weise aus der β_1-β_2-Amidonaphtol-β_3-monosulfosäure durch Combination mit je 1 Mol. p-Nitranilin und p-Nitranilinsulfosäure und darauf folgender Reduction der Nitrogruppen dargestellten Farbstoff an. Der aus dessen Tetrazoverbindung und *2 Mol.* m-Toluylendiamin erhaltene Farbstoff färbt ungebeizte Baumwolle im Salz- oder Seifenbade intensiv blauschwarz. *Ca.*

Dieselbe [5]) patentirte ein Verfahren zur Darstellung von Triamidobenzolazonaphtalinen, darin bestehend, dafs man die aus p-Nitrodiazobenzol und dem α_1-α_4- oder α_1-α_3-Naphtylendiamin in salzsaurer oder essigsaurer Lösung entstehenden Nitrodiamido-monoazofarbstoffe mit Schwefelnatrium in alkoholischer Lösung bis zur völligen Reduction ihrer Nitrogruppe behandelt. Die so erhaltenen Triamidoderivate des Benzolazonaphtalins sind di-

---

[1]) D. R.-P. Nr. 87023 vom 23. März 1895 (dritter Zusatz zu D. R.-P. Nr. 84390); Ber. 29, Ref. 572. — [2]) Vgl. D. R.-P. Nr. 84390. — [3]) D. R.-P. Nr. 87024 vom 16. Juni 1895 (vierter Zusatz zu D. R.-P. Nr. 84390); Ber. 29, Ref. 573. — [4]) D. R.-P. Nr. 88848 vom 11. April 1895 (fünfter Zusatz zu D. R.-P. Nr. 84390); Ber. 29, Ref. 1028. — [5]) D. R.-P. Nr. 84657 vom 25. Aug. 1894; Patentbl. 1896, S. 75 (Ausz.).

azotirbar und können daher zur Darstellung neuer Azofarbstoff-
combinationen dienen. An sich färben sie Wolle rothbraun und
tannirte Baumwolle blauschwarz.   *Ca.*

Dieselbe [1]) beschrieb ein Verfahren zur Darstellung gelber
beizenfärbender Azofarbstoffe aus Amidophenoläthern und Salicylsäure, bestehend in der Einwirkung der Diazoverbindungen der
Amidophenol- und Kresoläther auf die äquimolekulare Menge
Salicylsäure in ätzalkalischer Lösung. Auf chromgebeizter Wolle
erzeugt z. B. der Farbstoff aus m-Amido-p-kresoläther ein reines,
kräftiges und lebhaftes Gelb.   *Ca.*

Die Farbwerke vorm. Meister, Lucius und Brüning in
Höchst a. M.[2]) beschrieben ein „Verfahren zur Darstellung gelber
bis rother Azofarbstoffe aus der m-Nitranilinsulfosäure", bestehend
in der Combination der Diazoverbindung dieser Säure[3]) mit Oxy-,
Amido- oder Amidoxyderivaten des Benzols, Naphtalins und ihren
Abkömmlingen. Der z. B. aus der Combination mit der Amidonaphtolsulfosäure „G" entstehende Azofarbstoff färbt Wolle
bläulichroth, ist alkaliecht und besitzt ein gutes Egalisirungsvermögen.   *Ca.*

Dieselben beschrieben ein Verfahren zur Darstellung von
Baumwolle direct färbenden Polyazofarbstoffen mittelst α_1-α_4-Di-
oxynaphtalinsulfosäuren[4]), das im Wesentlichen in der Anhäufung
von Azogruppen im Farbstoffmolekül durch die Vereinigung von
je zwei, unter sich verschiedenen, primären Disazofarbstoffen
mittelst der Diphenylbindung besteht. Zur Erreichung dieses
Zweckes gelangen einerseits Tetrazoverbindungen der Diphenyl-
basen (z. B. Tetrazodiphenyl) und andererseits je eine Monoazo-
farbstoffcombination eines Metadiamins (z. B. Chrysoïdinsulfosäure)
und einer α_1-α_4-Dioxynaphtalinsulfosäure (Dioxynaphtalinmonosulfosäure „S" oder „Chromotropsäure") als Farbstoffcomponenten
zur Verwendung. Die Reihenfolge der Combinationen läfst sich
in mehrfacher Weise abändern, je nachdem man die Tetrazoverbindungen auf die fertigen Monoazofarbstoffe oder auf deren
Dioxynaphtalin- und Metadiamincomponenten in erster Stelle zur
Einwirkung bringt. So erhält man z. B. denselben Farbstoff, wenn
man zuerst 1 Mol. Tetrazodiphenyl und 1 Mol. des durch Einwirkung von diazotirter Sulfanilsäure auf Dioxynaphtalinmonosulfosäure „S" erhältlichen Monoazofarbstoffs zu einem sogenannten

---

[1]) D. R.-P. Nr. 84772 vom 15. März 1895; Patentbl. 1896, S. 91 (Ausz.).
— [2]) D. R.-P. Nr. 89091; Ber. 29, Ref. 1029. — [3]) Nietzki und Helbach,
Ber. 29, 2448—2450. — [4]) D. R.-P. Nr. 84292 vom 28. August 1894; Patentbl.
1896, S. 90 (Ausz.).

„Zwischenproducte" combinirt und dann dessen noch freie Diazogruppe auf 1 Mol. der Sulfanilsäurecombination des m-Phenylendiamins einwirken läfst, oder wenn man schliefslich 2 Mol. diazotirte Sulfanilsäure mit dem gemischten Azofarbstoffe aus 1 Mol.
Tetrazodiphenyl und je 1 Mol. Dioxynaphtalinsulfosäure und
m-Phenylendiamin vereinigt. Die so erhaltenen Farbstoffe färben
ungebeizte Baumwolle in braunen bis schwarzen, lichtbeständigen
Nüancen.   *Ca.*

Dieselben [1]) beschrieben als weitere Ausführungsformen ihres
vorstehenden Verfahrens [2]) eine Reihe von Combinationen, in denen
die Tetrazoverbindungen des Benzidins und Tolidins einerseits,
und die Diazoverbindungen der Sulfanilsäure, Naphtionsäure und
Amidonaphtolmonosulfosäure „G" andererseits (in ihren Combinationen mit der Chromotropsäure bezw. Dioxynaphtalinmonosulfosäure „S" und dem m-Phenylendiamin bezw. m-Toluylendiamin)
als Farbstoffcomponenten genannt werden.   *Ca.*

Die Actien-Gesellschaft für Anilin-Fabrikation in
Berlin [3]) hat ein Verfahren zur Darstellung eines Baumwolle direct
färbenden Disazofarbstoffs beschrieben, darin bestehend, dafs man
entweder 2 Mol. p-Nitrodiazobenzol mit 1 Mol. β_1-β_2-Naphtylen-
diamin-β_3-sulfosäure combinirt und dann die Nitrogruppen des so
entstandenen Farbstoffs durch Schwefelnatrium reducirt, oder dafs
man 2 Mol. diazotirtes Acetyl-p-phenylendiamin mit 1 Mol. der
Naphtylendiaminsulfosäure combinirt und dann die Acetylgruppen
durch Kochen mit Alkalien oder Säuren abspaltet. Der Farbstoff
färbt ungebeizte Baumwolle rothviolett, ist für sich und auch auf
der Faser diazotirbar und kann somit durch weitere Combination
mit Aminen und Phenolen in blaue bis schwarze Farbstoffe von
grofser Intensität und Echtheit übergeführt werden.   *Ca.*

Dieselbe [4]) beschrieb ein Verfahren zur Darstellung sub-
stantiver Disazofarbstoffe aus β_1-β_2-Diamido-α_4-naphtol-β_3-sulfo-
säure, bestehend in der Combination dieser Säure [5]), in saurer
oder alkalischer Lösung, mit den üblichen Tetrazoverbindungen
aus Paradiaminen zu einfachen oder gemischten Disazofarbstoffen.
Das z. B. aus 1 Mol. Tetrazodiphenyl und 1 Mol. Naphtionsäure
dargestellte Zwischenproduct liefert bei weiterer Combination mit
der Diamidonaphtolsulfosäure einen rothen Farbstoff. Die ein-

[1]) D. R.-P. Nr. 84658 v. 30. Oct. 1894; Patentbl. 1896, S. 91 (Ausz.). —
[2]) D. R.-P. Nr. 84292. — [3]) D. R.-P. Nr. 84461 v. 25. Oct. 1894; Patentbl.
1896, S. 29 (Ausz.). — [4]) D. R.-P. Nr. 86200; Patentbl. 1896, S. 349 (Ausz.).
— [5]) D. R.-P. Nr. 86448; Ber. 29, Ref. 461.

fachen Benzidinfarbstoffe färben ungeheizte Baumwolle violett.
Die Färbungen sind intensiv, wasch- und lichtecht.   *Ca.*

Leopold Cassella u. Co.[1]) beschrieben ein Verfahren zur
Darstellung von Disazofarbstoffen aus Phenyl-γ-amidonaphtolsulfo-
säure, darin bestehend, dafs Tetrazokörper mit 1 Mol. dieser Säure
und 1 Mol. der Sulfo- oder Carbonsäure eines Amins oder Phenols
verbunden werden. Als Componenten dieser gemischten Azofarbstoffe werden einerseits die Diazoverbindungen von Benzidin,
Tolidin und Dianisidin, und andererseits (aufser der Phenyl-
γ-amidonaphtolsulfosäure) Salicylsäure, Naphtionsäure, α_1-α_2-
Naphtolsulfosäure, sowie γ-Amidonaphtolsulfosäure und Amidonaphtoldisulfosäure „H" namentlich erwähnt. Die Farbstoffe färben
ungebeizte Baumwolle in dunkelbraunen bis schwarzblauen Tönen
von grofser Intensität und Lichtechtheit.   *Ca.*

Dieselben[2]) patentirten ein Verfahren zur Darstellung von
gemischten Disazofarbstoffen aus Amidonaphtol, darin bestehend,
dafs 1 Mol. Tetrazoditolyl oder Tetrazodiphenoläther mit 1 Mol.
der α_1-α_4-Amidonaphtol-[β_2-β_3- oder β_1·α_2-]disulfosäure und mit
1 Mol. Amidonaphtol[3]) in alkalischer Lösung combinirt wird. An
Stelle der Amidonaphtoldisulfosäuren können auch die entsprechenden Dioxynaphtalindisulfosäuren verwendet werden. Die
so erhaltenen Farbstoffe erzeugen auf ungebeizter Baumwolle
blaue bis blauschwarze Färbungen von grofser Licht- und Wasch-
echtheit, die sich durch weiteres Diazotiren und Combiniren auf
der Faser zu intensiveren Nüancen entwickeln lassen.   *Ca.*

Kalle u. Co. in Biebrich a. Rh.[4]) beschrieben ein Verfahren
zur Darstellung von secundären Disazofarbstoffen, welche α_1-β_4-
Naphtylenaminsulfosäure in Mittelstellung enthalten und sich von
den in ihrer[5]) früheren Patentschrift, D. R.-P. Nr. 73901, beschriebenen Farbstoffen derselben Gruppe durch gröfsere Echtheit
unterscheiden. Das frühere Verfahren bestand darin, dafs man
zuerst diazotirte Naphtionsäure mit der α_1-β_4-Naphtylaminsulfo-
säure[6]) combinirte, darauf den so entstandenen Amidoazokörper
diazotirte und diese Diazoazoverbindung schliefslich mit α- oder
β-Naphtylamin oder deren Derivaten, z. B. Phenyl-α-naphtylamin,

---

[1]) D. R.-P. Nr. 84859 v. 2. Juni 1894; Patentbl. 1896, S. 91 (Ausz.). —
[2]) D. R.-P. Nr. 84610 v. 13. Novbr. 1894; Patentbl. 1896, S. 75 (Ausz.). —
[3]) α_1-β_4-Amidonaphtol aus der Cleve'schen ϑ-Naphtylaminmonosulfosäure
durch Alkalischmelze. D. R.-P. Nr. 69458; Ber. 26, Ref. 848. — [4]) D. R.-P.
Nr. 84460 v. 10. December 1891; Patentbl. 1896, S. 29 (Ausz.). — [5]) D. R.-P.
Nr. 73901; Ber. 27, Ref. 480. — [6]) Cleve'sche ϑ-Naphtylaminsulfosäure.
Ber. 19, 2179; 21, 3276.

zu schwarzen Disazofarbstoffen vereinigte. In dem neueren Verfahren treten anderweitige unsulfonirte und sulfonirte Diazokörper an die Stelle der diazotirten Naphtionsäure, und die endständigen Amine werden durch Phenole, wie β-Naphtol, oder durch Naphtol- und Amidonaphtolsulfosäuren ersetzt. Auch wendet man in erster Stelle Diazocarbonsäuren an und combinirt schlieſslich mit Phenolen oder Aminen.   *Ca.*

Zur Darstellung von neuen Trisazofarbstoffen haben die Farbwerke vorm. Meister, Lucius u. Brüning in Höchst a. M.[1]) ein Verfahren beschrieben, das sich auf die Anwendung der *Dioxynaphtalinmonosulfosäure „S"* [2]) stützt und im Wesentlichen darin besteht, daſs man zuerst aus gleichen Molekülen dieser Säure und einer Diazoverbindung, z. B. der Diazonaphtionsäure, einen Monoazofarbstoff darstellt und diesen dann mit 1 Mol. eines Tetrazokörpers, z. B. Tetrazodiphenyl, zu einem „Zwischenproducte" combinirt, das vermöge seiner noch freien Diazogruppe von Neuem mit 1 Mol. eines Phenols u. s. w., z. B. mit 1 Mol. der Amidonaphtoldisulfosäure „H" [3]), zu dem gewünschten Trisazofarbstoff combinirt werden kann. In diesem Verfahren läſst sich die Operationsfolge auch in der Weise abändern, daſs man zuerst aus 1 Mol. der Tetrazoverbindung und 1 Mol. des betreffenden Phenols u. s. w. ein „Zwischenproduct" darstellt und dieses dann mit 1 Mol. des aus der Dioxynaphtalinmonosulfosäure „S" gebildeten Monoazofarbstoffs vereinigt, oder daſs man zuerst aus der Tetrazoverbindung und je 1 Mol. der Dioxynaphtalinmonosulfosäure „S" und eines Phenols (z. B. der Amidonaphtoldisulfosäure „H") einen Disazofarbstoff herstellt und auf diesen „gemischten" Azofarbstoff dann 1 Mol. einer Diazoverbindung einwirken läſst.   *Ca.*

Leopold Cassella u. Co. in Frankfurt a. M.[4]) beschrieben ein Verfahren zur Darstellung von Polyazofarbstoffen aus γ-Amidonaphtolsulfosäure, darin bestehend, daſs Tetrazoverbindungen der Paradiamine zuerst mit 1 Mol. der γ-Säure in alkalischer Lösung zu einem Zwischenkörper combinirt werden, der in Folge seiner freien Amidogruppe noch einmal diazotirt und in die Tetrazoazoverbindung der allgemeinen Formel:

$$P<^{N=N-C_{10}H_4(OH.SO_3H)N=N-}_{N=N-}$$

---

[1]) D. R.-P. Nr. 88391 vom 1. December 1893; Ber. 29, Ref. 892. — [2]) (1:8:4) D. R.-P. Nr. 67829; Ber. 26, Ref. 520. — [3]) (1:8:3:6) D. R.-P. Nr. 67062; Ber. 26, Ref. 460. — [4]) D. R.-P. Nr. 86110 vom 29. April 1894; Patentbl. 1896, S. 309 (Ausz.).

übergeführt werden kann. Diese schon früher [1] beschriebenen
Verbindungen werden nun wiederum in alkalischer Lösung mit
1 Mol. der γ-Säure combinirt und die jetzt entstandenen Zwischenkörper:

$$P<^{N=N-C_{10}H_4(OH.SO_3H)N=N-C_{10}H_4(OH.SO_3H)NH_2}_{N=N-}$$

entweder direct oder nach nochmaliger Diazotirung mit Phenolen
oder Aminen gepaart. Die hier besonders namhaft gemachten
Paradiamine sind: p-Phenylendiamin, Diamidodiphenylamin, Benzidin, Tolidin, Diamidoäthoxydiphenyl und Diamidodiphenoläther.
Als letzte Componenten werden m-Phenylendiamin oder m-Toluylendiamin angewendet. Die so erzeugten Polyazofarbstoffe färben
ungebeizte Baumwolle direct schwarz. Die Färbungen sind in
Folge der Häufung von Azogruppen intensiver als die bisherigen
und durchweg sehr wasch- und lichtecht.   *Ca.*

    Kalle u. Co. in Biebrich a. Rh. [2] beschrieben ein Verfahren
zur Darstellung von Trisazofarbstoffen der allgemeinen Formel:

$$P<^{N=N-R<^{OH}_{NH_2}}_{N=N-R<^{N\\_{\|}^{N}}_{OH}}$$

darin bestehend, daß man aus denselben oder aus ungleichartigen
Amidonaphtolen, beziehungsweise deren Sulfosäuren, durch paar-
weise Combination die entsprechenden Monoazofarbstoffe darstellt
und diese dann im Verhältnifs von 1 Mol. : 1 Mol. mit der Tetrazoverbindung eines p-Diamins combinirt. Die so dargestellten Farbstoffe färben Baumwolle ohne Beize, Wolle in saurem oder Salz-
bade, und erzeugen echte graublaue bis blauschwarze Nüancen.
Vermöge ihrer noch freien, diazotirbaren Amidogruppe lassen sie
sich auf der gefärbten Faser oder an sich in anderweitige Polyazofarbstoffe überführen.   *Ca.*

    K. Oehler in Offenbach a. M. [3] patentirte ein Verfahren zur
Darstellung von korinth- und bordeauxrothen Trisazofarbstoffen,
bestehend in der Combination von Diazonaphtionsäure mit den
gemischten Disazofarbstoffen aus 1 Mol. Benzidin (oder Tolidin),
1 Mol. Amidophenol- oder Kresolsulfosäure III [4] und 1 Mol.

---

[1] D. R.-P. Nr. 67104; Ber. 26, Ref. 423. — [2] D. R.-P. Nr. 86198 vom
17. Februar 1895; Patentbl. 1896, S. 327 (Ausz.). — [3] D. R.-P. Nr. 86009
vom 23. October 1894 (Zusatz zu D. R.-P. Nr. 71182; Ber. 26, Ref. 1028);
Patentbl. 1896, S. 308 (Ausz.). — [4] Aus Anilin- bezw. p-Toluidindisulfosäure
durch Alkalischmelze. D. R.-P. Nr. 74111; Ber. 27, Ref. 530.

m-Phenylendiamin, beziehungsweise Resorcin, entsprechend dem Schema:

Benzidin $<$ Azo-amidophenol(-kresol-)sulfosäure III / Azo-m-phenylendiamin (Resorcin) $+$ Diazonaphtionsäure. *Ca.*

Die **Manufacture Lyonnaise de Matières Colorantes** [1]) beschrieb ein „Verfahren zur Darstellung von braunen Beizenfarbstoffen", die zweimal den Salicylsäure- (oder Nitrosalicylsäure-) rest enthalten, darin bestehend, dafs man entweder a) 2 Mol. der durch Diazotiren von Azokörpern der allgemeinen Formel:

$$C_6H_2 \begin{cases} OH\,(1) \\ COOH\,(2) \\ N{=}N\,(4){-}XNH_2 \end{cases}$$

(worin X den Rest von α-Naphtylamin und dessen β_3- oder β_4-Sulfosäuren, oder von Anilin, p-Xylidin oder p-Amidokresoläther bedeutet) oder 2 Mol. der durch Diazotiren der entsprechenden Azoderivate der Nitroamidosalicylsäure entstehenden Diazoverbindungen auf 1 Mol. m-Phenylendiamin (oder m-Toluylendiamin) einwirken läfst, oder dafs man b) 1 Mol. der obigen diazotirten Azokörper mit 1 Mol. der durch Kuppelung von Diazosalicylsäure (oder Diazonitrosalicylsäure) mit m-Phenylendiamin (oder m-Toluylendiamin) erzeugten Monoazoverbindungen combinirt. *Ca.*

Die **Gesellschaft für chemische Industrie in Basel** [2]) beschrieb ein Verfahren zur Darstellung von schwarzen Polyazofarbstoffen aus Dioxynaphtoëmonosulfosäure, darin bestehend, dafs man zuerst durch Combination von 1 Mol. einer Tetrazoverbindung (z. B. Tetrazodiphenyl) mit 1 Mol. Dioxynaphtoëmonosulfosäure [3]) ein Zwischenproduct darstellt und dieses dann in alkalischer Lösung mit 1 Mol. einer Amidonaphtolsulfosäure (z. B. β_1-α_4-Amidonaphtol-β_2-β_3-disulfosäure) zu einem Disazofarbstoff vereinigt, der vermöge seiner noch freien Amidogruppe weiter diazotirt und schliefslich mit einem Amin oder Phenol (z. B. mit m-Phenylendiamin) zu einem ungebeizte Baumwolle schwarz färbenden Trisazofarbstoff combinirt werden kann. Zur Verwendung gelangen die Tetrazoverbindungen des Benzidins, Aethoxybenzidins, Tolidins und Dianisidins, sowie die Amidooxynaphtoëmonosulfosäure [4]) und die Amidonaphtolsulfosäuren der Patentschriften Nr. 53 076 [5]), 53 023 [6]) und 67 062 [7]). *Ca.*

---

[1]) Monit. scientif. [4] 10, 135 (Brevets); Franz. Pat. Nr. 258834 (Ausz.) — [2]) D. R.-P. Nr. 84 546 vom 11. März 1894 (Zusatz zu D. R.-P. Nr. 75258; Ber. 27, Ref. 821); Patentbl. 1896, S. 30 (Ausz.). — [3]) Sogenannte „Nigrotinsäure". D. R.-P. Nr. 67000; Ber. 26, Ref. 1119. — [4]) D. R.-P. Nr. 69740; Ber. 26, Ref. 1121. — [5]) Amidonaphtolsulfosäure „G". — [6]) Aus β-Naphtylamintrisulfosäure. — [7]) Amidonaphtoldisulfosäure „H".

P. Becker. Verfahren zur Darstellung beständiger naphtalinsulfosaurer Tetrazosalze [1]). — Man kann diese Verbindungen [2])
auch so gewinnen, dafs man die Tetrazochloridlösung direct in
die verdünnte Naphtalinsulfoschmelze giefst, wobei die Körper
dann in gröfster Reinheit krystallinisch ausfallen.   *Sd.*

Tetrazoverbindungen (z. B. Tetrazodiphenylchlorid) lassen sich
nach M. Lange [3]) zu gleichen Molekülen mit der Diazoverbindung
eines Amidonaphtols oder einer Amidonaphtolsulfosäure (z. B. mit
diazotirter Amidonaphtolsulfosäure G) in neutraler oder alkalischer
Lösung zu Zwischenproducten combiniren, die noch zwei Diazogruppen enthalten und daher durch weitere Kuppelung mit aromatischen Aminen, Phenolen und Amidonaphtolen zur Darstellung
von rothbraunen bis blauvioletten Farbstoffen verwendbar sind. *Ca.*

Die Badische Anilin- und Soda-Fabrik in Ludwigshafen a. Rh. [4]) gründete ein Verfahren zur Darstellung von Azofarbstoffen der Benzidinreihe aus Monoazofarbstoffen auf die neue
und technisch wichtige Beobachtung, dafs sich je 2 Mol. der einfachen (von Aminen der Benzolreihe mit freier Parastellung abgeleiteten) Azofarbstoffe bei geeigneter Oxydation durch Diphenylbindung zu Congoroth, Chrysamin, Benzopurpurin, Azoblau u. s. w.
mit einander verketten lassen. So entsteht z. B. das bisher nur
aus Tetrazodiphenyl und Naphtionsäure darstellbare *Congoroth,*
wenn man den aus Diazobenzol und Naphtionsäure erhältlichen
Monoazofarbstoff in concentrirter Schwefelsäure löst und unter 20
bis 25⁰ mit Braunstein oxydirt, bis sich der Farbenumschlag von
Roth in Blau vollzogen hat. Dann giefst man auf Eis, wobei sich
die Farbstoffsäure abscheidet. In analoger Weise wirken andere
Oxydationsmittel, z. B. Ammoniumpersulfat oder Bleisuperoxyd.
Zunächst ist die einer ausgedehnten Anwendung fähige Reaction
bei einer Reihe von *Monoazofarbstoffen* erprobt worden, die einerseits
von den Diazoverbindungen des Anilins, o-Toluidins und o-Anisidins
und andererseits von Salicylsäure oder von α- und β-Naphtol-,
Naphtylamin- und Dioxynaphtalinsulfosäuren sich ableiten. *Ca.*

Dieselbe [5]) beschrieb darauf die Anwendung ihres vorstehenden Verfahrens auf eine weitere Reihe von *Monoazofarbstoffen* aus der Combination der Diazoverbindungen des Anilins,
o-Toluidins, der Anthranil- und Metanilsäure als „ersten Compo-

---

[1]) Patentbl. 2, 344; D. R.-P. Nr. 86367 v. 10. Sept. 1895. — [2]) Patentbl.
1895, S. 422. — [3]) Chem. Soc. Ind. J. 15, 710; Engl. Pat. Nr. 17293 (Ausz.).
-- [4]) D. R.-P. Nr. 84893 v. 27. März 1895; Patentbl. 1896, S. 91 (Ausz.). —
[5]) D. R.-P. Nr. 87976 v. 21. Juni 1895 (erster Zusatz zu D. R.-P. Nr. 84893);
Ber. 29, Ref. 819.

nenten" und zahlreichen Aminen, Phenolen und deren Sulfosäuren als „zweiten Componenten". $Ca.$

Dieselbe berichtete in zwei späteren Mittheilungen über den Ausbau ihres vorstehend beschriebenen Verfahrens zu einem Verfahren zur Darstellung von Polyazofarbstoffen der Benzidinreihe aus Azofarbstoffen durch Oxydation. — In der ersten Mittheilung[1]) wird gezeigt, dafs das Verfahren sich auch zur oxydativen Verkettung von je 2 Mol. eines *Dis- oder Polyazofarbstoffs* anwenden läfst, insofern solche ein Amin der Benzolreihe mit freier Parastellung als „erste Componente" enthalten. In einer Reihe von Beispielen werden als oxydationsfähig bezeichnet: 1. secundäre Disazofarbstoffe des Typus:

$$X-N=N-Z-N=N=Y$$

(wo X das oxydable Radical der „ersten Componente" bedeutet), 2. primäre Disazofarbstoffe des Typus:

$$\begin{matrix} X-N=N \\ X_1-N=N \end{matrix} \!\!> U$$

3. Polyazofarbstoffe, welche einem oder beiden dieser Typen entsprechen, z. B.

$$X_1-N=N-Z-\begin{matrix} X-N=N \\ N=N \end{matrix}\!\!>U$$

4. Disazofarbstoffe, welche sich von der Tetrazoverbindung des m-Phenylendiamins ableiten. — In der zweiten Mittheilung[2]) wird die Darstellung *unsymmetrischer* (sogenannter gemischter) Dis- und Polyazofarbstoffe der Benzidinreihe durch oxydative Verkettung zweier unter sich verschiedener Azoverbindungen der Anilinreihe beschrieben. Die Einheitlichkeit der so erzeugten Farbstoffe wurde durch fractionirte Ausfärbungen erwiesen. Bei sehr ungleich oxydablen Azoverbindungen, wie z. B. bei den Monoazofarbstoffen der Salicylsäure oder β_1-β_3-Naphtylaminsulfosäure, ist indessen das Verfahren nicht anwendbar. $Ca.$

Dieselbe[3]) berichtete ferner, dafs sich die oxydative Verkettung von je 2 Mol. einfacher Azofarbstoffe zu Benzidinfarbstoffen auch auf elektrochemischem Wege ausführen lasse, wenn man die betreffenden Azokörper in concentrirter schwefelsaurer Lösung der Einwirkung des elektrischen Stromes an der positiven Elektrode unterwirft. Zweckmäfsig ist eine Spannung von etwa 5 bis 6 Volt bei einer Stromdichte von etwa 4 Amp. pro Quadratdecimeter. $Ca.$

---

[1]) D. R.-P. Nr. 88595 vom 23. Juni 1895 (zweiter Zusatz zu D. R.-P. Nr. 84893); Ber. 29, Ref. 935. — [2]) D. R.-P. Nr. 88596 vom 23. Juni 1895 (dritter Zusatz zu D. R.-P. Nr. 84893); Ber. 29, Ref. 935. — [3]) D. R.-P. Nr. 88597 vom 17. Juli 1895 (vierter Zusatz zu D. R.-P. Nr. 84893); Ber. 29, Ref. 936.

Dieselbe[1]) gründete ein Verfahren zur Darstellung von wasserlöslichen violetten bis blauen Safraninfarbstoffen auf die Beobachtung, daſs die in wasserunlöslicher Form sich abscheidenden Combinationen von Diazosafraninen mit den unsulfonirten Naphtolen nicht nur nach ihrem [2]) früheren Verfahren durch Behandeln mit Säuren in wasserlösliche Salze übergeführt werden können, sondern daſs sie bereits durch anhaltendes Auswaschen mit Wasser die ihre Löslichkeit verhindernden Beimengungen verlieren. *Ca.*

Dieselbe[2]) beschrieb ein Verfahren zur Darstellung rothvioletter Azofarbstoffe aus dem m-Dinitranilin $(NH_2 : NO_2 : NO_2 = 1 : 2 : 4)$, darin bestehend, daſs man dieses in eine Lösung der berechneten Menge Nitrosylsulfat in concentrirter Schwefelsäure einträgt und die so entstandene Diazoverbindung dann mit alkylirten m-Amidobenzolsulfosäuren kuppelt. Die Farbstoffe sind säurebeständig, färben Wolle in violetten, alkali- und lichtechten Tönen und besitzen ein hervorragendes Egalisirungs- und Durchfärbevermögen.   *Ca*

Leopold Cassella u. Co. in Frankfurt a. M.[4]) patentirten ein Verfahren zur Darstellung von wasserlöslichen Safraninazofarbstoffen durch Combination von Diazosafraninen und β-Naphtol bei Gegenwart von freien organischen Säuren, namentlich von Essigsäure und Kohlensäure. Im Gegensatz zu der Combination in alkalischer Lösung[5]) werden direct wasserlösliche Farbstoffe erhalten, wenn man die alkalische Naphtollösung vor dem Zusatz des Diazosafranins mit Salzsäure schwach ansäuert und dann mit Natriumacetat oder Bicarbonat im Ueberschuſs versetzt.   *Ca.*

M. Kitschelt. Ueber das Verkochen von Woll- und Baumwollfarbstoffen [6]). — Unter Verkochen der Farbstoffe versteht man die Eigenthümlichkeit einzelner Farbstoffe, mitunter beim längeren Kochen ihre Nüance total zu verändern. Die Ursachen dieser ab und zu auftretenden Erscheinung liegt bei Wollfarbstoffen (Naphtylaminschwarz D, Sulfoncyanin) in einem von der Wäsche herrührenden geringen Sodagehalt der Wolle. Die Soda wirkt in diesem Falle nicht nur für sich, sondern auch durch Bildung von Schwefelalkalien aus der Wolle, welche die Farbstoffe zu reduciren im Stande sind. Es hat sich gezeigt, daſs es ausschlieſslich Disazofarbstoffe der Formel X–N=N–Y–N=N–Z waren, welche in

---

[1]) D. R.-P. Nr. 85690 vom 30. Juni 1894; Patentbl. 1896, S. 268 (Ausz.). — [2]) D. R.-P. Nr. 61692; Ber. 25, Ref. 487. — [3]) D. R.-P. Nr. 86071 vom 25. März 1894; Patentbl. 1896, S. 308 (Ausz.). — [4]) D. R.-P. Nr. 85932 vom 12. Febr. 1895; Patentbl. 1896, S. 269 (Ausz.). — [5]) Vgl. vorsteh. D. R.-P. Nr. 85690. — [6]) Färberzeit. 7, 181—183 und 218—221.

dieser Beziehung berechtigte Klagen hervorriefen, und Versuche mit solchen Farbstoffen und Sodalösungen allein bestätigten diese Thatsachen. Es ist daher anzuempfehlen, das Färbebad von allem Anfange an sauer zu halten und eventuell geringe Mengen eines Oxydationsmittels (Chromkali) hinzuzufügen. Aber auch die Zersetzungsproducte der Wolle mit Wasser bei höherer Temperatur und insbesondere bei höherem Druck allein wirken schädigend auf Farbstoffe ein. Ganz ähnliche Erscheinungen treten mitunter bei Baumwollfärbungen ein; die Ursachen sind aber bei gleicher Wirkung etwas andere. Hier wirken entweder schlechte Wässer (faulende organische Substanzen enthaltend) oder sog. „stockige Waare", d. h. in feuchten Räumen gelagerte alte Baumwolle oder solche, welche Seeschaden gelitten hat, schädigend auf die Färbungen. Es wurde übrigens auch weiter constatirt, dafs eine grofse Reihe von Dis- und Trisazofarbstoffen durch mehr oder weniger warme, sehr verdünnte Schwefelnatriumlösung zerstört werden. *Sd.*

Eugen Bamberger. Ueber die Einwirkung von Nitrosobenzol auf Amidoverbindungen [1]. — Veranlafst durch eine Mittheilung von Mills [2] über denselben Gegenstand berichtet Verfasser über seine vorläufigen Ergebnisse. Die Einwirkung auf Basen führt häufig zu sonst schwer zugänglichen Azokörpern, gemäfs der Gleichung: $C_6H_5NO + H_2NR = C_6H_5 . N : N . R + H_2O$. So wurden erhalten:

			Schmelzp.
p-Chlorazobenzol,	hell orangerothe Tafeln		87,5°
p-Bromazobenzol,	„		89,0°
m-Chlorazobenzol,	„	Nadeln	67,5°
m-Bromazobenzol,	„	„	69,0°
Di-p-diphenylazodiphenyl,	bronzeglänzende Blättchen		226,0°
p-Diphenylazobenzol,	hell orangerothe Blättchen		167—168°

Letzteres wurde auch von Mills erhalten. — Nitrosobenzol wirkt in anderen Fällen unter eigener Reduction zu Phenylhydroxylamin, Azo- oder Azoxybenzol oxydirend. Im Gegensatz zu Mills, der bei Einwirkung auf Phenylhydrazin Azobenzol, und zu Walther [3], der Anilin erhielt, fand Verfasser neben Phenylhydroxylamin das in schwach gelben, seideglänzenden Nadeln krystallisirende *Diazoxyamidobenzol*, $C_6H_5 . N_2 . NOHC_6H_5$, vom Schmelzp. 126 bis 127°. Säuren spalten in Diazosalze und Phenylhydroxylamin. Der aus Phenylhydroxylamin und Diazobenzol erhältliche Körper gleicher Zusammensetzung erwies sich als isomer gemäfs den Gruppirungen:

---

[1] Ber. 29, 102—104. — [2] Ber. 28, Ref. 982 und Chem. Soc. J. 67, I, 925. — [3] J. pr. Chem. 52, 144.

R.N$_2$NOHR' und R'.N$_2$.NOHR. Ebenso wurden aus β-Benzyl-
hydroxylamin farblose, seideglänzende Nadeln des *Diazobenzoloxy-
amidobenzyls*, Schmelzp. 105°, aus β-Methylhydroxylamin und
p-Nitrodiazobenzol goldgelbe Nadeln des *p-Nitrodiazobenzoloxy-
amidomethans* vom Schmelzp. 228° erhalten. Weitere Veröffentlichungen stellt der Verfasser in Aussicht.   *Mr.*

   **Farbwerke vorm. Meister, Lucius u. Brüning in Höchst
a. M.** Verfahren zur Darstellung von Diamidoazoverbindungen[1].
— Werden in der Amidogruppe der p-Amidoazokörper die Wasserstoffatome substituirt durch Säurereste oder durch Benzyliden
und die entstehenden Körper nitrirt, so tritt die Nitrogruppe in
dem anderen aromatischen Kern in die Parastellung zur Azo-
gruppe. Bei der folgenden Reduction und Abspaltung der anfänglich in die Amidogruppe eingeführten Substituenten gelangt
man zu den *p-p-Diamidoazokörpern*. Ein so hergestelltes *Nitro-
p-acetamidoazobenzol* schmilzt bei 235°, das zugehörige *Acetdiamidoazobenzol* bei 167°; das aus diesen Körpern erhaltene *p-p-Diamidoazobenzol* ist identisch mit dem von Nietzki[2] erhaltenen Körper.
Diamidoazotoluol schmilzt bei 100°, krystallisirt aus Benzol in
orangerothen Blättchen und löst sich leicht in verdünnten Säuren.
Alkohol und heifsem Wasser. Aus saurer Lösung durch Alkalien
abgeschieden, bildet es eine schmierige, nur langsam krystallisirende Substanz.   *Sd.*

   Die Farbenfabriken vorm. Fr. Bayer u. Co. in Elberfeld[3])
beschrieben ein *Verfahren zur Darstellung von direct ziehenden
Baumwollfarbstoffen aus Diamidosulfosäuren der Benzolreihe*, welche
wie die Benzidin- und Diamidostilbensulfosäuren die Amidogruppen
in verschiedenen Benzolkernen enthalten. Das Verfahren besteht
in der Behandlung dieser Diamidosulfosäuren in ätzalkalischer
Lösung mit Oxydationsmitteln, wie z. B. unterchlorigsauren oder
unterbromigsauren Salzen, Ferricyankalium, Ammoniumpersulfat
oder Bleisuperoxyd. Die Reaction verläuft meist bei gewöhnlicher
Temperatur und führt zu braunen, durch Salz fällbaren Oxydationsproducten, wahrscheinlich Azo- oder Azoxyverbindungen, die ungebeizte Baumwolle gelborange anfärben und vermöge ihrer noch
freien und diazotirbaren Amidogruppen, sowohl an sich wie auf
der gefärbten Faser, durch weitere Kuppelung mit Aminen und
Phenolen in rothe, braune u. s. w. Azofarbstoffe übergeführt werden können.   *Ca.*

---

[1]) Ber. 29, Ref. 749; D. R.-P. Nr. 88013. — [2]) JB. f. 1884, S. 831. —
[3]) D. R.-P. Nr. 86108 vom 20. August 1893; Patentbl. 1896, S. 327 (Ausz.).

Nach einem Verfahren der Farbenfabriken vormals Fr. Bayer u. Co. in Elberfeld[1]) zur *Darstellung beizenfärbender diazotirbarer Monoazofarbstoffe* combinirt man Diazoverbindungen von aromatischen Carbonsäuren (z. B. von o-, m- oder p-Amidobenzoësäure u. a.) namentlich mit solchen Naphtylamin-, Amidonaphtol- oder Amidonaphtoläthersulfosäuren, welche die Sulfogruppen in β-Stellung enthalten (z. B. mit α_1-Naphtylamin-β_1-monosulfosäure[2]). Die so erhaltenen Farbstoffe färben auf chromirter Wolle röthlichgelbe bis braune Nüancen und können auch in Baumwolldruck als Metalllacke fixirt werden. In Folge ihrer noch freien Amidogruppe lassen sie sich dann weiter auf der Faser[3]) durch Diazotiren und Kuppeln in Disazofarbstoffe überführen.   *Ca.*

Die Farbenfabriken vorm. Fr. Bayer u. Co. in Elberfeld[4]) erzeugen nach ihrem *Verfahren zur Darstellung direct ziehender Azofarbstoffe mittelst $\alpha_1\beta_2$-Dioxynaphtalin-β_2-sulfosäure* durch Combination dieser Säure[5]) mit den Tetrazoverbindungen der p-Diamine (z. B. Benzidin, Tolidin, Dianisidin, Diamidostilbendisulfosäure, Diamidoäthoxydiphenyl, p-Phenylendiamin u. s. w.) eine Reihe von Disazofarbstoffen, die ungebeizte Baumwolle in rothen bis violetten Nüancen von ausgezeichneter Lichtechtheit färben.   *Ca.*

Dieselben[6]) beschrieben ferner die Darstellung analoger Azofarbstoffe aus der $\alpha_1\beta_2$-*Dioxynaphtalin-β_4-sulfosäure*[7]). Der z. B. aus dieser Säure und der Tetrazoverbindung des Dianisidins in ätzalkalischer Lösung erzeugte Farbstoff färbt auf Baumwolle sehr klare und lichtechte rothviolette Nüancen.   *Ca.*

Die Farbenfabriken vorm. Fr. Bayer u. Co. in Elberfeld[8]) beschrieben unter dem Titel „*Verfahren zur Erzeugung von Polyazofarbstoffen*" weitere Neuerungen in ihrem[9]) Verfahren zur Erzeugung schwarzer Azofarbstoffe auf der Faser, das ursprünglich in dem Weiterdiazotiren und Kuppeln der aus der Amidonaphtolsulfosäure „G" und den gebräuchlichen Tetrazoverbindungen

---

[1]) D. R.-P. Nr. 86 314 vom 28. Jan. 1892; Patentbl. 1896, S. 364 (Ausz.). — [2]) Aus naphtionsaurem Natron durch Erhitzen; D. R.-P. Nr. 56 563; Ber. 24, Ref. 682. — [3]) Vgl. D. R.-P. Nr. 68 529; Ber. 26, Ref. 689. — [4]) D. R.-P. Nr. 84 991 vom 12. Febr. 1895; Patentbl. 1896, S. 144 (Ausz.) — [5]) Aus der $\alpha_1\beta_2$-Amidonaphtol-β_2-sulfosäure; Ber. 29, 1612. — [6]) D. R.-P. Nr. 86 100 vom 24. Februar 1895 (Zusatz zu D. R-P. Nr. 84 991); Patentbl. 1896, S. 308 (Ausz.). — [7]) Aus der „Gelbsäure"; D. R.-P. Nr. 79 054; Ber. 28, Ref. 518. — [8]) D. R.-P. Nr. 85 389 vom 20. Juni 1893 (dritter Zusatz zu D. R.-P. Nr. 53 799); Patentbl. 1896, S. 203 (Ausz.). — [9]) Ber. 23, Ref. 780 (D. R.-P. Nr. 53 799).

erhältlichen Baumwollfarbstoffe]bestanden hatte. In gleicher Weise lassen sich nun auch die einfachen oder gemischten Disazofarbstoffe aus den Tetrazoverbindungen und der $\alpha_1 \alpha_4$-Amidonaphtol-β_1-sulfosäure [1]) zur Erzeugung von besonders waschechten, schwarzen, Polyazofarbstoffen in Substanz oder auf der Faser verwenden. *Ca.*

Dieselben[2]) beschrieben weitere Neuerungen in ihrem *Verfahren zur Darstellung von basischen Farbstoffen und deren Sulfosäuren aus substituirten $\alpha_1 \alpha_2$-Naphtylendiaminen*, die sich von Naphtylaminsulfosäuren ableiten, in welchen die Sulfo- und Amidogruppen in Metastellung zu einander stehen. Erhitzt man solche Naphtylaminsulfosäuren [3]) oder deren alkylirte oder phenylirte Derivate [4]) mit primären Aminen, so gelangt man zu den entsprechend substituirten Naphtylendiaminen, indem ein Sulfosäurerest durch den Aminrest ersetzt wird. Aus diesen Ausgangsmaterialien lassen sich neue Azinfarbstoffe durch Condensation mit Nitrosoverbindungen [5]) oder Azoderivaten [6]) bei Gegenwart von Essigsäure oder Alkohol herstellen. Die gegenwärtigen Neuerungen beziehen sich zum Theil auf die Verwendung specieller Sulfosäuren der substituirten Naphtylendiamine oder specieller Nitrosoverbindungen, zum Theil auch auf den Ersatz der früher angewandten Amidoazokörper durch Azoverbindungen ohne Amidogruppe und auf die Ueberführung der unlöslichen oder schwer löslichen Farbstoffe in leicht lösliche, zum Färben geeignete Sulfosäuren.   *Ca.*

Dieselben[7]) ersetzten in den vorstehend genannten *Verfahren zur Darstellung von basischen Azinfarbstoffen und deren Sulfosäuren aus substituirten $\alpha_1 \beta_2$-Naphtylendiaminen und Azoverbindungen* die darin angewandten Lösungs- oder Verdünnungsmittel (Alkohol, Essigsäure u. s. w.) durch Phenol oder Anilin und erhielten durch Erhitzen auf Temperaturen über 100° von den früheren verschiedene, violettrothe bis blaugraue Azinfarbstoffe.   *Ca.*

Dieselben[8]) ersetzten ferner die in den vorstehenden Verfahren angewandten Nitrosoverbindungen durch die aus deren

[1]) Aus der α_1-Naphtylamin-$\beta_2 \alpha_4$-disulfosäure; D. R.-P. Nr. 80853; Ber. 28, Ref. 663. — [2]) D. R.-P. Nr. 86222 v. 3. October 1893 (dritter Zusatz zu D. R.-P. Nr. 78497). — [3]) D. R.-P. Nr. 75296; Ber. 27, Ref. 823, 931; 28, Ref. 197. — [4]) D. R.-P. Nr. 78854; Ber. 28, Ref. 311. — [5]) D. R.-P. Nr. 78497; Ber. 28, Ref. 204. — [6]) D. R.-P. Nr. 79189; Ber. 28, 402. — [7]) D. R.-P. Nr. 86223 v. 17. Dec. 1893 (vierter Zusatz zu D. R.-P. Nr. 78497); Patentbl. 1896, S. 349 (Ausz.). — [8]) D. R.-P. Nr. 86224 v. 27. Febr. 1894 (fünfter Zusatz zu D. R.-P. Nr. 78497); Patentbl. 1896, S. 349 (Ausz.).

Reduction entstehenden p-Diamine und stellten durch gemeinsame Oxydation derselben mit den substituirten $\alpha_1 \beta_3$-Naphtylendiaminen die entsprechenden Azinfarbstoffe dar. *Ca.*

Die Farbwerke vorm. Meister, Lucius u. Brüning in Höchst a. M. beschrieben in ihren Deutschen Patenten Nr. 85 388[1]) und 86 450[2]), sowie in ihrem französischen Patent der *Compagnie Parisienne de Couleurs d'Aniline* [3]) ein *Verfahren zur Darstellung von Diaminen aus der Reihe des Azimidobenzols und von diesen sich ableitenden Farbstoffen*, das von dem aus (1:2:4) Chlor- oder Bromdinitrobenzol und Anilin erhältlichen Dinitrodiphenylamin ausgeht und in dessen Reduction zu Nitroamidodiphenylamin durch Schwefelnatrium in verdünnter alkoholischer Lösung, Umwandlung des Nitroamidokörpers in Nitrophenylazimidobenzol durch Natriumnitrit, Nitrirung dieser Azimidoverbindung in schwefelsaurer Lösung und schliefslicher Reduction des so entstandenen Dinitrophenylazimidobenzols zu *Diamidophenylazimidobenzol* [4]) besteht. Die Diamidobase ist durch Diazotiren u'. s. w. zur Darstellung von Azofarbstoffen verwendbar, die sich sowohl zum Färben von ungebeizter Baumwolle, als auch von Wolle und Seide und insbesondere von Halbwolle und Halbseide eignen. Die Färbungen sind licht- und seifenecht und von geringer Säureempfindlichkeit. *Ca.*

Die Actiengesellschaft für Anilinfabrikation in Berlin[5]) patentirte ein *Verfahren zur Darstellung von Azofarbstoffen aus* $\beta_1 \beta_4$-*Naphtylendiamindisulfosäure*, darin bestehend, dafs man die Tetrazoverbindung derselben mit 2 Mol. β-Naphtol, β-Naphtylamin oder Salicylsäure combinirt. Der β-Naphtolfarbstoff erzeugt auf Wolle in saurem Bade ein lebhaftes und walkechtes Roth. Der β-Naphtylaminfarbstoff färbt braunroth, der Salicylsäurefarbstoff braungelb. Aufserdem finden sich Combinationen mit anderen Aminen, Amidophenolen und Phenolen bezw. mit deren Sulfo- oder Carbonsäuren erwähnt. Alle Farbstoffabkömmlinge der $\beta_1 \beta_4$-Naphtylendiamindisulfosäure besitzen auch eine ausgeprägte Verwandtschaft zur vegetabilischen Faser. *Ca.*

P. Jacobson, M. Jaenicke u. Friedr. Meyer. Untersuchungen über Reductionsproducte von Azokörpern[6]). — Verfasser studirten die Reduction des Benzolazoanisols, $C_6 H_5 \overset{1}{N_2} C_6 H_4 \overset{4}{O} CH_3$,

---

[1]) D. R.-P. Nr. 85 388; Ber. 28, Ref. 313. — [2]) D. R.-P. Nr. 86450 vom 14. April 1895; Patentbl. 1896, S. 468 (Ausz.). — [3]) Monit. scientif. [4] 10, 131 (Brevets); Franz. Pat. Nr. 250 460 (Ausz.). — [4]) Schmelzp. 153°. — [5]) D. R.-P. Nr. 84 627 vom 13. Febr. 1894; Patentbl. 1896, S. 75 (Ausz.). — [6]) Ber. 19, 2680.

und Benzolazoveratrols, $C_6H_5\overset{1}{N_2}-C_6H_4-(O\overset{4.8}{C}H_3)_2$. Bei der Reduction des Benzolazoanisols mit $SnCl_2 + HCl$ wurde ein in Wasser schwer lösliches Zinndoppelsalz erhalten, aus welchem das der Bohn'schen Base analoge o-Semidin, $CH_3^5OC_6H_3\overset{2}{N}H_2.N\overset{1}{H}C_6H_5$- 2-Amido-5-Methoxydiphenylamin, isolirt wurde. Aus Ligroin weiſse Rosetten vom Schmelzp. 73°. Sein Schwefelkohlenstoffderivat:

$$CH_3O-C_6H_3 \overset{N}{\underset{N-C_6H_5}{<}} C-SH,$$

wird durch Kochen der Componenten als weiſse Nadeln vom Schmelzp. 208° erhalten. Das in gleicher Weise mit Salicylaldehyd erhaltene Condensationsproduct:

$$CH_3-O-C_6H_3 \overset{NH}{\underset{N-C_6H_5}{<}} CH-C_6H_4OH,$$

schmilzt bei 132°, gelbe, glänzende Nadeln aus Alkohol und wird in Alkohol mit Quecksilberoxyd zu dem Salicylsäurederivat:

$$CH_3O-C_6H_3 \overset{N}{\underset{N-C_6H_5}{<}} C-C_6H_4OH,$$

Schmelzp. 123°, oxydirt. Durch Condensation mit Benzil entsteht die Stilbazoniumbase:

$$CH_3O-C_6H_3 \overset{N=C-C_6H_5}{\underset{\underset{OH}{C_6H_5}}{<}} \underset{N=C-C_6H_5}{|}$$

Schmelzp. 163 bis 165°. Mit Salzsäure im Rohr spaltet das Ortho-semidin Anilin ab. In den Mutterlaugen des Zinndoppelsalzes finden sich die Spaltbasen Anilin und Anisidin, sowie die Um-lagerungsbasen o- und p-Semidin, welche durch Ameisensäure getrennt wurden. Der basische Antheil ist:

$$CH_3\overset{5}{O}C_6H_3 \overset{\overset{2}{N}}{\underset{\underset{1}{N-C_6H_5}}{<}} CH,$$

Schmelzp. 77°, der nicht basische Antheil das Formylproduct des 4-Amido-4-Methoxydiphenylamins, des Para-Semidins, aus welchem die freie Base vom Schmelzp. 102° in glänzenden, farblosen Nadeln sich darstellen lieſs. Die quantitativen Verhältnisse entsprachen den früher von Schkoleck beim Benzolazophenetol erhaltenen Zahlen. Das aus Benzolazoguajakol (Schmelzp. 70,5 bis 71,5°) durch Methyliren des Na-Salzes in Alkohol erhaltene Benzolazoveratrol (Schmelzp. 44,5 bis 45°) liefert bei der Reduction ein krystallinisches Zinndoppelsalz, aus dem 4,4'-Diamido-2-methoxydiphenyl isolirt wird, durch *Benzidinumlagerung* unter Abspaltung einer Methoxylgruppe entstanden. Schmelzp. 104°. Rhomboëder aus Alkohol. Auf Zusatz von Wasser fällt dann das harzige Zinndoppelsalz des 2-Amido-4,5-Dimethoxydiphenylamins, des der Bohn'schen Base entsprechenden o-Semidins. Die Base, Blättchen aus Benzol, schmilzt bei 151°. Ihr Methenylderivat:

$$CH_3O$$
$$CH_3O \underset{}{\overset{}{\bigcirc}} \begin{matrix} N \\ \\ N \end{matrix} \!\! \overset{}{\underset{}{C}}\!\!-H,$$
$$\underset{C_6H_5}{|}$$

kleine Nadeln aus Benzolligroin, schmilzt bei 106 bis 107°. Die Formel eines 2-Amido-5,6-Methoxydiphenylamins ist wegen der Häufung von o-Substituenten ausgeschlossen, die eines 3,4-Dimethoxy-2'-amidodiphenylamins durch den Nachweis, dafs beim Erhitzen mit HCl im Rohr reichlich Anilin entsteht. In den Mutterlaugen des harzigen Zinndoppelsalzes fanden sich die Spaltungsbasen Anilin und Veratrylamin, welch' letztere durch Reactionen und ihr Acetylproduct silbergraue, glänzende Blätter aus Benzol, Schmelzp. 132,5 bis 133°, als m-p-Dimethoxyacetanilid charakterisirt wurden. Die scharfe Bestimmung der quantitativen Verhältnisse war nicht ausführbar.   *Mg.*

R. Meldola und E. Andrews. The alkaline reduction of m-Nitraniline [1]). — Verfasser fanden in dem Natriumstannit (aus gleichen Theilen reinem, krystallisirtem Zinnchlorid und festem Natriumoxyd) ein brauchbares Mittel zur Reduction des m-Nitranilins in alkalischer Lösung. Die Nitrobase wird in siedendem Wasser gelöst und allmählich das Reductionsmittel eingetragen, beim Erkalten scheidet sich Di-m-diamidoazoxybenzol in gelben Nadeln aus, die man durch Waschen mit Wasser und wiederholtes Lösen in Salzsäure und Wiederausfällen mit Ammoniak reinigt. Aus Toluol in goldgelben Blättchen, aus verdünntem Alkohol in Nadeln erhalten, krystallisirt es aus Wasser, das es wenig in der Siedehitze löst, in sehr winzigen, gelben Nadeln vom Schmelzp. 146 bis 148°. Es ist sehr schwer, analysenreine Producte zu erhalten, da immer andere sehr schwer zu entfernende Producte — Azo- und Azoxyverbindungen — entstehen. Dem stark

---

[1]) Chem. Soc. J. 67, 7—13.

basischen Körper kommt die Constitution $NH_2C_6H_4\overline{N-O-N}$. $C_6H_4NH_2$ zu. Sein Dichlorid ist schwer löslich in Salzsäure. Acetanhydrid führt in das ockerfarbene, mikrokrystalline *Diacetyl- derivat*, $(CH_3CO)HNC_6H_4\overline{N-O-N}C_6H_4NH(COCH_3)$, vom Schmelzp. 254° über. Durch Diazotiren und Behandeln mit Ammoniak und Krystallisiren aus Petroläther wurden ockerfarbene, am Licht zer- setzliche Krystalle des *Bisazimidoderivats*, $N_3.C_6H_4\overline{N-O-N}C_6H_4.N_3$, erhalten. Der Schmelzpunkt liegt bei 85 bis 86°; wird über diesen erhitzt, tritt Explosion ein. Mit frisch gefälltem β-Naphtol wurde ein aus Anilin krystallisirter rother Farbstoff, $OHC_{10}H_6.N_2.C_6H_4$. $\overline{N-O-N}.C_6H_4N_2C_{10}H_6OH$, vom Schmelzp. 244 bis 245° dar- gestellt, der sich in concentrirter H_2SO_4 mit magentarother Farbe löst und aus dieser Lösung beim Verdünnen wieder ausfällt. Aus der Diazoverbindung wurde das Jodderivat in ockergelben Nadeln vom Schmelzp. 118 bis 119°, wahrscheinlich identisch mit dem m-Dijodazoxybenzol von Gabriel[1]), erhalten. — *Darstellung des Di-m-amidoazobenzols.* Die Reduction geschieht mit Zinkstaub und Alkali und wird bis zur Bildung der Hydrazoverbindung ge- führt, und dann die farblos gewordene Lösung vom Ueberschuß an Zink filtrirt. Beim Stehen an der Luft tritt unter Orange- färbung vollkommene Oxydation zur Azoverbindung, $NH_2C_6H_4N$: $N.C_6H_4NH_2$, ein, die aus Wasser in orangefarbenen Nadeln vom Schmelzp. 150 bis 151° krystallisirt. Giebt eine Diacetylverbindung, aus siedendem Anilin orangefarbenes Pulver, das bei 268° sintert und bei 272° schmilzt. Das Dibenzoylderivat, strohgelbes Pulver, schmilzt bei 284 bis 285°. Der *Trisazofarbstoff* mit β-Naphtol kry- stallisirt aus Anilin in rothen Nadeln vom Schmelzp. 282°. Das Oxalat des Di-m-amidobenzols zeichnet sich durch seine Schwer- löslichkeit aus und schmilzt bei 205 bis 210°. Da die p-Stellung in beiden Benzolresten frei ist, bestätigte der Versuch die Ver- muthung, daß Diazobenzol unter Bildung von Bisdiazoamidoderi- vaten in p-Stellung tritt. p-Nitrodiazobenzol gab die Verbindung:

$(p)NO_2.C_6H_4.N_2.NHC_6H_4N_2C_6H_4NH.N_2.C_6H_4NO_2(p)$,

Schmelzp. 198 bis 200° unter Zersetzung.   *Mr.*

    R. Meldola. **Remarks on the reduction of nitrocompounds**[2]). — Unter Hinweis auf die Beobachtungen von E. Hoffmann und V. Meyer[3]), sowie von Bamberger[4]) und Wohl[5]) spricht Ver-

---
[1]) Ber. 9, 1408. — [2]) Chem. Soc. J. 69, 13—17. — [3]) Ber. 24, 3528. — [4]) Ber. 27, 1347 u. 1548. — [5]) Daselbst, S. 1432.

fasser die Vermuthung aus, dafs bei der Reduction von Nitroverbindungen zunächst Dihydroxylaminderivate, dann Hydroxylaminderivate und schliefslich Amine entstehen:

$$X.NO_2 \rightarrow X.N{<}^{OH}_{OH} \rightarrow X.N{<}^{H}_{OH} \rightarrow X.N{<}^{H}_{H}.$$

Während die Dihydroxylaminverbindungen nicht beständig sind kann die Hydroxylaminphase unter besonderen Bedingungen festgehalten werden. Unter anderen Bedingungen kann nach des Verfassers Ansicht das Hydroxylaminderivat Condensationen eingehen gemäfs folgender Gleichung:

$$X.N{<}^{OH}_{H} + {}^{H}_{HO}{>}N.X = X.N{\diagup}^{OH\;H}{\diagdown}N.X + H_2O.$$

Das hypothetische Hydroxyhydrazin reagirt entweder mit unveränderter Nitroverbindung unter Bildung der Azoxyverbindung:

$$\begin{matrix} X.N.OH \\ | \\ X.N.H \end{matrix} + \begin{matrix} O \\ \diagdown \\ O \diagup \end{matrix}NX = \begin{matrix} X.N \\ \diagdown \\ X.N \diagup \end{matrix}O + \begin{matrix} HO \\ \diagdown \\ HO \diagup \end{matrix}N.X,$$

oder bildet das innere Anhydrid, die Azoverbindung:

$$\begin{matrix} X.N.OH \\ | \\ X.N.H \end{matrix} = \begin{matrix} X.N \\ \| \\ X.N \end{matrix} + H_2O.$$

Die Azoxyverbindung giebt bei weiterer Reduction wahrscheinlich nicht direct die Azoverbindung, sondern intermediär das Hydroxyhydrazin, welches Wasser abspaltet. Die oxydirende Einwirkung unveränderter Nitroverbindung auf das Hydroxylaminderivat mag nach folgendem Schema erfolgen:

$$\begin{matrix} X.N{<}^{OH}_{H} \\ X.N{<}^{H}_{OH} \end{matrix} + \begin{matrix} O \\ \diagdown \\ O \diagup \end{matrix}N.X = \begin{matrix} X.N.OH \\ | \\ X.N.OH \end{matrix} + X.N{<}^{OH}_{OH},$$

$$\begin{matrix} X.N.OH \\ | \\ X.N.OH \end{matrix} = \begin{matrix} X.N \\ \diagdown \\ X.N \diagup \end{matrix}O + H_2O.$$

Die Azoxyverbindungen wären demnach Anhydride der Dihydroxyhydrazine. *Th.*

E. Börnstein. Ueber die Einwirkung von Benzosulfochlorid auf Nitrosodimethylanilin[1]). — Auf 1 Gewichtsthl. der Nitrosobase wurde $^1/_2$ Gewichtsthl. des Sulfochlorids verwandt und in Benzollösung sich selbst überlassen. Es scheidet sich ein schwärzlicher Niederschlag aus, der neben harzigen Producten gelbe Kryställchen enthält und abfiltrirt wird. Die krystallisirten Bestandtheile

---

[1]) Ber. 29, 1479.

lassen sich durch Benzol in der Siedehitze dem Reactionsproduct entziehen. Diese Lösung wird mit dem Filtrat vereinigt und zur Reinigung zunächst mit verdünnter Schwefelsäure geschüttelt, die saure Flüssigkeit mit Soda gefällt und der Niederschlag mit heifsem Wasser gewaschen. Neben unverändertem Nitrosoanilin geht dann in sehr geringer Menge eine in Methylalkohol leicht lösliche Base in Lösung. Der rückständige gelbe, flockige Niederschlag wird in Chloroform gelöst und daraus durch Zusatz von Methylalkohol krystallisirt. Bildet glänzende, zimmtbraune Krystalle, die blau reflectiren und bei $244,5^0$ schmelzen und sich als *Tetramethylazoxyanilin*, $N_2 O [C_6 H_4 N (CH_3)_2]_2$, erwiesen. Die mit verdünnter $H_2 SO_4$ erschöpften gelben Benzollösungen geben an Salzsäure schwächere Basen ab. Die eine ist in kaltem Alkohol schwer löslich und läfst sich so trennen. Sie bildet bronzene Nadeln oder Blättchen vom Schmelzp. 183^0, ist nur in starken Mineralsäuren löslich und fällt beim Verdünnen daher aus. In den Mutterlaugen von der Darstellung dieses Körpers befindet sich eine zweite aus Methylalkohol in zinnoberrothen Nadeln vom Schmelzp. 144^0 krystallisirende Base, die bei der Reduction mit Zinn und Salzsäure p-Amidodimethylanilin und Methyl-p-phenylendiamin gab, die beide in Form ihrer Benzoylverbindungen charakterisirt wurden. *p-Amidodimethylanilinbenzoat*, Schmelzp. 228^0, farblose Nädelchen; *Monomethyl-p-phenylendiaminbenzoat*, Schmelzp. $164,5^0$, glasglänzende Prismen. Demnach ist der bei 144^0 schmelzende Körper eine unsymmetrische Azoxyverbindung, *Trimethylazoxyanilin*, $CH_3 HN . C_6 H_4 . N_2 O . C_6 H_4 N (CH_3)_2$. Die bei 183^0 schmelzende Base gab dieselben Spaltungsproducte, ist aber nach dem Resultat einer Sauerstoffbestimmung reicher an Sauerstoff und dürfte der Formel $CH_3 HN C_6 H_4 N_2 O_2 C_6 H_4 N (CH_3)_2$ entsprechen. Vielleicht ist in der Base der Complex

durch Zusammentritt zweier Nitrosogruppen enthalten. Als letzte Verbindung konnte der mit Schwefel- und Salzsäure behandelten Benzollösung noch eine bei der Reduction Dibenzoyl-p-amidophenol, farblose, sechsseitige Tafeln oder gekrümmte wollige Nadeln vom Schmelzp. 234^0 gebende, bei 132^0 schmelzende, prismatische Substanz, die Stickstoff und Schwefel enthält, entzogen werden. Der schwefelhaltige Körper erwies sich als der *Benzolsulfonester* des p-Nitrosodimethylanilins, $C_6 H_5 . SO_3 . C_6 H_4 . NO$. und wurde auch synthetisch aus p-Nitrosophenol und Benzolsulfochlorid erhalten. Das ursprünglich schwarze Harz wird in Wasser gelöst, mit Thierkohle entfärbt und nach dem Reinigen in weifsen, seideglänzenden Blättchen erhalten, starke Salzsäure fällt aus der Lösung salzsaures p-Phenylendiamin, daneben entsteht Benzolsulfosäure. Die Substanz ist demnach *benzolsulfosaures p-Phenylendiamin*. Endlich konnten daneben noch etwas Mono- und Dimethylphenylendiamin constatirt werden. Benzolsulfochlorid wirkt also bei den beschriebenen Reactionen vor allen Dingen als reducirendes Agens, wobei es selbst in Benzolsulfonsäure übergeht. *Mr.*

Farbwerke vorm. Meister, Lucius u. Brüning in Höchst am Main. Verfahren zur Darstellung von Diamidophenylazimidobenzolen[1]). — 2, 4, (α)-Dinitrodiphenylamin und 2, 4-Dinitrophenyltolylamin gehen bei der Reduction mit alkoholischem Schwefelammonium oder Schwefelnatrium glatt in Nitroamidobasen über, welche bei der Behandlung mit salpetriger Säure, wie das o-Phenylendiamin, Azimidoverbindungen liefern. Das bei 116 bis 117° schmelzende Nitroamidodiphenylamin bildet so das *Nitrophenylazimidobenzol*, $C_6 H_3 (N O_2) N_3 . C_6 H_5$, vom Schmelzp. 167°; das Nitroamidophenyltolylamin liefert ein *Nitrotolylazimidobenzol*, $C_6 H_3 (N O_2) N_3 (C_7 H_7)$, vom Schmelzp. 115°. Nitrirt man diese Azimidobenzole in schwefelsaurer Lösung, so entstehen glatt Dinitroazimidokörper, welche bei der Reduction mit sauren Reductionsmitteln (Zinn und Salzsäure u. s. w.) in Diamidoazimidobenzolderivate übergehen; letztere Körper sollen zur Darstellung von Baumwollazofarbstoffen dienen. Das *Diamidophenylazimidobenzol* schmilzt bei 153°, das *Diamidotolylazimidobenzol* bei 155°. *Sd.*

Farbwerke vorm. Meister, Lucius u. Brüning in Höchst am Main. Verfahren zur Darstellung von Diamidophenylazimidobenzol[2]). — Dieser Körper läfst sich auch darstellen aus Dinitroacetylamidodiphenylamin vom Schmelzp. 238°[3]). Durch Reduction unter bestimmten Bedingungen[4]) kann man im letzteren Körper die der Imidgruppe benachbarte Nitrogruppe reduciren und so zu einem *Nitroamidoacetylamidodiphenylamin* vom Schmelzp. 228° gelangen; behandelt man dieses Product in geeigneter Weise mit salpetriger Säure, so entsteht glatt das entsprechende *Nitroacetylamidophenylazimidobenzol*. Durch Erhitzen mit verdünnten Säuren

---

[1]) Patentbl. 2. 198; D. R.-P. Nr. 85 388 vom 16. Januar 1895. — [2]) Ber. 29, Ref. 725; D. R.-P. Nr. 87 337. — [3]) JB. f. 1890, S. 992 f. — [4]) Ber. 29, Ref. 313; D. R.-P. Nr. 85 388.

oder Alkalien läfst sich weiter die Acetylgruppe abspalten und durch Reduction das gebildete *Nitroamidophenylazimidobenzol* in *Diamidophenylazimidobenzol* vom Schmelzp. 153° überführen. Die letzteren zwei Vorgänge lassen sich vereint vornehmen, wenn man das Nitroacetylamidophenylazimidobenzol mit Zinn und Salzsäure erwärmt.   *Sd.*

Th. Zincke und Br. Helmert. Zur Constitution der Azimide[1]). — Kekulé hält die Azimide $R.N_3H$ für unsymmetrisch, Griefs bevorzugt für sie die symmetrische Formel:

$$C_6H_4 \overset{N}{\underset{NH}{\diagup}} N \qquad\qquad C_6H_4 \overset{N}{\underset{N}{\diagdown}} NH.$$

Verfasser wurden zu einer neuen Prüfung dieser Frage veranlafst durch einige Reactionen, welche Verbindungen von der Zusammensetzung der Azimide lieferten, die aber in ihren Reactionen total verschieden waren. Zincke und Lawson[2]) hatten durch Oxydation von o-Amidoazotoluol, sowie aus dem Diazoimid Verbindungen gleicher Zusammensetzung, $C_7H_6N_3C_7H_7$, erhalten, die beide der Configuration

$$C_6H_4 \overset{N}{\underset{N}{\diagdown}} N C_6H_4.CH_3$$

entsprechen sollten, von denen aber dieses sich als secundäres Amin, jenes als indifferent erwies. Ebenso war es mit den aus Benzol-azo-β-naphtylamin und o-Amido-β-naphtylphenylamin erhaltenen Substanzen der Fall. Damit war das Vorhandensein einer zweiten Reihe von Verbindungen, der Pseudoazimide bewiesen. Für die beiden Reihen konnten nun die Constitutionen festgestellt werden, indem Verfasser einerseits ausgingen von m-Dinitrodiphenylamin und dieses in das Azimid I überführten und mit dem schon von Jacobson und Fischer aus Oxyazobenzol erhaltenen Azimid II verglichen:

Verbindung I: Blättchen, schmilzt bei 99°; Verbindung II: gekrümmte Nadeln, bei 107 bis 108°. Jodmethylat I schmilzt bei 177° (u. Z.), Jodmethylat II bei 211° (u. Z.). Die Verbindungen vom

_____

[1]) J. pr. Chem. 53, 91—99. — [2]) Ber. 18, 3132.

Typus I gelten als p-Azimide, die vom Typus II als m-Azimido-körper. Bei den niederen Gliedern scheint diese Isomerie noch latent zu sein, weder Nitroazimidobenzol noch sein Methylderivat konnte in zwei Modificationen aufgefunden werden. *Mr.*

Th. Zincke. Ueber Azimidoverbindungen. IV.

Th. Zincke u. Br. Helmert. Ueber Azimidouramidobenzoë-säuren und Azimidobenzoësäuren[1]). — Nach den Untersuchungen der Verfasser kommt den Azimiden eine symmetrische Formel, den Pseudoazimiden die unsymmetrische zu[2]). Um die Behauptung von Griefs, der aus m- und p-Amidouramidobenzoësäure dieselbe Azimidouramidosäure erhielt, zu prüfen und dessen Angaben zu ergänzen, wurde die Einwirkung von salpetriger Säure auf diese Säuren von Neuem studirt. *m-Uramidobenzoësäure*, $HO_2C . C_6H_4 . NH . CO . NH_2$, wurde nach Menschutkin aus m-Amidobenzoësäure und Kaliumcyanat dargestellt, und die in Eisessig ziemlich, in Alkohol weniger und in Wasser sehr schwer lösliche Säure aus dem ersten Mittel in kleinen, dicken Krystallen, aus dem zweiten in Blättchen, die bei 269 bis 270° unter Zersetzung schmelzen, erhalten. *Ammonsalz*, glänzende Blättchen, zersetzt sich beim Eindampfen der Wasserlösung. Das *Baryum-salz* ist leicht löslich in Wasser, bildet körnige Aggregate, beim Kochen bildet sich schwer lösliches *uramidodibenzoësaures Baryum*. Das ammonlösliche *Silbersalz* fällt voluminös, wird beim Kochen krystallinisch. Der *Methylester* schmilzt bei 185° und krystallisirt in rosettenförmigen Nadeln. Beim Kochen entsteht *p-uramido-dibenzoësaures Baryum*. *Silbersalz*, ammonlöslich, feine Nadeln. *Methylester*, Krystallkörner, Schmelzp. 252°. Aus dem vorstehenden Barytsalz wurde die *p-Uramidodibenzoësäure* erhalten. Weifses, amorphes, bei 270° nicht schmelzendes, unlösliches Pulver. *Ammon-salz*, glänzende Blättchen. *Methylester*, weifse Täfelchen, Schmelzpunkt unter Gasentwickelung 246°. Wird p-Uramidobenzoësäure in Salpetersäure (1,52) eingetragen, so scheidet sich eine *Dinitro-säure* aus, die durch wiederholtes Lösen in Ammoniak und Fällen in gelben Nadeln, die unscharf etwa bei 268° schmelzen, erhalten wird. Erwärmen mit Alkalien führt zu der *m-Nitro-p-uramido-benzoësäure*, aus Essigsäure in gelben Nädelchen; sie zersetzt sich unter Schmelzen bei 221°. *Ammonsalz*, leicht löslich. Baryum-salz, aus heifsem Wasser gelbe Nädelchen; krystallisirt mit 3 aqua oder ohne Krystallwasser. *Methylester*, gelbe Nädelchen, Schmelzp. 189°. Reduction ergab weifse Nädelchen der hochschmelzenden

---

[1]) Ann. Chem. **291**, 313—342. — [2]) Vgl. vorstehendes Referat.

m-Amido-p-uramidobenzoësäure, die PtCl$_4$ reducirt und bei längerem Kochen mit Wasser in die *m-p-Amidocarboxamidobenzoësäure* übergeht. *Ammonsalz*, feine, weiſse Nadeln. *m-Uramidodibenzoësäure*, HO$_2$C.C$_6$H$_4$–NH–CO–NH–C$_6$H$_4$.CO$_2$H, wurde von Grieſs Carbodibenzamsäure genannt. Ihr Baryumsalz ist schon vorstehend beschrieben, sie wird am besten in Form ihres in Nadeln krystallisirenden, beim Eindampfen sich zersetzenden Ammonsalzes gereinigt. Die Säure ist in allen Lösungsmitteln fast unlöslich und schmilzt noch nicht bei 270°. *Silbersalz*, ammonlösliches, weiſses Pulver. Der *Methylester*, schmale, glänzende Blättchen, schmilzt bei 223° unter Zersetzung. *p-Nitro-m-uramidobenzoësäure*, (HO$_2$C–,NO$_2$–)C$_6$H$_3$.NHCONH$_2$, wurde erhalten, wenn man m-Uramidosäure bei 15° in concentrirter Salpetersäure (1,52) löst und dann die entstandenen Dinitrosäuren nach dem Filtriren mit Ammoniak kocht, wobei N$_2$O frei wird. Daraus fällt Baryumchlorid gelbe Nadeln des Baryumsalzes der p-Nitrosäure. Zersetzungsproduct der Säure 220°. Krystallisirt aus Essigsäure in gelben Nadeln. *Ammonsalz*, goldgelbe, schwer lösliche Nadeln. *Methylester*, schwefelgelbe Nadeln, Schmelzp. 184°. Längeres Kochen führt zu der *p-Nitro-m-amidobenzoësäure*, die aus Alkohol in gelbrothen, hochschmelzenden Nadeln krystallisirt. *p-Amido-m-uramidobenzoësäure*, (HO$_2$C–,NH$_2$–)C$_6$H$_3$NHCO.NH$_2$, entsteht aus der analogen Nitroverbindung durch Zinn und Salzsäure, aus Wasser durch Aufkochen umkrystallisirt. Platinchlorid wird von der bei 270° noch nicht schmelzenden Säure reducirt. *Ammonsalz* und *Baryumsalz*, ziemlich leicht löslich. *Silbersalz* fällt als voluminöser Niederschlag, der sich bald schwärzt. *m-p-Amidocarboxamidobenzoësäure*:

$$HO_2C.C_6H_4{<}^{NH}_{NH}{>}CH,$$

entsteht bei anhaltendem Kochen mit Wasser oder verdünnter Salzsäure aus voriger Säure. In Form des in Nadeln krystallisirenden *Ammonsalzes* umzukrystallisiren. Die Säure ist schwer löslich und hochschmelzend. *Baryum-* und *Silbersalz*, amorphe Niederschläge. *Methylester*, aus Methylalkohol körnig zu erhalten. *Azimido-m-uramidobenzoësäure*:

$$HO_2C.C_6H_4\langle{}^{N—CONH_2}_{N}\rangle N,$$

wird aus p-Amido-m-uramidobenzoësäure durch Nitrit als hochschmelzendes Pulver erhalten, das schwer löslich ist und aus dem Lösungsmittel Wasser aufnimmt und in CO$_2$, NH$_3$ und Azimido-

benzoësäure zerfällt. Ebenso wirken Alkalien. — p-Uramidobenzoësäure wurde der m-Verbindung analog dargestellt, Blättchen aus
der heifsen Lösung des Ammonsalzes, leicht löslich nur in Eisessig.
Schmelzpunkt über 270°. *Ammonsalz*, dicke, monokline Tafeln.
Baryumsalz, leicht löslich in Wasser, Alkohol fällt es flockig.
Baryumsalz, wasserlösliche, weifse Nadeln. *Silbersalz*, schwärzt
sich in der Kälte nur langsam. *Azimido-p-uramidobenzoësäure*,
leichter löslich in Wasser als das Isomere. Aus Aceton krystallisirten Nadeln, die bei 270° noch nicht schmolzen. Wird ebenfalls
durch Lösungsmittel zu einer mit der aus der m-Verbindung erhaltenen Azimidobenzoësäure identischen Säure verseift. *m-p-Azimidobenzoësäure*, aus o-Diamidobenzoësäure durch Nitrit zu erhalten, ist hochschmelzend, krystallisirt aus Eisessig mit 1 Mol.
$C_2 H_4 O_2$. *Natriumsalz*, aus Methylalkohol körnige Krystalle.
Baryumsalz, aus Eisessig Nädelchen. Silbersalz, voluminös,
ammonlöslich. Concentrirte Salzsäure führt zu einem *Chlorid*,
das aber schon über H_2SO_4 Salzsäure verliert. Methylester, aus
Methylalkohol rhombische Tafeln. Schmelzp. 170 bis 171°. *Benzoë-
säuredimethylazammoniumchlorid*, $HO_2C . C_6H_3N_3(CH_3)_2Cl$, wurde
aus dem Jodmethyladditionsproduct erhalten, Nädelchen, sehr
leicht löslich in Wasser, Schmelzp. 238°. *Chloroplatinat*, bildet
Würfel und Blättchen, die aber in einander übergehen. Beim
vorsichtigen Erhitzen des Azammoniumchlorids konnte Chlormethyl abgespalten werden, und es wurde durch Umkrystallisiren
aus Wasser *Methylazimidobenzoësäure*, $HO_2C . C_6H_3N_3CH_3$, in hochschmelzenden Nädelchen erhalten. *Benzoësäuredimethylazammo-
niumbetaïn*, $OOC . C_6H_3N_3(CH_3)_2$, entsteht durch Abspaltung von
H_2O beim Eindampfen der stark alkalischen Lösung der freien
Azammoniumbase. Aus absolutem Alkohol krystallisiren Nadeln,
Schmelzp. 247°. *Acetazimidobenzoësäure*, $HO_2C . C_6H_3N_3CO . CH_3$,
Nädelchen, schmilzt bei 232° unter Zersetzung. Die Azimidobenzoësäuren aus m- und p-Azimidouramidobenzoësäuren erwiesen
sich *identisch* mit der m-p-Azimidobenzoësäure aus dem Diamin.
Durch Oxydation mit alkalischem Permanganat führte die Azimidobenzoësäure über in die Azimidoäthylendicarbonsäure von Bladin:

$$N \underset{\diagdown NH-C.COOH}{\overset{\diagup N-C.COOH}{\diagup}}$$ *Mr.*

E. Kratz. Ueber Derivate des m-Nitro-o-amidobenzamids
und m-Nitro-o-amidobenzhydrazids[1]). — Verfasser untersuchte das

---

[1]) J. pr. Chem. [2] **53**, 210—225.

Verhalten des m-Nitro-o-amidobenzamids, $C_6H_3(-CONH_2, -NH_2,$
 [1]   [2]
$-NO_2$), gegen salpetrige Säure, und ferner das Verhalten des
 [5]
m-Nitro-o-amidobenzhydrazids, $C_6H_3(-CONHNH_2, -NH_2, -NO_2)$.
                                     [1]   [2]   [5]
gegen Benzaldehyd, wasserfreie Ameisensäure und salpetrige Säure.
Er erhielt durch Behandeln einer Lösung von m-Nitro-o-amidobenzamid in mäfsig verdünnter Essigsäure unter Kühlung mit
Kaliumnitrit *m-Nitrobenzazimid*, $(NO_2)C_6H_3(-N=N, -CONH)$, in
gelblichen, silberglänzenden, dem quadratischen System angehören-
den, in kaltem Wasser, kaltem Alkohol und Aether schwer, in
heifsem Wasser etwas, in heifsem Alkohol, in Chloroform und
Eisessig leicht, in Benzol nicht löslichen Blättchen. Von Ammoniak, Kali- und Natronlauge wird es leicht aufgenommen und
aus diesen Lösungen durch Zusatz von Mineralsäuren oder Essigsäure wieder ausgeschieden. Gegen blaues Lackmuspapier zeigt
das Azimid schwach saure Reaction, beim Erhitzen auf dem Platinblech über freier Flamme verpufft es unter Abgabe eines bräunlichen Rauches. Im Roth'schen Schmelzpunktapparat beginnt es
bei 178° sich zu bräunen und schmilzt dann unter völliger Zer
setzung bei 185°. Das durch Behandeln einer Lösung von m-Nitrobenzazimid in absolutem Alkohol mit der berechneten Menge
Natrium in ebenfalls alkoholischer Lösung gewonnene *m-Nitrobenzazimidnatrium*, $(NO_2)C_6H_3(-N=N, -CONNa)$, bildet feine,
schwach gelbliche, in kaltem Wasser und Alkohol leicht lösliche
Nadeln, und giebt beim Behandeln mit Jodmethyl m-Nitromethylbenzazimid. Durch Versetzen einer ammoniakalischen Lösung von
m-Nitrobenzazimid mit Silbernitrat erhält man *m-Nitrobenzazimid-
silber*, $(NO_2)C_6H_3(-N=N, -CONAg)$, als hellen, gallertartigen
Niederschlag, der beim Erhitzen über freier Flamme erst schmilzt
und dann sehr lebhaft verpufft. *m-Nitroamidobenzmethylamid*,
$(NO_2)C_6H_3(-NH_2, -CONHCH_3)$, nach der Kolbe'schen [1] Methode
durch Behandeln von Nitroisatosäure mit einer wässerigen Methyl-
aminlösung dargestellt, bildet gelb gefärbte, unter theilweiser Zersetzung bei 230 bis 231° schmelzende, in Alkohol und Wasser in
der Kälte ziemlich leicht, in der Wärme sehr leicht, in heifser
Essigsäure ziemlich leicht, in Chloroform schwer, in Benzol nicht
lösliche Nadeln, und wird durch Behandeln mit salpetriger Säure

---

[1] J. pr. Chem. [2] 30, 478; JB. f. 1884, S. 895 ff.

in das *m-Nitromethylbenzazimid*, $(NO_2)C_6H_3(-N=N, -CONCH_3)$, übergeführt, welches, wie oben erwähnt, sich auch beim mehrstündigen Erhitzen von m-Nitrobenzazimidnatrium mit der berechneten Menge Jodmethyl im geschlossenen Rohre auf 110° bildet. Dasselbe stellt schwach gelb gefärbte, bei 195° erweichende und bei 199° vollständig schmelzende, beim weiteren Erhitzen unter theilweiser Zersetzung sublimirende, in Aether, kaltem Wasser und Alkohol schwer, in Chloroform, Eisessig, heifsem Methyl- und Aethylalkohol, sowie auch in heifsem Wasser leicht lösliche Blättchen dar. Das durch Eintragen von Nitroisatosäure in eine erwärmte, wässerige Aethylaminlösung gewonnene *m-Nitro-o-amidobenzäthylamid*, $(NO_2)C_6H_3(-NH_2, -CONHC_2H_5)$, krystallisirt aus Alkohol in langen, goldgelben, spröden, bei 151° erweichenden und bei 156° vollständig mit brauner Farbe schmelzenden, in Wasser und Chloroform schwer, in kaltem, verdünntem Alkohol ziemlich leicht, in Eisessig sehr leicht löslichen Nadeln und geht beim Behandeln mit Kaliumnitrit in das lange, schwach gelbliche, bei 105° schmelzende, in Wasser etwas, in Alkohol und Eisessig leicht lösliche Tafeln bildende *m-Nitroäthylbenzazimid*,

$(NO_2)C_6H_4(-N=N, -CONC_2H_5)$, über. *m-Nitroamidobenzäthylenamid*, $(NO_2)C_6H_3(-NH_2, -CONHCH_2-CH_2NHCO-, H_2N-)C_6H_3(NO_2)$, durch Eintragen von Nitroisatosäure in eine erwärmte, concentrirte, wässerige Aethylendiaminlösung dargestellt, bildet gelbe, oberhalb 290° schmelzende Blättchen. Durch Einwirkung von Kaliumnitrit auf seine salpetersaure Lösung erhält man das *m-Nitroäthylenbenzazimid*, $C_{16}H_{10}N_8O_6$, in braunen, oberhalb 290° schmelzenden Blättchen. *m-Nitroamidobenzphenylamid*, $(NO_2)C_6H_3(-NH_2, CONHC_6H_5)$, durch Eintragen von Nitroisatosäure in eine alkoholische Lösung von Anilin gewonnen, stellt gelbliche, seideglänzende, gegen 201° erweichende und bei 203° schmelzende, in Wasser und Alkohol sehr schwer, in Chloroform und Amylalkohol etwas, in Aether und Benzol nicht lösliche Nadeln dar. Durch Behandeln in essigsaurer Lösung mit Kaliumnitrit wird es in das gelblichweifse, bei 188° erweichende und bei 190° schmelzende, in Aether unlösliche Blättchen bildende *m-Nitrophenylbenzazimid*,

$(NO_2)C_6H_3(-N=N, -CONC_6H_5)$, übergeführt. Bei der Spaltung vermittelst Kalilauge giebt das m-Nitrobenzazimid, sowie auch seine Alkylderivate, bei 261 bis 263° schmelzende m-Nitro-o-amidobenzoësäure, $C_6H_3(-COOH, -NH_2, -NO_2)$, welche ebenfalls
[1] [2] [5]
beim Erhitzen des m-Nitrobenzazimids und seiner Alkylderivate

mit Salzsäure oder verdünnter Schwefelsäure im Becherglase erhalten wird. Beim Erhitzen des m-Nitrobenzazimids und seiner Alkylderivate mit concentrirter Salzsäure im geschlossenen Rohre auf 120 bis 130° erhält man bei 165° schmelzende m-Nitro-o-chlorbenzoësäure, $C_6H_3(COOH, -Cl, -NO_2)$. Erhitzt man dabei bis
[1]   [2]   [5]
auf 150 bis 160°, so entsteht in Folge secundärer Reaction bei 156° schmelzende Dichlorbenzoësäure, $C_6H_3(-COOH, -Cl, -Cl)$.
[1]   [3]   [5]
Beim Erhitzen endlich der m-Nitrobenzazimide mit mäfsig verdünnter Schwefelsäure im Becherglase erhält man bei 228° schmelzende m-Nitrosalicylsäure, $C_6H_3(-COOH, -OH, -NO_2)$. Einmal
[1]   [3]   [5]
wurde hierbei auch bei 197° schmelzende Dioxybenzoësäure, $C_6H_3(-COOH, -OH, -OH)$, erhalten. *m-Nitro-o-amidobens-*
[1]   [3]   [5]
hydrazid, $(NO_2)C_6H_3(-NH_2, -CONHNH_2)$, durch Eintragen von Nitroisatosäure in eine Lösung von Hydrazinsulfat und der berechneten Menge Aetzkali in der zehnfachen Menge Wasser dargestellt, bildet gelbe, zwischen 214 und 218° sich, ohne vorher zu schmelzen, zersetzende, in Alkohol und Wasser leicht, in Eisessig und Salpetersäure unter Salzbildung ziemlich leicht, in Chloroform und Aether unlösliche Nadeln. Es reducirt leicht alkalische Kupferoxydlösung und ammoniakalische Silberlösung. Salpetrige Säure wirkt in verschiedener Weise zersetzend auf dasselbe ein; einmal wurde dabei m-Nitro-o-amidobenzoësäure, $C_6H_3(-COOH, -NH_2, -NO_2)$, erhalten. Mit Benzaldehyd con-
[1]   [3]   [5]
densirt sich das m-Nitro-o-amidobenzhydrazid nach der Gleichung:

$$(NO_2)C_6H_3(-NH_2, -CONHNH_2) + 2 C_6H_5CHO$$
$$= 2 H_2O + (NO_2)C_6H_3(-N=CHC_6H_5, -CONHN=CHC_6H_5).$$

Das *Condensationsproduct*, $C_{21}H_{16}N_4O_3$, krystallisirt aus Alkohol in gelben, bei 224 bis 225° schmelzenden, in Wasser unlöslichen, in Alkohol ziemlich leicht, in Chloroform schwer löslichen Täfelchen. Mit wasserfreier Ameisensäure endlich condensirt sich das m-Nitro-o-amidobenzhydrazid zu *Anhydroformyl-m-nitro-o-amido-*

benzhydrazid, $(NO_2)C_6H_3(-N=CH, -CON-NH_2)$, welches, aus Wasser krystallisirt, gelbe, bei 170 bis 171° schmelzende Nädelchen bildet. Dasselbe giebt mit Säuren keine Salze, ist in Chloroform und Aether schwer, in Wasser und Alkohol in der Hitze leicht löslich und besitzt reducirende Eigenschaften. Mit Eisenchlorid und Ferricyankalium giebt es die für Morphium bekannte Berlinerblaureaction, mit Phosphormolybdänsäure giebt es eine

mit der Zeit durch Reduction blau werdende Fällung und mit
Jodkalium giebt es eine dicke, braune, flockige Fällung, die sich
beim längeren Stehen in grün bronzeglänzende Nädelchen umwandelt. *Wt.*

Enrico Rimini. Ueber das Monoketazocamphadion[1]). — Verfasser will untersuchen, ob das Monoketazocamphadion, welches
nach **Angeli** die Formel

$$C_8H_{14} \begin{array}{c} CO \\ \diagdown \end{array} \begin{array}{c} N \\ C \diagup\diagdown \\ N \end{array}$$

hat, sich gegen Alkalibisulfite ähnlich wie die aliphatischen Diazoverbindungen verhält. Aequimolekulare Mengen des Ketazocamphadion und Kaliumbisulfit (40 proc.) werden auf dem Wasserbade
auf 80 bis 85° gehalten. Das abgeprefste und mit Aether gewaschene Product wird durch Lösen in Wasser und Fällen mit
Alkohol gereinigt. Es ist gelb gefärbt, schmilzt noch nicht bei
220° und hat die Zusammensetzung $C_{10}H_{14}ON_2 . SO_3KH + 2H_2O$;
beim kurzen Kochen am Rückflufskühler mit Salzsäure wird es
zersetzt unter Bildung von Azocamphenon, $(C_{10}H_{14}O):N.N$
$:(C_{10}H_{14}O)$, welches auch aus dem Ketazocamphadion beim Erhitzen entsteht. *Schr.*

Joh. Rud. Geigy u. Co. in Basel[2]) beschrieben ein *Verfahren
zur Darstellung von Farbstoffen, welche zugleich die Azo- und
Hydrazongruppe enthalten, aus p-Amidobenzaldehyd*, darin bestehend, dafs man die Diazoverbindungen des p-Amidobenzaldehyds mit den zur Darstellung von Azofarbstoffen verwendbaren Componenten vereinigt und dann auf die so erhaltenen
Azofarbstoffe aromatische Hydrazine einwirken läfst. Als geeignete Hydrazine werden Phenylhydrazin und dessen unsymmetrische
Methyl-, Aethyl- und Phenylderivate, sowie das p-Dihydrazino-
diphenyl bezeichnet. Das Verfahren ist zunächst auf eine grofse
Reihe von Farbstoffcombinationen des p-Amidobenzaldehyds mit
Naphtol-, Amidonaphtol- und Dioxynaphtalinsulfosäuren angewandt
worden, doch finden sich auch Resorcin, Naphtionsäure und
α-Naphtylamin (letzteres zu weiterer Combination mit β-Naphtoldisulfosäure R) unter den Componenten genannt. So wird z. B. ein
Farbstoff aus dieser neuen Gruppe erhalten, indem man zuerst
die Diazoverbindung des p-Amidobenzaldehyds mit β-Naphtoldisulfosäure (R- oder G-Salz) in sodaalkalischer Lösung combinirt,

---

[1]) Gazz. chim. ital. 26, II, 290. — [2]) D. R.-P. Nr. 85233 vom 25. Mai
1895; Patentbl. 1896, S. 168 (Ausz.).

dann mit Essigsäure ansäuert und eine Lösung von unsymmetrischem Aethylphenylhydrazin zersetzt, wodurch ein allmählicher Farbenumschlag nach Dunkelviolett eintritt. Die Farbstoffbildung wird durch Erwärmen auf dem Wasserbade beendigt. Die so erhaltenen Farbstoffe eignen sich hauptsächlich zum Färben von Wolle und Seide im schwach sauren Bade; durch Kochen mit Mineralsäuren werden sie zersetzt. *Ca.*

A. Leonhardt u. Co. in Mühlheim a. M.[1]) beschrieben ein *Verfahren zur Darstellung scharlachrother Farbstoffe der Safraninreihe,* darin bestehend, dafs Salze von nicht substituirten Paramidoazokörpern (z. B. salzsaures o-Amidoazotoluol) mit o-Amidodimethylparatoluidin bezw. dessen Salzen, bei Gegenwart indifferenter Lösungs- oder Vertheilungsmittel (Glycerin, Alkohol, Wasser u. a.) auf ca. 110° erhitzt werden. *Ca.*

Hydrazine.

L. Bouveault. Einwirkung von Hydrazin auf aromatische Glyoxylsäuren[2]). — Um die Gesetzmäfsigkeit der Spaltung aromatischer Glyoxylsäuren in Aldehyde und Kohlensäure festzustellen, wurde versucht, die Carbonylgruppen durch einen beständigeren Complex zu ersetzen. Die Oxime der Glyoxylsäuren spalten beim Erhitzen neben Kohlensäure auch Wasser ab und liefern so die entsprechenden Nitrile, aus denen nur die zugehörigen Säuren, nicht die Aldehyde zu gewinnen sind. Es wurde deshalb das Verhalten der Hydrazone untersucht. Hydrazinsulfat wurde auf die Glyoxylsäuren, die in 2 Mol. Soda gelöst waren, in der Weise zur Einwirkung gebracht, dafs die Mischung kurze Zeit zum Sieden erhitzt wurde. Beim Ansäuern der erkalteten Lösung fällt eine krystallinische, gelbe Säure aus, die wenig in siedendem Wasser löslich ist und von neutralen Mitteln kaum aufgenommen wird:

$$2\,(R\,.\,CO\,.\,CO_2Na) + N_2H_4\,.\,H_2SO_4$$
$$= Na_2SO_4 + R\,.\,C(CO_2H)\!:\!N\,.\,N\!:\!C(CO_2H)\,.\,R + 2\,H_2O.$$

Die auf diese Weise gewonnenen Säuren enthalten 1 Mol. Krystallwasser, welches sie bei 100° nicht verlieren. Das Wasser beginnt bei vorsichtigem Erhitzen bei 150° zu entweichen und bei wenig höherer Temperatur fängt die Abspaltung von Kohlensäure an, die nach einstündigem Erhitzen auf 180 bis 200° vollendet ist:

$$R\,.\,C(CO_2H)\!:\!N\,.\,N\!:\!C(CO_2H)\,.\,R = 2\,CO_2 + R\,.\,CH\!:\!N\,.\,N\!:\!CHR.$$

----

[1]) Patentbl. 17, 380; D. R.-P. Nr. 86608 vom 7. October 1892. —
[2]) Compt. rend. 122, 1491—1493.

Die zurückbleibenden Hydrazone sind leicht krystallisirende, meist gelb gefärbte Körper. Sind dieselben Derivate der aromatischen Kohlenwasserstoffe, so destilliren sie im Vacuum ohne Zersetzung, was bei den Derivaten der Phenoläther nicht der Fall ist. Beim Erhitzen unter gewöhnlichem Druck zersetzen sie sich in Stickstoff und substituirte Stilbene. Werden die Hydrazone mit 15 proc. Schwefelsäure im Einschlußrohre auf 140 bis 150° erhitzt, so wird Hydrazinsulfat regenerirt und das betreffende Aldehyd in Freiheit gesetzt, jedoch unter Zersetzung eines grofsen Theiles der Substanz, so dafs die Ausbeuten schlecht sind. — Die *Phenylglyoxyl-säure* liefert ein *Hydrazon*, welches bei 179° schmilzt und beim Erhitzen in *Benzylidenhydrazon* übergeht. — Die *p-Kresylglyoxyl-säure* liefert ein bei 200° schmelzendes Hydrazon, welches durch Abspaltung von Kohlensäure in das *Hydrazon* des *p-Toluylaldehyds* übergeht, das bei 154° schmilzt und bei weiterem Erhitzen *p-Dimethylstilben* liefert. Das letztere bildet schöne, weifse, bei 176 bis 177° schmelzende Blättchen. — Die *Anisylglyoxylsäure* führte ebenfalls zu einer Hydrazonsäure, welche bei der pyrogenen Zersetzung neben dem in Aether fast unlöslichen, bei 168° schmelzenden *Hydrazon* des *Anisaldehyds* eine geringe Menge eines isomeren Hydrazons liefert. Das letztere ist in Aether löslich, schmilzt bei 152° und erweist sich als das *Hydrazon* des *m-Methoxybenzaldehyds*. Es ist verschieden von dem des o-Methoxybenzaldehyds, welches bei 141° schmilzt. — Die *Veratrylglyoxyl-säure* giebt ein bei 184° schmelzendes Hydrazon. Das *Hydrazon* des *Veratrylaldehyds* schmilzt bei 190°. *Hr.*

Th. Curtius. Hydrazide und Azide organischer Säuren. *v. N.*

E. Davidis. Die Hydrazide und Azide der Phtalsäuren [1]. — Durch Einwirkung von Hydrazinhydrat auf o-Phtalsäureester resp. Phtalylchlorid läfst sich nur das früher von Foersterling [2] aus Hydrazinhydrat und Phtalsäureanhydrid dargestellte *Phtalhydrazid*,

bereiten; das Auffinden eines o-Phtaldihydrazides gelang auf keine Weise. Die Identificirung der Präparate verschiedener Herkunft wurde durch Darstellung bekannter Derivate und directen krystallographischen Vergleich (säulenförmig ausgebildete monokline

---

[1] J. pr. Chem. [2] 54, 66—87. — [2] Daselbst [2] 51, 371.

Krystalle) bewerkstelligt. Aequimolekulare Mengen von Isophtalester und Hydrazinhydrat, in Alkohol gelöst, im Wasserbade ergeben das *Isophtaldihydrazid*,

$$CO.NH.NH_2$$
$$CO.NH.NH_2$$

Seideglänzende Nadeln. Schmelzp. 220°. Leicht löslich in warmem
Wasser, verdünntem Alkohol und Eisessig, verdünnten Mineralsäuren und Alkalien. Unlöslich in Aether und Benzol. Es reducirt in der Kälte Fehling'sche Lösung, ammoniakalische Silberlösung und Platinchlorid. Durch längeres Erhitzen mit Säuren
oder Alkalien wird es in Componenten gespalten. *Chlorhydrat.*
$C_8H_{12}N_4O_2Cl_2$, seideglänzende Blättchen, leicht löslich in Wasser
und verdünntem Alkohol, schwer in absolutem Alkohol, unlöslich
in Aether. *Platinchlorürdoppelsalz*, $C_8H_{12}N_4O_2Cl_2.PtCl_2$, entsteht
als lehmfarbiges, unlösliches Pulver beim Versetzen der alkoholischen Lösung des Dihydrazides mit Platinchlorid. *Acetonylisophtalhydrazin*, $C_6H_4[CO.NH.N:C(CH_3)_2]_2$, nadelförmige Krystalle.
Schmelzp. 243 bis 244°. In absolutem Alkohol und Aether leicht
löslich. *Benzalisophtalhydrazin*, $C_6H_4[CO.NH.N:CH.C_6H_5]_2$,
Nadeln, Schmelzp. 241°. In Wasser und Alkohol schwer löslich,
unlöslich in Aether. *Isophtalhydrazinacetessigäthylester*, $C_6H_4[CO$
$.NH.N:C(CH_3)CH_2COOC_2H_5]_2$, gelbliche, körnige Krystalle,
Schmelzp. 145°. Aufserordentlich leicht löslich in Alkohol. *Isophtalazid*, $C_6H_4[CO.N_3]_2$, aus dem Chlorhydrat des Dihydrazides
und Natriumnitrit bereitet. Zolllange, explosive, anisotrope Prismen, Schmelzp. 56°. Leicht löslich in Aether und Aceton. *Terephtalhydrazinäthylester*, $C_6H_4{<}^{CO.NH.NH_2}_{CO_2C_2H_5}$, ist das Product der
Einwirkung von Hydrazinhydrat auf Terephtalsäureester, gleichviel
in welchem Mengenverhältnifs bei der Temperatur des Wasserbades.
Weifse Nadeln, Schmelzp. 164 bis 165°. In heifsem Wasser, Alkohol und Eisessig leicht löslich, unlöslich in Aether. Im Uebrigen
verhält sich der Körper dem Isophtaldihydrazid analog. *Chlorhydrat*, seideglänzende Blättchen, leicht löslich in Wasser und
verdünntem Alkohol. *Natriumsalz*, $C_6H_4{<}^{CO.NNa.NH_2}_{CO_2C_2H_5}$, entsteht
durch Einwirkung von metallischem Natrium auf die alkoho-
lische Lösung von Terephtalhydrazinäthylester. Leicht löslich in
Wasser und verdünntem Alkohol. *Benzalterephtalhydrazinäthylester*.

$C_6H_4 {<}^{CO\,.\,NH\,.\,N\,:\,CH\,.\,C_6H_5}_{CO_2\,.\,C^2H_5}$, aus Alkohol filzige Nadeln, Schmelzp.

195⁰. *Acetonylterephtalhydrazinäthylester,* $C_6H_4 {<}^{CO\,.\,NHN\,:\,C(CH_3)_2}_{CO\,.\,OC_2H_5}$,

feine Krystalle, Schmelzp. 259⁰. Durch Erhitzen mit Wasser in Componenten spaltbar. *Terephtaläthylesterazid,* $C_6H_4 {<}^{CO\,.\,N_3}_{CO_2\,.\,C_2H_5}$,

Tafeln von angreifendem, aromatischem Geruch, schmelzbar bei der Handwärme. In Aether und Aceton leicht löslich; in der Flamme verpuffend. Aus 1 Mol. Terephtalester, 2 Mol. Hydrazinhydrat und etwas Alkohol entsteht nach drei- bis vierstündigem Erhitzen im Rohre auf 130 bis 140⁰ das *Terephtaldihydrazid,* $C_6H_4[CO\,.\,NH\,.\,NH_2]_2$. Aus Wasser filzige Nadeln, die erst oberhalb 300⁰ schmelzen. Aufserordentlich schwer löslich in allen Solventien. Gegen kochende Alkalien und Säuren bedeutend beständiger als die übrigen Phtalhydrazide, jedoch in sonstigem Verhalten gleicht es denselben. *Chlorhydrat,* aus verdünntem Alkohol, glänzende Blättchen, bei 270⁰ noch nicht schmelzend. *Benzalterephtaldihydrazid,* weifse Flocken, aufserordentlich schwer löslich in Alkohol. *Acetonylterephtaldihydrazid,* warzenförmige Krystalle, Schmelzp. 261 bis 262⁰. *Terephtaldihydrazinacetessigäthylester,* gelbliche, körnige Krystalle, Schmelzp. 240⁰. *Formalterephtaldihydrazin,* $C_6H_4[CO\,.\,NH\,.\,N\,:\,CH_2]_2$, graues, schwer verbrennbares Pulver. *Terephtaldiazid,* trikline Tafeln, Schmelzp. 110⁰; in Aether und Aceton leicht löslich. — *m-Phenylenäthylurethan,* $C_6H_4[NH\,.\,CO_2\,.\,C_2H_5]_2$, entsteht durch Erwärmen im Wasserbade der absoluten alkoholischen Lösung des Isophtalazids. Tafeln, Schmelzp. 143 bis 145⁰. In Alkohol, Aether, Benzol, Ligroin etc. aufserordentlich leicht löslich. Zerfällt beim Erhitzen mit Mineralsäuren in m-Phenylendiaminchlorhydrat, Alkohol und Kohlensäure. *m-Phenylenharnstoff.*

entsteht durch Kochen von Isophtalazid längere Zeit mit Wasser. Körniges, in gewöhnlichen Solventien unlösliches Pulver. Identisch mit dem von W. Michel und Zimmermann[1]) aus Phosgen und m-Phenylendiamin dargestelltem Körper. *p-Phenylenäthylurethan,* tafelförmige Krystalle, Schmelzp. 195⁰, und *p-Phenylenharnstoff*

---

[1]) JB. f. 1881, S. 336.

gleichen in allen Eigenschaften den beiden vorhergehenden
Verbindungen.   *v. N.*

R. Walther. Ueber Reductionen mit Phenylhydrazin [1]). —
Während Phenylhydrazin gegen Reductionsmittel äufserst beständig
ist, wird es durch Oxydationsmittel leicht verändert, wobei es je
nach den Bedingungen in Diazobenzolsalz übergeht, oder seinen
Stickstoff theilweise (Anilin) oder ganz (Benzol) verliert. Nitrokörper werden durch Phenylhydrazin in die entsprechenden Basen
übergeführt. So konnte Verfasser aus Nitrobenzol, aus o- und
p-Nitrotoluol Anilin resp. o- und p-Toluidin gewinnen. Mit
m-Dinitrobenzol reagiren auf 1 Mol. je 3 Mol. Phenylhydrazin
äufserst stürmisch, so dafs man Xylol als Verdünnungsmittel hinzufügen mufs. Bei Verwendung von 6 Mol. Phenylhydrazin entsteht direct m-Phenylendiamin. Die Gewinnung von o-Phenylendiamin aus o-Nitranilin mittelst Phenylhydrazin kann geradezu
als Darstellungsmethode in Betracht kommen. o-Nitrophenol
gebraucht zur Zersetzung nicht 3 Mol. Hydrazin, sondern 6,
wobei 3 Mol. in Stickstoff, Ammoniak, Anilin und Benzol zerfallen. Ebenso wurde p-Amidophenol erhalten. 4 Mol. Phenylhydrazin und 1 Mol. o-Nitrobenzoësäure reagiren leicht unter
Bildung von Anthranilsäure. Azoxybenzol und Phenylhydroxylamin wurden ebenfalls zu Anilin reducirt. Erhitzt man Nitroäthan
oder Nitromethan mit Phenylhydrazin, so entstehen Stickstoff,
wenig Ammoniak und Benzol, dagegen viel Anilin; Aethyl- oder
Methylamin wurde nicht erhalten. Aethylnitrat und das Reductionsmittel gaben in einem Falle Stickstoff, wenig Ammoniak,
dagegen Krystalle von NH_4NO_3, Anilin, wenig Benzol und Acetophenon. Bei einer Wiederholung sprang der auf· 200 Atm. geprüfte
Autoclav aus einander. — Phenylhydrazin und Nitrosobasen wirken
je nach den Bedingungen verschieden auf einander. Aus Nitroso-
dimethylanilinchlorhydrat und Phenylhydrazinacetat wurde Diazo-
benzonitrosodimethylanilin erhalten; die ätherische Lösung der
freien Basen giebt p-Azoxydimethylanilin, die alkoholische Lösung
p-Azodimethylanilin und Dimethylamidodiphenylamin. Ebenso
bildet Nitrosodiphenylamin in saurer Lösung Diazokörper. Unreines
Nitrosodiphenylamin reagirt stürmisch unter Abspaltung von NO
und Rückbildung von Diphenylamin. β-Nitrosonaphtol wird zur
Azoverbindung reducirt. Aliphatische sog. Nitrosoverbindungen —
Nitrosodibutylamin und Nitrosodiäthylamin — beweisen durch
ihre Beständigkeit, dafs die —NO-Gruppe in ihnen modificirt sein

---

[1]) J. pr. Chem. 53, 433—471.

mufs. Nitrosobenzol und Phenylhydrazin entwickeln, selbst mit Eiswasser gekühlt, Stickstoff, dabei scheint das Diazooxyamidobenzol von Bamberger gebildet zu werden. Der Atomcomplex O=C, sowie die Cyangruppe ist gegenüber Phenylhydrazin beständig, wie die Erfahrung am Zimmtsäurephenylhydrazid sowie am Benzylidenbenzylcyanid bewies. Bei dieser Gelegenheit wird eine bequeme Darstellung von α-Phenylzimmtsäurenitril beschrieben, wobei Verfasser Benzylcyanid und Benzaldehyd bei Gegenwart von concentrirter Kaliumcyanidlösung oder concentrirter Natronlauge condensirt. Formylphenylhydrazin konnte durch Phenylhydrazin nicht in das sym. Methylphenylhydrazin verwandelt werden. Die Atomgruppe C=N, wie sie in den Hydrazonen vorliegt, wird durch Phenylhydrazin nicht angegriffen. Benzylidenhydrazin geht dabei nur in Benzylidenphenylhydrazin und Anilin über. Verfasser versuchte deshalb die Nitrobenzylidenphenylhydrazone zu reduciren, wobei sich die Schwierigkeit ergab, diese Hydrazone zu acyliren, bis es gelang, dies durch vorsichtigen Zusatz von Wasser zu der einige Zeit sich selbst überlassenen Mischung von Acylchlorid und Hydrazon in Pyridin zu bewirken. *m-Nitrobenzylidenphenylhydrazon* wurde aus m-Nitrobenzaldehyd und Phenylhydrazin erhalten und krystallisirt aus Alkohol in Nädelchen vom Schmelzp. 120 bis 121°. Sein *Benzoylderivat* krystallisirt aus Alkohol in weifsen Nadeln vom Schmelzp. 197°. Das *Acetylderivat* [1]), weifse Nädelchen aus Alkohol, Schmelzp. 170°. Die Reduction mit Phenylhydrazin führte das Nitrohydrazon in *m-Amidobenzylidenphenylhydrazon*, $C_6H_4 \, NH_2 \, . \, CH : N \, . \, NHC_6H_5$, über, das aus wenig Alkohol in gelben Nädelchen vom Schmelzp. 162° erhalten wurde. Die Reduction mit H_2S gab bedeutend schlechtere Resultate. Das schon bekannte p-Nitrobenzylidenphenylhydrazon [2]) wurde in sein *Benzoylderivat* übergeführt, das durch fractionirte Krystallisation in seidenweichen Nädelchen vom Schmelzp. 169° erhalten wurde. Das *Acetylderivat* bildete rhombische Krystalle vom Schmelzp. 160 bis 162°. Die Reduction führte zum *p-Amidobenzylidenphenylhydrazon*, $C_6H_4 \, . \, NH_2 \, . \, CH : N$ $: NHC_6H_5$, das aus Alkohol in goldgelben Blättchen vom Schmelzp. 175° krystallisirt. *o-Nitrobenzylidenphenylhydrazon* bildet dunkelrothe Nädelchen, Schmelzp. 153°, sein *Benzoyl*derivat Prismen vom Schmelzp. 166 bis 167°. *o-Amidobenzylidenphenylhydrazon* krystallisirt aus Alkohol in grünlichgelben Blättchen vom Schmelzp. 221 bis 222°. Nach seiner Pyridinmethode konnte Verfasser auch

---

[1]) Ber. 17, 2097. — [2]) Ann. Chem. 232, 232.

Benzoylbenzylidenphenylhydrazon erhalten, das aus Alkohol in Nädelchen vom Schmelzp. 114° krystallisirt. Azobenzol wird glatt zu Hydrazobenzol reducirt, auch dieses wird bei höherer Temperatur unter Bildung nicht weiter untersuchter Producte, die nicht krystallisiren, angegriffen. Bei der Reduction von Amidoazobenzol konnte nur p-Phenylendiamin erhalten werden. Auf Diazoamidobenzol wirkt Phenylhydrazin aufserordentlich heftig ein, es wurden aufser Benzol und Anilin nur verharzte Producte erhalten. Thiocarbanilid wird von freiem Phenylhydrazin glatt zu dem Diphenylthiosemicarbazid von Fischer, $C_6H_5NH.CS.NH.NH.C_6H_5$, reducirt. Das Semicarbazid scheint bei weiterer Einwirkung von Phenylhydrazin in Phenylthioharnstoff überzugehen. Im Methenyldiphenylamidin verdrängt das stärkere Phenylhydrazin den Anilinrest. Der so erhaltene Körper bildet aus Benzol-Ligroin weifse, silberglänzende Blätter, die bei 106 bis 108° schmelzen und der Formel $C_6H_5N=CH-NH.NH.C_6H_5$ entsprechen. Im Einschlufsrohr bei 300° erleidet Phenylhydrazin Selbstreduction und zerfällt in Stickstoff, Benzol und Anilin.   *Mr.*

H. Causse. Ueber weinsaures Phenylhydrazin und seine Derivate [1]. — Verfasser erhielt *Phenylhydrazinbitartrat*,

$$C_{14}H_{20}N_2O_{12} = N \underset{N}{\overset{H-COOH-CHOH-CHOH-COOH}{\underset{H}{\langle C_6H_5 \rangle}}} H-COOH-CHOH-CHOH-COOH$$

in folgender Weise: 100 g gewöhnliche Rechtsweinsäure wurden in starkem Alkohol (500 ccm) gelöst, die Lösung mit 100 g Phenylhydrazin und danach bei 65° mit dem gleichen Volum Aether versetzt und nach mehrtägigem Stehen das ausgefallene Phenylhydrazinbitartrat aus siedendem Alkohol umkrystallisirt. Das so gewonnene *Phenylhydrazinbitartrat* bildet farblose, sich aber schnell gelb färbende, in Wasser leicht (1 Thl. in 4 Thln.), in kaltem Alkohol weniger, in Aether sehr wenig lösliche, bei 118 bis 119° unter Zersetzung schmelzende Nadeln. Seine wässerige Lösung lenkt die Ebene des polarisirten Lichtes nach links ab. Löst man das Salz in Salpetersäure und leitet durch diese Lösung einen Gasstrom von Stickstoffdioxyd, so zersetzt sich das Salz und man erhält wieder Rechtsweinsäure. Mit Metallsalzen giebt das Phenylhydrazin Doppelsalze. So erhält man das *Kaliumdoppelsalz des Phenylhydrazinbitartrats*,

---

[1] Compt. rend. 122, 940—942.

$$N \begin{cases} H-COOH(CHOH)_2COOK \\ C_6H_5 \\ N \begin{cases} H-COOH(CHOH)_2COOH \\ H \end{cases} \end{cases}$$

durch Versetzen einer Lösung von Phenylhydrazinbitartrat (10 g) in siedendem Alkohol (100 ccm) mit alkoholischer Kalilauge in kleinen, weifsen, in kaltem Wasser sehr wenig, in Alkohol und Aether nicht löslichen Krystallen. Die wässerige Lösung des Salzes lenkt die Ebene des polarisirten Lichtes nach links ab. Das durch Behandeln einer wässerigen Phenylhydrazinbitartrat-lösung mit Barytwasser dargestellte *Baryumdoppelsalz des Phenyl-hydrazinbitartrats,*

$$N \begin{cases} H-COOH(CHOH)_2COO \\ C_6H_5 \\ N \begin{cases} H-COOH(CHOH)_2COO \\ H \end{cases} \end{cases} Ba$$

ist in kaltem Wasser wenig, in heifsem Wasser leichter löslich. Die wässerige Lösung dreht die Ebene des polarisirten Lichtes nach links. Das durch Kochen einer wässerigen Lösung von Phenylhydrazinbitartrat mit Antimonoxyd im Ueberschufs gewonnene *Antimonoxyddoppelsalz des Phenylhydrazinbitartrats,*

$$N \begin{cases} H-COOH-CHOH-CHO(SbO)-COOH \\ C_6H_5 \\ N \begin{cases} H-COOH(CHOH)_2-COOH \\ H \end{cases} \end{cases}$$

bildet in Wasser und siedendem Alkohol lösliche, in kaltem Alkohol wenig lösliche, kleine Krystalle. Die wässerige und ebenso die alkoholische Lösung dreht die Ebene des polarisirten Lichtes nach links. Durch Erhitzen des Phenylhydrazinbitartrats auf 100° erhält man die *Amidverbindung*:

$$N \begin{cases} H-COOH(CHOH)_2-CO \\ C_6H_5 \\ N \begin{cases} H-COOH(CHOH)_2-COOH \\ \end{cases} \end{cases}$$

in kleinen, bei 225° schmelzenden, in kaltem Wasser und Alkohol wenig löslichen Krystallen. Ihre wässerige Lösung dreht die Ebene des polarisirten Lichtes stärker nach links, wie die des Phenylhydrazinbitartrats. Das *salzsaure Salz des Phenylhydrazin-bitartrats,*

$$N \begin{cases} H-COOH(CHOH)_2COOH \\ C_6H_5 \\ N \begin{cases} H-COOH(CHOH)_2COOH \\ H . HCl \end{cases} \end{cases}$$

durch Behandeln des Phenylhydrazinbitartrats mit Salzsäure ge-wonnen, bildet farblose, an der Luft sich schnell gelb färbende

Krystalle. Seine wässerige Lösung dreht die Ebene des polarisirten Lichtes nach links. Schließlich wurden auch noch ein
Benzoylderivat und ein Aldehydderivat des Phenylhydrazinbitartrats
dargestellt. Letzteres wurde durch Behandeln einer wässerigen
Phenylhydrazinbitartratlösung mit gewöhnlichem Aldehyd in
weißen, perlmutterglänzenden, in Wasser unlöslichen Blättchen
erhalten.   *Wt.*

H. Causse. Ueber die Aldehydate des Phenylhydrazins [1]). —
Mit dem angeführten Namen werden Substanzen bezeichnet, welche
als molekulare Verbindungen von 1 Mol. Aldehyd und 2 Mol.
Phenylhydrazin aufzufassen sind. Die Darstellung derselben gelingt
mittelst des Phenylhydrazinbitartrates. Dieses wird erhalten, indem man 100 g Weinsäure in 500 ccm Alkohol löst und 50 g
Phenylhydrazin hinzufügt. Nach 24 stündigem Stehen an einem
kühlen Orte hat sich eine reichliche Krystallisation des Salzes
ausgeschieden. Die Krystalle werden abgepreßt, mit trockenem,
reinem Aether gewaschen, bis sie rein weiß erscheinen und unter
reinem, trockenem Aether aufbewahrt. Die *Verbindung* $CH_3.CHO$
$.2(NH_2.NHC_6H_5)$ wird erhalten, wenn man 50 g des trockenen
Bitartrates in 250 ccm Wasser löst und eine Mischung von 10 g
Acetaldehyd mit 90 g Wasser hinzugiebt. Es entsteht eine milchige
Flüssigkeit, aus welcher sich alsbald Krystalle abscheiden, diese
werden nach 48 Stunden abgetrennt, gewaschen und auf Flieſs-
papier unter Luft- und Lichtabschluſs getrocknet und zur Reinigung bei 40° in einem Gemisch von Alkohol und Aether gelöst.
Beim Verdampfen bilden sich weiße, schimmernde Krystalle,
welche unter den bezeichneten Vorsichtsmaßregeln zur Trockne
gebracht werden. Sie schmelzen bei 77,5° und färben sich an
der Luft und auch in geschlossenen Gefäßen gelb unter Zersetzung. Sie sind löslich in Alkohol, Aether und Chloroform,
weniger in siedendem, unlöslich in kaltem Wasser. Beim Kochen
der Verbindung mit verdünnter Schwefelsäure entweicht mit den
Dämpfen Aldehyd, durch welchen vorgelegte Fehling'sche Lösung
reducirt wird, beim Kochen mit Barytwasser scheidet sich Phenylhydrazin ab. Die *Verbindung* $C_6H_5.CHO.2(NH_2.NHC_6H_5)$ entsteht als flockiger, weißer Niederschlag bei allmählichem Zusatz
einer Lösung von 10 g Benzaldehyd (erhalten durch Lösen des
Aldehyds in 100 ccm absolutem Alkohol, nachfolgendem Verdünnen der Lösung mit Wasser auf das Volumen von 1·Liter
und Filtriren) zu einer Lösung des Bitartrates, welche 25 g Salz

---

[1]) Compt. rend. **122**, 1274—1277.

im Liter enthält. Die Ausscheidung wird nach einigen Tagen abgetrennt, gewaschen, im Dunkeln getrocknet und aus siedendem Alkohol unter Zugabe von etwas Thierkohle umkrystallisirt. Man erhält lange, weiſse Nadeln, ·welche bei 154⁰ schmelzen und an der Luft gelblich werden. Die Verbindung ist unlöslich in kaltem, wenig löslich in heiſsem Wasser, aus welchem sie sich beim Erkalten in mikroskopischen Nädelchen wieder abscheidet. Alkohol und Aether lösen sie in der Kälte, doch reichlicher beim Sieden. Die leichte Spaltung der Verbindung beim Kochen mit verdünnter Schwefelsäure oder mit Barytwasser in ihre Componenten, sowie ihr nur 13 Proc. betragender Gehalt an Stickstoff unterscheiden sie von dem Benzylidenhydrazon, dessen Schmelzpunkt, 152,6⁰, dem des Körpers sehr nahe liegt.   *Hr.*

C. Goldschmidt. Ueber die Einwirkung von Formaldehyd auf Phenylhydrazin in saurer Lösung [1]). — Verfasser erhielt beim Stehenlassen einer Lösung von salzsaurem Phenylhydrazin mit Methylal ein Isomeres des Körpers von Tollens [2]), $C_{15}H_{16}N_4$. Die neue Verbindung wird aus Ligroin umkrystallisirt und schmilzt dann bei 112⁰. Formaldehyd und Phenylhydrazin vereinigen sich zu einer Verbindung $C_{18}H_{18}N_4O$, die in Wasser unlöslich ist und aus Ligroin mit dem Schmelzp. 128⁰ erhalten wird. Das Chlorhydrat der sehr schwachen Base verharzt leicht. Mit $FeCl_3$ und HCl rothviolette Färbung. Wahrscheinliche Constitution:

$$CH_2 \Big\langle {}^{N(C_6H_5)\,.\,N\,.\,CH_2}_{N(C_6H_5)\,.\,N\,.\,CH_2} \Big\rangle CO \qquad\qquad Mr.$$

Carl Goldschmidt. Ueber die Einwirkung von Formaldehyd auf as-Methylphenylhydrazin in saurer Lösung [3]). — Das salzsaure as-Methylphenylhydrazin eignet sich zum Nachweis von Formaldehyd, weil es damit einen dunkelgrünen Farbstoff liefert, während Aethylaldehyd Rothfärbung bewirkt. Unter Anwendung von Methylal wurden zwei Körper erhalten; der eine, in Aether und Benzol leicht lösliche, krystallisirt in Alkohol in gelblich weiſsen Nadeln, Schmelzp. 217⁰, wahrscheinlich $C_{17}H_{20}N_4 = CH_2(C_6H_4N .CH_3 . N:CH_2)_2$; der andere, ein in warmem Wasser, Alkohol und Eisessig löslicher, in Aether unlöslicher Farbstoff gehört wahrscheinlich der Diphenylmethangruppe an, $C_{17}H_{18}N_4Cl$. Er färbt Seide und Wolle schön grün mit blaustichiger Nüance, tannirte Baumwolle grün.   *v. N.*

Emil Fischer. Ueber das Azophenyläthyl und das Acet-

---

aldehydphenylhydrazon [1]). — Um die Constitution und gegenseitigen Beziehungen beider Körper näher aufzuklären, wurden die älteren Versuche über diesen Gegenstand [2]) wie folgt ergänzt. Das *Azophenyläthyl*, $C_6H_5N:N.CH_2.CH_3$, wurde aus äthyliertem Phenylhydrazin durch Oxydation mit Quecksilberoxyd dargestellt. Das gleichzeitig entstehende Diphenyldiäthyltetrazon wurde durch Krystallisation beseitigt und das Azophenyläthyl im Vacuum destillirt. Bei 10 bis 12 mm siedet es bei 64 bis 70⁰. Die Einwirkung von Säuren auf das Azophenyläthyl verläuft verschieden, je nach den Reactionsbedingungen. Läſst man die Lösung von 1 Thl. Azophenyläthyl in 10 Thln. Schwefelsäure von 60 Proc. bei Zimmertemperatur 15 Minuten stehen, so bildet sich das Acetaldehydphenylhydrazon; in der Wärme erfolgt Spaltung in Acetaldehyd und Phenylhydrazin, sonst entstehen leicht amorphe, dunkle Niederschläge oder harzige Massen. *Acetaldehydphenylhydrazon* (früher Aethylidenphenylhydrazin genannt) existirt in zwei bestimmten Formen α und β. Das frisch bereitete und im Vacuum destillirte (20 bis 30 mm Druck, 140 bis 150⁰) Product giebt, aus Alkohol umkrystallisirt, glänzende Blättchen, Schmelzp. 63 bis 65⁰, welche sich in sechsfacher Menge Petroläther (Siedep. 55 bis 75⁰) lösen. Löst man 20 g dieser β-Verbindung in 60 ccm³ heiſsem Alkohol (75 Proc.), fügt dann 4 ccm einer 40 proc. Natronlauge hinzu, erhält drei Minuten im Sieden und kühlt ab, so entstehen prismatische Krystalle des α-Acetaldehydphenylhydrazons, Schmelzp. 98 bis 101⁰. Nach der Destillation bei 20 mm Druck findet man den Schmelzpunkt auf 80⁰ erniedrigt, und durch 24 stündiges Trocknen im Vacuum erniedrigt er sich noch weiter auf 64 bis 65⁰; die β α-Form ist demnach in die β-Form übergegangen. Den Schmelzp. 80⁰ findet man auch an der β-Modification nach dem Umkrystallisiren aus Petroläther, er kommt demnach wahrscheinlich dem Gemische beider Formen zu, könnte aber auch möglicher Weise einer dritten Modification entsprechen. Sowohl das Azophenyläthyl als auch das Acetaldehydphenylhydrazon besitzen einfache Molekulargröſse, $C_8H_{10}N_2$.   *v. N.*

Hans Rupe und **Georg Heberlein.** Ueber unsymmetrische (α)-Phenylhydrazinderivate [3]). (II. vorl. Mittheilung.) — Im Anschluſs an frühere Untersuchungen [4]) theilen die Verfasser mit, daſs die Acetessigesterverbindung des unsym. Phenylhydrazidoacet-

---

[1]) Ber. **29**, 793—797. — [2]) Ann. Chem. **199**, 328; **190**, 136 u. **236**, 137. — [3]) Ber. **29**, 622—623. — [4]) Ber. **28**, 1717.

anilids durch conc. Schwefelsäure unter Abspaltung von Anilin in die *1-Phenyl-3-methyl-5-ketotetrahydropyridazin-4-carbonsäure*,

$$C_6H_5 . N {<}^{N={=}C{<}^{CH_3}_{CH.COOH}}_{CH_2 . CO}$$

übergeht. Zersetzungsp. 230°. Das vom Anilidoacetamid derivirende *Nitrosoderivat*, Schmelzp. 145°, liefert, mit Zink und Essigsäure reducirt, das *unsymm. Phenylhydrazidoacetamid*, Schmelzp. 140° (Benzaldehydverbindung, Schmelzp. 225°), welches auch durch Einwirkung von Chloracetamid auf Phenylhydrazin neben *unsymm. Phenylhydrazidoacetphenylhydrazin*,

$$C_6H_5 . N . CH_2 . CO . NH . NH . C_6H_5,$$
$$NH_2$$

Schmelzp. 178°, entsteht. Das Hydrazon des letzten Körpers schmilzt bei 196°. *v. N.*

Hans Rupe. Ueber unsymmetrische (α)-Phenylhydrazin-verbindungen[1]. (III. vorl. Mittheilung.) — Durch Behandeln des Acetylphenylhydrazins mit Chlorkohlensäureester und Verseifen der entstandenen Acetylverbindung stellte der Verfasser den *unsym. Phenylhydrazidoameisensäureester* dar. Gelbes Oel. Benzaldehydverbindung, Schmelzp. 96 bis 97°. Mit Cyansäure entsteht der *Phenylsemicarbazidcarbonsäureester*, $C_6H_5N(COOC_2H_5)NH.CO.NH_2$, Schmelzp. 165 bis 166°, der mit Chlorzink *Phenylurazol*,

$$C_6H_5 . N {<}^{NH.CO}_{CO.NH},$$

mit Rhodankalium *Thioharnstoff*, Schmelzp. 221°, ergiebt. Der Phenylhydrazidoameisensäureester giebt mit Phosgen *Diphenyl-carbaziddicarbonsäureester*,

$$C_6H_5N . NH . CO . NH . N . C_6H_5,$$
$$COOC_2H_5 \qquad COOC_2H_5$$

Schmelzp. 159°, welcher durch Alkalien in das darin lösliche *Tetrazinderivat*,

$$C_6H_5 . N {<}^{N.COH}_{CO.NC_6H_5} {>} NH,$$

Schmelzp. 263 bis 264°, übergeht. *v. N.*

G. Minunni und E. Rap. Untersuchungen über die Oxydationsproducte der Hydrazone. I. Oxydation des Benzalphenyl-hydrazons[2]. — Die von Minunni[3]) zuerst durch Oxydation von Benzalphenylhydrazon mit gelbem Quecksilberoxyd in Chloroform-lösung dargestellte gelbe, krystallinische, bei 180° schmelzende

[1]) Ber. 29, 829. — [2]) Accad. dei Lincei Rend. [5] 5, I, 199—203. — [3]) Gazz. chim. ital. 22, II, 228; JB. f. 1892, S. 1450.

Verbindung $C_{26}H_{22}N_4$, welcher er die Constitutionsformel $(C_6H_5$
$-CH=N-N-C_6H_5)(C_6H_5-CH=N-N-C_6H_5)$ gab, wurde später auch
von v. Pechmann [1]), der sie als *Dibenzaldiphenylhydrotetrazon* [2])
bezeichnete, durch Behandeln des Benzalphenylhydrazons mit
Amylnitrit in ätherischer Lösung und durch Einwirkung von
Benzaldehyd auf Nitrosophenylhydrazin und ferner noch von
H. Ingle und H. H. Mann [3]) durch Behandeln des Hydrazons
des Benzaldehyds mit Jod und Natriumäthylat in ätherischer
Lösung erhalten. Die Verfasser fanden nun, dafs das *Dibenzal-*
diphenylhydrotetrazon, wenn man dasselbe in ein vorher auf
ca. 200⁰ erwärmtes Bad bringt, unter Gasentwickelung bei 180
bis 181⁰ schmilzt und dabei in eine isomere Verbindung übergeht,
welche im reinen Zustande bei 198 bis 200⁰ schmilzt, und welche
sie vorläufig als *Dehydrobenzalphenylhydrazon* bezeichnen. Beim
langsamen Erhitzen verwandelt sich das Dibenzaldiphenylhydrotetrazon bei 175 bis 180⁰, aber ohne vorher zu schmelzen, ebenfalls in das isomere Dehydrobenzalphenylhydrazon, und man kann
dieses auch direct aus dem Hydrazon des Benzaldehyds gewinnen.
Nimmt man nämlich die Oxydation des Benzaldehydhydrazons
mit gelbem Quecksilberoxyd in mehr oder weniger concentrirter
Chloroformlösung vor, so erhält man stets ein Gemisch von Dehydrobenzalphenylhydrazon und Dibenzaldiphenylhydrotetrazon. Wird
dagegen die Oxydation mit dem gelben Quecksilberoxyd statt in
sehr verdünnter Chloroformlösung in ätherischer Lösung vollzogen,
so entsteht ausschliefslich Dehydrobenzalphenylhydrazon. Bei der
Oxydation des Hydrazons des Benzaldehyds mit Amylnitrit erhält
man endlich drei Producte, nämlich Dibenzaldiphenylhydrotetrazon,
Dehydrobenzalphenylhydrazon und eine dritte Verbindung, welche
sich von den beiden ersteren durch ihre Unlöslichkeit in Benzol,
selbst in der Wärme, unterscheidet. Dieselbe krystallisirt aus
siedendem Alkohol in Nadeln oder Körnchen und schmilzt bei
240⁰. Da sie sich nur in äufserst geringer Menge bildet, konnte
ihre Natur noch nicht aufgeklärt werden. Beim Behandeln mit
Benzoylchlorid giebt das Dibenzaldiphenylhydrotetrazon neben
anderen Verbindungen als Hauptproduct einen Körper von der
Zusammensetzung $C_{14}H_{10}N$, welcher kein Benzoylderivat ist, bei
211 bis 213⁰ schmilzt und auch durch Einwirkung von Benzoylchlorid auf das bei 255⁰ schmelzende β-Osazon des Benzils
$(C_6H_5C=N-NH-C_6H_5)(C_6H_5C=N-NH-C_6H_5)$ erhalten wird. Da-

---

[1]) Ber. 26, 1045. — [2]) Ber. 27, 2920. — [3]) Chem. Soc. J. 1895, S. 606.

nach wird das Tetrazon bei der Einwirkung von Benzoylchlorid anscheinend zuerst in dieses Osazon umgelagert. Dehydrobenzalphenylhydrazon liefert beim Erhitzen mit Benzoylchlorid auf 100° ebenfalls den Körper vom Schmelzp. 211 bis 213°; läfst man die Einwirkung sich aber bei 95 bis 97° oder in benzolischer Lösung vollziehen, so entsteht eine bei 173° schmelzende Verbindung, welche bei dem Versuche, sie aus siedendem Alkohol umzukrystallisiren, in eine bei 186° schmelzende Verbindung überging, welche die Zusammensetzung einer Monobenzoylverbindung $C_{26}H_{21}N_4$ (COC_6H_5) besafs. Wahrscheinlich besitzt die bei 173° schmelzende Verbindung auch die gleiche Zusammensetzung eines Monobenzoylderivates, $C_{26}H_{21}N_4(COC_6H_5)$, und hat nur durch die Behandlung mit Alkohol eine molekulare Umlagerung erfahren, wodurch ihr Schmelzpunkt auf 186° erhöht wurde. *Wt.*

Ernst Täuber. Ueber das Di-o-diamidodiphenyl [1]). — Aus dem Diamin wurde nach der Sulfitmethode das *Hydrazin*, $C_{12}H_{14}N_4$, dargestellt, welches schwach gelblich gefärbte Blättchen vom Schmelzp. 110° bildet, sich in Chloroform, Alkohol und heifsem Benzol sehr leicht, in siedendem Wasser und Aether ziemlich leicht, in kaltem Benzol ziemlich schwer, in Petroläther gar nicht löst. Das *Sulfat*, $C_{12}H_{14}N_4$, H_2SO_4, $2H_2O$, ist schwer löslich. Wird das Hydrazin mit 20 proc. Salzsäure einige Stunden im Rohre auf 150° erhitzt, so bildet sich glatt *Phenazon*:

$$2\,HCl + \begin{matrix} C_6H_4-NH-NH_2 \\ | \\ C_6H_4-NH-NH_2 \end{matrix} = \begin{matrix} C_6H_4-N \\ \| \\ C_6H_4-N \end{matrix} + 2\,NH_4Cl.$$

Durch kochenden Eisessig wird das Hydrazin in ein krystallinisches, in den gebräuchlichen Lösungsmitteln schwer lösliches Diacetylderivat, $C_{16}H_{18}N_4O_2$, übergeführt, welches beim Erhitzen ebenfallls Phenazon neben Acetamid liefert. *Tf.*

Aromatische Phosphor- und Siliciumverbindungen.

A. Michaelis und E. Silberstein. Ueber Oxyphosphazoverbindungen [2]). — Für die Darstellung der von P. Otto [3]) zuerst entdeckten Oxyphosphazoverbindungen fanden Verfasser drei Wege gangbar. 1. Secundäre N-Oxychlorphosphine gehen beim Erhitzen in solche über, z. B.:

$$(C_6H_5NH)_2POCl = C_6H_5N:PO.NHC_6H_5 + HCl.$$

[1]) Ber. 29, 2270—2272. — [2]) Daselbst, S. 716—728. — [3]) Ber. 28, 619.

2. Tertiäre N-Phosphinoxyde oder Aminderivate der Orthophosphorsäure beim Erhitzen, z. B.:

$$(C_6H_5NH)_8PO = C_6H_5N:PO.NHC_6H_5 + H_2NC_6H_5.$$

3. Reines Phosphoroxychlorid (1 Mol.) und 2 Mol. des primären Amins mit Xylol als Verdünnungsmittel, z. B.:

$$2\,C_6H_5NH_2HCl + POCl_8 = C_6H_5N:PO.NH.C_6H_5 + 5\,HCl.$$

Die dritte Methode wurde als die zweckmäfsigste für die dargestellten Körper benutzt. *Oxyphosphazobenzolanilid* wurde aus dem angegebenen Gemisch durch Erhitzen am Rückflufskühler zunächst 10 Stunden bei 120°, dann weiter bei 150°, wobei der Kolbeninhalt eine weifslichgrüne, krümliche Masse darstellte, die nach dem Kochen mit Wasser, Alkohol und Aether als blendend weifses Pulver vom Schmelzp. 357° zurückbleibt, erhalten. Unlöslich in den gebräuchlichen Lösungsmitteln, äufserst beständig gegen Säuren, nur concentrirte H_2SO_4 bildet beim Erwärmen H_3PO_4 und $C_6H_5NH_2$. Bei längerer Einwirkung von siedendem Eisessig geht die Verbindung als Trianilin-N-phosphinoxyd, H_3PO_4, und Anilin in Lösung. In Natriumalkoholat löst sie sich unter Bildung eines bei 220° schmelzenden, in Alkohol und Eisessig löslichen *Additionsproductes*, wahrscheinlich der Constitution:

$$C_6H_5{\Big\langle}{\begin{array}{l}PO{\big\langle}{\begin{array}{l}NHC_6H_5\\O.C_2H_5\end{array}}\\PO.(NHC_6H_5)_2\end{array}}$$

Das entsprechende Phenylderivat wurde bei Einwirkung auf Phenol bei 140° in schönen, silberglänzenden, in den für die Aethylverbindung angegebenen Mitteln schwerer löslichen Schuppen vom Schmelzp. 240° erhalten. Bei höherer Temperatur wurde ein Product $C_{18}H_{17}N_2PO_2$ aus Alkohol in Nadeln vom Schmelzp. 165° erhalten, das also nicht identisch sein konnte mit Phenylester der secundären Anilin-N-phosphinsäure [1]) (Tafeln, Schmelzp. 125°). Es zeigte sich jedoch, dafs letztere Verbindung nicht secundäres Derivat ist, sondern mit dem Phenylester der primären N-Phosphinsäure identisch ist, dagegen die erstere Verbindung der secundären Reihe angehört. Wasser, Alkohol und verdünnte Natronlauge wirken unter Druck ein nach der Gleichung:

$$2\,C_6H_5N:PO.NHC_6H_5 + 4\,H_2O = (C_6H_5NH)_2P(OH)_3 + H_3PO_4 + C_6H_5NH_2.$$

Das in Alkohol leicht lösliche *Trianilid* der *Pentahydroxylphosphorsäure* schmilzt bei 217°, verliert bei 120° kein Wasser und bildet bei höherer Temperatur Oxyphosphazobenzolanilid

---

[1]) Ber. 27, 2572.

zurück. Mit Anilin entsteht eine unbeständige Additionsverbindung $(C_6H_5NH)_3P_4O + C_6H_5NH_2$, Schmelzp. bei 180°. Bei Verwendung von m-Chloranilin wurde *Oxyphosphazo-m-chlorbenzolchloranilid*, $C_6H_4ClN:PO.NHC_6H_4Cl$, blendend weifses, sandiges Pulver, das bei 341° schmilzt, erhalten. Die analoge Bromverbindung scheidet sich bei vorsichtigem Arbeiten in Kryställchen vom Schmelzp. 329° aus, giebt ebenfalls einen Aethylester, Blättchen, die bei 203° schmelzen, und mit Anilin das gemischte tertiäre N-Phosphinoxyd, $(BrC_6H_4NH)_2.PO.NHC_6H_4Br$, Schmelzp. 165°. Chemisches Verhalten des Brom- und Chlorderivates wie das der Muttersubstanz. Die entsprechende Dichlorverbindung schmilzt ebenfalls sehr hoch, unterscheidet sich von vorhergenannten durch ihre Löslichkeit in heifser, wässeriger Natronlauge (1:5). Mit Phenol wird schwierig der bei 227° schmelzende, durch siedendes H_2O sich zersetzende *Phenylester der secundären N-Phosphinsäure*, $(C_6H_3Cl_2NH)_2PO.OC_6H_5$, gebildet. Die *p*- und *o-Oxyphosphazoverbindungen* des *Toluols* wurden in der gleichen Weise mit dem Schmelzp. 328° bezw. 309° erhalten. Die Verbindung aus 1.3.4-Monobromtoluidin wurde durch siedenden Eisessig in $(C_6H_3BrCH_3NH)_3PO$, Schmelzp. 268°, übergeführt. Mit Phenol wurde der Phenylester der secundären N-Phosphinsäure, $(C_6H_3BrCH_3NH)_2PO.O.C_6H_5$, mit dem Schmelzp. 221°, erhalten. Die Mesidinverbindung, $C_6H_2(CH_3)_3N:PO.NHC_6H_2(CH_3)_3$, krystallisirt aus viel heifsem Alkohol in Nadeln vom Schmelzp. 240°, die isomere Pseudocumidinverbindung aus demselben Mittel bei 217°. Das chemische und physikalische Verhalten dieser Körper glauben Verfasser am besten durch die Annahme doppelter Molekulargröfse mit folgender Constitution zu erklären:

$$C_6H_5 \underset{b}{\overset{a}{<}} \begin{array}{c} PO.NHC_6H_5 \\ NC_6H_5 \\ PONHC_6H_5 \end{array}$$

In dieser Formel können die Bindungen a und b gelöst werden, wie bei der Bildung des Aethyl- und Phenylesters geschieht. — Die Bestimmung des Kohlenstoffs nach der gewöhnlichen Methode versagte bei den beschriebenen Verbindungen vollkommen, gute Resultate erhielt Verfasser dagegen nach der Methode von Messinger: Oxydation des Kohlenstoffs mit Chromsäure und Schwefelsäure. *Mr.*

A. Michaelis. Ueber die Chlorphosphine der aromatischen Reihe und ihre Derivate [1]. — Verfasser veröffentlicht die Ergeb-

---

[1] Ann. Chem. **293**, 193—259.

nisse einer grofsen Anzahl von Arbeiten, von denen einzelne
schon in Dissertationsschriften bekannt geworden sind und die
sich mit den Condensationen von PCl_3 mit den aromatischen
Verbindungen befassen. Zur Darstellung solcher Verbindungen
sind drei Wege gangbar. 1. Man leitet den Kohlenwasserstoff
und PCl_3 durch ein glühendes Rohr. 2. Erhitzen von aromatischen
Quecksilberverbindungen mit dem Trichlorid; diese Methode kann,
trotz ihrer oft schlechten Ausbeute an Chlorphosphin, für die
Frage der Stellung des Phosphinrestes von Wichtigkeit werden.
3. Nach Friedel und Crafts: Condensation von Kohlenwasserstoff
und PCl_3 in Gegenwart von Aluminiumchlorid. Die Chlorphosphine
bilden farblose, an der Luft rauchende Flüssigkeiten, die das
Licht stark brechen und unangenehm riechen. Die Dichte und
der Siedepunkt sind in folgender Tabelle zusammengestellt:

	Siedep.	Spec. Gew.
Phenylchlorphosphin	222°	1,319
p - Chlorphenylchlorphosphin	254	1,425
p - Bromphenylchlorphosphin	272	1,689
p - Anisylchlorphosphin	250	1,076
p - Phenetylchlorphosphin	266	—
p - Tolylchlorphosphin	245 *)	—
m - Tolylchlorphosphin	235	1,282
o.- Tolylchlorphosphin	244	1,307
m - Xylylchlorphosphin	257	—
p - Xylylchlorphosphin	254 **)	1,250
p - Aethylbenzolchlorphosphin	251	1,227
Pseudocumylchlorphosphin	279	1,235
Mesitylchlorphosphin	274 ***)	1,205
Cumylchlorphosphin	269	1,190
Cymylchlorphosphin	276	—
Diphenylmethanchlorphosphin bei p_{20}	221	1,182
Dibenzylchlorphosphin bei p_{60}	250†)	—

*) Schmelzp. 25°. — **) Schmelzp. — 30°. — ***) Schmelzp. 36°. —
†) Schmelzp. 2°.

Brom- und Jodwasserstoff führen in erster Phase zu den Brom-
und Jodphosphinen, in zweiter Phase tritt Abspaltung des Kohlen-
wasserstoffs ein. Cyan- und Rhodansilber ersetzen in den Chlor-
phosphinen Chlor durch Cyan oder Rhodan. Wasser führt in
die phosphinigen Säuren über:

$$C_6H_5\,PCl_2 + 2\,H_2O = C_6H_5\,.PO_2H_2 + 2\,HCl.$$

Ebenso wirkt Alkohol, während Alkoholat das Chlor durch Oxalkyl-
reste ersetzt. Aldehyde geben schwer isolirbare Producte, die mit
Wasser Oxyphosphinsäure geben. Ketone und Phosphorpentoxyd
führen zu Körpern, die mit Wasser Diacetonphosphinsäure geben.
In ätherischer Lösung reagiren Piperidin und Chlorphosphine
unter Bildung von Phosphinen, die als N-Phosphine bezeichnet
werden, sich mit Jodmethyl zu Phosphoniumjodidverbindungen
vereinigen, die mit feuchtem Ag_2O ein Hydroxyd geben, das bei
höherer Temperatur in Piperidin und Methylphosphinsäure zerfällt. Phenylhydrazin führt zu den Phosphinhydrazonen, Chlor
und Brom lagern sich unter Bildung der Tetrachloride, $R.PCl_4$,
oder der Chlorobromide, $R.PCl_2Br_2$, an. Durch Luftfeuchtigkeit
entstehen daraus Oxychlorphosphine, die mit Wasser in die
Phosphinsäuren übergehen. Aniline wirken auf das Tetrachlorid
unter Bildung von Anilphosphoniumverbindungen, $R.(NC_6H_5)PCl$.
Die Oxychlorphosphine, $RPOCl_2$, entstehen am besten durch Einwirkung von SO_2 auf das Tetrachlorid mit nachfolgender Destillation; einige bilden Amide mit wässerigem oder alkoholischem
Ammoniak, mit einwerthigen Phenolen entstehen deren Ester oder
Esterchloride. Sulfochlorphosphine entstehen entweder durch
Einwirkung von Schwefel auf Chlorphosphine oder durch Phosphor-
sulfochlorid auf die Kohlenwasserstoffe bei Gegenwart von Aluminium. Die phosphinigen Säuren sind einbasisch, entsprechen
daher der Formel $R.PH.O.OH$ und zerfallen beim Erwärmen
leicht in Phosphine und Phosphinsäuren. Erwärmen im Luftstrome dagegen führt nur zu den Phosphinsäuren, die ihrerseits
am besten mit dem entsprechenden Oxychlorid in Phosphino-
verbindungen, $R.PO_2$, übergehen. Die Phosphine, $R.PH_2$, oxydiren
sich leicht zu den phosphinigen Säuren. — *Phenylchlorphosphin*[1])
und *Phenylbromphosphin*[2]) lassen sich durch Cyansilber in *Phenylcyanphosphin*, farblose Flüssigkeit, Siedep. bei 20 mm 144 bis 145⁰,
überführen. Oxycyanphosphin konnte aus dem Chloradditions-
producte mit SO_2 nicht erhalten werden. Das mit Rhodansilber
erhaltene *Phenylrhodanphosphin* ist eine gelbe, dicke Flüssigkeit,
siedet unter 20 mm Druck bei 205 bis 207⁰. Chlor bildet Phos-
phenyltetrachlorid. *Phenylphosphinsäurediamid*, $C_6H_5PO(NH_2)_2$,
entsteht aus dem Oxychlorid durch concentrirte NH_3-Lösung,
Blättchen, Schmelzp. 189⁰. Beim Kochen mit Wasser wird Phos-
phinsäureammonsalz gebildet. Das entsprechende *Dianilid*, C_6H_5PO
$(NHC_6H_5)_2$, bildet weiße, verfilzte Nadeln, Schmelzp. 211⁰. Spaltet

---

[1]) Ann. Chem. 181, 265. — [2]) Ber. 9, 519.

erst im Rohr durch Eisessig-Salzsäurelösung. Phenyloxychlor-
phosphin und C_6H_5NHHCl bilden *Anilin-N-phenylphosphinsäure-
chlorid,* $C_6H_5 . PO.(-Cl, -NH . C_6H_5)$, das durch Alkali in die *Säure*
übergeht, die ein weifses krystallinisches Pulver vom Schmelzp.
125° darstellt. Concentrirte HCl spaltet in die Componenten.
Anilin-N-phenylphosphinsäurphenylester [1]), $C_6H_5PO.(NH.C_6H_5)$
. $(O.C_6H_5)$, entsteht durch reines Phenol aus der vorigen Verbindung, kleine, gelblichweifse Krystalle, Schmelzp. 83°, Siedep. bei
25 mm 235°. Concentrirte NaOH spaltet Anilin ab. *Phenylphosphin-
säurephenylhydrazid* bildet weifse Nadeln vom Schmelzp. 175°,
die gegen Säure unbeständig sind und Fehling's Lösung erst in
der Wärme reduciren. Beständig gegen Acetanhydrid [2]). *Phenylmethylphosphinsäure,* aus Phenyldipiperidinmethylphosphoniumjodid
und feuchtem AgO über das Hydroxyd hinweg durch Erhitzen zu
erhalten, wird als schuppiges Silbersalz isolirt. Die freie Säure
bildet Nadeln, Schmelzp. 133°. *Phenyloxäthylphosphinsäure,* C_6H_5P
$[CH(OH)CH_3]O.OH$, aus Acetaldehyd und Chlorphosphin erhalten.
bildet Sterne von Nadeln, die bei 104° schmelzen. Das *Baryumsalz* hat 2 Mol. H_2O und krystallisirt in Nadeln. Die höheren
fetten Oxalkylverbindungen sind ölig. *Phenyloxybenzylphosphin-
säure* aus Benzaldehyd und Chlorphosphin bildet ein weifses
Pulver, Schmelzp. 112 bis 114°. *Baryumsalz,* Täfelchen mit 1 Mol.
H_2O. Salicylaldehyd und Phenanthrenchinon bilden ähnliche
Verbindungen. — *Substituirte Phenylchlorphosphine.* — *p-Mono-
chlorphenylchlorphosphin,* $Cl.C_6H_4.PCl_2$, entsteht aus Chlorbenzol
und Phosphortrichlorid und stellt eine bei 233 bis 255° siedende
Flüssigkeit, die an der Luft raucht, dar. Die p-Stellung wurde
durch Ueberführung in das p-Bromchlorbenzol von Griefs [3]),
Schmelzp. 67°, dargethan. Die Chlorirung führt zu dem *Tetra-
chlorid,* einer gelben, krystallinischen, zerfliefslichen Substanz, die
Bromirung zu dem bei 216° schmelzenden, stark rauchenden
Monochlorphosphenylbromchlorid, $Cl.C_6H_4.P.Cl_2Br_2$. Das Tetrachlorid geht mit SO_2 in *Monochlorphosphenyloxychlorid*, gelbliche
Flüssigkeit, Siedep. 284 bis 285°, über. Mit Wasser liefert das
Monochlorphosphenylchlorid *monochlorphosphinige Säure,* $ClC_6H_4.P$
. O_2H_2, die entweder nadelig oder blätterig krystallisirt und bei
130 bis 131° schmilzt. Silberlösung wird damit sofort reducirt.
Ammonsalz, $Cl.C_6H_4.PO_2H.NH_4$, glänzende Blättchen. *Baryumsalz*, $(Cl.C_6H_4.PO_2H)_2Ba . aq$, leicht lösliche Blättchen. **Aus**

---

[1]) Weitere Phenol- und Anilinderivate vgl. Ann. Chem. **181**, 336. —
[2]) Vgl. Ann. Chem. **290**, 136. — [3]) Zeitschr. f. Chem. 1866, S. 201.

neutraler $CuSO_4$-Lösung fällt ein Salz mit 4 Mol. H_2O. *Phenylhydrazinsalz*, goldgelbe Nadeln oder hellgelbe Blättchen vom Schmelzp. 169°. *Monochlorphenylphosphinsäure*, $Cl.C_6H_4.PO(OH)_2$, aus dem Tetra- oder Oxychlorid durch Zersetzung mit Wasser, bildet seideglänzende Nadeln vom Schmelzp. 183 bis 184°. Bildet ein saures *Baryumsalz*, Nadeln, und ein *saures*, blätteriges und ein amorphes *neutrales Silbersalz*. *Phosphinochlorbenzol*, $Cl.C_6H_4PO_2$, das Anhydrid voriger Säure, wird aus Säure und Oxychlorid erhalten und ist ein bei 211° schmelzendes Krystallpulver. *Mononitrochlorphenylphosphinsäure*, $Cl.C_6H_3NO_2.PO.(OH)_2$, wird durch Nitriren mit rauchender HNO_3 gewonnen und krystallisirt in Blättchen oder Nadeln mit dem unscharfen Schmelzp. 166 bis 168°. Verpufft beim Erhitzen über den Schmelzpunkt. Natronkalk spaltet kein Chloranilin[1]) ab. Zinn und Salzsäure reducirt zu *Amidochlorphenylphosphinsäure*, $Cl.C_6H_3.NH_2.PO.(OH)_2$, büschelige Nadeln, Schmelzp. über 270° (unter Zers.). Bildet ein *Baryumsalz*, Blättchen, ein weifses *Silbersalz*. Die Diazotirung gelang nicht. *Monochlorphenylphosphin*, $Cl.C_6H_4.PH_2$, schmilzt bei 17° und siedet bei 198 bis 200°. Oxydirt sich leicht zu phosphiniger Säure; mit Kalihydrat wird phosphinigsaures Kalium und Wasserstoff entwickelt. Bildet ein *Chloroplatinat*, krystallinisches, hoch schmelzendes Pulver. *Diäthylmonochlorphenylphosphin*, $Cl.C_6H_4.P(C_2H_5)_2$, wurde aus dem Phosphin mit Zinkäthyl erhalten und ist ein farbloses, nach Phosphin riechendes Oel vom Siedep. 255 bis 257°. Jodmethyl lagert sich unter Bildung eines *Methylphosphoniumjodids* vom Schmelzp. 97° an. *Monochlorphosphenylchloridphenylhydrazon*, $Cl.C_6H_4.P{=}N{-}NH.C_6H_5$, Blättchen, Schmelzp. 161°, geht mit H_2O in das monochlorphenylphosphinigsaure Phenylhydrazin über. — *Monobromphenylchlorphosphin*, $Br.C_6H_4.PCl_2$, siedet bei 271 bis 272°, erstarrt nicht und ist eine p-Verbindung, da daraus p-Dibrombenzol, Schmelzp. 89°, erhalten werden konnte. Das *Tetrachlorid* schmilzt bei 55°, das Oxychlorid siedet bei 290 bis 291°. Die entsprechende *phosphinige Säure*, $BrC_6H_4.PO_2H_2$, bildet bei 143° schmelzende Blättchen. *Kaliumsalz*, quadratische Platten; *Ammonsalz*, Blättchen; *Anilinsalz*, Prismen. Das *Phenylhydrazinsalz* bildet bei 181° unter Zersetzung schmelzende Blättchen. Die *Phosphinsäure*, $BrC_6H_4.PO.(OH)_2$, glänzende Nadeln, schmilzt bei 202° und zerfällt bei höherer Temperatur in Metaphosphorsäure und Brombenzol. *Saures Kaliumsalz*, schöne Nadeln. *Saures Baryum-* und *Silbersalz*, Blättchen; *neutrales*

---

[1]) Vgl. Ann. Chem. **188**, 275.

Silbersalz, amorph. *Phosphinobrombenzol*, weifses, lockeres Pulver, Schmelzp. 185 bis 186°. Die *Nitrosäure*, $BrC_6H_3NO_2PO.(OH)_2$, bildet hellgelbe Blättchen, Schmelzp. 185°, und verpufft bei höherer Temperatur. Aus den Rückständen der Bromphosphinchloriddarstellung konnte eine *isomere Bromphenylphosphinsäure*, die im Gegensatz zu der anderen ätherunlöslich ist, vom Schmelzp. 265° isolirt werden. *Monobromphenylphosphin* schmilzt bei 40° und siedet bei 195 bis 196° und bildet farblose Krystalle. Aus Zinkäthyl und Bromphosphinchlorid entsteht ein *Diäthylbromphenylphosphin*, $Br.C_6H_4.P.(C_2H_5)_2$, eine bei 263° siedende, unangenehm riechende Flüssigkeit. *Phosphinchloroplatinat*, hellgelber Niederschlag. Die Diäthylverbindung lagert $J.(CH_3)$ an und giebt das *Phosphoniumjodid*, Nadeln vom Schmelzp. 135°. Das entsprechende *Triäthylphosphoniumjodid* bildet weifse, bei 165° schmelzende Nadeln. Das *Phenylhydrazon*, $Br.C_6H_4.P{=}N.NH$ $.C_6H_5$, weifse, bei 160° schmelzende Kryställchen, geht leicht in das Phenylhydrazinsalz über. — *p-Anisylchlorphosphin*, $CH_3O.C_6H_4$ $.PCl_2$, ist auf zwei Wegen, erstens aus dem Quecksilber-Dianisyl [1]) in schlechter Ausbeute und dann nach Friedel und Crafts aus Anisol erhalten und siedet bei 245 bis 253° bei gewöhnlichem, bei 130° unter 200 mm Druck. Das *Tetrachlorid* bildet zerfliefsliche Nadeln vom Schmelzp. 35 bis 40°, das *Anisyloxychlorphosphin* eine gelbliche Flüssigkeit, die bei gewöhnlichem Druck bei 300° unter theilweiser Zersetzung siedet. Durch Zersetzen mit Wasser wird aus dem Chlorphosphin die *anisylphosphinige Säure*, $CH_3O.C_6H_4.PO_2H_2$, in seideglänzenden Nadeln vom Schmelzp. 112° erhalten. *Bleisalz*, atlasglänzende Schüppchen. *Phenylhydrazinsalz*, Blättchen vom Schmelzp. 116°. *Anisylphosphinsäure* bildet grofse, rhombische Krystalle, schmilzt bei 158° und giebt wohl charakterisirte *Kalium-*, *Baryum-*, *Kupfer-*, *Silber-*, *Eisenoxyd-*, *Nickel-* und *Bleisalze*. *Phosphinoanisol*, $CH_3O.C_6H_4.PO_2$, aus Säure und Oxychlorid gewonnen, bildet ein bei 52° schmelzendes weifses Pulver. Die *Nitrosäure*, $CH_3O.C_6H_3(NO_2).PO.(OH)_2$, bildet farblose, verfilzte Nadeln, löst sich gelb und schmilzt bei 187°. Es werden das *Baryum-*, *Kupfer-* und bas. *Kobaltsalz* beschrieben. Das *Diäthanisylphosphin*, $CH_3O.C_6H_4.P(C_2H_5)_2$, ist eine intensiv riechende Flüssigkeit, die bei 266 bis 267° unter geringer Zersetzung siedet. Das *Platinsalz* bildet hellgelbe Säulen, Schmelzp. 103°. Das *Diäthylmethylphosphoniumjodid*, $CH_3O.C_6H_4$ $.P(C_2H_5)_2J.CH_3$, Nadeln, schmilzt bei 91° und giebt mit frischem

---

[1]) Ber. 23, 2343. ·

AgCl und PtCl$_4$ das *Chloroplatinat*, [CH$_3$OC$_6$H$_4$.P(C$_2$H$_5$)$_3$. CH$_3$Cl]$_2$ PtCl$_4$, Prismen vom Schmelzp. 142°. *Anisyltriäthylphosphoniumjodid* bildet bei 65° schmelzende Nadeln, sein *Chloroplatinat* schöne hellbraune Krystalle, Schmelzp. 148°. Die Phenetylverbindungen sind den vorgenannten sehr ähnlich. Es wurden erhalten und näher beschrieben: *p - Phenetylchlorphosphin*, farblose Flüssigkeit, Siedep. 266°, *phenetylphosphinige Säure*, Blättchen, Schmelzp. 115°, *Phenetylphosphinsäure*, Nadeln, Schmelzp. 165°, *Diäthylphosphin*, Siedep. 275°, und *Methylphosphoniumjodid*, Schmelzp. 60°. *Mr.*

A. **Michaelis**. Ueber die Chlorphosphine der aromatischen Reihe und ihre Derivate. II [1]). — Aus dem p-Tolylchlorphosphin, CH$_3$C$_6$H$_4$PCl$_3$, gewinnt Verfasser nach seiner in der vorstehenden Abhandlung beschriebenen Methode *p - Tolylcyanphosphin* als ein dickes, hellgelbes Oel vom Siedep. 145° bei 50 mm Druck. Das *Rhodanphosphin* ist eine röthlichgelbe Flüssigkeit vom Siedep. 237 bis 240° bei 40 mm. *p - Tolylphosphinsäurephenylester*, CH$_3$C$_6$H$_4$ .PO.(O.C$_6$H$_5$)$_2$, aus 1 Mol. Chlorphosphin und 2 Mol. Phenol erhalten, bildet eine farblose, durch Wasser spaltbare Flüssigkeit vom Siedep. > 360°. Das *Esterchlorid*, CH$_3$.C$_6$H$_4$.PO.(Cl)O.C$_6$H$_5$, aus 1 Mol. Phenol erhalten, schmilzt bei 55° und siedet über 360°. Die freie *Phenoltolylphosphinsäure*, C$_7$H$_7$.PO.(O.C$_6$H$_4$)OH, konnte durch Umsetzen des Esterchlorids mit Ammoniak nicht rein erhalten werden, dagegen ihr weißes, voluminöses *Silbersalz* und das *Amid* vom Schmelzp. 115 bis 116°. Das *Hydrazid* krystallisirt in weißen Nädelchen vom Schmelzp. 173 bis 174°. Das *Piperidid* konnte nur als Oel erhalten werden. p-Tolylphosphinsäurekresylester, C$_7$H$_7$PO.(O.C$_7$H$_7$), ist eine dicke Flüssigkeit, die über 360° siedet, das *Esterchlorid* schmilzt bei 60° und siedet über 360°. Von den Diphenolen giebt nur die o-Verbindung bestimmte Resultate. Mit Brenzcatechin (1 Mol. auf 1 Mol. Phosphinsäure) entsteht der Ringester, C$_6$H$_5$$<{}^O_O>POC_7H_7$, Schmelzp. 81°, und das Esterchlorid (aus 1 Mol. Diphenol, 2 Mol. Säure), eine über 360° siedende Flüssigkeit. *p - Tolylphosphinsäurediamid*, Blättchen, Schmelzp. 176°. Reibt man Tolyloxychlorphosphin zusammen mit trockenem Ammoncarbonat, so wird eine bei 74° schmelzende Verbindung, wahrscheinlich das Hydrat C$_7$H$_7$PO .(OH)$_2$.H$_2$O, gebildet, die leicht in Phosphinsäure übergeht. Das *Dianilid* bildet perlmutterglänzende Nadeln vom Schmelzp. 209°, bei deren Behandlung mit Brom Spaltung eintritt. Alkalische Per-

---

[1]) **Ann. Chem. 293**, 261—325.

manganatlösung führt zur *Benzophosphinsäure* [1]. *Anilin-N-tolyl-phosphinsäure*, weifses Pulver, das bei 150° schmilzt und nicht unzersetzt umkrystallisirt werden kann. *Cu-Salz*, hellblaues Pulver. *Phenylester*, Schmelzp. 59°. *p-Tolylphosphinsäure-p-toluid*, Nadeln, schmilzt bei 237°, die entsprechende *Toluidosäure* bei 208°, der *Phenylester* bei 48°. *Tolylphosphinsäurephenylhydrazid* bildet Nadeln, Schmelzp. 171°. Die *Nitrotolylphosphinsäure*, blafsgelbe, strahlige Nadeln, schmilzt bei 191° und enthält die NO_2-Gruppe wohl in m-Stellung zum Rest $PO.(OH)_2$. *Baryumsalz*, gelbe Blättchen mit $2 H_2O$, *Ca-Salz* mit 1 Mol. H_2O. Der *Aethylester* wurde nur als Flüssigkeit erhalten. Die *Dinitrosäure*, $C_7H_3.(NO_2)PO.(OH)_2$, bildet bei 251° schmelzende hellgelbe Blättchen. Das *Baryumsalz* bindet $2 H_2O$, dunkelgelbe Blättchen. *Bleisalz*, gelbes amorphes Pulver. Die schwierig zu reinigende *Amido-p-tolyl-phosphinsäure*, $NH_2.C_6H_3CH_3PO.(OH)_2$, bildet luftunbeständige Nädelchen, die ohne scharfen Schmelzpunkt sich zwischen 270 bis 290° zersetzen. *Silbersalz*, lichtempfindliches Pulver. *Aethyl-ester*, gelbe, nicht destillirbare Flüssigkeit. Die NH_2-Gruppe zu diazotiren, gelang nicht, es tritt dabei weitgehende Oxydation ein. Von der *p-Benzophosphinsäure* werden ein saures *Calciumsalz*, $HOOC.C_6H_4.PO(OH)-O-Ca-O-(OH).OP.C_6H_4COOH$, und ein *saures Baryumsalz*, die beide beim Erhitzen Benzoësäure geben, beschrieben. Das *Kupfersalz* ist neutral. Der *saure Aethylester* bildet lange, bei 78° schmelzende Nadeln, sein Silbersalz glänzende Krystallflittern. *Benzophosphinsäuremonoamid*, $NH_2OC.C_6H_4PO.(OH)_2$, spitze, hoch schmelzende Nadeln, bildet ein lichtempfind-liches Ag-Salz. *Benzophosphinsäureanilid*, $C_6H_5NHCO.C_6H_4.PO(NHC_6H_5)_2$, schmilzt bei 242°. — Aus *p-Dimethyltolylphosphin* [2] liefs sich mit HgO das *Phosphinoxyd*, $C_7H_7(CH_3)_2PO$, sehr hygro-skopische Krystalle vom Schmelzp. 95°, gewinnen. Das Phosphin-oxyd geht mit rother rauchender HNO_3 in die *Nitroverbindung* $C_7H_6.(CH_3)_2NO_2PO$ über, gelbe Prismen, Schmelzp. 175°, die weifse Nadeln einer bei 127° schmelzenden $HgCl_2$-Verbindung liefert. *p-Dimethylphosphinoxydbenzoësäure*, $HO.OC.C_6H_4.P(CH_3)_2O$, bildet hoch schmelzende und bei siedende Krystalle. giebt eine bei 154° schmelzende $HgCl_2$-Verbindung, ein rhombisches *Aurat* und ein tafeliges, bei 234° schmelzendes *Chloroplatinat*. Sein Ammonsalz bildet strahlige Nadeln, Schmelzp. 212° (unter Zers.). Das mit PCl_5 erhaltene Säurechlorid wurde als Anilid, $C_6H_5NHCO.C_6H_4PO.(CH_3)_2$, perlmutterglänzende Blättchen vom

---

[1] Ber. **14**, 405. — [2] Ber. **15**, 2014.

Schmelzp. 235°, isolirt. Dimethyltolylphosphin und Monochlor-
essigester verbinden sich leicht zu dem *salzsauren Dimethyltolyl-
phosphorbetaïnäthyle ster*, $C_7 H_7 P(CH_3)_2 Cl . CH_2 COOC_2 H_5$, weifses,
hygroskopisches Krystallpulver vom Schmelzp. 153°. *Chloroplatinat*,
Nadeln vom Schmelzp. 200°. Mit Natriumcarbonat oder Ag_2O
entsteht das freie *Betaïn*, $C_7 H_7 (CH_3)_2 \overline{P-CH_2 CO-O}$, strahlige
Masse, Schmelzp. 206°. Sein *salzsaures Salz*, auch direct mit
Monochloressigsäure zu erhalten, schmilzt bei 172° (unter Zers.),
das *Chloroplatinat*, fleischfarbene Nadeln, bei 220°. *Diäthyltolyl-
phosphinoxyd* ist sehr hygroskopisch und schmilzt bei 74°, das
$HgCl_2$-*Salz*, $[C_7 H_7 (C_2 H_5)_2 PO . HgCl_2] + H_2O$, bei 135°. Die *Nitro-
verbindung* ist ein Oel, ihr $HgCl_2$-*Salz* schmilzt bei 105°. Die
Diäthylphosphinoxydbenzoësäure ist ein unzersetzt siedendes Oel,
ihr Anilid, Blättchen, schmilzt bei 198°, das $HgCl_2$-Salz bei 134°.
Der *Betaïnester* erstarrt nicht, wohl aber das *salzsaure Betaïn*,
Schmelzp. 96°. Das freie *Betaïn*, glasige, sehr hygroskopische
Masse, bildet gelbe Nadeln des bei 157° schmelzenden *Chloroplatinats*. — Die Darstellung des *o - Tolylchlorphosphins* ist nur
aus dem o - Quecksilberditolyl [1]), das nach Dreher und Otto [2])
in einer Ausbeute von 33 Proc. erhalten werden konnte, möglich,
und ist eine farblose, stark brechende Flüssigkeit vom Siedep.
244°. Ihr *Tetrachlorid*, gelblichweifse Krystallmasse, schmilzt bei
63 bis 66° und geht mit SO_2 in das *Oxychlorid*, $CH_3 C_6 H_4 . PO . Cl_2$,
farblose Flüssigkeit vom Siedep. 273°, über. Die *o-tolylphosphinige
Säure*, nur als Oel erhalten, geht im Luftstrome in die bei 140°
schmelzende *Phosphinsäure* über, die in schönen monoklinen Krystallen erhalten wird und beim Erhitzen über den Schmelzpunkt
in Toluol und Metaphosphorsäure zerfällt. Das Anhydrid der
Säure, *o - Tolylphosphinoxyd*, $CH_3 C_6 H_4 PO_2$, wird wie die p-Verbindung [3]) erhalten und bildet Prismen. Uebersaure Salze [4]) bildet
die o - Phosphinsäure nicht, dagegen wohl charakterisirte NH_4-,
Ba-, Cu- und Pb-Salze. Das *Anilid* bildet weifse, bei 234°
schmelzende Nadeln. Durch Chlorirung bei gewöhnlicher Temperatur tritt Spaltung in Phosphorsäure und Chlortoluol ein, unter
Eiskühlung entsteht *Monochlor-o-tolylphosphinsäure*, $CH_3 ClC_6 H_3 PO$
$.(OH)_2$, derbe Krystalle vom Schmelzp. 205°. Das Chlor scheint
in p-Stellung zu stehen, da eine p-Chlorbenzoësäure vom Schmelzp.
236° erhalten werden konnte. Das *Silbersalz* bildet weifse Flocken.
Bei längerem Einleiten von Chlor erhält man verfilzte Krystalle

---

[1]) Ann. Chem. **173**, 162. — [2]) Daselbst **154**, 130. — [3]) Ber. **25**, 1748.
— [4]) Ann. Chem. **212**, 227.

der Dichlor-*o-tolylphosphinsäure*, die bei 240⁰ schmelzen. Reine Bromtolylphosphinsäuren darzustellen, gelang nicht. Die Nitrogruppe tritt wohl auch in p-Stellung zum Methyl, die entstandene *Nitrosäure* bildet blaſsgelbe Nadeln vom Schmelzp. 174⁰ und liefert wasserfreie Erdalkalisalze. Die *o-Amidophosphinsäure* bildet Nadeln ohne bestimmten Schmelzpunkt, die sich über 300⁰ zersetzen. Durch Oxydation mit Permanganat wurde die *o-Benzophosphinsäure*, $HOOC . C_6H_4 PO(OH)_2$, erhalten, kleine Krystalle vom Schmelzp. 172⁰, die der Sublimation fähig sind. Das Silbersalz ist ein weiſser, lichtempfindlicher Niederschlag. PCl_5 führt die Säure in ihr *Chlorid*, $ClCO . C_6H_4 . POCl_2$, über, das bei 54⁰ schmilzt, daneben entstand Monochlorbenzoylchlorid. *o-Tolyldiäthylphosphin*, farblose, unangenehm riechende Flüssigkeit vom Siedep. 263⁰. Das *Methylphosphoniumjodid*, $C_7H_7 P . (C_2H_5)_2 CH_3 J$, bildet Nadeln, Schmelzp. 98⁰; das *Aethylderivat*, $C_7H_7 P(C_2H_5)_2 C_2H_5 J$, schmilzt bei 162⁰. — *m-Tolylchlorphosphin* wurde ebenfalls aus dem m-Quecksilberditolyl[1]) erhalten und siedet bei 235⁰, ihr gelbes öliges *Tetrachlorid* erstarrt erst unter 0⁰. Das *Oxychlorphosphin* ist eine farblose Flüssigkeit vom Siedep. 275⁰. *m-tolylphosphinige Säure* stellt einen nicht erstarrenden Syrup dar. Ihr Kalium- und Ammoniumsalz sind zerflieſslich, das in Wasser leicht lösliche Phenylhydrazinsalz bildet gelbe Nadeln vom Schmelzp. 135⁰ (unter Zers.). *m-Tolylphosphinsäure*, weiſse, glanzlose Nadeln vom Schmelzp. 116 bis 117⁰, bildet ein *saures* und ein *übersaures Kaliumsalz*, ein neutrales *Baryumsalz* und ein neutrales und saures *Silbersalz*. Das Chlor tritt auch hier in p-Stellung. Die *Monochlor-m-tolylphosphinsäure* bildet weiſse Nädelchen vom Schmelzp. 176⁰ und ein beständiges *Silbersalz*. *Trichlorphosphinsäure* stellt Nadeln oder Blättchen vom Schmelzp. 220⁰ dar, ist identisch mit der auf pyrogenem Wege gewonnenen Säure und läſst sich in 1,2,4,5-Trichlortoluol vom Schmelzp. 82⁰ überführen. *Monobromtolylphosphinsäure* krystallisirt in Nadeln vom Schmelzp. 198⁰ und ist eine 1,3,4-Verbindung. Die *m-Benzophosphinsäure*, Nädelchen vom Schmelzp. 245 bis 246⁰, liefert neutrale Ag-, Pb- und Ba-Salze; ihr *Chlorid* siedet bei 360⁰ und schmilzt bei 61⁰. — *m*- und *p-Xylylchlorphosphine* sind bereits früher[2]) beschrieben worden. o-Xylyl liefert ein bei 278⁰ schmelzendes Chlorphosphin, deren gut krystallisirte *phosphinige Säure* bei 43⁰, deren *Phosphinsäure* bei 145⁰ schmilzt. — *p-Aethylbenzolchlorphosphin* erstarrt nicht, siedet bei 250 bis 252⁰ und geht sehr leicht in die bei

---

[1]) Ber. 28, 588. — [2]) Ber. 20, 1718 und 21, 1492.

63 bis 64° schmelzende *phosphinige Säure*, die eine Reihe von Salzen bildet, über. Das *Phenylhydrazinsalz* bildet Blättchen, Schmelzp. 133°. Das *Tetrachlorid* schmilzt bei 51°, das *Oxychlorid* siedet bei 294°. *Aethylbenzolphosphinsäure* krystallisirt in Nadeln vom Schmelzp. 164° und liefert nur saure NH_3- und Phenylhydrazinsalze, sowie ein übersaures Kaliumsalz. *Phosphinoäthylbenzol* zeigt den Schmelzp. 68°. Die Oxydation der Aethylbenzolphosphinsäure führte glatt zur p-Benzophosphinsäure. *Diäthyldibenzolphosphinsäure*, $(C_8H_9)_2PO.OH$, ließ sich aus den $AlCl_3$-Rückständen der Aethylbenzolchlorphosphinsynthese isoliren. Sie wurde nur als Oel erhalten und in Form des Cu- und Ag-Salzes analysirt. Das intensiv riechende *Aethylbenzolphosphin*, $C_8H_9PH_2$, siedet bei 200° und oxydirt sich leicht zur phosphinigen Säure. *Aethylbenzolphosphoniumplatinchlorid* ist ein goldgelbes, krystallinisches Pulver. Das *Phosphoniumjodid*, $C_8H_9PH_3J$, bildet glänzende, lichtempfindliche Krystalle vom Schmelzp. 118°. *Aethylbenzoldiäthylphosphin* riecht durchdringend und siedet bei 268 bis 270°. Sein *Methylphosphoniumjodid* bildet bei 135° schmelzende Nadeln, das entsprechende *Aethylderivat* krystallisirt in Nadeln, die beim Erwärmen sich in die Componenten spalten. *Aethylbenzolphosphinphenylhydrazon* schmilzt bei 139° und geht beim Erwärmen mit Wasser in äthylbenzolphosphinigsaures Phenylhydrazin über. *Mr.*

A. Michaelis. Ueber die Chlorphosphine der aromatischen Reihe und ihre Derivate. III[1]). — Nach der Aluminiumchloridmethode stellte Verfasser aus Pseudocumol das Chlorphosphin dar. *Pseudocumylchlorphosphin*, $(CH_3)_4C_6H_2PCl_2$, ist farblos und siedet bei 280°. Der Phosphinrest befindet sich in Stellung 5, wie sich dieses durch Vergleich mit einem aus dem bekannten 1,2,4,5-Quecksilberdipseudocumyl[2]) dargestellten identischen Präparat ergab. Das *Tetrachlorid* ist eine grünlichweiße Krystallmasse vom Schmelzp. 75°. Das *Oxychlorid* bildet farblose, bei 63° schmelzende und bei 307 bis 308° siedende Krystalle. Die *pseudocumylphosphinige Säure* krystallisirt in meßbaren rhombischen Blättchen vom Schmelzp. 128°. Axenverhältniß $a:b:c$ = 1,331 : 1 : 0,678. Bildet wohl krystallisirte Kalium- und Baryumsalze. Das *Phenylhydrazinsalz* krystallisirt in seideglänzenden, weißen Nädelchen vom Schmelzp. 180° und ist schwer löslich in Wasser. Die *Pseudocumylphosphinsäure* krystallisirt in langen, rhombischen Nadeln, die bei 212° schmelzen und in kaltem Wasser schwer löslich sind. *Phosphinopseudocumol*, $(CH_3)_3C_6H_2PO_2$, ist

---

[1]) Ann. Chem. **294**, 1—55. — [2]) Ber. **28**, 591.

bereits früher [1]) beschrieben. Die Säure bildet gut krystallisirte *saure Kalium-, Baryum-* und *Nickelsalze* und ein *neutrales Silbersalz.* Der Diphenylester, aus dem Oxychlorphosphin und Phenolnatrium erhalten, schmilzt bei 62,5° und wird von alkoholischer Kalilauge verseift. Der Ester entsteht auch neben Chlorbenzol aus dem Tetrachlorid und Phenol. Das *Esterchlorid* konnte nicht rein erhalten werden. Ein Diamid war nicht zu erhalten, dagegen ein in Nadeln krystallisirendes *Dianilid* vom Schmelzp. 197°. Dieses verbindet sich nicht mit Anilin oder salzsaurem Anilin zu Trianilidophosphoniumverbindungen, die jedoch aus Tetrachlorid und Anilinchlorhydrat [2]) erhalten wurden. *Trianilidopseudocumylphosphoniumchlorid* bildet ein weifses, krystallinisches Pulver vom Schmelzp. 247°. Das analoge *Bromid* schmilzt bei 259°, das *Jodid* bei 220°, das *Nitrat* bei 224 bis 225°. *Trianilidopseudocumylphosphoniumhydroxyd*, $(CH_3)_3 C_6 H_2 P(NHC_6 H_5)_3 . OH$, krystallisirt in kleinen, bei 203,5° schmelzenden Nadeln und ist gegen Lackmus indifferent. *Pseudocumylphosphinsäuredihydrazid* reducirt Fehling's Lösung erst beim Erhitzen und bildet weifse, bei 208° schmelzende Nadeln. Die Chlorirung der. Säure führt zu einer *Monochlorverbindung*, $C_6 H . (Cl)(CH_3)_3 PO . (OH)_2$, die in Nadeln vom Schmelzp. 235° krystallisirt und mit stark gekühlter Salpetersäure eine *Mononitropseudocumylphosphinsäure*, beim Erhitzen dagegen Dinitrochlorpseudocumol liefert. Durch Reduction wurde die Dinitroverbindung in das Diamidochlorpseudocumol umgewandelt, das ganz die Eigenschaften eines m-Diamins zeigte. Die Metastellung der Nitrogruppen wurde auch durch Vergleich mit einem Dinitrokörper aus einem $1,3,4$-(CH_3)-5-(Cl)-Chlorpseudocumol von Töhl und Strobel festgestellt. Die Monochlorpseudocumylphosphinsäure besitzt demnach die Constitution:

$$(OH)_2 OP \diagup \overset{CH_3}{\underset{\underset{CH_3}{Cl \diagup CH_3}}{}}$$

Die Säure bildet ein saures *Phenylhydrazinsalz*, kleine Nadeln vom Schmelzp. 197,5°. *Nitrochlorphosphinsäure*, schwach gelbe, flache Nadeln, Schmelzp. 227 bis 228°. *Dinitropseudocumylphosphinsäure*, aus rauchender Salpetersäure und Pseudocumylphosphinsäure in der Kälte erhalten, bildet weifse Nadeln, ihre Ammoniaklösung ist jedoch intensiv gelb. Zersetzungsp. 239°.

---

[1]) Ber. 25, 1749. — [2]) Vgl. Ber. 28, 2212.

Das *saure Phenylhydrazinsalz* zersetzt sich bei 240°, das *saure Anilinsalz*, weiße Nadeln, bei 273°. Das Cu-Salz krystallisirt in grünlichen Nadeln mit 1 Mol. H_2O. Die Reduction mit Zinn und Salzsäure gab keine bestimmten Resultate. 1 Mol. *Pseudocumylphosphinsäure* und 2 Mol. alkalisches Permanganat wirken auf einander unter Bildung der *Xylophosphinsäure*, $HOOC.(CH_3)_2$ $.C_6H_2PO.(OH)_2$, die ein lockeres, weißes Pulver darstellt und bei 258° schmilzt, bei weiterem Erhitzen tritt Zerfall in Metaphosphorsäure und 1,2,4-Xylylsäure vom Schmelzp. 125° ein, wo die COOH-Gruppe also in 1 steht. Das *Silbersalz* ist ein weißes, lichtempfindliches Pulver. 1 Mol. Phosphinsäure und 4 Mol. Kaliumpermanganat reagiren unter Bildung von *Methylphtalophosphinsäure*, $C_6H_2(CH_3).(COOH)_2$. Diese wurde als Silbersalz isolirt und daraus als ein gelbliches, sehr hygroskopisches Pulver erhalten, das zwischen 185 bis 190° schmilzt und wahrscheinlich ein Derivat der Methylterephtalsäure ist. Bei der Darstellung des Chlorphosphins konnte aus den $AlCl_3$-Rückständen bis zu 20 Proc. (vom angewandten Pseudocumol) das secundäre Chlorphosphin, $[C_6H_2(CH_3)_3]_2PCl$, in Form seiner *Phosphinsäure* isolirt werden. Die Säure liefert meßbare Krystalle des monoklinen Systems, Axenverhältniß $a:b:c = 0,96:1:0,983$, Schmelzp. 202 bis 203°. Das Anhydrid, $(C_9H_{11})_4P_2O_3$, konnte nicht rein erhalten werden. Beim Erhitzen über den Schmelzpunkt wurde ein Phosphinopseudocumol erhalten neben Pseudocumol. Das Phosphinoderivat war nicht identisch mit dem oben genannten, sondern schmilzt schon bei 80°. Es wurden eine große Anzahl zum Theil gut charakterisirter Salze gewonnen. *Dixylophosphinsäure*, $(C_8H_3COOH)_2PO.OH$, ist eine weiße, pulverige Masse, die sich nur schwer in siedendem Wasser löst und bei 185° schmilzt. Ihr *Silbersalz* ist ein weißes, lichtbeständiges Pulver. *Pseudocumylphosphin*, $C_9H_{11}PH_2$, ist eine wasserhelle Flüssigkeit von widerwärtigem Geruche und dem Siedep. 214 bis 218°. Es oxydirt sich an der Luft unter bedeutender Wärmeentwickelung zur phosphinigen Säure. Das *Chloroplatinat* ist ein gelber, voluminöser Niederschlag, das *Diäthylphosphin* eine penetrant riechende Flüssigkeit vom Siedep. 274 bis 275°, ihr Platinsalz bildet rothe Krystalle. Das Methylphosphoniumjodid, $C_9H_{11}P(C_2H_5)_2CH_3J$, bildet bei 160° schmelzende rhombische Tafeln. *Diphenolpseudocumylphosphin* wurde durch. Einwirkung von Chlorphosphin auf in Aether suspendirtes Phenolnatrium gewonnen, ist eine farblose Flüssigkeit vom Siedep. 283° bei 40 mm Druck, die nach sehr langem Stehen zu bei 59° schmelzenden Krystallen erstarrte und mit Wasser in die Componenten gespalten wird. Die *Dioxäthylverbindung,* $C_9H_{11}P(OC_2H_5)_2$, siedet unter 100 mm Druck bei 232 bis 233°. — *Mesitylchlorphosphin* wird auch nach der Aluminiummethode in schlechter Ausbeute erhalten und bildet bei 35 bis 37° schmelzende und bei 273 bis 275° siedende, wasserhelle Tafeln. Das *Tetrachlorid* bildet Krystalle vom Schmelzp. 70°; das *Oxychlorid* schmilzt bei 92 bis 93°. *Mesitylphosphinige Säure,* $C_6H_2(CH_3)_3PO_2H_2$, bildet luftbeständige, weifse Nadeln, die bei 147° schmelzen. Das Kaliumsalz ist im Gegensatz zum Ammoniaksalz sehr hygroskopisch. Das Phenyl- hydrazinsalz, Blätter, schmilzt und zersetzt sich bei 132°; das Anilinsalz bildet lange, gelbliche Nadeln. Das Ba-Salz mit $6H_2O$ verwittert sehr leicht. Die *Mesitylphosphinsäure* bildet farblose Nadeln vom Schmelzp. 167°. Schon beim Schmelzpunkt tritt Spaltung in Mesitylen und Metaphosphorsäure ein. Dimesityl- phosphinsäure konnte in den $AlCl_3$-Rückständen nicht gefunden werden. *Phosphinomesitylen* bildet kleine Krystalle, die bei 215 bis 216° unter Zersetzung schmelzen. An der feuchten Luft werden $62^1/_2$ der theoretischen Menge Wassers aufgenommen, es besteht daher wahrscheinlich ein Hydrat: $3C_9H_{11}PO_2 + 2H_2O$. Die NH_4-, Ba-, Ag-, Ni-Salze sind sämmtlich krystallisirt. Durch Oxydation wurde in erster Stufe *β-Xylophosphinsäure,* $C_6H_2(CH_3)_2$ $COOH.PO(OH)_2$, erhalten, weifses, amorphes, bei 245° schmelzen- des Pulver. Beim Erhitzen entsteht Mesitylensäure (Schmelzp. 166°) und Metaphosphorsäure. Die Stellung des Phosphinrestes konnte nicht mit Sicherheit bewiesen werden. *Methylisophtalo- phosphinsäure* ist äufserst hygroskopisch, sintert bei 215° und schmilzt bei 255°. Die Spaltung führt zu Uvitinsäure. Das *Silbersalz,* $C_6H_2CH_3(COOAg)_2PO(OAg)_2$, ist ziemlich beständig am Licht. *Mesitylphosphin* krystallisirte langsam zu Nadeln, die bei 40° schmelzen und bei 25 mm Druck bei 125° sieden. Das *Chloroplatinat* ist ein gelblichweifser Niederschlag. Das *Diäthyl- phosphin* siedet bei 170°, sein Chloroplatinat bildet orangefarbene Krystalle. Das *Methylphosphoniumjodid* krystallisirt in bei 125° (unter Zers.) schmelzenden Nadeln. *Mesitylphosphinphenylhydrazon* bildet atlasglänzende Nädelchen vom Schmelzp. 135°. — Cumyl- chlorphosphin, $(CH_3)_2CH–C_6H_4.PCl_2$, mit Chloraluminium erhalten. erstarrt nicht, sondern ist eine Flüssigkeit vom Siedep. 268 bis 270°. Das *Tetrachlorid* schmilzt bei 33 bis 35°. Das *Oxychlor- phosphin* siedet unter geringer Zersetzung zwischen 295 bis 300° (unter 35 mm Druck bei 183°) und schmilzt bei 35°. Die *cumyl- phosphinige Säure* erstarrt nicht. Das *Phenylhydrazinsalz* ist leicht zersetzlich und schmilzt bei 161°, das saure Salz dagegen bildet sehr beständige weifse Nadeln vom Schmelzp. 135°. *Cumyl-phosphinsäure* krystallisirt in Nadeln oder Prismen des rhombischen Systems. Ihr *Phenylhydrazinsalz* bildet Blättchen vom Schmelzp. 172°, das *Amidoazobenzolsalz* krystallisirt in goldgelben Blättchen vom Schmelzp. 185°. Ein Anhydrid oder Phosphino-cumol wurde nicht krystallisirt erhalten. Die Oxydation führte zur *Oxypropylphenylphosphinsäure*, $(CH_3)_2C.OH.C_6H_4PO(OH)_2$, ölig. Sie wurde in Form des Silbersalzes analysirt. Bei 105 bis 120° wird aus der Säure Wasser abgespalten und eine neue Säure, vielleicht *Allylphosphinsäure*, $C_6H_4C_3H_5PO.(OH)_2$, gebildet. Benzophosphinsäure konnte nicht erhalten werden, dagegen ein Ester, $C_6H_4COOHPO_3(C_9H_{10}PO_3H_2)_2$, und daneben eine Verbindung, die als *Trioxyisopropylphenylphosphinsäureester*:

$$C_6H_4 \big< {}^{COOC_9H_{11}PO_3H_2}_{PO_2(C_9H_{11}PO_3H_2)_2}$$

aufgefafst wird. Die *Dicumylphosphinsäure* ist ein ohne Schmelzpunkt sich zersetzendes weifses Pulver, die auch ein Aluminiumderivat, $(C_9H_{11})_2PO.Al(OH)_2$, liefert. — *Cymylchlorphosphin*, C_6H_4 $(C_3H_7)CH_3PCl_2$, siedet bei 275 bis 278° und bildet ein nicht krystallisirendes Tetrachlorphosphin. *Cymylphosphinige* und *Cymyl-phosphinsäure* sind flüssig. Das Phenylhydrazinsalz der letzteren schmilzt bei 156°. Durch Oxydation konnte eine *Methyloxyiso-propylphenylphosphinsäure* erhalten werden. Diäthylcymylphosphin siedet zwischen 260 bis 270°. Das Phosphoniumjodid daraus erstarrte nicht krystallinisch. *Mr.*

Charles Combes. Ueber einige Derivate des Triphenyl-silicoprotans [1]). — Bei Einwirkung des p-Bromdimethylanilins auf Siliciumtetrachlorid bei Gegenwart von Natrium werden die vier Chloratome durch vier Reste des Dimethylanilins ersetzt. Die Ingredientien werden in dem von der Theorie geforderten Mengenverhältnifs in trockenem Aether zusammengebracht. Bei schwachem Erwärmen beginnt die Reaction und setzt sich alsdann von selbst fort, so dafs Kühlung nothwendig ist. Der erhaltene Niederschlag wird mit Wasser behandelt, mit Alkohol gewaschen und in siedendem Ligroin gelöst. Beim Erkalten scheidet sich die *Verbindung* $Si[C_6H_4N(CH_3)_2]_4$ in feinen verfilzten Nadeln aus. Sie schmilzt bei 225° unter Zersetzung und ist sehr löslich in kaltem Benzol, löslich in warmem Aether und Ligroin. Wenn man in gleicher Weise mit dem Siliciumchloroform, $SiHCl_3$, verfährt, so erhält man einen in Aether viel lös-

---

[1]) Compt. rend. **122.** 622—624.

licheren Körper, der durch Krystallisation aus Aceton gereinigt werden kann. Es erscheint in kleinen Prismen vom Schmelzp. 152°, hat die Zusammensetzung $HSi[C_6H_4 . N(CH_3)_2]_3$ und ist sehr löslich in Aether, Alkohol und Benzol, weniger in Ligroin. Dieser Körper, sowie der vorher erwähnte, besitzt eine Beständigkeit, welche mit der der analogen Methanderivate verglichen werden kann. Beide lösen sich in Säuren und werden durch Alkalien, ohne Veränderung zu erleiden, gefällt. Mit Chlorwasserstoffsäure geben sie krystallisirte Salze. Die bei 152° schmelzende Verbindung ist das Analogon der Leukobase des hexamethylirten Violetts. Bei Oxydation derselben in chlorwasserstoffsaurer Lösung durch Brom, Chlor oder Bleisuperoxyd werden gefärbte Substanzen erhalten, die indessen dem abgespaltenen Dimethylanilin ihre Entstehung verdanken. Wird jedoch ein gelinderes Oxydationsmittel wie Mercuronitrat angewandt, so läfst sich der Zerfall des Atomcomplexes vermeiden. Das triphenylirte Derivat wird in sehr verdünnter Schwefelsäure gelöst und Mercuronitrit hinzugegeben, so lange sich Quecksilber ausscheidet, und alsdann durch Chlornatrium der Ueberschufs des Quecksilbersalzes gefällt. Das Filtrat wird durch Soda gefällt. Der in Alkohol lösliche Theil dieses Niederschlages liefert aus Aether grofse Prismen, welche Krystalläther enthalten, den sie bei 100° verlieren, wobei sie zu einem weifsen, amorphen Pulver zerfallen. Dieser Körper schmilzt bei 188 bis 189° und ist in den gewöhnlichen Mitteln leicht löslich. Er besitzt die Zusammensetzung $HO.Si[C_6H_4 .(NCH_3)_2]_3$ und liefert beim Einleiten von Salzsäure in seine ätherische Lösung ein Hydrochlorid. Gegen die Erwartung sind seine Lösungen und die des Hydrochlorids farblos. Es ist noch zu untersuchen, ob diese Farblosigkeit einfach auf dem Ersatz des centralen Kohlenstoffatoms im Triphenylmethan durch Silicium beruht oder ob ein Unterschied in der Constitution des Hydrochlorids des methylirten Rosanilins und der entsprechenden siliciumhaltigen Verbindung besteht.   *Hr.*

Proteïde.

J. W. Pickering. Synthetische Colloide und Coagulation[1]. — J. W. Pickering hat sich mit der Untersuchung der von Grimaux dargestellten colloiden Körper beschäftigt. Ein Colloid

---

[1] Chem. Centr. **67**, I, 260; The journ. of physiol. **28**, 54.

entsteht durch Erhitzen der m-Amidobenzoësäure mit Phosphor-
pentachlorid bei 125°, bei weiterem Erhitzen bis 135° entsteht ein
anderes Colloid. Dann beim Einwirken von gasförmigem Am-
moniak auf Asparagin entsteht bei 170° ein colloidaler Körper.
Diese Colloide sind in Wasser löslich, geben die Xanthoproteïn-
reaction, werden gefällt durch Millon's Reagens und mehrere
Salze der schweren Metalle. Sie werden aus den Lösungen durch
Natriumchlorid, Magnesiumsulfat und Ammoniumsulfat ausgesalzen.
Das erste und dritte Colloid geben die Biuretreaction. Die
Lösungen gerinnen bei 75° in Gegenwart von alkalischen Erden.
Wr.

F. Blum. Ueber eine neue Classe von Verbindungen der
Eiweifskörper [1]. — Durch Einwirkung von Formaldehyd auf
Hühnereiweifs, das von Globulin befreit ist, entsteht eine neue
Substanz, welche Blum *Protogen* nennt. Wird die Lösung im
Vacuum verdampft, so bleibt dieses als durchscheinende, hellgelbe
Substanz zurück, welche dadurch ausgezeichnet ist, dafs ihre
Lösung beim Kochen nicht gerinnt, aber durch Säuren, durch
Alkohol, sowie Aceton gefällt wird; die Niederschläge lösen sich
auf Wasserzusatz wieder auf. Serumalbumin liefert bei gleicher
Behandlung ein ähnliches Product. Durch diese Reaction des
Formaldehyds auf Eiweifskörper entsteht synthetisch eine neue
Gruppe von Eiweifskörpern, die von allen bisher bekannten Gruppen
verschieden ist; wahrscheinlich tritt das Formaldehyd mit Amido-
oder Hydroxylgruppen unter Wasseraustritt in Reaction, so dafs
dann Methylverbindungen der Albumine resultiren. *Ld.*

Ernst Beckmann. Verhalten proteïnartiger Stoffe gegenüber Aldehyden [2]. — Auf die früheren Forschungen von Ernst
Beckmann [3] gestützt, hat er, gemeinschaftlich mit H. Scharfen-
berger gen. Sertz, weitere Versuche auf diesem Gebiete angestellt. Es hat sich dabei erwiesen, dafs man, um 1 g *Gelatine*
in die unlösliche Form überzuführen, nach Zusatz von Wasser mit
fünf bis sechs Tropfen Formalin (40 proc. HCOH-Lösung) bei 100°
abdunsten mufs, nochmals einen bis zwei Tropfen Formalin zusetzen, noch eine bis anderthalb Stunden bei 100° erhitzen, zwei-
bis dreimal je fünf Minuten mit erneuten Mengen Wasser von 60
bis 70° erhitzen, um gebildetes Trioxymethylen zu entfernen, und
trocknet bei 100° bis zur Constanz. *Gelatinose* wird auch durch

---

[1]) Zeitschr. physiol. Chem. 22, 127—131. — [2]) Chem. Centr. 67, II,
930—932; Forsch.-Ber. über Lebensm. 3, 324—329. — [3]) Chem. Centr. 65,
II, 898.

die Formalineinwirkung unlöslich gemacht, *Gelatinpepton* bleibt dagegen löslich. Aehnlich verhalten sich *Albumin, Hemialbumose* und *Albuminpepton. Casein* und *Protein* wurden unlöslich gemacht, *Diastase* (?) nur zum geringen Theil, *Trypton* blieb löslich. Die ausgearbeitete Methode wurde dazu verwendet, um in verschiedenen Handelsproducten die Quantität der Proteïnstoffe bestimmen zu können.

Derselbe hat mit O. Elsner andere Aldehyde zu denselben Zwecken angewendet. *Acetaldehyd* ist zur Härtung der Gelatine weniger geeignet, wohl aber *Akroleïn*, welches in den wässerigen Lösungen, selbst bei der Concentration von 0,1 Proc., wie Formaldehyd härtend wirkt. Einführung höherer Alkyle setzt das Härtungsvermögen der Aldehyde herab. Doppelbindung wirkt dagegen günstig; auch die Acetale (Aldehydäther) wirken ziemlich energisch härtend. Aehnlich wie Aldehyde wirken chromsaure Alkalien und Eisenchlorür, durch welche der Anhydrisirungsvorgang jedenfalls katalytisch beschleunigt wird. Beckmann vermuthet, dafs Aldehyde sich mit den Amid- oder Imidgruppen der Proteïnkörper zusammenlagern und erst nach dem Trocknen erfolgt Polymerisirung unter Anhydrisirung.   *Wr.*

H. Molisch. Das Phycocyan, ein krystallisirbarer Eiweifskörper[1]). — Der Farbenton der blaugrünen Algen oder Cyanophyceen rührt her von einem Gemisch von Chlorophyll, *Phycoxanthin* und *Phycocyan.* Eine Lösung des Phycocyans wurde mit Ammonsulfat ausgesalzen und so der Farbstoff in Krystallen erhalten, die unzweifelhaft Eiweifskrystalle darstellen; es bleibt aber noch unentschieden, ob der blaue Farbstoff an sich Eiweifskörper ist oder mit einem Eiweifskörper verbunden und ob nicht das Ammonsulfat an der Zusammensetzung der Krystalle betheiligt ist.   *Ld.*

A. Michel. Zur Kenntnifs der Gürber'schen Serumalbuminkrystalle. Nebst einem Nachtrag von A. Gürber[2]). — Das Serum, welches man aus arteriellem Pferdeblut auscentrifugirt hat, wird mit dem gleichen Volumen concentrirter Ammoniumsulfatlösung versetzt. Das gefällte Globulin wird abfiltrirt, und das Filtrat wird mit Ammoniumsulfatlösung bis zur leichten Trübung versetzt. Es fallen dann Serumalbuminkrystalle aus, welche wiederholt in Wasser gelöst und mit Ammonsulfat gefällt werden. Es

---

[1]) Chem. Centr. 67, I, 111—112; Botan.-Zeitg. 1895, I, 131; Naturw. Rundsch. 10, 606. — [2]) Centr. f. med. Wissensch. 1896, S. 152—153; vergl. Verhandl. d. phys.-med. Ges. zu Würzburg, H. F. 29, Nr. 3.

sind 1 cm lange, doppelbrechende, hexagonale Prismen mit hemi-
morph ausgebildeter Pyramide. Erhitzt man sie auf dem Wasser-
bade, so geben sie die Mutterlauge ab, das Eiweifs coagulirt, die
Doppelbrechung verschwindet, die übrigen Reactionen bleiben aber
dieselben. Die Analyse ergiebt 53,1 Proc. Kohlenstoff, 7,1 Proc.
Wasserstoff, 15,9 Proc. Stickstoff, 1,9 Proc. Schwefel, 22 Proc.
Sauerstoff und nur 0,22 Proc. Asche. Dialysirt gerinnt dieses
Eiweifs bei 51 bis 53°. Die specifische Drehung beträgt — 61°.

Gürber's *Nachtrag.* Nicht jedes Pferdeserum ist zur Darstellung geeignet, sondern nur solches, welches eine reichliche
Globulinfällung giebt. Sonst giebt nur Kaninchenserum Krystalle
mit dieser Methode. Die in der Mutterlauge erhitzte Substanz
wird einfachbrechend, aber nach drei Wochen wurde sie negativ
doppelbrechend. *v. Lb.*

J. H. Milroy. Die Gerinnung der Albuminstoffe des Fleisches
beim Erhitzen [1]. — Bei frischem Fleisch coaguliren 40 bis 50 Proc.
der durch Salmiaklösung extrahirbaren Eiweifsstoffe bei 50°, 65
bis 70 Proc. bei 60°, 90 Proc. bei 70°, 98 bis 99 Proc. bei 80° und
bei 90 bis 100° 100 Proc. Frischer Schinken: Coagulation aller
Eiweifsstoffe zwischen 80 und 120°. Aus frischem Rindfleisch
extrahirt Salmiaklösung 18 bis 22 Proc. Eiweifsstoffe, aus ein-
gesalzenem nur 13 Proc.; in diesem fanden sich bei 50 bis 80°
mehr Albuminstoffe coagulirt, als im frischen Fleisch. Aus der
Mitte von schwach gebratenem Fleisch extrahirte Salmiaklösung
ebenso viel Eiweifsstoffe, wie aus eine Stunde lang auf 50° erhitztem Fleisch, bei stark gebratenem Fleisch wurde vollständige
Coagulation constatirt. Aus Fleisch, das fünf Tage in Essig ge-
legen, extrahirte Salmiaklösung nur 6 Proc. Eiweifs, bei 50° wurden
67 Proc., bei 60° 88 Proc., bei 70° alle nicht in Acidalbumin umgewandelten Eiweifsstoffe coagulirt. Aus Kalbshirn extrahirt Salmiaklösung nur 2,77 Proc., davon wurden bei 50° 51,99 Proc., bei
60° 18,15 Proc., bei 70° 84,12 Proc., bei 80° 90,26 Proc., bei 90°
alle Eiweifsstoffe coagulirt. *Ld.*

S. G. Hedin. Zur Kenntnifs der Spaltungsproducte der Proteïnkörper [2]. — Unter den Spaltungsproducten der Eiweifskörper
durch Kochen mit Salzsäure hat Hedin eine Base gefunden, welche
wahrscheinlich mit dem von Kossel [3] durch Kochen des Sturins
mit Schwefelsäure erhaltenen Histidin identisch ist. *Ld.*

---

[1] Chem. Centr. 67, I, 258; Arch. Hyg. 25, 154—163. — [2] Zeitschr.
physiol. Chem. 22, 191—196. — [3] Berl. Akad. Ber. 1896, S. 149—154.

Rudolf Cohn. Ueber eine quantitative Eiweifsspaltung
durch Salzsäure [1]). (I. Mittheilung.) — Auffindung eines Pyridinderivates. Ausgangspunkt dieser Arbeit war die Angabe von
Krawkow [2]), dafs das *Amyloid*, wenn auch nicht ganz identisch
mit *Chitin*, doch wenigstens eine Verbindung desselben mit einem
Eiweifskörper, vielleicht dem Hyalin, sei. Bei der Spaltung des
Amyloids wurde kein Glycosamin erhalten, demnach steht Krawkow's Behauptung auf schwachen Füfsen. Die Spaltung des
Amyloids lieferte Tyrosin, Leucin und eine amorphe Säure. Um
zu erfahren, ob diese letztere auch aus anderen Eiweifskörpern
erhalten wird, wurde Caseïn mit rauchender Salzsäure in der
Kochhitze gespalten; dabei wurde zunächst constatirt, dafs die
frei werdenden Fettsäuren von beigemengtem Fett herrühren. Die
Einwirkung der Salzsäure dauerte nur fünf Stunden und es wurde
eine quantitative Spaltung erzielt. Unter den flüchtigen Stoffen.
welche dabei auftraten, wurde Kohlensäure und ein Jodoform
liefernder Körper nachgewiesen, ferner wurden erhalten: Fettsäuren, Tyrosin, Leucin, eine geringe Menge eines Dihydrooxy-
pyridins, welches beim Erhitzen mit Zinkstaub reines Pyridin
lieferte, Asparaginsäure und Glutaminsäure in sehr geringer Menge,
dann die aus dem Amyloid erhaltene amorphe Säure, welche nach
dem Reinigen bei der Analyse ihres Kupfersalzes Zahlen gab, die
zu der Formel $C_7H_{18}N_3O_8$ führen. In einem besonderen Versuche wurden aus 100 g Pepton durch Spalten mit rauchender
Salzsäure 6 g Chlorammonium erhalten.   *Ld.*

H. Ritthausen. Ueber Leucinimid, ein Spaltungsproduct der
Eiweifskörper beim Kochen mit Säuren [3]). — Ritthausen erinnert
anläfslich der Mittheilung von R. Cohn über die Abspaltung
eines Pyridinderivates aus Eiweifs daran, dafs schon früher ein sehr
ähnliches, als Leucinimid bezeichnetes Spaltungsproduct aus Eiweifskörpern erhalten wurde. Er übergab Cohn eine Probe von Leucinimid zur vergleichenden Prüfung und da stellte sich heraus, dafs
dieses von Cohn's Pyridinderivat nicht verschieden ist.   *Ld.*

O. Loew. Ueber die Stickstoffbindung in den Proteïnstoffen [4]).
— Schützenberger schlofs aus der Abspaltung von Kohlensäure
und Ammoniak beim Erhitzen der Eiweifskörper mit Barytwasser,
dafs zunächst Harnstoff abgespalten wird. Diese Annahme scheint
dadurch bestätigt zu werden, dafs Lysatin und Arginin Harnstoff

[1]) Zeitschr. physiol. Chem. 22, 153—175; Ber. 29, 1785—1789. —
[2]) Centr. f. med. Wissensch. 1892, S. 145—148. — [3]) Ber. 29, 2109—2110.
— [4]) Chemikerzeit. 20, 1000—1001.

liefern; diese beiden Zersetzungsproducte können aber recht wohl unter Atomverschiebung entstanden sein. Eiweifs, mit Aetzbaryt erhitzt, spaltet nur etwa ein Fünftel seines Stickstoffs als Ammoniak ab, daraus schliefst Nasse, dafs dieser Stickstoffantheil lockerer gebunden ist, als der andere; dieser Schlufs ist unsicher, denn es sind viele Fälle bekannt, in denen zwei gleichgestellte Amidogruppen unter Ammoniakabspaltung eine Imidogruppe liefern, die im weiteren Verlauf der Umwandlung wieder in eine Amidogruppe übergehen kann. Schiff schliefst aus der Biuretreaction der Eiweifskörper, dafs im Eiweifsmolekül mindestens zwei freie, nicht substituirte Amidogruppen vorhanden sein müssen; er ist der Ansicht, dafs für die Biuretreaction mindestens zweimal die Gruppe $CO.NH_2$ nöthig sei, nun zeigt aber auch das Asparaginsäureanhydrid diese Reaction. Das Albumin verliert bei der Behandlung mit salpetriger Säure die Fähigkeit, Biuretreaction zu geben, dies läfst aber nur auf die Nothwendigkeit der Amidogruppe und nicht der Gruppe $CO.NH_2$ schliefsen. Paal folgert aus seinen Untersuchungen, dafs das Glutinpepton mindestens drei Stickstoffatome enthält, eines als $C.NH_2$, das andere als $C.NH.C$, das dritte als $C.N:C$. Diese Verhältnisse dürfen nicht sofort auch für die Albuminpeptone verallgemeinert werden. Loew hat früher schon die Vermuthung ausgesprochen, dafs das gewöhnliche Eiweifs ein Drittel des Stickstoffs als Amidogruppe und zwei Drittel als Imidogruppe enthalte und er hatte versucht, den bei Behandlung von Eiweifspepton mit salpetriger Säure frei werdenden Stickstoff zu bestimmen, aber keine übereinstimmende Resultate erhalten, doch lehren die Versuche, dafs nur ein Theil des Stickstoffs in Form von Amidogruppen vorhanden ist. Auf die Anwesenheit von Amidogruppen wurde auch daraus geschlossen, dafs bei der schwach basischen Natur von Eiweifs sich doch viel Dicyan addirt und dafs Formaldehyd mit Propepton sofort und mit Albumin bei Gegenwart von Salzsäure eine Verbindung liefert. Die Indifferenz des gewöhnlichen Peptons gegen Hydroxylamin spricht gegen die Anwesenheit von Cyangruppen, Keton- und Aldehydgruppen. Die Anwesenheit der Carboxylgruppe im Propepton und Pepton hält Loew nicht für bewiesen, ebenso die Anwesenheit der Gruppe $C.O.C$ im Eiweifs.   *Ld.*

Hugo Schiff. Ueber Desamidoalbumin[1]). — Es wurde versucht, aus dem Albumin durch Desamidirung die Gruppen, welche die Biuretreaction bedingen, zu eliminiren. Durch Behandeln von

---

[1]) Ber. 29, 1354—1356.

Eieralbumin mit Natriumnitrit und Essigsäure wurde eine strohgelbe, unlösliche Verbindung erhalten, die sich anders als die
Xanthoproteïnsäure und das Nitroalbumin verhielt; sie gab nicht
die tief violette Biuretreaction und nur schwach die Millon'sche
Reaction; der Stickstoffgehalt war gegenüber dem Albumin um
mehr als 1 Proc. vermindert, dürfte aber wohl noch weiter herab-
gedrückt werden können. Das Desalbumin wird vom Magensaft
verdaut, es entsteht dabei Desamidopepton, welches in 95 proc.
Alkohol leicht löslich ist und mit Kupfersulfat und Kali gelb bis
orangefarben wird, aber die Biuretreaction nicht zeigt, dadurch
unterscheidet es sich von dem von C. Paal beschriebenen Desamidopepton, welches diese Reaction giebt. Dieser Unterschied
dürfte in den verschiedenen Amidgruppen, welche aus dem Eiweifs in beiden Fällen entfernt werden, [zu suchen sein. Durch
Erwärmen von Eiweifs mit Kalilauge, bis ungefähr 2 Proc. Ammoniak vom Gewichte des Albumins fortgegangen sind, kann die
Biuretreaction sehr abgeschwächt werden, offenbar greift das Aetzkali zunächst auch die Diamidgruppen an. *Ld.*

E. Drechsel. Ueber die Bindung des Schwefels im Eiweifsmolekül [1]). — Bei der Zersetzung der Eiweifskörper durch Salzsäure entsteht ein dem Aethylsulfid sehr ähnlich riechendes Product.
Dasselbe wird am besten aus dem Phosphorwolframsäurenieder-
schlag des Reactionsgemisches erhalten und dürfte daher von
einer schwefelhaltigen, basischen Substanz herstammen. Drechsel
vermuthet, dafs das Aethylsulfid sich aus Sulfinverbindungen bildet, etwa aus einer Diäthylsulfinofettsäure oder einem Thetin-
körper. Das Diäthylsulfinoessigsäurebromid ist durch Phosphorwolframsäure fällbar und entwickelt, mit Natronlauge gekocht, den
Geruch nach Aethylsulfid. Wenn bei der Spaltung der Eiweifskörper mit Salzsäure eine Sulfinbase entsteht, so müfste ein Theil
des Eiweifsschwefels vierwerthig angenommen werden. *Ld.*

R. Altmann. Verfahren zur Darstellung von Eisenalbuminat
[D. R.-P. Nr. 87004 v. 8. März 1894, Cl. 12 [2])]. — Hühnereiweifs wird
mit Wasser, Essigsäure und Eisenchlorür versetzt, dann in der Hitze
coagulirt. Das Coagulum ist das Eisenalbuminat; es ist unlöslich
in reinem, alkalischem, sowie angesäuertem Wasser und zeigt mit
Schwefelammonium selbst beim Kochen nicht die Eisenreaction. *Ld.*

Filippo de Filippi. Ricerche sperimentali sulla Ferra-
tina [3]). — Versuchsthieren wurden Lösungen von *Ferratin* auf

---

[1]) Chem. Centr. 67, I, 65. — [2]) Ber. 29, Ref. 570. — [3]) Ann. chim.
farm. 23, 1—11.

verschiedene Weise einverleibt und dann die Wanderung dieses Präparates im Organismus verfolgt. *Ld.*

J. F. A. Pool. Ueber das Verhalten von frischem Eiweiſs und Handelseiweiſs gegen einige Metallsalze [1]). — Wird eine Eiweiſslösung mit Eisenchloridlösung und Chlornatrium versetzt, so schwankt der Eisengehalt des Niederschlages und ist abhängig von der Menge des angewandten Eisenchlorids. In Lösungen von frischem Hühnereiweiſs geben Zinksalze und Alaun Fällungen, während Lösungen von Handelseiweiſs durch genannte Salze nicht gefällt werden. Der Grund hierfür dürfte darin liegen, daſs im Handelseiweiſs in Folge der gröſseren oder geringeren Zersetzung desselben immer Ammonsalze enthalten sind, welche eine Fällung verhindern. Fügt man Quecksilber-, Kupfer- oder Uransalze zu Lösungen von Handelseiweiſs und von frischem Eiweiſs, so zeigen die Fällungen mit frischem Eiweiſs höheren Metallgehalt. *Tr.*

Hertel. Haematogen [2]). — Hertel bereitet ein Eisenpräparat, das er *Haematogen-Hertel* nennt, indem er frisch gefälltes Eisenhydroxyd mit frischem Rindsblute unter Zusatz von wenig Natronlauge schüttelt. Die Menge des sich lösenden Eisens ist nicht constant, sie beträgt ungefähr 0,02 Proc. *Ld.*

E. Merck. Verfahren zur Darstellung von Brom- und Jodhämol [D. R.-P. Nr. 86714 vom 26. Juni 1884, Cl. 12 [3])]. — Blutlösung wird mit wässeriger oder alkoholischer Brom- oder Jodlösung, eventuell unter Neutralisiren der entstehenden Säure mit Alkali, bei einer 0° nicht erheblich übersteigenden Temperatur gefällt. Brom- und Jodhämol enthalten das Halogen in einer im Organismus leicht abspaltbaren Form. *Ld.*

William Küster. Beiträge zur Kenntniſs des Hämatins [4]). — Im Anschluſs an seine [5]) frühere Untersuchung über das Hämatin theilt Küster die Resultate seiner fortgesetzten Untersuchungen mit. Es ist ihm gelungen, aus zweimal umkrystallisirtem Oxyhämoglobin vom Pferde einen Hämatinester der Essigsäure darzustellen; durch eine andere Methode der Reinigung, bei welcher durch ganz verdünnte Salzsäure anhaftende eiweiſsartige Substanzen weggenommen worden, ist er zu einer um 2 At. Wasserstoff reicheren Formel ($C_{32}H_{33}ClN_4FeO_5$) geführt worden, dieselbe Zusammensetzung zeigte auch ein später erhaltenes, ganz reines

---

[1]) Nederl. Tijdschr. Pharm. **8**, 117—124; Ref.: Chem. Centr. **67**, I, 1084. — [2]) Russ. Zeitschr. Pharm. **35**, 500—501. — [3]) Ber. **29**, Ref. 529. — [4]) Ber. **29**, 821—824. — [5]) Ber. **27**, 572.

Präparat, welches zur Controle des Stickstoffgehaltes dargestellt
wurde; eine Verunreinigung mit Xanthin war hier ganz ausgeschlossen. Da das nach Cloëtta's[1]) Verfahren dargestellte
Hämin nur 3 At. Stickstoff im Molekül enthält, so muſs man annehmen, daſs nach den verschiedenen Darstellungsmethoden verschiedene Hämine erhalten werden; in der That wurden bei
verschiedenen Darstellungen Präparate erhalten, die um CH_2
reicher, ein andermal um CH_2 ärmer waren. Die Differenzen in
den analytischen Resultaten führen Küster zu der Ansicht, daſs
das Hämatin in alkalischer Lösung durch den Sauerstoff der Luft
oxydirt werden könne. Durch Oxydation des Hämatins mit
Chromsäure erhielt Küster ein ätherlösliches Säuregemisch, aus
dem bisher die zweibasische Hämatinsäure, $C_8H_{10}O_5$, und das
Anhydrid der dreibasischen Hämatinsäure abgeschieden wurden.
Der dreibasischen Säure kommt die Formel $C_8H_{10}O_6$, ihrem Anhydrid die Formel $C_8H_8O_5$ zu. Neben diesen Säuren entsteht ein
eisenhaltiger, in kohlensaurem Natron löslicher Körper, in dem
das Eisen durch die gewöhnlichen Reactionen nicht nachweisbar ist.   *Ld.*

    M. Bialobrzeski. Ueber die chemische Zusammensetzung
des nach verschiedenen Methoden dargestellten Hämins und
Hämatins[2]). — Zur Aufklärung der Differenzen, welche zwischen
den Untersuchungsresultaten von Küster und Cloëtta bestehen,
hat Bialobrzeski vergleichende Untersuchungen über die Hämine
und Hämatine angestellt, die nach den Methoden von Nencki
und Sieber[3]), von Cloëtta[4]) und von Schalfejew[5]) dargestellt
waren. Das nach dem Verfahren von Nencki und Sieber dargestellte Hämin wurde durch Waschen mit Chloroform gereinigt,
das reine Präparat ergab bei der Analyse Zahlen, welche zu der
von Nencki und Sieber aufgestellten Formel führen. Aus der von
den Krystallen abgegossenen amylalkoholischen Lösung wurde ein in
Aether löslicher und ein in Aether unlöslicher Farbstoff abgeschieden.
beide Farbstoffe zeigen, in Chloroform gelöst, im Spectrum dieselben
Absorptionsstreifen, wie das Hämin in saurer Lösung. Eine Beimengung dieser Farbstoffe zum Hämin erhöht den Kohlenstoff- und
Wasserstoffgehalt, setzt dagegen den Stickstoff-, Eisen- und Chlorgehalt herab. Aus den Häminkrystallen entsteht durch Einwirkung
von Alkalien Hämatin; das Hämin wird schon durch längeres Aus-

---

[1]) Arch. experim. Pathol. u. Pharmakol. 36, 340. — [2]) Ber. 29, 2842—2851.
— [3]) JB. f. 1884, S. 1485. — [4]) Arch. experim. Pathol. u. Pharmakol. 36,
340. — [5]) Bull. soc. chim. [2] 45, 181.

waschen mit heifsem Wasser verseift, wobei auch etwas Eisen
abgespalten wird. Das Verfahren von Schalfejew liefert gute
Ausbeute; zur Reinigung von beigemengter Eiweifssubstanz wurde
der Krystallbrei mit Eisessig und etwas Salzsäure geschüttelt,
dann mit Wasser unter Zusatz von etwas Salzsäure gewaschen.
Die so dargestellten Krystalle enthielten auch nach dem Trocknen
Essigsäure; die analytischen Resultate führen zu der Formel:

$$(C_{32}H_{31}N_4FeO_2Cl)_2 + C_{32}H_{31}N_4FeO_2 . O . CO . CH_3 + C_2H_4O_2.$$

Das aus diesem Präparate dargestellte Hämatin entspricht der
Formel $C_{32}H_{31}N_4O_2Fe . OH$. Aus 10 g des nach Schalfejew's
Verfahren dargestellten Hämins wurde 1 g reines, salzsaures
Hämatoporphyrin erhalten. Die mittelst Amylalkohol oder Essigsäure dargestellten gereinigten Krystalle waren frei von Xanthin
und enthielten zweifellos auf 1 At. Eisen 4 At. Stickstoff. Das
nach dem Verfahren von Cloëtta dargestellte Hämin kann in
zwei Fractionen von verschiedener Zusammensetzung getrennt
werden, wahrscheinlich hat man es mit Zersetzungsproducten des
Hämins zu thun. Die Mutterlauge des nach Cloëtta dargestellten
Hämins enthält Hämatoporphyrin. Bei dieser Darstellung wird
jedenfalls aus dem Hämin Eisen abgespalten, das vielleicht mit
einem anderen Häminmolekül noch verbunden bleibt. Das
Cloëtta'sche Hämin liefert auch Hämatoporphyrin, aber in
schlechter Ausbeute. *Ld.*

A. Liebrecht u. F. Röhmann. Verfahren zur Darstellung
von Verbindungen des Caseïns [1]. — Das Caseïn bildet mit Alkalien
und Erdalkalien Salze, welche gegen Phenolphtaleïn neutral, gegen
Lakmus oder Lackmus jedoch alkalisch reagiren. Setzt man zu
Caseïn nicht diejenige Menge Alkali zu, welche zur Bildung der
gegen Phenolphtaleïn neutralen Verbindungen nothwendig ist, so
entstehen als saure Salze bezeichnete Verbindungen, welche in
bestimmter Concentration Flüssigkeiten ergeben, die das Aussehen
der Milch und deren Verhalten gegen Labferment zeigen. Zur
Herstellung der für Molkereizwecke verwendbaren neutralen Salze
wird Caseïn in der berechneten Menge Alkali aufgelöst und die
Lösung im Vacuum zur Trockne verdampft. *Sd.*

A. Liebrecht u. F. Röhmann. Verfahren zur Darstellung
von wasserlöslichen Caseïnverbindungen. D. R.-P. Nr. 89 142 vom
14. Mai 1895 [2]. — Die *Natriumsalze* des *Caseïns* erhält man auch,

--- ---

[1] Patentbl. 17, 138; D. R.-P. Nr. 85 057 v. 6. Mai 1894. — [2] Patentbl.
17, 743.

wenn man Caseïn direct mit einer alkoholischen Lösung von Alkali
behandelt oder wenn man ein Gemisch von Caseïn mit Alkali
oder Alkalicarbonat herstellt [1]) und dieses, angefeuchtet, mit
Alkohol kocht; .in analoger Weise erhält man auch die *Calcium-
verbindungen* des *Caseïns*. Caseïn wird mit einer dem Alkali im
Natriumcaseïn entsprechenden Menge von Chlorcalcium gemischt
und mit alkoholischem Kali behandelt oder das Gemisch von
Caseïn mit Alkali und Chlorcalcium wird direct oder, mit Wasser
befeuchtet, mit Alkohol gekocht.   *Ld.*

  E. Salkowski u. Wilhelm Majert. Verfahren zur Darstellung des Ammoniaksalzes und des salzsauren Salzes des
Caseïns. D. R.-P. Nr. 84 682 vom 12. Mai 1895[2]). — Die Salze
erhält man direct in fester Form, indem man über fein gepulvertes, trockenes Caseïn Ammoniakgas oder Salzsäuregas leitet
oder das Caseïn in solchen Flüssigkeiten, welche weder das freie
Caseïn, noch seine Salze merklich lösen, wie z. B. Alkohol, Aether,
Ligroin oder Benzol, suspendirt und es dann mit Ammoniakgas
bezw. Salzsäuregas behandelt. Die gebildeten Caseïnsalze stellen
weiße, luftbeständige Pulver dar, welche sich in Wasser klar
lösen und in Lösung fast geschmacklos sind.   *Ld.*

  Gehe u. Co. Mittheilungen aus dem Handelsberichte[3]). —
Argonin ist ein *Silber-Natriumcaseïnat. Glutolum* ist eine *Form-
aldehydgelatine. Thyrojodinun* ist die aus der Schilddrüse isolirte,
chemisch wirksame, jodhaltige Substanz.   *Ld.*

  E. Fleurent. Sur la composition immédiate du gluten des
céréales[4]). — Durch frühere Untersuchungen ist constatirt worden,
daß Glutencaseïn und Glutenfibrin die wichtigsten näheren Bestandtheile des Klebers sind. Das Glutencaseïn, ein gelblich-
weißes Pulver, bleibt auch nach längerem Verreiben in Wasser
pulverig, während das Glutenfibrin im Wasser zusammenbackt
und sich wie Leim verhält. Demnach könnte das Glutenfibrin
dem Kleber seine klebenden Eigenschaften, das Glutencaseïn die
Festigkeit verleihen. Zahlreiche Bestimmungen der beiden Bestandtheile, welche nach einem neuen Verfahren vorgenommen
wurden, ergaben, daß der Kleber 18 bis 35 Proc. Glutencaseïn
und 60 bis 80 Proc. Glutenfibrin enthält. In mehreren Mehlsorten
wurde einerseits der Klebergehalt, andererseits der Gehalt des
Klebers an Glutenfibrin bestimmt; es wurden folgende Resultate
erhalten:

---

[1]) Siehe vorstehendes Referat. — [2]) Patentbl. 17, 55. — [3]) Chemikerzeit.
20, 318. — [4]) Compt. rend. 123, 327—330.

	Kleber- gehalt	Glutenfibrin in 100 Kleber
Roggen	8,26 Proc.	8,17
Mais	10,63 „	47,50
Reis	7,86 „	14,31
Gerste	13,82 „	15,60
Buchweizen	7,26 „	13,08

Ld.

J. v. Schroeder u. W. Schmitz-Dumont[1]) brachten *Beiträge zur Kenntnifs der chemischen Natur der „Aescher"*[2]). — Die eingehende Untersuchung eines *alten Kalkäschers* (Fauläschers) zeigte, dafs als hauptsächlich wirksamer Bestandtheil das *Calciumhydroxyd* zu betrachten ist, indem Ammoniak resp. Trimethylamin in der untersuchten Probe in zu geringer Menge — 0,015 Proc. — vorhanden waren, um eine merkliche Beeinflussung der Haut ausüben zu können. — Bei der Anwendung von *Schwefelnatriumäscher* resp. *Schwefelnatriumschwöde* findet *keine* Umsetzung zwischen dem darin vorhandenen *Aetzkalk* und *Schwefelnatrium* statt und es üben diese beiden ihre specifische Wirkung unverändert auf Haut und Haar aus; höchst wahrscheinlich wird dabei gegenüber dem Kalkäscher das Enthaaren beschleunigt und die Schwellung der Haut vermindert. Der Aetzkalk spielt bei der Schwöde zugleich die Rolle eines Verdickungsmittels und bei Schwöde sowohl wie bei Aescher wird derselbe durch Bindung des von der Flüssigkeit absorbirten Kohlendioxyds ein Unwirksamwerden des durch Kohlendioxyd zerlegbaren Schwefelnatriums hintanhalten. — Versuche über *Arsenäscher* und *Arsenschwöde* ergaben, dafs durch die gelösten organischen Stoffe eine gröfsere Löslichkeit der vorhandenen Arsenverbindungen und damit eine intensivere Wirkung derselben im Aescher nicht herbeigeführt wird, und ferner, dafs sulfarsenigsaures Calcium sich gegen Haut und Haar indifferent verhält resp. nicht enthaarend wirkt, weshalb für die Wirksamkeit des Arsenäschers bezw. der Arsenschwöde nur *Calciumsulfhydrat* und *Calciumhydroxyd* in Betracht kommen könne. *Sm.*

A. Guttenberg. Die Salzsäurebindung des Glutins[3]). — Das Glutin bindet constant auf je 10 At. seines Stickstoffs 1 Mol. Salzsäure. Wird das Glutin durch Kochen gespalten, so wächst das Säurebindungsvermögen und beim Spalten durch Kochen mit Säure steigt es bis zu 1 Mol. Salzsäure für jedes Stickstoffatom. Daraus wird geschlossen, dafs sämmtlicher Stickstoff in Form von

---

[1]) Dingl. pol. J. [77] 300, 7, 161. — [2]) *Aescher* werden die von den Gerbern zum Enthaaren der Häute benutzten chemischen Substanzen genannt. — [3]) Chemikerzeit. 20, Rep. 102.

Ammoniakresten vorhanden ist. Die kleinste Glutinformel bei Nichtberücksichtigung des Schwefels wäre $C_{45} H_{69} N_{13} O_{17}$, bei Berücksichtigung des Schwefels $C_{225} H_{345} N_{65} O_{82} S$. *Ld.*

Victor v. Ebner. Weitere Versuche über die Umkehrung der Doppelbrechung leimgebender Gewebe durch Reagentien [1]). — Im Anschlufs an frühere Studien untersuchte Verfasser die Veränderung der natürlichen Doppelbrechung an Längsschnitten entkalkter Knochen durch eine Reihe chemisch *reiner* Verbindungen: Amidobenzol ergab starke negative Brechung, ebenso Eugenol. Carvacrol bringt starke negative Doppelbrechung hervor unter wässeriger Quellung des Gewebes, während das ihm isomere Thymol selbst in concentrirter alkoholischer Lösung unwirksam ist. Salicylaldehyd bewirkt eine negative Doppelbrechung, die weit stärker ist, als die ursprüngliche positive, ohne jede Quellung des Gewebes. o-Kresol giebt wie m-Kresol starke negative Doppelbrechung bei gleichzeitiger merklicher Quellung des Gewebes. Guajacol bewirkt in concentrirter alkoholischer Lösung eine durchaus nicht so starke Umkehrung der Doppelbrechung, wie unreines, flüssiges Guajacol. Aliphatische Verbindungen, wie Crotonaldehyd, Citronellaldehyd, Propionaldehyd, Isovaleraldehyd, schwächen etwas, aber meist in kaum merklichem Grade die Doppelbrechung. Danach scheint die Phenylgruppe wesentlich für die Wirksamkeit der Aldehyde zu sein. Acetessigsäureäthylester, Menthylvalerianat, sowie Bornylacetat zeigten kaum merkliche Schwächung. Geraniol gab dieselbe Doppelbrechung wie Alkohol. — Die bisherigen Versuche haben ergeben, dafs auch sauerstofffreie Phenylverbindungen wirksam sind, dafs ferner aliphatische und auch hydrocyklische Verbindungen keine Umkehrung der Doppelbrechung bewirken, selbst bei Gegenwart der für die Aldehyde charakteristischen Atomgruppe –COH oder des die Phenole charakterisirenden Complexes –CH=COH–. *Rh.*

O. N. Witt u. A. Buntrock. Bericht über die Fortschritte auf dem Gebiete der chemischen Technologie der Gespinnstfasern während des Jahres 1895 [2]). — Aus diesem, vielfach rein technisches Interesse bietenden Aufsatze konnte Nachstehendes entnommen werden: Nach E. Herzog bestehen mehrere Unterscheidungsmerkmale der *natürlichen und künstlichen (Chardonnet-) Seide.* Die künstliche Seide zeigt nicht das krachende Gefühl, den Griff der echten Seide. Die Lösung der künstlichen Seide

---

[1]) Monatsh. Chem. **17**, 121—125. — [2]) Dingl. pol. J. [77] **300**. 185—191. 210—214, 235—239.

in Kalilauge ist gelb gefärbt, jene der natürlichen ist farblos. Eine Lösung von 10 g Kupfersulfat und 5 g Glycerin in 100 g Wasser, welche bis zum Wiederauflösen des anfänglich entstandenen Niederschlages mit Kalilauge versetzt wurde, löst künstliche Seide nicht auf, während sich echte Seide darin leicht auflöst. — E. Hoffmann fand, daß Milchsäure ein günstiges Reductionsmittel beim Beizen mit Kaliumdichromat sei. — V. H. Soxhlet machte Angaben über die Darstellung und Anwendung der *Carminfarben*, jener in Wasser löslichen, aus Abkochungen von Blauholz, Rothholz und Gelbholz durch Vermischen mit Metallsalzen (Chromsalz, Eisensalz, Kupfersulfat, Zinnsoda, Zinnsalz) erhältlichen Lacke, welche ungebeizte Baumwolle im neutralen Bade schon bei 60° schwach substantiv und Wolle in mit wenig Oxalsäure angesäuertem Bade anfärben. — Nach Angaben der Farbwerke vorm. Meister, Lucius u. Brüning färben α-Nitroalizarin, β-Nitroalizarin, β-Chlor-, β-Brom- und Dichloralizarin, ferner α- und β-Nitroanthrapurpurin, α- und β-Nitroflavopurpurin, Dibromanthrapurpurin und Dichlor- und Dibromanthrachryson gleichwie die Sulfosäuren Wolle in saurem Bade an und können dann nachträglich durch Behandeln mit Metallbeizen in Lacke übergeführt werden. — F. Geißler empfahl zur Verbesserung von Stücken, welche in der Walke ausgelaufene Alizarinfarben enthalten, die Anwendung von Natriumhydrosulfitbädern. — Das preußische Kriegsministerium hat eine Reihe künstlicher Farbstoffe zum Färben von Militärtuchen zugelassen und eine Tabelle zur Untersuchung von echtfarbigen Militärtuchen veröffentlicht. — Nach Angaben von H. Erdmann färben Paradiamine (und ähnliche Basen), sowie p-Amidophenole (auch α_1-β_3-Dioxynaphtalin oder α_1-α_3-Naphtylendiamin) Haare und Federn bei langsamer Oxydation an der Luft oder mit Oxydationsmitteln (auch Chinon) vom hellsten Blond bis zum tiefsten Schwarz. Aehnlich verhalten sich auch das Methyl-p-amidophenol (Metol) und das Diamidophenol (Amidol). Die Actiengesellschaft für Anilinfabrikation bringt zum gleichen Zwecke unter der Bezeichnung *Ursol P* und *D* das p-Phenylendiamin und das p-Amidophenol, und unter der Bezeichnung *Ursol C* das Chinon als Oxydationsmittel in den Handel. — Um das gleichmäßige *Vergrünen des Indigweiß* auf der Faser zu befördern, empfahlen E. Michaelis und C. Henning, Ammoniak oder auch Säuren (wie Essigsäure) zuzusetzen. — Bei der Herstellung von *unvergrünlichem Anilinschwarz* sollen nach der Compagnie française de Produits chimique dem Anilin essigsaure Salze (Aluminiumacetat) zugesetzt werden. — V. Werner

veröffentlichte die auf Grund eingehender Versuche festgestellte
beste Vorschrift zur Bereitung der Diazolösung des p-Nitranilins
bei der Erzeugung des *Paranitroanilinroths*. — Nach Angabe der
Höchster Farbwerke erhält man ein *bläuliches Paranitranilin-
roth*, wenn man der zur Präparation der Baumwolle dienenden
Naphtolnatriumlösung eine geringe Menge des Natronsalzes der
β_1-β_4-Naphtolsulfosäure zusetzt. — Die Farbwerke vorm.
Meister, Lucius u. Brüning bringen unter dem Namen „*Azo-
phorroth P N*" salzsaures *p-Nitrodiazobenzol* in den Handel, das
durch Eindampfen der Diazolösung in Gegenwart überschüssiger
Mineralsäuren oder saurer Salze bei niederen Temperaturen erhalten wird. — A. Feer erhielt haltbare Lösungen diazotirter
Basen durch Vermischen der Diazolösungen mit Sulfo- oder Carbonsäuren der aromatischen Kohlenwasserstoffe. Die Fabriques
des Produits chimiques de Thann et de Mulhouse bringen
ein solches, aus diazotirtem p-Nitranilin und α-Naphtalinsulfo-
säure erhaltenes Product unter der Bezeichnung „*Paranitrodiazo-
benzolroth*" in den Handel. — Lauber und Caberti empfahlen,
um ein Braunwerden der mit β-Naphtol präparirten Gewebe beim
längeren Liegen zu verhüten, der alkalischen β-Naphtollösung
eine glycerinhaltige Lösung von Antimonoxyd in Alkali zuzusetzen.
— Die Badische Anilin- u. Sodafabrik brachte unter dem
Namen „*Nitrosaminroth*" das *p-Nitrophenylnitrosaminnatrium*, ge-
mischt mit wenig Natriumnitrit, in den Handel. Zur Entwicke-
lung des Paranitranilinroths soll das mit β-Naphtol präparirte
Gewebe eine angesäuerte Lösung des Nitrosaminroths passiren.
Auch läfst sich das Nitrosaminroth mit β-Naphtol aufdrucken; die
Kohlensäure der Luft bewirkt dann allmählich die Umwandlung.
— Nach Angabe derselben Fabrik verhält sich Seide gegenüber
Diazokörpern wie ein Phenol, liefert also auf diese Art direct
Färbungen; insbesondere wird auch hier die Verwendung des
Nitrosaminroths empfohlen. — Aufserdem wurden in demselben
Bericht verschiedene Verfahren zur Herstellung von Blauroth-
artikeln aus unlöslichen Azofarbstoffen, von mehrfarbigen Drucken,
von Effecten unter Benutzung des Mercerisirens der Baumwolle
beschrieben und zahlreiche neue Farbstoffe (nur mit ihrem
Handelsnamen benannt) und ihre Verwendbarkeit zum Färben
und Drucken angeführt.   *Sd.*

E. Stobbe. Die Herstellung der Seidenwolle[1]. — Unter
Seidenwolle versteht man eine Schafwolle, welche durch geeignete

---

[1] Färberzeit. 7, 829—330 und 345—347.

Behandlung ein seidenartiges Aussehen und einen knirschenden
Griff erhalten hat und welche auch eine gröfsere Anziehungskraft
für gewisse Farbstoffe besitzt. Zu ihrer Herstellung wird Wolle
mit Chlorwasser, Lösungen von unterchloriger Säure und Chlor
(mit Salzsäure angesäuerte Chlorkalklösungen) oder mit Baryum-
superoxyd behandelt. Kaliumpermanganat und schweflige Säure
wirken nicht so günstig. Bei längerer Behandlung mit den
chlorirenden Materialien wird die Wolle gelb, ist also dann nur
für dunklere Farbstoffe verwendbar. Stobbe behandelt 5 g
Strickgarn mit Lösungen von 0,5 bis 1 kg Chlorkalk und ziemlich
viel Säure bei 70°; für hellere Farben ist ein gröfserer Ueberschufs an Säure zu verwenden. Den knirschenden Griff erhält
die Seidenwolle hauptsächlich erst durch Fettsäuren. Das Färben
geschieht ähnlich der Seide im gebrochenen Seifenbade. *Sd.*

Hugo Schrötter. Beiträge zur Kenntnifs der Albumosen [1]).
— Es wurde genau nach den Angaben von Henninger [2]) die
Einwirkung des Essigsäureanhydrids auf die Chlorhydrate der
Albumosen und der Peptone untersucht. Dabei ergab sich, dafs
die echten Peptone zwar nicht, wohl aber die Albumosen ein
Product lieferten, das sich genau wie das von Henninger erhaltene verhielt; dasselbe ist aber keinesfalls als regenerirtes
Eiweifs anzusprechen, sondern als ein Acetylproduct der Albumosen. Demnach sind die Schlufsfolgerungen Henninger's,
auch der chemische Beweis für die Peptonbildung aus Eiweifs
durch Wasseraufnahme, hinfällig geworden. *Ld.*

Otto Cohnheim. Ueber das Salzsäurebindungsvermögen der
Albumosen und Peptone [3]). — Verfasser verfuhr bei seinen Bestimmungen in der Weise, dafs er Lösungen von Albumosen und
Peptonen bekannten Gehaltes mit überschüssiger Salzsäure versetzte und alsdann die nicht gebundene Salzsäure nach Hoffmann's Methode zur Bestimmung der freien Salzsäure im
Magensafte ermittelte. Danach binden bei 40° 2,5 proc. Lösungen
von Protalbumosen im Mittel 4,32, von Deuteroalbumosen 5,48,
von Heteroalbumose 8,16, von Antipepton 15,87 Proc. ihres eigenen
Gewichtes an Salzsäure. In verdünnteren Lösungen und bei höherer
Temperatur nimmt das Salzsäurebindungsvermögen der Albumosen,
wohl in Folge stärkerer Dissociation der Lösungen, ab; nur das
Antipepton, das eine weit stärkere Base als die Albumosen ist,
ergab selbst bei einer Verdünnung von 0,625 Proc. den Werth

[1]) Monatsh. Chem. 17, 199—205. — [2]) JB. f. 1878, S. 935. — [3]) Zeitschrift f. Biologie 33, 489—520.

15,2, der nur wenig unter dem Durchschnitt der für 2,5 proc.
Lösungen gefundenen Werthe liegt. Eine Bestätigung der Resultate ergab sich, als die Lösungen der Albumosen in überschüssiger
Salzsäure mit Ammoniumsulfat ausgefällt und im Filtrat die
nicht gebundene Salzsäure bestimmt wurde. Auf Deuteroalbumose und Pepton liefs sich dieses Verfahren allerdings nicht
anwenden. — Ferner theilt Verfasser Versuche mit, die, tabel-
larisch und graphisch dargestellt, die verdauungshemmende Wir
kung von Peptonen und Albumosen darthun in Folge der Salzsäurebindung, während bei wachsender Salzsäureconcentration die
Menge des verdauten Eiweifses zunimmt. Schliefslich hat Verfasser die gebräuchlichen Reagentien auf freie Salzsäure, wie das
Günzburg'sche Phloroglucin-Vanillinreagens, Methylviolett und
Kongopapier an den Albumose-Salzsäureverbindungen geprüft. Nur
das Günzburg'sche Reagens gab genau stimmende Zahlen, während die anderen Reagentien nicht nur die freie, sondern auch
die gebundene Salzsäure angaben und viel zu hohe Werthe lieferten.   *Rh.*

C. Paal. Ueber die Desamidirung des Glutinpeptons [1]. —
Paal liefs salpetrigsaures Silber auf eine wässerige Lösung von
salzsaurem Glutinpepton einwirken; unter Stickstoffentwickelung
entstanden Desamidonitrosoglutinpeptone, die durch nascirenden
Wasserstoff in Desamidoglutinpeptone übergingen. Aus der Reaction und der Untersuchung der Reactionsproducte wird der
Schlufs gezogen, dafs das Glutinpepton mindestens drei Stickstoffatome enthalte, von denen eines als $C.NH_2$, das andere als
$C.NH.C$, das dritte in der Form $C.N{<}^C_C$ oder $C.N:C$ vorhanden ist.   *Ld.*

A. Kossel. Ueber die Bildung von Thymin aus Fischsperma [2]. — Das von Schmiedeberg [3] durch Spaltung der aus
dem Lachssperma gewonnenen Nucleïnsäure dargestellte *Nucleosin*
erwies sich nach vergleichenden Untersuchungen als identisch
mit dem von Kossel und Neumann [4] dargestellten und beschriebenen *Thymin.*   *Ld.*

A. Kossel und Albert Neumann. Ueber Nucleïnsäure und
Thyminsäure [5]. — Fortgesetzte Untersuchungen über die Para-
nucleïnsäure und Thyminsäure haben ergeben, dafs dieselben

---

[1]) Ber. 29, 1084—1095. — [2]) Zeitschr. physiol. Chem. 22, 188—190. —
[3]) Arch. experim. Pathol. u. Pharmakol. 37, 100. — [4]) Ber. 27, 2215. —
[5]) Zeitschr. physiol. Chem. 22, 74—81.

identisch sind. Die Thymusnucleïnsäure liefert bei der Spaltung mit heifsem Wasser Thyminsäure, Adenin, Guanin und Cytosin. Die Analyse des thyminsauren Baryums führte zu der Formel $C_{16}H_{23}N_5P_2O_{13}Ba$. Die Thyminsäure unterscheidet sich vielfach in ihrem Verhalten von der Thymusnucleïnsäure. Durch besondere Versuche wurde festgestellt, dafs die Nucleïnbasen in der Thymusnucleïnsäure nicht in salzartiger, sondern in organischer Bindung enthalten sind. Die Nucleïnsäure ist daher eine gepaarte Verbindung, deren Salze ziemlich beständig sind, die aber als freie Säure, ähnlich wie die Phenolschwefelsäure, sehr leicht der Zersetzung anheimfällt. *Ld.*

C. A. Pekelharing. Ueber das Vorhandensein eines Nucleoproteïds in Muskeln [1]. — Aus dem Muskel des Kaninchens, des Hundes und des Rindes wurde nach der Entblutung durch Extraction mit sehr verdünnter Sodalösung, Fällung der filtrirten Flüssigkeit mit Essigsäure und Reinigung des Niederschlages ein *Nucleoproteïd* erhalten, welches beim Kochen mit verdünnter Schwefelsäure Alloxurbasen, nämlich Xanthin und Guanin, lieferte. *Ld.*

T. H. Milroy. Ueber die Eiweifsverbindungen der Nucleïnsäure und Thyminsäure und ihre Beziehung zu den Nucleïnen und Paranucleïnen [2]. — I. *Ueber die künstlich dargestellten Verbindungen der Nucleïnsäure mit Eiweifskörpern. Vergleichung derselben mit den Nucleïnen. a) Verbindungen der Nucleïnsäure mit Syntonin.* Zu einer 1 proc. wässerigen Lösung der nach Kossel und Neumann aus Thymusdrüsen gewonnenen Nucleïnsäure wurde eine salzsaure (0,25 Proc.) Lösung von aus Ochsenfleisch bereitetem Syntonin hinzutropfen gelassen, bis kein Niederschlag mehr entstand. Dieses Syntoninnucleïn liefs sich nicht nach dem von Kossel und Neumann angegebenen Verfahren spalten; die Bindung zwischen der Nucleïnsäure und dem Eiweifs ist danach im Syntoninnucleïn eine feste im Vergleich zu der des Pankreasnucleïns. Der Phosphorgehalt des Syntoninnucleïns betrug nach der Pepsinverdauung stets annähernd 4 Proc. Die künstlich dargestellten Nucleïne entsprechen also hinsichtlich ihres Phosphorgehaltes den natürlichen. — b) *Verbindungen der Nucleïnsäure mit Propeptonen (Albumosen).* Eine Verbindung der Nucleïnsäure mit reiner, nach Kühne und Neumeister dargestellten Deuteroalbumose enthielt 6,3 Proc. Phosphor. Die Zusammensetzung der durch Nucleïnsäure in Albumoselösung erhaltenen Niederschläge,

---

[1] Zeitschr. physiol. Chem. 22, 245—247. — [2] Daselbst, S. 307—326.

z. B. in Witte's Pepton, hängt ab von den angewandten Mengenverhältnissen. Wenn Nucleïnsäure im Ueberschufs vorhanden, entstehen die phosphorreichsten Verbindungen. Die so erhaltene Verbindung der Deuteroalbumose ist phosphorreicher als die entsprechenden Verbindungen des Acidalbumins. Auch aus diesen Albumosennucleïnsäureverbindungen liefsen sich mittelst Baryt nur Spuren von Nucleïnsäure abspalten. — c) *Ueber die Einwirkung von Pepsinchlorwasserstoff, Trypsin und Alkalicarbonat auf die Verbindungen der Nucleïnsäure.* Trypsin spaltet den Phosphor des Syntoninnucleïns allmählich ab, aber nur zu 10,92 Proc. in Form von Orthophosphorsäure, zu 89,08 in Form einer Säure, die Eiweifs fällt. Eine 0,25 proc. Natriumcarbonatlösung wirkt mit oder ohne Trypsin, im letzteren Falle langsamer, analog unter Abspaltung des Phosphors in Form einer organischen Phosphorsäure. Natürliches Nucleïn der Thymusdrüse (Leukonucleïn) wurde bei zehnstündiger Pepsinverdauung bei 38° etwa zum dritten Theil gelöst. Ungefähr 91,3 Proc. der Phosphorsäure waren in organischer Bindung, 8,7 Proc. in Form der Orthophosphorsäure aus dem Nucleïn abgespalten worden. Gegen Trypsin und gegen Natriumcarbonatlösung verhielt sich das Leukonucleïn wie das Syntoninnucleïn. 57,55 Proc. waren vom Gesammtphosphor in Lösung gegangen und davon 91,63 Proc. in organischer Form und nur 8,37 Proc. in Form von Orthophosphorsäure. Vom Nucleïn der rothen Blutkörperchen des Gänse- und Entenblutes gingen bei der Pepsinverdauung etwa 41,2 Proc. des Nucleïnphosphors in Lösung und zwar 15,7 Proc. als Orthophosphorsäure, 84,3 Proc. in organischer Form. Im Gegensatz zu dem Verhalten des Leukonucleïns und des künstlichen Nucleïns zeigte in diesem Falle die organische Phosphorsäure keine eiweifsfällende Wirkung. Die Bindung der Nucleïnsäure in dem Nucleïn des Entenblutes ist eine sehr feste. Das nicht ganz rein erhaltene Nucleoproteïd der Pankreasdrüse wurde sowohl durch Pepsin als durch Trypsin theilweise gelöst, wobei eine phosphorhaltige Substanz in Lösung ging, die sich hinsichtlich der Löslichkeit ihres Barytsalzes wie Nucleïnsäure verhielt. — II. *Ueber die Verbindungen der Thyminsäure mit Eiweifs. Vergleichung derselben mit den Paranucleïnen.* Nach dem Verfahren von Kossel und Neumann dargestellter thyminsaurer Baryt wurde, in Wasser gelöst, mit Essigsäure angesäuert und allmählich mit einer Syntoninlösung in 2 proc. Essigsäure versetzt. Dabei entstand ein dicker, flockiger Niederschlag, der 2,75 Proc. Phosphor und nach der Pepsinverdauung 5,04 Proc. enthielt. Das nach der Verdauung gewonnene Filtrat fällte Albumosen. Nur 7,44 Proc. des gesammten abgespaltenen Phosphors war als Phosphorsäure nachweisbar. Von dem Gesammtphosphor des thyminsauren Syntonins waren 90 Proc. gelöst worden. Auch bei der tryptischen Verdauung ging fast alles in Lösung, und kann danach anscheinend die Thyminsäure durch das Trypsin aus der Verbindung mit Eiweifs losgelöst werden. Auch bei dem nach Bunge bereiteten Haematogen war nach der peptischen oder tryptischen Verdauung der gröfste Theil des Phosphors in organischer Bindung im Filtrat enthalten, jedoch war kein eiweifsfällender Körper nachweisbar. — Das Ergebnifs der vorliegenden Arbeit ist, dafs die künstlich dargestellten Verbindungen der Nucleïnsäure mit Eiweifs sich den natürlichen Nucleïnen im Wesentlichen gleich verhalten, und dafs auch die Verbindungen der Thyminsäure mit Eiweifs den Paranucleïnen ähneln, aber nicht für identisch mit denselben gehalten werden können. *Rh.*

M. Siegfried. Zur Kenntnifs der Phosphorfleischsäure[1]. — In einer früheren Abhandlung[2] wurde gezeigt, dafs aus Muskelextract eine in Wasser unlösliche, in Alkalien lösliche, phosphorhaltige Eisenverbindung, das Carniferrin, zu gewinnen ist, das durch Zersetzung mit Barythydrat die Fleischsäure, $C_{10}H_{15}N_3O_5$, liefert, welche mit dem Antipepton identisch ist. Es ist nun gelungen, unter Einhalten bestimmter Bedingungen das Carniferrin von constanter Zusammensetzung darzustellen, wie zahlreiche Analysen gelehrt haben, so dafs dasselbe als eine einheitliche Verbindung betrachtet werden kann. Es ist bis jetzt nicht gelungen, die Phosphorfleischsäure rein aus dem Carniferrin abzuscheiden, beim Entfernen des Eisens wird immer auch mindestens ein Theil der Phosphorsäure abgespalten. Die Phosphorfleischsäure ist keine Aetherphosphorsäure der Fleischsäure, sondern sie hat ein complicirtes Molekül, das aufser der Fleischsäure noch andere kohlenstoffreiche und stickstoffarme oder stickstofffreie Gruppen enthält. Als Spaltungsproducte der Phosphorfleischsäure wurden erhalten: 1. Fleischsäure; von dieser ist nun das Salzsäureadditionsproduct $C_{10}H_{15}N_3O_5$. HCl dargestellt worden und damit das mit dem Molekulargewicht übereinstimmende Aequivalentgewicht des Antipeptons, der Fleischsäure, als 257 bestätigt. 2. Kohlensäure; diese spaltet sich schon unter 100° beim Erhitzen mit verdünnten Mineralsäuren ab. 3. Kohlehydratgruppe; beim Erhitzen der

---

[1] Zeitschr. physiol. Chem. 21, 360—379. — [2] Arch. f. Anat. u. Physiol., physiol. Abth., 1894, S. 401.

Phosphorfleischsäure mit 4 proc. Salpetersäure entsteht ein Feh-ling'sche Flüssigkeit reducirender Körper, der sich sonst wie ein Kohlehydrat verhält, die Natur desselben konnte noch nicht genau ermittelt werden. 4. Bernsteinsäure und Paramilchsäure. Die Phosphorfleischsäure steht den Nucleïnen nahe, aber sie ist doch von ihnen verschieden und deshalb soll sie als *Nucleon* bezeichnet werden. Die Phosphorfleischsäure wurde als Bestandtheil der Milch erkannt; sie kommt darin in so beträchtlicher Menge vor, daſs ihr eine wesentliche Bedeutung für die Resorption des Kalkes der Milch zuzuschreiben ist. Die Phosphorfleischsäure der Milch liefert bei der Spaltung nicht Paramilchsäure, sondern Gährungs-milchsäure. Durch Thierversuche wurde nachgewiesen, daſs Phos-phorfleischsäure bei der Muskelthätigkeit verbraucht wird und daſs sie ein Energiestoff des Muskels ist. Damit ist das Auf-treten von Kohlensäure, Phosphorsäure und Milchsäure im arbeitenden Muskel zu erklären.   *Ld.*

Th. Richard Krüger. Ueber die Abspaltung von Kohlen-säure aus Phosphorfleischsäure durch Hydrolyse[1]). — Verfasser berichtet über die *Abspaltung von Kohlensäure aus Phosphor-fleischsäure.* Da die Phosphorfleischsäure in reinem Zustande aus dem Carniferrin nicht dargestellt werden kann, so hat Krüger als Versuchsmaterial Carniferrin genommen und mit 10 proc. Schwefelsäure behandelt, wodurch Kohlensäure abgespalten wurde. Die entweichende Kohlensäure wurde absorbirt und gewogen. Vier angestellte Versuche ergaben als Mittel 2,25 Proc. Kohlen-säure im Carniferrinpräparate. Da aber dasselbe Präparat 5,5 Proc. Stickstoff enthielt, so verhält sich die Stickstoffmenge zur Kohlen-säuremenge im Phosphorfleischsäuremolekül wie 1 : 0,4091. Wir müssen auf das Original verweisen, was die Einrichtung des Appa-rates anbetrifft, in welchem Kohlensäure abgespalten und absor-birt wurde.   *Wr.*

Balke u. Ide. Quantitative Bestimmung der Phosphorfleisch-säure[2]). — Die auf Grund von verschiedenartig abgeänderten Methoden ausgearbeitete Methode zur Bestimmung der Phosphor-fleischsäure besteht darin, daſs aus den wässerigen Extracten der zu untersuchenden Substanzen die Phosphorfleischsäure als Carni-ferrin quantitativ abgeschieden und in diesem nach Kjeldahl der Stickstoff bestimmt wird. Wird die gefundene Stickstoffmenge mit dem Factor 6,1237 multiplicirt, so resultirt die entsprechende Menge von Fleischsäure.   *Ld.*

---

[1]) Zeitschr. physiol. Chem. 22, 95—102. — [2]) Daselbst 21, 380—386.

Paul Balke. Zur Kenntnifs der Spaltungsproducte des Carniferrins [1]. — Durch vergleichende Untersuchung des *Antipeptons* und der *Fleischsäure*, sowie des Zink-, Baryum- und Silbersalzes wurde die Identität beider Substanzen bewiesen, ebenso, dafs die Fleischsäure eine einbasische Säure von der Zusammensetzung $C_{10}N_3O_5H_{15}$ ist. Durch Oxydation der Fleischsäure mit Baryumpermanganat entsteht eine Säure von der Zusammensetzung $C_{30}H_{41}N_9O_{15}$, die *Oxyfleischsäure* genannt wird; dieselbe ist zweibasisch, treibt aus Carbonaten Kohlensäure aus und stimmt in den meisten Reactionen mit der Fleischsäure überein. Das Carniferrin aus Milch liefert beim Erhitzen mit Barythydrat Milchsäure, Bernsteinsäure und eine Säure von der Formel $C_{18}H_{23}N_4O_8$, die *Orylsäure*; diese wird durch Salzsäure bei 130° gespalten, wobei Leucin entsteht. Die Orylsäure steht in nahem Zusammenhange mit der Fleischsäure. Carniferrin aus Fleisch und das aus Milch sind fast gleich zusammengesetzt. Wahrscheinlich handelt es sich um eine ganze Classe von Eisenverbindungen, den Eisensalzen der Nucleone, die bei Behandlung mit Baryt analoge Spaltungsproducte liefern. *Ld.*

Fermente. Gährung. Fäulnifs.

Maurice Arthus. Nature des Enzymes [2]. — M. Arthus berichtet über die *Natur der Enzyme*. Er stellt die verschiedenen bekannten Darstellungsweisen der Enzyme zusammen, bespricht die Anschauungen von anderen Forschern über die Natur der Enzyme und entwickelt seine eigene Theorie der Enzymwirkung. Seiner Meinung nach sind die Enzyme *keine Stoffe*, sondern nur *Eigenschaften der Stoffe*, so wie Licht, Wärme, Elektricität u. dergl. Nach M. Arthus kennen wir keine Enzyme, sondern nur die *enzymatischen Kräfte*. Alle Vorgänge, in welchen Enzyme eine gewisse Rolle spielen, und alle Aenderungen der Eigenschaften der letzten sollen nach Arthus mit seiner Theorie im Einklang stehen. *Wr.*

A. A. Bennet and E. E. Pammel. A study of some gas-producing bacteria [3]. — Es wurden verschiedene *Gas producirende Bacterien* in geeigneten Nährlösungen gezogen, denen

[1] Zeitschr. physiol. Chem. 22, 248—264. — [2] Inaug.-Dissert., Paris, Jouve, 1896; Chem. Centr. 67, II, 437—438. — [3] Amer. Chem. Soc. J. 18, 157—166.

Glycose, Rohrzucker, resp. Lactose zugesetzt war und es wurde
die entwickelte Gasmenge in jedem Versuch bestimmt, sowie das
relative Verhältniſs von Kohlensäure und Wasserstoff.   *Ld.*

A. Péré. Mechanismus der Verbrennung ternärer Körper
durch eine Gruppe aërober Mikroorganismen [1]). — Verfasser
untersuchte den Abbau von Zuckerarten mit durch drei theil-
baren Kohlenstoffatomen und von mehratomigen Alkoholen durch
Tyrothrix tenuis, Bacillus mesentericus vulgatus und *Bacillus subtilis.* Als Nährflüssigkeit (A) diente einmal eine Lösung von 1 Proc.
Ammoniumphosphat, 0,5 Proc. Ammoniumsulfat und 0,2 Proc.
Kaliumphosphat, zu welcher der zu studirende ternäre Körper
zugesetzt wurde. Die Lösung wurde in neutralisirtem Zustande
geimpft. Als zweite Nährlösung (B) mit organisch gebundenem
Stickstoff diente ein Fleischextract von 1 Thl. Fleisch und 2 Thln.
Wasser. In je 200 ccm dieser Lösungen wurden je 20 g Mannit
gelöst, und nach 30 tägigem Wachsthum der Mikroorganismen
darin die mit Citronensäure angesäuerte Culturflüssigkeit destillirt. Die Destillationsrückstände der Lösungen A ergaben beim
Tyrothrix tenuis und beim *Bacillus mesentericus vulgatus* eine
rechtsdrehende Flüssigkeit, d-Mannose, beim *Bacillus subtilis* eine
linksdrehende Flüssigkeit, Lävulose. Im Destillat der Culturflüssig-
keiten befindet sich anscheinend ein flüchtiger, linksdrehender
Aldehyd von dissymmetrischer Molekularconstitution, der in den
Eigenschaften den Aldosen nahe steht, und bilden die Hexosen
des Rückstandes wohl das Zwischenproduct zwischen dem Mannit
und diesem Aldehyd. In einer Mannit enthaltenden Bouillon B
war mehr Zucker gebildet, als vorher, doch war dagegen das
Destillat schwächer linksdrehend als bei A. Bei Gegenwart von
Erythrit entwickelten sich die Mikroben weder in A noch in B.
Glycerin lieferte zwar keine Zuckerarten, aber linksdrehende
Destillate. Verfasser hält die aus Mannit und aus Glycerin erhaltenen Verbindungen für identisch. Dieselben sind ohne Einwirkung auf fuchsinschweflige Säure und liefern bei der Reduction
mit Natriumamalgam Isopropylalkohol, Allylalkohol und Aceton.
— Die Bestimmung der Alkohole geschah nach der Duclaux'-
schen Tropfmethode. — Nach seinem Verhalten kommt diesem
flüchtigen Körper die Constitution einer linksdrehenden Glycerose
zu. Dieselbe bildet einen leicht zersetzlichen Syrup, ist leicht
löslich in den gewöhnlichen Solventien, liefert ein leicht zersetzliches Hydrazon, jedoch kein Osazon und scheint verschieden von

---

[1]) Ann. Inst. Pasteur 10, 417—448; Ref.: Chem. Centr. 67, II, 711—712.

der bisher bekannten Glycerose. Selbst verdünnte Mineralsäuren greifen sie in der Wärme an, wobei sie die Fähigkeit erlangt, fuchsinschweflige Säure zu färben; durch alkalisch reagirende Metallhydrate wird sie ebenfalls zersetzt. — Stärke wird durch *Tyrothrix* in Lösung A in Dextrin, Zucker und Glycerose, in Lösung B nur in Glycerose verwandelt. Maltose wurde in B durch *Tyrothrix* hydrolysirt und aus der entstandenen Dextrose Glycerose abgespalten. Das Gleiche gilt für Saccharose, doch greift *Tyrothrix* dabei hauptsächlich die bei der Hydrolyse gebildete Lävulose an. *Bacillus mesentericus* verhält sich ebenso, während *Bacillus subtilis* die entstandene Glycose bevorzugt. Die Geschwindigkeit, mit der der Abbau der Verbindungen in der beschriebenen Weise geschieht, hängt nicht nur von der Bacterienart, sondern auch von der Zusammensetzung des Nährbodens und dem dargebotenen Kohlehydrat ab. Die mehratomigen Alkohole gehen unter der Einwirkung der Mikroben durch langsame Oxydation in Aldosen und Ketosen über; die Hexosen werden weiter abgebaut zu einer Triose. *Rh.*

Raphael Dubois. Sur la luciférase ou zymase photogène des animaux et des végétaux[1]). — Die Luciferase, die die Eigenschaften der Zymasen zeigt, ist das wirksame Agens bei der Lichterzeugung von Thieren und Pflanzen, und rührt das physiologische Licht nicht von einer Verbrennung oder einem langsamen Oxydationsprocefs her. Die Fixirung des Sauerstoffs ist dabei wohl nothwendig, erfolgt aber nur indirect durch die Luciferase, die hierbei gewissermafsen die Rolle eines Oxydationsfermentes spielt. Die Leuchtorgane der Lampyren, das Blut dieser und vieler anderer Insecten und die Eier in den Ovarien der Weibchen geben mit Guajactinctur eine schöne blaue Färbung. Auf die Wichtigkeit des Blutes bei der Lichterzeugung hat Verfasser bereits früher bei der Untersuchung der Elateriden hingewiesen. Dieselbe Farbenreaction giebt auch der auf den Oberflächen todter Fische befindliche leuchtende Schleim nach der Behandlung mit Chloroformwasser und nach der Filtration. — Der Unterschied zwischen der Theorie des Verfassers und der Hypothese von Radziszewjski ist der, dafs Phosphorescenz zwar in Gegenwart von alkoholischer Kalilauge durch langsame und directe Oxydation mit vielen organischen Verbindungen entstehen kann, dafs aber bei den Lebewesen die Phosphorescenz durch die Einwirkung einer Zymase hervorgerufen wird. *Rh.*

---

[1]) Compt. rend. 123, 653—654.

Giulio Tolomei. Sopra un fermento solubile che si trova nel vino[1]). — In den Weinen kommt nicht selten eine Oxydation des Farbstoffs zu Stande, wodurch der Farbstoff unlöslich wird, und gleichzeitig entwickelt sich ein specifischer Geruch. Martinaud[2]) hat eine Hypothese aufgestellt, dafs es durch die Wirkung eines Enzymes zu Stande kommt, welches von Bertrand *Laccase* genannt und in verschiedenen Theilen vieler Pflanzen gefunden wurde[3]). Versuche von Tolomei haben diese Voraussetzung bestätigt. Die für Laccase charakteristischen Reactionen und namentlich die Guajakharz-, Hydrochinon- und Pyrogallolreaction fielen mit dem Wein positiv aus. Das Erhitzen bis 100° vernichtete die Enzymthätigkeit und der erhitzte Wein hat sich nicht mehr abgefärbt, diese Eigenschaft kehrt aber wieder, wenn man dazu das mit Alkohol aus dem frischen Wein niedergeschlagene Enzym zusetzt. In den Trauben befindet sich das Enzym ebenfalls und namentlich in den reifen Trauben in gröfserer Quantität als in den unreifen. Studien über Fermentation des Mostes haben erwiesen, dafs das Enzym sehr langsam aus den Trauben in die Lösung geht. Tolomei hat Laccase in Muscatferment, Saccharomyces cerevisiae und Saccharomyces apiculatus entdeckt. Das aus dem Muscatweinferment dargestellte Enzym verleiht einem gewöhnlichen Weifswein binnen Kurzem den Geschmack des Muscatweines und die Eigenschaften eines alten Weines. Tolomei glaubt, dafs also der Saccharomyces ellipsoideus während seiner Entwickelung ein Enzym hervorbringt, welches, im Wein gelöst bleibend, alle die Modificationen verursacht, die das „Alt"-werden des Weines bewirken.   *Wr.*

Em. Bourquelot[4]) berichtete über die *Einwirkung des oxydirenden Fermentes der Champignons auf oxydirbare Verbindungen.* Er fand, dafs das oxydirende Ferment der Champignons o-, m- und p-Kresol sowohl in neutraler als auch in schwach alkalischer Lösung oxydirt. Beim o-Kresol erhält man dabei einen schmutzigbraunen, in Aether löslichen, gelb werdenden, beim m-Kresol einen weifsröthlichen, in Alkohol löslichen Niederschlag. Bei dem p-Kresol färbt sich die Lösung zuerst roth und dann tief grün, die hier gebildete Farbsubstanz läfst sich aber nicht in Aether aufnehmen. Ferner oxydirt das Ferment Hydrochinon, Pyrogallol und Resorcin und nimmt die Lösung des letzteren dabei eine tief rothe Farbe an mit schön grüner Fluorescenz. Auch Guajacol und Eugenol

---

[1]) Accad. dei Lincei Rend. [5] 5, 52—56. — [2]) Compt. rend. 121, 502. — [3]) Daselbst 120, 266 u. 121, 166. — [4]) Daselbst 123, 315.

werden von demselben oxydirt, aber, im Gegensatz zu den anderen
Phenolen, besser in neutraler oder schwach mit Essigsäure an-
gesäuerter, als in alkalischer Lösung. Guajacol giebt dabei einen
rothen, in Aether mit tief gelber Farbe löslichen Niederschlag.
Bei dem Eugenol entsteht keine Färbung. Schliefslich werden
auch in neutraler oder leichter noch in schwach essigsaurer Lösung
die Toluidine und Xylidine von dem oxydirenden Ferment der
Champignons oxydirt. Das m-Toluidin giebt dabei einen in
Aether mit weinrother, in Wasser mit violetter Farbe löslichen,
Xylidin einen in Aether mit violettrother Farbe löslichen Niederschlag. Das oxydirende Ferment der Champignons ruft hiernach
sehr verschiedene Farbreactionen hervor und läfst sich in gewissen Fällen in seiner Wirksamkeit derjenigen der in der Industrie der Farbstoffe zur Verwendung kommenden Oxydationsmittel
gleichstellen. *Wt.*

Gab. Bertrand. Ueber die Beziehungen zwischen der Constitution organischer Verbindungen und ihrer Oxydirbarkeit unter
dem Einflufs der Laccase[1]). — Verfasser hat die oxydirende
Wirkung der Laccase[2]) auf die verschiedensten organischen
Verbindungen geprüft. Die oxydirbaren Verbindungen gehören
sämmtlich der aromatischen Reihe an. Es sind Polyphenole,
Amidophenole oder Diamine, deren Substituenten (OH, NH$_2$) zu
einander in Ortho-, oder besonders in Parastellung stehen, während die Metaverbindungen nicht oxydirt werden. Oxydirt werden
beispielsweise Hydrochinon, Brenzcatechin, Gallussäure, Paraamido-
phenol, Paraphenylendiamin, nicht oxydirt Resorcin, Phloroglucin,
Metamidophenol, Metaphenylendiamin. Die Oxydirbarkeit dieser
Verbindungen durch freien Sauerstoff bei Gegenwart der Laccase
scheint also [wie ihre Wirksamkeit als Entwickler in der Photographie[3])] von ihrer Fähigkeit abzuhängen, in Chinone überzugehen. *O. H.*

E. Bourquelot[4]) untersuchte die *Einwirkung des löslichen
oxydirenden Ferments der Champignons auf die in Wasser unlöslichen Phenole* und fand, dafs o-, m-, und p-Xylenol, Thymol,
Carvacrol, α- und β-Naphtol durch dasselbe oxydirt werden. *Wt.*

Gab. Bertrand. Sur la présence simultanée de la laccase
et de la tyrosinase dans le suc de quelques champignons[5]). —
Aus Versuchen mit dem Safte von gewissen Pilzen wird der

[1]) Bull. soc. chim. [3] 15, 791—793. — [2]) Daselbst [3] 13, 361. —
[3]) Ann. chim. phys. [7] 4, 271. — [4]) Compt. rend. 123, 423. — [5]) Daselbst,
S. 463—465.

Schlufs gezogen, dafs die beiden oxydirenden Fermente, Laccase und Tyrosinase, gleichzeitig neben einander in einem Pflanzensafte vorkommen können.   *Ld.*

Gab. Bertrand. Sur une nouvelle oxydase ou ferment soluble oxydant, d'origine végétale [1]). — Der Saft der Zuckerrübe färbt sich an der Luft bald roth, dann schwarz, ebenso verhält sich der Saft der Dahliaknollen, der Kartoffel und der Saft von *Russula nigricans.* Diese Färbungen kommen zu Stande durch Oxydation des in diesen Pflanzensäften enthaltenen Tyrosins, welche ein lösliches, oxydirendes Ferment, eine Oxydase einleitet, für welche der Name Tyrosinase gewählt wurde.   *Ld.*.

Gab. Bertrand. Sur la séparation de la laccase et de la tyrosinase dans le suc de certain champignons [2]). — *Russula delica*, frisch gesammelt, wird zerrieben, mit Chloroformwasser extrahirt und mit Alkohol gefällt, die Flüssigkeit, bei 40 bis 50° im Vacuum vom Alkohol befreit, hinterläfst eine Lösung von *Laccase*, welche kräftig oxydirend wirkt auf Hydrochinon und Pyrogallol, nicht aber auf Tyrosin. Der durch Alkohol erzeugte Niederschlag giebt an Chloroformwasser *Tyrosinase* ab und die so erhaltene Flüssigkeit oxydirt Tyrosin.   *Ld.*

E. Bourquelot und Bertrand. Ueber die Färbung der Gewebe und des Saftes gewisser Pilze an der Luft [3]). — Die Eigenschaft einiger Pilzsorten, besonders von Boletus-, Lactarius- und Russulaarten, sich an den Schnittflächen schnell zu färben, führen Verfasser auf ein oxydirendes Ferment zurück. Die sich bei Boletus cyanescens an der Luft blaufärbende Substanz kann dem Pilz durch siedenden Alkohol entzogen werden. Die Alkohollösung wird durch fermenthaltigen Pilzsaft, sowie durch Laccase rasch gebläut; die Färbung ist nicht gegen Alkalien und Mineralsäuren beständig. Russula nigricans wird an Schnittflächen zuerst roth und dann schwarz, die färbende alkoholunlösliche Substanz wird von siedendem Wasser aufgenommen, beim Erkalten krystallisiren kleine weifse Nadeln, die sich durch Pilzferment, nicht aber durch Laccase färben.   *Mr.*

J. de Rey-Pailhade. Rôles respectifs du philothion et de la laccase dans les graines en germination [4]). — In vielen keimenden Samen findet sich die Laccase [5]) gleichzeitig neben dem leicht oxydirbaren Philothion und greift dieses an. Man kann

---

[1]) Bull. soc. chim. [3] **15**, 793—797. — [2]) Daselbst, S. 1218—1220. — [3]) Chem. Centr. **67**, I, 756—757; J. Pharm. Chim. [6] **3**, 177—182. — [4]) Compt. rend. **121**, 162—164. — [5]) Siehe Bertrand, dieser JB., S. 1994.

keimende Samen unter diesem Gesichtspunkte in vier Kategorien eintheilen: I. Samen, welche gleichzeitig Philothion und Laccase enthalten: Bohnen, Erbsen, Lupinen, Artischocken, Getreide, Mais, Kastanien, Roskastanien, Ahorn, Sojabohnen, Ginkgo. II. Samen, welche Philothion, aber keine Laccase enthalten: Pinien. — III. Samen, welche Laccase, aber nur wenig oder kein Philothion enthalten: Ricinus, Radieschen, Kürbis, Winde, Kartoffel, Belladonna. IV. Samen, welche beide Producte gar nicht oder nur in Spuren enthalten: Eichel, Lorbeer. — Während die Laccase sich in den betreffenden Samen in allen Stadien ihrer Entwickelung findet, hat das Philothion nur eine vorübergehende Existenz von einigen Tagen. — Weitere Versuche ergaben, dafs die Laccase offenbar die Oxydation der in den Pflanzen vorhandenen oxydirbaren Körper veranlafst. So wird das Philothion durch die combinirte Wirkung von Laccase und Sauerstoff in vier bis fünf Stunden unter Bildung von Kohlensäure oxydirt, durch Laccase allein wird es nicht, durch Sauerstoff allein nur langsam zerstört. Unter dem Einflufs der Laccase verbindet sich also das Philothion rasch mit dem freien Sauerstoff unter CO_2-Bildung und trägt dadurch zur Respiration der Samen bei. *Rh.*

O. Emmerling. Zur Frage, wodurch die Giftigkeit arsenhaltiger Tapeten bewirkt wird[1]). — Um die *Frage, wodurch die Giftigkeit arsenhaltiger Tapeten bewirkt wird*, zu entscheiden, hat O. Emmerling eine Reihe von Versuchen mit Bacterien, Schimmel- und Sprofspilzen angestellt und schliefst, dafs die Annahme, dafs Mikroorganismen aus arsenhaltigen Tapeten Arsenwasserstoff entwickeln, sehr unwahrscheinlich ist. *Wr.*

G. Bertrand et A. Mallèvre. Sur la diffusion de la pectase dans le règne végétal et sur la préparation de cette diastase[2]). — Bei der Fortsetzung ihrer[3]) Untersuchungen über Pectase und deren fermentative Wirkung haben Bertrand und Mallèvre constatirt, dafs dieses Ferment im Pflanzenreiche sehr verbreitet ist. dafs es sich zwar in den verschiedenen Organen der Pflanzen findet, aber am reichlichsten in den Blättern; man verwendet daher zur Darstellung der Diastase am zweckmäfsigsten grüne Blätter, die sich in lebhaftem Wachsthum befinden. Die frischen Blätter werden zerstofsen, dann ausgeprefst und der erhaltene Saft wird dann nach Zusatz von etwas Chloroform 12 bis 24 Stunden geschützt vor Lichtzutritt stehen gelassen; dann wird filtrirt und

---

[1]) Ber. **29**, 2728. — [2]) Bull. soc. chim. [3] **15**, 31—33. — [3]) Daselbst **13**. 77 u. 252.

das Filtrat mit dem doppelten Volumen von Alkohol gefällt. Der
entstandene Niederschlag wird in wenig Wasser gelöst und die
filtrirte Lösung neuerdings mit Alkohol gefällt, die ausgeschiedene
Pectase wird auf einem Filter gesammelt und im Vacuum getrocknet. Sie ist ein weißes, hygroskopisches, in Wasser leicht
lösliches Pulver, von dem schon eine geringe Menge die pectische
Wirkung zeigt. 1 Liter filtrirten Pflanzensaftes liefert 5 bis 8 g
Pectase.   *Ld.*

    J. Grüfs[1]) berichtete über einige *neue Ergebnisse der Dia-*
staseforschung. Er wies darauf hin, daß die saccharificirende
Eigenschaft der Diastase durch Zusatz gewisser Substanzen erhöht,
durch andere wieder beeinträchtigt werden kann. So fand er, daß
die Umwandlung von Stärke in Zucker durch Diastase in einer
gesättigten Gypslösung etwas gehemmt wurde; mit der Zeit wurde
diese Hemmung aber geringer, und bei noch längerem Stehen
vollzog sich eine Beschleunigung in dem Verzuckerungsprocefs.
Durch längere Einwirkung von Gypslösung auf Weizenstärkekörner
kann man, da die im Handel vorkommende Weizenstärke immer
noch Ferment enthält, sehr schöne Stärkeskelette erhalten. Durch
. die Guajakwasserstoffsuperoxydreaction läfst sich die Diastase im
pflanzlichen Gewebe erkennen, doch wirken die Gerbstoffe und
ein im Zellsaft löslicher eiweifsartiger Körper störend auf diese
Reaction ein. Man mufs also, behufs Anstellung der Reaction,
den Gerbstoff mit Alkohol auswaschen. Der im Zellsaft vorhandene eiweifsartige Stoff bräunt sich an der Luft stark, es findet
von ihm Sauerstoffübertragung statt. Zu seiner Beobachtung
eignen sich am besten ruhende Kartoffelknollen, Rhizome u. dergl.
Canna-Rhizom, mit Guajaklösung befeuchtet, färbt sich an der
Luft blau. Durch Einlegen eines solchen Schnittes in Alkohol
verliert derselbe seine Eigenschaft, den Sauerstoff zu übertragen.
Will man also an einem Schnitt die Diastase-Guajakfärbung hervorrufen, so mufs man denselben 24 Stunden in absolutem Alkohol
liegen lassen, wobei der Alkohol öfter zu erneuern ist. Nach dem
Trocknen durch Abdunsten des Alkohols wird er dann 15 Minuten
in die Guajaklösung 'gebracht und erst nach abermaligem Abdunsten mit Wasserstoffsuperoxyd befeuchtet.   *Wt.*

    O. Nasse u. F. Fromm. Bemerkungen zur Glycolyse[2]). — Ent-
gegen den Angaben von Lépine wird constatirt, daß beim Digeriren von *Diastase* mit verdünnter Schwefelsäure kein glycolytisches

---

    [1]) Chem. Centr. 67, I, 47; Biederm. Centr. 25, 502. — [2]) Zeitschr.
physiol. Chem. 21, 305; Pflüger's Arch. Physiol. 63, 203—208.

Ferment entsteht; die Diastase verliert aber bei dieser Behandlung ihre Fähigkeit, Guajak zu bläuen; diese Reaction kann nicht auf Activirung des Luftsauerstoffs beruhen, denn Diastaselösungen, die lange mit Wasserstoff oder Kohlensäure behandelt wurden, werden beim Zusatz von entlufteter Guajaklösung blau. Die Bläuung dürfte von einer Hydroxylirung des Harzes herrühren. Auch die bläuende Substanz in der Diastase wirkt nicht glycolytisch. *Ld.*

Emile Bourquelot. Maltase and the Alcoholic Fermentation of Maltose [1]. — Die Frage, ob das Enzym, durch welches Maltose zu Glucose hydrolysirt wird, chemisch von den bekannten Enzymen, wie Diastase und Invertase, verschieden ist, harrt bisher noch der Entscheidung. Es ist sicher noch nicht in reinem Zustande gewonnen worden, denn die verschiedenen Präparate, welche allgemein die Fähigkeit haben, Maltose zu hydrolysiren, zeigen bezüglich der Hydrolysirung anderer Kohlehydrate ein verschiedenes Verhalten. Andererseits erscheint es dem Verfasser nicht wahrscheinlich, daſs die Zahl der die Maltose hydrolysirenden, aber in der hydrolysirenden Wirkung auf andere Kohlehydrate verschiedenen Enzyme eine groſse sei, denn alle wohlbekannten Enzyme dieser Classe sind charakterisirt durch die Beschränkung ihres Hydrolysirungsvermögens auf einzelne Kohlehydrate. Es ist festgestellt, daſs ein die Maltose hydrolysirendes Enzym im Pankreas und Dünndarm verschiedener Thiere vorkommt, aber die Frage nach dem Vorkommen eines solchen Enzyms in Pflanzen ist noch nicht untersucht. Der Verfasser findet, daſs, wenn man die gewöhnlichen Schimmelpilze *Aspergillus niger* und *Penicillium glaucum* in einem maltosehaltigen wässerigen Medium unter Zusatz von Weinsäure und der gewöhnlichen Salze züchtet, ein beträchtlicher Theil der Maltose zu Glucose hydrolysirt wird. Wenn man die Pilze mit Sand zerreibt und mit Wasser extrahirt, so wird eine Lösung erhalten, aus der Alkohol ein die Maltose hydrolysirendes Enzym niederschlägt. — Der *Milchsäuregährung der Maltose* geht wie der alkoholischen die Hydrolyse voraus. Für den letzteren Fall ist die von E. Fischer ausgeführte Abscheidung von Glucosazon beweisend, für den ersteren Fall hat der Verfasser auf das Vorhandensein von Glucose indirect geprüft: Wenn man Chloroform zu einer Maltoselösung setzt oder zu einer Lösung von Maltose und Lävulose, welche sich in alkoholischer Gährung befindet, so wächst das Reductionsvermögen weiter, während das Drehungsvermögen abnimmt. Das

---

[1] J. Pharm. Chim. 1895 [6], 97—105; Ref.: Chem. Soc. J. 70, 110—111.

kann nur erklärt werden durch das Fortschreiten der Glucose-
bildung in Folge der hydrolysirenden Wirkung eines Enzyms,
während die Wirksamkeit der Hefe aufgehoben ist. Bezüglich
der Gegenwart eines ähnlichen Enzyms im Blute hat Dubourg[1])
nachgewiesen, dafs das Blut von Kaninchen bei stärkereicher
Nahrung die Fähigkeit hat, Maltose zu hydrolysiren. Es ist also
klar, dafs der Assimilation der Maltose im Thierkörper stets die
Hydrolyse in Glucose vorhergeht. Der Verfasser neigt zu der
Ansicht, dafs das maltosehydrolysirende Enzym, Maltase, ein von
den anderen wohlbekannten Enzymen chemisch verschiedenes
Individuum sei.   *Tf.*

     M. W. Beyerinck[2]) veröffentlichte eine Untersuchung über
den *Nachweis und die Verbreitung der Glucase, des Enzyms der
Maltose.* Mit dem Wort *Amylase* bezeichnet er darin sämmtliche
stärkespaltende Enzyme und als *Granulase* diejenigen Amylase-
arten, welche aus Stärke zu gleicher Zeit Maltose und Achroodextrin erzeugen. Er weist nach, dafs die in der Malzamylase
neben Maltose nachgewiesene Dextrinase ein durch Erhitzen von
Malzamylase erhaltenes Kunstproduct ist und will daher das neben
Maltase im Gerstenkorn normal vorhandene zweite Enzym mit
Granulase bezeichnet wissen. Bezüglich der *Glucase* fand er,
dafs dieselbe nicht allein Maltose in Glucose umwandelt, sondern
auch aus löslicher Stärke vorübergehend auch Dextrin und Maltose zu bilden vermag, dafs aber ihre Verbreitung im Pflanzen-
und Thierreich keine sehr weitgehende zu sein scheint. Die
Sorghofrüchte enthalten viel, Reis weniger, Gerste, Weizen und
Roggen nur Spuren von Glucase. In gewöhnlichen Grasblättern
scheint die Glucase ganz zu fehlen, dagegen ist sie in Mais-
blättern leicht nachweisbar und die Samen mit mehligem Endosperm aus der Classe der Dykotyledonen enthalten in den meisten
Fällen Maltase und Glycose, während die Granulase erst durch
den Keimungsprocefs und zwar vorwiegend im Cylinderepithel des
Keimlings gebildet wird. Von thierischen Organen enthält die
Leber erhebliche Mengen von Glucase und unter den Schimmel-
pilzen scheint sie sehr verbreitet zu sein. In Hefezellen fand
Beyerinck ein schon bei 55⁰ absterbendes verwandtes Enzym,
welches er *Zymoglucase* nennt.   *Wt.*

     Schneegans. Betulase, ein in Betula lenta enthaltenes Fer-
ment[3]). — In der Rinde und dem Holze von Betula lenta ist das

---

[1]) Inaug.-Dissert. Paris 1889. — [2]) Biederm. Centr. 1896. S. 753. —
[3]) Pharm. Centr.-H. **38**, 27.

Glycosid Gaultherin enthalten, das beim Erhitzen seiner wässerigen Lösung auf 130 bis 140° in Zucker und Salicylsäuremethylester zerfällt gemäfs der Gleichung: $C_{14}H_{18}O_8 + H_2O = C_6H_{12}O_6$
$+ C_6H_4(OH).COOCH_3$. Dieselbe Spaltung bedingt auch ein in
der Betularinde enthaltenes Ferment, die Betulase. Zu ihrer Isolirung macerirt man die gepulverte Rinde mit dem vierfachen
Gewichte Glycerin drei bis vier Wochen lang. Fügt man dann
zu der ausgeprefsten und filtrirten Glycerinlösung das fünffache
Volumen starken Alkohol, so scheidet sich das Ferment in zarten
Flocken ab. Man wäscht das Ferment mit Alkohol und trocknet
es schliefslich im Vacuum über Schwefelsäure. Die Betulase bildet
ein weifsgraues Pulver und wird dieselbe in einer Ausbeute von
1 pro Mille aus der Rinde erhalten. Auf wässerige Gaultheria-
lösung wirkt das Ferment in dem oben angedeuteten Sinne ein.
Man kann das Ferment längere Zeit an der Luft oder über
Schwefelsäure aufbewahren, ja sogar einige Stunden auf 130° erhitzen, ohne dafs es seine Wirksamkeit verliert. Kleine Mengen
Mineralsäuren und Alkalien heben hingegen die Wirksamkeit auf,
gewisse Salze in gröfserer Menge wirken hemmend, während
andere Salze wieder ohne Einflufs auf die Betulase sind. Die
wässerige Lösung der Betulase bläut nicht Guajaktinctur, verwandelt Stärke nicht in Zucker und löst Eiweifsstoffe nicht auf.

Tr.

Hanriot. Sur un nouveau ferment du sang[1]). — Die Fette
werden bei Körpertemperatur von Natriumcarbonat nicht angegriffen, die geringe Alkalinität des Blutes kann danach nicht
genügen, dieselben zu verseifen. Verfasser stellte daher Versuche
an, ob das Blut nicht ein Ferment enthält, das diese Verseifung
bewirkt. Dazu benutzte er das von Berthelot entdeckte, leicht
Emulsionen bildende Monobutyrin, das durch den Pankreassaft
leicht verseift wird, und unterwarf es der Einwirkung von Blutserum. Das Monobutyrin wurde leicht verseift, wenn die Lösung
neutral oder schwach alkalisch war, die Verseifung verlangsamte
sich, wenn die entstehende freie Säure nicht neutralisirt wurde.
Der Säuregehalt nahm regelmäfsig mit der Menge des angewandten Serums zu. Diese Erscheinung gestattet, die Activität
der verschiedenen Serumsorten und ihren Fermentgehalt unter
einander zu vergleichen. — Bei den Versuchen selbst wurde
aseptisch gearbeitet. Säurebildung wurde bei Vergleichsversuchen
mit Monobutyrin allein und mit Serum allein nicht constatirt.

---

[1]) Compt. rend. **123**, 753—755.

Nach der Zerstörung des diastatischen Fermentes im Serum durch Erhitzen auf 90° wurde das Monobutyrin nicht mehr verseift. — In einer Tabelle giebt Verfasser an, wie viel Tropfen einer Natriumcarbonatlösung (5 g im Liter) zur Neutralisation von 10 ccm einer 0,25 proc. Monobutyrinlösung nöthig waren, mit oder ohne Serum. Oele und natürliche Fette werden ebenfalls durch Serum verseift, aber die Einwirkung ist langsam und nicht so einfach. Die Luft wirkt anscheinend bei der Fermentwirkung nicht mit. Das Ferment, welches Verfasser *Lipase* nennt, ist sehr beständig und hatte nach acht Tagen noch nichts von seiner Activität eingebüfst. *Rh.*

Johan Hjort. Neue eiweifsverdauende Enzyme[1]. — Bei verschiedenen höheren Pilzen liefsen sich sehr kräftig wirkende, eiweifsverdauende Enzyme nachweisen. Zu den Verdauungsversuchen wurden dieselben entweder auf Fibrin niedergeschlagen, oder aber die Extracte selbst, die nur sehr schwache Biuretreaction zeigten, wurden dazu benutzt, eventuell nach vorherigem Aufkochen. Die mit Thymol desinficirte Verdauungsflüssigkeit von *Agaricus ostreatus* wirkte auf Fibrin am besten bei neutraler, weit schwächer bei saurer, gar nicht bei alkalischer Reaction. Die Verdauung nimmt dabei folgenden Verlauf: Fibrin → Globuline → Deuteroalbumosen → Amphopepton$<{\text{Hemipepton} \atop \text{Antipepton}}>$Amidosäuren. Die Wirkung des Agaricusfermentes zeigt danach grofse Aehnlichkeit mit dem Trypsin des Pankreassaftes. — Der wässerige Extract von *Polyporus sulphureus* zeigte, im Gegensatz zu der neutralen Reaction des Agaricusextractes, deutlich saure Reaction. Eine Verdauung von Fibrin fand weder bei alkalischer, noch bei neutraler Reaction statt. In saurer Lösung wurden dieselben Verdauungsproducte nachgewiesen, wie bei der Pepsinverdauung: Globuline, primäre Albumosen, Deuteroalbumosen und Peptone, aber keine tieferen Eiweifsspaltungsproducte. Jedoch quoll das Fibrin nicht, wie bei der Pepsinverdauung, sondern zerfiel, wie bei der Agaricus- und Pankreasverdauung, in kleine Brocken. — Da die Enzyme auch bei Zimmertemperatur energische Verdauungswirkung zeigen, schreibt Verfasser ihnen die gröfste Bedeutung für den Stoffwechsel der Pilze zu. *Rh.*

C. A. Pekelharing. Ueber eine neue Bereitungsweise des Pepsins[2]. — Wird kräftig wirkender künstlicher Magensaft gegen

---

[1] Centr. f. Physiol. 10, 192—194. — [2] Zeitschr. physiol. Chem. 22. 233—244.

Wasser dialysirt, so entsteht ein Niederschlag, der sich, wenn die Flüssigkeit neutral geworden, löst, aber auf Zusatz von Salzsäure bis zu 0,02 Proc. Chlorwasserstoff wieder herausfällt. Dieser Niederschlag löst sich in 0,2 proc. Salzsäure bei Körpertemperatur auf zu einer klar filtrirbaren Flüssigkeit; er wirkt sehr energisch verdauend auf Fibrin und coagulirtes Albumin, zeigt die Eiweifsreactionen und enthält Phosphor. Dieser phosphorhaltige Eiweifsstoff ist sehr labil und complicirt zusammengesetzt; wird dessen saure Lösung erhitzt, so erfolgt Spaltung in unlösliches Nucleoproteïd, eine in heifsem Alkohol leicht lösliche phosphorhaltige Substanz und eine Albumose. Diese Spaltung erfolgt nur bei schnellem Erhitzen; man kann eine Pepsinlösung, die nicht viel freie Säure enthält, langsam auf 70° erwärmen, ohne dafs sie sich trübt, aber sie hat dann ihr Vermögen, Eiweifs zu verdauen, verloren. Die Frage, ob der complicirte phosphorhaltige Eiweifskörper das Enzym mechanisch beigemengt enthält, oder ob er selbst das wahre Pepsin ist, dürfte im letzteren Sinne zu beantworten sein. Die nach Brücke dargestellte Pepsinlösung zeigt die Eiweifsreactionen nicht, das ist aber kein Grund, anzunehmen, das Pepsin sei kein Eiweifsstoff. Pekelharing beobachtete, dafs das von ihm dargestellte Pepsin, sowie verschiedene Handelspepsine Milch bei neutraler Reaction zum Gerinnen brachten. *Ld.*

E. Salkowski. Ueber das Verhalten des Caseïns zu Pepsinsalzsäure [1]). — Durch erneute Versuche zeigt Verfasser, dafs Kuhcaseïn durch Pepsinsalzsäure gelöst wird, wofern nur die Menge der Verdauungsflüssigkeit eine grofse ist, etwa die 500 fache des angewandten Caseïns, und das Caseïn vorher durch Lösen in verdünnter Natronlauge von schwer angreifbaren Partikelchen befreit wird. Unter diesen Bedingungen tritt Lösung in einem bis zwei Tagen ein und zwar ziemlich unabhängig von der Menge des verwandten Pepsins. Beträgt die Verdauungsflüssigkeit nur das 250 fache des Caseïns, so bleibt ca. 1 Proc. Paranucleïn zurück; die Menge desselben steigt mit abnehmender Menge der Verdauungsflüssigkeit. Die Quantität der Salzsäure ist bei einer Concentration von 0,054 bis 0,266 Proc. Salzsäure ohne wesentlichen Einflufs auf die Verdauung des Caseïns. Bei geringerer Concentration beeinflufst sie dieselbe merklich, wenn das Verhältnifs vom Caseïn zur Verdauungsflüssigkeit 1 : 67,5 und darunter ist. *Rh.*

[1]) Pflüger's Arch. 63, 401—422; Ref.: Chem. Centr. 67, II, 103—104.

D. B. Dott. Papain als Verdauungsmittel [1]). — Im Anschlufs an frühere Versuche hat Verfasser vergleichende Studien über das Verdauungsvermögen von Papain und Pepsin unter den von **Rideal** angegebenen Bedingungen angestellt. In jedem Falle mufs das Lösungsvermögen für Wasser auf Albumin, das nicht unbeträchtlich ist, durch Leerversuche festgestellt werden. Trockener Papayaextract und das daraus durch Reinigung und Fällung dargestellte Papain haben in alkalischer und saurer Lösung nur geringes Verdauungsvermögen gegen Albumin. Eine käufliche Sorte Papain zeigte in saurer Lösung weit gröfsere Verdauungswirkung, als in alkalischer Lösung, enthielt demgemäfs wohl Pepsin; jedoch hat auch dieses Product bei Weitem nicht die verdauende Kraft des reinen Pepsins. *Rh.*

H. A. Weber. On the behavior of coal-tar-colors toward the process of digestion [2]). — Die Untersuchungen über die Einwirkung einiger *Theerfarben* auf die *Pepsin*- und *Pankreasverdauung* haben ergeben, dafs einige von diesen Farben die beiden Processe wesentlich stören, d. h. verlangsamen. *Ld.*

P. Hillmann. Beiträge zur Kenntnifs des Einflusses des Labfermentes auf die Milcheiweifsstoffe und zur Bewerthung der Milch für Käsereizwecke [3]). — Das Milcheiweifs geht unter dem Einflufs des Labs in unlösliches Paracaseïn und lösliches Molkeneiweifs über. Je schneller die Gerinnung vor sich geht, je höher ist die Paracaseïnausbeute, die durch einen Zusatz von Kalksalzen vermehrt wird. Im Uebrigen werden auch die anderen Eiweifsstoffe vom Lab zum Theil in leichter lösliche Körper, zum Theil wie beim Albumin unter Paracaseïnausscheidung verändert. *Mr.*

Olaf Hammarsten. Ueber das Verhalten des Paracaseïns zu dem Labenzyme [4]). — Die Beweisführung von **Peters**, dafs in der Kuhmilch nur *ein* Eiweifsstoff, das Caseïn oder Caseïnogen — wie er ihn nennt —, enthalten sei, ist nach Verfassers Ansicht durchaus nicht überzeugend. Die weitere Behauptung von **Peters**, dafs das Paracaseïn, wenn es in möglichst wenig Kalkwasser gelöst wird, nach Zusatz von Lab wieder gerinnt, widerlegt Verfasser, indem er zeigt, dafs die von **Peters** benutzte **Witte**'sche Labessenz 11,58 Proc. Kochsalz enthält. Kochsalz besitzt aber die Fähigkeit, Lösungen von Paracaseïnkalk sowohl bei Gegenwart, wie bei Abwesenheit von löslichen Kalksalzen zu

---

[1]) Pharm. J. Transactions [4] **2**, 182; Ref.: Chem. Centr. **67**, I, 932. — [2]) Amer. Chem. J. **18**, 1092—1096. — [3]) Chem. Centr. **67**, I, 824—825; Milchzeitg. **25**, 86. — [4]) Zeitschr. physiol. Chem. **22**, 103—126.

fällen. Mit salzfreier Lablösung giebt eine Paracaseïnkalklösung kein Gerinnsel. Dagegen fällt Witte'sche Labessenz selbst nach dem Kochen, also nach Zerstörung des Fermentes, Paracaseïnlösungen in Form eines grobkörnigen Niederschlages, und läfst sich eine ganz gleiche Wirkung durch eine Kochsalzlösung entsprechender Stärke erzielen. — Bei der Paracaseïndarstellung verfuhr Verfasser in der Weise, dafs er den aus der Milch durch Labzusatz gewonnenen, fein zerriebenen und mit Wasser sorgfältig gewaschenen Käse mit Wasser, das 0,02 bis 0,04 Proc. Ammoniak enthielt, behandelte und in dem Filtrate mit Essigsäure fällte. — Das unter verschiedenartigen äufseren Bedingungen bereitete Paracaseïn zeigt etwas verschiedene Löslichkeit und Fällbarkeit, alles Paracaseïn ist aber darin gleich, dafs es nicht wieder unter dem Einflufs des Labenzyms gerinnen kann. Diese Eigenschaft dürfte wohl den wesentlichsten Unterschied zwischen Caseïn und Paracaseïn bilden. — Wie eine Paracaseïnkalklösung schon von sehr kleinen Kochsalzmengen gefällt wird, selbst bei Abwesenheit von löslichen Kalksalzen, gerinnen auch Caseïnkalklösungen, aus reinem Caseïn- und Calciumcarbonat dargestellt, durch Lab bei völliger Abwesenheit von löslichen Kalksalzen, aber bei Gegenwart von Kochsalz beim Erwärmen. Jedoch handelt es sich dabei nicht um eine typische Gerinnung, sondern um eine reichliche grobflockige Fällung. Man kann aber auch mit Kochsalz allein, ohne Gegenwart löslicher Kalksalze, eine typische Labgerinnung erzeugen, wenn man zu den Versuchen statt der Caseïnkalklösung dialysirte Milch verwendet. Dieselbe konnte regelmäfsig durch Zusatz von kalkfreiem Kochsalz und mit Oxalat entkalkter und darauf dialysirter Lablösung zum Gerinnen gebracht werden. Sie gerann hierbei, wie gewöhnliche Milch, zu einem festen, typischen Gerinnsel, das, im Gegensatz zu der in einer Caseïnkalklösung mit kalkfreiem Lab und Kochsalz erzeugten Fällung, sich beim Erkalten nicht wieder auflöste. *Rh.*

E. Duclaux[1]) wendete sich in einer Untersuchung über *intracellulare Ernährung* gegen die Ansicht, dafs der Bierhefe als Ferment ganz specielle Eigenschaften zuzutheilen sind, indem sie nur einen Nährstoff, die Zuckerarten, verzehre, wobei ihre Stoffwechselproducte fast stets die gleichen seien, indem er zeigte, dafs die Hefe auch auf Kosten anderer Nährstoffe als Zuckerarten gedeihen, dafs sie auch albuminoïde Stoffe zersetzen kann, dafs sie in Milch ein diastatisches Enzym abzuscheiden vermag und

---

[1]) Chem. Centr. 67, I, 122; Ann. Inst. Pasteur 9, 811—839.

sogar mehr oder weniger ihre eigenen Stoffwechselproducte, z. B.
das Glycerin, zu zerstören befähigt ist. Hieran anschliefsend bespricht Duclaux zwei in ihrer Lebensweise durchaus verschiedene,
aërob und anërob wachsende, aber die gleichen Producte liefernde
Fermente, den *Amylobacter butylicus* und *Amylobacter aethylicus.*
Beide wurden auf einem Kartoffelauszug, in welchem Gartenerde
ausgesäet war, gezüchtet. Beide sind Stärkefermente, sie zerlegen
beide Stärke in Essigsäure, Buttersäure und Propylalkohol neben
geringen Mengen von Butyl- und Aethylalkohol und Spuren von
Aldehyd. Beide Bacterien verzehren, auf der Kartoffel gezüchtet,
nur die Stärke und lassen die Zellen unberührt, sie sind also
verschieden von den Bacterien, welche die Cellulose zerstören,
ohne die Stärke anzugreifen. Auf gekochter Stärke gezüchtet,
erzeugt der *Amylobacter butylicus* bei Zusatz von Kreide mehr
Alkohol und flüchtige Säuren als bei Abwesenheit der Kreide.
Auf saccharosehaltigem Nährboden erzeugt er mehr Butylalkohol
als auf maltose- und lactosehaltigem, mehr flüchtige Säuren als
auf Maltose, aber weniger als auf Lactose. Saccharose wird von
ihm ohne vorherige Invertirung vergohren. Mannit wird heftiger
von ihm vergohren, wobei gröfsere Mengen von Wasserstoff als
von Kohlensäure entstehen, die übrigen Stoffwechselproducte sind
die gleichen wie beim Zucker. Glycerin wird von dem *Amylobacter butylicus* ohne Gasentwickelung angegriffen, wobei sich
hauptsächlich Buttersäure und Butylalkohol bilden; auch Calcium-
acetat wird von ihm ohne Gasentwickelung zersetzt, wobei aber
kein Butylalkohol, sondern nur flüchtige Säuren gebildet werden.
Bei der Züchtung auf einer Abkochung von Malzkeimlingen unter
Zusatz von trockenem Albumin resp. frischem Fibrin lieferte der
Amylobacter butylicus keinen Butylalkohol, dagegen buttersaures
und essigsaures Ammonium nebst Spuren von Bernsteinsäure.
Der *Amylobacter aethylicus* verhält sich bei der Züchtung auf
Kartoffeln ebenso wie der *Amylobacter butylicus*, nur sind bei
ihm die Mengen der erzeugten Producte, besonders der gasförmigen, verschieden. Er invertirt Saccharose nicht, bildet beträchtliche Mengen von Alkohol, der von Aldehyd begleitet ist,
und von Milchsäure; Calciumlactat vermag er nicht zu vergähren.
                                                        Wt.

    E. Duclaux. Fermentationsvermögen und Activität einer
Hefe. Eine kritische Uebersicht [1]). — Die Gährung ist nach Ansicht des Verfassers ein complicirter Vorgang, der von den ver-

_____

[1]) Ann. Inst. Pasteur **10**, 177—189; Ref.: Chem. Centr. **67**, I, 1169.

schiedensten Bedingungen beeinflufst wird. Hierbei bespricht Verfasser in kritischer Weise diesbezügliche Arbeiten von Ad. Brown, von Giltay und Aberson, sowie von Nansen und Pedersen. *Rh.*

Rayman und Kruis[1]) veröffentlichten eine Untersuchung über die *Producte der durch Reinhefen und in sterilisirten Mosten erzeugten alkoholischen Gährung*, deren Resultate sich dahin zusammenfassen lassen, dafs das normale Product der durch die Saccharomyceshefe in Reincultur erzeugten Gährung bei der in den Brennereien üblichen Temperatur ein einziger Alkohol, Aethylalkohol, ist. Dieser Alkohol hält sich in Gegenwart der lebenden Hefe jahrelang im Bier, sofern er nicht mit der Luft in Berührung ist. Ist aber die Oberfläche der Flüssigkeit mit der Luft in Berührung, so bildet ein Theil der Hefe eine Haut und es vollzieht sich eine lebhafte Oxydation des Alkohols unter Bildung von Wasser und Kohlensäure. Die sich selbst jahrelang überlassene Saccharomyceshefe läfst ferner gewisse Dextrine unangegriffen. In diesem Zustande der Abschwächung greifen die Hefen die Albuminoide an und hydratisiren sie bis zu Amiden und organischen Ammonsalzen. Diese hydratisirende Wirkung üben die normalen Hefen nur schwach, Saccharomyces mycoderma D aber in sehr hohem Grade aus. In Folge rein chemischer Wirkung können die Hefen auch in Berührung mit der Luft auf Kosten der Albuminoide Ameisensäure und Valeriansäure bilden. Die der Haut entnommenen und sofort in einen Most von etwas höherer Temperatur verpflanzten Hefezellen behalten ihre oxydirenden Eigenschaften, indem sie neben Aethylalkohol auch geringe Mengen von Amylalkohol bilden, dessen Bildung aber aufhört, sobald die Gährung in derselben Weise wie in den Brennereien vorgenommen wird. Zwei Arten von Reactionen müssen unterschieden werden, nämlich einmal die, welche im Inneren der Hefezellen, und die, welche in ihrem Vegetationsmittel vor sich gehen. Im Allgemeinen ist das Vegetationsmittel der Sitz der Reactionen, durch welche der Zucker zersetzt wird, während das Innere der Zellen die für die stickstoffhaltigen Substanzen synthetischen Reactionen umfafst. Im Krankheitszustande läfst sich aber auch in der Zelle die Bildung eines fetten Körpers und die Zersetzung der Stickstoffverbindungen nachweisen. Die Gährung selbst ist nur ein Wechsel von Hydratationen und Condensationen. Unter gewissen Umständen können die Brauereireinhefen auch Amylalkohol,

---

[1]) Monit. scientif. [4] 10, II, 713.

Aldehyd und Furfurol bilden, die Verfasser konnten aber die
Bedingungen nicht genau feststellen, unter welchen die Bildung
des Amylalkohols vor sich geht. Den Aldehyd fassen sie als ein
Oxydationsproduct des Alkohols in statu nascendi auf. Das Furfurol
wird nur gleichzeitig mit grofsen Mengen Aldehyd gefunden. *Wt.*

· **E. Prior**[1]) untersuchte *die Beziehungen des osmotischen
Druckes zu dem Leben der Hefe und den Gährungserscheinungen.*
Er fand, dafs der auf die unvergährbaren Bestandtheile ausgeübte
osmotische Druck der Würze während des Verlaufes der Gährung
constant bleibt, und bezeichnet denselben als *osmotische Druckconstante der Würze.* Der auf die eigentlichen Hefenährstoffe
ausgeübte osmotische Druckantheil der Würze wird als *osmotische
Druckvariable* bezeichnet. Der osmotische Gesammtdruck der
Würze setzt sich aus der Summe der osmotischen Druckconstante
und der osmotischen Druckvariablen zusammen. Letztere ist nahezu
zehnmal gröfser als die Constante. Verfasser fand ferner, dafs
bei Gegenwart von verschiedenen diosmirenden, neben einander
vergährenden Kohlehydraten nur dann von den schwieriger diosmirenden mehr in der Zeiteinheit vergährt, wenn der von letzteren bewirkte osmotische Druckantheil der Nährflüssigkeit gröfser
geworden ist, als derjenige der leichter diosmirenden. Das Verhältnifs des relativen osmotischen Druckes der leicht diosmirenden
zu den schwierig diffundirenden nimmt mit der Abnahme der
vergährbaren Kohlehydrate der Flüssigkeit zu. Bei der Vergährung von zwei oder mehr verschieden diosmirenden Kohlehydraten neben einander durch Hefen von verschiedenem
Durchlässigkeitsvermögen ist das Verhältnifs des osmotischen
Druckes der leicht vergährbaren zu den schwer vergährbaren
Kohlehydraten der Nährlösung in dem Zeitpunkte, von welchem
ab mehr schwierig diosmirende Kohlehydrate als leicht diosmirende vergohren werden, gröfser bei Hefen mit dichterer Zell-
membran, als bei solchen mit gröfserem Durchlässigkeitsvermögen.
Bei der Vergährung von leicht und schwierig diosmirenden Kohlehydraten neben einander hemmt das schwieriger diosmirende die
Vergährung des leichter diosmirenden, und zwar um so mehr, je
höher der osmotische Druckantheil des schwieriger diosmirenden
gegenüber dem des leicht diffundirenden Kohlehydrats ist. Es
wurde festgestellt, dafs der osmotische Druck, z. B. von **Achroodextrin II**, doppelt so grofs ist als der von Achroodextrin III aus-

---

[1]) Chem. Centr. **67**, II, 271; Centr.-Bl. f. Bacter. u. Parasitenk. **2**. II.
321—336.

geübte und sechsmal gröſser als der von Erythrodextrin ausgeübte. Für die völlige Vergährung der verhältniſsmäſsig sehr leicht diosmirenden Zuckerarten ist der osmotische Druck einfluſslos, weil die Hefenmembran für die Zuckerarten sehr durchlässig ist. Anders verhalten sich die Zuckerarten bei Gegenwart schwierig diosmirender und vergährbarer Substanzen. Bei den schwierig diosmirenden Substanzen muſs ein gewisser osmotischer Druck vorhanden sein, um Membranen von gewisser Dichte überhaupt passiren zu können. *Wt.*

F. Cerny[1]) stellte vergleichende Versuche an über die *Einwirkung der Temperatur auf den Verlauf der Hauptgährung* im Brennereibetriebe und fand, daſs, je kräftiger die Hauptgährung, desto langsamer die Nachgährung vor sich geht und daſs die energische Nachgährung und der erreichte hohe, scheinbare Vergährungsgrad darauf hindeuten, daſs alle Proben, gleichviel ob sie warm oder kalt angestellt wurden, mit ihrer Gährung den gleichen Endvergährungsgrad anstreben. Auf den Vergährungsgrad hat die Gährtemperatur keinen Einfluſs, wohl aber auf die Schnelligkeit der Vergährung und alle dieselbe begleitenden äuſseren Erscheinungen, wobei schon der Unterschied eines einzigen Grades der Gährtemperatur eine erhebliche Differenz in diesen äuſseren Erscheinungen zur Folge hat. *Wt.*

Th. Bokorny[2]) berichtete über den *Einfluſs verschiedener chemischer Substanzen auf die Alkoholgährung des Zuckers.* Er fand, daſs Schwefelsäure und ebenso Kalilauge im Verhältniſs 1:5000 die Gährung vollständig verhindern. Kupfervitriollösung dagegen hindert im Verhältniſs 1:20000 die Gährthätigkeit noch nicht. Sublimatlösung scheint etwas schädlicher zu wirken; dagegen wirken gewisse Oxydationsgifte, wie Kaliumpermanganat, Chlor, Jod äuſserst schädlich, während eine Bromlösung 1:10000 die Alkoholgährung noch nicht zum Stillstand bringt. Chlorsaures und jodsaures Kali hindern in 1 proc. Lösung den Eintritt der Gährung noch nicht. Bei Gegenwart von Phosphor im Verhältniſs 1:20000 trat noch eine schwache Gährung ein. Bei Gegenwart von 0,1 Proc. o-Nitrozimmtsäure trat bei 30° binnen 24 Stunden keine Gährung ein, wohl aber bei Gegenwart der Paraverbindung. 0,02 Proc. o- und p-Nitrotoluol, ebenso o- und p-Bromtoluol und 0,1 Proc. o-Toluidinsulfat verhindern die Gährung. Dagegen trat bei Gegenwart von 0,1 Proc. Nitrobenzaldehyd noch etwas Gährung

---

[1]) Chemikerzeit. **20**, Rep. 30; Oesterr. Brauer- u. Hopfenzeit. **11**, 5. — [2]) Chemikerzeit. **20**, Rep. 277; Allgem. Brauer- u. Hopfenzeit. **36**, 1573.

ein, und Cyankaliumlösung vermochte im Verhältniſs 1:5000 die Gährung nicht ganz zu unterdrücken. Ebenso wirken auch Strychninnitrat im Verhältniſs 1:5000 und Chininacetat im Verhältniſs 1:1000 nicht völlig hindernd auf die Gährthätigkeit der Hefe ein.   *Wt.*

R. Rapp[1]) berichtete über den *Einfluſs des Sauerstoffs auf gährende Hefe.* Im Gegensatz zu Chudiakow[2]), nach dessen Untersuchungen Durchleiten von Luft durch Zuckerlösung mit gährender Bierhefe die Gährthätigkeit der letzteren ungünstig beeinflussen und innerhalb einiger Stunden fast ganz zum Stillstand bringen soll, während dieselbe beim Durchleiten von Wasserstoff, nach Maſsgabe der Kohlensäureproduction, mehrere Stunden fast unverändert fortdauerte, fand er, daſs nicht die chemische Natur des Gases, sondern nur die durch das Durchleiten des Gases verursachte stärkere Erschütterung der gährenden Flüssigkeit die Gährung unter Umständen unterdrücken kann. Die von Rapp angestellten Versuche ergaben, daſs bei ihnen der Sauerstoff für {die Vermehrung der Hefezellen nothwendig, für den Gährungsvorgang aber selbst gleichgültig war.   *Wt.*

F. Lafar[3]) berichtete über den *Einfluſs organischer Säuren auf die Alkoholgährung.* Er untersuchte den Einfluſs, welchen Weinsäure, Oxalsäure, Citronensäure, Aepfelsäure, Bernsteinsäure und Essigsäure unter Anwendung absolut reiner Culturen von Weinheferassen auf die Alkoholgährung ausüben und fand, daſs der Verlauf der Gährung nicht allein von der Menge der zugefügten Säure, sondern auch von der Heferasse abhängig ist. Alle untersuchten Säuren übten eine Wirkung auf die erzeugten Mengen Alkohol, Kohlensäure und Glycerin aus, und ergaben die mit Essigsäure versetzten Proben am wenigsten {Glycerin, wie auch die Hefe hierbei die schwächste Vermehrung zeigte. Schlieſslich wurde noch nachgewiesen, daſs die Ansicht, nach welcher die Alkoholgährung bei Gegenwart von 1 Proc. Essigsäure ausgeschlossen ist, eine irrige ist.   *Wt.*

A. Fonseca[4]) untersuchte den *Einfluſs, welchen die Acidität der Moste auf die alkoholische Gährung ausübt* und fand, daſs die Gährung durch Säurezusatz in den ersten Tagen wenig beeinfluſst, später durch Zusatz von 1½ pro Mill. an Weinsäure, nicht aber durch höhere Zusätze an Weinsäure lebhafter gemacht

---

[1]) Ber. 29, 1983. — [2]) Preuſsisches landwirthschaftl. Jahrb. 1894. — [3]) Biederm. Centr. 25, 209. — [4]) Chem. Centr. 67, II, 1068; Staz. sperim. agrar. ital. 29, 588—604.

wird. Aehnlich wie $1^1/_2$ pro Mill. Weinsäure wirken auch $1^1/_2$ pro Mill. Citronensäure; höhere Zusätze dieser Säure wirken noch besser, 6 pro Mill. wirken aber schon hemmend. Die Gährung ist aber bei Nacht lebhafter als bei Tage und ihre Lebhaftigkeit steigt bis zum vierten Tage, nimmt am fünften ab, um am sechsten noch einmal zuzunehmen und schreibt Fonseca diese Erscheinung dem Absterben eines Gährungserregers und dem Aufkommen eines zweiten zu. Bei Zusatz von $1^1/_2$ pro Mill. Weinsäure und von $4^1/_3$ pro Mill. Citronensäure wird im Ganzen am meisten Zucker vergohren. Die Gesammtsäure des vergohrenen Weines wächst nicht entsprechend dem Zusatz, vielmehr wird etwa die Hälfte des letzteren zum Verdunsten gebracht. *Wt.*

A. Straub[1]) berichtete über die *Producte der alkoholischen Gährung der Bierwürze mit besonderer Berücksichtigung der Bildung von Bernsteinsäure.* Er untersuchte die Gährungsproducte, welche frische Bierwürze liefert, wenn sie unter verschiedenen Bedingungen der alkoholischen Gährung unterliegt, und ferner, ob bei der Gährung der Bierwürze bezüglich der Bildung des Glycerins und der Bernsteinsäure gegenüber der Maltose bezw. der Dextrose bestimmte Beziehungen bestehen. Er fand, dafs die Gesammtsäure bei normal vergohrenem Bier, als Milchsäure berechnet, stets mit der Zunahme der Temperatur steigt, ohne Rücksicht auf Luftzutritt oder Luftabschlufs, ferner dafs die flüchtigen Säuren, als Essigsäure berechnet, bei Luftzutritt eine stärkere Vermehrung zeigen als bei Luftabschlufs, endlich dafs die Glycerinbildung bei steigender Temperatur und Zunahme des Säuregehaltes abnimmt. Ein bestimmtes Verhältnifs zwischen Maltose und Glycerin läfst sich nicht aufstellen. Die Bildung der Bernsteinsäure ist unabhängig von der Glycerinbildung und der vorhandenen Maltosemenge. *Wt.*

Ph. Biourge[2]) fand bei seinen Untersuchungen über die *alkoholische Gährung*, dafs die Menge der dabei durch die verschiedensten Hefearten gebildeten, flüchtigen Säuren unabhängig von der Menge des gebildeten Alkohols ist, dafs auch die Concentration der Gährflüssigkeit auf die Production der flüchtigen Säuren keinen merkbaren Einflufs ausübt, dafs die Menge der letzteren bei sonst gleichen Bedingungen proportional der Dauer der Gährung wächst, dafs man also diese Säuren als Producte

---

[1]) Chem. Centr. 67, I, 179; Forschungsber. über Lebensm. 2, 382—388. — [2]) Chem. Centr. 67, II, 109; La Cellule 11, Heft 1; Hyg. Rundsch. 6, 219—220.

der Desassimilation der Hefezellen und nicht als directes Resultat
der Zuckerspaltung ansehen kann.   *Wt.*

Tanret. Ueber die Einwirkung von Aspergillus niger auf
Zucker[1]). Siehe diesen JB., S. 180.   *Mr.*

van Laer[2]) studirte die Frage, *ob die an sich unvergährbaren Disaccharide, wie z. B. der Rohrzucker und die Maltose,
bei Gegenwart vergährbarer Monosaccharide vergohren werden.*
unter Anwendung zweier Torulaarten, welche beide Dextrose und
Lävulose energisch zersetzten, von denen aber die eine nicht die
Maltose, die andere zwar die Maltose, aber nicht den Rohrzucker
zu zersetzen vermochte, und fand, dafs die beiden Torulahefen
Rohrzucker und Maltose nicht zu vergähren vermögen, auch wenn
ein anderer, leicht gährender Zucker in der Gährflüssigkeit zugegen ist.   *Wt.*

K. Yabe[3]) veröffentlichte eine vorläufige *Notiz über Sakehefe,*
worin er der Ansicht entgegentritt, dafs die *Sakehefe* nur eine
Entwickelungsstufe des Eurotium Oryzae sei. Er fand, dafs die
specifische Sakehefe, im Gegensatz zu anderen, noch bei einem
Gehalt von 12 Proc. Alkohol in einer zuckerhaltigen Flüssigkeit
ihre fermentative Kraft energisch bethätigt und erst bei einem
Gehalt von 24 Proc. Alkohol zu wachsen aufhört. Gegen Chlornatrium erwies sie sich ebenso widerstandsfähig. Ein Gehalt von
6 Proc. Chlornatrium setzte in Pasteur's Zuckerlösung die relative Gährkraft auf nur 98,76 Proc., ein Gehalt von 10 Proc. Chlornatrium setzte sie auf 48,9 Proc. herab und erst bei einem Gehalt
von 22 Proc. Chlornatrium war die Gährkraft Null.   *Wt.*

Paul Lindner. Fruchtätherbildung durch Hefen in Grünmalz und in Würzen[4]). — Bleibt Grünmalz in einem geräumigen
Kolben bei reichlicher Luftmenge stehen, so beobachtet man bald
Fruchtäthergeruch. Die Bildung dieses Fruchtäthers wird veranlafst durch Hefezellen, die dem Saccharomyces anomalus nahe
stehen. Wird quellreife Gerste in ein beiderseitig lose ver-
schlossenes Rohr gefüllt, so dafs Luft ein- und austreten kann,
so entstehen nach Wochen breite, trocken aussehende Hefe-
klumpen an der Glaswandung, besonders an den Stellen, wo
Wurzelscheide und Würzelchen des Kornes hervorbrechen. Die
Wurzelkeime färben sich dabei violett. Dasselbe beobachtet man,
wenn Malz- und Gerstenschrot in sterilem Wasser stehen bleiben.

---

[1]) Bull. soc. chim. 15, 1239. — [2]) Chem. Centr. 67, I, 798; Bull. ass.
Belg. chim. 9, 319. — [3]) Chem. Centr. 67, I, 48; College of Agriculture 2.
219—220. — [4]) Wochenschr. Brauerei 13, 552—553; Ref.: Chem. Centr. 67.
II, 273.

Von Hoffmann ist nachgewiesen worden, daſs von einer gröſseren Anzahl von halbirten Gerstenkörnern nur die Hälften mit den Keimlingen eine intensive Blaufärbung zeigen, während die anderen ungefärbt bleiben. Bei der Maische ist die Blaufärbung an der Oberfläche am stärksten, wahrscheinlich in Folge der Gegenwart von Sauerstoff. Möglicher Weise wird durch die stark antiseptischen Eigenschaften der Ester die voraufgegangene Bacterienvegetation stark zu Grunde gerichtet. Die groſse Haltbarkeit mancher obergähriger Hefe ist sicher mit dem starken säuerlich ätherischen Geruch derselben in Zusammenhang zu bringen. Aehnliche Beobachtungen konnte Verfasser bei der Züchtung gröſserer Mengen von Dextrosehefen, z. B. Saccharomyces apiculatus, machen. Es tritt namentlich starke Fruchtätherbildung auf bei reichlicher Durchlüftung und Gegenwart genügend groſser Dextrosemengen in der Würze. Bei der Weingährung ist dies von Wichtigkeit. Vielleicht würde man dem Wein etwas von seinem eigenartigen Bouquet rauben, wenn man dem dextrosereichen Most von vorn herein so viel Reinhefe zufügte, daſs der stets anwesende Apiculatus gar nicht erst zur Entwickelung kommt.   *Tr.*

G. Kaſsner. Ueber die alkoholische Gährung der Wachholderbeeren [1]. — Die Versuche des Verfassers zeigen, daſs durch bloſses Stehenlasen zerstampfter und mit Wasser vermischter Wachholderbeeren bei gewöhnlicher Temperatur in der Zeit von einem bis drei Tagen Alkohol in nachweisbarer Menge nicht gebildet wird. Nach Ablauf von sechs Tagen läſst sich in dem von ätherischem Oel getrennten Destillate mit chemischen Mitteln Alkohol qualitativ, aber nicht quantitativ nachweisen. Aus diesen Versuchen ergiebt sich, daſs die an den Wachholderfrüchten sitzenden Hefezellen verhältniſsmäſsig träge wirken und rechtfertigen die Vermuthung, die Ursache der trägeren Wirkung sei dem Gehalt der Beeren an aromatischen bezw. ätherischen Oelen und Harzen, die als antiseptisch wirkende Stoffe bekannt sind, zuzuschreiben.   *Tr.*

Nach W. Möslinger [2] geschieht die Darstellung der *Maltonweine* nach dem Sauer'schen Verfahren folgendermaſsen: Als Ausgangsmaterial dient bestes Gerstenmalz, aus welchem eine Maische derart hergestellt wird, daſs dabei eine möglichst reichliche Maltosebildung erfolgt. Die so erhaltene 17- bis 20 proc.

---

[1] Apoth.-Zeitg. 11, 584. — [2] Chem. Centr. 67, II, 906; Forschungsber. über Lebensm. 3, 313—321.

Würze wird bei 50° mit einer vorher durch den Milchsäurebacillus gesäuerten Würze so lange behandelt, bis 0,6 bis 0,8 Proc. Milchsäure entstanden sind, die Säurebildung dann durch Erhitzen auf über 75° unterbrochen und die Würze durch Zusatz eines im Vacuum stark eingedickten Würzextracts auf die Anfangsconcentration gebracht. Nach erfolgter Abkühlung auf 25° wird die Sauer'sche Hochgährung durch Zusatz einer sehr erheblichen Menge von eigens gezüchteter Südweinhefe der entsprechenden Rasse eingeleitet und der vergohrene Zucker von Zeit zu Zeit durch concentrirte Malzwürze oder Rohrzucker ersetzt, bis der gewünschte Alkohol- und Extractgehalt erreicht ist. Schliefslich werden die durch Filtriren geklärten, vergohrenen Würzen noch drei bis vier Wochen der Warmlagerung unterworfen, wobei unter Zutritt von keimfreier Luft und unter der Wirkung der erhöhten Temperatur sich ein wesentlicher Theil der Umbildung in Wein vollzieht. Charakteristisch für die Maltonweine ist sowohl der höhere Extractgehalt und die höhere Phosphorsäuremenge, als auch die starke Rechtsdrehung.   *Wt.*

Grimbert. Ueber die Einwirkung des Friedlaender'schen Pneumobacillus auf die Kohlehydrate [1]. — Frankland hatte gefunden, dafs der genannte Bacillus wohl auf viele Kohlehydrate, nicht aber auf Glycerin und Dulcit einwirke. Der Verfasser fand nun aber an einem aus dem Pasteur'schen Institute stammenden Pneumobacillus, dafs er Glycerin und Dulcit sehr energisch angreift, so dafs also wahrscheinlich zweierlei morphologisch übereinstimmende Bacillen dieser Art existiren, welche nur durch Aussäen auf einer Glycerin oder Dulcit haltenden Nährflüssigkeit unterschieden werden können. Die Producte, welche der vom Verfasser untersuchte Bacillus erzeugt, sind *Aethylalkohol, Essigsäure, Links-Milchsäure* und *Bernsteinsäure*. Aber nicht alle Zuckerarten liefern diese sämmtlichen Producte. Es fehlt die Bernsteinsäure bei der Glucose, Galactose, Arabinose, dem Mannit und dem Glycerin. Es fehlt die Milchsäure beim Dextrin, den Kartoffeln und dem Dulcit. Es *kann* fehlen der Aethylalkohol bei den Kartoffeln und der Arabinose. Sämmtliche genannte Stoffe entstehen dagegen bei Saccharose, Maltose und Lactose. *Tf.*

L. Grimbert [2] fand bei der Untersuchung *der durch den Pneumobacillus Friedlaender verursachten Gährungen* im Gegensatz zu P. Frankland, A. Stanley und W. Frew [3]), dafs der

[1]) Bull. soc. chim. [3] 15, 52—53. — [2]) Daselbst, S. 87. — [3]) Chem. Soc. J. 59, 253.

Pneumobacillus Friedlaender, welcher unter dem Mikroskop sich in Form von kleinen, sehr kurzen, oft zu zweien vereinten, von einer sehr klaren Aureole umgebenen Bacillen darstellt, als Gährungsproducte Aethylalkohol, Essigsäure, Linksmilchsäure und Bernsteinsäure liefert. Aber während Glucose, Galactose, Arabinose, Mannit und Glycerin bei der Vergährung durch den Pneumobacillus Friedlaender nur Linksmilchsäure und keine Bernsteinsäure liefern, geben Saccharose, Lactose und Maltose dabei zugleich Linksmilchsäure, Bernsteinsäure und Dulcit, Dextrin und Kartoffeln nur Bernsteinsäure und keine Linksmilchsäure. Die durch den Pneumobacillus Friedlaender gebildete Essigsäure ist nicht von Ameisensäure oder Propionsäure begleitet. Aethylalkohol entsteht in sehr viel geringerer Menge als wie die anderen Gährungsproducte; bei der Gährung von Dextrin findet sich aufser ihm noch eine geringe Menge höherer Alkohole.   *Wt.*

Grimbert[1]). Sur les produits de la fermentation de la xylose sous l'influence du pneumobacille de Friedlaender. — Vergleichende Untersuchungen über die Gährung von Xylose und Arabinose unter dem Einflusse von Friedlaender's Pneumobacillus ergaben folgende Resultate:

	Arabinose	Xylose
Aethylalkohol	0	6,93
Essigsäure	36,13	13,40
Links-Milchsäure	49,93	Spuren
Bernsteinsäure	0	19,86

                                                           Ld.

' Die Arbeit von V. Omeliansky[2]) über die Isolirung des für die Gährung der Cellulose charakteristischen *Bacillus amylobacter* ist schon an anderem Orte[3]) erschienen.   *Wt.*

O. Emmerling. Ueber einen neuen, aus Glycerin Buttersäure erzeugenden Bacillus[4]). — O. Emmerling hat aus dem Kuhdünger einen neuen *Bacillus* isolirt, *der aus Glycerin*, in Gegenwart von kohlensaurem Kalk, Methylalkohol, Essigsäure und *Buttersäure producirt*. Von Butylalkohol bildet sich keine Spur. Aus 200 g Glycerin wurden 6 g Alkohol, 4,5 g Essigsäure und 7 g Buttersäure (normal) gewonnen. Aus Traubenzucker erzeugt der Bacillus Aethylalkohol und Milchsäure neben Spuren Bernsteinsäure. Milchsäure wurde als Rechtsmilchsäure erkannt. Aus Milchzucker entsteht unter gleichen Bedingungen ebenfalls Alkohol und Rechtsmilchsäure und mehr Bernsteinsäure. Rohrzucker, Stärke Amygdalin-spaltende Enzyme bildet der Bacillus nicht.   *Wr.*

---

[1]) Bull. soc. chim. [3] **15**, 340. — [2]) Biederm. Centr. **25**, 501. — [3]) Chem. Centr. **66**, II, 1166. — [4]) Ber. **29**, 2726—2727; siehe diesen JB., S. 180.

M. W. Beijerinck. Ueber die Einrichtung einer normalen Buttersäuregährung [1]). — Die durch das Ferment, Granulobacter saccharobutyricum, hervorgerufene normale Buttersäuregährung bewerkstelligt Verfasser wie folgt: Er bringt in ein Kölbchen destillirtes Wasser mit 5 Proc. Glucose und 5 Proc. fein gemahlenem Fibrin, kocht dann kräftig, inficirt während des Kochens mit Gartenerde und stellt sofort nach der Inficirung siedend heifs das Ganze in einen Thermostaten von 35⁰. Nach 24 bis 48 Stunden ist die Gährung schon in vollem Gange, man neutralisirt dann nahezu mit Natronlauge. Dieses kann einige Male wiederholt werden, wodurch man das Butyrat anreichert. Das hierbei active Ferment ist die Sauerstoffform Granulobacter saccharobutyricum. Neben dem genannten Ferment entsteht zu gleicher Zeit auch die Clostridiumform, wenn man Glucose durch Rohrzucker ersetzt, 3 Proc. präcipitirtes Calciumcarbonat und 0,05 Proc. Natriumphosphat, 0,05 Proc. Magnesiumsulfat, sowie 0,05 Proc. Chlorkalium zufügt, im Uebrigen aber sonst, wie oben angegeben, verfährt. In beiden Fällen bildet das Buttersäureferment einen lockeren Bacterienschleim. Die Isolirung desselben führt Verfasser in folgender Weise aus. Eine Lösung von 5 Proc. Gelatine in Leitungswasser wird mit 5 Proc. Rohrzucker versetzt; hat man Sporen in der Gährung, so inficirt man heifs, sonst läfst man abkühlen und schüttet eine Spur der Gährung in die Gelatine. Danach vermischt man mit einem Heupilze (z. B. Bac. perlibratus, Sacch. spheromyces), giefst in ein Reagensglas und läfst erstarren. Nach einigen Tagen hat sich an der Oberfläche der Gelatine eine Sauerstoff absorbirende Schicht von aërobem Symbiont gebildet, während in der Tiefe die Colonien von Granulobacter saccharobutyricum heranwachsen. Das so gewonnene Buttersäureferment erzeugt keine Diastase und unterscheidet sich hierdurch von dem eigentlichen Butylferment, bildet aber andererseits Butylalkohol und übelriechende Nebenproducte.   *Tr.*

Valerian von Klecki. Ein neuer Buttersäuregährungserreger (Bacillus saccharobutyricus) und dessen Beziehungen zur Reifung und Lochung des Quargelkäses [2]). — Der neue Säurebildner wurde aus sogenanntem Quargelkäse isolirt. Dieser Bacillus saccharobutyricus, ein 0,7 μ breites und 5 bis 7 μ langes, gerades oder leicht wellig gebogenes Stäbchen wächst anaërob, pflanzt sich durch endständige Sporen fort und erzeugt in milchzucker-

---

[1]) Centr.-Bl. f. Bacter. u. Parasitenk. **2**, II, 699—701. — [2]) Daselbst, S. 169—184, 249—258, 286—295; Ref.: Chem. Centr. **67**, II, 253—254.

haltigen festen und flüssigen Nährmedien starke Gasentwickelung. In Milch bildet er auf Kosten des Milchzuckers in stürmischer Gährung Ameisensäure, Buttersäure und Valeriansäure neben geringen Mengen von Alkohol, Kohlensäure, Wasserstoff, sowie Methan (?); Milchsäure liefs sich nicht nachweisen, auch keine Fäulnifsproducte, wie Ammoniak, Indol etc. Die Vergährung des Milchzuckers zu Buttersäure geschieht demnach direct, ohne Bildung von Buttersäure. In seiner Entwickelung ist dieser Bacillus an eine stickstoffhaltige Nahrung gebunden, die in geeignetster Form ihm die Eiweifsstoffe der Milch darbietet. Pepton vermag letztere nicht vollständig zu ersetzen, während Ammoniumsalze nur kurze Zeit das Wachsthum und die Gährfähigkeit des Bacillus erhalten können. — Man unterscheidet drei verschiedene Haupttypen der Buttersäuregährung: I. Die Vergährung des Calciumlactats zu Calciumbutyrat. II. Die Vergährung der Kohlehydrate zu Buttersäure (Verfasser erörtert speciell die Vergährung des Milchzuckers), und III. die Zersetzung der Eiweifsstoffe, bei der Buttersäure als Nebenproduct auftritt. Der neue Bacillus gehört der zweiten Gruppe an und unterscheidet sich von den Botkin'-schen [1] und Grimbert'schen Buttersäurebildnern dadurch, dafs er keinen Butylalkohol producirt, von ersterem auch noch dadurch, dafs er nicht im Stande ist, Milchsäure zu bilden, Caseïn zu lösen, Gelatine zu verflüssigen. Aehnlicher ist er dem Bacillus amylozym von Perdrix. — Der Bacillus saccharobutyricus beeinflufst offenbar die Reifung und den Geschmack des Quargelkäses, wahrscheinlich aber nur in Symbiose bezw. bei Gegenwart anderer Bacterien. An der normalen Reifung und Lochung des Quargelkäses, sowie an der in diesem Käse auftretenden Buttersäurebildung sind vor Allem solche Mikroben betheiligt, die den Milchzucker direct zu Milchsäure zu vergähren vermögen. *Rh.*

H. Weigmann. Studien über das bei der Rahmreifung entstehende Aroma der Butter [2]. — Das Aroma der Butter ist seiner Herkunft nach zweierlei Art. Es ist entweder primärer Natur, also ein Bestandtheil des Fettes selbst oder wenigstens ein das Fett begleitender Bestandtheil der Milch, oder es ist secundärer Art, d. h. ein in der Milch, im Rahm oder selbst noch in der Butter sich bildender Stoff. Das Aroma des Fettes ist an gewisse flüchtige Stoffe gebunden, welche das Fett begleiten; hierfür kommt bei dem Butterfett vor Allem die Fütterung in Betracht. Das Aroma der Butter entsteht ferner bei der Butterbereitung

---

[1] JB. f. 1892, S. 2319. — [2] Milchzeitg. 25, 793—795, 810—813, 826—828.

durch die sogenannte Rahmreifung, welche durch die in der Milch
enthaltenen Organismen hervorgerufen wird. Die hauptsächlich-
sten Erreger des Rahmsäuerungsprocesses sind die Milchsäure-
bacterien, die somit im ursächlichen Zusammenhange mit dem
Aroma der Butter stehen. Nach den ausgeführten Versuchen ist
anzunehmen, dafs bei der Milchsäuregährung zugleich eine Aromabildung (Fruchtesterbildung) stattfindet, die in einem Falle sehr
gering, in einem anderen Falle aber kräftiger sein kann. Bei
Berücksichtigung der Untersuchungen Storch's kommt man zu
dem Schlufs, dafs die neben der Milchsäurebildung einhergehende
Erzeugung von mehr oder minder ausgeprägtem, in manchen
Fällen verschwindend geringem Aroma von der Rasse der betreffenden Milchsäurebacterie abhängt, dafs also die Aromabildung
eine Rasseneigenthümlichkeit ist und ferner, dafs die Aromabildung von der Virulenz der Bacterien nicht abhängig ist. Dieser
Schlufs findet sein Analogon in den Beziehungen, welche zwischen
den Geschmacks- und Bouquetverschiedenheiten der Producte der
übrigen Gährungsgewerbe und den in denselben arbeitenden verschiedenen Heferassen bestehen. Es liegt nahe, bei der Rahmsäuerung nun auch den in den anderen Gährungsgewerben gel-
tenden Grundsatz, dafs das Aroma des Productes überhaupt nur
von der Rasse des Gährungserregers abhängt, aufzustellen, jedoch
ist nach der bisherigen Erfahrung daran festzuhalten, dafs das
bei der spontanen Rahmsäuerung entstehende Aroma seinen Ursprung nicht allein der dabei thätigen Milchsäurebacterie verdankt, sondern noch andere Quellen hat. Das Aroma der Butter
ist nicht das Product einer einzelnen Pilz- oder Bacterienart,
sondern die Summe der aromatischen Producte aller in der Milch
lebenden Mikroorganismen und zwar nicht von selten in Milch
zu findenden besonderen Bacterienarten, sondern von den gewöhnlichen, in fast jeder rein gewonnenen und gut behandelten Milch
sich vorfindenden Organismen.   *Hf.*

Kulisch[1]) stellte Versuche an über die *Abhängigkeit der
Glycerinbildung von den Gährungsbedingungen* unter Benutzung
von Reinhefen und thunlichster Anlehnung an die bei der Wein-
bereitung gegebenen Verhältnisse, sowie auch unter Prüfung des
Einflusses des Zuckergehaltes, der Temperatur, des Alkoholgehaltes, der Hefemenge, der Lüftung, des Stickstoffgehaltes, und
von vorhandener Essigsäure, Weinsäure, Aepfelsäure, Citronensäure und schwefliger Säure. Die Versuche ergaben, dafs die

---

[1]) Zeitschr. angew. Chem. 1896, S. 418.

Glycerinbildung durch alle die Lebensthätigkeit der Hefe günstig beeinflussenden Factoren befördert, dagegen durch alle dieselbe störenden Momente herabgesetzt wird.   *Wt.*

E. Duclaux. Ueber die Fäulnifsgerüche. Eine kritische Revue [1]). — Der Geruch bei Fäulnifsvorgängen hängt von der Natur der in Zersetzung befindlichen Substanzen ab. Bei schwefelhaltigen Körpern treten vornehmlich Schwefelwasserstoff, Ammoniumsulfid und Mercaptane auf; die Zersetzungsproducte phosphorhaltiger Stoffe u. dergl. sind weniger erforscht. Verfasser beschäftigt sich hauptsächlich mit den Schwefelverbindungen. Gewisse Mikroorganismen reduciren die Sulfate. Der organisch gebundene Schwefel verhält sich bei der Fäulnifs sehr verschieden, je nach der Art seiner Bindung. Einzelne Fälle von H_2S-Bildung bei der Fäulnifs sind bisher nicht aufzuklären. Verfasser weist auf diesbezügliche Discussionen [2]) zwischen Petri und Maafsen, Rubner, Balestreri u. A. hin. Jedenfalls wird die Bildung von H_2S von einer Zellenwirkung hervorgerufen, die Wasserstoff nascens erzeugt. Die Eigenschaft der Zelle, H_2S zu bilden, ist keine absolute, sondern hängt von der Natur des dargereichten Nährstoffs ab. Eine feste Formel läfst sich für den biologischen Vorgang der stinkenden Fäulnifs ebenso wenig aufstellen, weil unter Umständen der Schwefelwasserstoff wieder oxydirt wird, und Schwefel sich auch in den Zellen der Lebewesen, die bei der Fäulnifs in Betracht kommen, ablagert. Man darf auch nicht nur da einen Fäulnifsvorgang annehmen, wo sich übelriechende Gase entwickeln.   *Rh.*

Paul Seelig. Ueber den Einflufs des Milchzuckers auf die bacterielle Eiweifszersetzung [3]). — Reinculturen von Bacterium Coli wurden auf den Nährböden aus 4 proc. Pepton- und 8 proc. Milchzuckerlösung mit verschiedenem Alkalescenzgrade angestellt. Nach 14 Tagen wurde der Eintritt von Fäulnifs nach der Gegenwart von Phenol, Indol, Aldehyd, flüchtigen und nichtflüchtigen Säuren beurtheilt. Weitere Versuche ergaben, dafs die Anwesenheit von Milchzucker im Stande ist, die bacterielle Zersetzung von Eiweifs zu hindern. Aus dem Milchzucker bildet sich nicht Milchsäure, sondern Bernsteinsäure [4]), welche eine fäulnifshemmende Wirkung ausübt. Fäulnifs wurde durch die höhere Alkalescenz des Nährbodens begünstigt.   *Wr.*

---

[1]) Ann. Inst. Pasteur 10, 59—64; Ref.: Chem. Centr. 67, I, 656. — [2]) JB. f. 1893, S. 677 und 2018. — [3]) Chem. Centr. 67, II, 978—979; Virch. Arch. 146, 53—64. — [4]) Vgl. Blumenthal in Chem. Centr. 66, II, 1164.

O. Emmerling. Beitrag zur Kenntnifs der Eiweifsfäulnifs[1]).
— Die Fäulnifs von Weizenkleber durch Proteus vulgaris lieferte
an flüchtigen, durch Destillation der mit Calciumcarbonat versetzten Flüssigkeit gewonnenen Producten: Phenol, Ammoniak und
Trimethylamin. Während der Fäulnifs war Gasentwickelung zu
bemerken; das entweichende Gas bestand durchschnittlich aus
46 Proc. Kohlensäure, 38 Proc. Wasserstoff und 16 Proc. Stickstoff. Im Destillationsrückstande wurden nachgewiesen: Betaïn,
Ameisensäure, Essigsäure und normale Buttersäure. Giftige
Ptomaïne fanden sich nicht vor. Bei der Fäulnifs von Eieralbumin
durch Staphylococcus pyogenes wurden als Fäulnifsproducte gefunden: Phenol, Indol, Skatol, Ameisensäure, Essigsäure, Propionsäure, Buttersäure, höhere Fettsäuren, Oxalsäure, Bernsteinsäure,
Ammoniak, Trimethylamin und eine Spur einer primären Base. Ld.

Brieger u. Boer. Ueber Antitoxine und Toxine[2]). — Es
werden Versuche geschildert, welche bezweckten, aus dem Blutserum immunisirter Thiere die Schutzkörper möglichst quantitativ
und frei von den anderen Bestandtheilen abzuscheiden. Zur
Fällung unbrauchbar erwiesen sich alkoholische und stark sauer
reagirende Substanzen, Ammoniumsulfat, Magnesiumsulfat, Natriumphosphat, Natriumnitrat, Natriummetaphosphat, auch die mecha-
nische Mitfällung durch erzeugte Niederschläge war unbefriedigend.
Dagegen gelang es, durch Kochsalz im Verein mit Chlorkalium,
auch Jodkalium bei längerer Einwirkung von Temperaturen von
30 bis 37° die Antitoxine aus Serum, sowie aus Milch vollständig
auszufällen. Der aus Antitoxin und Albumin bestehende Niederschlag kann mit reinem Wasser gewaschen werden, er giebt an
schwach alkalisches Wasser das wirksame Princip quantitativ ab.
Eine vollständige Eliminirung der Eiweifskörper gelang auf diesem
Wege nicht. Zinksulfat und Zinkchlorid fällen die Antitoxine
quantitativ, die Niederschläge können mit kleinen Mengen reinen
Wassers gewaschen werden, dann löst man sie in schwach alkalisch
gemachtem Wasser auf und leitet Kohlensäure ein; hatte man
Zinkchlorid verwendet, so gehen die Antitoxine ins Filtrat, bei
Anwendung von Zinksulfat in den Niederschlag. Aus 10 ccm
Diphtherie- oder Tetanusheilserum wurde ungefähr 0,1 g eines in
Wasser leicht löslichen Pulvers erhalten, das quantitativ die Anti-
toxine enthält. Die Toxine werden durch die Zinksalze voll-
ständig ausgefällt; beim Einleiten von Kohlensäure in deren

---

[1]) Ber. 29, 2721—2726. — [2]) Chemikerzeit. 20, Rep. 102; Zeitschr. f.
Hyg. 21, 259.

alkalische Lösung fallen die Toxine mit dem Zink aus, die Trennung beider gelang nur mit Natriumphosphat. Die gereinigten Zinkdoppelverbindungen sind frei von Eiweifs und Pepton. Die Toxine des Tetanus und der Diphtherie können nicht Eiweifsderivate im landläufigen Sinne sein, da alle Reactionen versagen, nur beim Kochen mit Eisenchlorid tritt deutliche Rothfärbung auf, die aber vielleicht auf eine Verunreinigung zurückzuführen ist. *Ld.*

Theodor Paul u. Bernhard Krönig. Ueber das Verhalten der Bacterien zu chemischen Reagentien[1]. — Die angestellten Untersuchungen mit *Milzbrandsporen* und *Staphylococcus pyogenes aureus* ergaben folgende Resultate: 1. Den Gold-, Silber- und Quecksilbersalzen kommt eine specifische giftige Eigenschaft zu. 2. Die Desinfectionswirkung der Metallsalze hängt nicht allein von der Concentration des in der Lösung befindlichen Metalles ab, sondern von den specifischen Eigenschaften der Salze und des Lösungsmittels. Die Ansicht Behring's, dafs der desinficirende Werth der Quecksilberverbindungen im Wesentlichen nur von dem Gehalt an löslichem Quecksilber abhängig ist, die Verbindung mag sonst heifsen, wie sie wolle, kann nicht zu Recht bestehen. 3. Metallsalzlösungen, in denen das Metall Bestandtheil eines complexen Ions und in Folge dessen die Concentration seines Ions sehr gering ist, üben nur eine äufserst schwache Desinfectionswirkung aus. 4. Die Wirkung eines Metallsalzes hängt nicht nur von der specifischen Wirkung des Metallions ab, sondern auch von der des Anions, bezw. des nicht dissociirten Antheiles. 5. Die Halogenverbindungen des Quecksilbers inclusive des Rhodans und Cyans desinficiren nach Mafsgabe ihres Dissociationsgrades. 6. Die Desinfectionswirkung wässeriger Quecksilberchloridlösung wird durch Zusatz von Metallchloriden herabgesetzt. 7. Die starken Säuren wirken noch in Concentrationen von 1 Liter und darüber nicht nur entsprechend der Concentration ihrer Wasserstoffionen, sondern auch vermöge der specifischen Eigenschaften des Anions. Die verdünnten starken und die schwachen organischen Säuren scheinen nach Mafsgabe ihres Dissociationsgrades zu wirken. 8. Die annähernd gleich dissociirten Basen KOH, $NaOH$ und $LiOH$ desinficiren fast gleich, das viel schwächer dissociirte NH_4OH desinficirt sehr wenig. 9. Die Oxydationsmittel HNO_3, $H_2Cr_2O_7$, $HClO_3$, $HMnO_4$ wirken entsprechend ihrer Stellung in der für Oxydationsmittel auf Grund ihres elektrischen Verhaltens aufgestellten Reihe. Das Chlor pafst

[1] Zeitschr. physik. Chem. 21, 415—450.

sich dieser Reihenfolge nicht an, sondern übt eine sehr starke specifische Wirkung aus. 10. Die Desinfectionswirkung der Halogene Cl, Br, J nimmt entsprechend ihrem sonstigen chemischen Verhalten mit steigendem Atomgewichte ab. 11. Die Angaben Scheuerlen's, daſs Phenollösungen durch Zusatz von Salzen besser desinficiren, wurde bestätigt; eine Ursache dafür lieſs sich dermalen nicht ermitteln. 12. Die bekannte Thatsache, daſs die in absolutem Alkohol und Aether gelösten Körper fast ohne jede Wirkung auf Milzbrandsporen sind, wurde bestätigt. 13. Wässeriger Alkohol von bestimmtem Procentgehalte erhöht die Desinfectionswirkung des $HgCl_2$ und $AgNO_3$.   *Ld.*

Robert Meldrum. Bacterial action of potassium permanganate, chromic acid and jodine [1]). — Versuche über die sterilisirende Wirkung von Kaliumpermanganat, Chromsäure und von Jod in Jodkaliumlösung, wobei mit faulem Wein versetztes, sehr bacterienreiches Wasser verwendet wurde, ergaben, daſs die Jodlösung wirksamer ist, als die beiden anderen Reagentien. *Ld.*

J. Hargreaves. Elektrolytische Reinigung des Abwassers von zymotischen Giften [2]). — Zur Desinfection von Canalisationsanlagen der Städte schlägt Verfasser vor, mit *elektrolytischem Chlor* zu desinficiren, wobei schädliche und übelriechende Gase, Ratten und anderes Ungeziefer gleichzeitig beseitigt würden. Die Kosten werden durch den Gewinn an Soda aufgewogen, 1 Tonne NaCl liefert 12 Centner Chlor, welche 33 Centner Chlorkalk entsprechen, Verhältniſs der Kosten jedoch 3,5 : 11. Das Verfahren erscheint daher sehr empfehlenswerth.   *Mr.*

Thierchemie.

M. Kaufmann. Studie über die chemischen Umwandlungen innerhalb des Organismus eines normalen Thieres [3]). — An Hunden angestellte Fütterungsversuche ergaben folgende Resultate: Wenn reichlich Zucker ins Blut gelangt, so erfolgt reiche Fettbildung, das Fett wird abgelagert und vermehrt den Fettvorrath; das neu gebildete Fett stammt fast ganz vom Eiweiſs, Zucker bildet sich beim Fleischfresser nur wenig in Fett um; beim Pflanzenfresser und beim Omnivoren hat der Zucker wichtigen, directen Antheil an der Fettbildung. Die Umwandlung von Eiweiſs in Fett ge-

---

[1]) Chem. News 74, 184. — [2]) Chem. Centr. 67, II, 503 u. Zeitschr. Elektrochem. 3, 97—100. — [3]) Naturw. Rundsch. 11, 340—341.

schieht durch Oxydation, dabei tritt Wärme auf, die aber nur
ein Achtel bis ein Viertel der gesammten vom Thier entwickelten
Wärme beträgt, der gröfste Theil derselben stammt von der
Oxydation des im Blut kreisenden Zuckers. Der vom Thier aufgenommene Sauerstoff wird bei der Umwandlung von Eiweifs in
Fett und zum gröfseren Theile zur Verbrennung des Zuckers verwendet. Die entwickelte Kohlensäure stammt von der Umwandlung des Eiweifses in Fett, von der Verbrennung des Zuckers und
von der directen Umwandlung des Zuckers in Fett. Der durch
die Verdauung aufgenommene Zucker wird zum grofsen Theile
sofort oxydirt, ein kleiner Theil verwandelt sich zuweilen in Fett,
ein dritter Theil lagert sich als Glycogen ab. Wenn während
der Verdauung reichlich Eiweifs ins Blut gelangt, so wird es
sofort durch Oxydation in Fett, Harnstoff, Kohlensäure und Wasser
gespalten. Das so gebildete Fett wird zum Theil abgelagert, zum
Theil geht es in Zucker über und dieser wird verbrannt. Bei
voller Fleischnahrung stammt die Wärme zum gröfsten Theile
von der Oxydation des Eiweifses zu Fett, der kleinste Theil von
der vollständigen Oxydation eines Theiles dieses Fettes. Wird
viel kaltes Fleisch genossen, so wird ein Theil der entwickelten
Energie dazu verwendet, die Ration auf Körpertemperatur zu
bringen. Wird dem Fleische der Nahrung Fett oder Kohlehydrat
zugesetzt, so verbrennt das Eiweifs und das Kohlehydrat, während
sich das Fett ganz oder theilweise ansetzt. Das hungernde Thier
lebt von seiner Körpersubstanz, die Energie zu den physiologischen
Vorgängen wird den angehäuften Reserven entnommen. Obwohl
der Vorrath an Kohlehydraten gering ist, verbrennt in 24 Stunden
mehr Zucker, als jemals als solcher, oder als Glycogen im Körper
enthalten ist, nach 10- bis 15 tägigem Fasten ist noch Glycogen
in den Geweben und das Blut bleibt zuckerhaltig bis zum Tode.
Es mufs daher auf Kosten von Eiweifs und Fett stetig Zucker
gebildet werden. Während des Hungerns bezieht also das Thier
seine Energie aus Eiweifs und Fett, die aber als Zucker verzehrt
werden. Die Bildung der Kohlehydrate erfolgt nicht zu allen
Zeiten gleich lebhaft. In der ersten Periode der Inanition greift
das Thier seinen Kohlehydratvorrath an, in der zweiten ersetzt
sich dieser theilweise, in der dritten entsteht Zucker in der Menge,
in der er zerstört wird, das Thier oxydirt dann nur Eiweifs und
Fett. Die verschiedenen Körperbestandtheile betheiligen sich nicht
gleichmäfsig bei der Wärmebildung; beim Versuchshunde hat die
Oxydation des Eiweifses beim Beginn des Fastens ein Sechstel,
am Ende ein Drittel der Gesammtwärme geliefert.   *Ld.*

Ugolino Mosso. La respirazione dell' uomo sul Monte Rosa. Eliminazione dell' acido carbonico a grandi altezze [1]). — Untersuchungen am Menschen über die ausgeathmete Kohlensäure in grofsen Höhen sowie in einer pneumatischen Kammer, in welcher der Luftdruck stark verringert wurde, haben ergeben, dafs selbst bei einem Druck von 34 cm der Sauerstoff der verdünnten Luft genügt, um den Bedarf des Blutes zu decken. Die Kohlensäuremenge, welche der Mensch in verdünnter Luft entsprechend einer Höhe von 6400 m ausscheidet, ist wenig verschieden von der, welche er in einer Höhe von 276 m über der Meeresfläche ausscheidet.   *Ld.*

Au. Medvedew. Ueber die Oxydationskraft der Gewebe [2]). — Um die oxydirende Wirkung der Gewebe kennen zu lernen, stellte Verfasser sich Auszüge von thierischen Organen, z. B. der Kalbsleber, her und oxydirte damit Salicylaldehyd. Die gebildete Salicylsäure wurde dann mit Eisenchlorid colorimetrisch bestimmt. Unter Einhaltung gewisser Versuchsbedingungen war die Oxydationsgeschwindigkeit dem Concentrationsquadrate des oxydativen Fermentes direct und umgekehrt proportional der Quadratwurzel aus der Aldehydconcentration. Die oxydirende Wirkung schreibt Verfasser dem Molekül des activen Eiweifses zu.   *Mr.*

Ludovico Beccari ed Enrico Rimini. Sull' azione biologica di alcuni nuovi composti ossigenati dell' azoto [3]). — Die *biologische Wirkung einiger neuen Stickstoffverbindungen des Sauerstoffs* studirten Ludovico Beccari und Enrico Rimini. Sie beschäftigten sich namentlich mit dem von Angelo Angeli beschriebenen [4]) Salze des *Nitrohydroxylamins*, $Na_2N_2O_3$, welches die rothe Farbe des Hundeblutes in Rothbraun verwandelt. Die zwei für Sauerstoffhämoglobin charakteristischen Linien im Spectrum verschwinden dabei nicht, werden nur viel schwächer. Nach der Reduction verschwinden diese Linien nicht, es wird demnach vermuthet, dafs hier eine gewisse Verbindung sich gebildet hat, möglicher Weise das Stickoxydhämoglobin. Das Natriumsalz des Nitrohydroxylamins wirkte giftig auf die Thiere, denen es gegeben wurde.   *Wr.*

Johannes Boek. Ueber eine Umwandlung, die das Licht im Methämoglobin hervorruft [5]). — *Methämoglobin*, einige Zeit starken Sonnenstrahlen ausgesetzt, wird in *Photohämoglobin* um-

[1]) Accad. dei Lincei Rend. [5] 5, I, 273—279. — [2]) Chem. Centr. **68**, I, 66; Pflüger's Arch. 65, 249—277. — [3]) Ann. chim. farm. 23, 241—246. — [4]) Accad. dei Lincei Rend. [5] 5, I, 120. — [5]) Ann. Phys., Beibl. 20, 373—374; Övers. K. Danske Vidensk. Selskabs. Forh. 1895, Nr. 2, S. 309—319.

gewandelt. Letzteres bildet gelbbraune Krystalle, deren Lösung
dunkelroth ist. Das Spectrum zeigt im Grün ein breites Band,
im Blau sieht man noch einen helleren Theil, das Violett
erscheint stark verdunkelt. Durch Reductionsmittel wird das
Photomethämoglobin in reducirtes Hämoglobin umgewandelt. Wird
Methämoglobin vor Licht geschützt, so wandelt es sich nicht in
Photomethämoglobin um. Die Intensität des Lichtes ist für die
Umwandlung in erster Linie von Bedeutung, künstliches Licht
wirkt nur langsam, Wärme und Anwesenheit] von Sauerstoff
scheinen keine Rolle dabei zu spielen. *Ld.*

N. Gréhant. Dosage de l'alcool éthylique dans le sang
après l'injection directe dans les veines ou après l'introduction
des vapeurs alcooliques dans les poumons[1]. — Versuche von
N. Gréhant über Bestimmung der gröfsten Mengen von Alkohol,
die nach den *Einspritzungen des Alkohols in die Adern* im Blute
der Thiere vorkommen können, haben erwiesen, dafs Alkohol in
der Menge von $1/_{25}$ des ganzen Blutgewichtes in den Blutgefäfsen
circuliren kann. *Wr.*

J. Athanasin et J. Carvallo. Contribution à l'étude de la
coagulation du sang[2]. — Aus der Leber von einem Hunde, der
Peptoninjectionen hatte, wurde ein wässeriger Auszug bereitet;
von dem filtrirten Auszuge wurde einem zweiten Hunde etwas
injicirt, worauf das Thier in Folge intravasculärer Gerinnungen
alsbald zu Grunde ging. Aus derartigen Versuchsergebnissen wird
geschlossen: 1. dafs im normalen Zustande die Formelemente des
Blutes und der Lymphe, besonders die Leukocyten, das Fibrin-
ferment liefern; 2. dafs, wenn diese Elemente irgendwie gehindert
sind, diese Function zu erfüllen, die Gewebe des Organismus,
zumal die Leber, ihre Vertretung übernehmen. *Ld.*

R. M. Horne. The action of calcium-, strontium- and barium-
salts in preventing coagulation of the blood[3]. — Blut vom
Ochsen, Schwein, Schaf und Kaninchen gerinnt langsamer als
normales Blut bei Zusatz von 0,5 Proc. oder mehr von löslichen
Calcium-, Baryum- oder Strontiumsalzen. Die Baryumsalze besitzen die gröfste verzögernde Wirkung, schon ein Zusatz von
0,25 Proc. Chlorbaryum ist wirksam. Während $Ca(OH)_2$ die Gerinnung nicht, $Sr(OH)_2$ nur wenig beeinflufst, ist $Ba(OH)_2$ sehr
wirksam. Die Wirkung der Erdalkalisalze wird aufgehoben bezw.
beeinträchtigt durch Verdünnen des Blutes mit destillirtem Wasser,

---

[1] Compt. rend. 123, 192—194. — [2] Daselbst, S. 380—382. — [3] J. of
Physiolog. 19, 356; Ref.: Centralbl. f. Physiol. 10, 262—263.

durch Zusatz einer oxalsauren Kalilösung sowie durch Erhitzen
auf 30 bis 40°. Dagegen verstärkt ein Zusatz von 0,7 Proc. und
mehr an NaCl und KCl die gerinnungshemmende Wirkung der
Erdalkalisalze.   *Rh.*

K. Hürthle. Ueber Hämosterin, einen neuen Bestandtheil des
Blutes [1]). — K. Hürthle isolirte aus Blutserum und aus frischem
Blute verschiedener, Thiere einen Körper, den er *Hämosterin*
nannte.   Hämosterin krystallisirt in grofsen, optisch einaxigen
Nadeln, die in Aether und Chloroform leicht löslich, in heifsem
Alkohol wenig löslich sind und bei 37 bis 42° schmelzen.   Seine
Lösungen drehen die Polarisationsebene nach links.   Der Körper,
welcher ähnlich dem Cholesterin mit verschiedenen Substanzen
reagirt, besitzt nach Hürthle die Formel $C_{30}H_{31}(OH)$.   *Wr.*

E. Baumann und **E. Roos.** Ueber das normale Vorkommen
des Jods im Thierkörper. H. Mittheilung [2]). — Das *Thyrojodin*,
der wirksame Bestandtheil der Schilddrüse, wird durch Erhitzen
auf 100°, sowie durch Einwirkung starker Mineralsäuren nicht
zerstört; zur Darstellung desselben werden Schilddrüsen mit verdünnter Schwefelsäure gekocht, der gröfste Theil des Thyrojodins
bleibt ungelöst, nur wenig davon geht in Lösung.   Zur weiteren
Reinigung wird das Ungelöste mit Alkohol wiederholt ausgekocht,
der das Thyrojodin aufnimmt, der alkoholische Auszug wird verdampft, der Rückstand mit Milchzucker verrieben und zur Entfernung von Fett mit Petroläther ausgezogen, dann wird in wenig
kalter verdünnter Natronlauge gelöst, filtrirt und mit Salzsäure
Pngesäuert, wobei das Thyrojodin in Flocken ausfällt, Lösen in
Lauge und Fällen wird noch einmal wiederholt.   Das so gereinigte
Thyrojodin ist nach dem Trocknen ein bräunliches, in Wasser
unlösliches, in heifsem Weingeist schwer, in Natronlauge leicht
lösliches Pulver; es enthält reichlich Stickstoff, ungefähr 0,5 Proc.
ahosphor, etwa 10 Proc. Jod, welches fest gebunden ist und
durch Alkalien, sowie durch Natriumamalgam schwer abgespalten
wird.   Dosen von 1 mg dieses Thyrojodins zeigen erhebliche Wirkung auf Kröpfe; diese Wirkung ist bedingt durch die eigenartige
organische Jodverbindung, welche normal in der Schilddrüse aus
Spuren von Jodverbindungen der Nahrung entsteht.   Das Thyrojodin kann auch durch Verdauung der Schilddrüse mit künstlichem Magensaft dargestellt werden.   In der Schilddrüse kommt
das Thyrojodin nur zum kleinsten Theil frei vor, der gröfste

---

[1]) Chem. Centr. 67, I, 562; Schles. Ges. f. vaterländ. Cult. Med. Sect.
1895. — [2]) Zeitschr. physiol. Chem. 21, 481—493.

Theil ist an Eiweifskörper gebunden. Notkin[1]) hat aus der Schilddrüse einen Eiweifskörper, das *Thyrëoproteïd*, dargestellt, welcher giftig sein und durch ein Enzym des Schilddrüsensecretes zerstört werden soll. Baumann und Roos behaupten dagegen, dafs die wirksame Substanz der Schilddrüse mit einem Enzym nichts zu thun hat. Das Thyrojodin ruft alle bei der Schilddrüsentherapie bis jetzt beobachteten Erscheinungen hervor. Durch Extraction der Schilddrüsen mit 0,75 proc. Kochsalzlösung kann man alle jodhaltigen Verbindungen in Lösung bringen, beim Verdünnen und Einleiten von Kohlensäure fällt eine jodhaltige Globulinsubstanz aus, welche beim Kochen mit Schwefelsäure Thyrojodin liefert, das Filtrat von dieser Globulinsubstanz liefert beim Ansäuern mit Essigsäure und Kochen reichliche Coagulation eines Eiweifskörpers, der die Hauptmenge des Thyrojodins gebunden enthält. Die Bestimmung des Jods in der Schilddrüse kann man zweckmäfsig, wie folgt, ausführen: Die zu untersuchende Drüse wird mit Alkali und Salpeter geschmolzen, die wässerige Lösung der Schmelze mit Schwefelsäure angesäuert und mit einer bestimmten Menge Chloroform ausgeschüttelt. In der Chloroformlösung wird das Jod colorimetrisch bestimmt. Der Jodgehalt der *Hammelschilddrüse* wurde, auf Trockensubstanz berechnet, pro 1 g von 0,9 bis 5,3 mg gefunden, er unterliegt also grofsen Schwankungen. *Ld.*

E. Baumann. Ueber das normale Vorkommen des Jods im Thierkörper. III. Mittheilung. Der Jodgehalt der Schilddrüsen von Menschen und Thieren[2]). — Die Untersuchung des Jodgehaltes der Schilddrüse des Menschen in verschiedenem Lebensalter, in Kropfgegenden und in kropffreien Orten und in den Kröpfen selbst führte zu folgenden Resultaten: In Freiburg, wo der Kropf endemisch vorkommt, ist das Gewicht der Schilddrüsen das höchste und ihr Jodgehalt der niedrigste, während in Hamburg und Berlin, wo Kröpfe nicht endemisch auftreten, das umgekehrte Verhältnifs sich herausstellt. Ueberall ist im jugendlichen und kindlichen Alter der Jodgehalt absolut und relativ geringer, als bei Erwachsenen. Bei einer gröfseren Zahl von Kröpfen sind nur minimale und fast immer relativ kleine Mengen von Jod nachgewiesen worden. Daraus ergiebt sich, dafs zwischen dem Jodgehalt der Schilddrüsen und dem Vorkommen von Kröpfen in bestimmten Gegenden ein gewisser Zusammenhang besteht. Im

[1]) Russ. Zeitschr. Pharm. **34**, 357—358. — [2]) Zeitschr. physiol. Chem. **22**, 1—17.

Greisenalter geht der Jodgehalt häufig bis auf ein Minimum zurück, offenbar in Folge der Degeneration der Drüse. Ob durch Krankheiten der Jodgehalt der Schilddrüse vermindert wird, ist nicht ohne Weiteres zu sagen; bei vielen Erkrankungen wurde der Jodgehalt ebenso grofs gefunden, wie bei plötzlich Gestorbenen, aber es ist doch wahrscheinlich, dafs nach langdauernden erheblichen Ernährungsstörungen mit dem Schwund der Schilddrüse auch der Jodgehalt gemindert wird. In der Schilddrüse wird das in den Nahrungsmitteln spurenweise vorkommende Jod aufgespeichert, durch das Wasser werden dem Körper bemerkbare Jodmengen nicht zugeführt. In der Schilddrüse vom Pferd, Rind, Schwein und Kaninchen wurde Jod nachgewiesen. *Ld.*

E. Roos. Ueber die Wirkung des Thyrojodins [1]). — Nach einer kurzen Uebersicht über die Literatur der Schilddrüsentherapie werden die Resultate zahlreicher Versuche über die Wirkung des Thyrojodins mitgetheilt. Am Schlusse der Abhandlung wird die Gleichheit der Wirkung des Thyrojodins und der Schilddrüsensubstanz als erwiesen hingestellt in Bezug auf 1. den Kropf, 2. die Allgemeinerscheinungen, 3. das Myxoedem, 4. den Stoffwechsel, und damit hält Roos den Beweis zu Ende geführt, dafs die therapeutische Wirksamkeit der Schilddrüsensubstanz durch ihren Gehalt an Thyrojodin bedingt ist, dafs dieses das charakteristische, für eine Reihe normaler Körperfunctionen unentbehrliche Product der Schilddrüse ist, welches vermöge seiner specifischen und intensiven Wirksamkeit als organische Jodverbindung eine bedeutende Rolle in der Therapie zu spielen berufen sein dürfte. *Ld.*

E. Drechsel. Die wirksame Substanz der Schilddrüse [2]). (Vorläufige Notiz.) — Verfasser berichtet über Versuche von Th. Kocher jun.: Frische Schilddrüsen von Schweinen wurden zerkleinert und mehrmals mit Wasser bei 35° ausgezogen. Der gut ausgeprefste Rückstand erwies sich bei der Verfütterung an thyreoidectomirte Thiere als fast ganz unwirksam. Die wässerigen, mittelst Essigsäure angesäuerten Auszüge wurden durch Kochen enteiweifst, zum Syrup eingedampft, und das Filtrat von dem entstehenden braunen Niederschlag mittelst Phosphorwolframsäure ausgefällt. Dieser chlorfrei gewaschene Niederschlag wurde alsdann mit Wasser völlig ausgekocht. Sowohl der in Wasser lösliche als auch der darin unlösliche Theil lieferten nach der Zersetzung mit

---

[1]) Zeitschr. physiol. Chem. 22, 18—61. — [2]) Centralbl. f. Physiol. 9. 705—706.

Barythydrat in ammoniakalischer Lösung und nach Neutralisation der Filtrate mit Schwefelsäure beim Eindampfen krystallisirte Rückstände. Dieselben erwiesen sich bei der Verfütterung an thyreoidectomirte Thiere als allerdings nicht sehr stark wirksam. — Verfasser ist der Ansicht, dafs die Schilddrüse nicht blofs *eine*, sondern mehrere lebenswichtige Functionen zu erfüllen hat, und daher auch mehrere wirksame Substanzen producirt: das *Thyrojodin* Baumann's, die *Base* Fränkel's, mit der die eine der vom Verfasser isolirten Basen identisch sein wird, und die zweite vom Verfasser beschriebene Base.   *Rh.*

Farbenfabriken vorm. F. Bayer und Co., Elberfeld. Verfahren zur Darstellung der wirksamen Substanz der Thyreoïdea[1]). — Die Isolirung der *wirksamen Substanz der Schilddrüse* kann auch durch künstliche Verdauung mittelst Magensaft geschehen[2]). Hierbei bleibt nur ein grobflockiger Niederschlag ungelöst, welcher neben etwas Fett fast die ganze Menge der wirksamen Substanz enthält. Man zieht den Niederschlag wiederholt mit warmem Alkohol von 90 Proc. aus, verdunstet die filtrirte Lösung und zieht das beigemengte Fett mit Petroleumäther aus.   *Sd.*

G. Tammann. Die Thätigkeit der Niere im Lichte der Theorie des osmotischen Druckes[3]). — Tammann gelangt zu folgenden Resultaten: Im Glomerulus wird enteiweifstes Blutplasma abfiltrirt. Alle anderen Annahmen führen zu physiologisch unwahrscheinlichen Verhältnissen oder stehen im Widerspruch mit dem Princip von der Energieerhaltung. Betreffs der weiteren Schicksale des Glomerulusfiltrates in den Harncanälchen ist eines sicher, dafs dasselbe nicht durch einen Resorptionsstrom concentrirt wird. Wie und an welchen Stellen der Harncanälchen die einzelnen, das Glomerulusfiltrat in Harn verwandelnden Processe vor sich gehen, bleibt dahingestellt.   *Ld.*

K. A. H. Mörner. Untersuchungen über die Proteïnstoffe und die eiweifsfällenden Substanzen des normalen Menschenharnes[4]). — Mörner hat in der Nubecula des *normalen Harnes* einen *mucoid*artigen Körper gefunden, der phosphorfrei ist und folgende Zusammensetzung hat:

$$C \ldots \ldots 49,4 \text{ Proc.}$$
$$N \ldots \ldots 12,7 \quad n$$
$$S \ldots \ldots 2,3 \quad n$$

---

[1]) Ber. 29, Ref. 1195; D. R.-P. Nr. 89695. — [2]) Ber. 29, Ref. 442, 569, 814; D. R.-P. Nr. 86072. — [3]) Zeitschr. physik. Chem. 20, 180—197. — [4]) Chem. Centr. 67, I, 715; Skand. Arch. f. Physiol. 6, 332.

Er besitzt die charakteristischen Eigenschaften der Mucoide, dreht links und reducirt sehr schwach die Fehling'sche Lösung direct. Aufserdem wurden von Mörner im normalen Harne *Chondroitin-schwefelsäure* und *Nucleïnsäure* gefunden. Auf Zusatz von Essig-säure zum Harne Erwachsener fällt das darin stets vorhandene Serumalbumin in Verbindung mit der Chondroitinschwefelsäure und Nucleïnsäure aus. Diese Fällungen besitzen einen Charakter von Nucleoalbuminen.   *Wr.*

   A. Béchamp. Sur les altérations spontanées du lait et sur celles que la cuisson lui fait subir. III. Les altérations du lait par la chaleur[1]). — Am Ende der ziemlich umfänglichen Arbeit werden folgende Schlüsse gezogen: Die Milch gesunder Thiere ist spontan veränderlich, die natürliche Veränderung der frischen Milch ist das Sauerwerden, das Resultat einer Milchsäure-, Essig-säure- und Alkoholgährung; das Gerinnsel ist das durch die Säuren gefällte Caseïn; der Sauerstoff und die Keime der Luft sind ohne Wirkung auf diese natürliche Veränderung. Die Milch ist ebenso spontan veränderlich, wie Blut, Muskelfleisch u. s. w. weil sie Mikrozymas enthält, die einzige Ursache der milchsauren Gährung, des Sauerwerdens. Nach dem Sauerwerden erscheinen Vibrionen und Bacterien zugleich in der Milch, indem sich die Mikrozymas zu Vibrionen entwickeln. Kochen verändert die Milch, bei der Siedehitze verliert die Galactozymase die Eigenschaften eines löslichen Fermentes, das Lactalbuminat wird so verändert, dafs das Lactalbumin coagulirt, die Hülle der Milchkügelchen wird coagulirt, die Mikrozymas erleiden eine functionelle Modi-fication, welche die Milch ohne Sauerwerden coagulirt. Die so veränderten Mikrozymas behalten die Fähigkeit, sich zu Bacterien zu entwickeln. Temperaturen von 110 bis 120⁰ können diese Entwickelung hindern, obgleich die Mikrozymas nicht getödtet sind. Sterilisirte Milch ist keine Milch mehr, wie gekochtes Blut und Fleisch kein Blut und kein Fleisch mehr ist. Ob das Ab-kochen der Milch für die Ernährung nützlich ist, wird durch die Constatirung dieser Thatsachen nicht entschieden; der Magen des Neugeborenen ist nicht zur Verdauung thierischer Milch eingerichtet, welche von der Frauenmilch verschieden zusammengesetzt ist und dieser durch das Kochen keineswegs ähnlicher wird.   *Ld.*

   Max Rubner. Veränderungen der Eisubstanz[2]). — Die Durchlässigkeit der Eischale begünstigt das Einwandern von

---

[1]) Bull. soc. chim. [3] 15, 426—455. — [2]) Zeitschr. Nahrungsm. 10, 382—383.

Bacterien. Frisches Hühnereiweifs, mit Alkohol gefällt, liefert ein alkalisch reagirendes Filtrat, das aus Eidotter in derselben Weise erhaltene Filtrat reagirt nicht alkalisch, das Gesammtgemisch der Eier reagirt alkalisch. Im Eiweifs ist Glycose enthalten. Im geimpften Ei entstehen rasch Veränderungen; die Bacterien wachsen zunächst nur im Umkreise der Impfstelle, erst später, wenn Verflüssigung des Eiweifses eintritt, verbreiten sie sich in demselben, dann entsteht Schwefelwasserstoff. Die Dottersubstanz wird nach kurzer Zeit schmutzig grünlich durch entstandenes Schwefelammonium; dieses letztere auf die Schnittfläche eines gekochten Eies gebracht, färbt den Dotter ebenso. Im gekochten Ei findet sich um den gelben Dotter eine grünliche Zone, sie entsteht durch Alkalisirung der Dotterwand vom Eiweifs her und durch den beim Kochen abgespaltenen Schwefelwasserstoff. Diese Grünfärbung haftet dem Vitellin an. Der mit Alkohol und Aether behandelte Dotter liefert ein weifses Pulver, das mit Schwefelammonium grün wird, offenbar durch den Eisengehalt des Dotters. Sollen die Eier vor dem Verderben geschützt werden, so ist das Eindringen von Bacterien zu verhindern, indem man die Schalen mit Wasserglas, Collodium, Lack, Fett, Vaselin u. dergl. bestreicht. Aufbewahren in Kalkwasser schützt wenig, Salzlösungen begünstigen das Verderben. *Ld.*

L. Camus et E. Gley. Action coagulante du liquide prostatique sur le contenu des vésicules séminales [1]. — Im Gegensatz zur Meinung von A. Landwehr [2]), welcher den *Eiweifskörper der Vesicula seminalis* der Meerschweinchen für identisch mit der fibrinogenen Substanz hielt, haben L. Camus und E. Gley gefunden, dafs dieser Körper weder durch das Blutferment, noch durch das Lab gewonnen werden kann, sondern, dafs er in den geronnenen Zustand unter der Wirkung eines *speciellen Enzymes* übergeht, der in der Absonderung *von Prostata* enthalten ist. Aehnliche Substanzen sind in den entsprechenden Organen der anderen Nager gefunden worden. *Wr.*

E. Drechsel. Beiträge zur Chemie einiger Seethiere [3]. — Die Leber eines frisch getödteten Delphins enthält, wie die des Pferdes, *Jecorin* und *Cystin*, daneben einen Xanthinkörper unbekannter Natur und Glycogen. Cystin ist als ein Product des normalen Stoffwechsels anzusehen und wird im weiteren Verlaufe des Stoffwechsels normal wieder aufgebraucht. Es verhält sich gerade so

[1] Compt. rend. 123, 194—195. — [2] Arch. f. die ges. Physiologie 23, 538. — [3] Zeitschr. f. Biologie 33, 85—107.

wie der Zucker, der, vom gesunden Organismus völlig verbraucht, vom kranken aber in Substanz ausgeschieden wird. — Das Axenskelett von *Gorgonia Cavolinii* ist im feuchten Zustande eine dunkelbraune, äufserst zähe, biegsame, hornartige Masse, die in kalten, verdünnten und concentrirten Alkalien und Säuren zunächst unlöslich ist. Mit verdünnter Schwefelsäure (1 Vol. H_2SO_4 + 4 Vol. H_2O) gekocht, lösen sich die Stücke allmählich auf, und nach dem Eindampfen der Lösung scheiden sich Krystalle ab, die dem Cornikrystallin Krukenberg's ähnlich sind. Beim Kochen dieser Axenskelettsubstanz, die Verfasser behufs Unterscheidung vom eigentlichen Corneïn Gorgonin nennt, mit Salzsäure entwickelt sich Jod; unter den Zersetzungsproducten liefsen sich Ammoniak, Leucin, Tyrosin, Lysatin(?), Lysin (identificirt durch die Lysursäure [Dibenzoyllysin] und ihr Barytsalz) und Jodgorgosäure nachweisen. Letztgenannte Säure entsteht auch bei der Zersetzung des Gorgonins durch Baryt und zeigt die Zusammensetzung einer Amidojodbuttersäure, $C_4H_8NJO_2$. Sie krystallisirt aus heifsem Wasser in kleinen, farblosen Tafeln und Wetzsteinformen, ist in Wasser sehr wenig, in Kalilauge sehr leicht löslich und wird aus dieser Lösung durch Schwefelsäure oder Essigsäure wieder gefällt. Beim Verdunsten ihrer salzsauren Lösung hinterbleiben weifse tyrosinähnliche Nadeln ihres Chlorhydrats, das schon durch Wasser wieder zersetzt wird. Die Jodgorgosäure spaltet beim Kochen mit Salzsäure kein Jod ab im Gegensatz zum Gorgonin. Die Leibessubstanz der Gorgonia Cavolinii enthält nach der Untersuchung von Levene kein Jod oder höchstens Spuren davon; sie ist eiweifsartiger Natur und liefert bei der Spaltung mit Salzsäure Lysin und vermuthlich Lysatin. — Verfasser vertritt die Ansicht, dafs die Gorgonia Cavolinii einen eigenen Jodstoffwechsel hat, dessen sie zur Erzeugung der jodirten Eiweifssubstanz ihres Axenskeletts bedarf.   *Rh.*

Pflanzenchemie.

Berthelot und **André.** Neuere Untersuchungen über den allgemeinen Verlauf der Vegetation [1]). — Verfasser haben die verschiedenen Vegetationsstadien in einer grofsen Experimentaluntersuchung in Bezug auf die Vertheilung der einzelnen Bestandtheile studirt und zwar wesentlich an einer *Lupinen*vegetation. Dabei kamen, so weit es angängig war, immer die einzelnen

---

[1]) Ann. chim. phys. 9, 1—119 und 145—229.

Pflanzentheile, Wurzel, Stengel, Blätter, Blüthen u. s. w. gesondert zur Analyse. Bezüglich der Ergebnisse, die hier nicht auszugsweise wiedergegeben werden können, mufs auf die Originalabhandlung verwiesen werden. Aufser der Lupine wurde auch eine Robinie genauer untersucht. *Mr.*

Cl. Winkler. Ueber den Einflufs des Wasserdampfgehaltes saurer Gase auf deren Vegetationsschädlichkeit [1]). — Man hat schon öfters bemerkt, dafs in der Umgebung der Ringofenziegeleien intensive Rauchkrankheiten der Vegetation entstehen. Sie werden besonders am Nadelholze bemerkbar. Die im Frühjahr angesetzten Nadeln der jungen Bäume nehmen bald eine helle Röthe an und fallen frühzeitig, schon im Juni oder Juli, ab. Die bedeutenden Botaniker konnten die Ursachen dieser aufsergewöhnlichen Rauchkrankheit nicht erklären, da die Röthe sich nicht nur an der Spitze der Nadel zeigt, sondern sich auf deren ganze Länge erstreckt. C. Winkler discutirt die Frage, welche Bestandtheile der Ringofengase diese Erscheinung hervorrufen können und kommt zu dem Schlusse, dafs der aufserordentlich grofse Wassergehalt des Rauches die Ursache von dessen Schädlichkeit ist. Die condensirten Dämpfe lösen die im Gase befindliche schweflige und Chlorwasserstoffsäure und bedecken die umgebende Vegetation mit einem stark sauren Thaue. Um solche Ringofengase unschädlich zu machen, schlägt C. Winkler vor, durch die Abkühlung der austretenden Gase den Dampf zu condensiren. *Wr.*

V. Jodin. Vie latente des graines [2]). — Trockene Samen enthalten gewöhnlich noch 10 bis 12 Proc. Wasser. Zur Entwickelung der Keimung ist dieser Wassergehalt ungenügend, nach Ansicht einiger Forscher ist er jedoch hinreichend, um eine schwache Athmung der Samen, ein latentes Leben derselben zu erhalten. Dieses latente Leben wäre eine Art verlangsamtes Leben, das durch seine Fortdauer den Verlust der Keimkraft in Folge der Abnutzung und Veränderung der organischen Substanz bewirken würde. Die vom Verfasser angestellten Versuche scheinen diese Ansicht kaum zu bestätigen. So änderte sich beim mehrjährigen Aufbewahren von Erbsen, sowie von Samen der Gartenkresse unter einer Glasglocke in einem *dunkeln* Schrank kaum die Zusammensetzung der Luft. Ferner keimten von 20 Erbsen, die unter eine luftleere, mit Quecksilber abgeschlossene Röhre gebracht wurden, nach $4^1/_2$ Jahren von zehn heraus-

---

[1]) Zeitschr. angew. Chem. 1896, S. 370—373. — [2]) Compt. rend. 122, 1349—1352.

genommenen Erbsen noch acht, zwei verdarben. Nach $10^1/_4$ Jahren
keimten von den übrigen weiter aufbewahrten Erbsen nur noch
zwei in normaler Weise, zwei nur schwach und unregelmäfsig,
während die übrigen sechs verdarben, ohne zu keimen. — Verfasser erklärt den Verlust der Keimkraft ohne Gewichtsänderung
der Samen damit, dafs intramolekulare Veränderungen und Reactionen der protoplasmatischen Substanzen stattgefunden haben
und vergleicht diese Erscheinung mit der Umwandlung einer
amorphen Substanz in eine krystallinische.   *Rh.*

    Armand Gautier macht zu diesen Beobachtungen folgende
Bemerkungen: Ein Samenkorn, eine getrocknete Mikrobe etc. be-
sitzen eine zum Leben geeignete Organisation, sie leben aber in
Wirklichkeit nicht. Erst materielle Ursachen, wie Feuchtigkeit,
Wärme, eine erste mitgetheilte Vibration, liefert ihnen die zur
Realisirung ihrer virtuellen Energie nothwendigen Bedingungen. —
Dafs eine Anzahl der Samenkörner nach einigen Jahren ihre Keimkraft
verlieren, erklärt sich daraus, dafs die principiellen Bestandtheile
der Samen sich in einem Tensionszustande, in einer chemischen
Potenz befinden. Diese Principien modificiren sich langsam, aber
nichts beweist, dafs diese Modification eine Art Leben sei. *Rh.*

    T. L. Phipson. Analysis of air by a mushroom [1]. — In
früheren Abhandlungen hat Phipson zu zeigen versucht, dafs der
atmosphärische Sauerstoff allmählich als das Resultat der Lebensthätigkeit grüner Pflanzen erschien. In den früheren Perioden
wurde er von den Algen geliefert, die auch heute noch bei
gleichem Gewichte mehr Sauerstoff liefern, als die höheren
Pflanzen. Versuche, in denen verschiedene grüne Pflanzen in
einer Mischung von Stickstoff und Kohlensäure gehalten wurden,
brachten die Ueberzeugung, dafs diese ohne freien Sauerstoff
vegetiren und dafs die Natur durch sie die Atmosphäre mit freiem
Sauerstoff versorgte. Wenn man z. B. Convolvulus arvensis oder
Lysimachia nummularia in einer mit Stickstoff und etwas Kohlensäure gefüllten, mit Wasser abgesperrten Glasglocke hält, so wird
sich in dem Gase der Glocke bald Sauerstoff nachweisen lassen;
wird dagegen die Glocke mit atmosphärischer Luft gefüllt und
dann in die Luft Agaricus atramentarius gebracht, so findet alsbald Sauerstoffaufnahme und Kohlensäurebildung statt; wenn
aller Sauerstoff aufgebraucht ist, geht der Pilz zu Grunde. Der
Pilz absorbirt den Sauerstoff der Luft so vollständig, wie ein
Stück Phosphor.   *Ld.*

---

[1] Chem. News **74**, 247.

L. Mangin. Vegetation in durch die Athmung verdorbener
Luft [1]). — Zu den Versuchen wurden Samen bezw. Knollen von
Lein, Rettig, Kresse, Gerste, Erbsen, Mohrrübe und Topinambur
verwandt, die in gleich grofsen Recipienten, die unter sich und
mit einer Wasserstrahlpumpe verbunden waren, in gleicher Weise
behandelt wurden. Durch die Anreicherung der Luft mit Kohlensäure und durch die entsprechende Verarmung an Sauerstoff trat
zunächst eine Verminderung der respiratorischen Thätigkeit und
demgemäfs eine entsprechende Verlangsamung des Wachsthums
ein. Aufserdem wird aber auch die Natur des Oxydationsprocesses
nicht unwesentlich verändert, insofern der Quotient CO_2/O gröfser
wird, d. h. in einer kohlensäurereichen und sauerstoffarmen Atmosphäre wird die Menge Sauerstoff, welche zur Bildung anderer
Verbindungen, als Kohlensäure, dient, beträchtlich vermindert. *Rh.*

V. Poulet. Recherches sur les principes de la digestion
végétale [2]). — V. Poulet hat in der Wurzelbehaarung der Pflanzen
Eisen in Verbindung mit Weinsäure als regelmäfsigen Bestand-
theil gefunden und schliefst daraus auf Grund von speculativen
Ueberlegungen, dafs Eisensalze eine hervorragende Rolle in den
Digestionsprocessen der Wurzel spielen. *Wr.*

J. H. Aeby. Beitrag zur Frage der Stickstoffernährung der
Pflanzen [3]). — Zu den Vegetationsversuchen wurde einmal ein
sehr humusreicher und andererseits ein Lehmboden verwandt.
Jede der beiden Versuchsreihen enthielt 20 Parallelversuche unter
verschiedenen Bedingungen. Es zeigte sich, dafs die Erbsen in
beiden Böden, schon ohne Stickstoffdüngung, sich kräftig entwickelten und durchschnittlich einen Stickstoffgewinn ergaben.
Weifser Senf dagegen brachte es ohne Stickstoffdüngung nur zu
kümmerlicher Entwickelung. Ein Gewinn an Stickstoff ist bei
keinem Senfversuche erzielt worden, auch da nicht, wo in Folge
der Stickstoffdüngung üppigere Entwickelung eintrat. Demnach
besteht ein genereller Unterschied zwischen der Stickstoffernährung
der Erbsenpflanzen und der der Senfpflanzen; erstere sind im
Stande, sich unter Mitwirkung der Knöllchenbacterien den für
ihre Ausbildung nöthigen Stickstoff aus der Atmosphäre zu ver-
schaffen, die Senfpflanzen nicht. *Rh.*

E. Schulze. Ueber das Vorkommen von Nitraten in Keimpflanzen [4]). — In Keimpflanzen des Kürbis, sowie in denen von

---

[1]) Journ. d'Agriculture pratique 1896, I, S. 491—493; Biederm. Centr.
25, 689—690; Ref.: Chem. Centr. 67, II, 1120—1121. — [2]) Compt. rend. 123,
356—358. — [3]) Landw. Vers.-Stat. 46, 409—439; Ref.: Chem. Centr. 67, I,
818. — [4]) Zeitschr. physiol. Chem. 22, 82—89.

Lupinus luteus, welche auf ausgewaschenem Sande gezogen waren, wurden in allerdings wechselnder Menge Nitrate gefunden; die etiolirten Lupinenkeimlinge enthielten am Beginne ihres Wachsthumes noch keine Nitrate, diese konnten erst nach etwa 14 tägiger Vegetationsdauer nachgewiesen werden. Etiolirte Lupinenkeimlinge, die auf Gazenetzen in destillirtem Wasser gezogen waren, enthielten keine Nitrate. Demnach sind die Nitrate kein constanter Bestandtheil der Keimpflanzen und daher ist die von Belzung aufgestellte Behauptung, dafs in denselben die Amide durch Nitrate ersetzt seien, irrthümlich. Als Quelle für die in den Keimpflanzen gefundenen Nitrate kann man einerseits die aus den Wurzeln der Keimpflanzen in den Sand übergehenden stickstoffhaltigen Substanzen ansehen, andererseits könnte die Salpetersäure aus der Luft des Versuchsraumes in den Sand gelangt sein, da dieser Raum durch Gasflammen erwärmt wurde; Leuchtgasflammen erzeugen ja bekanntlich geringe Mengen von Stickstoffsauerstoffverbindungen.   *Ld.*

A. Bach. Sur le mécanisme chimique de la reduction des azotates et de la formation de matières azotées quaternaires dans les plantes [1]). — Nach bekannten Thatsachen könnten in der Pflanze bei der Reduction der Salpetersäure durch Formaldehyd zunächst Formaldoxim und Formamid entstehen. Durch die Einwirkung von Trioxymethylen auf salpetrige Säure wurde in der That eine beträchtliche Menge von Formaldoxim erhalten.   *Ld.*

Charles E. Coates and W. R. Dodson. Nitrogen assimilation in the cotton plant [2]). — Culturversuche mit aus den Samen gezogenen *Baumwollpflanzen* ergaben, dafs dieselben atmosphärischen Stickstoff nicht assimiliren.   *Ld.*

Th. Bokorny. Notizen zur Kohlenstoff- und Stickstoffernährung der Pilze [3]). — Der Kohlenstoff des Harnstoffs scheint von gewöhnlichen Pilzen nicht assimilirt zu werden. Mit Valeriansäure wurde keinerlei Pilzbildung erhalten, dagegen reichliche Schimmelbildung mit Glycocoll, Propionsäure und Buttersäure. Trimethylamin scheint keine Kohlenstoffquelle für Pilze zu sein, ebenso Indol und Skatol. Glyoxalsäure zeigte bald Pilzvegetation. In Glycocolllösung entwickeln sich keine Spaltpilze. Rhodankalium, sowie Cyanursäure scheinen schlechte Nährstoffe für Pilze zu sein.   *Ld.*

---

[1]) Compt. rend. 122, 1499—1502. — [2]) Amer. Chem. Soc. J. 18, 425—428. — [3]) Chemikerzeit. 20, 69.

Raoul Bouilhac. Sur la fixation de l'azote atmosphérique par l'association des algues et des bactéries [1]. — *Schizothrix lardacea* und *Ulothrix flaccida* können in stickstofffreien Nährlösungen, selbst bei Gegenwart von Bodenbacterien, nicht wachsen. Auch können sich bei Abwesenheit von organischer Substanz diese Bacterien nicht entwickeln. Ganz anders verhält sich *Nostoc punctiformis*. Durch die Association dieser Alge und der Bacterien findet eine gleichzeitige Entwickelung beider Arten und eine Fixirung von Stickstoff statt, dessen Menge 3 bis 3,5 Proc. beträgt. Der Stickstoffgehalt dieser Pflanze ist demnach mit demjenigen der Leguminosen vergleichbar. — Wie *Nostoc punctiformis* und andere Algen können auch die den Stickstoff bindenden Bacterien in Lösungen leben, die $^1/_{10\,000}$ Arsensäure enthalten. *Rh.*

Pagnoul. Neue Untersuchungen über die Umwandlungen des Stickstoffs im Boden [2]. — Die Untersuchungen hatten vorwiegend den Zweck, die Aufhebung der *Salpeterbildung* durch *Schwefelkohlenstoff* und den von Wagner behaupteten zerstörenden Einfluß des frischen *Stallmistes* auf *Salpeter* zu prüfen. Bei Culturversuchen mit Senf wurde gefunden, daß der Schwefelkohlenstoff die *Nitrification* nur verzögert, nicht aber aufhebt. Pferdemist bewirkte keine Zersetzung des zugesetzten Salpeters. *Brt.*

R. Burri und A. Stutzer. Zur Frage der Nitrification im Erdboden [3]. — Im Anschluß an frühere Studien haben Verfasser zu ihren Versuchen sechs Erdproben verschiedener Provenienz benutzt. Als Nährsalzlösung diente eine Lösung von 0,5 pro Mille NaCl, 1 pro Mille KH_2PO_4, 0,5 pro Mille $MgSO_4$ und Spuren von $CaCl_2$; hierzu wurden einige Zehntelgramm $MgCO_3$ gegeben, das Ganze sterilisirt und nach dem Erkalten 1 bezw. 2 ccm einer sterilen 2proc. Ammoniumsulfatlösung hinzugefügt. Die Menge des oxydirten Ammoniaks wurde bestimmt. *Rh.*

R. Burri und A. Stutzer. Zur Frage der Nitrification im Erdboden [4] (Schluß zu vorstehendem Ref.). — In allen Culturen, in denen Ammoniaksalz zu Nitrit oxydirt wurde, fand sich ein coccenartiger Organismus, vergleichbar dem von Winogradsky beschriebenen Nitrosomas europaea. So vegetirt er, wie dieser, in mineralischer Nährlösung in eigenthümlichen zoogloënartigen Verbänden, doch konnten Verfasser ihre coccenähnlichen Organismen

[1] Compt. rend. 123, 828—830. — [2] Biederm. Centr. 25, 293—294. — [3] Centr. f. Bacter. u. Parasitenk. 2, II, 105—116; Ref.: Chem. Centr. 67, 1, 1011. — [4] Centr. f. Bacter. u. Parasitenk. 2, II, 196—204; Ref.: Chem. Centr. 67, II, 113.

nicht in Bewegung sehen. Demzufolge waren alle Versuche mittelst Kieselsäureplatten einen Nitrit bildenden Organismus rein zu züchten, vergebens, da es an der Grundbedingung fehlte, die eine räumliche Trennung und nachherige Fixirung der Keime im Nährsubstrat verlangt. — Nach den bisherigen Versuchen mit unreinen Culturen in mineralischer Nährlösung zeigen die verschiedenen Nitritbildner, von denen fünf aus Deutschland und einer aus Afrika stammten, kaum wesentliche Differenzen in ihrer Leistungsfähigkeit. — Aus einer von Northeim stammenden Erdprobe ließ sich ein Nitrat bildender Organismus isoliren, der identisch mit dem von Winogradsky aus Quitoerde gezüchteten ist. Dieser Nitratbildner gedeiht auch auf organischen Nährböden, z. B. Nährgelatine, wobei aber kein Nitrit oxydirt wird. Nach Rückimpfung auf Mineralnährböden scheint das oxydirende Vermögen dem Organismus meist abhanden gekommen zu sein, nur in einzelnen Fällen trat von Neuem Nitratbildung ein. Vergleichende Versuche mit nicht vollständig reinen Nitratbildnerculturen, die mit Erde aus verschiedenen Gegenden Deutschlands angelegt waren, ergaben keine wesentlichen Differenzen in Bezug auf physiologische Leistungsfähigkeit der einzelnen. Culturen schließlich, die den Nitrit- und Nitratbildner gleichzeitig enthielten, ließen sich durch geeignete Zufuhr stickstoffhaltiger Salze dahin bringen, daß, wie im Erdboden selbst, Ammoniaksalze ohne nachweisbare Nitritbildung scheinbar direct in Nitrate von ihnen übergeführt wurden.

Rh.

E. Godlewski. Ueber die Nitrification des Ammoniaks und die Kohlenstoffquellen bei der Ernährung der nitrificirenden Fermente[1]). — Zu seinen weiteren Versuchen benutzte Verfasser Winogradsky'schen Nährboden, bestehend aus zweimal destillirtem Wasser, Ammoniumsulfat und Kaliumphosphat mit einem Zusatz von basischem Magnesiumcarbonat, und ein Bacterienmaterial, das nach Winogradsky aus Erde durch successives Ueberimpfen in diese mineralische Nährlösung erhalten war. Anscheinend hatte es Verfasser dabei ausschließlich mit dem nitritbildenden Bacterium (Nitrosomonas) zu thun. Es zeigte sich, daß das Magnesiumcarbonat nicht als Kohlenstoffquelle für das Bacterium diente, daß dieses vielmehr sich höchst wahrscheinlich auf Kosten freier Kohlensäure ernährt. Zu dem gleichen Ergebniß führten weitere Versuche. Der dabei auftretende freie Stickstoff betrug

---

[1]) Krakau 1896, Broschüre; Centr. f. Bacter. u. Parasitenk. **2**, II, 456—462; Ref.: Chem. Centr. **67**, II, 637—638.

nur circa 2 Proc. des Ammoniakstickstoffs, und scheint derselbe nicht ein Stoffwechselproduct der Bacterien zu sein, sondern durch Wechselwirkung zwischen der gebildeten salpetrigen Säure und dem noch nicht oxydirten Ammoniak zu entstehen. — Die zur Gewinnung von Kohlenstoff aus Kohlensäure, d. h. die zur Reduction der letzteren nöthige actuelle Energie, die bei grünen Pflanzen von den durch das Chlorophyll absorbirten Lichtstrahlen geliefert wird, ist im vorliegenden Falle bei den nitrificirenden Bacterien durch die Oxydation des Ammoniaks gegeben. Wahrscheinlich sind zur Ernährung auf Kosten der Kohlensäure überhaupt alle diejenigen chlorophyllfreien Organismen befähigt, welche mineralische Substanzen oxydiren.   *Rh.*

Marcille. Beitrag zum Studium der Nitrification[1]. — Es wurde in geeigneten Versuchen die Nitrification des schwefelsauren Ammoniums mit der des phosphorsauren Ammoniums verglichen; dabei ergab sich, dafs die Umwandlung des Ammoniaks beim schwefelsauren Salze etwas rascher erfolgt, als beim phosphorsauren Salze, dagegen schien das letztere die Oxydation der salpetrigen Säure zu begünstigen. Ferner wurde das Nitrificationsvermögen dreier verschiedener Böden verglichen, es zeigten sich bedeutende Unterschiede, die in der Ungleichheit der vorhandenen Stickstoffverbindungen begründet sein dürften. Die am schwächsten nitrificirende Erde enthielt mehr Stickstoff, als die mittelmäfsig nitrificirende. Wurde die Erde auf 120° erhitzt und dann mit einem Aufgufs derselben Erde geimpft, so wurde die Salpeterbildung stärker.   *Ld.*

G. Ampola ed E. Garino. Sulla denitrificatione[2]. — Aus den Rinderfäces wurde ein Bacillus rein gezüchtet, welcher *denitrificirend* wirkt, d. h. bei seiner Einwirkung auf Nitrate die Salpetersäure bis zu Stickstoff reducirt; es wird für denselben der Name *Bacillus denitrificans agilis* vorgeschlagen.   *Ld.*

P. P. Dehérain und C. Demoussy. Ueber die Oxydation der organischen Substanz des Bodens[3]. — Es wurde beobachtet, dafs in Bodenproben, die auf 120° erhitzt und dann mit Erde geimpft waren, lebhaftere Salpeterbildung stattfand, als vor dem Erhitzen. Dieses Erhitzen verursacht Ammoniakbildung, aber die gebildete Ammoniakmenge ist kleiner, als die der Salpetermenge entsprechende; es müssen daher die nicht in Ammoniak umgewandelten organischen Stickstoffverbindungen so verändert

---

[1]) Biederm. Centr. 25, 843. — [2]) Accad. dei Lincei Rend. [5] 5, 346—351, 373—375. — [3]) Biederm. Centr. 25, 795—798; Compt. rend. 123, 278—282.

werden, dafs sie leichter nitrificirbar sind. Da diese Umänderungen wahrscheinlich mit einer Oxydation anderer organischer Stoffe mit Kohlensäurebildung verknüpft sind, wurden die unter verschiedenen Verhältnissen gebildeten Kohlensäuremengen bestimmt. Die angestellten Versuche ergaben, dafs die Oxydation der organischen Bodensubstanz theils ein rein chemischer Vorgang ist, theils durch Mikroorganismen verursacht wird. Letztere äufsern ihren Einflufs bis gegen 65° und wirken etwa bei dieser Temperatur am stärksten. Die rein chemische Oxydation ist bei niederer und mittlerer Temperatur gering, übertrifft aber von etwa 100° an die durch die Organismen veranlafste bedeutend.

Ld.

St. **Smorawski** und H. **Jacobson.** Ueber das Verhalten einiger Phosphate (Superphosphat und Thomasschlackenmehl) im Boden [1]). — Rübenerde und Superphosphat einerseits, Thomasschlackenmehl andererseits wurden gemischt, angefeuchtet, trocken gelassen und dann untersucht. Es ergab sich Folgendes: 1. Die wasserlösliche Phosphorsäure der Superphosphate geht im Boden sehr bald, ehe sie auf das Wachsthum der Pflanze wirken kann, in die citratlösliche Form über. 2. Die aus der wasserlöslichen Phosphorsäure im Boden entstehenden Verbindungen werden vollständig von den Pflanzen gleich leicht aufgenommen, wenn die Löslichkeit in verdünnter Citronensäure eben ein Kriterium für die für die Pflanzenernährung günstige Form der Phosphorsäure ist. 3. Mineralsuperphosphate und Superphosphate aus Knochenkohle sind bei gleichem Phosphorsäuregehalt im Düngwerth völlig gleich. 4. Eine geringere Düngwirkung der Thomasphosphorsäure gegenüber der Superphosphat-Phosphorsäure läfst sich nach den heutigen Anschauungen nicht begründen.   *Ld.*

E. **Schulze** und E. **Winterstein.** Ueber einen phosphorhaltigen Bestandtheil der Pflanzensamen [2]). — Durch Extraction entfetteter Samen von *Sinapis nigra* mit 10 proc. Kochsalzlösung und Kochen der filtrirten Flüssigkeit, Abfiltriren des Coagulums nach dem Erkalten, dann Erhitzen der filtrirten Flüssigkeit entsteht ein Niederschlag, der, heifs abfiltrirt, mit Wasser, Alkohol und Aether gewaschen, eine weifse, amorphe, leicht zerreibliche Masse darstellt, die in verdünnten Säuren leicht löslich ist, beim Kochen der annähernd neutralisirten Flüssigkeit herausfällt, beim Abkühlen sich aber wieder löst. Die Analyse ergab 9,65 Proc. C, 2,83 Proc. H, 67,88 Proc. Asche, nach deren Untersuchung 34,66 Proc.

---

[1]) Chem. Centr. 67, II, 946. — [2]) Zeitschr. physiol. Chem. 22, 90—94.

P_2O_5 auf die ursprüngliche Substanz kommen. Diese Substanz ist vielleicht identisch mit dem Hauptbestandtheil der in den Proteïnkörnern als Einschlüsse sich findenden Globoide. Pfeffer fand, daſs solche Globoide aus dem Calcium- und Magnesiumsalz einer mit einem organischen Körper gepaarten Phosphorsäure bestehen.   *Ld.*

A. Fernbach. Die Phosphorsäure in Gerste und Malz. Das Malz enthält keine freie Säure [1]. — Die Annahme, daſs Säure die Wirkung der Diastase begünstige, bestätigte sich nicht. Im Malz ist demnach auch keine freie Säure enthalten, und seine saure Reaction mit Lackmus ist auf die Gegenwart saurer Salze, speciell saurer Phosphate zurückzuführen. Dieselben lieſsen sich in kalten Malzauszügen leicht mit Hülfe anderer Indicatoren nachweisen. So zeigt Phenolphtaleïn saure Salze sicher an, während es sich gegen neutrale Salze, auch secundäre Phosphate neutral verhält. Methylorange dagegen färbt sich durch die kleinste Menge freier Säure roth, reagirt aber gegen saure Salze, namentlich primäre Phosphate, neutral, gegen secundäre alkalisch. — Bei der Untersuchung über die Phosphorsäureverhältnisse in Gerste und Malz ergab es sich, daſs während des Mälzprocesses ein beträchtlicher Theil der Phosphorsäure in den wasserlöslichen Zustand übergeführt wird, während bei der Keimung eine Abnahme der Gesammtphosphorsäure stattfindet.   *Rh.*

Otto Mittelstädt. Ueber die Function des Kalis bei dem Assimilationsvorgange im Pflanzenorganismus [2]. — Verfasser ist der Ansicht v. Bayer's, daſs das erste Assimilationsproduct der Kohlensäure der Formaldehyd ist. In Folge seiner groſsen Polymerisationsfähigkeit ist er zur Bildung von Zuckerarten befähigt und diese können dann weiter das Material zur Bildung höher constituirter Kohlenhydrate (Dextrin, Stärke) liefern. Wird der Pflanze Kali vorenthalten und werden ihr andererseits alle sonst nöthigen Nahrungsstoffe zugeführt, so ist sie nicht im Stande, Stärke zu bilden, wie Nobbe bereits früher nachgewiesen hat. Kali ist also für den Assimilationsproceſs von auſserordentlicher Wichtigkeit. Bekanntlich wird ja die Condensation des Formaldehyds zu Glucose durch die Anwesenheit starker Basen sehr erleichtert. Kali übernimmt daher die Function des Kraftüberträgers und condensirt den Formaldehyd zu Zucker und Stärke.

                                                                                Tr.

---

[1] Journal of the Federated Inst. of Brewing 2, 128; Wochenschr. Brauerei 13, 426—428; Ref.: Chem. Centr. 67, I, 1182. — [2] N. Zeitschr. Rüb.-Ind. 37, 93—94; Ref.: Chem. Centr. 67, II, 632.

Egidio Pollacci. Ueber die Löslichkeit des neutralen Calciumcarbonats und des neutralen Calciumphosphats und über die biologische und ackerbauliche Wichtigkeit des Calciums [1]). — Pollacci weist nach, dafs das Calcium absolut nothwendig ist für die Entwickelung und Production der Pflanzen. In der Lombardei giebt es Aecker, deren Boden kein Calciumcarbonat, aber genug Phosphate enthält; die Verarmung derselben an Kalk beruht auf der verschiedenen Löslichkeit; 1 Thl. Calciumcarbonat löst sich in 9662 Thln. Wasser von 12°; die Löslichkeit des Tricalciumphosphates ist viel geringer. Solche Böden sind mit Mörtel zerfallener Häuser, Kreide, Marmor, Gyps zu düngen.   *Ld.*

Victor Vedrödi. Das Kupfer als Bestandtheil unserer Vegetabilien [2]). — Vedrödi hat vor einigen Jahren den Kupfergehalt verschiedener Böden und der darauf producirten Vegetabilien bestimmt. Die enorm grofsen Werthe, welche er gefunden hatte, veranlafsten K. B. Lehmann, diese Untersuchungen zu controliren; bei den Controlanalysen wurde nur der hundertste Theil der von Vedrödi angegebenen Kupfermengen gefunden. Der letztere behauptet, seine Analysen gewissenhaft ausgeführt zu haben, theilt die Resultate neuer Untersuchungen mit, die theilweise wieder sehr grofse Kupfergehalte in verschiedenen Getreidearten, Hülsenfrüchten und Paprikaschoten ergaben und scheint die Ursache der Differenzen zwischen seinen und Lehmann's Resultaten in der geringeren Exactheit der von Lehmann angewendeten Methode suchen zu wollen.   *Ld.*

M. O'Brien. Die Proteïnstoffe des Weizens [3]). — Es werden im Weizenmehl drei Proteïnstoffe unterschieden: *Kleber*, der beim Auswaschen des Mehles mit Wasser ungelöst bleibt, *Globulin*, das aus dem wässerigen Filtrate beim Kochen sich abscheidet, und *Proteose*, die gelöst bleibt; die letztere scheint zu den Proto- und Heteroalbumosen zu gehören. Das Globulin besteht aus dem bei circa 55° coagulirenden *Myosin* und dem bei 80 bis 100° coagulirenden *Vitellin*. Der Kleber kann in vier Substanzen zerlegt werden, nämlich: in das beim Behandeln mit Alkohol unlöslich zurückbleibende *Zymon* und die in Lösung gehenden *Myxon*, Glutin und Mucin. Die Ansicht, dafs der Kleber erst durch Fermentirung entstehe, hält O'Brien auf Grund von Experimenten für nicht zutreffend. Die in der Kleberschicht enthaltenen Proteïnkörner der Gramineensamen unterscheiden sich wesentlich

---

[1]) Chem. Centr. 67, II, 946; L'Orosi 19, 217—230. — [2]) Chemikerzeit. 20, 399—400. — [3]) Wochenschr. Brauerei 1895, S. 1259.

von denen der meisten Phanerogamen. Während diese eine
scharfe Differenzirung in mineralische Globoide und eine Proteïn-
grundmasse erkennen lassen, scheinen jene aus einer homogenen,
aus Proteïnstoffen, Magnesium- und Kalkphosphat gemischten
Masse zusammengesetzt zu sein.   *Ld.*

  S. **Frankfurt.** Zur Kenntniſs der chemischen Zusammensetzung des ruhenden Keims von Triticum vulgare [1]). — Die
qualitative Untersuchung der Weizenkörner ergab folgende Bestandtheile: Globuline, Albumosen, Allantoin, Asparagin, Xanthinkörper, Pepton, das sich erst durch die Wirkung eines Fermentes
gebildet hat, Cholin, Betaïn, Fett, Lecithin, Phytosterin, Rohrzucker, Raffinose, Glycose und organische Säuren, über deren
Natur dermalen nichts Näheres angegeben werden kann, endlich
das Zymogen eines eiweiſslösenden Fermentes und ein invertinähnliches Ferment. Die quantitative Analyse ergab für die
Trockensubstanz:

  Globuline, Albumosen (13,62 Proc.) . . . . 35,24 Proc.
  Asparagin, Allantoin, Cholin, Betaïn.
  Fett, Cholesterin (0,44 Proc.), Lecithin (1,55 Proc.) . 13,51 „
  Rohfaser . . . . 1,71 „
  Rohrzucker, Raffinose (6,89 Proc.), Glycose . . . . 24,34 „
  Zymogen und invertinähnliches Ferment.
  Aschenbestandtheile . . . . 4,82 „

Daſs aus dem Gramineënkeimlinge sich auch dann normale
Pflanzen entwickeln können, wenn man ihn vom Endosperm trennt,
ist nach den Ergebnissen dieser Untersuchung ganz verständlich.
Das vorhandene Nährstoffgemisch reicht aus, um dem Keim eine
gewisse Entwickelung zu ermöglichen, auch wenn er von aufsen
keine Nährstoffe erhält. Globuline und Albumosen sind im Keime
in gröſserem Procentsatze enthalten, als im ganzen Samen; sie
bilden wichtige Nährstoffe. Asparagin, Allantoin und Xanthinkörper sind wohl als Umwandlungsproducte der Proteïnstoffe im
Keimleben anzusehen, die keine Rolle als Nährstoffe spielen.
Cholin und Betaïn, namentlich das erstere, dürften als Schutz-
vorrichtungen dienen. Der hohe Gehalt an Fett spricht dafür,
daſs dieses einen besonderen Werth für die Ernährung der jungen
Keimlinge hat. Das Lecithin bietet dem Keimling leicht ver-
wendbare Phosphorsäure, über die Bedeutung des Cholesterins
läſst sich nichts Bestimmtes aussagen. Der Rohrzucker dient
dem Keimling in der allerersten Entwickelung als Nahrung, er

---

[1]) Landw. Vers.-Stat. **47**, 449—470; Ref.: Ber. **29**, 1159.

ist aber auch eine gute Transportform für den Kohlenstoff. Die schwerer verwandelbare Raffinose dürfte, wie das Stärkemehl, das Wachsthum reguliren helfen.   *Ld.*

Balland. Sur le maïs[1]). — Untersuchungen verschiedener Mais-Varietäten ergaben: 1. Verschiedenheit in Gewicht, Form und Färbung der Körner bei gleichförmiger chemischer Zusammensetzung. 2. Der Gehalt an Stickstoff und an Phosphaten ist so grofs, wie der mittlere des französischen Weizens, der Fettgehalt aber drei- bis viermal so grofs, wie der des letzteren. 3. Das Gewicht des Embryo für 100 Gewichtstheile Körner ist beim Mais mehr als zehnmal so grofs, als beim Weizen. 4. Auf 1 g kommen 40 Maisembryonen, andererseits aber 1200 bis 1300 Weizenembryonen. Diese Embryonen weisen bezüglich der chemischen Zusammensetzung wesentliche Unterschiede auf; der Maisembryo enthält etwas mehr Aschenbestandtheile, dreimal mehr Fett und dreimal weniger Stickstoff, als der Weizenembryo.   *Ld.*

H. C. Prinsen Geerligs. Einige chinesische Sojabohnenpräparate[2]). — Die in Ostasien massenhaft angebaute Sojabohne giebt mit sehr geringer Mühe einen sehr lohnenden Ertrag und liefert eine reiche Ernte an Samen, die einen grofsen Gehalt an Nährstoffen enthalten. Verfasser giebt für die Samen folgende Analyse, die mit den von König angegebenen gut übereinstimmt, an:

	Weifse Sojabohne von Java	Weifse Sojabohne von China	Getrocknete Samenlappen d. schwarzen Sojabohne
Eiweifs	37,62	43,50	40,12
Fett	16,97	11,80	15,29
Mit Salzsäure verzuckerbare Kohlenhydrate	24,03	23,10	15,12
Andere stickstofffreie Extractivstoffe . . .			28,94
Holzfaser	4,58	5,12	5,36
Asche	5,10	5,08	5,17
Wasser	11,70	11,40	—

Alle Varietäten sind stärkefrei. Obschon die Sojabohne sehr reich an Nährstoffen ist, so hat sie die unangenehme Eigenschaft, schwer verdaulich zu sein, weshalb man aus ihr allerlei Präparate

--

[1]) Compt. rend. 122, 1004—1006. — [2]) Chemikerzeit. 20, 67—69.

herstellt, um die Nährsubstanz in leicht assimilirbare Form zu bringen. Verfasser beschreibt eingehend die Herstellung und Eigenschaften des Tao-hu oder Bohnenkäses, des chinesischen Soja oder Tao-Yu (Bohnenöls), des japanischen Soja und des Tao-tjiung oder Bohnenbreies.   *Mt.*

N. Kromer. Ueber die Bestandtheile der Samen von Pharbitis Nil L. [1]. — Die Untersuchung dieser Samen ergab folgende Resultate: 1. Das fette Oel der Samen besteht aus den Glyceriden der Oelsäure, Palmitinsäure, Essigsäure und Stearinsäure nebst kleinen Quantitäten von Lecithin. 2. Die Samen enthalten eine eisengrünende Gerbsäure von der Zusammensetzung $C_{17}H_{22}O_{10}$. 3. Die Samen enthalten ein zu den Saccharosen gehörendes Glycosid, dem die specifische Drehung $[\alpha]_D = +109,53^0$ zukommt, dasselbe wird *Pharbitose* genannt. 4. Das in den Samen enthaltene Harzglycosid ist stickstofffrei, linksdrehend und dem Convolvulin procentisch gleich zusammengesetzt, es ist aber nicht damit identisch. Alkalihydrate zerlegen das Glycosid in eine mit der *Convolvulinsäure* isomere Glycosidsäure, eine *Tetroxydecylsäure* und flüchtige Fettsäuren. Die Glycosidsäure zerfällt durch Mineralsäuren in ein Kohlenhydrat und eine wahrscheinlich mit der Convolvulinsäure isomere Fettsäure.   *Ld.*

Alex. Hébert et G. Truffaut. Etude physiologique des cyclamens [2]. — Um die günstigsten Bedingungen für das Gedeihen der jetzt vielfach angebauten Cyclamen zu finden, wurden Analysen von Cyclamen persicum, das unter verschiedenen Bedingungen gewachsen war, vorgenommen. Aus den Resultaten der Untersuchung lassen sich folgende Schlüsse ziehen: 1. Unter dem Einflusse von Dünger nehmen beim Cyclamen hauptsächlich die Blätter an Zahl zu, während die Zahl der Blüthen abnimmt. 2. Die chemische Zusammensetzung der normal entwickelten und der nicht normal entwickelten (wenig Blüthen enthaltenden) Pflanze ist nahezu gleich. 3. Ein günstiger Erfolg ist hier hauptsächlich dadurch zu erzielen, dafs man einen Boden von der richtigen physikalischen Beschaffenheit auswählt. 4. Sollte man eine ergänzende Düngung für nöthig finden, so wäre dazu eine Mischung von Natriumnitrat, Kochsalz und Eisenvitriol zu verwenden.   *Ld.*

E. Giustiniani. Ueber einige Bestandtheile der Urtica [3]. — Verfasser hat die schon wiederholt untersuchte *Brennnessel*

[1]) Arch. Pharm. 234, 459—480. — [2]) Bull. soc. chim. [3] 15, 850—855. — [3]) Gazz. chim. ital. 26, I, 1—7.

auf ihre Bestandtheile untersucht, namentlich mit Bezug auf die
von Monaco und Oddo darin aufgefundene alkaloidartige Substanz. Die frische Pflanze wurde zerstofsen und der Saft ausgeprefst, die getrocknete mehrere Stunden mit Wasser macerirt,
dann ausgeprefst, der so erhaltene Saft einer Destillation unterworfen, der Rückstand weiter untersucht auf. Glucoside und
Alkaloide. Verfasser fafst seine Resultate, wie folgt, zusammen.
1. In beiden untersuchten Species (Urtica dioica und urens) und in
zwei verschiedenen Vegetationsstadien (Februar und Juni) wurde
keine erkennbare Menge von Alkaloiden gefunden. 2. Der Saft
der frischen Pflanze, besonders vor der Blüthe, entwickelt beim
Destilliren salpetrigsaure Dämpfe (im weiteren Verlauf der Destillation trat Ammoniak auf). Diese Erscheinung vermindert
sich mit fortschreitender Vegetation, ist bei der getrockneten
Pflanze nicht mehr sichtbar und steht wahrscheinlich in Zusammenhang mit der gleichzeitigen Anwesenheit von Ameisensäure [1]) und
Nitraten im Saft der Pflanze.		S.

L. Asriel. Untersuchung von Valoneen und von einzelnen
Theilen derselben [2]). — Die Valoneen sind die Früchte der in
Kleinasien, Griechenland und den anliegenden Ländern einheimischen Quercus Vallonea und Quercus Graeca. An der Valonea
werden drei Theile unterschieden: der eigentliche Becher, die an
diesem sitzenden Schuppen (Trillo genannt) und die Eichel. Die
Untersuchung ergab:

	Eicheln Proc.	Becher Proc.	Trillo Proc.	Ganze Valonea Proc.
Wasser	14,50	14,50	14,50	14,50
Organische Gerbsubstanzen . . .	15,86	27,69	45,50	31,71
Organische Nichtgerbstoffe	7,74	6,24	11,45	7.93
Extractasche	2,89	2,15	0,32	1,68
Unlösliches	59,01	49,42	28,23	44,18

Der Trillo ist der gerbstoffreichste Theil. Der durchschnittliche
Gerbstoffgehalt der Valoneen ist 28 Proc., sie gehören daher zu
den gerbstoffreichsten Gerbmaterialien. Die griechischen Sorten
stehen den Smyrnaprovenienzen wenig nach, die allerschlechtesten

[1]) Ameisensäure hat Verfasser selbst nicht nachgewiesen. — [2]) Deutsche
Chemikerzeit. 11, 150—151.

Sorten sind die Karamaniaprovenienzen, ihr Gerbstoffgehalt beträgt im Durchschnitt 21 Proc. *Ld.*

George F. Payne. Mineral constituents of the watermelon [1]). — Die Analyse der *Wassermelone* ergab einen Aschengehalt von 0,3338 Proc., die Asche zeigte folgende Zusammensetzung:

SO_3	4,41 Proc.	SiO_2	2,15 Proc.
CaO	5,54 „	P_2O_5	10,25 „
MgO	6,74 „	Cl	4,94 „
K_2O	61,18 „	Fe_2O_3	0,48 „
Na_2O	4,31 „		*Ld.*

H. Kiliani. Ueber den Milchsaft der Antiaris toxicaria [2]). — Die wesentlichsten Resultate einer Untersuchung dieses Milchsaftes sind: 1. Der Saft enthält reichlich Kalisalpeter. 2. Der Saft enthält das *Antiarol*, den 1,2,3-Trimethyläther des 1,2,3,5-Phenetrols. 3. Das sehr wenig reactionsfähige *krystallisirte Antiarharz* hat vielleicht die Formel $C_{24}H_{36}O$. 4. Das *Antiarin*, $C_{27}H_{42}O_{10}$ + $4H_2O$, wird durch verdünnte Säure gespalten in *Antiarigenin*, $C_{21}H_{30}O_5$, und *Antiarose*, $C_6H_{12}O_5$; die Zusammensetzung der letzteren wurde erschlossen aus derjenigen der *Antiaronsäure*, welche ein sehr krystallisationsfähiges Lacton bildet. *Ld.*

Neue Drogen. Azadirachta indica Juss. [3]). — Die Rinde dieses Baumes enthält einen amorphen, harzartigen Bitterstoff, dem die Formel $C_{36}H_{50}O_{11}$ zukommt; in den Blättern findet sich auch ein Bitterstoff, der ein Hydrat desjenigen der Rinde sein soll. *Holarrhena antidysenterica* Wall. Die Samen enthalten das Alkaloid *Conessin*. *Salvadora oleoides* Dene. Die Samen liefern ein hellgrün gefärbtes Oel, das Butterconsistenz besitzt. *Sapindus trifoliatus* L. Die Früchte werden in Indien als Ersatz für Seife benutzt, sie sollen 4,5 Proc. Saponin, die Kotyledonen 30 Proc. Fett enthalten. *Ld.*

E. H. Farr und R. Wright. The pharmacy of Conium maculatum [4]). — Es wurde der Alkaloidgehalt der verschiedenen Theile junger und älterer Pflanzen von Conium maculatum bestimmt. *Ld.*

Gabriel Pouchet. Ueber den Panbotano [5]). — In dieser fieberwidrigen, mexicanischen Droge, welche in Form von Wurzelstümpfen nach Europa kommt, wurden folgende Substanzen aufgefunden: *Saponin*, ein noch nicht bestimmtes Alkaloid, eine

[1]) Amer. Chem. Soc. J. 18, 1061—1063. — [2]) Arch. Pharm. 234, 438—451. — [3]) Chemikerzeit. 20, 407—408, 498, 558—559. — [4]) Pharm. J. [4] 3, 89 u. 90. — [5]) Chemikerzeit. 20, Repert. 246.

gefärbte, harzige Substanz und ein farbloses Harz nebst etwas
Tannin.   *Ld.*

Karl Peinemann. Beiträge zur pharmaceutischen und
chemischen Kenntnifs der Cubeben und der als Verfälschung derselben beobachteten Piperaceenfrüchte [1]). — Die Abhandlung beginnt mit einem historischen Theile, diesem folgt der pharma-
kognostische Theil und darauf der chemische Theil. Aus dem
letzteren ist Folgendes hervorzuheben: Piperaceenpflanzen, in denen
Cubebin, oder verwandte Körper, wie Methysticin, Ottonin u. s. w.
vorkommen, enthalten keine alkaloidartige Substanz, dagegen sind
die, in denen ein Alkaloid nachgewiesen wurde, frei von Cubebin
und ähnlichen Körpern, so dafs sich diese Substanzen gegenseitig
in den Pflanzen der Familie der Piperaceen zu vertreten scheinen.
Eine Ausnahme macht *Piper Lowong*, in dem neben Piperin das
mit dem *Cubebin* verwandte *Pseudocubebin* vorkommt; diese beiden
Körper sind zwar einander sehr ähnlich, sie sind aber doch nicht
identisch. Im Handel scheinen verschiedene Cubebinsorten vor-
zukommen, woraus sich die abweichenden Angaben über das
Cubebin erklären lassen. Das ätherische Oel von Piper Lowong
besteht im Wesentlichen aus zwei Fractionen, deren eine optisch
activ ist, während die andere inactiv ist. Aus einer Fraction
wurde ein Körper von der Formel $C_{10}H_{20}O_2$ isolirt, der vielleicht
das Dihydrat eines Terpens ist.   *Ld.*

F. Bauer und A. Hilger. Beiträge zur chemischen Kenntnifs
der Pfefferfrucht [2]). — Der Piperingehalt reiner Pfefferproben
schwankte zwischen 5,55 und 7,77 Proc., während reine Schalen
nur 0,2 Proc. Piperin ergaben; demnach wäre bei Pfeffer Verdacht
auf fremde Zusätze bezw. Schalen begründet, wenn der Piperingehalt unter 4 Proc. liegt. Ferner kommen bei der Pfeffer-Unter-
suchung die Furfurol liefernden Körper in Betracht; das Furfurol
kann als Hydrazon bestimmt werden. Es wurden gefunden für
5 g von reinem schwarzem Pfeffer 0,2 bis 0,23 g, für 5 g von
weifsem Pfeffer 0,046 bis 0,052 g, für 5 g Pfefferbruch-Staub und
Schalen 0,41 bis 0,56 g Furfurolhydrazon. Demnach kann man
einen Schalenzusatz von mehr als 15 Proc. ziemlich sicher nachweisen. Für „langen Pfeffer" wurde der Piperingehalt = 4,9 Proc.
gefunden, 5 g dieses Pfeffers gaben 0,185 g Furfurolhydrazon. Der
Reinaschengehalt des langen Pfeffers betrug 6,02 bis 6,8 Proc.
Diese Asche enthält:

---

[1]) Arch. Pharm. **234**, 204—271. — [2]) Chemikerzeit. 20, Repert. 156;
Chem. Centr. 67, I, 1213—1214.

Phosphorsäure	8,361
Schwefelsäure	3,017
Salzsäure	9,325
Eisenoxyd	2,192
Kalk	13,97
Magnesia	4,06
Alkalien	62,05

Ld.

Richard Kilsling. Fortschritte auf dem Gebiete der Chemie des Tabaks [1]). — Der Aufsatz enthält eine Zusammenstellung der letzten Arbeiten über die Constitution des Nicotins, dann jener über die Bestimmung des Nicotins im Tabak, wobei die von Vedrödi an Kilsling's Verfahren geübte ungünstige Kritik als völlig verfehlt, auf fehlerhafter Ausführung beruhend bezeichnet wird, dann folgt eine Besprechung der Arbeiten aus dem Gebiete der Agriculturchemie des Tabaks, ferner der Untersuchungen über die Laubbehandlung des Tabaks und ihren Einfluß auf die Qualität der Blätter, der Untersuchungen über die am trockenen und am fermentirenden Tabak befindlichen Blätter, der zur Verbesserung des Tabaks vorgeschlagenen Culturmaßregeln, der mit Suchsland's Methode der sogenannten Edelfermentation erzielten Resultate, der zur Hebung des Tabakbaues in Deutschland angestellten Düngungsversuche, der Untersuchungen über die Glimmfähigkeit des Tabaks unter dem Einflusse bestimmter Kunstdüngermischungen, der Untersuchungen über den Einfluß der Düngung auf die Beschaffenheit des Tabakblattes, endlich der Behandlung des Tabaks nach der Ernte. Am Schlusse wird ein Vorschlag Schlösing's zur Darstellung nicotinreicher Extracte erwähnt, nach welchem das Nicotin in einem geeigneten Destillationsapparat aus dem alkalisirten Tabak ausgetrieben wird. *Ld.*

---

[1]) Chemikerzeit. **20**, 715.

Analyse anorganischer Stoffe.

Allgemeines.

F. W. Küster. Die Bedeutung der Arrhenius'schen Theorie der Ionenspaltung für die analytische Chemie [1]). — Die gemachten Ausführungen zeigen, daſs die Theorie für das Verständniſs der elektrochemischen Reactionen sowie der wichtigsten Thatsachen der analytischen Chemie von Nutzen ist. Sie bietet eine sichere Grundlage für den theoretischen Ausbau des Gebietes, erlaubt die Aufstellung allgemeiner Gesichtspunkte und vertieft die Auffassung der Erscheinungen. *Brl.*

F. P. Dewey. Die gegenwärtige Genauigkeit der chemischen Analyse [2]). — Es wird hervorgehoben, wie oft die Untersuchung eines und desselben Körpers in den Händen verschiedener Analytiker zu recht erheblich verschiedenen Resultaten führt. Dies wird beispielsweise gezeigt betreffs der Bestimmung des *Mangans* im *Stahl*, der in citronensaurem Ammonium löslichen und unlöslichen *Phosphorsäure*, der Analyse des rohen *Kupfers*, der Bestimmung von *Gold* und *Silber* im *Kupfer*, des *Kaliums* im käuflichen *Chlorkalium* und endlich der Analysen von *Bodenarten*. *Brl.*

Hanns Freiherr v. Jüptner. Die Ungleichheit des Probematerials als Ursache von Analysendifferenzen [3]). — Der Verfasser weist nach, daſs Analysen sehr verschieden ausfallen, nicht nur, wenn man die zu analysirenden Proben verschiedenen Theilen einer Stahlplatte entnimmt, sondern auch, wenn die Proben ganz nahe bei einander liegenden Stellen entnommen sind. Auch Probespäne können mikroskopische Unterschiede zeigen, welche die Analysenresultate wesentlich beeinflussen. *v. Lb.*

---

[1]) Zeitschr. Elektrochem. 3, 233—236, 257—260. — [2]) Amer. Chem. Soc. J. 18, 808—818. — [3]) Oesterr. Zeitschr. Berg- u. Hüttenw. 44, 159—161.

E. K. Landis. Indirecte Analyse [1]. — Es wird eine Formel
angegeben für die indirecte Bestimmung zweier Bestandtheile,
wenn deren Trennung Schwierigkeiten darbietet oder umständlich
ist, so z. B. für die Ermittelung von *Kalium* neben *Natrium* durch
Titrirung des Gemisches der Chloride mit Silberlösung, für die
Bestimmung von *Chlor* und *Brom* neben einander durch Zersetzung
des gewogenen Gemisches der Silbersalze durch Chlor und abermalige Wägung u. s. w. *Brt.*

W. W. Andrews. Einige Erweiterungen der Gypsmethode
bei der Löthrohranalyse [2]. — Es wird über neue Anwendungen
der von E. Haanel [3] ersonnenen Methode berichtet, bei welcher
statt der Holzkohle Lamellen von Gyps als Unterlage dienen.
Dabei kommt eine Reihe von seither nicht vorgeschlagenen
Reagentien zur Anwendung. Man kann mit Hülfe des erwähnten
Verfahrens *Gold* und *Kupfer* auch in sehr geringen Mengen neben
allen anderen Elementen, *Arsen*, *Zinn* und *Antimon* neben einander,
Schwefel in Gegenwart von Selen und Tellur, *Chlor*, *Brom* und
Jod neben einander nachweisen. *Brt.*

R. Burgaß. Anwendung des Nitroso-β-naphtols in der an-
organischen Analyse [4]. — Von den am häufigsten vorkommenden
Metallen werden Kobalt, Kupfer und Eisen quantitativ gefällt.
Es bleiben vollständig gelöst: Quecksilber, Nickel, Chrom, Mangan,
Blei, Zink, Aluminium, Cadmium, Calcium, Magnesium, Beryllium,
Antimon, Arsen. Nur zum Theile werden Silber, Zinn und Wis-
muth niedergeschlagen, welche man daher vor der Anwendung
jener Nitrosoverbindung in der Analyse zu entfernen hat, und
zwar als Chlorsilber, Zinnoxyd und Wismuthoxychlorid. Bei der
Ausfällung des Eisens wirkt die etwa gegenwärtige Phosphorsäure,
bei Fällung von Eisen, Kobalt und Kupfer die Anwesenheit von
Wolfram- und Molybdänsäure störend. *Brt.*

N. Tarugi. Ueber ein neues Verfahren zur Trennung der
Phosphate in der Gruppe des Ammoniaks [5]. — Bei dem üblichen
Gange der qualitativen Analyse können bekanntlich, nach der
vorhergegangenen Ausfällung mit Salzsäure und Schwefelwasserstoff, beim Zusatze von Ammoniak Phosphate in den Niederschlag
übergehen. Ist nun in letzterem die Gegenwart von Phosphorsäure erkannt worden und will man die im Niederschlage etwa
enthaltenen Metalle (Eisen, Chrom, Aluminium, Mangan, Calcium,

[1] Amer. Chem. Soc. J. 18, 182—188. — [2] Daselbst, S. 849—869. —
[3] In den Jahren 1883 und 1884 in den „Proceedings of the Royal Society
of Canada" publicirt. — [4] Zeitschr. angew. Chem. 1896, S. 596—601. —
[5] Gazz. chim. ital. 26, II, 256—258.

Baryum, Strontium, Magnesium) aufsuchen, so scheiden dieselben in folgender Weise die Phosphorsäure ab. Der durch Ammoniak in Gegenwart von Chlorammonium erhaltene Niederschlag wird in der Kälte mit Essigsäure behandelt, welche alle Hydrate und, aufser derjenigen des Eisens und Aluminiums, auch alle Phosphate aufnimmt. Das Filtrat wird mit überschüssigem Bleiacetat ausgefällt und nach abermaligem Filtriren das Blei mit Schwefelwasserstoff abgeschieden, um dann im Filtrate die Metalle aufzusuchen. *Brt.*

P. Jannasch. Ueber das Verhalten der Mineralien der Andalusitgruppe gegen Aufschliefsungsmittel. I [1]). — Die Zersetzung der Silicate durch Borsäure [2]) ist allgemein anwendbar und einfacher als die gebräuchlichen Methoden. Disthen und andere Mineralien der Andalusitgruppe, welche überhaupt schwer zersetzt werden, kann man vollständig aufschliefsen, indem man sie nach dem Glühen mit Ammoniak behandelt, mit concentrirter Flufssäure ansäuert, zur Trockne verdampft und einige Zeit lang in einem Nickeltiegel schmilzt. Schliefslich wird das Fluorammonium verjagt und der Rückstand mit verdünnter Schwefelsäure behandelt. *Brt.*

Th. Salzer. Die volumetrischen Lösungen des Arzneibuches [3]). — Verfasser ist der Ansicht, dafs Kaliumdichromat zur Einstellung der officinellen volumetrischen Lösungen für Säure und Alkalibestimmungen wie auch für Oxydations- bezw. Reductionsanalysen die in das Arzneibuch aufgenommene Normaloxalsäurelösung nicht ersetzen kann. Er schlägt daher vor, statt der zur Einstellung für mafsanalytische Lösungen vorgeschlagenen Kaliumdichromatlösung, wie es früher üblich war, Normalsalzsäure durch Verdünnen von 25 proc. Salzsäure darzustellen, zur Jodometrie eine Natriumthiosulfatlösung aus reinem Salz sich zu bereiten und bei der Silberlösung von reinem Silbernitrat auszugehen. *Tr.*

J. Knobloch. Das Einstellen der volumetrischen Lösungen des Arzneibuches [4]). — Es wird die Anwendung einer $^1/_{10}$-normalen Kaliumdichromatlösung vorgeschlagen zur Einstellung der $^1/_{10}$-Normallösungen von Thiosulfat, Jod, Silbernitrat, Kochsalz und Permanganat, sowie der Normallaugen und Säuren. *Brt.*

Georges Freyfs. Mafsanalyse mit Kaliumbicarbonat [5]). — In Folge seiner Schwerlöslichkeit in kaltem Wasser und seiner

---

[1]) Zeitschr. anorg. Chem. 12, 219—222. — [2]) Daselbst, S. 208—218. —
[3]) Pharm. Zeitg. 41, 872—873. — [4]) Chem. Centr. 67, II, 1131—1132. —
[5]) Daselbst, S. 511; Bull. soc. ind. Mulhouse 66, 250—254.

groſsen Krystallisationsfähigkeit ist das Bicarbonat leicht zu reinigen. Getrocknet wird es über concentrirter H_2SO_4 in einer Kohlensäureatmosphäre. Die Lösungen halten sich monatelang, ohne Phenolphtaleïn zu färben, so daſs kein K_2CO_3 gebildet wird. Verwendung wie die einer Säure:

$$KOH + HCl = KCl + H_2O;$$
$$KOH + KHCO_3 = K_2CO_3 + H_2O.$$

Will man Aetzalkali bestimmen, so versetzt man mit überschüssigem Baryumchlorid und titrirt mit Bicarbonat bis zum Verschwinden der Phenolphtaleïnfärbung:

$$KOH + BaCl_2 + KHCO_3 = 2KCl + BaCO_3 + H_2O.$$

Bicarbonate neben Carbonaten werden bestimmt, indem man überschüssiges KOH zusetzt und dieses, wie angegeben, zurücktitrirt. Ferner verwendet man es zur Phenolbestimmung.   *Mr.*

H. v. Jüptner. Titerstellung von Permanganat [1]). — Die Operation geschieht mit Hülfe von *Wasserstoffhyperoxyd* und unter Anwendung von Lunge's Universalgasvolumeter. Die Methode beruht auf der Reaction: $2KMnO_4 + 5H_2O_2 + 3H_2SO_4 = K_2SO_4 + 2MnSO_4 + 8H_2O + O_{10}$. Es entspricht somit eine Hälfte des frei werdenden Sauerstoffs der Uebermangansäure und die andere Hälfte dem Wasserstoffhyperoxyde.   *Brt.*

H. N. Morse and A. D. Chambers. A method for the standardization of potassium permanganate and sulphuric acid [2]). — Die Verfasser benutzen für die Titerstellung von Kaliumpermanganat folgende Reaction:

$$2KMnO_4 + 5H_2O_2 + 3H_2SO_4 = K_2SN_4 + 2MnSO_4 + 8H_2O + 5O_2,$$

wobei sie aus dem Verbrauch an Schwefelsäure den Titer des Permanganates bestimmen, oder umgekehrt. Man mischt eine überschieſsende Menge Schwefelsäure mit ganz neutraler Wasserstoffsuperoxydlösung und bringt diese Mischung zur Permanganatlösung. Die überschüssige Schwefelsäure titrirt man dann mit Ammoniak zurück. Die Resultate sind gute.   *v. Lb.*

E. Riegler. Zur Werthbestimmung und Titerstellung von Chamäleonlösung [3]). — In Folge der Veränderlichkeit der Chamäleonlösung macht sich sehr häufig eine Controle nöthig. Hierzu verwendet Verfasser eine Oxalsäurelösung, die er, wie folgt, bereitet: 9,9654 g chemisch reine Oxalsäure werden in ca. 500 ccm Wasser gelöst, mit 50 ccm concentrirter Schwefelsäure versetzt

---

[1]) Chemikerzeit. 20, Rep. 220. — [2]) Amer. Chem. Soc. J. 18, 236—238.
— [3]) Zeitschr. anal. Chem. 35, 522.

2052 Molybdänoxyd und schwefelsaures Hydrazin in der Maſsanalyse.

und schlieſslich wird nach dem Erkalten die Lösung auf ein Liter
aufgefüllt. Jeder Cubikcentimeter dieser Lösung entspricht genau
0,005 g Kaliumpermanganat. Verfasser hat eine derartige Oxalsäurelösung über ein Jahr aufbewahrt, ohne daſs sie die geringste
Veränderung erlitten hatte. *Tr.*

A. Purgotti. Ueber die Anwendung des blauen Molybdänoxyds in der Maſsanalyse [1]). — Eine saure Lösung des blauen
Oxyds kann in der Hitze mit Vortheil zur Titrirung von *oxydirenden Substanzen* Verwendung finden, wobei man von ersterer
so lange zusetzt, bis eine blaue Färbung auftritt. Jene Lösung
erhält sich in ganz angefüllten, gut verschlossenen Flaschen unverändert, während ihr Titer bei der längeren Berührung mit
Luft sinkt. Zu ihrer Herstellung wird molybdänsaures Ammonium
(1,1 g) in Gegenwart einer hinreichenden Menge Schwefelsäure
(5 ccm) mit überschüssigem Zinkstaub (4 bis 5 g) reducirt, die
braun gewordene Flüssigkeit filtrirt, das Filtrat auf 200 ccm gebracht und in eine Auflösung von 4,2 g Ammoniummolybdat in
800 ccm Wasser und 2 ccm Schwefelsäure eingetragen. Bei kurzem
Kochen wird die Flüssigkeit blau. Zur Titerstellung derselben
dient Kaliumdichromat. Die Flüssigkeit kann zur Bestimmung
von Permanganat, Chromaten, Eisenoxydsalzen, unterchlorigsauren
Salzen, Chlor, Peroxyden, Platinchlorid, Chlorgold, Nitriten u. s. w.
Verwendung finden. *Brt.*

A. Purgotti. Ueber eine neue Methode zur Bestimmung
einiger Substanzen mit Hülfe von schwefelsaurem Hydrazin [2]). —
Das Verfahren basirt darauf, daſs das Hydrazin nur in Gegenwart oxydirender Substanzen reinen Stickstoff entwickelt, aus
dessen Volum die Menge der betreffenden oxydirenden Substanz
abgeleitet werden kann. Zur Messung des entwickelten Stickstoffs
dient der von Schulze und Tiemann angegebene Apparat, welchen er etwas modificirt hat. — Mit Hülfe dieses Verfahrens
läſst sich beispielsweise das *Kupfer* bestimmen, dessen Oxyd in
neutralen Lösungen in Gegenwart von Kochsalz durch das Hydrazinsalz glatt zu Oxydul reducirt wird. Dabei werden auf je 63,3 Thle.
anwesenden Kupfers 7 Thle. Stickstoff entwickelt. — *Kaliumdichromat* wird in siedender, saurer Flüssigkeit durch Hydrazin
unter Bildung von Chromoxyd glatt reducirt. 2 Mol. des ersteren
lassen 6 At. Stickstoff auftreten. — *Manganhyperoxyd* ergiebt mit
Hydrazinsulfat in saurer oder neutraler Flüssigkeit auf jedes
Molekül Hyperoxyd 1 At. Stickstoff. Wasserfreies Eisenoxyd wirkt

---

[1]) Gazz. chim. ital. 26, II, 197—220. — [2]) Daselbst, S. 559—573.

in der Hitze auf saure Hydrazinlösungen schwach, auf neutrale nicht ein. Dagegen giebt im letzteren Falle Eisenoxydhydrat eine leichte Reaction, nicht aber mehr in der Kälte. Um im *Braunstein* das Dioxyd zu bestimmen, arbeitet man wohl am besten in der Hitze und zwar in neutraler Flüssigkeit, da bei Gegenwart von Eisenoxyd in dem Mineral in saurer Flüssigkeit zu hohe Werthe gefunden würden. — Mit Hülfe von Hydrazinsulfat lassen sich ferner noch bestimmen: *Bleihyperoxyd, Mennige, Silberverbindungen, Quecksilbersalze* u. s. w. *Brt.*

E. Riegler. Zur Titerstellung der Thiosulfatlösung mittelst Jodsäure [1]). — Natriumthiosulfat reagirt mit Jodsäure nach der Gleichung: $6\,Na_2S_2O_3 + 6\,HJO_3 = 3\,Na_2S_4O_6 + 5\,NaJO_3 + NaJ + 3\,H_2O$. Ist Stärke zugegen, so bewirkt eine Spur Jodsäure im Ueberschusse eine Blaufärbung, indem die Reaction $5\,NaJ + 6\,HJO_3 = 5\,NaJO_3 + 3\,H_2O + 6\,J$ stattfindet. Jodsäure ist leicht rein zu erhalten, sie ist nicht hygroskopisch und läſst sich gut trocknen. Ihre wässerigen Lösungen lassen sich längere Zeit unverändert aufbewahren. *Brt.*

Ruofs. Eine allgemeine Methode zur volumetrischen Bestimmung der durch fixe Alkalihydrate oder -carbonate fällbaren Metalle [2]). — Bei dieser Methode wird verlangt, daſs das Metall von allen durch diese Agentien fällbaren fremden Metallen getrennt sei. Man neutralisirt in der betreffenden Lösung zunächst alle freie Säure, wobei Methylorange als Indicator dient, sofern keine Essig- oder Oxalsäure zugegen ist. Dabei geht meistens die Farbe der Flüssigkeit aus Roth schlieſslich in ein helles Gelb über, bisweilen aber auch nur in Orange. Sodann wird das Metall durch überschüssige Normallauge in der Siedehitze ausgefällt und der Alkaliüberschuſs in Gegenwart von Phenolphtaleïn mit Normalsäure zurücktitrirt. Bei Anwendung von Alkalicarbonat wird von diesem ein Ueberschuſs zugesetzt, sodann gekocht und nach dem Erkalten tropfenweise titrirte Säure bis zur genauen Neutralisirung hinzugefügt. Derselbe hat dann noch an einer Anzahl von Beispielen die Anwendbarkeit der Methode erläutert. *Brt.*

Wladimir Worm. Ueber einige Methoden der Acidimetrie [3]). — Verfasser hat vergleichende Versuche über die Titerstellung bei Anwendung von Soda, Oxalsäure, Borax und nach der Methode von Schaffgotsch angestellt. Als Grundlage diente eine

---

[1]) Zeitschr. anal. Chem. 35, 308. — [2]) Chem. News 73, 247—248, 277—278; Zeitschr. anal. Chem. 1896, S. 143—158. — [3]) Ref.: Russ. Zeitschr. Pharm. 35, 613.

$^1/_{10}$ - Normalsalzsäure, deren Titer mit Silberlösung auf gewichtsanalytischem Wege festgestellt war und die in 100 ccm 0,365 g HCl
enthielt. Die verschiedenen Urlösungen hatten ungefähr den
gleichen Wirkungswerth bis auf die Sodalösung, welche durch
Glühen über freiem Feuer hergestellte Soda enthielt und welche
nur 0,358 g HCl ergab. Dagegen wurden 0,362 g HCl gefunden,
wenn die Soda nach Kifsling's Vorschlag im Trockenschranke
bei 150° C. getrocknet wurde. Reine und haltbare Oxalsäure
läfst sich herstellen, wenn man Oxalsäure einmal aus 2 proc. Salzsäure und wiederholt aus reinem Wasser umkrystallisirt. Verfasser zieht die Titerstellung mit Borax den übrigen vor, weil er
leicht rein zu erhalten ist, sich unverändert aufbewahren läfst
und auch seine Lösungen sehr beständig sind. *Bm.*

S. P. L. Sorensen. Ueber die Anwendung von normalem
Natriumoxalat bei Titriranalysen [1]. — Man soll reines oxalsaures
Natrium abwägen, durch Glühen in das Carbonat verwandeln und
dieses mit der zu prüfenden *Normalsäure* titriren. Das Oxalat
wird leicht in reinem, wasserfreiem Zustande erhalten durch Auflösen des käuflichen Salzes in Wasser, Zusatz von Natronlauge
bis zur leicht alkalischen Reaction, Abfiltriren und Einengen zur
Krystallisation, sowie Umkrystallisiren. Das so erhaltene reine
Natriumoxalat ist wasserfrei, nicht hygroskopisch und kann bei
125 bis 150° C. getrocknet werden. Am besten stellt man das Salz
durch Einfiltrirenlassen seiner warmen, gesättigten, wässerigen
Lösung in Weingeist dar. — Es läfst sich auch zur Titerstellung
von *Kaliumpermanganatlösungen* verwerthen, für welchen Zweck
das Salz der krystallisirten Oxalsäure vorzuziehen ist. *Brt.*

E. Holm. Titriren mit Kalkwasser [2]. — Es wird auf die
bekannte Eigenschaft des Kalkwassers hingewiesen, in Gegenwart
überschüssigen Aetzkalks bei nicht zu grofsen Temperatur-
schwankungen den Titer fast nicht zu verändern. Bei 20° C. hat
es fast genau die Stärke der $^1/_{20}$-Normallaugen. Die Lösung ist
zu *acidimetrischen Bestimmungen* sehr geeignet. *Brt.*

M. Bialobrzeski. Die Anwendung saurer Lösungen von
arseniger Säure in der Mafsanalyse [3]. — Es kommt eine Lösung
von 7 g glasiger arseniger Säure in einer Auflösung von etwa 70 g
essigsaurem Ammonium in 300 ccm Wasser zum Gebrauch, welche
auf 1 Liter verdünnt wird. Die Flüssigkeit ist sehr gut haltbar.

---

[1] Nyt Tidsskrift for Fysik og Kemi 1, Heft 3; Chem. Centr. 67, II,
715. — [2] Chem. Centr. 67, I, 724; Pharm. Centr.-H. 37, 112. — [3] Russ.
Zeitschr. Pharm. 35, 785—789.

Sie wirkt, auch in Gegenwart von Essigsäure, auf Jod im Sinne der folgenden Gleichung ein: $4J + 2H_2O + As_2O_3 = 4HJ + As_2O_5$. Es verhält sich somit die arsenige Säure hier ebenso wie beim Arbeiten in alkalischer Flüssigkeit. Zur Beschleunigung der Reduction erhitze man auf 70^0. Die obige Lösung kann in der *Jodometrie* das Thiosulfat ersetzen, so z. B. bei der Untersuchung von *Chlorkalk*, *Chloraten*, *Manganoxyden*, bei der Bestimmung der *Chromsäure* und des *Bleies*. *Brt.*

F. W. Küster. Kritische Studien zur volumetrischen Bestimmung von carbonathaltigen Alkalilaugen und von Alkalicarbonaten, sowie über das Verhalten von Phenolphtaleïn und Methylorange als Indicatoren [1]. — Um freie in Gegenwart von kohlensauren Alkalien zu bestimmen, fällt man am besten die Kohlensäure mit neutraler Chlorbaryumlösung aus und titrirt die nicht filtrirte Flüssigkeit mit einer Säure unter Anwendung von Phenolphtaleïn als Indicator. Die Gesammtmenge des freien und kohlensauren Alkalis wird unter Zusatz von Methylorange als Indicator titrirt. Letzteres wird auch durch Kohlensäure geröthet, weshalb bei der Titration carbonathaltiger Laugen stets bis zu einer gewissen Normalfärbung zu titriren ist, welche durch eine gleich concentrirte, mit Kohlensäure gesättigte Auflösung des Farbstoffes (Methylorange) definirt ist. Phenolphtaleïn wird durch verdünnte Lösungen von Alkalidicarbonat geröthet. Natriumsalze starker Säuren und freie Kohlensäure schwächen diese Färbung ab. Phenolphtaleïn ist daher ungeeignet zur genauen Titrirung carbonathaltiger Alkalilaugen. *Brt.*

H. Lescoeur. Die Neutralität der Salze und die gefärbten Indicatoren [2]. — Bei Lösungen solcher Salze, welche auch im neutralen Zustande den Lackmusfarbstoff röthen, läſst sich die Gegenwart freier Säure mit Hülfe von Helianthin (Orange *Poirrier* Nr. 3) und diejenige eines freien Alkalis mit Hülfe von Lackmus oder Phenolphtaleïn erkennen. *Brt.*

Crismer. Resazurin als Indicator [3]. — Das Resazurin (*Diazoresorcin*) verhält sich gegen Alkalien und Säuren wie Lackmus, giebt aber lebhaftere und schönere Färbungen. Es ist ein ausgezeichneter Indicator bei der Titerstellung von *Säuren* mit Borax. Diese Darstellung des Indicators wird beschrieben. *Brt.*

Fr. Bergami. Titerstellung von Normalsäuren durch Borax [4].

---

[1] Zeitschr. anorg. Chem. 13, 127—150. — [2] Compt. rend. 123, 811—813. — [3] Chem. Centr. 67, II, 562; Rev. intern. falsific. 9, 126—127. — [4] J. Franklin Inst. 141, 386.

— Er wendet dabei als Indicator das Lackmoïd an. Wenn man
den käuflichen Borax zweimal umkrystallisirt hat, so giebt das
Verfahren sehr gute Resultate.   *Brt.*

Ronde. Empfindliches Lackmuspapier[1]. — Verfasser weist
darauf hin, dafs die vom Arzneibuche gegebene Vorschrift ungenügend sei und giebt für ein empfindliches Lackmuspapier nachfolgende Darstellungsmethode an. Lackmuswürfel werden nach
dem Pulverisiren mit der 12- bis 15fachen Menge Wasser übergossen und wird das Ganze während eines Tages öfter umgerührt.
Alsdann saturirt man die dunkelblaue Mischung mit concentrirter Schwefelsäure, bis die Lösung erst violettbläulich, dann
röthlichviolett, weinroth und zuletzt hellroth wird und stellt zur
Verjagung von freier Kohlensäure $1/4$ Stunde auf vollen Dampf.
Da die Flüssigkeit meist wieder blau wird, so setzt man, falls
dies eintritt, so lange verdünnte Schwefelsäure zu, bis eingetauchtes
Filtrirpapier eben violettröthlich erscheint. Nach dem Erkalten
colirt man durch ein Tuch und stellt durch tropfenweises Zusetzen von verdünnter Schwefelsäure oder Zugeben von Spuren
von Lackmuspulver die Lösung so ein, dafs Stückchen von ein-
getauchtem und schnell getrocknetem Filtrirpapier die gewünschte
rothe und blaue Nüance eben zeigen. Ehe man die ganze Papier-
menge färbt, prüft man diese Proben erst auf ihre Empfindlichkeit. Nach genannter Methode gelingt es leicht, Papier von einer
Schärfe 1 : 150000 darzustellen.   *Tr.*

Edward A. Uehling und Alfred Steinbart. Verfahren
zur Analyse von Gasen[2]. — Läfst man ein Gasgemisch hinter
einander durch drei Kammern fliefsen, die durch zwei feine Oeffnungen in den zwei Scheidewänden mit einander in Verbindung
stehen, so wird in den einzelnen Kammern bei constanter Zu-
und Abfuhr der Gase hinsichtlich des Druckes ein Gleichgewichts-
zustand eintreten. Dieser Zustand wird geändert, wenn in der
mittleren Kammer der eine Bestandtheil des Gasgemisches absorbirt wird, wobei gleichzeitig auch das specifische Gewicht
der Gase sich ändert. Diese Veränderungen werden mittelst
geeigneter Vorrichtungen sichtbar gemacht und genügen zur
continuirlichen Bestimmung eines oder mehrerer Gase in Gasgemischen.   *H.*

Karl v. Than. Ueber die Compensationsmethode der Gasometrie[3]. — Der Verfasser beschreibt eine aufserordentlich ein-

---

[1] Pharm. Zeitg. 41, 736—737. — [2] Patentbl. 1896, S. 120; D. R.-P.
Nr. 84890. — [3] Zeitschr. physik. Chem. 20, 307—320.

fache Methode, um bei Ablesungen des Gasvolums, möglichst genau und möglichst schnell das corrigirte Volumen zu bestimmen. In dieselbe Quecksilberwanne, in welche das Eudiometerrohr taucht, taucht ein zweites, welches Stickstoff von genau 10 ccm Normalvolum enthält. Dieses Compensationsrohr trägt vier Marken bei 12,5, 14,28, 20 und 50 ccm Normalvolum, so daſs durch Heben des Rohres und Ausdehnung des Gases bis zu jeder dieser Marken sein Druck auf 0,8, resp. 0,7, 0,5 und 0,2 Atm. gebracht werden kann. Man stellt das Rohr so ein, daſs der Quecksilbermeniscus mit einer bestimmten Marke zusammenfällt, stellt dann den Kreuzfaden eines Fernrohres genau auf den oberen Meniscus ein und dreht das Fernrohr um eine verticale Axe, bis das mit dem zu untersuchenden Gase gefüllte Eudiometerrohr im Gesichtsfelde erscheint; dieses wird dann ebenfalls so eingestellt, daſs das Fadenkreuz des Fernrohres mit dem Quecksilbermeniscus zusammenfällt und das Volum des Gases abgelesen. Da seine Temperatur dieselbe ist, wie die des Stickstoffs im Compensationsrohr, und auch sein Druck der gleiche, so kann, wie leicht ersichtlich, das Normalvolum durch Division des abgelesenen Volums mit einer der einfachen Zahlen $\frac{10}{8}$, $\frac{10}{7}$, 2 oder 5 gefunden werden. Auch zur Bestimmung der Dichte eines Gases kann ein ähnliches einfaches Verfahren benutzt werden: ein 100 bis 120 ccm fassendes, leichtes, gewogenes Glasgefäſs, welches zwei Hähne besitzt und dessen eines Ende in ein Eudiometer eingeschliffen ist, wird mit dem zu untersuchenden Gase gefüllt, gewogen, dann auf das Eudiometer gesetzt und, wie oben beschrieben, das Normalvolum des Gases bestimmt: aus Gewicht und Normalvolum findet man dann die Dichte. *Br.*

F. Clowes. Die genaue Bestimmung des Sauerstoffs durch Absorption mit alkalischer Pyrogallollösung [1]). — Der Verfasser hat wiederholt beobachtet, daſs bei der Absorption des Sauerstoffs aus dem Bringase beträchtliche Mengen von Kohlenoxyd entwickelt wurden, während dies bei Luftanalysen nicht der Fall war. Im ersteren Falle lieſsen sich die Resultate durch Aufnahmen des Kohlenoxyds mit Kupferchlorürlösung berichtigen. Bei Anwendung eines hinreichenden Ueberschusses an Aetzkali trat kein Kohlenoxyd mehr auf. Man löse 160 g Aetzkali und 10 g Pyrogallussäure zu 200 ccm auf und verwende diese Flüssigkeit, um obige Fehlerquelle aufzuheben. *Brt.*

---

[1]) Chem. Soc. Ind. J. 15, 742 (Ausz.).

T. W. Hogg. Eine Notiz über Colorimetrie [1]). — Zu der Kohlenstoffbestimmung nach Eggertz werden weitere Röhren mit ebenem Boden benutzt, die bei gleichem Durchmesser in Millimeter getheilt sind, an denen man direct den Procentgehalt ablesen kann. 0,2 g des Normalstahls mit 0,20 Proc. Kohlenstoff werden in 4 ccm Salpetersäure vom spec. Gew. 1,2 gelöst, die Lösung wird im Wasserbade erhitzt, in eine calibrirte Röhre gebracht und bis zur 200-Millimetermarke aufgefüllt. Ebenso verfährt man mit der zu untersuchenden Eisenprobe, ohne die Lösung hier bis zu einer bestimmten Marke aufzufüllen. Von der Normallösung giefst man so lange einen Theil ab, bis beide Lösungen gleiche Färbung zeigen, wenn man durch dieselben auf einen dem Himmel zugewandten Spiegel sieht. Man kann dann direct an dem calibrirten Rohre mit der Normallösung den Kohlenstoffgehalt des untersuchten Stahles ablesen. — Dieselben Röhren kann man auch zur colorimetrischen Bestimmung des Chroms im Eisen aus der Färbung seines Sulfates benutzen. Hf.

K. Komers. Beitrag zur Vereinfachung der Untersuchung von Ackererden [2]). — Um langwierige Operationen bei der Herstellung des salzsauren Auszuges von Ackerboden zu vermeiden, schlägt Verfasser vor, 150 g desselben nach dem Aufschliefsen mit concentrirter Salzsäure und nach dem Erkalten in einen Literkolben zu spülen, bei 17,5° C. zur Marke aufzufüllen, durchzuschütteln und nach dem Absetzen durch ein trockenes Filter zu filtriren. Um nun von den 1000 ccm den Raum abziehen zu können, den der Ackerboden einnimmt, wird das Unlösliche in 10 g Boden extra ermittelt und von diesem unlöslichen Antheile das specifische Gewicht in einem 50 ccm-Pyknometer bestimmt. Durch Rechnung findet man den gewünschten Rauminhalt. Tr.

E. Mulder. Influence perturbatrice de l'acide sulfureux du gaz de houille sur le dosage de quelques corps; moyen d'y remédier [3]). — Wenn man Baryumcarbonat im Platintiegel längere Zeit auf höhere Temperatur erhitzt, so nimmt dessen Gewicht langsam zu. Es werden eine Reihe von Methoden besprochen, um diesen Fehler zu vermeiden; die einfachste derselben besteht darin, in eine Asbestplatte von 18 qcm ein Loch von 3,4 cm Durchmesser zu schneiden, das letztere durch einen Platinring einzufassen und den Platintiegel von 24 mm Durchmesser mittelst

---

[1]) Chem. Soc. Ind. J. 14, 1022—1023; Ref.: Chem. Centr. [4] 8, I, 513. — [2]) Oesterr.-ung. Zeitschr. Zucker-Ind. u. Landw. 25, 793—795; Ref.: Chem. Centr. 67, II, 1130. — [3]) Rec. trav. chim. Pays-Bas 14, 307; Ber. 29. Ref. 433.

eines Platinfadenkreuzes in diesem Ringe aufzuhängen. Die Anwendung allzu hoher Temperaturen ist indefs auch in diesem Falle zu vermeiden, da in diesem Falle die schweflige Säure das Platin durchdringt. *H.*

Apparate. — F. Strohmer [1]) beschreibt eine neue Scalenbeleuchtungsvorrichtung für Polarisationsapparate, die an allen Instrumenten mit Keilcompensation angebracht werden kann. Der Apparat, der die Beobachtungslampe als Lichtquelle benutzt, beruht auf dem Principe, dafs sich während der Ablesung in der glänzenden Oberfläche der Scala gleichzeitig eine beleuchtete undurchsichtige oder mattirte, farblose oder farbige Fläche aus Glas oder die Lichtquelle selbst abspiegeln, wodurch die Scala stark aufgehellt wird. *Ps.*

A. Gawalowski [2]) beschreibt einen einfachen elektrolytischen Apparat. Aus einer Platinschale und einem Zinkstab wird bei elektrolytischen Metallfällungen ein Element gebildet und kurz geschlossen. Ein über die Platinschale gestülpter Trichter kann durch die Gasbläschen emporgeschleuderte Flüssigkeiten auffangen. *Ps.*

W. C. Heraeus [3]) giebt eine Platinelektrode für elektrolytische Zwecke an, die billig, dabei widerstandsfähig ist und die Zuleitung grofser Strommengen, sowie die Ausnutzung beider Flächen gestattet. Zwei oder mehrere, mit gut leitendem Materiale gefüllte Platinröhren werden innerhalb des Bades durch ein dünnes Platinblech, aufserhalb durch leitende oder nichtleitende Querstege verbunden. *Ps.*

G. L. Heath [4]) beschreibt ein billiges verstellbares elektrolytisches Stativ. Es besteht aus einem auf einem Brette befestigten Holzsäulchen, an dem ein Holzblock mit zwei Klemmschrauben zur Befestigung der Stromleitungsdrähte und zwei Klemmen zur Befestigung der Elektroden verschiebbar und durch eine Schraube feststellbar ist. *Ps.*

A. Gawalowski. Ueber eine neue Muffel [5]). — Die Muffel soll die Platinmuffel ersetzen und besteht aus einem vorn vierkantigen, nach hinten abfallenden Thondom. Die Bodenfläche stellt eine Platinplatte dar. Der Zweck, schnelle Veraschung von

---

[1]) Oesterr.-ung. Zeitschr. Zucker-Ind. u. Landw. 24, 809—811; Ref.: Chem. Centr. [4] 8, I, 83—85. — [2]) Centr.-Bl. Nahr.- u. Genufsm. 2, 343. — [3]) D. R.-P. Nr. 88341 vom 27. Oct. 1895; Ber. 29, 881. — [4]) Amer. Chem. Soc. J. 18, 558—561. — [5]) Chem. Centr. 67, II, 1076; Oester.-ung. Zeitschr. Zucker-Ind. u. Landw. 25, 798—799.

Zuckerproben ($^3/_4$ Stunden), ist durch sachgemäfse Einrichtung
sehr gut erreicht.   *Mr.*

E. L. Smith. Schnellmefspipette[1]). — Wo es die Fehler-
grenzen zulassen, kann man sich zum Abmessen bestimmter Volumen von Lösungen folgender Einrichtung bedienen. Eine
Vorrathsflasche ist durch einen doppelt durchbohrten Kork, durch
den ein Heber- und Wattefilterrohr ragen, verschlossen. Der Heber
ist durch Schlauch mit Quetschhahn und Glasrohr mit einem
Probirrohr in Verbindung, das durch ein passend seitlich an-
gebrachtes Heberrohr bestimmte Quanta der Lösung schnell zu
entnehmen erlaubt.   *Mr.*

E. W. Lucas[2]) beschreibt eine Sicherheitspipette. Das ver-
längerte Mundstück hat zwei Einschnürungen, von denen die
obere innen geschliffen ist. Zwischen beiden befindet sich ein
leichter Glasstöpsel, der, wenn die Flüssigkeit ihn erreicht, in die
obere Einschnürung gedrückt wird.   *Ps.*

Saggau[3]) giebt Abmefsvorrichtungen zur Gerber'schen
Acidobutyrometrie an. Amylalkohol wird in einer in ganze Cubikcentimeter getheilten Bürette mit eingeschliffenem durchlöchertem
Glasstöpsel abgemessen. Zum Abmessen von je genau 10 ccm concentrirter Schwefelsäure dient eine Zu- und Abflufspipette, die
durch ein zweimal U-förmig gebogenes Rohr und einen rechtwinklig durchbohrten Hahn mit einem Säurevorrathsbehälter, in
den ein durchlöcherter Glasstopfen eingeschliffen ist und mit einer
Abflufsspitze in Verbindung steht. Man läfst zunächst Säure in
die Pipette und dann durch Drehung des Hahnes um 90° in die
Abflufsspitze. So ist der Apparat gebrauchsfertig. Beim Abmessen
wird Säure in die Pipette gelassen, bis ein Tropfen aus deren
oberer Oeffnung, unter der ein Glascylinder steht, austritt. Durch
Drehen des Hahnes entleert sich die Pipette schnell in ein unter
die Ausflufsspitze gehaltenes Butyrometergläschen.   *Ps.*

H. Biltz. Ueber eine Aenderung in der Form der Mefskolben[4]).
— Bei den üblichen Mefskolben, besonders wenn die Marke sehr
nahe der Mündung des Kolbenhalses ist, ist ein gutes Durchschütteln
des Kolbeninhaltes und damit eine gute Mischung sehr erschwert.
Verfasser hilft dem ab, indem er über der Marke den Kolbenhals
sich kugelförmig erweitern läfst. Die so vorhandene grofse Luft-
blase bewirkt beim Schütteln eine schnelle Mischung. *Mr.*

---

[1]) Chem. Centr. 67, II, 955; Amer. Chem. Soc. J. 18, 905—906. —
[2]) Pharm. J. Trans. 1896, S. 95. — [3]) Chemikerzeit. 20. 561—562. —
[4]) Ber. 29, 2082—2083.

Wilhelm Wislicenus[1]) berichtet über eine zweckmäfsige Form von Mefskolben. Bei Herstellung von Mafsflüssigkeiten, deren Titersubstanz, wie bei der Alkalimetrie, nicht in chemisch reinem Zustande abgewogen werden kann, benutzt man zweckmäfsig Kolben mit zwei Marken (z. B. 1000 und 1100 ccm), um zur Gehaltsbestimmung Proben entnehmen zu können. Die unterste Marke mufs sich in der Mitte der kurzen Verengung, die oberste dicht über einer Erweiterung des Halses befinden. Ueber der letzteren soll der Hals vorn etwas verlängert sein. Man füllt erst den Kolben mit der etwas zu starken Lösung bis zur obersten Marke, ermittelt in herausgenommenen Proben den Gehalt, entleert dann den Kolben mit einer Pipette bis zur unteren Marke und bringt die berechnete Menge Wasser hinzu. Die von H. Biltz[2]) empfohlene Form ist schon geraume Zeit vorher von Pflüger[3]) angegeben worden. *Ps.*

M. Gomberg. Eine neue Form des Kaliapparates[4]). — Der Apparat besteht aus drei Kammern. Die oberste, zur Sicherheit gegen Zurücksteigen vorhanden, ist mit der zweiten durch ein bis fast auf den Boden derselben reichendes Röhrchen verbunden. Die zweite ist mit der dritten durch eine Röhre in Verbindung, die einerseits bis fast an die Decke der zweiten, andererseits bis dicht an den Boden der dritten reicht. Durch diese Anordnung kann die dritte Kammer nie durch 'den Inhalt der zweiten überfüllt werden. Ein mit der dritten Kammer oben seitlich verbundenes Rohr mit festem Kali vervollständigt den Apparat. *Mr.*

A. Gawalowski. Neuer Verbrennungsofen[5]). — Der Ofen zeichnet sich durch grofse Einfachheit aus; das Gasrohr dient gleichzeitig theilweise als Gestell, und läfst durch gabelförmig angeordnete Oeffnungen Gas unter Eisenkästen strömen, wo eine rationelle Mischung mit Luft stattfindet. Die Mischung wird oberhalb des die Kästen deckenden Drahtnetzes entzündet. Feuerfeste Schirme halten die ruhig brennende Flamme zusammen. *Mr.*

F. Scheurer. Bericht über den Viscosimeter von G. Lunge[6]). — Verfasser hat den Viscosimeter von Lunge mit demjenigen von Ochs verglichen, indem er die Brauchbarkeit dieser beiden Apparate bei Untersuchungen von Gummisorten und Farben, die

[1]) Ber. 29, 2442—2443. — [2]) Vgl. vorstehendes Referat. — [3]) Pflüger's Arch. Physiol. 36, 101. — [4]) Chem. Centr. 68, I, 1; Amer. Chem. Soc. J. 18, 941—942. — [5]) Chem. Centr. 67, II, 953; Centr.-Bl. Nahr.- u. Genufsm. 2, 330—331. — [6]) Bull. Soc. ind. Mulhouse 1896, S. 57—64; Ref.: Chem. Centr. 67, I, 1042—1043.

in der Kattundruckerei Verwendung finden, benutzte. Aus diesen
Versuchen ergiebt sich, dafs der Apparat von Lunge nur bei
reinen Gummilösungen brauchbar ist, für Traganthlösungen eignete
er sich nicht. Weitere Versuche ergaben, dafs in den Kattun-
druckereien das Instrument von Ochs demjenigen von Lunge
vorzuziehen ist. Das Instrument von Lunge bietet hingegen für
andere Zwecke den Vortheil, dafs es eine kleinere Menge Lösung
(600 ccm) beansprucht, als der Apparat von Ochs, bei dem, um
störende Einflüsse der Gefäfswand auszuschliefsen, man circa zwei
Liter Lösung nöthig hat.   *Tr.*

    Richard Kifsling. Zur Verbesserung der Arbeitsweise
beim Gebrauche des einfachen Engler'schen Viscosimeters[1]). —
Verfasser schlägt folgende Arbeitsweise vor: Man bringt das betreffende Oel in einen 500 ccm fassenden Erlenmeyer-Kolben,
stellt ein Thermometer hinein und erwärmt bei Lagerschmieröl
auf 26 bis 27° oder bei Cylinderöl auf 75 bis 80°. Man erhält
das Oel durch ruhiges, kreisendes Schwenken des Kolbens in
langsamer Bewegung. Alsdann bringt man in den äufseren Behälter des Viscosimeters Wasser von 25,2° bezw. 76°, giefst dann
schnell die Oele in den inneren Behälter, senkt das auf 26° bezw.
75° erwärmte Thermometer ein und beseitigt den Verschlufsstift,
sobald beide Thermometer (das im Wasser und das im Oel) die
Versuchsanfangstemperatur von 25° bezw. 70° zeigen. Völlig
fehlerfreie Ergebnisse kann man mit genanntem Viscosimeter nur
dann erzielen, wenn man dafür sorgt, dafs während der Versuchsdauer die Temperatur des Wassers und diejenige des Oeles unverändert bleibt.   *Tr.*

    O. Bleier. Ueber gasanalytische Apparate. I. Automatische
Abmessung von Gasen in mit Wasserdampf gesättigtem Zustande;
Modification von Orsat's Apparat. II. Apparat für die Gas-
titrirung[2]). — Um den Einflufs der Tension des Wasserdampfes
auf das Volum der Gase, der auch bei technischen Gasanalysen
nicht vernachlässigt werden darf, zu eliminiren, wird der Orsat'-
sche Apparat in einfacher Weise modificirt, derart, dafs auch eine
automatische Abmessung des Gases stattfindet. Die Vortheile der
Einrichtung sind hauptsächlich: 1. Zeitersparnifs durch automatische Abmessung und Erhöhung der Genauigkeit, weil die Löslichkeit des Gases im Sperrwasser keinen Fehler hervorbringen
kann. 2. Der Apparat ist auch für leicht lösliche Gase verwendbar. Der zweite Theil der Abhandlung betrifft einen Gas-

---

[1]) Zeitschr. angew. Chem. 1896, S. 601—602. — [2]) Ber. 29, 260—265.

titrirapparat, bezüglich dessen Einrichtung auf das Original verwiesen werden soll, nur möge nicht unerwähnt bleiben, dafs bei
der Ausführung des Versuchs nach der dortigen Vorschrift sich
wohl leicht nicht unerhebliche Fehler in die Druckmessung des
Gases einschleichen können.   *Bs.*

    O. Bleier. Ueber gasanalytische Apparate. III. Abhandlung [1]).
— Zusatzänderungen zum Orsat'schen Apparate.   *Bs.*

    Augustus H. Gill [2]) giebt eine verbesserte Gaspipette für
die Absorption von Leuchtgasbestandtheilen an. Die Absorptions-
kugel hat einen oberen cylindrischen Ansatz, der mit Glasröhren
ausgefüllt ist.   *Ps.*

    A. Naville, Ph. A. und Ch. E. Guye [3]) wollen bei ihrem
elektrischen Gasreactionsapparat den Uebelstand der gewöhnlichen
Eudiometerröhren vermeiden, dafs nur eine bestimmte Menge Gas
der Einwirkung des elektrischen Funkens ausgesetzt werden kann
und das gebildete Product bei weiterer Einwirkung wieder zerfällt. Sie gestalten eine oder beide Elektroden röhrenförmig und
führen das Gas in continuirlichem Strome heran und durch. *Ps.*

    C. Cario [4]) giebt einen Apparat zur Ausführung von Gas-
analysen an. Die Gasproben werden in bestimmten Zwischenräumen mit einem Mefsgefäfs geschöpft und durch Quecksilber
emporgelassen, das sich in einer pneumatischen Wanne befindet.
Eine über dem Quecksilber ruhende, chemisch wirkende Absorptions-
flüssigkeit nimmt den Bestandtheil, der bestimmt werden soll,
weg. Die Reste der einzelnen Proben einer Versuchsreihe werden
ihrem Gesammtvolumen nach in einer Bürette gemessen, so dafs
unmittelbar der Durchschnittsgehalt ermittelt wird.   *Ps.*

    L. L. de Koninck. Ueber die Controle der Graduirung
gasometrischer Apparate [5]). — Verfasser weist zunächst darauf
hin, dafs viele zu gasometrischen Arbeiten dienende Apparate wie
solche, die zum Messen von Flüssigkeiten dienen, nach Mohr
in Cubikcentimeter getheilt sind. Wenn auch im Allgemeinen bei
Gasanalysen es gleichgültig ist, welche Einheit man zu Grunde
legt, da man doch nur die Volumenverhältnisse der einzelnen
Bestandtheile bestimmt, so ist es andererseits doch nicht ganz
gleichgültig, wenn man bei gasometrischen Bestimmungen ge-
wogener Substanzen von dem beobachteten Volumen auf das
Gewicht übergehen mufs. Eine Controle geschieht am einfachsten,

---

[1]) Ber. 29, 1761—1762. — [2]) Amer. Chem. Soc. J. 18, 67. — [3]) D. R.-P.
Nr. 88320 vom 16. Juli 1895; Ber. 29, Ref. 881. — [4]) D. R.-P. Nr. 88033
vom 9. Juli 1895; Ber. 29, 881. — [5]) Chemikerzeit. 20,. 460—461.

indem man das Gewicht des Wassers, welches dem Volumen der
Apparate entspricht, bestimmt. Ferner ist bei gasometrischen
Apparaten die Regelmäfsigkeit der Graduirung zu beachten. Dies
gilt besonders von den Eudiometern und Mefsröhren, die im
oberen Theile geschlossen sind und bei denen beim Ausmessen
das Rohr mit dem geschlossenen Ende nach unten gekehrt werden
mufs. Da durch den verschiedenen Meniscus eine Correction, wie
sie bei der wissenschaftlichen Gasanalyse nöthig und auch bereits
bekannt ist, sich als nothwendig erweist, so beschreibt Verfasser
ein einfaches Verfahren, um ein solches Rohr zu controliren.
Dasselbe besteht einfach darin, dafs man aus dem vollständig mit
Wasser angefüllten, aufrechtstehenden, am unteren Ende mit einer
geeigneten Abflufsvorrichtung versehenen Rohr nach der Theilung
des Rohres gleiche Volumina Wasser ablaufen läfst und das Gewicht dieser Wassermengen vergleicht. Als ein sehr einfaches
und schnelles Mittel zur vorläufigen Controle von graduirten
cylindrischen Apparaten empfiehlt Verfasser, mit einem Zirkel
genau die Entfernung zwischen dem Nullpunkte und der Marke
10 oder 20 genau zu messen und zu prüfen, ob die Entfernungen,
die einer gleichen Zahl von Theilungen entsprechen, übereinstimmen oder nicht. Da Röhren von constantem Durchschnitt
unmöglich sind, so ist sicher der Apparat nicht genau graduirt,
wenn diese Entfernungen sich als identisch erweisen.   *Tr.*

L. L. de Koninck. Eine neue Gasbürette [1]). — Dieselbe ist
eine Combinirung der Bunte'schen und Winkler-Hempel'schen
Bürette und ist ausschliefslich für den Gebrauch mit Quecksilber-
füllung bestimmt. Sie besteht aus einem Bürettenrohr, das vom
oberen bis zum unteren, etwas kugelig aufgeblasenen Ende ca. 80 ccm
fafst. Der obere Theil ist von 0 bis 60 ccm in $1/_{10}$ Cubikcentimeter
eingetheilt, besitzt über der Nullmarke einen Zweiwegehahn und
damit in Verbindung stehend einen Becher, der mit einem hohlen
Glasstopfen, dessen eingeschliffene Seite eine kleine Oeffnung besitzt, verschlossen werden kann. An das untere Ende der Bürette
ist ein Hahn mit zwei schiefen Durchbohrungen, die in auf einander
senkrecht stehenden Ebenen liegen, angeschmolzen und dieser
steht wieder in Verbindung mit einem ca. 40 ccm fassenden Glas-
gefäfse, das mittelst Gummischlauches mit einem Niveaugefäfs
verbunden ist. Da ohne Figur die Handhabung der neuen Bürette schwer verständlich wird, so sei hinsichtlich der Anwendungs-
weise derselben auf die Originalabhandlung verwiesen, in der Ver-

---

[1]) Chemikerzeit. **20**, 405—406.

fasser auch Beispiele für Analysen von Gasgemischen, die sich mit dieser Bürette ausführen lassen, beschreibt. Die Bürette läfst sich auch als Nitrometer benutzen und kann auch, wenn in ihrem oberen Theile Platindrähte eingeschmolzen sind, für Explosions-analysen Verwendung finden. *Tr.*

Cecil H. Cribb. Eine neue Form des Kohlensäureapparates [1]). — Der Apparat entspricht vollkommen dem von Geifsler, ist nur noch wesentlich complicirter. Der einzige Vortheil wäre der, dafs die Construction gestattet, beim Zersetzen des Carbonates mit N-Säure den eventuellen Ueberschufs zu titriren, und so die Bestimmung aus dem Gewichtsverlust zu controliren. *Mr.*

A. Gawalowski. Unter hochgespanntem Dampf- oder Gas-druck wirkende Apparate für analytische Zwecke [2]). — Es werden zwei Apparate beschrieben, die zur Verzuckerung von Stärkemehl, Inversion von Zucker und zur Zerlegung von Fetten dienen sollen. Sie gleichen in ihrer Einrichtung gröfseren Autoclaven. Druck-messer zeigen den Druck, zweckmäfsig angelegte Thermometer die Temperatur an. Durch eingelegte Gläser ist eine Beobachtung des Verlaufes der Reaction ermöglicht. In dem Druckkessel be-findet sich die Heizflüssigkeit, die entweder Wasser oder bei höheren Temperaturen Paraffin ist. Die die Proben enthaltenden Gläser ruhen auf einer horizontalen Sohle. *Mr.*

Cyril G. Hopkins. A new safety destillation tube for rapid work in Nitrogen determination [3]). — Nach Verfassers Erfahrung bietet der Kjeldahl'sche Destillationsaufsatz bei stark stofsenden Flüssigkeiten keine hinreichende Sicherheit gegen das Ueberreifsen alkalischer Partikel, daher will Verfasser diese Gefahr dadurch vermeiden oder verringern, indem er dem Dampf Gelegenheit giebt, durch seitliche Oeffnungen an den engen Theilen des Kjeldahl-Aufsatzes einzutreten. Dadurch wird erreicht, dafs das Condensationswasser, das eventuell alkalisch ist, nicht, wie früher, durch plötzliches Stofsen durch die Gasmasse in das Destillations-rohr geschleudert wird. *Mr.*

J. L. Beeson. Ein einfacher, zur Analyse von Futterstoffen geeigneter Extractionsapparat [4]). — Der vom Verfasser beschriebene Apparat beruht auf dem Princip des Johnston-Extractors. In das Extractionsrohr ist ein Platinsieb eingeschmolzen, aufserdem

---

[1]) Chem. Centr. 67, I, 867—868; Analyst 21, 62—63. — [2]) Chem. Centr. 67, II, 5639; Centr.-Bl. Nahr.- u. Genufsm. 2, 245—246. — [3]) Amer. Chem. Soc. J. 18, 227—228. — [4]) Daselbst, S. 744—745.

ist es durch einen Stopfen verschliefsbar, der zum Durchleiten
von einem indifferenten Gase zum Zweck des Trocknens eingerichtet ist. Das Extractionsrohr wird in ein Stutzerrohr eingesetzt, das einerseits mit einem Kölbchen, andererseits mit einem
Rückflufskühler verbunden ist. Zu beziehen ist der Apparat von
Kaehler und Martini in Berlin.   *Tr.*

Emil Marx [1]) beschreibt neue Laboratoriumsapparate. Ein
einfacher *Extractionsapparat*, der compendiös und wenig zer-
brechlich ist und die zu extrahirende Substanz sowie das Lösungsmittel auf einer dem Siedepunkte des letzteren nahen Temperatur
zu halten gestattet, besteht aus einer weithalsigen Flasche zur
Aufnahme des Lösungsmittels und einem an deren Stopfen durch
einen Platindraht angehängten Becherglas für die Substanz mit
Ueberlaufrohr. Das Becherglas kann auch auf einem hohlen
Glascylinder in die Flasche eingesetzt werden. Durch den Stopfen
der letzteren geht das Kühlrohr. Für gröfsere Substanzmengen
nimmt man eine zweihalsige Woulff'sche Flasche, durch deren
einen Hals ein Dampfübersteigrohr, und durch deren Tubus ein
Heber zu dem Kolben mit dem Lösungsmittel führt.   *Ps.*

Charles Platt [2]) giebt für die Trennung der Alkaloidextracte,
wenn sie störende Emulsionen enthalten, folgenden sehr schnell
arbeitenden Apparat an. Durch den Stopfen der Saugflasche geht
eine Filtrirröhre, deren oberes Ende 12,5 cm lang und 14 mm
weit, dessen unteres 6,5 cm lang und 3 mm weit ist. Ein oben
umgebogener starker Platindraht geht durch den engeren Theil
der Röhre bis zum Boden der Saugflasche. Der weitere Theil
wird 4 cm hoch mit gewaschener Baumwolle fest gefüllt. *Ps.*

K. Charitschkoff [3]) beschreibt einen Apparat zur Bestimmung der Quantität des mechanisch gewogenen Wassers in der
Naphtaflüssigkeit. Er besteht aus einer Glaskugel von 150 bis
200 ccm Inhalt, die in eine blinde, in $1/_{10}$ Cubikcentimeter ge-
theilte 5 ccm-Röhre ausläuft. In die Glaskugel kommen mindestens 50 ccm der zu untersuchenden Flüssigkeit. Sie werden
mit ebenso viel bis zweimal so viel Benzin gut durchgeschüttelt.
Nach dem Absetzen liest man die Quantität des mechanisch beigemengt gewesenen, jetzt gefällten Wassers ab.   *Ps.*

---

[1]) Chemikerzeit. 20, 616. — [2]) Amer. Chem. Soc. J. 18, 1104. — [3]) Chem.
Rev. Fett- u. Harz-Ind. 3, 165—166; Ref.: Chem. Centr. [4] 8, II, 640.

Metalloide.

Wasserstoff, Sauerstoff, Wasser, Luft. — E. D. Campbell und E. B. Hart.

On the quantitative determination of hydrogen by means of palladous chloride [1]). — Philips hat dargethan, dafs sich Palladiumchlorür zum quantitativen Nachweise von Wasserstoff bei Gegenwart von Paraffinkohlenwasserstoffen eignet, nicht dagegen in Gegenwart von Olefinen oder Kohlenoxyd, welche auch auf Palladiumchlorür wirken. Die Verfasser haben diese Methode zur quantitativen Bestimmung des Wasserstoffs ausgearbeitet. Sie wenden eine ein- bis zweiprocentige, fast neutrale Lösung von Palladiumchlorür in einer Hempel'schen Pipette an, welche zwei Stunden in ein siedendes Wasserbad gesetzt wird, um die Absorption zu beschleunigen. In dieser Zeit wird nur dann aller Wasserstoff absorbirt, wenn das Gasgemisch nicht mehr als 65 ccm H enthält und wenn die Lösung frisch ist, sonst ist es nöthig, bis zu 12 Stunden zu erhitzen, wie die Verfasser durch analytische Belege dargethan haben. Das durch den Wasserstoff reducirte Palladium kann immer wieder zur Darstellung der Palladiumchlorürlösung verwendet werden. *Ltm.*

Fr. Raspe. Ueber die Angabe von Mineralwasseranalysen in Form von Ionen [2]). — Die übliche Zusammenfassung von Basis und Säure zu bestimmten Salzen ist rein willkürlich und giebt oft zu falschen Deutungen Anlafs. Richtiger und in gewisser Beziehung einfacher ist die Angabe in Ionen. Verfasser hat auch Analysen bekannter Mineralwässer in Ionen umgerechnet. Eisen wird als zwei- und dreiwerthig angegeben, für den freien Schwefelwasserstoff aufser Schwefel auch der äquivalente Wasserstoff angegeben. Borsäure wird als BO_4, die Kohlensäure der Bicarbonate als H_2CO_3 berechnet. *Mr.*

G. Feliciani. Analyse des Säuerlings von Rom [Ponte Molle [3])]. — Zu bemerken ist der relativ grofse Gehalt des Wassers an Chlorlithium, Borax, Salpeter. Auch Jod ist spurenweise vorhanden. *Bl.*

Fr. Seiler. Von der bacteriologischen Reinheit eines Trinkwassers [4]). — Verfasser weist auf die merkwürdige Thatsache hin, dafs ein fast bacterienfreies Wasser, welches von verschiedenen Quellen im Hauensteintunnel zwischen Olten und Läufelfingen

---

[1]) Amer. Chem. Soc. J. 18, 294—298. — [2]) Chem. Centr. 67, II, 562; Zeitschr. f. d. ges. Kohlensäure-Ind. 96, H. 7—14. — [3]) Gazz. chim. ital. 26, I, 281—289. — [4]) Schweiz. Wochenschr. Pharm. 34, 249—251.

stammte, die chemische Probe nicht aushielt, sondern deutliche
Reaction auf salpetrige Säure ergab. Diese Nitrite können aber
aus dem atmosphärischen Wasser stammen und es ist daher
nicht richtig, ein Wasser, welches bei der bacteriologischen Untersuchung ein günstiges Resultat ergiebt, einfach aus dem Grunde
als schlecht zu betrachten, weil dasselbe Spuren von Nitriten und
Ammoniak enthält.   *Tr.*

    W. P. Mason. Chemische contra bacteriologische Prüfung
des Trinkwassers [1]). — Der Ansicht vieler englicher Aerzte und
Civilingenieure gegenüber hält er den Werth der chemischen
Prüfung des Trinkwassers aufrecht, sofern es sich nicht um Aufsuchung von Krankheitskeimen, sondern von Verunreinigungen
durch Abläufe handelt.   *Brt.*

    W. Skupewski. Ueber die Bestimmung organischer Sub-
stanzen im Wasser mittelst Kaliumpermanganat [2]). — Da die
beiden allgemein angewandten Methoden von Kubel und von
Schulze, die sich darin unterscheiden, dafs man bei der ersteren
in saurer, bei der letzteren Methode in alkalischer Lösung oxydirt, nicht in allen Fällen übereinstimmende Resultate liefern, so
schlägt Verfasser nachfolgendes Verfahren vor. 100 ccm Wasser
versetze man mit 2 ccm Natronlauge (2:1), füge einen Ueberschufs von Permanganatlösung (ca. 40 bis 50 ccm, die 0,33 g
$KMnO_4$ pro Liter enthalten) hinzu, koche die Mischung 20 Minuten, füge 6 ccm Schwefelsäure (1:3) hinzu und koche abermals
15 bis 20 Minuten. Alsdann füge man zu der auf 50 bis 60°
abgekühlten Lösung Oxalsäurelösung bis zur Entfärbung hinzu
und titrire dann den Ueberschufs von Oxalsäure mit Permanganat
zurück. Von Neuem füge man jetzt überschüssiges Permanganat
hinzu, koche abermals 15 bis 20 Minuten und verfahre wie oben.
Wenn zum zweiten Male alles angewandte Permanganat durch
Zurücktitriren mit Oxalsäure erhalten wird, so ist die Bestimmung
beendigt, im anderen Falle wiederholt man die Manipulation. *Tr.*

    O. Eberhard. Die Trockensubstanzbestimmung in Wässern
und die Massenuntersuchung von Trinkwässern [3]). — Um die
Wägungsfehler bei der Bestimmung der oft sehr hygroskopischen
Trockensubstanz der Wässer zu beseitigen, benutzt man mit Vortheil ein Wägeglas, welches aus zwei möglichst genau über einander
passenden, gläsernen Abdampfschalen hergestellt ist und in dem
die Schale mit dem Trockenrückstand Platz findet. Bei Massen-

[1]) Amer. Chem. Soc. J. 18, 166—168. — [2]) Russ. Zeitschr. Pharm. 35,
5—6. — [3]) Chemikerzeit. 20, 480.

untersuchungen von Wässern werden folgende Einzelbestimmungen empfohlen: 1. Die Trockensubstanz in 250 ccm Wasser in Nickelschalen (der Glühverlust wird als unwesentlich nicht bestimmt); 2. Chlor mit einer Lösung, von welcher 1 ccm 1 mg Chlor entspricht; 3. Sauerstoffverbrauch zur Oxydation der organischen Körper in drei Proben zu 100 ccm gleichzeitig; 4. Härtebestimmung, bei welcher es genügt, die Seifenlösung $1/_2$ ccm-weise zufliefsen zu lassen; 5. die bleibende Härte wird nur dann bestimmt, wenn die Gesammthärte sehr hoch ist; 6. Salpetersäure mit Diphenylamin in Schwefelsäure (colorimetrisch); 7. Ammoniak mit Nessler's Reagens (colorimetrisch); 8. salpetrige Säure mit Jodzinkstärke (colorimetrisch); 9. Kupfer, Blei u. s. w. im salzsauren Auszug der Trockensubstanz; 10. Quantität der auf alkalischer Fleischpeptongelatine wachsenden Bacteriencolonien (zwei Platten mit $1/_{20}$ und $1/_4$ ccm Wasser). Zu letzterer Untersuchung mufs das Wasser mindestens innerhalb fünf Stunden nach der Entnahme in den Händen des Untersuchenden sein.   *Sd.*

H. A. Davies. Die chemische Analyse des Wassers [1]). — Es wird in diesem Vortrage auf die Bedeutung der Wasseranalysen für die Hygiene hingewiesen, sowie hervorgehoben, wie oft eine Uebereinstimmung in den Resultaten fehlt. Sodann folgen Angaben über die Ausführung der Untersuchung und über die Beurtheilung der Resultate der Analyse.   *Brt.*

G. W. Chlopin. Untersuchungen über die Genauigkeit des Winkler'schen Verfahrens zur Bestimmung des im Wasser gelösten Sauerstoffs im Vergleiche mit der gasometrischen Methode [2]). — Die nach den Verfahren von L. W. Winkler [3]) und von Bunsen ausgeführten Bestimmungen gaben meistens recht gut unter einander übereinstimmende Resultate. Bei Vorliegen von Wässern mit hohen Gehalten an Dicarbonaten könnte die Methode Winkler's zu irrthümlichen Resultaten führen, wäre somit zu modificiren.   *Brt.*

G. Romijn. Bestimmung des Sauerstoffs im Wasser [4]). — Das Verfahren gründet sich auf die Oxydation des Manganoxyduls durch den im Wasser enthaltenen Sauerstoff. Man versetzt das Wasser mit Manganchlorür und Jodkalium, sowie mit Seignettesalz, um die Ausfällung des Manganoxyds zu verhindern, und mit Natronlauge. Nach 10 Minuten wird mit Salz-

[1]) Pharm. J. [4] 2, 426—429. — [2]) Chem. Centr. 67, II, 683—684; Arch. Hyg. 27, 18—33. — [3]) JB. f. 1888, S. 2525; f. 1889, S. 2322. — [4]) Bull. soc. chim. [3] 15, 829 (Ausz.); Rec. trav. chim. Pays-Bas 15, 76.

säure angesäuert und das in Freiheit gesetzte Jod mit Hyposulfit titrirt. *Brt.*

Alessandri und **Guassini**. Nitrate im Wasser [1]. — Einige Cubikcentimeter des letzteren werden eingedampft und in der Wärme mit sechs bis sieben Tropfen einer gesättigten Auflösung von Phenol in concentrirter Salzsäure versetzt. Wenn auch nur Spuren von Nitraten zugegen sind, so tritt eine rothviolette Farbe auf, welche durch Ammoniak in Grün verwandelt wird. *Brt.*

Th. Schloesing. Die Nitrate der Trinkwässer [2]. — In Fortsetzung der diesbezüglichen Studien wurde nunmehr der Gehalt der Flüsse Vanne, Dhuis und Avre an Salpetersäure und Kalk zu verschiedenen Jahreszeiten bestimmt und die gefundenen Werthe in bestimmte Beziehungen zu einander, sowie zu den Niederschlägen zu bringen gesucht. Folgende Tabellen geben einen kurzen Ueberblick über die gewonnenen Resultate pro Liter Wasser:

	Vanne		Dhuis		Avre	
	Salpeter-säure mg	Kalk mg	Salpeter-säure mg	Kalk mg	Salpeter-säure mg	Kalk mg
Mittlerer Gehalt . .	10,26	114,2	11,61	106,5	10,84	86,3
Gröfstes Plus . . .	+1,08	+11,1	+0,42	+12,0	+1,96	+ 9,6
Gröfstes Minus . . .	—0,75	— 3,6	—1,21	—12,5	—4,17	—19,7

	Avre			
	Gröfste Niederschläge Liter	Geringste Niederschläge Liter	Salpetersäure mg	Kalk mg
4. April 1895 . . .	1436	—	6,67	66,6
10. Mai 1895	1296	—	9,51	80,2
16. October 1895 . .	—	792	11,98	—
5. November 1895 .	—	739	11,84	—
4. December 1895 .	—	792	10,17	87,0

Sd.

Th. Schloesing. Die Nitrate im Quellwasser [3]. — Auf Grund theoretischer Betrachtungen über die Bodenbeschaffenheit und die Bodenwässer kam er zu dem Schlusse, dafs die wahren, aus tiefen Erdschichten stammenden Quellwässer jahraus, jahrein

----

[1] Chem. Centr. **67**, I, 329; Pharm. Centr.-H. **37**, 22. — [2] Compt. rend. **122**, 1030—1038. — [3] Ref.: Bioderm. Centr. **25**, 506.

einen fast constanten Gehalt an Nitraten besitzen müssen. Für die Beurtheilung des hygienischen Werthes eines Quellwassers ist daher die Bestimmung der Schwankungen im Nitratgehalt ein werthvolles Mittel.   *Sd.*

Th. Schloesing. Bestimmung der Salpetersäure in dem Wasser der Seine, Yonne und Marne während der letzten Hochwässer[1]). — Er hat bei den Hochfluthen jener drei Flüsse (November 1896) viel höhere Gehalte des Wassers an Nitraten gefunden, als Boussingault im Hochwasser der Seine im März 1876 angetroffen hatte. Bei Wiederholung solcher Untersuchungen wird sich vielleicht ergeben, dafs die Hochwasser im Herbste viel mehr Nitrate enthalten als am Ende des Winters.   *Brt.*

Barbet und Jandrier. Nachweis und Bestimmung von Nitriten in Wasser[2]). — In 2 ccm des letzteren wird 0,1 g Resorcin gelöst und 1 ccm concentrirter Schwefelsäure vorsichtig hinzugegossen. An der Trennungsschicht der beiden Flüssigkeiten tritt bei Gegenwart von Nitriten eine rosenrothe Färbung auf, welche nach einer Stunde das Maximum der Stärke erreicht. Man vergleicht jetzt die Farbe mit derjenigen, welche unter gleichen Umständen Nitritlösungen von bekanntem Gehalte liefern. Man kann auch zum Vergleiche Kobaltchloridlösungen verwenden.
                                                          Brt.

A. H. Gill und H. A. Richardson. Bemerkungen über die Bestimmung von Nitriten im Trinkwasser[3]). — Zur Aufsuchung sehr kleiner Mengen von Nitriten eignet sich besser die Griefs'-sche Methode mit α-Naphtylamin als die Trommsdorff'sche mit Jodzinkstärke und diejenige mit m-Phenylendiamin. *Brt.*

A. Gawalowski. Zum Nachweise der Nitrite in Trinkwässern[4]). — Bei der Prüfung mit Jodkalium und Stärkekleister müssen mehrere Vorsichtsmafsregeln befolgt werden, auf welche derselbe hinweist.   *Brt.*

Ch. Lepierre. Bestimmung der Phosphorsäure im Trinkwasser[5]). — Es wird ein colorimetrisches Verfahren empfohlen, welches auf der Gelbfärbung der Auflösungen von phosphormolybdänsaurem Ammonium in Salpetersäure beruht. Dabei kommt in Betracht, dafs bei der nämlichen Temperatur die Farbenintensität genau der Menge der Phosphorsäure (bis zu 0,03 g P_2O_5 im Liter) proportional ist, dafs die Temperatur in sehr merklicher Weise

[1]) Compt. rend. 123, 919—923. — [2]) Chem. Centr. 67, II, 851; J. Pharm. Chim. [6] 4, 248—249. — [3]) Amer. Chem. Soc. J. 18, 21—23. — [4]) Zeitschr. Nahrungsm. 10, 315. — [5]) Bull. soc. chim. [3] 15, 1213—1217.

auf die Farbenintensität Einfluſs hat, indem diese bei höherer Temperatur zunimmt. Man verdampft 1 Liter Wasser in einer Platinschale, scheidet mit Salpetersäure die Kieselsäure ab, nimmt mit jener Säure auf und stellt nun die colorimetrischen Versuche an. Das im Wasser vorhandene Eisen beeinfluſst die Bestimmung nicht.   *Brt.*

E. Russoll Budden und H. Hardy. Nachweis geringster Mengen von Metallen in Flüssigkeiten [1]). — In Getränken, die organische Bestandtheile enthalten, tritt bei der colorimetrischen Probe stets ein Nachdunkeln ein, das die Bestimmung sehr unsicher macht. Auch die versuchte elektrolytische Abscheidung, z. B. bei Cu-, Pb- und Hg-haltigen Getränken, sind quantitativ höchst ungenau.   *Mr.*

U. Antony und T. Benelli. Aufsuchung kleiner Bleimengen im Trinkwasser [2]). — Wenn man kleine Mengen von Blei im Trinkwasser, z. B. in solchem, welches Bleiröhren durchflossen hat, bestimmen will, so kann man dies in folgender Weise erreichen, ohne zum Eindampfen eines gröſseren Volumens Wasser gezwungen zu sein. Man löst in letzterem (4 Liter oder mehr) reines Quecksilberchlorid (0,5 g per Liter) auf und fällt in der Kälte mit Schwefelwasserstoff, wobei das Schwefelblei vom Quecksilbersulfid mit niedergerissen wird. Um die Abscheidung des letzteren zu vervollständigen, wird der Flüssigkeit, sofern dieselbe braun geblieben sein sollte, Salmiak zugesetzt (5 g per Liter). Den gewaschenen und getrockneten Niederschlag glüht man entweder in einem Schwefelwasserstoffstrome, um dann das hinterbleibende Bleisulfid zu wägen, oder man glüht ihn an der Luft, behandelt den Rückstand mit Schwefelsäure und wägt das erhaltene schwefelsaure Blei.   *Brt.*

U. Antony und T. Benelli. Die Aufsuchung des Bleies im Trinkwasser [3]). — Die Verfasser haben mit der von ihnen [4]) angegebenen Methode die Gegenwart von Blei auch in solchen Wässern nachweisen können, welche mit chromsaurem Kalium und mit Schwefelwasserstoff keinerlei Reaction gaben, und ebensowenig bei dem colorimetrischen Verfahren von Lucas [5]). Es ist ihnen auch bei solchen Wässern möglich gewesen, die Menge des Bleies zu bestimmen. Das bei der quantitativen Prüfung erhaltene Bleisulfat ist jedes Mal auf Verunreinigungen zu prüfen, indem

---

[1]) Chem. Centr. **67**, I, 514; Analyst **21**, 12—13. — [2]) Gazz. chim. ital. **26**, I, 218—220. — [3]) Daselbst **26**, II, 194—195. — [4]) Siehe vorst. Ref. — [5]) Bull. soc. chim. [3] **15**, 39.

man es nach dem Wägen mit einer Auflösung von weinsaurem
Ammonium erhitzt und einen etwaigen Rückstand nach dem
Waschen und Glühen wägt, um sein Gewicht in Abzug zu bringen.
Brt.

L. L. de Koninck. Prioritätsansprüche [1]). — Die von Antony und Benelli [2]) angegebene Methode zur Bestimmung des
Bleies im *Wasser* unter Anwendung von Quecksilberchlorid beruht
auf dem von ihm [3]) selbst angegebenen Verfahren, um Schwefel
und gewisse *Schwefelmetalle* abfiltrirbar zu machen. Für quantitative Bestimmungen hatte auch er das Glühen des Sulfidnieder-
schlages angerathen. — Desgleichen war das Verfahren von
Ch. Fabre zur Bestimmung des *Kaliums* bereits von de Koninck [4]) angegeben worden.   *Brt.*

J. C. Berntrop. Eine einfache Methode zur qualitativen
und quantitativen Bestimmung minimaler Bleimengen in Wasser [5]).
— Er fällt das Wasser direct mit Natriumphosphat aus und läfst
24 Stunden stehen. Hierbei wird neben Calcium und Magnesium
jede Spur von Blei abgeschieden. Den Niederschlag löst man in
verdünnter Salpetersäure, verdampft deren Ueberschufs und behandelt nun mit Schwefelwasserstoff, um die Fällung wieder mit
jener Säure aufzunehmen und dann die üblichen Reactionen auf
Blei anzustellen, bezw. dies zu bestimmen. Wenn so wenig Blei
zugegen ist, dafs Schwefelwasserstoff nur eine Färbung erzeugt,
so kann man jenes Metall colorimetrisch bestimmen. Sehr weichen
Wässern setzt man vor dem Natriumphosphat etwas Chlorcalcium
zu. In den Phosphatniederschlag würden auch andere Metalle
mit übergehen, wie etwa gegenwärtiges Kupfer, Zinn u. s. w. *Brt.*

H. Wefers Bettink. Blei im Trinkwasser [6]). — Kleine
Mengen Blei können beim Auflösen des Schwefelwasserstoffnieder-
schlages in Salpetersäure in Form des Sulfates ungelöst bleiben
und daher übersehen werden, wenn man nicht den Rückstand
mit etwas Natriumacetatlösung auszieht, um nun im Filtrate die
Prüfung mit Kaliumdichromat vorzunehmen.   *Brt.*

C. Guldensteeden Egeling. Der Nachweis von Blei und
Kupfer im Trinkwasser [7]). — Um zu entscheiden, ob ein Wasser,
welches durch Schwefelwasserstoff gebräunt wird, Blei oder vielmehr Kupfer enthält, soll man eine gröfsere Menge des Wassers

---

[1]) Monit. scientif. [4] 10, 721—722. — [2]) Siehe vorstehende Referate. —
[3]) Traité de Chimie analytique minérale qualitative et quantitative 1894, Bd. 2.
— [4]) Siehe de Koninck's Handbuch 1894, Bd. 2, S. 233. — [5]) Chemikerzeit.
20, 1020. — [6]) Chem. Centr. 67, II, 930; Nederl. Tijdschr. Pharm. 8, 303—305.
— [7]) Chem. Centr. 67, I, 1082; Chem. Soc. J. 70, II, 549 (Ausz.).

mit Essigsäure, Schwefelwasserstoff und metallfreiem Talkpulver versetzen, welches letztere die Sulfide zu Boden reißt. Nach dem Sammeln des Bodensatzes auf entfetteter Baumwolle wird derselbe mit warmer Salpetersäure ausgezogen und die Lösung zur Trockne verdampft. Im Rückstande prüft man nun auf die beiden Metalle.   *Brt.*

E. H. Richards und J. W. Ellms. Die färbende Materie natürlicher Wässer, deren Ursprung, Zusammensetzung und quantitative Messung [1]. — Die bräunliche Farbe von oberflächlichen Gewässern hängt von der Berührung mit abgefallenen Blättern ab und ist auf die Gegenwart von Gerbsäuren, Glycosiden und ihren Derivaten u. s. w. zurückzuführen. Eisen ist zwar meistens in sehr geringer Menge zugegen, es bildet aber keinen wesentlichen Bestandtheil solcher Wässer. Einige der färbenden Körper enthalten Stickstoff, da stark gefärbte Wässer in der Regel viel Albuminoïdstickstoff aufweisen. Zur Bestimmung der Farbstoffe dient ein colorimetrisches Verfahren, bei welchem zum Vergleiche die Färbung dient, welche das Neßler'sche Reagens mit einer Ammoniaklösung von bekanntem Gehalte hervorbringt.   *Brt.*

A. Hazen. Die Messung der Färbungen natürlicher Wässer [2]. — Es dient ein colorimetrisches Verfahren, bei welchem zum Vergleiche eine saure wässerige Lösung von Platinchlorid Verwendung findet, die mit so viel Chlorkobalt versetzt wird, daß der gewünschte Farbenton resultirt.   *Brt.*

A. R. Leeds. Normalprismen bei Wasseranalysen und die Bestimmung der Farbe bei Trinkwässern [3]. — Es wird für die Schätzung der Farbe von Wässern die Anwendung gefärbter Vergleichsgläser empfohlen.   *Brt.*

L. de Koningh. Bestimmung des Wassers in Superphosphaten [4]. — Um die Verflüchtigung freier Säure beim Glühen zu vermeiden, versetzt man 5 g des Musters mit etwa 1 g frisch geglühter Magnesia und erhitzt das Ganze zur schwachen Rothgluth. Bei Anwesenheit von schwefelsaurem Ammonium ist zu bedenken. daß beim Erhitzen Ammoniak entweichen würde. In Gegenwart organischer Stoffe oder von Nitraten ist die Methode natürlich nicht anwendbar.   *Brt.*

P. Jannasch und P. Weingarten. Ueber die quantitative Bestimmung des Wassers in den Silicaten nach der Boraxmethode [5].

---

[1] Amer. Chem. Soc. J. 18, 68—81. — [2] Daselbst, S. 264—275. — [3] Daselbst, S. 484—491. — [4] Chem. Soc. J. 70, II, 541—542 (Ausz.). — [5] Zeitschr. anorg. Chem. 11, 37—39.

— Die bei der Analyse des Vesuvians (Zeitschr. anorg. Chem. **8,** 352) angewandte Methode zur Wasserbestimmung haben die Verfasser in einer Weise modificirt, welche die zur Wasserbestimmung benutzte Substanzprobe auch für weitere analytische Operationen noch verwendbar macht. Entwässerter, in einem Platinschiffchen befindlicher Borax wird in einem Glasrohr durch Erhitzen im Luftstrome von aller Feuchtigkeit befreit, mit der Substanzprobe nach dem Erkalten innig gemengt, und das Gemenge in demselben Glasrohre vorsichtig zum Glühen erhitzt; das Wasser wird in einem vorgelegten Chlorcalciumrohr aufgefangen. Die Operation ist zu Ende, wenn die Blasenentwickelung aus der Schmelze aufgehört und die Schmelze ein gleichmäſsiges klares Aussehen angenommen hat. Bei fluorhaltigen Substanzen wird noch eine Schicht von gekörntem Bleichromat vorgelegt, welche ebenfalls mit einem Brenner erhitzt wird. *Br.*

C. Engler und W. Wild. Ueber die Trennung des Ozons von Wasserstoffhyperoxyd und den Nachweis von Ozon in der Atmosphäre [1]. — Wasserstoffhyperoxyd wird beim Zusammentreffen mit Chromsäure in fester Form oder in concentrirter Lösung sofort in Wasser und Sauerstoff zerlegt. Dagegen bleibt die Säure auf Ozon ohne jede Wirkung. Man kann somit die Luft durch Chromsäure von dem Hyperoxyde befreien und dann auf Ozon prüfen. *Brt.*

L. Heim. Nachweis von Ruſs in der Luft [2]. — Verfasser stellt zum Auffangen des Ruſses Glasschalen von 20 bis 24 cm Durchmesser auf, die etwa 1 cm mit destillirtem Wasser, dem 1 Proc. Carbolsäure zugesetzt ist, angefüllt sind. Man läſst die Schalen mehrere Tage stehen, wechselt ihren Inhalt aber täglich, bestimmt die Ruſsmenge in den gesammelten Proben und berechnet dann für 24 Stunden. Das zunächst in Flaschen gesammelte Wasser entleert man nunmehr in eine Porcellanschale, entfernt daraus mit einem Spatel alle fremden Körper, die man mit bloſsem Auge entdecken kann, kocht dann mit Kalilauge, neutralisirt schlieſslich mit Salzsäure und sammelt alsdann den Ruſs auf einem getrockneten und gewogenen Filter. Es wird jetzt das Filter, nachdem man es vorher auf einer Glasplatte ausgebreitet, unter dem Mikroskope bei 30- bis 50facher Vergröſserung beobachtet und von fremden Stoffen (kleinen Thierchen, Sand etc.) mit einer möglichst feinen Pincette befreit. Man schätzt jetzt das Verhältniſs zwischen Ruſs und übrigem Rückstand ab und

[1] Ber. **29,** 1940—1942. — [2] Arch. f. Hyg. **27,** 365—383.

berechnet den Befund in Procenten. Nach dem Auswaschen mit
Alkohol und Aether wird das Filter bei 105 bis 110° wieder getrocknet und aus der Gewichtszunahme sowie aus der durch
Mikroskopirung gefundenen Procentzahl die definitive Zahl, welche
die in der Expositionszeit in die Schale gefallene Rufsmenge angiebt, berechnet. Verfasser führt Versuchsergebnisse an, sowie
photographische Abbildungen von sogenannten Rufsfiltern, deren
Rufsgehalt pro Filter 50 mg nicht überschreiten soll für die
mikroskopische Prüfung.   *Tr.*

Kijanicin. Bestimmung der organischen Substanz in der
Luft[1]). — Man saugt die zu untersuchende Luft durch ein System
von Glascylindern, welche mit Kaliumpermanganatlösung beschickt
sind, und stellt den Titer dieser Lösung vor und nach Beendigung
des Versuchs fest.   *H.*

Halogene. — A. A. Bennett und L. A. Placeway. Quantitative Bestimmung der drei Halogene, Chlor, Brom und Jod in
Mischungen ihrer binären Verbindungen[2]). — Die von E. Hart[3])
angegebene Methode zur qualitativen Entdeckung der drei Halogene
in Mischungen wurde auch zur quantitativen Trennung dieser
Elemente benutzt, wozu die Apparatenanordnung beschrieben
wurde. Zum Freimachen des Jods diente eine 20 proc. Ferri-
ammonalaunlösung, zur Abscheidung des Broms eine gesättigte
Lösung von Kaliumpermanganat. Die Absorption von Jod und
Brom geschah in einer 20 proc. Jodkaliumlösung. Im Destillations-
rückstand wurde dann nach Reduction des Permanganates mit
Ferrosulfat das Chlor als Chlorsilber bestimmt. Die erhaltenen
Resultate waren sehr befriedigend.   *Sd.*

Ad. Carnot. Analyse eines Gemisches von Chloriden, Hypo-
chloriten und Chloraten auf volumetrischem Wege[4]). — Folgendes
Verfahren giebt rasch sehr genaue Resultate. Man bestimmt
zunächst in bekannter Weise das Hypochlorit mit Hülfe von
arsenigsaurem Natrium in neutraler oder alkalischer Flüssigkeit,
wobei die Chlorate ohne Einflufs bleiben, säuert darauf mit
Schwefelsäure an, setzt ein gemessenes Volum titrirter Ferrosulfatlösung hinzu, deren Ueberschufs mit Permanganat zurücktitrirt wird und erfährt so die Menge der Chlorate. In der erhaltenen Flüssigkeit wird durch Titriren mit Silberlösung in
Gegenwart von Rhodankalium das Gesammtchlor bestimmt, von
dessen Betrage man die Menge des dem Hypochlorite und dem

---

[1]) Ref.: Deutsche Chemikerzeit. 11, 437. — [2]) Amer. Chem. Soc. J. 18.
688—692. — [3]) JB. f. 1884, S. 1563. — [4]) Bull. soc. chim. [3] 15, 393—397.

Chlorate entsprechenden Chlors abzieht, um den Rest auf Chlorid zu berechnen. Es werden nähere Angaben über die Ausführung der Analyse gemacht.   *Brt.*

Ad. Carnot. Analyse eines Gemenges von Chloriden, Chloraten und überchlorsauren Salzen [1]. — In einem Theile der Lösung titrirt man die Chloride mit Silberlösung in Gegenwart von Schwefelcyanammonium; in einem anderen bewirkt man zunächst die Reduction der Chlorate durch Schwefelsäure und Eisenvitriol, um wiederum das Chlor zu titriren. Wenn man die zuerst gefundene Menge Chlor von der zweiten abzieht, so ergiebt sich durch Umrechnung die Chlorsäure. Man kann auch in einer einzigen Probe der Flüssigkeit zunächst in neutraler Lösung das Chlor direct mit Silbernitrat in Gegenwart von etwas arsensaurem Natrium als Indicator titriren, dann das Chlorat in der bei anderer Gelegenheit von demselben [2] angegebenen Weise titriren. Um das überchlorsaure Salz zu bestimmen, erhitze man das Salzgemenge mit 4 bis 5 Thln. Quarzsand 20 bis 30 Minuten in der Weise, dafs nur der Boden des Tiegels roth wird. Hierbei gehen die Chlorate und die Perchlorate vollständig in Chloride über. Es wird nun im Rückstande das Chlor bestimmt, um von dessen Menge die den Chloriden und Chloraten entsprechenden abzuziehen und den Rest auf überchlorsaures Salz zu berechnen.   *Brt.*

W. v. Moraczewski. Eine Methode der quantitativen Salzsäurebestimmung im Magensaft [3]. — W. v. Moraczewski dampft den Magensaft auf dem Wasserbade bis auf 1 ccm ein, zieht diesen Rest mit Alkohol-Aether aus, verdünnt den Auszug mit Wasser, neutralisirt und titrirt mit Silbernitrat. Der Verfasser will nach dieser Methode die ganze, auch an Eiweifs gebundene Salzsäure quantitativ bestimmen können.   *Wr.*

Hermann Straufs. Zur quantitativen Bestimmung der Salzsäure im menschlichen Magensaft [4]. — Hermann Straufs hat die von Töpfer angegebene Methode *zur quantitativen Bestimmung der Salzsäure im Magensafte mit Dimethylamidobenzol* auf ihre Anwendbarkeit geprüft und gefunden, dafs eine 0,5 proc. alkoholische Lösung der genannten Verbindung die bisher gebräuchlichen Reagentien für den Nachweis von freier Salzsäure an Empfindlichkeit übertrifft. Gebrauch der mit dem Farbstoff getränkten Papierstreifen oder der Tüpfelmethode ist nicht rathsam.

---

[1] Bull. soc. chim. [3] 15, 397—399. — [2] Siehe vorstehendes Referat. — [3] Chem. Centr. 67, I, 667; Deutsche med. Wochenschr. 22, 24—25. — [4] Chem. Centr. 67, 1024—1025; D. Arch. Klin. Med. 56, 87—120.

Die quantitative Bestimmung erfordert eine grofse Uebung. Dasselbe kann man sagen von einer von **Töpfer** empfohlenen Methode zur quantitativen Bestimmung der gebundenen Salzsäure durch Titrirung mit Alizarinlösung. *Wr.*

Kwiatnowski. Kobaltcarbonat als Reagens auf freie Salzsäure im Magensaft [1]). — Nach **Kwiatnowski** soll die *Reaction auf freie Salzsäure im Magensafte mit Kobaltcarbonat* viel empfindlicher sein als alle üblichen Mittel. Sie soll unabhängig sein von der Anwesenheit der organischen Säuren und Peptonen. *Wr.*

A. Donner. Identitätsnachweis von Brom und Jod [2]). — Die betreffende Lösung wird mit verdünnter Schwefelsäure und etwas Permanganat behandelt. Bei Anwesenheit von Brom färbt sich die Flüssigkeit gelbroth. Jod würde dagegen als dunkler Niederschlag ausfallen. Zur Bestätigung des Befundes schüttelt man mit Chloroform oder Aether aus. *Brt.*

E. Riegler. Eine neue Bestimmungsmethode der löslichen Jodverbindungen auf titrimetrischem Wege [3]). — Bei dem Verfahren wird aus Jodiden das Jod durch Jodsäure ($^1/_{10}$-Normallösung) frei gemacht, in Petroleumäther aufgenommen und der Ueberschufs der Jodsäure mit Natriumthiosulfat ($^1/_{10}$-Normallösung) titrirt. Aus der wirklich verbrauchten Menge Jodsäure ergiebt sich die im Jodide enthalten gewesene Jodmenge, wenn man bedenkt, dafs nur fünf Sechstel des bei der Umsetzung $6\,HJO_3 + 5\,NaJ = 5\,NaJO_3 + 3\,H_2O + 6\,J$ in Freiheit gesetzten Jods aus dem Jodide herstammen. Auf Grund der nämlichen Reaction läfst sich umgekehrt auch die *Jodsäure* mit Hülfe von Jodiden bestimmen. Jodsäure reagirt mit dem Thiosulfate nach der Gleichung: $6\,Na_2S_2O_3 + 6\,HJO_3 = 3\,Na_2S_4O_6 + 5\,NaJO_3 + NaJ + 3\,H_2O$. Bei der Titrirung dient Stärke als Indicator [4]). *Brt.*

J. A. Reich. Ein einfaches Verfahren, um Fluor in Silicaten und Boraten nachzuweisen [5]). — Er übergiefst die Substanz in einem Platintiegel mit concentrirter Schwefelsäure, deckt mit einem Uhrglase zu, welches an der unteren, convexen Seite einen Wassertropfen trägt, und erwärmt mäfsig stark. Tritt irgend welche Entwickelung von Fluorsilicium oder Fluorbor auf, so bildet sich am Rande des Wassertropfens ein weifses Häutchen von Kieselsäure bezw. Borsäure. Ist das Häutchen von letzterer

---

[1]) Chem. Centr. 67, II, 61; Courrier méd., Monit. de Pharm. 1895. S. 1936. — [2]) Chem. Centr. 67, II, 361; Pharm. Zeitg. 41, 453. — [3]) Zeitschr. anal. Chem. 35, 305—307. — [4]) Siehe diesen JB., S. 2053. — [5]) Chemikerzeit. 20, 985.

Säure gebildet, so wird es bei Wasserzusatz verschwinden, und aufserdem der Tropfen mit Curcumapapier die bekannte Reaction der Borsäure liefern. *Brt.*

Schwefel, Selen, Tellur. — P. Jannasch und H. Lehnert. Ueber die Bestimmung des Schwefels in unorganischen Sulfiden durch Glühen derselben in einem Sauerstoffstrome und Auffangen der flüchtigen Oxyde in Wasserstoffsuperoxyd[1]) (V. Abhandlung). — Diese schon früher[2]) beschriebene Methode wurde nunmehr zur Analyse von natürlichem Zinnober und von käuflichem krystallisirtem Zinnsulfür angewendet; die Vorsichtsmafsregeln wurden angegeben, welche speciell im ersten Falle beobachtet werden müssen. *Sd.*

J. H. Stansbie. Bestimmung des Schwefels in Erzen[3]). — Letztere werden mit concentrirter Salpetersäure gekocht, bis der reichlich abgeschiedene Schwefel in Tropfen auf der Flüssigkeit schwimmt; man läfst erkalten, bringt den Schwefel durch Bromzusatz zum Verschwinden, erhitzt noch einige Zeit weiter und verdampft dann zur Trockne. Nach dem Aufnehmen mit concentrirter Salzsäure wird mit Wasser verdünnt und das Filtrat mit Chlorbaryum ausgefällt. In einigen Sulfiderzen liefs sich auch durch Glühen mit reinem Aetzkalk, Versetzen mit Wasser und Brom, Kochen mit Salzsäure und Ausfällen des Filtrates mit Chlorbaryum der Schwefel bestimmen. *Brt.*

L. L. de Koninck. Bestimmung des Schwefels in Erzen. Prioritätsanspruch[4]). — Es wird hervorgehoben, dafs der von Stansbie[5]) angegebene Procefs, unter gleichzeitiger Anwendung von Salpetersäure und Brom, zur Oxydation von Schwefel und Sulfiden schon von de Koninck[6]) angewandt worden war. *Brt.*

Th. S. Gladding. Ueber die Bestimmung des Schwefels in Pyriten[7]). — Er bestreitet die Richtigkeit von Lunge's[8]) Aussage, dafs der durch Einschlufs von etwas Chlorbaryum im Baryumsulfat bedingte Fehler durch die geringe Löslichkeit des letzteren in stark sauren Flüssigkeiten ausgeglichen werde, auch wenn man genau Lunge's Angaben gemäfs arbeite. *Brt.*

G. Lunge. Ueber die Bestimmung des Schwefels in Pyriten[9]). — Der Verfasser hält Gladding's[10]) Kritik gegenüber sein Ver-

[1]) Zeitschr. anorg. Chem. 12, 129—131. — [2]) Daselbst 6, 303 u. 9, 194. — [3]) Chem. News 74, 189. — [4]) Daselbst, S. 224. — [5]) Siehe vorst. Ref. — [6]) Siehe de Koninck, Traité de Chimie analytique minérale, qualitative et quantitative 2, 792. — [7]) Amer. Chem. Soc. J. 18, 446—449. — [8]) Daselbst 17, 772—775. — [9]) Daselbst 18, 685—686. — [10]) Siehe vorst. Ref.

fahren aufrecht. Er bestreitet auf Grund von Versuchen, welche
U. Wegeli ausführte, dafs es nöthig sei, das Chlorbaryum sehr
langsam zuzusetzen, um so die Einschliefsung desselben durch
das schwefelsaure Baryum zu vermindern.   *Brt.*

P. Jannasch u. O. Heidenreich. Ueber die Bestimmung
des Schwefels in unorganischen Sulfiden[1]). VI. Mittheilung. —
Analyse von käuflichem *Musivgold* (SnS_2) im Sauerstoffstrome.
Das Musivgold wurde in dem früher[2]) beschriebenen Apparate
vorsichtig im Sauerstoffstrome oxydirt und die rückständige Zinnsäure gewogen, während die Gase durch Vorlagen mit 3- bis
4 proc. Wasserstoffhyperoxyd oder sehr verdünnter Salzsäure und
Brom geleitet wurden, um die entstandene Schwefelsäure zu bestimmen. Um darin enthaltenes Chlor zu bestimmen, erwärmten
sie das Musivgold mit stark verdünnter Salpetersäure und fällten
das Filtrat mit Silberlösung. Die Wasserbestimmung geschah
durch Trocknen bei 95° C.   *Brt.*

F. J. Pope. Bestimmung der Sulfide im Calciumcarbid[3]). —
Man versetzt letzteres in einem Erlenmeyer'schen Kolben aus
einem Helmtrichter mit Wasser, bis kein Acetylen mehr auftritt,
sodann kocht man mit Schwefelsäure und leitet das austretende
Gas durch ein gemessenes Volum einer titrirten Bleiacetatlösung.
Im Filtrat vom Schwefelbleiniederschlage wird das überschüssige
Blei mit Kaliumdichromat u. s. w. titrirt. Es ergiebt sich dann
durch Rechnung, wie viel Blei ausgefällt worden ist, also wie viel
Schwefel zugegen war.   *Brt.*

E. F. Cone. Die Bestimmung des Pyrrhotits in Pyriten[4]).
— Einige amerikanische Pyrite enthalten Pyrrhotit, Fe_7S_8, in
wechselnder Menge. Da des letzteren Schwefelgehalt bei der
Fabrikation der Schwefelsäure nur unvollkommen ausgenutzt wird,
so darf man nicht einfach in jenen Pyriten den Schwefel bestimmen, sondern mufs auch die Menge des Pyrrhotits ermitteln.
Letzterer ist magnetisch, läfst sich daher mit Hülfe eines Magnetes
dem fein gepulverten und gewogenen Muster entziehen, indem
der Pyrit nicht magnetisch ist. Man bestimmt nun in dem ab-
gesonderten und gewogenen Pyrrhotit den Schwefel durch Oxydation mit Salpetersäure und bromhaltiger Salzsäure, sowie Ausfällung mit Chlorbaryum u. s. w., um dann zu berechnen, wie viel
Schwefel in dem Pyritmuster in Form des ersteren Minerals ent-

[1]) Zeitschr. anorg. Chem. 12, 358. — [2]) Daselbst, S. 129. — [3]) Amer.
Chem. Soc. J. 18, 740—741. — [4]) Daselbst, S. 404—406.

halten war. — Man kann auch das Pyritmuster mit verdünnter Säure behandeln, wobei der Pyrrhotit Schwefelwasserstoff liefert, nicht aber der eigentliche Pyrit. Dies geht aber nur bei Abwesenheit fremder Sulfide, wie z. B. Zinkblende, an, welche letztere in den meisten Pyriten vorkommt. *Brt.*

H. Skraup. Ueber die Methode von Jacobson und Brunn zur Reinigung von arsenhaltigem Schwefelwasserstoff durch Jod[1]). — Verfasser hat das von O. Jacobson und O. Brunn vorgeschlagene Verfahren zur Befreiung des aus Schwefeleisen bereiteten Schwefelwasserstoffs von Arsenwasserstoff eingehender geprüft. Dasselbe beruht darauf, dafs man das Gas durch ein mit Jod beschicktes Rohr leitet, wobei Arsenwasserstoff und trockenes Jod sich im Sinne der nachstehenden Gleichung umsetzen: $AsH_3 + 3J_2 = AsJ_3 + 3HJ$. Die Versuche des Verfassers zeigen nun, dafs man sehr gut den Schwefelwasserstoff nach diesem Verfahren von Arsenwasserstoff befreien kann, vorausgesetzt, dafs man ihn nicht in ungewöhnlich grofser Menge für ein Untersuchungsobject verwendet und keinen allzu starken Strom von Schwefelwasserstoff das Jodrohr passiren läfst. *Tr.*

F. W. Küster. Ueber die Löslichkeitsverhältnisse des Baryumsulfats[2]). — Die Arbeit enthält eine Kritik der Arbeit von R. Fresenius und E. Hintz. Verfasser verwirft zunächst die Bezeichnung Löslichkeit „in statu nascendi" und die Art Versuchsanstellung der Autoren. Unter Löslichkeit des Baryumsulfats ist einzig und allein nur eine Angabe über die Zusammensetzung derjenigen Lösung, welche bei der gegebenen Temperatur und in Berührung mit dem festen Salz mit diesem im Gleichgewicht steht, zu verstehen. Bei den Versuchen, aus denen Fresenius und Hintz die Löslichkeit wie 1 : 100 000 fanden, hatten sie in Bezug auf Baryumsulfat übersättigte Lösungen vor sich, die deshalb so lange in diesem Zustande beharren, weil die Lösungen so stark verdünnte sind und dadurch in Folge der relativ grofsen Abstände der Salzmoleküle Krystallkeime nur sehr schwer entstehen und, wenn sie entstanden sind, nur äufserst langsam wachsen. Verfasser zeigt an ähnlichen wie von Fresenius und Hintz dargestellten Lösungen, die 4 mg $BaSO_4$ in 400 ccm Wasser enthalten, durch die schnelle Abnahme der elektrischen Leitfähigkeit beim Schütteln mit reinem Baryumsulfat, dafs die Lösungen thatsächlich übersättigt waren. Er fand die Löslichkeit des $BaSO_4$ bei

---

[1]) Zeitschr. österr. Apoth.-Ver. **34**, 72—76. — [2]) Zeitschr. anorg. Chem. **12**, 261—271.

18,3⁰ C. wie 1:425000 in guter Uebereinstimmung mit den Untersuchungen von **Kohlrausch, Rose** und **Hollemann.** Die von
Fresenius und **Hintz** bei Gegenwart von Salzen und Säuren
bezüglich der Löslichkeit des Baryumsulfats gemachten Beobachtungen bieten nichts „Eigenthümliches", sondern erscheinen
bei Anwendung bekannter Lehren nicht nur qualitativ, sondern
bis zu einem gewissen Grade auch quantitativ verständlich. Sie
ergeben sich aus dem Verhalten der Ionen in den betreffenden
Lösungen. Dafs der Zusatz von Schwefelsäure die Löslichkeit des
Baryumsulfats in Wasser in noch höherem Grade vermindert als
ein solcher von Baryumchlorid, ist nach der Theorie bei Zusatz
äquivalenter Mengen nicht vorauszusehen. **Fresenius** u. **Hintz**
verglichen aber eine Chlorbaryumlösung 1:10 und eine Schwefelsäure 1:5, so dafs das Aequivalentverhältnifs ungefähr 1:4 beträgt. Hierdurch sind diese Beobachtungen der Autoren leicht
erklärlich. Es erscheint daher geboten, den Resultaten von **Fresenius** und **Hintz** über die Löslichkeit des Baryums in Wasser
bei Gegenwart anderer Salze und Säuren nur qualitativen Werth
beizulegen. Zum Schlufs wird noch darauf hingewiesen, dafs es
auch bei der Bearbeitung relativ einfacher Probleme der analytischen und anorganischen Chemie durchaus erforderlich ist, die
Errungenschaften der modernen allgemeinen, physikalischen und
theoretischen Chemie zu berücksichtigen. *Bm.*

G. Lunge. Zur Ausfällung von Baryumsulfat mit Chlorbaryum[1]). — Veranlafst durch die abermalige Behauptung von
Gladding[2]), dafs man bei der Fällung von Schwefelsäure durch
Chlorbaryum das letztere nur sehr langsam zusetzen dürfe
(ein Tropfen in der Secunde), weil sonst grofse Fehler dadurch
entständen, dafs das Baryumsulfat Chlorbaryum zurückhielte, und
dafs dann 0,5 Proc. Schwefel in Schwefelkiesen zu viel gefunden
würden, liefs **Lunge** von anderer unparteiischer Seite in einem
gerade vorliegenden schwedischen Schwefelkies nach beiden Methoden Schwefelbestimmungen ausführen. Die drei nach gewöhnlicher Art, d. h. so ausgeführten Fällungen, dafs die heifse Chlorbaryumlösung unter Umrühren mit einem Glasstabe in gröfseren
Portionen zusammen in etwa einer halben Minute hinzugegeben
wurde, ergaben 39,83, 39,65 und 39,65 Proc., im Mittel 39,71 Proc.
Schwefel, während drei nach obiger Vorschrift **Gladding's** ausgeführte Bestimmungen 39,69, 39,63 und 39,44 Proc., im Mittel

---

[1]) Zeitschr. angew. Chem. 1896, S. 453. — [2]) Amer. Chem. Soc. J. 18.
446—449.

39,59 Proc. Schwefel ergaben. Beide Methoden geben also für praktische Zwecke gleiche Resultate. Die Methode läfst sich auch mit Vortheil auf die mit Fluorammonium aufgeschlossenen Silicate anwenden. Auf den für Borsäure ermittelten Grundlagen beschäftigt sich Verfasser auch mit der Verflüchtigung von Phosphorsäure. *Bm.*

F. W. Richardson und H. E. Aykroyd. Sulfide, Sulfite, Thiosulfate und Sulfate; ihre Bestimmung in Gemischen derselben[1]. — Eine Thiosulfat neben Sulfat enthaltende Lösung darf nicht mit Mineralsäuren, Essigsäure oder Oxalsäure angesäuert werden, da hierdurch Thiosulfat unter Bildung von Sulfat zersetzt wird. Aus alkalischer Lösung fällt durch Chlorbaryum neben Baryumsulfat stets Baryumthiosulfat aus. Man säuert daher mit Citronensäure an und fällt aus der angesäuerten Lösung, wobei höchstens etwas Baryumsulfit mitgerissen wird, das durch Waschen mit verdünnter, heifser Salzsäure entfernt werden kann. Zur Bestimmung der Sulfide titrirt man mit ammoniakalischer Zinklösung nach Schwarz unter Anwendung einer Lösung, von der 1 ccm 0,0016 g Sulfidschwefel entspricht. Die Bestimmung von Sulfiten und Thiosulfaten neben einander beruht auf folgenden Titrationen. Die von der Sulfidbestimmung abfiltrirte ammoniakalische Flüssigkeit wird neutralisirt und mit $^1/_{10}$-Normal-Jodlösung titrirt: $NaHSO_3 + 2J + H_2O = NaHSO_4 + 2HJ$. Die entstandene Säure wird mit $^1/_{10}$-Normal-Alkali titrirt. (Indicator: Methylorange.) Die in dieser Weise ausgeführten Controlanalysen geben sehr gute Resultate. *Hz.*

B. Setlik. Ueber die Bestimmung der Säureverbindungen des Schwefels[2]. — Es wird die qualitative und quantitative Trennung der genannten Säuren besprochen, welche meistens auf dem Verhalten der letzteren zu Salzsäure und zu Natriumsulfid in der Wärme beruht. *Schweflige Säure* schlägt man in der Kälte als Baryumsalz zusammen mit der *Schwefelsäure* nieder. *Schwefelwasserstoff* wird mit Zinkchlorid gefällt. Um ein Gemisch von *Hyposulfit* und *Trithionat* zu analysiren, bestimmt man das erstere durch directe Titrirung in einem Theile der Flüssigkeit. In einem anderen Theile wird das Trithionat durch Salzsäure zersetzt und die dabei entstehende Schwefelsäure als Baryumsalz bestimmt. Bei Anwesenheit von *Tetrathionat* wird ein Theil der Lösung mit Natriumsulfid gekocht, um aus der Menge des abgeschiedenen

---

[1] Chem. Soc. Ind. J. 15, 171; Ref.: Chem. Centr. 67, I, 1080. —
[2] Chemikerzeit. 20, Rep. 227; Chem. Listy (1896) 20, 149.

Schwefels diejenige der Tetrathionsäure abzuleiten. Einen anderen Theil der Flüssigkeit zersetzt man mit Salzsäure und bestimmt dann die Schwefelsäure als Baryumsalz, um von ihrer Menge die der Tetrathionsäure entsprechende abzuziehen und den Rest auf Trithionsäure umzurechnen. Zur Bestimmung von Sulfiten und *Hyposulfiten* neben einander titrirt man sie zunächst zusammen mit Jodlösung, zersetzt dann einen Theil der Flüssigkeit mit Salzsäure, um aus der Menge des abgeschiedenen Schwefels diejenige des Hyposulfits abzuleiten. Das Sulfit wird durch Rechnung gefunden. *Brl.*

P. Jannasch. Eine neue Methode der Ueberführung von Sulfaten in Chloride[1]). Vorläufige Mittheilung. — Die Sulfate werden mit der vier- bis fünffachen Menge gepulverten Borsäureanhydrids im Platintiegel gut gemischt und zusammengeschmolzen, bis keine Schwefelsäuredämpfe mehr entweichen. Die erhaltene Schmelze wird in Wasser und Salzsäure gelöst, von der man reichliche Mengen zusetzen muß. Darauf wird die Borsäure durch Bildung des Borsäuremethylesters wie bei dem Aufschließen von Silicaten mit Borsäure verflüchtigt. Die Boraxschmelze kann man auch direct in Salzsäure-Methylalkohol lösen. Nach dieser Methode werden Schwerspath und eigentliche Metallsulfate leicht aufgeschlossen. 0,5 g Sulfat brauchten durchschnittlich nur 15 bis 30 Minuten Schmelzdauer bis zur vollständigen Vertreibung der Schwefelsäure. *Bm.*

N. J. Lane. Bestimmung der Schwefelsäure[2]). — Bei der Titrirung der Schwefelsäure mit Chlorbaryum wurde von letzterem bei raschem Zusatz etwas mehr verbraucht als bei langsamem. *Brl.*

J. I. D. Hinds. Photometric Method for the quantitative determination of lime and sulphuric acid[3]). — Wenn schwache Lösungen von Kalk durch oxalsaures Ammonium oder von Schwefelsäure durch Chlorbaryum gefällt werden, so kann leicht die Höhe der Flüssigkeitssäule bestimmt werden, durch welche das Licht einer Kerze gerade noch gesehen werden kann. Durch zahlreiche Versuche ergab sich, daß das Product aus den Procenten H_2SO_4 (y) einer Lösung mal dieser Höhe in Centimetern (x) eine Constante ist: $x \cdot y = 0,0590$. Der Procentgehalt y ist also gleich: $\dfrac{0,0590}{x}$. Die Fehler dieser Methode zur Bestimmung

---

[1]) Zeitschr. anorg. Chem. 12, 223—224. — [2]) Amer. Chem. Soc. J. 28. 682. — [3]) Chem. News 73, 285—287.

von Schwefelsäure sind sehr klein, ungefähr eins auf zwei Millionen.   *Hz.*

Aglot. Dosage optique de l'acide sulfurique [1]). — Der Verfasser studirt die Möglichkeit, den Gehalt einer sehr verdünnten Schwefelsäure durch Messung der Trübung zu bestimmen, welche bei der Fällung entsteht. Frühere Forscher haben hier keine brauchbaren Resultate erzielen können, ein Umstand, den Aglot speciellen, bei der Schwefelsäure vorliegenden Schwierigkeiten beimifst. Aglot kommt im Verlaufe der Untersuchung zu dem Resultat, dafs in wässeriger Lösung die optische Bestimmung unmöglich wird wegen der grofsen Veränderlichkeit in der Form des Niederschlages, welche durch die unscheinbarsten Umstände oft weitgehend beeinflufst wird. In alkoholischer Lösung zwischen 6 und 20° wird die Bestimmung möglich, ist aber noch mit Unbequemlichkeiten verknüpft, denen der Verfasser jedoch durch geeignete Ausführungsbestimmungen abzuhelfen weifs, so dafs die Ausführung alsdann leicht und schnell wird.   *Bs.*

C. W. Foulk. Die Wirkung eines Ueberschusses an Reagens bei der Fällung des schwefelsauren Baryums [2]). — Bei der Fällung des *Baryums* mit Schwefelsäure in Anwesenheit von Salzsäure ist ein sehr grofser Ueberschufs der ersteren Säure erforderlich, und zwar ein um so gröfserer, je mehr Salzsäure zugegen ist und je weniger lange man vor dem Filtriren stehen lassen will. Bei Gegenwart von viel Schwefelsäure ist ein Umrühren unnöthig. Das aus salzsaurer Lösung eines Baryumsalzes mit Schwefelsäure niedergeschlagene Baryumsulfat ist krystallinisch und leicht abzufiltriren, während das durch Ausfällung von Schwefelsäure durch ein Baryumsalz in Gegenwart von Salzsäure gewonnene schwefelsaure Baryum feinpulverig ist und leicht durchs Filter geht. Um alle *Schwefelsäure* aus salzsaurer Flüssigkeit mit Chlorbaryum zu fällen, ist ein grofser Ueberschufs von letzterem erforderlich. Mit der Menge der gegenwärtigen Salzsäure soll auch diejenige des Chlorbaryums wachsen. Je mehr Salzsäure zugegen ist, desto krystallinischer ist der Niederschlag. Er enthält immer Chlorbaryum, welches sich erst nach dem Glühen ausziehen läfst. Bei der Fällung des Baryums oder der Schwefelsäure in Form von schwefelsaurem Baryum können sich bei gleicher Arbeitweise sehr gut übereinstimmende Resultate ergeben, ohne dafs diese richtig zu sein brauchen.   *Brt.*

---

[1]) Bull. soc. chim. [3] 15, 855—862. — [2]) Amer. Chem. Soc. J. 18, 793—807.

2086 Bestimmung des freien Anhydrids in rauchender Schwefelsäure.

J. Edmunds. Die Bestimmung von Schwefelsäure oder von Baryum [1]. — Um die Schwefelsäure auf indirectem volumetrischem Wege zu bestimmen, fällt man sie mit überschüssiger Auflösung von Baryumnitrat, das überschüssige Baryum mit einem Ueberschuſs von Kaliumchromat und die überschüssige Chromsäure mit einem Ueberschuſs an Silberlösung. Im Filtrat wird dann das gelöst gebliebene Silber mit Chlornatrium in Gegenwart von etwas Kaliumchromat titrirt. Wenn man nun von der Gesammtmenge des angewendeten Silbernitrats die schlieſslich noch anwesende abzieht, so ergiebt sich die der Schwefelsäure äquivalente Quantität Silber. Alle Operationen werden in der Kälte ausgeführt. Die anzuwendenden Lösungen sind $^1/_{10}$- und $^1/_{100}$-normale. Nach Zusatz einer jeden derselben wird eine Minute lang kräftig geschüttelt, dann — ohne vorherige Filtration — das folgende Reagens hinzugefügt. Die $^1/_{100}$-Normallösungen dienen für die Analyse sehr sulfatarmer Flüssigkeiten, z. B. von *Trinkwässern*. Es wird ferner noch angegeben, wie man störende Bestandtheile vor der Bestimmung der Sulfate entfernen oder ihren Einfluſs auf die Resultate berücksichtigen kann. — Wenn man Baryum bestimmen will, so fälle man dies mit überschüssiger $^1/_{10}$-Normallösung von Kaliumsulfat aus und bestimme des letzteren Ueberschuſs nach der vorstehenden Methode. Es läſst sich dann die Menge des Baryums berechnen. *Brt.*

P. Dobriner u. W. Schranz. Aus der analytischen Praxis [2]. I. Bestimmung des freien Anhydrids in rauchender Schwefelsäure (Oleum). — Verfasser weisen darauf hin, daſs die Bestimmungen des freien Anhydrids im Oleum mit zu den penibelsten analytischen Operationen gehören und nach der üblichen Methode Differenzen von 1 Proc. zwischen zwei Analytikern unter Umständen unvermeidlich seien. Verfasser verfahren, um genauere Resultate zu erhalten, folgendermaſsen: Zum Abwägen des Oleums wird ein vollkommen trockenes Reagenzglas in fast ein Drittel seiner Länge zu einer feinen Spitze ausgezogen. Nach dem Wägen des Röhrchens taucht man die Spitze in das zu untersuchende Oleum, erwärmt den oberen, herausragenden Theil des Röhrchens und läſst beim Erkalten eine genügende Menge, etwa 6 bis 8 g, Oleum in das Röhrchen eintreten, dessen Spitze man alsdann zuschmilzt. Nachdem es äuſserlich vollständig gereinigt ist, wird es gewogen und in eine gut schlieſsende Stöpselflasche von 1 Liter

---

[1] Chem. News **74**, 187—188. — [2] Zeitschr. angew. Chem. 1896. S. 253—256.

Inhalt, in der sich etwa 150 ccm Wasser befinden, vorsichtig eingeführt. Darauf schliefst man die Flasche und schüttelt kräftig, wodurch das freie SO_3 von dem Wasser absorbirt wird. Zu dem Inhalt der Flasche fügt man eine solche Menge abgewogenes chemisch reines kohlensaures Natron hinzu, dafs nach dem Kochen und vollständigen Vertreiben der Kohlensäure noch 3 bis 4 ccm Normallauge zur Neutralisation erforderlich sind. Man titrirt mit diesen unter Zusatz von Phenolphtaleïn zu Ende. Man ermittelt die Menge des zuzusetzenden kohlensauren Natrons durch eine vorhergehende Bestimmung der Gesammtacidität. Bei der Umrechnung des abgewogenen kohlensauren Natrons ist im Cubikcentimeter Normallauge das genaue Aequivalentgewicht 53,06 zu benutzen. Aus der gefundenen Gesammtacidität A, berechnet auf SO_3, berechnet man den Gehalt an freiem SO_3 nach der Formel:

$$\frac{49}{9} \cdot A - 444,44.$$

Diese Formel kann nur zur Anwendung kommen, wenn das Oleum zu vernachlässigende Mengen von schwefliger Säure enthält. Es ist auf möglichst genaue Einstellung der Lauge und Graduirung der Büretten zu achten. *Bm.*

M. Dennstedt und C. Ahrens. Ueber die Bestimmung von schwefliger Säure und Schwefelsäure in den Verbrennungsproducten des Leuchtgases[1]. — Uno Collan hat zur Bestimmung der schwefligen Säure, die nach seiner Ansicht hauptsächlich neben wenig Schwefelsäure bei Verbrennung des Leuchtgases auch in nicht leuchtender Flamme entstehen soll, titrirte Chromsäurelösung angewendet und die nicht verbrauchte Säure durch Eisenammonsulfat und Zurücktitriren mit Kaliumpermanganat bestimmt. Er hat dabei grofse Differenzen (bis zu 10 Proc.) zu verzeichnen gehabt, und die Versuche der Verfasser bestätigen diese Resultate. Die Verfasser haben deshalb die Verbrennung des Gases im Luftstrom in einem grofsen, mit Rückflufskühler verbundenen Kolben vorgenommen und in diesen Gefäfsen die gebildete Schwefelsäure, die weiter gehende schweflige Säure durch Oxydation mit Brom bestimmt. Dann haben sie die Brom und K_2CO_3 enthaltenden Absorptionsflaschen durch solche mit Chromsäure beschickten ersetzt und in diesen die gebildete Schwefelsäure einmal durch Titration, wie oben beschrieben, das andere Mal durch Bestimmung als $BaSO_4$ ermittelt. Es zeigte sich dabei, dafs die nach beiden Methoden gewichtsanalytisch bestimmten

---

[1] Zeitschr. anal. Chem. 35, 1—10.

Mengen übereinstimmen, die titrimetrisch erhaltenen aber bedeutend (bis zu 16 Proc.) hinter den ersteren zurückbleiben. Durch
weitere Versuche haben die Verfasser ferner gefunden, daſs die
gebildete Schwefelsäure bei Erhöhung des Schwefelgehaltes des
Gases stetig abnimmt, daſs aber eine Erhöhung des Sauerstoff-
gehaltes der Verbrennungsluft dieselbe vermehrt. Die Verfasser
schlieſsen deshalb sehr richtig, daſs bei einer frei in der Luft
brennenden Flamme der Schwefelsäuregehalt noch gröfser sein
muſs, als bei der im Kolben unter Luftzufuhr brennenden, und
zwar schlieſsen sie auſserdem aus Versuchen, die zeigen, daſs die
mit Luft gemischte schweflige Säure nach und nach beim Durchleiten durch angefeuchtete Flaschen immer mehr Schwefelsäure
bildet, daſs die gebildete Schwefelsäure bei einer frei brennenden
Flamme erst in gewisser Entfernung von derselben durch ihre
schädigende Wirkung erkannt wird. Die Verfasser schlieſsen mit
einer sehr beherzigenswerthen Mahnung an die Gasfabrikanten,
ein möglichst von organischen Schwefelverbindungen freies Leuchtgas zu fabriciren. *Ltm.*

A. W. Peirce. Gravimetrische Bestimmung des Selens[1]. —
Das letztere wird aus verdünnter salzsaurer Lösung der selenigen
Säure durch überschüssiges Jodkalium in der Siedehitze gefällt.
Man kocht so lange, bis der anfangs rothe Niederschlag schwarz
geworden und alles freie Jod verschwunden ist. Der gewaschene
Niederschlag von Selen wird bei 100⁰ getrocknet und gewogen.
Bei Vorliegen einer höheren Oxydationsstufe des Selens hat das
Kochen länger zu dauern. *Brt.*

J. F. Norris und H. Fay. Jodometrische Bestimmung der
seleniger Säure und Selensäure[2]. — 1 Mol. selenige Säure zerstört in salzsaurer Lösung 4 Mol. Thiosulfat. Dazu sind in der
Kälte 24 Stunden erforderlich. Man kann nun vom Selen abfiltriren und den Rest des Thiosulfats mit Jodlösung zurücktitriren.
Umgekehrt kann auch die in wässeriger Lösung unbegrenzt haltbare, leicht rein zu erhaltende selenige Säure zur Titerstellung
der Thiosulfatlösungen dienen. Da Selensäure mit diesen nicht
reagirt, so ist ein Weg gegeben, um selenige Säure neben der
höheren Oxydationsstufe zu bestimmen. Um auch die letztere zu
bestimmen, reducirt man sie durch Erhitzen mit concentrirter
Salzsäure und wiederholt nach dem Abkühlen die Bestimmung
der seleniger Säure. *Brt.*

---

[1] Zeitschr. anorg. Chem. **12**, 409—412. — [2] Chem. Centr. **67**, II, 1007;
Amer. Chem. Soc. J. **18**, 703—706.

F. A. Gooch und A. W. Peirce. Die jodometrische Bestimmung von seleniger Säure und von Selensäure[1]). — Wenn eine Lösung von arsensaurem Salze mit Jodkalium und Schwefelsäure unter gewissen Bedingungen gekocht wird, so entweicht Jod und die Arsensäure geht in arsenige Säure über, welche mit Jodlösung in alkalischer Flüssigkeit titrirt werden kann. Ist eine Substanz zugegen, welche leichter als die Arsensäure reducirbar ist, so entsteht entsprechend weniger Arsensäure. Zu diesem Körper gehört aber die selenige Säure. Sobald die angewandte Menge Jodkalium und der spätere Verbrauch an Jod bekannt sind, kann man die Menge der seleigen Säure berechnen. Um auf Grundlage desselben Principes die Selensäure zu bestimmen, muſs dieselbe zunächst zu seleniger Säure reducirt werden. Letzteres geschieht durch Kochen mit Bromkalium und Schwefelsäure unter gegebenen Umständen.   *Brt.*

F. A. Gooch und A. W. Peirce. Ueber eine Methode zur Trennung des Selens von Tellur, beruhend auf der verschiedenen Flüchtigkeit ihrer Bromide[2]). — Das Verfahren beruht darauf, daſs bei der Destillation von seleniger Säure mit Phosphorsäure und Bromkalium eine dem anwesenden Selen entsprechende Menge Brom frei wird, während Tellurdioxyd unter gleichen Verhältnissen kein Brom in Freiheit setzt. Wenn man also das Gewicht der gemischten Oxyde kennt, so kann man durch obigen Proceſs und jodometrische Bestimmung des frei gewordenen Broms die Menge der seleigen Säure und indirect diejenige des Tellurdioxyds erfahren.   *Brt.*

F. A. Gooch und W. C. Morgan. Die Bestimmung des Tellurs durch Fällung als Jodid[3]). — Wenn überschüssiges Jodkalium zu einer kalten Auflösung von telluriger Säure gegeben wird, welche mindestens 1/4 Vol. concentrirter Schwefelsäure enthält, so fällt Tetrajodtellur aus. Der Endpunkt der Reaction läſst sich scharf erkennen.   *Brt.*

Stickstoff, Phosphor. — V. Schenke. Zur Bestimmung des Stickstoffs in Nitratgemischen, speciell im Guano[4]). — Verfasser hat vor einiger Zeit ein neues Verfahren[5]) zur Bestimmung des Gesammtstickstoffs in Gemischen von Nitraten mit organischen und anderen Stickstoffverbindungen veröffentlicht, welches er als die Ulsch-Kjeldahl'sche Methode bezeichnete. Nach E. Haselhoff[6]) soll dieses

---

[1]) Sill. Am. J. [4] 1, 81—84. — [2]) Zeitschr. anorg. Chem. 12, 118—123. — [3]) Sill. Am. J. [4] 2, 271—272. — [4]) Chemikerzeit. 20, 1031—1033. — [5]) Daselbst 17, 977. — [6]) Daselbst 19, Rep. 4.

Verfahren sich nicht bewähren, hingegen ein von diesem selbst an-
gewendetes „Auswaschverfahren" zuverlässig sein. Letzteres Verfahren wurde wieder von E. Franke[1]) und Heiber[2]) als ungenau
bezeichnet. Verfassers Versuche bezwecken, diese Methoden sowie
die Jodlbauer-Förster'sche[3]) Methode der Gesammtstickstoff-
bestimmung in Nitratgemischen zu vergleichen. — Es gelangten
zur Anwendung 1. ein homogenes Gemisch, erhalten durch Tränken
von aufgeschlossenem Peruguano mit Salpeterlösung und nachheriges Trocknen (Gehalt circa 2 Proc. Salpeterstickstoff). 2. Gemisch von Guano und Salpeter, 3,3 Proc. Salpeterstickstoff enthaltend. 3. Gemisch aus gleichen Theilen Salpeter, Blutmehl und
Ammonsulfat, 5 Proc. Salpeterstickstoff enthaltend. 4. Chilisal-
peter. Aufserdem noch drei Sorten Rohguano und drei Sorten
aufgeschlossener Guano. Bei Anwendung des Jodlbauer-Förster'-
schen Verfahrens wurde nicht die eingedampfte Lösung, sondern
1 g des Gemisches in Substanz mit Phenolschwefelsäure behandelt.
Die Ulsch-Kjeldahl'sche Methode wurde noch etwas modificirt:
2,5 g Substanz wurden im $^1/_4$-Liter-Kolben aus resistentem Glas
mit 25 ccm Wasser zertheilt und mit 2 bis 5 g Ferrum reductum
und 40 ccm Schwefelsäure 1:2 langsam zum Kochen erhitzt und
nach Erkalten mit etwas Quecksilber und 30 ccm concentrirter
Schwefelsäure erst allmählich zur Verdampfung des Wassers, dann
rasch bis zur Hellfärbung erhitzt; die Operation dauert höchstens
zwei Stunden. Nach Auffüllung der erkalteten Flüssigkeit zur
Marke wurde in einem aliquoten Theile das Ammoniak bestimmt.
Das Verfahren von Jodlbauer-Förster gab mit dem Ulsch-
Kjeldahl'schen genau übereinstimmende, richtige Zahlen und
erwies sich — entgegen den Angaben Franke's — auch dann
anwendbar, wenn der Salpeterstickstoff mehr als 2, selbst über
5 Proc. beträgt; doch macht seine Umständlichkeit es praktisch
weniger brauchbar als das Ulsch-Kjeldahl'sche Verfahren. Die
Haselhoff'sche Auswaschmethode giebt falsche Zahlen, wenn
lösliche organische Stickstoffverbindungen vorhanden sind, wie
Hippursäure, Harnsäure, da diese durch Kochen mit Natronlauge
ihren Stickstoff nur zum kleinsten Theil abgeben.   *Bl.*

    E. Franke. **Zur Bestimmung des Stickstoffs im Guano**[4]). —
Die Methode von Jodlbauer läfst sich anwenden, wenn nicht
mehr als 2 Proc. Salpeter im Guano enthalten sind. Das Verfahren

---

[1]) Chemikerzeit. 20, 365. — [2]) Daselbst, Rep. 23. — [3]) J. König,
Untersuchung landw. u. gewerbl. wichtiger Stoffe, Berlin 1891, S. 154. —
[4]) Chemikerzeit. 20, 325—326.

von Haselhoff ist unbrauchbar. In zweifelhaften Fällen soll man nach Ulsch-Kjeldahl arbeiten (Reduction in saurer Lösung mit Eisen und nachfolgende Zerstörung der organischen Materien). *Brt.*

O. Böttcher. Zur Bestimmung des Ammoniak-Stickstoffs in künstlichen Düngemitteln [1]). — In Ammoniumsalzen und Ammoniak-Superphosphaten fand er ebenso viel Stickstoff beim Destilliren mit Magnesia usta und Wasser wie mit Natronlauge. Wenn gleichzeitig organische Stickstoffverbindungen zugegen sind, so liefert die Destillation mit Natronlauge etwas zu hohe Resultate, weil aus der organischen Substanz Ammoniak gebildet wird. Es ergeben sich dieselben Werthe, ob man den wässerigen Auszug der ammoniakhaltigen Düngemittel oder diese selbst mit Magnesia destillirt, im zweiten Falle natürlich unter Wasserzusatz. *Brt.*

A. Stutzer und A. Karlowa. Die Bestimmung von Harnsäure im Guano [2]). — 1 bis 2 g einer guten Durchschnittsprobe werden in einer Porcellanschale mit Wasser übergossen, mit Salzsäure schwach sauer gemacht und die Flüssigkeit bis zur völligen Vertreibung der Salzsäure verdunstet. Der Rückstand wird mit 100 ccm 3 g Piperazin enthaltendem Wasser circa eine Minute gekocht. Die nach dem Filtriren erkaltete Flüssigkeit wird mit etwas Phenolphtaleïn versetzt und mit Salzsäure genau neutralisirt. Dann werden 10 ccm 10 proc. Salzsäure zugegeben, und die nach 12 Stunden ausgeschiedenen Harnsäurekrystalle auf einem Filter (von sehr geringem und bekanntem Stickstoffgehalte) gesammelt und mit 1 proc. Salzsäure gewaschen, bis das Filtrat 200 ccm beträgt. Das Filter sammt Inhalt wird zur Stickstoffbestimmung verwendet (NX 2,994 = Harnsäure). Für die Löslichkeit der Harnsäure in der angewandten verdünnten Salzsäure hat Verfasser die Correctur zu 3,0 mg bestimmt. *Bl.*

L. Kuntze. Versuche zur Bestimmung des Salpeterstickstoffs in unseren Ackererden [3]). — Verfasser hat die in der Literatur angegebenen Methoden nachgeprüft und schliefslich auf Veranlassung von Herzfeld folgendes Verfahren ausgearbeitet. 500 g Erde werden mit 400 ccm Wasser zwei Stunden lang unter starkem Umschütteln gut digerirt. Nach dem Absetzen giefst man 100 ccm Flüssigkeit ab und klärt sie mit Thonerdehydrat. Verfasser verwendet nun 12 verschiedene Lösungen, die von 10 bis 500 mg reinen Kalisalpeter im Liter enthalten. Vom Extract sowohl als

---

[1]) Chemikerzeit. 20, 151—152. — [2]) Daselbst, S. 721. — [3]) Zeitschr. Ver. Rüb.-Ind. 1896, S. 761—770; Ref.: Chem. Centr. 67, II, 1133.

von der Vergleichsflüssigkeit bringt er mittelst Capillarröhrchen einen Tropfen in zwei Porcellanschälchen, fügt dann in jedes Schälchen drei Tropfen reine Schwefelsäure, mischt mit einem Platindraht und giebt gleichzeitig in beide Schalen je ein Körnchen Brucin, indem er beobachtet, welche Reaction stärker auftritt. Man prüft so lange mit den Lösungen von verschiedenem Gehalt, bis gleiche Reaction eintritt. Die Reaction ist nach Versuchen des Verfassers abhängig sowohl von der Gröfse der Tropfen Substanzlösung als auch von der Gröfse der Schwefelsäuretropfen, denn selbst die Salpeterlösungen unter einander gaben nicht einmal entsprechende Reactionen.   *Tr.*

P. Pichard. Rasche Bestimmung des Salpeterstickstoffs in vegetabilischen Producten [1]. — Die Methode wird folgendermafsen ausgeführt: 2 bis 4 g der fein pulverisirten und getrockneten Substanz werden mit 20 ccm Wasser in der Wärme ausgezogen, dann die Flüssigkeit nach einigem Stehen im verschlossenen Gefäfse unter zeitweiligem Umschwenken durch eine 10 bis 15 mm hohe Schicht von gewaschener Thierkohle filtrirt und etwa 10 bis 15 ccm in einem Kolben gesammelt. Zur Bestimmung bringt man 2 ccm dieser Lösung in ein Glas von 50 bis 60 ccm, entnimmt einen Tropfen dieser Lösung mittelst eines Glasstabes, bringt ihn mit einem gleich grofsen Tropfen concentrirter reiner Schwefelsäure auf einem flachen weifsen Porcellanteller zusammen, mischt und fügt dann ein Körnchen Brucin hinzu, wodurch sofort eine rothe Färbung entsteht. Die 2 ccm der Nitratlösung werden nun so lange nach und nach mit Wasser verdünnt, indem man von Neuem wieder die Brucinprobe anstellt, bis keine rothe Färbung mehr auftritt. In diesem Falle enthält die Flüssigkeit pro Liter 0,0207 g Salpetersäure. Man kann mit dieser Methode 1 Thl. Salpetersäure in 50 000 Thln. Wasser noch erkennen. Hat man beispielsweise zu 2 ccm einer Lösung, die durch Digestion von 2 g Substanz mit 20 ccm Wasser dargestellt war, im Ganzen nach und nach 10,4 ccm Wasser zufügen müssen, um bei der oben genannten Probe keine rothe Färbung mehr zu erhalten, so betrüge das Volumen 12,4 ccm, die Flüssigkeit enthält pro Cubiccentimeter 0,0000207 g Salpetersäure oder die Menge dieser Flüssigkeit, 1 g Substanz entsprechend, ist

$12,4 \times \frac{10}{2} = 62$ ccm. Die Menge Salpetersäure in 1 g Substanz

ist mithin $0,0000207 \times 62 = 0,00128$ g oder 0,128 Proc. Sind Nitrite neben Nitraten enthalten, so bestimmt man erst die sal-

---

[1] Compt. rend. 121, 758—760.

petrige Säure nach den üblichen Methoden und bestimmt dann, nach Zufügen eines Tropfens Chlorwasser, den Gesammtnitratstickstoff mittelst der Brucinreaction. *Tr.*

Otto Förster. Waschapparat für die Salpeterstickstoffbestimmung nach G. Kühn[1]). — Der bei der Reduction des Salpeterstickstoffs zu Ammoniak nach G. Kühn sich entwickelnde Wasserstoff reifst so leicht Laugenbläschen mit in die Destillationsvorlage, dafs ein Waschapparat angebracht werden mufs. Der von Kjeldahl herrührende füllt sich bald mit Flüssigkeit, so dafs die Destillation unterbrochen werden mufs. Verfasser bringt in dem Waschapparat ein weites Rohr an, durch das die angesammelte Flüssigkeit, wenn sie eine gewisse Höhe erreicht hat, continuirlich wieder in das Kochgefäfs zurückfliefst. *Bl.*

John Fields. Modification der Gunning'schen Methode für Nitrate[2]). — In einen Kolben, in dem sich das abgewogene Nitrat befindet, giebt man 30 ccm concentrirter Schwefelsäure, die 1 g Salicylsäure gelöst enthält, und erwärmt vorsichtig, bis das Nitrat gelöst ist. Man fügt dann zu der noch warmen Lösung unter Umschwenken in kleinen Antheilen 7 g Kaliumsulfid, erwärmt erst gelinde, dann rasch zum starken Sieden. Nach Ablauf einer Stunde wird dann das Ammoniak, das durch Reduction entstanden ist, frei gemacht und abdestillirt. *Tr.*

E. Riegler. Eine empfindliche, einfache Reaction auf salpetrige Säure[3]). — Wenn man feste Naphthionsäure mit einer salpetrige Säure enthaltenden Flüssigkeit und etwas concentrirter Salzsäure schüttelt und darauf die Masse mit Ammoniakflüssigkeit überschichtet, so bildet sich an der Berührungsstelle ein rosa gefärbter Ring, auch wenn nur Spuren von salpetriger Säure zugegen sind. Beim Umschütteln nimmt die Flüssigkeit, je nach der vorhandenen Menge salpetriger Säure, eine rosa oder dunkelrothe Farbe an. Mit Hülfe dieser Reaction läfst sich die salpetrige Säure im Regen- oder Trinkwasser, im Speichel und im Harne nachweisen. *Brt.*

M. C. Schuyten. Ein neues Reagens zum Nachweis und zur Bestimmung von Nitriten[4]). — Wenn man eine essigsaure Lösung von Antipyrin mit einer Nitritlösung versetzt, so tritt eine sehr beständige Grünfärbung auf, welche noch $1/_{20000}$ Nitrit erkennen läfst. Oxydirende Stoffe zerstören die Färbung, Salzsäure und

---

[1]) Chemikerzeit. **20**, 383. — [2]) Amer. Chem. Soc. J. **18**, 1102—1104; Ref.: Chem. Centr. **68**, I, 304. — [3]) Zeitschr. anal. Chem. **35**, 677—678. — [4]) Chemikerzeit. **20**, 722—723.

Schwefelsäure führen sie in Gelb über. Die Reaction eignet sich auch zur quantitativen, colorimetrischen Bestimmung kleiner Mengen von Nitriten, z. B. im *Trinkwasser*.   *Brt.*

L. Zambelli. Bestimmung sehr kleiner Mengen von salpetriger Säure[1]). — Er hebt gegenüber Lunge und Lwoff[2]) hervor, daſs er seiner Zeit zwei colorimetrische Methoden zu obigem Zwecke angegeben und gerade derjenigen den Vorzug gegeben hatte, welche Jene nicht erwähnt haben. Das Verfahren, welches sehr gute Resultate giebt, ist folgendes. Je 2 g Sulfanilsäure und Phenol werden in 50 ccm verdünnter Schwefelsäure (1:1) gelöst. Von dieser Auflösung fügt man 2 bis 3 ccm zu einem bekannten Volumen der zu prüfenden Lösung und macht nach 10 bis 15 Minuten ammoniakalisch. Bei Gegenwart von Nitriten wird die Flüssigkeit gelb. Bei der colorimetrischen Bestimmung der salpetrigen Säure dient zum Vergleiche eine titrirte Lösung von Silbernitrit.   *Brt.*

L. Willen. Ueber den Ammoniakgehalt der Korkstöpsel[3]). — Die Reaction, welche Neſsler's Reagens mit *Korkstöpsel*-auszügen giebt, kann von einer geringen Tanninmenge herrühren; gleichwohl konnten in den Destillaten von alkalisch gemachten Korkstöpselauszügen Spuren von Ammoniak nachgewiesen werden.   *Ld.*

van Ledden - Hulsebosch. Ueber den Ammoniakgehalt von Korkstöpseln[4]). — Kalte wässerige Auszüge von *neuen Kork-stöpseln* geben mit Neſsler's Reagens schmutzigbraune, nicht von Ammoniak herrührende Trübungen, ein solcher Auszug, mit Natronlauge destillirt, gab ein ammoniakfreies Destillat. Demnach unterliegt die Verwendung von Korkstöpseln bei Trinkwasserproben keinem Bedenken.   *Ld.*

E. Meineke. Kritische Untersuchungen über die Bestimmung der Phosphorsäure[5]). — Verfasser kritisirt in einer sehr umfangreichen Arbeit die üblichen Methoden zur Bestimmung der Phosphorsäure. Er beschreibt zunächst seine Versuchsreihen über die Bestimmung der Phosphorsäure durch Glühen von gelbem Ammonium-Phosphormolybdat, sowie Versuchsreihen über die Bestimmung der Phosphorsäure als Magnesiumpyrophosphat. Bezüglich der Einzelheiten dieser Untersuchungen muſs auf die Originalarbeit verwiesen werden. Zum Schluſs untersucht Ver-

---

[1]) Monit. scientif. [4] 10, 351. — [2]) Daselbst [4] 9, 117. — [3]) Chem. Centr. 67, I, 348. — [4]) Daselbst, S. 348. — [5]) Chemikerzeit. 20, 108—113.

fasser noch den Einfluſs von Ammoniumchlorid auf die Fällung
der Phosphorsäure durch Molybdänlösung aus eisenreichen Lösungen und zeigt durch Beleganalysen, die er mit sehr phos-
phorreichen schwedischen Magneteisensteinen ausführt, deren
Eisengehalt 55 bis 56 Proc. betrug, daſs selbst Ammoniumchlorid-
mengen, welche weit über das erforderliche Maſs der Salzsäure
hinausgehen, keinerlei Aenderung oder Schwankung in dem Resultate bewirken. *Tr.*

L. **Heine.** Ueber die Molybdänsäure als mikroskopisches
Reagens [1]). — Verfasser hat die von **Lilienfeld** und **Monti**[2])
angegebene Reaction zum Nachweis des freien und gebundenen
Phosphors in den thierischen Geweben nachgeprüft. Das Ergebniſs seiner Versuche ist: Sowohl phosphorhaltige Substanzen,
darunter Nucleïnsäure und Nucleïne, als auch viele Eiweiſskörper,
die phosphorfrei sind, geben mit Ammoniummolybdat in salpetersaurer Lösung Verbindungen, die in neutralem oder salpetersaurem
Wasser unlöslich sind und sich durch Reduction blau, grün oder
braun färben lassen. Trotzdem empfiehlt Verfasser die Reaction
unter der Voraussetzung, daſs man aus ihrem Eintreten nicht
auf die Gegenwart von Phosphor schlieſst. Die Methode selbst
führt Verfasser in folgender Weise aus: 10 bis 20 μ dünne
Celloidinschnitte werden aus 70 proc. Alkohol in eine salpetersaure Ammoniummolybdatlösung gebracht; nach 15 Stunden wird
die Lösung abgegossen, die Schnitte werden fünf- bis sechsmal
mit destillirtem oder salpetersäurehaltigem Wasser ausgewaschen
und 10 bis 15 Secunden in wässerige oder alkoholische 5 proc.
Zinnchlorürlösung gelegt. *Rh.*

G. **Meillère.** Molybdänreagens [3]). — Der Verfasser empfiehlt
zum Nachweise geringer Mengen von Phosphor- und Arsensäure
eine Molybdänlösung, welche, wie folgt, zusammengesetzt ist:
200 ccm 15 proc. Ammonmolybdatlösung werden mit 20 ccm 50 proc.
Schwefelsäure und dann mit 30 ccm starker Salpetersäure versetzt. Diese Lösung hat den Vortheil, daſs man sie ohne Zersetzung auf 100° erhitzen kann. Bei Bestimmung der Phosphorsäure wird die Fällung durch gelindes Erwärmen befördert. Nach
12 Stunden ist die Fällung beendet, ohne daſs freie Molybdänsäure
im Niederschlage enthalten wäre. Für gewöhnlich wäscht man
denselben mit gesättigter Ammoniumnitratlösung, will man dagegen die Phosphorsäure als Magnesiumpyrophosphat bestimmen,

[1]) Zeitschr. physiol. Chem. 22, 132—136. — [2]) JB. f. 1892, S. 2241. —
[3]) J. Pharm. Chim. [6] 3, 61—62.

so unterläfst man zweckmäfsig das Auswaschen, setzt aber beim
Wiederfällen des gelösten Niederschlages der Magnesiamischung
citronensaures Ammon hinzu, um fremde Substanzen vom Niederschlage des Ammonmagnesiumphosphats fernzuhalten. Bei Bestimmung von Arsensäure mit der Molybdänmischung ist längeres
Erwärmen der Flüssigkeit, bis weifse Krystalle auftreten, erforderlich, um alle Arsensäure zu fällen. Auch hier ist bei Ueberführung des Molybdänarsensäureniederschlages in Ammonmagne-
siumarsenat ein Zusatz von Ammoncitrat erforderlich. *Ltm.*

   Th. S. Gladding. Eine gravimetrische Methode zur Bestimmung der Phosphorsäure als phosphormolybdänsaures Ammonium [1].
— Ein Salz von der constanten Zusammensetzung: $24 MoO_3 . P_2O_5$
$. 3 (NH_4)_2 O + 24 MoO_3 . P_2O_5 . 2 (NH_4)_2 O . H_2O + 5 H_2O$ nach
dem Trocknen bei 105° C. ergiebt sich, wenn man zu 25 bis
50 ccm der Phosphorsäurelösung 25 ccm Ammoniak vom spec.
Gew. 0,900 und dann Salpetersäure vom spec. Gew. 1,42 bis zur
sauren Reaction hinzufügt, das Becherglas constant auf 50° C.
erhitzt und die gewöhnliche 10proc. saure Molybdänlösung sehr
langsam und unter beständigem Umrühren tropfenweise zusetzt,
bis ein Ueberschufs von etwa 10 ccm derselben vorhanden ist.
Nach zehn Minuten weiteren Erhitzens sammelt man den Niederschlag auf einem gewogenen Filter. Das Filtrat wird mit weiteren
5 ccm der Molybdänlösung wiederum zehn Minuten erhitzt, um
zu sehen, ob alle Phosphorsäure ausgefällt war. Den Niederschlag wäscht man mit sehr verdünnter Salpetersäure (1 : 100)
und zuletzt mit Wasser, trocknet ihn bei 105° C. und wägt. Zum
endgültigen Trocknen diente ein mit Glycerin vom spec. Gew. 1,160
(Siedep. 110°) beschickter Apparat, nachdem zuvor in einem
Wasserbad-Trockenkasten vorgetrocknet worden war. — Um die
citratlösliche Phosphorsäure auf gewichtsanalytischem Wege zu
bestimmen, wird der Citratauszug auf 200 ccm gebracht; sodann
versetzt man 20 ccm davon (entsprechend 0,25 g des Düngers) mit
50 ccm Ammoniak vom spec. Gew. 0,900 und säuert mit Salpetersäure an. Es wird nun auf $1/2$ Liter verdünnt, um den lösenden
Einflufs des citronensauren Ammoniums zu beseitigen, auf 65°
erhitzt und in einem dünnen Strome mit 50 ccm Molybdänlösung
unter stetem Rühren versetzt. Nach einer weiteren Digestion von
30 Minuten wird filtrirt und sonst wie oben verfahren. Das Filtrat
wird 30 Minuten auf 65° erhitzt, um darin etwa noch gelöste
Phosphorsäure nachzuweisen.   *Brt.*

---

[1] Amer. Chem. Soc. J. **18**, 23—27.

A. L. Winton. Eine modificirte Ammoniummolybdatlösung [1]).
— Diese Lösung enthält in 100 ccm 30 g salpetersaures Ammonium
mehr als die im Uebrigen gleich zusammengesetzte Fresenius'-
sche; sie fällt die Phosphorsäure schneller und vollständiger aus
als die letztere Flüssigkeit. Zu ihrer Herstellung löse man 1000 g
Molybdänsäure in 4160 ccm einer Mischung aus 1 Thl. concentrirter Ammoniakflüssigkeit (spec. Gew. 0,90) und 2 Thln. Wasser,
ferner 5300 g Ammoniumnitrat in einem Gemische von 6250 ccm
concentrirter Salpetersäure (spec. Gew. 1,4) und 3090 ccm Wasser.
Man giefst dann, unter stetem Rühren, die erste Lösung in die
zweite, läfst einige Tage in der Wärme stehen und zieht die klare
Flüssigkeit ab.   Brt.

Vincent Edwards. Notiz über die rasche Bestimmung von
unlöslichem Phosphat [2]). — Verfasser verwendet etwa 0,5 g Substanz, behandelt dieselbe zunächst zur Beseitigung der löslichen
Bestandtheile mit kaltem und dann mit heifsem Wasser, sammelt
den unlöslichen Rückstand und bringt diesen durch kurzes Kochen
mit sehr wenig Salzsäure auf dem Sandbade in Lösung. Die heifse
Lösung wird dann filtrirt, das Filtrat auf 300 ccm verdünnt, mit
Ammoniak bis zur alkalischen und schliefslich mit Essigsäure bis
zur sauren Reaction versetzt. Alsdann titrirt man die Lösung in
der Wärme in bekannter Weise mit Uranacetat. Die Methode
giebt etwas niedrigere Werthe als die gewichtsanalytische. Tr.

G. Paturel. Ueber die chemische Bestimmung des landwirthschaftlichen Werthes der Phosphorsäuredünger [3]). — Je 1 g
der pulverisirten und durch ein Seidensieb Nr. 100 gesiebten Phosphate wurde mit 500 bezw. 200 ccm 1 proc. Citronensäure während
sieben Tagen täglich zweimal durchgeschüttelt. Die Menge der
hierdurch gelösten Phosphorsäure ist von dem kohlensauren Kalk
und besonders auch von der sonstigen Natur des Phosphates abhängig. Ordnet man die Phosphate nach der Löslichkeit der
Phosphorsäure, so erhält man eine ähnliche Reihenfolge, wie sie
bei Düngungsversuchen mit verschiedenen Phosphaten in Bezug
auf die Wirksamkeit erhalten worden sind.   Hf.

F. P. Veitch. Ueber verschiedene Modificationen der Pemberton'schen volumetrischen Methode zur Bestimmung der Phosphorsäure in Handelsdüngern [4]). — Nach einer Discussion über
diese Modificationen und einem Vergleiche der mit denselben und

---

[1]) Amer. Chem. Soc. J. 18, 445—446. — [2]) Chem. News 73, 25. —
[3]) Ann. agron. 21, 325; Ref.: Centr. Agric. 25, 5—7. — [4]) Amer. Chem. Soc.
J. 18, 389—396.

mit der gewichtsanalytischen Methode erhaltenen Resultate kommt derselbe zu dem Schlusse, daſs bei halbstündiger Einwirkung der salpetersäurehaltigen Molybdatlösung bei 40 bis 50° gute Resultate erhalten werden. Ein Zusatz von Weinsäure dabei hat keinen Zweck. *Brt.*

L. Campredon. Bestimmung des Phosphors in der Asche von Steinkohlen und Koks [1]). — Um die Gesammtmenge der Phosphate in Lösung zu bringen, genügt nicht das Auskochen (15 bis 20 Stunden) mit concentrirter Salzsäure, und zwar um so weniger, bei je höherer Temperatur die Asche erhalten worden war. Man schmelze die letztere mit Alkalicarbonaten und fälle später die Phosphorsäure mit Molybdänlösung. *Brt.*

Th. Pfeiffer. Die Bestimmung der Phosphorsäure in Präcipitaten [2]). — Es wird darauf hingewiesen, daſs letztere beim Aufschlieſsen mit concentrirter Salzsäure geringere Gehalte an Phosphorsäure liefern können, als wenn das Präcipitat mit Königswasser oder mit concentrirter Schwefelsäure und Salpetersäure behandelt worden war. Es lag dies in den vorgekommenen Fällen an einem Gehalte der betreffenden Muster an Pyro- bezw. Metaphosphat, sowie an dem Umstande, daſs die Pyro- und die Metaphosphorsäure durch Magnesiamixtur nicht gefällt werden. Zur vollständigen Ueberführung beider Säuren in Orthophosphorsäure hatte das Kochen mit concentrirter Salzsäure nicht ausgereicht. Monocalciumphosphat lieferte bei längerem Erhitzen auf 250° erhebliche Mengen von Pyro- und Metaphosphat, welche sich durch Salzsäure allein nur theilweise in Orthophosphat überführen (invertiren) lieſsen. Je höher der Gehalt der Präcipitate an Meta- und Pyrophosphat war, desto niedriger sind die Resultate bei der Bestimmung der citratlöslichen Phosphorsäure ausgefallen. *Brt.*

C. Garola. Bestimmung der Phosphorsäure in organischen Substanzen [3]). — Letztere werden nach Kjeldahl's Verfahren (für die Stickstoffbestimmung) zerstört. Sodann neutralisirt man mit Ammoniak, säuert mit Salpetersäure an, fällt in der Siedehitze mit Molybdänlösung aus, wäscht den Niederschlag, trocknet bei 90° C. und wägt. Wenn viel Kieselsäure zugegen ist, so versetzt man die schwefelsaure Lösung mit Ferrisulfat, neutralisirt durch Ammoniak, trocknet den Niederschlag bei 100 bis 110°, nimmt mit Salpetersäure auf und fällt aus dem Filtrat die Phosphorsäure. *Brt.*

--- --- ---

[1]) Compt. rend. 123, 1000—1003. — [2]) Landw. Vers.-Stat. 47, 357—360. — [3]) Chem. Centr. 67, II, 597; Chemikerzeit. 20, Rep. 203.

N. W. Lord. Eine einfache Methode zur Bestimmung der Neutralität der Ammoniumcitratlösung, welche bei der Analyse von Düngern Verwendung findet[1]). — Bei dem Verfahren betrachtet man die mit Lackmus gefärbte Flüssigkeit durch zwei hinter einander gestellte Röhren, von denen die eine ganz schwach saure und die andere ganz schwach alkalische Lackmuslösung enthält, und zwar von derselben Farbenstärke, wie die zu beobachtende Flüssigkeit. Betreffs der Einzelheiten sei auf das Original verwiesen   *Brt.*

Th. Meyer. Der Arsengehalt des Superphosphats als Fehlerquelle der Phosphorsäurebestimmung[2]). — Nachdem schon Loges und Mühle[3]) auf den allerdings leicht vermeidlichen Fehler bei Phosphorbestimmungen nach Naumann bei Verwendung arsenhaltiger H_2SO_4 hingewiesen haben, macht Verfasser auf eine Fehlerquelle bei Superphosphaten aufmerksam, dafs nämlich in denselben etwa 0,038 Proc. *Arsen* enthalten ist, das bei der Bestimmung als $Mg_2As_2O_7$ mit der Phosphorsäure gewogen wird und so, auf P_2O_5 berechnet, den Gehalt daran um 0,05 Proc. erhöht. Das Arsen stammt aus der bei der Aufschliefsung verwendeten Schwefelsäure.   *Mr.*

F. Mach und M. Passon. Verfahren zur Anwendung der Citratmethode bei Bestimmung der citratlöslichen Phosphorsäure in Thomasmehlen nach Wagner[4]). — Von der Wagner'schen Lösung werden 100 ccm in einen langhalsigen 500 ccm-Kolben pipettirt und unter Zusatz von 10 ccm concentrirter H_2SO_4 und 15 ccm concentrirter HNO_3, wobei die letztere hauptsächlich ruhiges Kochen bewirkt, und einem Tropfen Quecksilber über starker Flamme scharf eingekocht, bis Farblosigkeit eintritt. Nach dem Erkalten wird das Quecksilber mit 20 ccm einer 10 proc. Chlornatriumlösung gefällt, der Inhalt des Kochkolbens in ein 200 ccm-Kölbchen gespült, zur Marke aufgefüllt und 100 ccm des Filtrats nach der Ammoncitratmethode behandelt. Das Verfahren umgeht die zeitraubende Molybdänmethode und giebt, wie eine Vergleichstabelle zeigt, gut stimmende Werthe, die jedoch meistens etwas geringer ausfallen.   *Mr.*

M. Passon. Vergleichende Methoden über die Bestimmung der citratlöslichen Phosphorsäure in Thomasmehlen[5]). — Er hat

---

[1]) Amer. Chem. Soc. J. 18, 457—458. — [2]) Chemikerzeit. 21, 23—24. — [3]) Daselbst 20, 984. — [4]) Zeitschr. angew. Chem. 1896, S. 129. — [5]) Daselbst, S. 286—288.

50 Muster der letzteren bei 17 bis 18° C. mit **Wagner**'scher Citratlösung eine halbe Stunde lang fortdauernd geschüttelt (Schüttelapparat), sodann in der Lösung die Phosphorsäure einerseits nach dem **Wagner**'schen Molybdänverfahren mit und ohne die **Müller**'sche Modification, andererseits nach der Methode von **Mach** und **Passon**[1]) bestimmt. Es ergaben sich in den drei Fällen stets nahezu die nämlichen Resultate. In der Molybdänmethode darf bei der Fällung des gelben Niederschlages die Temperatur 80 bis 85° nicht übersteigen, da sonst leicht Kieselsäure in das Phosphormolybdat und später in das Magnesiumammoniumphosphat übergeht.   *Brt.*

M. Passon. Ueber die Bestimmung der citratlöslichen Phosphorsäure in Thomasmehlen mittelst freier Citronensäure[2]). — Er ersetzt die Citratlösung, welche bei der **Wagner**'schen Methode dient, durch eine 2,8 proc. Citronsäurelösung, befolgt aber im Uebrigen die Vorschrift jenes Verfassers zur Ausziehung der citratlöslichen Phosphorsäure. Der Auszug von 10 g Thomasmehl wurde dann auf 500 ccm gebracht, 50 ccm des Filtrats in einem 200 ccm-Kölbchen mit 15 ccm concentrirter Salpeter- und 10 ccm concentrirter Schwefelsäure und einem Tropfen Quecksilber über mäfsiger Flamme eingekocht und dann nach den Angaben von **Mach** und **Passon**[3]) weiter verfahren.   *Brt.*

O. Förster. Löslichkeit von Phosphaten in Citronensäure und Ammoniumcitrat[4]). — Es wurden einige reine Phosphate, welche als Bestandtheile der Thomasschlacke in Betracht kommen können, sowie acht Muster von letzterer auf ihre Löslichkeit in **Wagner**'scher Citratlösung und 1,4 proc. Citronensäurelösung untersucht. Die angewandten Phosphate waren Tricalciumphosphat, ein basisches Phosphat, $(Ca_3 P_2 O_8)_3 . CaO$, Ferri- und Aluminiumphosphat. Die beiden Calciumphosphate waren viel leichter in Citronensäure als im Citrat löslich. Schwach geglühtes Aluminiumphosphat verhielt sich ebenso, stark geglühtes gab an keines der beiden Lösungsmittel Phosphorsäure ab. Auch aus dem Eisenphosphat wird durch keines der Lösungsmittel Phosphorsäure aufgenommen. Die geringe Citratlösung der Phosphorsäure mancher Thomasschlacken kann ihren Grund im Vorhandensein von Ferri- und Aluminiumphosphat und jenem basischen Calciumphosphat haben. Allerdings ist gewöhnlich nur wenig Aluminium zugegen.   .   *Brt.*

---

[1]) Dieser JB., S. 2099. — [2]) Zeitschr. angew. Chem. 1896, S. 677—678. — [3]) Dieser JB., S. 2099. — [4]) Chemikerzeit. 20, 1020—1021.

M. Gerlach u. M. Passon. Die Bestimmung der leicht löslichen Phosphorsäure in Thomasmehlen[1]. — Verfasser stellen an der Hand eines zahlreichen Analysenmaterials fest, daſs bei der Wagner'schen Lösung der Gehalt an *freier Citronensäure* das wesentlichste Moment ist und nicht der Gehalt an Citrat. Freie Phosphorsäure vermag aus den Phosphatmehlen nur etwa die Hälfte der citronensäurelöslichen Phosphorsäure zu extrahiren. Für Uebereinstimmung ist nicht so sehr die Rotationsdauer, sondern viel mehr die constante Temperatur nothwendig. *Mr.*

G. Loges u. K. Mühle. Arsenhaltige Schwefelsäure, eine Fehlerquelle bei der Naumann'schen Methode zur Bestimmung der Phosphorsäure in Citratlösungen aus Thomasmehlen nach Wagner[2]. — Bei Verwendung arsenhaltiger Schwefelsäure wurden viel zu hohe Werthe erzielt, auch wenn das Arsen in Form von arseniger Säure zugegen war, da bei der Behandlung der nach Wagner hergestellten Citratlösung mit Schwefel- und Salpetersäure die arsenige Säure in Arsensäure übergeht, welche durch die Magnesiamixtur ebenfalls gefällt wird. *Brt.*

W. Hoffmeister. Die Bestimmung der citratlöslichen Phosphorsäure in Thomasschlacken durch directe Fällung der nach Wagner erhaltenen Citratlösung[3]. — Ein aliquoter Theil von dem Filtrat der nach Wagner erhaltenen Citratlösung aus 5 g angewandter Thomasschlacke wird mit concentrirter Schwefelsäure (auf 1 g Schlacke 5 ccm Säure) bis zur syrupösen Beschaffenheit und bis zur Gelbfärbung eingedampft. Man spült dann den Brei mit warmem Wasser in ein Maſskölbchen, füllt nach dem Abkühlen auf und erhitzt einen aliquoten Theil von dem Filtrat im Becherglase mit aufgesetztem Trichter nach Zusatz von 10 ccm rauchender Salpetersäure über kleiner Flamme, bis die Entwickelung kleiner Bläschen aufgehört hat. Alsdann fügt man 50 ccm der bei Phosphorsäurebestimmung gewöhnlich benutzten Ammoniumcitratlösung zu, nach dem Abkühlen 10 ccm Magnesiamischung und schlieſslich zur Neutralisation der Säuren eine entsprechende Menge Ammoniak. *Tr.*

Braun. Beziehungen zwischen der Citratlöslichkeit der Phosphorsäure in Knochenmehlen und der Mehlfeinheit derselben[4]. — Mit Zunahme der letzteren steigt die Löslichkeit. Auch von groben Mehlen löst sich ein Theil der Phosphorsäure im citronensauren Ammonium, aber letzteres vermag auch den feinsten

---

[1]) Chemikerzeit. 20, 87—88. — [2]) Daselbst, S. 984. — [3]) Daselbst, S. 305. — [4]) Chem. Ind. 19, 219—221.

Mehlen nicht alle Phosphorsäure zu entziehen. Die Citratlösung nimmt die Phosphorsäure leichter aus dem Knochenmehl als aus dem Thomasschlackenmehl auf.   *Brt.*

    Fr. Bergami. Eine Fehlerquelle bei der Bestimmung der Phosphorsäure nach der Citratmethode[1]). — Wenn das aus der Citratlösung gefällte phosphorsaure Magnesiumammonium erst nach dem Stehen über Nacht filtrirt wird, so ergeben sich zu hohe Gehalte an Phosphorsäure, während dagegen bei baldigem Abfiltriren des Magnesianiederschlages die Resultate der Molybdän- und der Citratmethode gut übereinstimmen. Die zu hohen Ergebnisse beim Stehen über Nacht hängen vom Ausfallen von Kieselsäure, Thonerde und Eisenoxyd ab.¶   *Brt.*

    M. Schmoeger. Ueber die quantitative Ausfällung der durch Wagner's Citratlösung aus Thomasmehl extrahirten Phosphorsäure mittelst Molybdänlösung[2]). — Bei Anwendung dieses Verfahrens wurden ziemlich genau die gleichen Werthe erhalten wie bei der directen Ausfällung des Citratauszuges mit Magnesiamixtur. In beiden Fällen kann in den Niederschlag von phosphorsaurem Magnesiumammonium Kieselsäure übergehen, wenn diese nicht zuvor abgeschieden worden ist.   *Brt.*

    O. Reitmair. Ueber die citratlösliche Phosphorsäure[3]). — Es wird die Frage der Citratlöslichkeit eingehend discutirt. Für die Methode von Wagner muss eine genau nach des Letzteren Angaben hergestellte Auflösung von citronensaurem Ammonium Verwendung finden. Die Anwendung der Molybdänmethode ist für dies Verfahren überflüssig. Die Wagner'sche Citratlösung läfst sich wahrscheinlich durch die von Gerlach und Passon[4]) vorgeschlagene 1,4 proc. Citronensäurelösung ersetzen.   *Brt.*

    H. Dubbers. Untersuchungen über Citratlöslichkeit der Thomasschlacken[5]). — Es wird die Angabe Passon's bestätigt, dafs bei Gegenwart von viel Kieselsäure nach dem Wagner'schen Verfahren mehr citratlösliche Phosphorsäure gefunden werden kann, als überhaupt Phosphorsäure zugegen ist. Er hat ferner den Einflufs der Schüttelzeit, der Menge des Lösungsmittels u. s. w. auf die Ergebnisse der Wagner'schen Methode studirt, ferner den Einflufs der Basicität der Schlacken. Man sollte vielleicht statt der Wagner'schen eine Lösung anwenden, welche auf 150 g Citronensäure 12,14 g Ammoniak im Liter enthielte.   *Brt.*

    [1]) J. Frankl. Inst. 141, 383—385. — [2]) Chemikerzeit. 20, 497—498. — [3]) Zeitschr. angew. Chem. 1896, S. 189—194. — [4]) Dieser JB., S. 2101. — [5]) Zeitschr. angew. Chem. 1896, S. 468—473.

L. Giacomelli. Ueber die rasche Bestimmung des Phosphorsäureanhydrids in den Phosphaten und Superphosphaten [1]). — Die Methode von Popper wird derart modificirt, daſs die Fällung des Phosphomolybdats im Pyknometer selbst geschieht. Nach der Wägung gieſst man die Flüssigkeit ab, filtrirt sie und bestimmt ihre Dichte in einem kleineren Pyknometer. *Brt.*

A. P. Bryant. Eine Methode zur Trennung der „unlöslichen" Phosphorsäure in gemischten Düngern, welche aus Knochen und anderen organischen Stoffen abstammen, von derjenigen, welche aus Mineralphosphaten herrührt [2]). — Das Verfahren gründet sich auf die Verschiedenheit des specifischen Gewichtes der Knochen und anderen organischen Materien einerseits und der Mineralphosphate andererseits. Als Trennflüssigkeit dient eine Jodquecksilberjodkaliumlösung vom spec. Gew. 2,26. *Brt.*

F. Martinotti u. A. Ferrari. Ueber die Bestimmung des löslichen Phosphorsäureanhydrids [3]). — Bei der Ausziehung der löslichen Phosphate nach der officiellen italienischen Methode (1889) erwärmen dieselben nicht, sondern schütteln die Flüssigkeit in einem rotirenden Apparat in Cylindern. Die Extraction bewirken sie in saurer, statt in neutraler Flüssigkeit. *Brt.*

Alfred Retter. Ueber Neuerungen in der Düngerindustrie [4]). — Es werden u. A. Analysen der Producte neuer. Phosphat- und Guanolager mitgetheilt. Ferner wird über Beobachtungen Anderer und über Neuerungen in den Methoden zur Fabrikation der *Kunstdünger* berichtet. Auch die neueren Arbeiten über die chemische Analyse der Düngemittel werden berücksichtigt. *Brt.*

Thomas S. Gladding. Determination of iron oxide and alumina in phosphate rock by the ammonium acetate method [5]). — Die älteste Methode für die Trennung von Eisen- und Aluminiumphosphat von Kalkphosphat ist wohl die Ammoniumacetatmethode. Dieselbe ist in letzter Zeit in Miſscredit gekommen; der Verfasser zeigt jedoch, daſs die Methode, richtig ausgeführt, nicht nur eine genaue Trennung des Eisens und Aluminiums vom Kalkphosphat ergiebt, sondern auch ein neutrales Phosphat von einheitlicher Zusammensetzung liefert, in dem Eisen und Aluminium genau bestimmt werden können. Die Arbeit enthält eine genaue Beschreibung des Arbeitsverfahrens und analytische Daten. *Hz.*

---

[1]) Chem. Centr. 67, II, 362; L'Orosi 19, 115—120. — [2]) Amer. Chem. Soc. J. 18, 491—498. — [3]) Chem. Centr. 67, II, 362; Staz. sperim. agrar. ital. 29, 392—396. — [4]) Chemikerzeit. 20, 941. — [5]) Amer. Chem. Soc. J. 18, 717—721.

Thomas S. Gladding. A new method for the estimation of iron oxide and alumina in phosphate rock [1]). — Der Verfasser beschreibt eine neue Modification der Ammoniumacetatmethode [2]), die auf der Löslichkeit des Aluminiumhydroxyds in Kalilauge beruht, wodurch Al von Fe und Calciumphosphat getrennt wird.   *Hz.*

Arsen, Antimon, Wismuth. — Christensen. Genaue Methode zur Bestimmung von Phosphor- und Arsensäure mittelst Titrirens [3]). — Alle seither vorgeschlagenen maſsanalytischen Methoden zur Bestimmung der Phosphorsäure sind ungenau. Die Miſsstände beim jodometrischen Verfahren werden vermieden, wenn man an Stelle von jodsaurem Kalium das bromsaure Salz anwendet. Die Reaction ist dann folgende: $KBrO_3 + 6HJ + 6H_3PO_4 = 6KH_2PO_4 + 6J + KBr + 3H_2O$. Der Verlauf der Zersetzung ist ein langsamerer als bei Anwendung des Jodats. Er erfordert bei gewöhnlicher Temperatur einen Tag, bei 40 bis 50° C. aber eine halbe Stunde. Um die Phosphorsäure in Phosphaten zu bestimmen, löst man diese in Salpetersäure, versetzt mit überschüssigem Silbernitrat, darauf in der Wärme mit Natronlauge bis zur bleibenden Fällung, macht ammoniakalisch und kocht fünf bis zehn Minuten. Der gewaschene Niederschlag wird mit Kochsalzlösung erwärmt, wobei sich Chlorsilber und phosphorsaures Natrium bilden. Das Filtrat ist nun zur Zersetzung mit Schwefelsäure, Jodkalium und bromsaurem Kalium geeignet. Bei eisenhaltigen Phosphaten fällt man die Phosphorsäure mit Magnesiamixtur und zersetzt den gewaschenen Niederschlag mit Jodkalium, Bromat und Schwefelsäure. — Auch die Arsensäure kann vor der Nitrirung als Ammoniummagnesiumsalz abgeschieden werden. Es ist dann eine Correctur für die Löslichkeit des letzteren anzubringen.   *Brt.*

R. **Engel** und J. **Bernard.** Ueber ein rasches Verfahren zur Bestimmung des Arsens [4]). — Das Verfahren wird in folgender Weise ausgeführt: Zu der arsenhaltigen Lösung, die, wenn nöthig, in alkalischer Lösung bis auf 20 oder 40 ccm concentrirt wird, fügt man das dreifache Volumen Salzsäure von 22° B. und hierauf einen starken Ueberschuſs von unterphosphoriger Säure. Die Fällung von einem braunen Pulver, dem durch Reduction entstandenen Arsen, erfolgt bei gewöhnlicher Temperatur. Nach

---

[1]) Amer. Chem. Soc. J. 18, 721—724. — [2]) Daselbst, S. 717—721. — [3]) Chem. Centr. 67, II, 61—62; Nordisk. Farmac. Tidskrift 1896, Nr. 5 u. 6, S. 77. — [4]) Compt. rend. 122, 390—392.

12 stündigem Stehen wird das Ganze gelinde auf dem Wasserbade erwärmt, mit dem gleichen Volumen kochenden Wassers
versetzt, alsdann der Niederschlag filtrirt und nachgewaschen.
Nunmehr bringt man Filter sammt Niederschlag in das ursprüngliche Gefäfs, in dem die Fällung vorgenommen wurde, zurück
und läfst aus einer Bürette $^1/_{10}$-Normal-Jodlösung hinzufliefsen.
Hierdurch wird das Arsen gelöst und man fährt nun unter zeitweiligem Umschwenken und Stehenlassen der Flüssigkeit mit Zusatz von Jodlösung fort, bis die Flüssigkeit gefärbt erscheint. Ist
dieser Punkt eingetreten, so fügt man circa 50 ccm Wasser und
10 ccm einer gesättigten Lösung von Natrium- oder Kaliumbicarbonat hinzu, wodurch alle arsenige Säure in Arsensäure umgewandelt wird. Man fährt jetzt mit dem Zusatz von Jodlösung
fort, indem man Stärke als Indicator anwendet. Jeder Cubikcentimeter verbrauchter Jodlösung entspricht dann 0,0015 g Arsen.
Das Verfahren läfst sich, wie diesbezügliche Versuche der Verfasser zeigen, auch anwenden, wenn die Metalle der dritten,
vierten und fünften Gruppe zugegen sind.   *Tr.*

A. Gautier. Ueber die Bestimmung des Arsens[1]). — Verfasser bezweifelt, dafs die von Engel und Bernard beschriebene
Methode zur Arsenbestimmung (siehe vorstehendes Ref.) rascher
zum Ziele führe als die Methode des Verfassers, bei der das
Arsen als Arsenspiegel zur Wägung gelangt und die noch
Mengen, die unterhalb einem Milligramm liegen, zu bestimmen
gestattet. Verfasser führt für seine schon früher beschriebene
Methode Beleganalysen an und weist darauf hin, dafs nach dieser
seiner Methode das Arsen sowohl in mineralischen als auch
organischen Verbindungen bestimmt werden kann.   *Tr.*

Dinkler. Arsenbestimmung[2]). — Es wird die Methode von
Reinsch in folgender veränderter Form ausgeführt. Der zu untersuchende Gegenstand wird mit Salzsäure und einem Kupferblech
zwei Minuten sehr vorsichtig erhitzt, nach weiteren fünf Minuten
das abgewaschene Blech, sofern es einen dunkeln Beschlag zeigen
sollte, getrocknet, zerschnitten und in einem Röhrchen erhitzt,
wobei sich die arsenige Säure im kalten Theile der Röhre als
krystallinisches Sublimat ansetzt.   *Brt.*

E. Szarvasy. Ueber eine volumetrische Bestimmung des
Arsens[3]). — Letzteres wird als Sulfid gefällt, dies im Sauerstoffstrome verbrannt und die entstandene arsenige Säure jodometrisch

[1]) Compt. rend. 122, 426—427. — [2]) Chem. Centr. 67, II, 851; Pharm.
Zeitg. 41, 638. — [3]) Ber. 29, 2900—2902.

bestimmt. Die Einzelheiten der Ausführung der Bestimmung werden beschrieben.   *Brt.*

G. **Hattensaur**. Zur quantitativen Bestimmung des Arsens in roher concentrirter Schwefelsäure[1]). — Die Methode des Verfassers stützt sich auf die Beobachtung von Neher[2]), dafs Arsen aus stark salzsaurer Lösung vollkommen gefällt wird. 500 ccm einer concentrirten H_2SO_4 ($d = 1,815$) wurden mit 500 ccm H_2O verdünnt und so auf die Dichte $d = 1,46^0$ gebracht. Zu dieser Lösung fügt man unter weiterer Abkühlung 500 ccm verdünnte Salzsäure. Man erhält so eine derartige Säureconcentration, dafs das Blei nicht als Bleisulfat sich ausscheidet und auch nicht als Bleisulfid gefällt wird. In diese Säurelösung wird nun ein starker H_2S-Strom eingeleitet, nach drei viertel bis einer Stunde ist die Ausfällung beendet und der aus Pentasulfid bestehende Niederschlag kann filtrirt und ausgewaschen werden, ohne dafs das Filter durch die Säure merklich angegriffen wird. Die weitere Verarbeitung geschieht dann nach Neher, der Filtriren, Auswaschen und Wägen in einem Goochtiegel vornimmt, wobei geringe Spuren von Schwefel im Niederschlag durch heifsen Alkohol entfernt werden, oder man oxydirt zu Arsensäure und bestimmt als arsensaure Magnesia. Eine Probe enthielt 0,0051 Proc. As, wobei von den vorhandenen 0,0545 Proc. Pb in dem Niederschlage keine Spur vorhanden war. Die Methode ist daher sehr exact.   *Mr.*

M. **Klar**. Ein Beitrag zur Gehaltsbestimmung des Liquor Kalii arsenicosi Ph. G. III. Nachtrag[3]). — Verfasser hat die von der Pharmakopöe gegebene Prüfungsvorschrift genauer untersucht und hierbei gefunden, dafs die Resultate zu wünschen übrig lassen. Um ein gleichmäfsiges Ausfallen der Resultate zu erzielen, ist eine gröfsere Menge $NaHCO_3$, als die Pharmakopöe vorschreibt, nöthig. Der Zusatz von Natriumbicarbonat mufs mindestens verdoppelt werden. In diesem Falle 'hat dann weder das im Liquor an und für sich enthaltene Kaliummonocarbonat, noch ein Gehalt des $NaHCO_3$ an Monocarbonat, ebenso wenig eine vermehrte Wassermenge oder der Alkoholgehalt des Liquor Kalii arsenicosi irgend welchen Einflufs auf das Resultat. *Tr.*

J. L. **Howe** u. P. S. **Mertins**. Bemerkungen über Reinsch's Probe auf Arsenik und Antimon[4]). — Reinsch hatte in seiner

---

[1]) Zeitschr. angew. Chem. 1896, S. 130—131. — [2]) Zeitschr. anal. Chem. **32**, 45. — [3]) Pharm. Zeitg. **41**, 703—704. — [4]) Amer. Chem. Soc. J. **18**, 953—955.

ersten Abhandlung [1]) angegeben, daſs mit Hülfe jener Probe das Arsen noch in Lösungen von etwa 3 Thln. in 1 000 000 Thln. nachgewiesen werden könne, während er in einer zweiten Mittheilung [2]) sogar von 1 Thl. Arsen in 1 000 000 Thln. sprach. Der Verfasser hat nur die Genauigkeit der ersteren Aussage bestätigen können. Die Methode erlaubt, Arsen von Antimon zu unterscheiden, und zwar auch bei Vergiftungsfällen, da nur bei Gegenwart von Arsen ein krystallinisches Sublimat auftritt.   *Brt.*

J. Clark. Bestimmung des Antimons in Erzen, Metallen u. s. w. [3]). — Nach einer Kritik der bekannten Methoden und der Angabe, wie deren Nachtheile behoben werden können, schlägt der Verfasser folgendes Verfahren vor. Das Erz oder die Legirung wird in Salzsäure bei Gegenwart von Jod aufgelöst, wobei das Antimon als Trioxyd in Lösung geht. Man verjagt sodann das überschüssige Jod durch Kochen, fügt Seignettesalz und Natriumdicarbonat hinzu und titrirt nunmehr mit Jod, welches in der alkalischen Flüssigkeit das Antimontrioxyd in das Pentaoxyd verwandelt. Die Gegenwart von Blei oder Zinn schadet nichts; Kupfer darf aber nicht zugegen sein, da sonst das Antimontrioxyd theilweise durch den Sauerstoff der Luft oxydirt werden würde. Ist Arsen anwesend, so wird die salzsaure Auflösung des Erzes oder der Legirung wiederholt mit viel concentrirter Salzsäure verdampft, um das Arsen zu verjagen. Sodann titrirt man wie oben mit Jod in alkalischer Flüssigkeit.   *Brt.*

W. Muthmann u. F. Mawrow. Zur quantitativen Bestimmung des Wismuths [4]). — Man erwärmt die nicht zu stark saure Lösung des letzteren mit überschüssiger unterphosphoriger Säure auf dem Wasserbade, filtrirt das röthlichgraue, schwammige Metall ab, wäscht es mit Wasser und Alkohol und wägt nach dem Trocknen bei 105°. Das Verfahren kann zur Trennung des Wismuths von Zink und Cadmium dienen.   *Brt.*

George C. Stone. Note on the solubility of bismuth sulphide in alkaline sulphides [5]). — Verfasser wiederholte die Versuche von Stillmann [6]), der fand, daſs in einer mit NaOH alkalisch gemachten Wismuthlösung, die mit einem Ueberschuſs von Alkalisulfid erhitzt wird, beträchtliche Mengen von Wismuth in Lösung bleiben, und fand sie bestätigt. Dagegen konnte festgestellt werden, daſs, wenn man das Wismuth aus einer salz-

---

[1]) J. pr. Chem. **2** (1842), 244. — [2]) Daselbst, S. 361. — [3]) Chem. Soc. Ind. J. 15, 255—257. — [4]) Zeitschr. anorg. Chem. 13, 209—210. — [5]) Amer. Chem. Soc. J. 18, 1091. — [6]) Daselbst, S. 683. .

sauren Lösung mit Schwefelwasserstoff fällte und dann das ab-
filtrirte Sulfid mit Kalium- oder Ammoniumsulfid in grofsem
Ueberschufs eine halbe Stunde erhitzte, kein Wismuthsulfid in
Lösung ging.   *Bm.*

Bor. — W. M. Doherty. Apparat zum Nachweis von Borsäure[1]). — Milch, Wein oder andere Substanzen, die man prüfen
will, werden mit Soda schwach alkalisch gemacht und nach dem
Trocknen verkohlt, jedoch nicht verascht. Man extrahirt dann
mit heifsem Wasser, säuert mit Salzsäure an und verdampft vorsichtig auf dem Wasserbade in einem kleinen Porcellanschiffchen.
das man sodann in den nachstehend beschriebenen Apparat bringt.
Derselbe besteht aus einem 9 Zoll langen Glasrohre von $\frac{1}{2}$ Zoll
Durchmesser, das an einem Ende rechtwinklig nach oben gebogen und fein ausgezogen ist. Ein zweites Rohr von $2\frac{1}{2}$ Zoll
Länge und $\frac{1}{4}$ Zoll Weite, das mit einem seitlichen Loch versehen
ist, wird über dem eng ausgezogenen Theil des erstgenannten
Rohres so befestigt, dafs eine Art Bunsenbrenner aus Glas
entsteht. Man bringt nun das Porcellanschiffchen, welches die
zu prüfende Substanz enthält, in das weitere Rohr, dessen eines
Ende man mit einem Gasstrom in Verbindung setzt, und erhitzt,
nach und nach stärker werdend, mit einem Bunsenbrenner das
im Rohre befindliche Schiffchen, indem man das am anderen Ende
austretende Gas so regulirt, dafs die Flamme ca. $\frac{1}{2}$ Zoll Länge
hat und hell brennt. Die geringste Menge von Borsäure ist an
der Flammenfärbung zu erkennen.   *Tr.*

Schneider. Zur Bestimmung der Borsäure[2]). — Verfasser
macht darauf aufmerksam, dafs man Borsäure in alkoholischer
Lösung quantitativ überdestilliren kann. Zweckmäfsiger ist es, wenn
es sich um eine quantitative Bestimmung handelt, die borsäure-
haltige Substanz mit absolutem Alkohol im Kolben mit Rückflufskühler zu extrahiren und die filtrirte alkoholische Lösung dann erst
zu destilliren. Man bringt dann das alkoholische Destillat in kleinen
Antheilen zu einer Lösung von kohlensaurem Natrium, die eine
der zu erwartenden Borsäuremenge entsprechende Menge frisch
geschmolzenen kohlensauren Natriums in Wasser gelöst enthält.
verdampft zur Trockne, glüht, schmilzt und wägt. Bei Anwendung von 1 bis 2 Mol. Natriumcarbonat auf 1 Mol. Borsäure kann
man aus dem Gewichtsverlust, den der Trockenrückstand beim
Glühen bezw. Schmelzen erfährt, die vorhandene Borsäure berechnen. Ist die zu erwartende Borsäuremenge nicht bekannt.

---

[1]) Chem. News **73**, 230. — [2]) Apoth.-Zeitg. **11**, 747.

so muſs man in bekannter Weise eine Kohlensäurebestimmung ausführen und danach die Berechnung machen. Um in frisch gehacktem Fleisch Borsäure nachzuweisen, erwärmt man das Fleisch zunächst in einem gut verschlossenen Becherglase in einem Wasserbade, verreibt dann nach dem Abkühlen in einem groſsen Mörser mit der etwa gleichen Gewichtsmenge entwässertem schwefelsaurem Natrium und extrahirt dann das pulverige Gemisch mit absolutem Alkohol. *Tr.*

Schneider u. Gaab. Zur Bestimmung der Borsäure[1]). — Zur Bestimmung der Borsäure in Verbandstoffen extrahiren die Verfasser diese Stoffe mit absolutem Alkohol und destilliren das Filtrat auf dem Wasserbade. Das Destillat wird dann mit Sodalösung eingedampft und dann wird die Borsäure auf dem gewöhnlichen Wege bestimmt. Um diese Isolirungsmethode auch auf gehacktes Rohfleisch anwenden zu können, verreiben die Verfasser dasselbe mit viel wasserfreiem Natriumsulfat und extrahiren das so erhaltene trockene Pulver mit absolutem Alkohol.
v. Lb.

M. Hönig u. G. Spitz. Ueber die maſsanalytische Bestimmung der Borsäure[2]). — Die Verfasser geben zum genannten Zwecke zwei Methoden an, deren erstere darauf beruht, daſs freie Borsäure in Gegenwart von überschüssigem Glycerin durch kohlensäurefreies Alkali unter Anwendung von Phenolphtaleïn als Indicator titrirt werden kann. In *Boraten* bestimmt man zunächst das Alkali durch directes Titriren mit $^1/_2$-Normal-Salzsäure in Gegenwart von Methylorange, setzt dann etwas Phenolphtaleïn und für je 1,5 g Borat etwa 50 ccm Glycerin hinzu und titrirt nun mit $^1/_2$-Normal-Lauge bis zum Eintreten der Rothfärbung. Alsdann prüft man, ob weitere Zusätze von je 10 ccm Glycerin die rothe Farbe wieder zum Verschwinden bringen und setzt in diesem Falle weiter Alkali hinzu bis zur Wiederkehr der rothen Farbe u. s. w. Wenn Carbonate zugegen sind und man nur die Borsäure bestimmen will, so kann man nach der obigen Titrirung des Alkalis mit Salzsäure am Rückfluſskühler kochen und dann wie oben die Borsäure bestimmen. Sollen in Wasser unlösliche Borate (*Boronatrocalcit, Boracit, Pandermit* u. s. w.) untersucht werden, so kocht man sie unter Rückfluſs mit $^1/_2$-Normal-Salzsäure, setzt nach dem Erkalten Methylorange hinzu und neutralisirt den Ueberschuſs an Salzsäure mit Alkali, worauf weiter

---

[1]) Pharm. Centr.-H. 37, 672—673. — [2]) Zeitschr. angew. Chem. 1896, S. 549—552.

in Gegenwart von Phenolphtaleïn die Borsäure mit $^1/_2$-Normal-Alkali titrirt wird. Die Bestimmung der Borsäure in *Silicaten*, *Gläsern, Emaille* u. s. w. wird ebenfalls angegeben. — Bei der zweiten der von denselben angegebenen Methoden zur Bestimmung der Borsäure kommt Folgendes in Betracht. Bei längerem Kochen unlöslicher Borate (Boronatrocalcit u. s. w.) mit einer Auflösung von Natriumdicarbonat unter Einleiten von Kohlensäure geht sämmtliche Borsäure als Natriumtetraborat in Lösung. Bei Anwesenheit von Ammoniumsalzen — am besten vom Nitrat — läſst sich alle Kohlensäure als Silbersalz abscheiden und die gesammte Borsäure in Lösung erhalten, wenn man rasch abfiltrirt. Wenn Boraxlösungen mit einem neutralen Ammoniumsalz (Chlorid oder Nitrat) im Ueberschuſs gekocht werden, so entweicht eine dem fixen Alkali des Borax äquivalente Menge Ammoniak [1]. *Brt.*

A. Bellocq. Bestimmung der Borsäure [2]. — Er theilt ein Verfahren mit, welches er seit zehn Jahren bei der Analyse der *Schwefelwässer* von d'Eaux Chaudes angewendet hat und das auf der Löslichkeit der Borsäure in Aether beruht. Das entschwefelte Wasser wurde alkalisch gemacht, zur Trockne verdampft, der Rückstand calcinirt, mit Salzsäure aufgenommen, deren Ueberschuſs verjagt und nun die trockene Masse mit Aether extrahirt. Der Verdunstungsrückstand dieses Auszuges wurde gewogen.   *Brt.*

J. G. Heid. Werthbestimmung von Borax [3]. — Er bestimmt das darin enthaltene Chlor gewichtsanalytisch und rechnet es auf Chlornatrium um. Andererseits wird ermittelt, wie viel Chlornatrium beim Eindampfen des Borax mit Wasser und Salzsäure neben der frei gewordenen Borsäure hinterbleibt. Wenn man von der zweiten Menge das schon im Borax an sich enthaltene Chlornatrium abzieht, so ergiebt sich diejenige Quantität, welche aus dem diborsauren Natrium entstanden ist.   *Brt.*

W. Waltke u. Co. Ueber die Bestimmung von kohlensaurem, kieselsaurem und borsaurem Natrium in Seifen [4]. — Man ziehe die letzteren mit siedendem Alkohol aus, wobei jene Salze ungelöst bleiben, löse den Rückstand in heiſsem Wasser, verdampfe das Filtrat und trockne bis zum constanten Gewicht. Es folgt in einem Theile des Productes die Bestimmung der Kohlensäure im Geiſsler'schen Apparate, um dann die Soda zu berechnen. Ein

---

[1] Siehe Bolley, Ann. Chem. Pharm. **68**, 112. — [2] Chem. Centr. **67**. II, 563; Chemikerzeit. **20**, Rep. 227—228. — [3] Zeitschr. angew. Chem. 1896. S. 679. — [4] Chemikerzeit. **20**, 20—21.

anderer Theil der Masse dient zur Bestimmung der Kieselsäure nach der üblichen Methode. Im Filtrat von der Kieselsäure bestimmt man das Chlor des Chlornatriums, von dessen letzteren Menge die dem kohlensauren und kieselsauren Natrium entsprechenden Quantitäten abgezogen werden, um den Rest auf Borax umzurechnen. Man kann auch im Filtrat von der Kieselsäure die Chloride in Sulfate überführen und dann die Schwefelsäure betimmen. Die Art der Berechnung würde der obigen ähneln. Dies zweite Verfahren ist dem ersteren vorzuziehen, da die gegenwärtige freie Borsäure die Titrirung des Chlors erschwert. *Brt.*

Kohlenstoff, Silicium. — W. Carrik Anderson. Eine Methode zur Bestimmung des specifischen Gewichtes und der Porosität von Koks[1]. — Man findet das wahre specifische Gewicht von Koks, wenn man eine abgewogene Menge der zu feinem Sand gepulverten Probe im Pyknometer nach dem Uebergiefsen mit Wasser bei Wasserbadtemperatur $2^1/_2$ Stunden evacuirt, dann das Pyknometer auffüllt und wägt. Zur Bestimmung des scheinbaren Volumens von Koks und Poren werden gröfsere Stücke Koks in ein mit Wasser gefülltes Gefäfs gebracht und das Volumen des verdrängten Wassers festgestellt. Das scheinbare specifische Gewicht ergiebt sich aus dem Gewicht der Probe, dividirt durch das Volumen des verdrängten Wassers. Die Porosität des Koks ist:

$$\frac{(\text{wahres spec. Gew.} - \text{scheinbares spec. Gew.}) \cdot 100}{\text{wahres spec. Gew.}}.$$

Das Volumen der in 100 g Koks enthaltenen Poren ist

$$= \frac{\text{Porosität}}{\text{scheinbares specifisches Gewicht}}.$$

Bei mehreren Kokssorten wurde das wirkliche specifische Gewicht von 1,837 bis 1,936 gefunden, das scheinbare specifische Gewicht von 0,921 bis 1,210; die Porosität von 37,50 bis 49,86, das Porenvolumen von 30,99 bis 54,13 ccm für 100 g Koks. Für metallurgische Zwecke ist die Bestimmung des Porenvolumens von Wichtigkeit. *Tr.*

R. Helmhacker. Bestimmung von Kohlenstoff oder Asche in Graphit oder Koks[2]. — Um das bei den so schwer verbrennlichen Substanzen sonst nöthige stundenlange Erhitzen im Platintiegel zu vermeiden, werden dieselben besser im Schiffchen im Sauerstoffstrom verbrannt. Noch besser ist das Verfahren von

---

[1] Chem. Soc. Ind. J. 15. 20—21; Ref.: Chem. Centr. 67, I, 777—778. —
[2] Eng. and Min. J. 62, 55; Ref.: Chemikerzeit. 20, Rep. 220.

Stolba. 2 g Graphit werden, mit 1 g feinstem Silberstaub gemischt, im Platintiegel auf Rothgluth (so dafs das Silber nicht
schmilzt) erhitzt; von Zeit zu Zeit wird mittelst Platinspatel umgerührt. In $1/2$ bis 1 Stunde ist der härteste Ceylongraphit verbrannt. Der Tiegel wird am besten in einen zweiten gestellt,
um kleine Gewichtsänderungen zu vermeiden. Der Silberstaub
wird durch Reduction aus Lösung bereitet. Er soll als Sauerstoffüberträger wirken, indem er, ähnlich wie geschmolzenes
Silber, Sauerstoff in seinen Poren verdichtet.   Y.

N. Gréhant. Emploi du grisoumètre dans la recherche
médico-légale de l'oxyde de carbone[1]). — Der spectroskopische
Nachweis von Kohlenoxydvergiftungen wird unsicher, wenn die
Menge von Kohlenoxydhämoglobin weniger als die Hälfte des
Gesammthämoglobins beträgt. · Absolut genaue Werthe erhält
man dagegen nach der Methode des Verfassers, indem man zunächst das Kohlenoxyd aus dem Hämoglobin durch Essigsäure in
Freiheit setzt, mit der Quecksilberluftpumpe absaugt und dann
in dem vom Verfasser beschriebenen Grisoumeter reducirt. Zu
dem Zwecke wird das Kohlenoxydblut in einen evacuirten Kolben
gethan und dann der Kolben unter Zusatz von Essigsäure auf
100° erwärmt. Das entwickelte Gas wird von Kohlensäure befreit
und dann im Grisoumeter quantitativ bestimmt.   Mr.

Habermann. Nachweis von Kohlenoxyd[2]). — Zu einer
Silbernitratlösung wird so viel Ammoniak gesetzt, dafs von
dem ausgeschiedenen Silberoxyd noch eine Kleinigkeit ungelöst
bleibt. Die filtrirte und sorgfältig vor Staub geschützte Flüssigkeit läfst sich lange Zeit in reiner Luft aufbewahren, während
bei einem Gehalt von 0,1 Proc. Kohlenoxyd in Luft eine deutliche Braunfärbung eintritt.   Tr.

F. Clowes. Die Entdeckung und Schätzung des Kohlenoxyds in der Luft[3]). — Nach Hervorhebung des schädlichen Einflusses des Kohlenoxyds auf den menschlichen Organismus wird
eine empirische Methode zu dessen Bestimmung und Schätzung
vorgeschlagen, wobei die Verlängerung einer Wasserstoffflamme in
kohlenoxydhaltiger Luft in Betracht kommt. Andere brennbare
Gase dürfen in letzterer nicht enthalten sein.   Brt.

H. Chr. Geelmuyden. Ein neues Barytrohr[4]). — Da bei
der Bestimmung der Kohlensäure der Luft mittelst der Petten-

---

[1]) Compt. rend. 123, 1013—1015. — [2]) Pharm. Post 29, 468; Pharm.
Centr.-H. 37, 844. — [3]) Chem. Soc. Ind. J. 15, 742 (Ausz.). — [4]) Zeitschr.
anal. Chem. 35, 516—517.

kofer'schen Röhren das Volumen der Barytwasserlösung sich
ändert, entweder, wenn man zu lange Luft durchleitet, oder andererseits, wenn die Luft zu feucht ist, so hat Verfasser anstatt der
von Fresenius schon beschriebenen graduirten Absorptions-
röhren ein einfacher construirtes graduirtes Barytrohr, welches
ähnlich wie eine Gay-Lussac'sche Bürette gebaut ist, empfohlen.
Tr.

Henriet. Dosage rapide de l'acide carbonique dans l'air
et les milieux confinés [1]). — Die Methode stützt sich darauf, daſs
bei Zusatz von Schwefelsäure zu einer neutralen, mit einem
Tropfen Phenolphtaleïnlösung roth gefärbten Kaliumcarbonat-
lösung die Färbung in dem Augenblicke verschwindet, wo die
Hälfte der Kohlensäure des Carbonats durch das nicht zersetzte
Carbonat zu Bicarbonat gebunden ist. Diese Reaction ist sehr
deutlich, wenn man gegen das Ende derselben die Säure tropfenweise zufließen läſst. Wenn man daher eine abgemessene Menge
Kalilauge die Kohlensäure in einem bestimmten Volumen Luft
absorbiren läſst und dann die Kalilauge in obiger Weise titrirt,
so braucht man nur eine gleiche Menge der Kalilauge mit derselben Säure zu titriren, um dann aus der Differenz bei der
Titration durch Multiplication mit 2 die Anzahl Cubikcentimeter
titrirter Schwefelsäure zu erhalten, die der in dem Volumen Luft
vorhandenen Kohlensäuremenge entsprechen. Das Resultat ist
demnach unabhängig von dem Carbonatgehalt der verwendeten
Kalilauge. Die verwendete Kalilauge enthält 8 g KOH pro ein
Liter. Verfasser beschreibt dann noch die bekannte Art, wie man
die Luft in die etwa sechs Liter fassende Flasche bringt, in die
nach Abkühlung der Flasche die Lauge unter Nachspülen mit
ausgekochtem, destillirtem Wasser eingeführt wird. Man läſst
die Flasche mit der Lauge unter häufigem Schütteln eine Stunde
stehen und führt die Titration alsdann in der Flasche selbst aus,
wodurch eine weitere Absorption von Kohlensäure aus der Luft
durch die Lauge vermieden wird. *Bm.*

St. Szcz. Zaleski. Ein zweckmäſsiges Verfahren zur Bestimmung der Kohlensäure in beliebiger Tiefe wenig zugänglicher
Behälter von Säuerlingen [2]). — Zur Wasserprobeentnahme dient
ein dickwandiges, schmales, mit Ausguſstheilungen versehenes
Gefäſs von 100 bis 120 ccm Inhalt, welches man an einer entsprechend langen und festen Holzstange befestigte. In genau ab-
gemessenen Abständen werden Metallringe eingeschraubt, welche

---

[1]) Compt. rend. 123, 125—127. — [2]) Chemikerzeit. 20, 663 | 664.

zur Messung der Tiefe und gleichzeitig zur Führung eines Kautschukschlauches von 5 bis 7 mm lichter Weite dienen. Mit diesem
langen Kautschukschlauch verbindet man das kurze, knieförmig gebogene, etwas ausgezogene Röhrchen, welches durch die eine Bohrung
des doppelt durchbohrten Korkes führt und dicht unter demselben
endet, während durch die andere Bohrung eine knieförmig gebogene Röhre bis nahe an den Boden des Gefälses führt. Den
so ausgerüsteten Apparat bringt man auf die gewünschte Tiefe
und öffnet alsdann den am oberen Ende des Kautschukschlauches
bis dahin geschlossenen Quetschhahn, worauf das Wasser in das
Gefäls einfliefst. Da das zuerst in das Gefäls eingedrungene
Wasser mit der vorher in dem Gefälse vorhandenen Luft in Berührung tritt, saugt man den Inhalt des Gefälses mehrere Male
durch den Kautschukschlauch ab. Hierauf schliefst man den
Schlauch dicht am oberen Ende mit einem Quetschhahn und
nimmt das Gefäls aus dem Wasser heraus, verbindet die offene
Röhre, durch welche das Wasser in die Flasche eingetreten ist,
mit dem mit einem am Ende abgeklemmten Gummischlauche
überzogenen langen Rohre eines nach Art einer Spritzflasche ein-
gerichteten Kolbens, in dem sich die zur Bindung der Kohlensäure
dienende Flüssigkeit (Barytwasser etc.) befindet. Durch das andere
(kurze) Rohr dieser Flasche saugt man, nachdem man vorher an
dem oberen Ende des langen Kautschukschlauches eine Natron-
kalkröhre vorgelegt hat, nach Oeffnung der Quetschhähne das zu
untersuchende Wasser aus der Mefsflasche in den die Binde-
flüssigkeit enthaltenden Kolben ohne Unterbrechung über. Verfasser bezeichnet die zu erreichenden Resultate als genau und
empfiehlt das Verfahren für Kohlensäurebestimmungen in Flüssigkeiten aus wenig zugänglichen und tiefen Behältern, wie Schachten,
Cisternen, grofsen Gährungsgefälsen u. dgl.   *Bm.*

G. Meillère. **Dosage de l'acide carbonique libre et de l'acide
carbonique combiné dans les eaux bicarbonatées** [1]. — Die Kohlensäure, welche in Form neutraler Carbonate vorhanden ist, findet
man durch Titration mit Normalsäure unter Verwendung von
Tropäolin als Indicator. Die Gesammtkohlensäure kann man mit
titrirtem Barytwasser bestimmen, dessen zugesetzten Ueberschufs
man mit Normalsäure zurücktitrirt. Wenn ein Wasser gasarm
ist, kann man ein bestimmtes Volumen desselben einfach in ein
bekanntes Volumen Barytwasser giefsen. Bei Wässern dagegen,
welche mehr als 1,50 g freie Kohlensäure enthalten, mufs man

---

[1] Bull. soc. chim. [3] 15/16, 459—460; nach J. Pharm. Chim. [6] **3**. 6.

den Inhalt einer ganzen Flasche verwenden. Der Kork der Flasche wird durch einen innen hohlen Bohrer angebohrt und die Kohlensäure, welche gröfstentheils durch den eigenen Druck ausgetrieben wird, durch einen Gummischlauch in die Flasche mit titrirter Barytlauge geleitet, schliefslich wird der Kork entfernt, der Inhalt der Flasche durch Umdrehen und Eintauchen in das Barytwasser übergeführt und die Flasche mit Barytwaser nachgespült. *Bm.*

W. H. Symons und F. R. Stephens. Kohlendioxyd. Seine volumetrische Bestimmung[1]). — Die Abhandlung bespricht in ausführlicher Weise die Bestimmung der *Kohlensäure* in der *Luft.* Sie verwenden dabei eine alkalimetrisch titrirte Mischung von Aetznatron- und Chlorbaryumlösung, aus deren Alkalinätseinbufse der Gehalt des damit in Berührung gewesenen Luftvolums an Kohlendioxyd abgeleitet wird. Als Titrirflüssigkeit dient Essigsäure, als Indicator Phenolphtaleïn. Aufser der Probenahme ist auch der verwendete Apparat beschrieben. *Brt.*

Charles A. Kohn. Eine modificirte Form des Apparates von Schrötter zur Bestimmung von Kohlensäureanhydrid[2]). — Der Apparat, bei dem die Kohlensäure durch Gewichtsverlust ermittelt wird, ist in der üblichen Weise construirt und besitzt als Trockenrohr für die entweichende Kohlensäure ein mit Schwefelsäure beschicktes Rohr, an welchem sich noch ein weiteres Rohr befestigt findet, welches mit wasserfreiem Kupfervitriol, der auf Bimsstein sich aufgetragen findet, beschickt ist. Der Zweck des letztgenannten Rohres ist es, Chlorwasserstoffgas zurückzuhalten, falls man Chlorwasserstoffsäure zum Zersetzen des Carbonats verwendet hat. Der Apparat wird von J. Towers in Widnes geliefert. *Tr.*

J. Rosenthal. Ueber die Bestimmung der Kohlensäure in der atmosphärischen Luft nebst Bemerkungen über die Dissociation von Dicarbonatlösungen[3]). — Der Kohlensäure-Bestimmungsapparat entspricht dem von Lunge und Zeckendorf angegebenen Princip, wonach eine mit Phenolphtaleïn gefärbte Sodalösung beim Binden der Kohlensäure aus der Luft entfärbt wird und man aus der Concentration der Sodalösung, ihrer Menge und der Quantität der aspirirten Luft den Kohlensäuregehalt in letzterer zu berechnen vermag. Die Stärke der Carbonatlösung richtet sich nach dem Kohlensäuregehalt der Luft; man verwendet bei einem Gehalt

---

[1]) Chem. Soc. J. 69, 869—881. — [2]) Chem. Soc. Ind. J. 15, 248. — [3]) Sitz.-Ber. Phys. Med. Soc. Erlangen. H. 27, S. 74—84; Ref.: Chem. Centr. [4] 8, I, 1142—1143.

zwischen 0,04 und 0,1 Proc. am besten eine $^1/_{1000}$-Normal-Lösung des Salzes, von der man 21 ccm in das Absorptionsgefäfs bringt. Dem Apparat haftet der Mangel an, dafs die Färbung der Carbonatlösung, die anfänglich tief violettroth ist, beim Durchleiten der Luft ganz allmählich verblafst, so dafs sich der Entfärbungsmoment nur schwer angeben läfst. Die von Oehlmüller vorgeschlagene Aenderung des Apparates zur Beseitigung des Mangels ist unbrauchbar, dagegen functionirt eine vom Verfasser vorgeschlagene Abänderung gut, welche auf der Abhaltung des Seitenlichtes und Benutzung eines geneigten Spiegels, wodurch man die Entfärbung der Flüssigkeit leicht feststellen kann, beruht. Ist der Kohlensäuregehalt etwas gröfser als Normal, ca. 0,66 pro Mille, so tritt die Entfärbung stets sicher ein; war derselbe geringer, ca. 0,4 pro Mille, so gelang eine völlige Entfärbung überhaupt nicht, auch wenn gröfsere Mengen dieser Luft durchgeleitet wurden. Die Erklärung hierfür liegt in der Dissociirbarkeit des Natriumdicarbonats. Die Färbung der Phenolphtaleïnsodalösung ist beim Durchleiten von Luft mit wenig Kohlensäure derjenigen einer hochgradig verdünnten Carminlösung ähnlich; eine solche Lösung kann man als Vergleichsflüssigkeit verwenden. Ist beim Durchleiten von 500 ccm Luft die Carbonatlösung noch nicht entfärbt, aber doch schon erheblich abgeblafst, so dafs sie der Carminlösung ungefähr gleicht, so kann man den Kohlensäuregehalt auf 0,4 bis 0,5 pro Mille schätzen; ist letzterer gröfser als 0,6 pro Mille, so wird die Lösung beim Durchleiten genügender Mengen Luft farblos. *Hf.*

E. Gilbert. Welchen wissenschaftlichen Werth haben die Resultate der Kohlensäuremessungen nach der Methode von Dr. med. H. Wolpert?[1]). — Verfasser hat mit verschiedenen, nach Wolpert construirten Apparaten Kohlensäurebestimmungen ausgeführt und dieselben mit solchen, die er nach der Pettenkofer'schen Methode erhielt, verglichen. Hierbei hat sich ergeben, dafs bei ganz frisch bereiteter Lösung, die zur Bestimmung der Kohlensäure diente, die Zahlen, die nach der Wolpert'schen Methode gefunden wurden, sich zu niedrig ergaben, während sie, wenn die Lösung scheinbar nicht ganz tadellos mehr war, höher gefunden wurden. Als Mängel an der Wolpert'schen Methode bezeichnet Verfasser, dafs der in den Cylinder des Apparates eingepafste Kolben nicht immer ganz dicht schliefst, somit das zu untersuchende Luftvolumen nicht ganz dicht abgeschlossen werden

---

[1]) Zeitschr. f. Hyg. 21, 282—286.

kann, und zweitens, daſs die nach Angabe von Wolpert aus den sog. Luftprüfungskapseln bereitete Lösung vor Licht und Kohlensäure sorgsam geschützt werden muſs. Sieht man von wissenschaftlicher Genauigkeit ab, so leistet der Apparat gute Dienste, wenn es sich darum handelt, den Kohlensäuregehalt irgend eines Raumes rasch zu ermitteln. *Tr.*

Letts and R. F. Blake. On the Pettenkofers method for determining carbonic anhydride in air[1]. — Der Fehler, welcher bei der Bestimmung der Kohlensäure, welche in einem Glasgefäſs aufgefangen ist, durch Barytwasser und Zurücktitriren mit Säure in Folge der Einwirkung des Barytwassers auf das Glas entsteht, läſst sich dadurch vermeiden, daſs man das Glas, in welchem die Kohlensäure aufgefangen wird, und dasjenige, in welchem die titrirte Barytlösung aufbewahrt wird, mit Paraffin innen überzieht und dadurch verhindert, daſs die Alkalität der Lösung durch Aufnahme von Alkalien aus dem Glase zunimmt. Zur Prüfung dieser Methode wurde nun kohlensäurefreie Luft mit bestimmten, gemessenen Mengen Kohlensäure gemischt und analysirt. Bei Gemischen von 0,3 pro Mille (Volumen) ist der Fehler im Maximum 0,04 pro Mille und bei gröſseren Mengen Kohlensäure wird er viel geringer. Bei der Methode von Symons und Steffens[2] liegt der Fehler in der Kohlensäure, welche sie durch den Wasserdampf, welcher zum Evacuiren des Gefäſses benutzt wird, hineinbringen, und er ist sehr beträchtlich. *v. Lb.*

J. K. Phelps. Ueber eine jodometrische Methode zur Bestimmung der Kohlensäure[3]. — Der Verfasser zersetzt das betreffende *Carbonat* mit Phosphorsäure und fängt die austretende Kohlensäure in Barytwasser auf, worauf letzteres mit überschüssiger Jodlösung versetzt und kurze Zeit unter Vorlegung einer Jodkaliumlösung gekocht wird, um das gebildete unterjodigsaure Salz zu zersetzen. Man bestimmt darauf den Jodüberschuſs mit Hülfe einer Auflösung von arseniger Säure. Ein Molekül des freien Aetzbaryts bindet 12 Atome Jod unter Bildung von Jodbaryum und Baryumjodat. Das verschwundene freie Jod entspricht dem durch Kohlensäure nicht zersetzten Baryumhydrat. Um den Einfluſs des fein vertheilten kohlensauren Baryums auf das Jod aufzuheben, koche man die Flüssigkeit vor dem Zusatze der Jodlösung auf. *Brt.*

P. Jannasch u. O. Heidenreich. Ueber die Aufschlieſsung

---

[1] Chem. News **74**, 287—288. — [2] Chem. Soc. J. Trans. 1896, S. 869. — [3] Sill. Am. J. [4] **2**, 70—74; Zeitschr. anorg. Chem. **12**, 431—435.

der Silicate durch Borsäure [1]). (II. Abhandlung.) — Zur Aufschliefsung ist eine absolut alkalifreie Borsäure nothwendig, die
man in geglühtem und gepulvertem Zustande aufbewahrt. Man
nimmt dann wenigstens 1 g feines Silicatpulver und (je nach dem
Silicat) die drei- bis achtfache Menge Borsäurepulver und erhitzt
in einem mittelgrofsen Platintiegel zunächst gelinde, dann bis zum
ruhigen Flufs bei starker Flamme, endlich vor dem Gebläse. Der
noch heifse Tiegel wird rasch gekühlt, worauf man die Schmelze
unter Beobachtung gewisser Vorsichtsmafsregeln in einer Platinschale mit Wasser und Salzsäure wiederholt erwärmt und unter
Umrühren zur Trockne eindampft. Zur Vertreibung der Borsäure
fügt man dann mehrere Male frisch mit Salzsäuregas gesättigten,
wasserfreien Methylalkohol zu und erwärmt. Die borsäurefreie
Salzmasse trocknet man endlich eine Stunde lang bei 110°, durchfeuchtet sie mit concentrirter Salzsäure, dann mit Wasser und
filtrirt die Kieselsäure ab. Das mit den Waschwässern vereinigte
Filtrat mufs jedoch zur Abscheidung von noch gelösten kleinen
Mengen Kieselsäure nochmals abgedampft und in gleicher Weise
behandelt werden, worauf der Analysengang den üblichen Methoden
folgt. Dieser Aufschliefsungsmethode wurden Leucitbasalt, kiesel-
säurereiches Gestein, Grünschiefer, Tinguaitporphyr, basische Ausscheidungen aus Eläolithsyenit, Diorit, Eisenaluminiumgranat von
Arendal, schwarzer Turmalin von Tamatave (Madagascar), Feld-
spath und Rauchquarz vom St. Gotthard mit Erfolg unterworfen.
Sd.

     Mayençon. Elektrolytische Silicatuntersuchung [2]). — Der
Verfasser fand, dafs bei der Elektrolyse von Silicaten sich an der
Anode lösliche Kieselsäure abschied, während sich an der Kathode
die übrigen Elemente abschieden. Auch unlösliche Silicate konnten
mit Wasser als Pulver zu einem Brei elektrolysirt werden, z. B.
Talk, Glimmer und Turmalin. Der Verfasser legt den Silicatbrei
auf eine als Kathode dienende Metallplatte, darauf etwas Fliefs-
papier und auf dieses die Anode, welche, nach der Elektrolyse
getrocknet, von körnigem Quarz überzogen ist. Will man davon
mehr isoliren, so benutzt man poröse Kohle als Anode. Ist
die Anode aus Silber, Zink oder Kupfer, so bilden sich die entsprechenden Silicate.   *v. Lb.*

     A. H. Allen. Zersetzung von Silicaten durch reine Flufs-
säure [3]). — In einem grofsen, bedeckten Platintiegel erhitzt man

---

     [1]) Zeitschr. anorg. Chem. 12, 208—218. — [2]) Berg- u. Hüttenm. Zeitg.
55. 333. — [3]) Chem. Soc. J. 70, II, 575 (Ausz.).

gleiche Theile käufliche Flufssäure und Schwefelsäure, während ein hineingestellter kleinerer Tiegel das zu zersetzende Silicat enthält, welches mit etwas Schwefelsäure befeuchtet ist. Es kommt dabei nur eine Flufssäure mit dem Silicat in Berührung. *Brt.*

Thorium, Zinn. — C. Glaser. Ueber die Analyse des Monazitsandes und die Bestimmung der Thorerde[1]. — Das aufs Feinste zerriebene Rohmaterial wird mit concentrirter Schwefelsäure andauernd gekocht, die letztere abgeraucht und die Masse in Eiswasser eingetragen, wobei aufser Kiesel- und Tantalsäure Alles in Lösung geht. Wenn noch Titansäure oder Thorerde oder Zirkonerde im Niederschlage enthalten sein sollten, so vertreibt man die Kieselsäure durch zweimaliges Abdampfen mit Flufssäure, verdampft mit Schwefelsäure und glüht stark. Der Gewichtsverlust entspricht der *Kieselsäure*. Der etwa hinterbliebene Rückstand wird andauernd mit Schwefelsäure gekocht oder mit Kaliumdisulfat geschmolzen, sodann in Eiswasser eingetragen. Das Unlösliche wird als aus *Tantalsäure* bestehend angesehen. Die beiden schwefelsauren Lösungen werden vereinigt und mit Schwefelwasserstoff behandelt, wobei Titansäure und etwaige Metalle der fünften Gruppe gefällt werden. Aus dem Filtrat verjagt man den Schwefelwasserstoff durch Kochen, neutralisirt die Hauptmenge der freien Säure mit Ammoniak und fällt in der Siedehitze mit überschüssigem Ammoniumoxalat. Nach dem Erkaltenlassen über Nacht befinden sich in Lösung: Phosphorsäure, die Oxyde des Eisens, Aluminiums, Mangans, Berylliums, Yttriums, Zirkoniums und Calciums. Die Oxyde der Cergruppe und die Thorerde werden gefällt. — Zur Bestimmung der gelösten Körper fällt man die Metalloxyde durch Ammoniak als Phosphate aus, schmilzt den gewaschenen Niederschlag mit Kaliumnatriumcarbonat, zieht mit Wasser aus und vereinigt das Filtrat mit demjenigen von der Ammoniakfällung, um darin die *Phosphorsäure* und die *Thorerde* zu bestimmen. Den unlöslichen Rückstand behandelt man mit Schwefelsäure, macht ammoniakalisch und fällt aus dem Filtrate das *Calcium* aus. Der Ammoniakniederschlag wird in warmer Salzsäure gelöst und die Flüssigkeit mit Ammoniak möglichst neutralisirt, um sie dann in ein Gemisch von kohlensaurem Ammonium und Schwefelammonium einzutragen. Dabei fallen die Metalle der vierten Gruppe nieder, während Zirkon-, Ytter- und Beryllerde gelöst bleiben. *Eisen* und *Mangan* lassen sich in der gewöhnlichen Weise bestimmen. Um die Erden zu trennen,

[1] Chemikerzeit. 20. 612—614.

wird das Filtrat von der vierten Gruppe eine Stunde lang gekocht, wobei die Erden quantitativ niederfallen. Sie werden in Salzsäure gelöst, um nun mit überschüssiger Natronlauge die Zirkon- und Yttererde zu fällen. Bei einstündigem Kochen des Filtrats scheidet· sich die *Beryllerde* ab. Aus der salzsauren Lösung der *Zirkon-* und *Yttererde* wird die erstere durch Sättigung der erwärmten Flüssigkeit mit Kaliumsulfat und Erkaltenlassen als unlösliches Doppelsalz gewonnen. Aus dem Filtrat fällt Ammoniak die Yttererde. Zur Trennung der Metalle der Cergruppe und des Thoriums wird obiger Oxalatniederschlag geglüht, dann in Schwefelsäure gelöst, die Hauptmenge der freien Säure durch Ammoniak abgestumpft und dann in der˙ Siedehitze überschüssiges oxalsaures Ammonium und bald darauf etwas Ammoniumacetat hinzugefügt. Beim Abkühlen fallen die Metalle der *Cergruppe* als Oxalate nieder, während die *Thorerde* gelöst bleibt. Diese läfst sich aus dem Filtrat durch überschüssiges Ammoniak abscheiden und wägen. Um im Niederschlage der Cergruppe das *Cerium* von *Lanthan* und *Didym* zu trennen, kann man in bekannter Weise die Hydrate durch Alkalilauge fällen und sofort Chlor einleiten. Die Trennung des Lanthans vom Didym wurde nicht vorgenommen. — Derselbe theilt dann noch die Analysenresultate einiger Monazitsande mit.   *Brt.*

L. M. Dennis. Trennung des Thoriums von den anderen seltenen Erden mittelst Kaliumtrinitrids [1]. — Das KN_3 wird bereitet, indem man verdünnte N_3H-Lösung mit verdünnter Kalilauge neutralisirt und dann N_3H-Lösung wieder bis zur deutlich sauren Reaction hinzufügt. Giebt man eine derartige Lösung zur neutralen $ThCl_4$-Lösung, so entsteht in der Kälte kein Niederschlag, wohl aber bildet sich ein solcher, wenn man eine Minute lang sieden läfst. Es wird hierbei quantitativ alles Th als $Th(OH)_4$ gefällt. Die Reaction von KN_3 auf $Th(NO_3)_4$ entspricht der Gleichung:

$$Th(NO_3)_4 + 4\,KN_3 + 4\,H_2O = Th(OH)_4 + 4\,KNO_3 + 4\,N_3H.$$

Nach Abscheidung von $Th(OH)_4$ kann man alle als KN_3 angewandte N_3H quantitativ wieder gewinnen. Nach Ostwald ist N_3H eine nur wenig stärkere Säure als Essigsäure, es erinnert also das Verhalten an die Zersetzung von Ferriacetatlösung in der Hitze in Essigsäure und Eisenhydroxyd. Nach dem angeführten Verfahren kann man Th von La, Ce und Di scharf trennen.   *Tr.*

---

[1] Amer. Chem. Soc. J. **18**, 947—952; Ref.: Chem. Centr. **68**, I, 128.

Cecil J. Brooks[1]) berichtete über die *quantitative Bestimmung von Zinn*. Zu den Versuchen wurde eine Probe reinen „Handelszinns" benutzt, welche bestand aus: $Sn = 99,25$, $Pb = 0,36$, $Cu = 0,10$, $Fe = 0,06$ Proc. Bei der Oxydation der verwendeten Zinnchlorürlösung — 50 ccm entsprachen 0,4508 g SnO_2 — zeigte es sich, daſs die Wirkung von Salpetersäure mehr von der Verdünnung als von der vorhandenen Menge der Säure abhängt; Brom wirkt besser oxydirend als die Säure, ebenso Kaliumchlorat und Salzsäure. Da Stanno-, sowie Stannisulfid beim quantitativen Verrösten[2]) stets Verluste — in einem Falle 5,5 Proc. vom Zinndioxyd — ergaben, verfuhr Brooks folgendermaſsen: das filtrirte und ausgewaschene Zinndisulfid wurde auf dem Filter in heiſsem Schwefelammon gelöst. Die Lösung verdampfte man in einer gewogenen Schale, oxydirte mit Salpetersäure, trocknete den Rückstand und verglühte. Man fand 0,4495 resp. 0,4519 g SnO_2, statt 0,4508 g; ferner wurden von 0,25 g Zinn wieder erhalten 0,2490 resp. 0,2489 g Sn. *Sm.*

Henry Bailey. The analysis of tin slags[3]). — Da man in Zinnschlacken gewöhnlich nur Zinn, Eisen und Kieselsäure zu bestimmen braucht, so verfährt man am besten folgendermaſsen. Nachdem man die Schlacke mit Salpetersäure aufgeschlossen und die Lösung zur Trockne eingedampft hat, bis sich keine braunen Dämpfe mehr entwickeln, kocht man mit 20 ccm concentrirter Salzsäure, welche das Zinn, weil es in SnO_2 übergeführt ist, nicht zu lösen vermag, so daſs seine Verflüchtigung vermieden wird. Nach dem Verdünnen mit Wasser stellt man zwei Zinkstäbe in die Lösung so lange, bis alles Zinn zu Metall und alles Eisen zu Fe_2Cl_4 reducirt ist, spült dann die Stäbe ab und filtrirt und wäscht nach. Im Filtrat titrirt man das Eisen mit Kaliumbichromat. Den Niederschlag behandelt man mit Salzsäure und einigen Tropfen Salpetersäure in einer Porcellanschale, bis die Kieselsäure weiſs geworden ist. Dann filtrirt man und wäscht mit warmem und kaltem Wasser. Aus dem Filtrat wird das Zinn mit Schwefelwasserstoff gefällt und dann als SnO_2 bestimmt. Die Kieselsäure wird mit Wasser und Ammoniak gewaschen und dann getrocknet, geglüht und gewogen. In dem ammoniakalischen Waschwasser kann man auch noch eine annähernde Bestimmung des Wolframs machen. In dem Filtrat, in

---

[1]) Chem. News 73, 218. — [2]) Durch sehr langsames, mehrere Stunden andauerndes Rösten über ganz kleiner Flamme lassen sich derartige Verluste vermeiden. (*Sm.*). — [3]) Chem. News 73, 88.

welchem das Eisen titrirt wird, kann man auch noch die Thonerde bestimmen.   *v. Lb.*

P. J. Schieven Borgman. Das Zinn als Conservirungsmittel für Lebensmittel und seine quantitative Bestimmung[1]). —
Die titrimetrische Bestimmung des Zinns als Zinnchlorür durch
Oxydation unter Verwendung von Jodjodkalium unter Zusatz von
Stärke fällt bei grofser Verdünnung der angewandten Lösung
nicht sehr genau aus. Bessere Resultate erzielte Verfasser, als
er eine alkoholische Jodlösung und als Indicator Kakothelin (gewonnen durch Einwirkung von Salpetersäure auf Brucin) anwandte. Verfasser hat die Einwirkung verschiedener Stoffe in
1 proc. Lösung bei achttägiger Versuchsdauer bei gewöhnlicher
Temperatur bestimmt. Das Ergebnifs, in aufgelösten Milligrammen
Zinn ausgedrückt, war folgendes: Wasser, gewöhnliches, destillirtes
und kohlensäurehaltiges, essigsaures Kalium, buttersaures, bernsteinsaures Kalium, Tannin, Eiweifs, Mannit, Senföl und phosphorsaures Natrium lösen nichts auf; Ameisensäure 24,5, ameisensaures
Kalium 1, Essigsäure 18, Buttersäure 9,5, Valeriansäure 8,2, Stearinsäure 1,7, Oxalsäure 44,1, saures oxalsaures Natrium 17,3, Aepfelsäure 19,4, äpfelsaures Kalium 8,1, Bernsteinsäure 8, Weinsäure
46,2, weinsaures Kalium 15,3, saures weinsaures Kalium 20,9.
Citronensäure 29,2, citronensaures Kalium 8, Milchsäure 29,2,
Butter 2,3, Kochsalz 7, Glaubersalz 1, Natronsalpeter 1, Milch
(ein Tag) 2, Chlornatrium und Weinsäure 19,3. Bei Bleizinn-
legirungen wurde durchschnittlich mehr Zinn gelöst, Blei war
nicht nachzuweisen.   *Tr.*

Metalle.

Allgemeines. — E. D. Campbell. An proposed shedule of
allowable difference and of probable limits of accuracy in quantitative analyses of metallurgical materials[2]). — Da die Methoden
zur Bestimmung der in der Metallurgie zu untersuchenden Mat-
rialien trotz grofser Vervollkommnung noch immer mit Mängeln
behaftet sind, die theils von der Methode selbst, theils von den
benutzten Apparaten abhängen, aufserdem auch die mehr oder
minder grofse Geschicklichkeit der Analytiker in Betracht kommt.

---

[1]) Nederl. Tijdschr. Pharm. 8, 140—150; Ref.: Chem. Centr. 67. II.
212—213. — [2]) Amer. Chem. Soc. J. 18, 35—37.

so schlägt Verfasser eine Tabelle vor, welche neben den Grenzen der erreichbaren Genauigkeit die Maximalunterschiede angiebt, welche für die Bestimmung der einzelnen Stoffe als zulässig zu erachten sind. Z. B. für die Bestimmung des Phosphors beträgt nach ihm die Grenze der Genauigkeit $\pm$ [0,0002 + (0,005 $\times$ Procente *P*)], während die Analysenunterschiede höchstens $\pm$ [0,002 + (0,02 $\times$ Procente *P*)] betragen dürfen. Bezüglich der Einzelheiten siehe Original. *Ldt.*

J. Bird Moyer. Metalltrennungen mittelst Salzsäuregas[1]). — Die Annahme des Verfassers, dafs sich Wismuth im Salzsäurestrome würde verflüchtigen und somit von Kupfer und Blei trennen lassen, bestätigte der Versuch. Bei Anwendung von Bromwasserstoff gelingt die Verflüchtigung des Wismuths nur bei höherer Temperatur. Metalltrennungen mittelst Bromwasserstoff und Jodwasserstoffgas sind nur in beschränktem Mafse ausführbar. Der Versuch wurde in der Weise ausgeführt, dafs die Substanz in einem Porcellanschiffchen im Verbrennungs[illegible]im trockenen Chlorwasserstoffstrome erhitzt wurde und d[illegible]flüchtigende Product in einer mit Wasser beschickten [illegible]orlage [illegible]ufgefangen wurde. 1. Reines Sb_2O_3 verflüchtigt s[illegible]im HC[illegible]Strome vollständig bei 150 bis 190°. 2. PbO wird ers[illegible]er 225[illegible]n geringer Menge verflüchtigt. 3. Die Trennung v[illegible]Antimon [illegible]nd Blei läfst sich ausführen; bei der kleinsten Flam[illegible]des Fisc[illegible]chwanzbrenners war in sieben Stunden alles Ant[illegible]n (0,15 g [illegible]b_2O_3) verflüchtigt, während Chlorblei zurück[illegible] 4. Bi_2O[illegible]erflüchtigt sich im schwachen HCl-Strome quan[illegible]iv bei 130[illegible] 5. Es gelingt daher leicht, Bi und Pb zu tren[illegible]n. 6. Bis [illegible]5° verflüchtigt sich bei Anwendung von CuO [illegible]ine Spur vo[illegible]$CuCl_2$. 7. Sb und Cu lassen sich als Oxyde quant[illegible]ativ trenne[illegible] wenn man acht Stunden lang im langsamen HCl-S[illegible]ome auf [illegible]5° erhitzt. 8. Auch Bi und Cu lassen sich leicht tre[illegible]nen. 9[illegible]Läfst man HCl-Gas auf Natriumpyroarseniat einwirk[illegible]erflüchtigt sich, wie Hibbs schon nachgewiesen hat, alles Arsen, und Chlornatrium bleibt zurück. 10. Kupfer läfst sich von Arsen quantitativ trennen. 11. Die Trennung von As_2O_5 und Ag ist quantitativ, desgl. 12. von C. 13. Läfst man HCl-Gas auf Fe_2O_3 einwirken, so entweicht bis 200° der gröfste Theil des Fe_2O_3 als $FeCl_3$, während $FeCl_2$ zurückbleibt, das sich bei erhöhter Temperatur nicht verflüchtigen läfst. 14. As_2O_5 und Fe_{III} lassen sich im Schiffchen nicht trennen. 15. As und Zn lassen

---

[1]) Amer. Chem. Soc. J. **18**, 1029—1044; Ref.: Chem. Centr. **68**, I, 305—306.

sich im Zinkarseniat nicht quantitativ trennen. 16. As_2O_5 von Ni und Co in $Co_3As_2O_8$ oder $Ni_3As_2O_8$ läfst sich schon bei wenig über 120° trennen. 17. Nicolitpulver, acht Stunden im HCl-Strome bei 200° behandelt, führte zu keinem Resultat; erst als das Pulver in Salpetersäure gelöst und der Verdampfungsrückstand im HCl-Strome behandelt wurde, ging alles Arsen bei 150° über.   *Tr.*

P. **Jannasch** u. S. **Grofse**. Ueber die Trennung des Wismuths von den Metallen der Kupfer- und der Eisengruppe durch Erhitzen ihrer Salze in einem trockenen Salzsäurestrome [1]). — Es wird die vorläufige Mittheilung gemacht, dafs analog dem Zinn auch das Wismuth im Salzsäurestrome bei relativ niederen Temperaturen vollständig verflüchtigt werden kann.   *H.*

L. **Wolmann** [2]) prüfte die Methoden *zur quantitativen Elektrolyse von Schwermetallen* nach und kam zu dem Resultat, dafs die elektrolytische Bestimmung des *Kupfers* in saurer oder Ammonoxalatlösung, die des *Zinks* in stark alkalischer oder Ammonoxalatlösung, die des *Bleies* in salpetersaurer und die des *Silbers* in cyankalischer oder salpetersaurer den Vorzug vor den rein chemischen Methoden verdient. Das Gleiche gilt für die in saurer Lösung erfolgenden Trennungen des Zinks und Nickels vom Kupfer und des Cadmiums vom Zink. *Eisen* und *Mangan* werden besser auf chemischem Wege bestimmt, da die elektrolytischen Methoden zu viel Zeit und Ueberwachung beanspruchen. Am gleichen Fehler leiden auch die auf Spannungsänderungen basirten Trennungsmethoden. Die Trennung des Zinks von Nickel in alkalischer Kaliumnatriumtartratlösung erscheint noch verbesserungsfähig. Die Trennung des Bleies in stark salpetersaurer Lösung von anderen Schwermetallen ist zwar vollständig; die gleichzeitige Abscheidung dieser letzteren verursacht aber grofse Schwierigkeiten.   *Wy.*

M. **Heidenreich** [3]) unterzog in einer Arbeit über *quantitative Analyse durch Elektrolyse* die von **Edgar F. Smith** angegebenen Methoden einer Nachprüfung. *Eisen* fällt aus Ferrosulfatlösung in Gegenwart von Citrat und freier Citronensäure bei 4,3 bis 5,6 Volt und 0,7 bis 0,97 Amp. ND_{100}, sowie aus Ferrikaliumoxalatlösung bei 4,5 bis 5 Volt und 0,54 bis 0,62 Amp. ND_{100} kohlehaltig; *Kupfer* aus Kupfersulfatlösung in Gegenwart von Natriumphosphat und Phosphorsäure bei 2,4 bis 3 Volt schwammig und

[1]) .Zeitschr. anorg. Chem. 12, 398. — [2]) Zeitschr. Elektrochem. 3, 537—545. — [3]) Ber. 29, 1585—1590.

dunkelroth. Die Bestimmung von *Cadmium* läfst sich weder in Acetatlösung, noch in Gegenwart von Natriumphosphat und Phosphorsäure oder von Essigsäure in Sulfatlösung ausführen, ebenso auch nicht die von *Uran* in Acetatlösung, von *Silber* in ammoniakalischer Phosphatlösung und von *Molybdän* als Molybdänsesquihydrat in Ammonmolybdatlösung. — Trennungen in saurer Lösung: In Gegenwart von etwas Salpetersäure läfst sich Blei von Quecksilber mit 0,2 bis 0,5 Amp. ND_{100} gut trennen. Die Trennung von Silber und Blei gelingt nicht, da Silber schwammig ausfällt; wohl aber die von Kupfer und Zink aus Sulfatlösung in Gegenwart von freier Salpetersäure bei 1 bis höchstens 1,4 Volt. Von Cadmium läfst Kupfer sich in salpetersaurer Lösung nicht, wohl aber in schwefelsaurer Lösung bei 1,70 bis 1,76 (höchstens 1,85) Volt und 0,05 bis 0,07 Amp. ND_{100} trennen. — In Cyankaliumlösung läfst sich Kupfer bei 1 bis 1,4 Volt und 0,03 bis 0,19 Amp. ND_{100} von Silber, ferner Silber bei 1,9 bis 2,15 Volt und 0,03 bis 0,08 Amp. ND_{100} von Zink, Quecksilber bei 1,65 bis 1,75 Volt und 0,03 bis 0,08 Amp. ND_{100} von Zink und bei 1,2 bis 1,65 Volt und 0,03 bis 0,08 Amp. ND_{100} von Nickel glatt und genau trennen. *Wy.*

B. B. Rofs. Einige analytische Methoden unter Gebrauch von Wasserstoffhyperoxyd[1]). — Mit Hülfe des Princips der Baumann'schen[2]) Methode, bei welcher Chromsäure und Wasserstoffhyperoxyd in saurer Lösung auf einander einwirken und der austretende Sauerstoff gemessen wird, läfst sich indirect das *Eisen* in Ferrosalzen und das *Kupfer* in Kupferoxydulsalzen, und in Folge dessen auch der *Invertzucker* bestimmen. Zur Bestimmung des Eisens oxydirt man dies mit überschüssiger Chromatlösung, deren Sauerstoffabgabe mit Wasserstoffhyperoxyd bekannt ist, und bestimmt nach dem Oxydiren abermals den frei werdenden Sauerstoff. Es läfst sich dann berechnen, wie viel Sauerstoff vom Eisenoxydul absorbirt worden ist. — Wenn es sich um die Bestimmung des Invertzuckers handelt, so wird das mit Fehling'scher Flüssigkeit erhaltene Kupferoxydul auf Asbest gesammelt, gewaschen und mit verdünnter Schwefelsäure und Chromatlösung behandelt. Es folgt dann die Entwickelung des Sauerstoffs aus dem restirenden Chromat mit Wasserstoffhyperoxyd. *Brt.*

P. Jannasch. Ueber Trennungen des Mangans von Kupfer und Zink (Wasserstoffhyperoxydmethode), sowie des Kupfers von

---

[1]) Amer. Chem. Soc. J. 18, 918—923. — [2]) JB. f. 1892, S. 2466; Zeitschr. anal. Chem. 31, 436.

Zink und Nickel (Schwefelwasserstoff- und Rhodanmethode) nebst
ergänzenden Bemerkungen[1]). — Zur Trennung von Mangan und
Zink tröpfelt man die concentrirte essigsaure Lösung in eine
ammoniakalische Wasserstoffsuperoxydlösung. In ähnlicher Weise
gelingt unter geeigneten Bedingungen auch die Trennung von
Mangan und Kupfer durch einmalige Fällung. Es werden ferner
einige Einzelheiten beschrieben, welche der Verfasser bei der
Analyse von Argentan einzuhalten empfiehlt.   *H.*

P. Jannasch und H. Lehnert. Ueber quantitative Metalltrennungen in alkalischer Lösung durch Wasserstoffsuperoxyd[2]).
(XV. Mittheilung.) — I. *Trennungen in natronalkalischer Lösung.*
1. *Arsen von Kobalt.* Als Ausgangsmaterial dienten Kobaltammonsulfat und arsenige Säure. Die abgewogenen Mengen
wurden durch 10 ccm Wasser und 2 ccm concentrirter Salpetersäure in einem bedeckten Bechergläschen unter Erwärmen auf
der Asbestplatte in Lösung gebracht. Andererseits wurden in
einer geräumigen Porcellanschale 10 g reines Natron aus Natrium
mit 20 bis 25 ccm Wasser gelöst; zu der erkalteten Flüssigkeit
wurden 30 ccm 3 proc. Wasserstoffsuperoxyd und danach tropfenweise die obige Salzlösung unter Umrühren hinzugegeben. Hierauf erwärmt man die erhaltene Fällung, bedeckt 30 Minuten auf
dem Wasserbade, verdünnt alsdann mit heifsem Wasser bis zu
250 ccm und filtrirt das gefällte schwarzbraune Kobalthyperoxyd-
hydrat ab. Den Niederschlag wäscht man mit viel heifsem
Wasser gänzlich aus, trocknet ihn bei 90 bis 100⁰, verascht (das
Filter zuerst für sich) und glüht im gewogenen Rose'schen
Tiegel. Man wäge das Kobalt zunächst als Kobaltoxydul, in
welches alle Sauerstoffverbindungen des Kobalts beim anhaltenden
kräftigen Glühen unter Luftzutritt übergehen und reducirt danach erst zu metallischem Kobalt. Zur *Bestimmung des Arsens*
wurde das Filtrat des Kobaltniederschlages mit concentrirter
Salpetersäure angesäuert, auf 50 bis 60 ccm eingedampft, mit 2 g
Citronensäure versetzt und dann mit concentrirtem Ammoniak
stark alkalisch gemacht, wodurch auch beim Stehenlassen nicht
die geringste Trübung erzeugt werden darf. Darauf wird das
Arsen mit Chlormagnesium (wenigstens 3 ccm einer 25 proc. Lösung
auf 0,3 g angewandte arsenige Säure) gefällt. Nach 24 stündigem
Stehen wird der grobkrystallinische Niederschlag von arsensaurer
Ammonmagnesia abfiltrirt und mit verdünntem Ammoniak ge-
waschen. Die Hauptmasse des bei 90⁰ vollständig getrockneten

---

[1]) Zeitschr. anorg. Chem. 12, 134. — [2]) Daselbst, S. 124—128.

Niederschlages schüttet man (ohne das Filter aus einander zu falten) in ein flaches Porcellanschälchen. Der auf dem Filter verbleibende Rückstand wird im Trichter durch Aufspritzen von warmer, verdünnter Salpetersäure gelöst und das Filter mit heilsem Wasser nachgewaschen. Die Lösung wird in einem gewogenen, gröfseren Porcellantiegel auf dem Wasserbade zur Trockne verdampft, darauf einige Zeit im Luftbade erhitzt, die Hauptmenge des Niederschlages hinzugefügt und nun über dem Gasbrenner geglüht. Man kann auch den gesammten Niederschlag noch feucht in heifser Salpetersäure vom Filter lösen und diese Flüssigkeit im gewogenen Tiegel eintrocknen. Alsdann mufs aber sehr lange und am Ende auch hoch im Luftbade mit aufgelegtem Deckel erhitzt werden, um später Verluste durch Abspringen der Substanz beim Glühen sicher zu vermeiden. Verfasser haben auch versucht, mit Schwefelwasserstoff oder Thioessigsäure gefüllte Arsensulfide durch Chlorsäure zu oxydiren und als Arsensäureanhydrid zu wägen. Sie werden darüber später berichten. 2. *Arsen von Nickel.* Sie erfolgt vollkommen analog der Trennung von Arsen und Kobalt; nur fällt das Nickel nicht als dunkles Hyperoxydhydrat, sondern als grünes Oxydulhydrat (?). II. *Trennungen in natronalkalischer Kaliumcyanidlösung. 1. Mangan von Kobalt.* 0,4 bis 0,5 g Mangan- und Kobaltammonsulfat wurden in 10 bis 15 g Wasser gelöst und mit einem Tropfen Salzsäure versetzt, um die Bildung von basischem Salz zu verhindern. Andererseits wurden in einer Porcellan- oder besser Platinschale 6 g Natron aus Natrium und 3,5 g reines Cyankalium in 50 ccm Wasser gelöst. In die erkaltete letztere Lösung tröpfelt man langsam die Kobaltmanganlösung unter fortwährendem Umrühren ein, wobei anfänglich ein grünbräunlicher Niederschlag von Metallcyanür ausfällt, der aber schnell wieder verschwindet, nur eine Spur Manganoxyd bleibt als solches zurück. Zu der so erhaltenen Mangankobaltcyankaliumlösung fügt man nun 20 bis 25 ccm 3- bis 5 proc. Wasserstoffsuperoxyd, erwärmt die entstandene Manganhyperoxydfällung bedeckt eine halbe Stunde auf dem Wasserbade, verdünnt die Flüssigkeit mit Wasser auf 250 bis 300 ccm, läfst absitzen, filtrirt und wäscht mit kochendem Wasser aus, bis das Filtrat auf Platinblech keinen wesentlichen Rückstand mehr giebt. Der Niederschlag wird durch Ueberschütten mit einem erwärmten Gemisch von Salzsäure und Wasserstoffsuperoxyd gelöst, wobei man die Masse zertheilt und den Trichter möglichst bedeckt hält und das Filter mit warmem Wasser nachwäscht. Im Filtrat fällt man das Mangan in bekannter Weise

mit ammoniakalischem Wasserstoffsuperoxyd und wägt dasselbe
als Mn_3O_4. Zur Bestimmung des Kobalts wird das natronalkalische
Filtrat mit 10 ccm concentrirter Schwefelsäure versetzt, zunächst
auf dem Wasserbade, zuletzt auf offenem Luftbade (event. auf
einer Asbestplatte) zur Zerstörung des farblosen Kobaltikalium-
cyanids und Umwandlung desselben in rothes Sulfat bis fast zur
Trockne verdampft. Das zurückbleibende Salzgemisch wird in
heifsem Wasser gelöst, etwa ausgeschiedene Kieselsäure abfiltrirt
und das Kobalt wie oben bei der Trennung von Kobalt und Arsen
mit Wasserstoffsuperoxyd gefällt und bestimmt. Die Fällung des
Kobalts als Hyperoxydhydrat ist der als Oxydhydrat vorzuziehen
und auch die Wägung als Co_3O_4 zuverlässiger. Die Niederschläge
sind auf einen event. Gehalt von Eisen, welches häufig im Cyankalium vorhanden ist, und auf Kieselsäure zu prüfen. Es empfiehlt
sich, die Reagentien nicht in Lösung vorräthig zu halten, sondern
sie für jede Fällung in Substanz abzuwägen. 2. *Mangan von
Nickel.* Die Bestimmung erfolgt im Allgemeinen gleich der des
Mangans vom Kobalt, da jedoch das Nickel nur Nickelnatrium-
cyanür bildet, so braucht das Filtrat des Manganniederschlages
nicht mit Schwefelsäure zersetzt zu werden. Man säuert daher
nur die Nickellösung mit reichlich viel concentrirter Salzsäure an
und dampft sodann auf dem Wasserbade bis auf ein äufserst
kleines Volumen ein. Im Filtrat dieses mit Wasser aufgenom-
menen Rückstandes fällt man das Nickel wie oben bei der Trennung desselben vom Arsen. III. *Bestimmung des Zinns in
ammoniakalischer Lösung durch Wasserstoffsuperoxyd.* Diese Bestimmung ist nur möglich bei Gegenwart von viel Ammoniak.
Als Ausgangsmaterial diente das Pinksalz, $SnCl_4(NH_4Cl)_2$. 0,4 bis
0,5 g desselben wurden in 10 ccm Wasser und fünf Tropfen Salzsäure (zur Verhütung eines Niederschlages von basischem Salz)
gelöst. Diese Flüssigkeit giebt man unter Umrühren zu einer
Mischung von 20 ccm Wasser, 10 ccm concentrirter Salpetersäure.
40 ccm concentrirtem Ammoniak und 25 bis 30 ccm Wasserstoffsuperoxyd. Die entstehende weifse, flockige Fällung wird so lange
auf dem Wasserbade erhitzt, bis die über dem Niederschlage befindliche Flüssigkeit vollkommen klar ist. Darauf filtrirt man ab
und wäscht mit einer 10 proc., schwach ammoniakalischen Ammon-
nitratlösung vollständig aus. Nach dem vollständigen Trocknen
der entstandenen Zinnverbindung bei 95° verascht man zunächst
nur das Filter in einem Porcellantiegel, fügt die Hauptmenge des
Niederschlages hinzu, glüht und wägt als SnO_2. Das mit Schwefelammon und danach mit überschüssiger Salzsäure versetzte Filtrat

darf keine Spur gelber Zinnsulfidflocken, sondern nur milchige
Schwefeltrübung zeigen. Die für die verschiedenen Trennungsmethoden angeführten Beleganalysen zeigen befriedigende Uebereinstimmung mit den aus den reinen Salzen berechneten Mengen
der Metalle.   *Bm.*

C. W. Thompson. Methode der Analyse von Legirungen
von Blei, Zinn, Antimon und Kupfer[1]). — 1 g der Legirung wird
durch Kochen mit 70 bis 100 ccm einer Lösung, welche aus 20 g
Chlorkalium, 500 ccm Wasser, 400 ccm concentrirter Salzsäure und
100 ccm Salpetersäure vom spec. Gew. 1,4 hergestellt ist, gelöst
und die Flüssigkeit auf 50 ccm eingedampft. Nach dem Abkühlen,
wobei sich die Hauptmenge des Bleies als Chlorid ausscheidet,
fügt man nach und nach unter beständigem Umrühren 100 ccm
95 proc. Alkohols hinzu, filtrirt nach 20 Minuten langem Stehen
und wäscht mit einem Gemisch von 4 Thln. Alkohol und 1 Thle.
concentrirter Salzsäure aus. Das Bleichlorid wird durch heifses
Wasser und zuletzt durch heifse, schwach saure Ammonium-
acetatlösung gelöst, das Blei in der Wärme mit 15 ccm einer gesättigten Lösung von Kaliumdichromat gefällt und das Bleichromat
nach dem Auswaschen mit Wasser, Alkohol und Aether bei 110°
getrocknet und gewogen. Das Filtrat von Bleichlorid dampft man
zur Trockne und setzt 10 ccm Kalilauge (1 g Aetzkali in 5 ccm
Lösung) und einige Minuten nachher 20 ccm einer 3 proc. Wasserstoffsuperoxydlösung hinzu, um die spätere Ausscheidung von
Schwefel zu verhüten. Nach 20 Minuten langem Erwärmen auf
dem Wasserbade setzt man 10 g Ammoniumoxalat, 10 g Oxalsäure
und 200 ccm Wasser hinzu, kocht und leitet durch die heifse
Lösung 45 Minuten lang Schwefelwasserstoff, filtrirt sofort und
wäscht den das Antimon und das Kupfer enthaltenden Niederschlag mit heifsem Wasser aus. Nach Entfernen des Schwefelwasserstoffs durch Erhitzen scheidet sich aus dem Filtrat bei der
Elektrolyse über Nacht das Zinn aus. Wenn die Lösung alkalisch
geworden ist, ist das Zinn meist vollständig ausgefallen. Der
elektrolytische Zinnniederschlag kann nach der Wägung durch
Salzsäure vom Platinmantel entfernt werden. Das Antimonsulfid
wird durch Kochen von 10 ccm Aetzkalilösung von dem Schwefelkupfer getrennt, die Lösung wird filtrirt und das Filtrat mit 1 g
Kaliumchlorat und 50 ccm concentrirter Salzsäure gekocht, bis
dieselbe farblos und das freie Chlor verjagt ist. Man filtrirt zur
Entfernung des Schwefels durch Glaswolle, wäscht mit concen-

---

[1]) Chem. Soc. Ind. J. 15, 179—182; Ref.: Chem. Centr. 67, 1, 1082—1083.

trirter Salzsäure, kühlt, setzt 1 g Jodkalium und 1 ccm Schwefelkohlenstoff hinzu und titrirt zur Bestimmung des Antimons das durch das Antimonpentachlorid bei seiner Anwendung in Antimontrijodid frei werdende Jod mit Thiosulfatlösung. Bei Gegenwart von Arsenik wird eine demselben äquivalente Menge Jod frei, es muſs diese durch eine besondere Bestimmung ermittelte Menge Arsen in Abzug gebracht werden. In dem Schwefelwasserstoffniederschlag findet sich neben Schwefelkupfer noch etwas Schwefelblei, das in üblicher Weise ermittelt wird. Das Schwefelkupfer wird in Salpetersäure gelöst, die Lösung nach Entfernung der Stickoxyde mit Natriumcarbonat neutralisirt, darauf mit Ammoniak versetzt und das Kupfer mit Cyankaliumlösung titrirt. Bei Gegenwart von Zink versagt diese Methode; da sich Zink aber nicht mit Blei legirt, so kann dasselbe nicht stören. Wismuth und Cadmium bleiben beim Kupfer, Nickel und Kobalt finden sich theils im Zinnniederschlage, theils beim Schwefelkupfer. Bei Abwesenheit von Blei fällt der Zusatz von Alkohol und, da durch denselben die Schwefelausscheidung beim Einleiten von Schwefelwasserstoff verursacht wird, auch die Behandlung mit Aetzkali und Wasserstoffsuperoxyd fort. *Hf.*

Alvarez und Jean. Beiträge zur qualitativen Analyse[1]. — I. *Nachweis von Zink, Chrom, Mangan* und *Eisen.* Die mit Kalilauge ausgefällten Oxydhydrate werden einige Minuten mit Kalilauge gekocht und Zink im Filtrat mittelst Schwefelnatrium nachgewiesen. Den Rückstand behandelt man alsdann mit Bleisuperoxyd und Kalilauge in der Hitze. Eine gelb gefärbte Lösung spricht für Chrom; Zusatz von Essigsäure in mäfsigem Ueberschufs fällt gelbes Bleichromat. Trennt man den Bleisuperoxydniederschlag von der alkalischen Lösung und erhitzt ihn mit Salpetersäure, so giebt sich Mangan durch eine Violettfärbung zu erkennen. Um Eisen schliefslich noch nachzuweisen, erhitzt man den von der salpetersauren Lösung getrennten Niederschlag mit wenig Salzsäure, verdünnt und fügt Rhodankaliumlösung hinzu, die bei Anwesenheit von Eisen blutrothe Färbung liefert. II. *Nachweis von Sulfiden, Hyposulfiten* und *Sulfiten der Alkalimetalle.* Sulfide erkennt man durch Nitroprussidnatrium. Wird die Lösung mit einer ammoniakalischen Zinkoxydlösung bis zur Verjagung des Ammoniaks erhitzt, so fällt Zinksulfid und Zinkoxyd gemischt aus. Im Filtrat hiervon erkennt man Hyposulfit und Sulfit, indem man dasselbe mit dem fünf- bis sechsfachen Volumen 95 proc.

[1] Répert. de pharm. 1895, S. 440; Ref.: Pharm. Centr.-H. 37, 472—473.

Alkohols versetzt und dann ein Gemisch von Wismuthnitrat und Kaliumnitrat, das in Wasser mit wenig Salpetersäure gelöst ist, hinzufügt. Bei Anwesenheit von Hyposulfiten entsteht rasch ein dichter, gelbbrauner Niederschlag von Wismuthkaliumhyposulfit. Ist alles Hyposulfit entfernt, so zeigt ein weifser Niederschlag, der auf weiteren Zusatz der genannten Wismuthkaliumlösung entsteht, das Sulfit an. III. *Nachweis von Chloriden, Chloraten* und *Nitraten.* Mit überschüssigem essigsaurem Silber wird zunächst das Chlorid gefällt. Das Filtrat von Chlorsilber säuert man mit Essigsäure an und erwärmt mit Zink. Ist Chlorat zugegen, so bildet sich durch Reduction erst Chlorsilber und dann metallisches Silber. Macht man einen Theil der reducirten Lösung mit Kalilauge alkalisch, so entsteht mit Nefsler's Reagens ein rothbrauner Niederschlag, wenn durch die Reduction von Nitrat Ammoniak entstanden ist. *Tr.*

J. L. C. Schroeder van der Kolk. Doppelverbindungen von Anilin mit Metallsalzen [1]. — Verfasser hat derartige Verbindungen dargestellt und mikroskopisch untersucht als Beitrag zur mikrochemischen Analyse. Doppelverbindungen der Ferrisalze mit Anilin existiren, sind schwierig darzustellen und zur Auffindung von Eisen für die mikroskopische Praxis ungeeignet. Auf Kobalt und Nickel ist die Reaction ganz brauchbar. Enthält die zu untersuchende Lösung keine Chloride, so fügt man ein Körnchen Chlornatrium hinzu. Bringt man eine wässerige Lösung des Kobaltchlorids mit Anilin in Berührung, so färbt sich letzteres deutlich blau und sehr bald entstehen blaue, schwach pleochroitische Rechtecke, die dem rhombischen System angehören. Die Doppelverbindung von Nickelchlorid mit Anilin entsteht schwieriger. Die Krystalle bilden entweder radialfaserige Scheibchen oder Rhomben oder stark in die Länge gezogene Stäbchen. *Tr.*

Kalium, Natrium, Rubidium. — C. Reinhardt. Bestimmung der Alkalien in feuerfesten Materialien [2]. — Letztere werden mit Flufssäure und Schwefelsäure zersetzt, worauf man die Säuren verjagt, mit Wasser aufnimmt, ammoniakalisch macht, mit Wasserstoffhyperoxyd oxydirt und auf ein bestimmtes Volumen bringt. Ein Theil des Filtrats wird verdampft, der schwach geglühte Rückstand in Salzsäure und Wasser gelöst, die Flüssigkeit mit Ammoniak und oxalsaurem Ammonium ausgefällt, das

---

[1] Zeitschr. anal. Chem. 35, 297—305. — [2] Chemikerzeit. 20, Rep. 191; Stahl u. Eisen 16, 448.

Filtrat verdampft und der Rückstand geglüht. Es resultirt so
ein Gemisch der Sulfate von Magnesium, Kalium und Natrium.
Man glüht dies mit kohlensaurem Ammonium, um die Bisulfate
in neutrale Sulfate überzuführen, welche gewogen werden. In
einem Theile der wässerigen Lösung der letzteren wird die
Magnesia als phosphorsaures Magnesium - Ammonium gefällt,
welches in pyrophosphorsaures Magnesium übergeführt wird, um
dieses zu wägen. In einem anderen Theile der Lösung wird die
Schwefelsäure bestimmt. Es liegen nun alle Daten zur Berechnung der vorhandenen Mengen Kalium und Natrium vor. *Brt.*

Ad. Mayer. Der Kampf der holländischen Versuchs-Stationen
gegen die zunehmenden Verunreinigungen des Kainits durch
Chloride[1]). — Nachdem Sjollema im Jahre 1895 auf die Zunahme des Chlorgehaltes und die Abnahme des Gehaltes an
Schwefelsäure im Kainit des Handels aufmerksam gemacht hatte,
haben die Directoren der Versuchs-Stationen Hollands erklärt,
daſs so beschaffene Muster keine reinen Kainite vorstellen. Der
Verfasser discutirt nun die Berechtigung dieser Maſsregel und der
von den Düngerhändlern dagegen erhobenen Einsprüche. *Brt.*

H. Precht. Beiträge zur Kenntniſs der Bestimmung des
Kalis als Kaliumplatinchlorid[2]). — Er verweist auf früher von
ihm[3]) angegebene Vorsichtsmaſsregeln bei der Bestimmung des
Kaliums. Es wird u. A. nochmals hervorgehoben, daſs man beim
Eindampfen der Kalium- und Natriumchlorid enthaltenden Flüssigkeit mit Platinchlorid völlig zur Trockne bringen und den Rückstand mit absolutem heiſsem Alkohol ausziehen und waschen soll,
da das Natriumplatinchlorid leichter in absolutem als in verdünntem Alkohol löslich ist. Magnesiumplatinchlorid löst sich in
Alkohol jeder Concentration sehr leicht auf. *Brt.*

J. H. Vogel und H. Haefcke. Zur quantitativen Bestimmung
des Kalis[4]). — Es wurde die Löslichkeit des Kaliumplatinchlorids
in 95 proc. und 80 proc. Alkohol bei 17 bis 19° C. bestimmt. Die
Resultate differirten von denjenigen Precht's[5]) und zeigen, daſs
bei der abgekürzten Methode[6]) zur Bestimmung des Kaliums das
Doppelsalz mit 75 ccm absoluten Alkohols ohne Schaden für die
Resultate ausgewaschen werden kann. Dagegen scheint ein wiederholtes Waschen mit heiſsem Alkohol unzulässig zu sein. Am
besten sammelt, trocknet und wägt man den Niederschlag in

---

[1]) Landw. Vers.-Stat. 47, 377—387. — [2]) Chemikerzeit. 20, 209—210.
— [3]) JB. f. 1879, S. 1043. — [4]) Landw. Vers.-Stat. 47, 97—255. — [5]) JB.
f. 1879, S. 1048. — [6]) Vgl. Fresenius, Quantitative Analyse, 6. Aufl.
2, 292.

einem durchlöcherten Tiegel. In Gegenwart von Chlorbaryum
bildet sich ein Doppelsalz von diesem mit Platinchlorid, welches
beim Auswaschen mit Alkohol zum gröfsten Theile zersetzt wird,
und zwar unter Rückbildung von Chlorbaryum, welches in Alkohol
unlöslich ist, also das Gewicht des Kaliumplatinchlorids erhöht.
Zur Bestimmung des Kaliums in seinen Salzen lösen die Verfasser
10 g der letzteren in Wasser zu 500 ccm, verdampfen 50 ccm der
Lösung in einer Platinschale nahe zur Trockne, fällen in der
Kälte das Calcium und das Magnesium durch neutrales kohlensaures Ammonium, filtriren nach 12 Stunden und waschen mit
10 bis 15 ccm der Carbonatlösung (Schaffgot's Lösung) nach.
Sodann wird in Platin mit einer kleinen Menge concentrirter
Schwefelsäure zur Trockne verdampft, zur Rothgluth erhitzt, der
Rückstand in heifsem Wasser gelöst, das Filtrat mit Platinchlorid
und einem Tropfen verdünnter Salzsäure verdampft, bis kein
Geruch nach letzterer mehr vorhanden ist, und der erkaltete
Rückstand mit einem Gemische von absolutem Alkohol (2 Thle.)
und Aether (1 Thl.) zerrieben. Nach 15 Minuten filtrirt man
durch Asbest mit Hülfe eines Gooch'schen (durchlöcherten)
Porcellantiegels, der gut glasirt ist, wäscht und trocknet den
Niederschlag, um ihn dann im Wasserstoffstrome zu reduciren.
Der hierzu dienende Apparat ist beschrieben und abgebildet. Man
zieht den Rückstand mit Wasser aus, wäscht, glüht und wägt das
erhaltene Platin in dem Tiegel selbst. Bei der Analyse von
Kaliumsalzen mit organischer Säure zersetze man die letztere
durch Schwefelsäure in der für die Stickstoffbestimmung nach
Kjeldahl üblichen Weise, wobei kein Kalium aus dem Glase aufgenommen wird, bringt auf ein bestimmtes Volum und bestimmt
in einem Theile davon das Kalium. *Brt.*

P. Lösche. Neue Methode zur Kalibestimmung [1]). — Um
die Kalibestimmung in niedrig procentigen Kaliprodukten schneller
auszuführen, schlägt Verfasser vor, nicht wie bisher zunächst die
Schwefelsäure zu entfernen, sondern nach folgender Vorschrift zu
arbeiten. 50 g fein zerriebener Substanz werden mit etwas Salzsäure heifs zu 200 ccm gelöst und davon 10 ccm = 2,5 g Substanz
mit einer hinreichenden Menge Platinchlorid versetzt. Der zur
Trockne verdampfte Rückstand wird, fein zerrieben, mit 96 proc.
Alkohol unter Durchrühren auf ein bei 120 bis 130° C. getrocknetes
Filter gebracht. Die neben dem Kaliumplatinchlorid auf dem
Filter befindlichen Chloride und Sulfate sollen mit einer 10 proc.

[1]) Chemikerzeit. 20, 38—39.

Chlorammoniumlösung von 30° C. entfernt werden, wobei eventuell vorhandenes Kaliumsulfat gleichzeitig in das Platinsalz verwandelt werden soll. Nach dem Entfernen des Chlorammoniums mit Alkohol trocknet man wieder bei der angegebenen Temperatur. Diese von Mehus ausgearbeitete Methode erfordert bei kürzerer Zeit auch gleichzeitig weniger Platinchlorid.   *Mr.*

H. Haefcke. Einige Bemerkungen zu Dr. P. Lösche's neuer Methode zur Kalibestimmung[1]). — Der Gedanke, die Sulfate durch Chlorammonium zu entfernen, ist nicht neu, sondern von Finkener[2]) zuerst angewendet worden, gleichzeitig wurde von diesem aber festgestellt, dafs das so erhaltene Platinsalz Ammoniak enthielt. Es ist dies wohl nicht so sehr auf die Löslichkeit des K_2PtCl_6 in NH_4Cl zurückzuführen, sondern auf den wechselseitigen Austausch der basischen Radicale, wie auch aus den Versuchen von Breyer und Schweizer hervorgeht. Im Uebrigen hält Verfasser Lösche's Behauptung, Kalisulfat würde auf dem Filter durch NH_4Cl in K_2PtCl_6 übergeführt, mindestens für unerwiesen, wenn nicht für gänzlich falsch. Die Methode sei daher vor der Hand nicht zu empfehlen.   *Mr.*

E. Bauer. Zur Bestimmung des Kalis als Kaliumplatinchlorid[3]). — Verfasser macht den bemerkenswerthen Vorschlag, den Niederschlag nicht mit dem Filter zu wiegen, sondern ihn auf demselben mit heifsem Wasser zu lösen und diese Lösung einzudampfen und zu trocknen. Dabei bleiben die Verunreinigungen auf dem Filter zurück.   *Mr.*

A. Prager. Zur Kalibestimmung[4]). — Um das Platindoppelsalz in gröfserer Reinheit zu erhalten, empfiehlt Verfasser, die Lösung möglichst langsam einzudampfen, um so eine gute Krystallisation zu erzielen; vor allen Dingen ist aber ein gründliches Auswaschen der Filter vor dem Trocknen unbedingt nothwendig.   *Mr.*

R. Ruer. Bemerkungen zur Kalibestimmungsmethode der Kaliwerke zu Leopoldshall-Stafsfurt[5]). — Die Methode giebt stets zu hohe Resultate, wie auch schon von R. Fresenius festgestellt ist. Verfasser schlägt daher vor, bei der Berechnung auf KCl nicht den Coëfficienten 0,3056, sondern 0,304 in Anwendung zu bringen.   *Mr.*

A. Atterberg. Die Kalibestimmungsmethode der Stafsfurter Kaliwerke[6]). — Differenzen, die sich zwischen den Resultaten der

---

[1]) Chemikerzeit. 20, 88—89. — [2]) Poggend. Ann. 29, 637. — [3]) Chemikerzeitung 20, 270. — [4]) Daselbst, S. 269. — [5]) Daselbst, S. 270. — [6]) Daselbst, S. 131.

schwedischen Controlstationen und denen nach der Stafsfurter Methode ergaben, veranlafsten den Verfasser zu einer Prüfung dieser letzteren. Die höheren Resultate derselben führt Verfasser darauf zurück, dafs das grobkrystallinisch auf dem Filter ausgewaschene Kaliumplatinchlorid unrein ist. Uebereinstimmung der Ergebnisse nach beiden Methoden wurde erlangt, wenn man das Kaliumplatinchlorid zunächst möglichst fein zerreibt, mehrfach mit Alkohol übergiefst und erst dann aufs Filter bringt. Verfasser empfiehlt den Kaliwerken diese Modification der Stafsfurter Methode. *Mr.*

Tietjens und Apel. Die Kalibestimmungsmethode der Kaliwerke zu Leopoldshall-Stafsfurt [1]. — Verfasser weisen den Vorwurf Attenberg's zurück, dafs die Stafsfurter Methode fehlerhaft sei und führen die eingetretenen Differenzen auf die Wasseraufnahme während des Transportes zurück. *Mr.*

Frederick T. B. Dupré. Zur Kalibestimmung [2]. — Verfasser findet, dafs der Niederschlag des Kaliumplatinchlorids nie genau der Formel K_2PtCl_6 entspricht und empfiehlt nicht, wie vorgeschlagen, den Factor 0,304, sondern den bei Einhaltung gewisser Bedingungen sehr genauen Werth 0,3056 von Fresenius zu nehmen. Auch dieser nimmt auf die Verunreinigungen Rücksicht, da der berechnete Werth 0,3069 ist. *Mr.*

Ch. Fabre. Sur la dosage de la potasse [3]. — Die Lösung des Kaliumsalzes wird mit Platinchlorid in geringem Ueberschufs auf dem Wasserbad eingedampft, Ammoniaksalze durch Königswasser zerstört, darauf mit etwas Wasser wieder aufgenommen und der Abdampfrückstand mit 90 proc. Alkohol verrieben, filtrirt und ausgewaschen, bis der Alkohol farblos abläuft und mit Aether der Alkohol entfernt. Das auf dem Filter vorhandene K_2PtCl_6 wird in heifsem Wasser gelöst und nun diese Verbindung durch ein Metall zerstört, am besten mit Magnesiumpulver des Handels, das mit Alkohol und destillirtem Wasser gewaschen wird. Das Pulver wird zu der warmen Lösung in kleinen Portionen hinzugefügt bei Vermeidung eines gröfseren Ueberschusses, um nicht durch den sich dann reichlich entwickelnden Wasserstoff Verluste zu erleiden. Es vollzieht sich so schnell die Reaction:

$$2\,Mg + K_2PtCl_6 = 2\,KCl + 2\,MgCl_2 + Pt.$$

Um etwa gebildetes Magnesiumoxychlorid zu zersetzen, fügt man einige Tropfen H_2SO_4 hinzu und titrirt das Filtrat, nachdem es

---

[1] Chemikerzeit. 20, 202—203. — [2] Daselbst, S. 305. — [3] Compt. rend. **122**, 1331—1333.

durch etwas überschüssiges Calciumcarbonat neutralisirt ist, mit
$^1/_{10}$-Normal-Silberlösung mit Kaliumchromat als Indicator. *Mr.*

T. B. Wood. Das nutzbare Kali und die nutzbare Phosphorsäure im Boden [1]). — Die von Dyer [2]) angegebene Methode der
Bestimmung des nutzbaren Kalis und der nutzbaren Phosphorsäure im Boden wurde mit gutem Erfolge bei der Untersuchung
einiger Böden angewendet.   *Sd.*

D. A. Kreider und J. E. Breckenridge. Die Trennung
und Identificirung von Kalium und Natrium [3]). — Man fällt das
Kalium als Perchlorat aus und führt im Filtrate das Natrium in
das Chlorid oder Sulfat über, welche beide in Alkohol unlöslich
sind. Bei der Fällung des Kaliums dürfen Ammonium, Cäsium,
Rubidium und Schwefelsäure nicht zugegen sein, da die ersteren
durch Ueberchlorsäure gefällt werden und bei Anwesenheit von
Schwefelsäure das in Alkohol unlösliche schwefelsaure Natrium
entsteht.   *Brt.*

P. Dobriner und W. Schranz. Zur Werthbestimmung der
kaustischen Soda [4]). — Diese erfolgt durch Bestimmung des Gehaltes an kaustischem Alkali und an Natriumcarbonat, indem man
entweder die Alkalinität vor und nach dem Ausfällen des Carbonates durch Chlorbaryum oder aber die Gesammtalkalinität und
die Kohlensäure als solche bestimmt. Bei der ersten Methode
dürfen keine käuflichen Hartfaltenfilter zum Abfiltriren des kohlensauren Baryts gewählt werden, weil dieselben Alkali absorbiren.
Am besten läfst man den kohlensauren Baryt absitzen und hebert
die überstehende klare Flüssigkeit ab. Eine genügend genaue
Werthbestimmung kann, wenn nur geringe Mengen von Natriumcarbonat vorhanden sind, erzielt werden, wenn man 2,65 g kaustische
Soda in 50 ccm Wasser löst und unter Benutzung von Phenolphtaleïn unter Umrühren tropfenweise mit Normalschwefelsäure
bis zur Entfärbung titrirt, dann noch etwa 3 ccm Normalsäure
hinzufügt, fünf Minuten kocht und den Ueberschufs der Säure
mit Normallauge zurücktitrirt. Bei der ersten Titration wird alles
kaustische Alkali neutralisirt und das Carbonat zur Hälfte in
Bicarbonat übergeführt. Wurden bei der ersten Titration a ccm,
bei der zweiten nach Abzug der Normallauge b ccm Normalsäure
verbraucht, so enthält die kaustische Soda eine $2(2a—b)$ Proc.
Na_2CO_3 (deutsche Grade) entsprechende Menge $NaOH$ und
$4(b—a)$ Proc. Na_2CO_4.   *Bm.*

---

[1]) Chem. Soc. J. 69 u. 70, 287—292. — [2]) Daselbst 65 u. 66, 115—167.
— [3]) Sill. Am. J. [4] 2, 263—268. — [4]) Zeitschr. angew. Chem. 1896, S. 455.

P. Dobriner und W. Schranz. Zur Werthbestimmung von Schwefelnatrium und Natriumsulfhydrat [1]). — Da sich Schwefelnatrium, Natriumsulfhydrat und Natronlauge nicht alle drei neben einander in Lösung befinden können, so ist nur erforderlich: a) Die Bestimmung von Schwefelnatrium neben Natriumsulfhydrat, und b) die Bestimmung von Schwefelnatrium neben Natronhydrat. — α) *Bestimmung von Schwefelnatrium neben Natriumsulfhydrat.* Ein derartiges Gemenge kann man als ein Gemenge von Schwefelnatrium und freiem Schwefelwasserstoff auffassen. 12 g Substanz werden zu 1 Liter gelöst, 25 ccm dieser Lösung läfst man aus einer Bürette in etwa 45 ccm einer $^1/_{20}$-Normal-Jodlösung einfliefsen, die vorher mit etwa 10 ccm Normal-Schwefelsäure angesäuert und mit Wasser auf etwa 150 ccm verdünnt war. Es mufs hierbei die Gelbfärbung der Jodlösung verschwinden; im anderen Falle ist der Versuch mit weniger Jodlösung zu wiederholen. Nach Zusatz von Stärkelösung wird nun der Ueberschufs des frei gewordenen Schwefelwasserstoffes mit Jodlösung zurücktitrirt. Hieraus berechnet man Procente Schwefelnatrium durch Multipliciren der verbrauchten Cubikcentimeter Jodlösung mit 2. Wenn

A Proc. $Na_2S + 9H_2O$ gefunden wurden, so sind $\frac{34}{240} \cdot A$ Proc.

Gesammtschwefelwasserstoff vorhanden. Andererseits löst man 6 g des Productes in Wasser, versetzt mit überschüssiger Normal-Schwefelsäure, kocht den Schwefelwasserstoff weg und titrirt mit Normal-Lauge unter Verwendung von Phenolphtaleïn als Indicator. Die Differenz der Cubikcentimeter Säure und Lauge, mit 2 multiplicirt, ergiebt wiederum Procente Schwefelnatrium. Dieselben entsprechen dem an Natrium gebundenen Schwefelwasserstoff. Wenn auf diese Weise B Proc. $Na_2S + 9H_2O$ gefunden sind,

so sind $\frac{34}{240} \cdot B$ Proc. an Natrium gebundener Schwefelwasserstoff

vorhanden. Nach diesen Bestimmungen sind demnach, wenn man die Substanz als ein Gemenge von Schwefelnatrium und freiem Schwefelwasserstoff auffafst, B Procent Schwefelnatrium und

$\frac{34}{240}(A - B)$ Procent freier Schwefelwasserstoff vorhanden. Diese

$\frac{34}{240} \cdot (A - B)$ Procent freier Schwefelwasserstoff binden $\frac{240}{34} \cdot \frac{34}{240}$

$(A - B) = A - B$ Procent Schwefelnatrium $(Na_2S + 9H_2O)$

---

[1]) Zeitschr. angew. Chem. 1896, S. 455—456.

zu $\frac{112}{34} \cdot \frac{34}{240} (A-B) = \frac{7}{15} (A-B)$ Procent Natriumsulfhydrat
(NaHS). Das untersuchte Product besteht demnach in Wirklich-
keit aus $B-(A-B) = 2B-A$ Procent Schwefelnatrium (Na$_2$S
$+ 9$H$_2$O) und $\frac{7}{15} (A-B)$ Procent Natriumsulfhydrat. — β) Be-
stimmung von Schwefelnatrium neben Natronhydrat. Man titrirt
wie unten mit Jodlösung und Schwefelsäure. Sind durch Jodlösung U Procent Na$_2$S $+ 9$H$_2$O gefunden, so beträgt die darin
enthaltene Natronhydratlösung $\frac{80}{240} \cdot U$. Procent. Durch Titration
mit Säure ist die Gesammtmenge des freien und des an Schwefelwasserstoff gebundenen Natronhydrats bestimmt. Man berechnet
dies gleichfalls auf Schwefelnatrium. Es seien so V Procent
Na$_2$S $+ 9$H$_2$O gefunden; alsdann beträgt der Gehalt an freiem
und an gebundenem Natronhydrat $\frac{80}{240} \cdot V$ Procent, und somit die
Menge des freien Natronhydrates $\frac{80}{240} (V-U) = \frac{1}{3} (V-U)$ Procent. Das untersuchte Product enthält also U Procent Schwefelnatrium (Na$_2$S $+ 9$H$_2$O) und $\frac{1}{3}(V-U)$ Procent Natronhydrat.
Ist der mit Jod bestimmte Gehalt an Na$_2$S $+ 9$H$_2$O höher als
der mit Säure und Lauge bestimmte, so ist Natriumsulfhydrat
vorhanden, im anderen Falle freies Alkali. *Bm.*

Köthner. Telephonanalyse [1]). — Schilderung einer einfachen
Methode, um den Gehalt einer Kaliumlösung an Rubidium mit
Hülfe der elektrolytischen Widerstandsmessung nach Kohlrausch
auszuführen. Die Methode erfordert bei Verwendung einer Wider-
standsrolle als Vergleichswiderstand grofse Temperaturconstanz,
gestaltet sich dagegen beim Gebrauch eines elektrolytischen Ver-
gleichswiderstandes wesentlich einfacher und bequemer. *Bs.*

Calcium, Strontium, Magnesium. — W. J. Dibdin und
R. Grimwood. Analyse des Mörtels [2]). — Es wird die Zusammensetzung guter Mörtel (Kalk- und Cementmörtel) mitgetheilt, sowie
deren Veränderung beim Altern. Auch über die physikalischen
Eigenschaften wurde berichtet. Ferner wird beschrieben, wie man
die Analyse auszuführen habe. *Brt.*

N. Fradiss. Volumetrische Bestimmung des Kalkes in

---

[1]) Zeitschr. angew. Chem. 1896, S. 408. — [2]) Chem. Centr. 67, II.
685—686; Analyst 21, 197—204.

Producten der Zuckerfabrikation [1]. — 100 ccm Saft oder Syrup werden unter Zusatz von NH_3 und Ammoniumoxalat zwei Stunden gekocht, filtrirt und der Niederschlag mit siedendem Wasser ausgewaschen, das Filter dann durchstochen, und das Calciumoxalat mit verdünnter H_2SO_4 gelöst und die freie Oxalsäure mit $1/_{10}$-Normal-KMO_4 titrirt und auf Gesammtkalk umgerechnet.   Mr.

Fausto Sestini. Diretta determinazione del carbonato di calce nelle terre coltivabily [2]. — 5 g Boden werden mit 100 ccm 5 proc. Essigsäure gekocht, bis sich keine Kohlensäure mehr entwickelt; letzteres ist nach etwa einer Stunde der Fall. Nach dem Erkalten wird die auf das ursprüngliche Volumen wieder aufgefüllte Lösung filtrirt; 55 ccm des Filtrats werden möglichst weit, etwa bis auf 5 ccm eingedampft, schliefslich unter Zusatz von Salzsäure, bis die Essigsäure entfernt ist. Nach Zusatz von 10 ccm einer Lösung von Chlorammonium und Ammoniak wird die Lösung mit 75 proc. Alkohol auf 55 ccm aufgefüllt; dadurch scheidet sich Calciumsulfat ab. Nach der Filtration wird in 50 ccm des Filtrates der Kalk als Carbonat oder Oxalat gefällt.   Hf.

J. Beiträge zur Analyse von Strontianverbindungen [3]. — Die Salpetersäure im Strontiumnitrat konnte nach der Methode Luckow-Vortmann nach Zusatz von Kupfersulfat nahezu quantitativ in Ammoniak übergeführt werden (gefunden 99,57 Proc. SrN_2O_6). Bei Verwendung von Kupferoxalat wurden keine gleichmäfsigen Werthe erhalten. Merkliche Mengen Ammoniak entstehen (wie sicher vorauszusehen war, Der Ref.) schon bei der Elektrolyse ohne Kupfersalze. — Strontiumhydroxyd liefert mit Uranylnitrat ein orangegelbes, in Wasser sehr wenig lösliches Salz, $SrH_2U_2O_8$, das beim Glühen leicht 1 Mol. Wasser verliert und in ein braunrothes Salz, $SrO(UO_3)_2$, übergeht. Bei Elektrolyse der oxalsauren Lösung scheidet sich Uranoxydhydrat, aber nicht quantitativ, ab. — Zur titrimetrischen Bestimmung des Stroñtiums löst man Strontianit in Salpetersäure, entfernt Calciumnitrat, dampft wiederholt mit Salzsäure ein, erhitzt auf 250°, nimmt den Rückstand mit wenig kaltem Wasser auf, filtrirt und titrirt das Filtrat mit Silbernitratlösung. Vorher sind die Alkalien zu entfernen und ist in besonderer Probe Baryum zu bestimmen. Es wurden 0,4 bis 0,6 Proc. Strontiumcarbonat mehr als nach der Aufschliefsungsmethode gefunden.   Ps.

------

[1] Chem. Centr. 68, I, 262—263; N. Zeitschr. Rüb.-Zuck.-Ind. 37, 262. — [2] Staz. sperim. agrar. ital. 29, 286—293. — [3] Oesterr.-ung. Zeitschr. Zuck.-Ind. u. Landw. 25, 443—447; Ref.: Chem. Centr. 67, II, 512—513.

H. Neubauer. Ueber die Bestimmung des Magnesiumoxyds als Magnesiumpyrophosphat [1]). — Der Verfasser hatte bereits [2]) gezeigt, dafs das Magnesiumammoniumphosphat, je nach der Art seiner Entstehung, verschiedene Zusammensetzung haben kann. Bald kann darin die Phosphorsäure, bald die Magnesia im Ueberschusse vorhanden sein. Um richtige Resultate bei der Bestimmung des Magnesiums zu erhalten, setze man auf einmal einen grofsen Ueberschufs an phosphorsaurem Natrium hinzu, und zwar am besten nicht zu der schon ammoniakalischen, sondern zu der sauren Lösung, welche dann erst ammoniakalisch gemacht wird. Es resultirt so ein Niederschlag, welcher einen Ueberschufs an Phosphorsäure enthält und beim starken Glühen reines Magnesiumpyrophosphat liefert. Es mufs mindestens eine halbe Stunde lang erhitzt werden, um diesen Zweck zu erreichen. Während ein Ueberschufs der anderen Ammoniumsalze die Ausfällung des phosphorsauren Magnesiumammoniums nicht beeinträchtigt, so ergiebt sich bei Gegenwart grofser Mengen der Ammoniumsalze einiger organischer Säuren, namentlich der Oxalsäure, ein zu hohes Gewicht an Pyrophosphat, indem dann ein an Phosphorsäure zu reicher Niederschlag ausfällt, welcher auch bei fortgesetztem heftigem Glühen die überschüssige Säure nicht ganz abgiebt. Man kann hier abhelfen, indem man das phosphorsaure Magnesiumammonium nach kurzem Waschen wieder in Salzsäure löst und durch Ammoniak und etwas Natriumphosphat abermals niederschlägt. Es ist dann unnöthig, vor der Ausfällung der Magnesia alle Ammoniumsalze durch Abdampfen der betreffenden Flüssigkeiten und Glühen des Rückstandes zu verjagen. Bei der Bestimmung kleiner Mengen Magnesia kommen die hier erörterten Umstände und Vorsichtsmafsregeln nicht in Betracht.   *Brt.*

A. Herzfeld und A. Förster. Der Nachweis und die Bestimmung geringer Mengen von Magnesia in Kalkstein [3]). — Zur qualitativen Bestimmung der Magnesia bei der Kalksteinanalyse lösen Verfasser 0,5 g Substanz in concentrirter Salzsäure, dampfen die Lösung über freier Flamme zur Trockne, nehmen mit Salzsäure und Wasser auf, kochen mit einigen Tropfen Salpetersäure und fügen soviel präcipitirten kohlensauren Kalk zu, dafs etwa eine Messerspitze davon ungelöst bleibt. Nach dem Aufkochen wird in ein Reagensglas filtrirt und dann das Glas mit klarem

---

[1]) Zeitschr. angew. Chem. 1896, S. 435—440. — [2]) JB. f. 1892, S. 2514: Zeitschr. anorg. Chem. 2, 45—50; JB. f. 1893, S. 2084; Zeitschr. anorg. Chem. 4, 251—266. — [3]) Zeitschr. Ver. Rüb.-Ind. 1896, S. 284—288; Ref.: Chem. Centr. 67, I, 1283.

Kalkwasser angefüllt, mit Kautschukstopfen verschlossen und das Ganze durchgeschüttelt. Ist viel Magnesia zugegen, so entsteht sofort ein Niederschlag, bei wenig Magnesia erst nach einigen Minuten. Zur quantitativen Bestimmung verfährt man, wie oben beschrieben, versetzt das Filtrat von Eisenoxyd und Thonerde mit überschüssigem Kalkwasser, füllt das Gefäfs bis zum Rande, verschliefst es dicht, schüttelt und filtrirt den Niederschlag nach einiger Zeit. Der Niederschlag wird dann in Salzsäure gelöst, neutralisirt, Spuren von Kalk als Oxalat entfernt und im Filtrat das Magnesium in bekannter Weise bestimmt.   *Tr.*

Aluminium, Mangan, Eisen, Chrom. — J. O. Handy. Aluminiumanalyse [1]). — Es handelt sich um die Untersuchung von käuflichem Aluminium, seinen *Legirungen* (mit Kupfer, Nickel, Mangan, Chrom, Wolfram, Titan, Zink), *Loth* für Aluminium (Zinn, Zink und Phosphor enthaltend) und den Roh- und Halbproducten der *Aluminiumindustrie* (*Bauxit*, *Thonerde* und *Thonerdehydrat*).
                                                                Brt.

H. Gouthière. Analyse des Aluminiums und seiner Legirungen [2]). — Zur Analyse des Aluminiums wird empfohlen, dasselbe in warmer Natronlauge zu lösen. Der dabei hinterbleibende schwarze Rückstand wird in Salpetersäure gelöst und die concentrirte salpetersaure Lösung zur Abscheidung von Kupfer und Blei (als Superoxyd) elektrolysirt; die hinterbleibende Flüssigkeit wird zur Abscheidung des Eisens mit Ammoniak versetzt und im Filtrat nach der Neutralisation mit Schwefelsäure und dem Eindampfen auf ein kleines Volum das Nickel elektrolytisch bestimmt. Eine andere Portion des Metalls löst man in Salzsäure und bestimmt in üblicher Weise Zinn, Arsen und Silicium. Den Kohlenstoff des Aluminiums legt man durch Behandlung des gepulverten Metalls mit Sublimat und wenig Wasser frei. Das entstehende Gemenge von Kohlenstoff und Calomel wird im Wasserstoffstrom geglüht und sodann der Kohlenstoff verbrannt. Zur Bestimmung des Schwefels erhitzt man das gepulverte Aluminium im Wasserstoffstrom und leitet den gebildeten Schwefelwasserstoff in Silbernitratlösung.   *H.*

R. T. Thomson. Bestimmung von Thonerde und Eisenoxyd in Mineralphosphaten, Düngemitteln, Aluminiumsulfat, Alaun etc. [3]). — Bei der Fällung von Thonerde und Eisenoxyd aus Lösungen

---

[1]) Amer. Chem. Soc. J. **18**, 766—782. — [2]) Ann. Chim. anal. appliq. **1**, 265; Ref.: Chemikerzeit. **20**, Rep. 228. — [3]) Chem. Soc. Ind. J. **15**, 868—869; Ref.: Chem. Centr. **68**, I, 307.

von Mineralphosphaten als Phosphate durch Erhitzen mit Ammoniumacetat wird immer etwas lösliches Calciumphosphat mitgerissen, da sich das saure Calciumphosphat bei Gegenwart von
Ammoniumacetat leichter unter Abscheidung von neutralem
Calciumphosphat zersetzt, als wenn die Lösung für sich auf 60°
erhitzt wird. Zweckmäßig neutralisirt man die salzsaure Lösung
der Phosphate mit Ammoniak. Um die Zersetzung der Phosphate
von Aluminium und Eisen durch das Waschwasser und um ein
Schleimigwerden des Niederschlages zu verhindern, wäscht man
mit einer 1 proc. Lösung von Ammoniumnitrat aus, die 0,2 g Mono-
ammoniumphosphat im Liter enthält, bis das Waschwasser nicht
mehr mit Ammoniumoxalat reagirt. Durch die im Niederschlag
im Ueberschuſs verbleibende Phosphorsäure wird die Menge des
Aluminiumphosphates um höchstens 0,43, diejenige des Eisen-
phosphates um höchstens 0,36 Proc. ihres Gewichtes erhöht. Der
Niederschlag wird nach dem Wiegen mit Salzsäure gelöst, das
Eisen maſsanalytisch nach dem Dichromatproceſs bestimmt und
die Thonerde aus der Differenz berechnet. Es empfiehlt sich,
den Niederschlag vor dem Glühen zu lösen und nach Zusatz von
Ammoniumphosphat nochmals zu fällen. Das käufliche Mono-
ammoniumphosphat muſs bei einem eventuellen Gehalte an Di-
ammoniumphosphat vor Verwendung zum Auswaschen mit verdünnter Phosphorsäure versetzt werden, bis die Lösung mit
Methylorange neutral reagirt. Das in den Mineralphosphaten
häufig vorhandene Fluor muſs vor der Fällung verjagt werden,
weil sonst beim Neutralisiren Fluorcalcium ausfällt; zu dem Zwecke
wird das Phosphat in Salzsäure gelöst, filtrirt und darauf unter
Zusatz von Salpetersäure zur Trockne verdampft, wodurch die
Fluſssäure entfernt wird. Der Rückstand wird dann in Salzsäure
gelöst. Die Fällung bei genauer Neutralisation mit Ammoniak
eignet sich auch gut zur Bestimmung der Thonerde in Aluminiumsulfat, Alaun etc., da Kalk, Magnesia, Zink-, Mangan-, Nickel- und
Kobaltoxyd hierbei nicht so leicht mitgerissen werden, als bei der
Fällung durch überschüssiges Ammoniak.   *Hf.*

Max Engels[1]) giebt Beiträge zur Elektroanalyse der Metalle
der Schwefelammoniumgruppe. — Die elektrolytische Trennung
von Eisen und Mangan läſst sich weder nach der Methode von
Classen, noch nach der von Vortmann oder Bunsen ausführen.
Dagegen kann eisenfreies Mangansuperoxyd, wenn auch umständlich, erhalten werden, wenn man Kathoden- und Anodenraum

---

[1]) Chem. Rundsch. 1896, S. 5—7 u. 22—24.

trennt und in letzteren zur Vermeidung der Bildung von Uebermangansäure Wasserstoff einleitet. Die gemischte, mit Schwefelsäure angesäuerte Eisen- und Manganoxydammoniumsulfatdoppel-
salzlösung wird in eine als Kathode dienende Platinschale gebracht
und angesäuertes Wasser mit einer Platinanode in ein daneben
gestelltes Becherglas. Beide Räume werden durch ein Ω-Rohr
verbunden und die Flüssigkeiten durch einen an der Biegung des
Rohres befindlichen Ansatz angesaugt. Während in das Becherglas Wasserstoff eingeleitet wird, elektrolysirt man mit Strömen
von 0,4 bis 0,8 Amp. (Spannung 40 bis 60 Volt). Das Mangansuperoxyd wird in Zwischenräumen von etwa einer Stunde von
der Anode abgewaschen und in Oxalsäure gelöst. In den vereinten Flüssigkeiten wird die Oxalsäure mit Ammoniak abgestumpft.
Nach dem Ansäuern mit Schwefelsäure bestimmt man das Mangan
mit 0,8 Amp. bei 2,2 Volt für sich allein. Auch die im Schenkel-
apparate bleibende manganfreie Eisenlösung wird bei Gegenwart
von überschüssigem Ammoniumoxalat für sich elektrolysirt. —
Aus Lösungen des Oxydulammoniumsulfats, die mit Citronensäure
versetzt und dann mit Ammoniak alkalisch gemacht sind, fällt
das Eisen kohlenstoff-, manchmal auch cyanhaltig. — In der gemischten Lösung der Doppelpyrophosphate kann die Abscheidung
von Mangansuperoxyd nicht, wie A. Brand angab, durch Zusatz
von Ammoniumoxalat, wohl aber durch grofse Mengen von Natriumpyrophosphat verhindert werden, wenn man anfangs mit 0,48 Amp.,
zum Schlusse mit 1,4 Amp. arbeitet. Eine quantitative Trennung
ist aber nicht möglich, da das Eisen erhebliche Mengen Mangan
und Phosphor mit niederreifst. — Auch aus der von Becquerel
empfohlenen essigsauren Lösung fällt das Mangansuperoxyd stets
eisenhaltig. — Eisen allein konnte nach Vortmann aus einer
mit Natriummetaphosphat versetzten alkalischen Tartratlösung
quantitativ und frei von Phosphor erhalten werden. Behandelt
man Gemische von Eisen- und Mangansalzen auf diese Weise,
so scheidet sich ein Theil des Mangans als Metall mit ab. Ebenso,
wenn noch Kaliumchlorid, Essigsäure, Oxalsäure, Citronensäure
oder Kaliumsulfocyanid zugefügt wurden. Die Gegenwart von
Natriumsulfit hindert die Abscheidung des Mangans als Superoxyd nicht vollständig. — Von Aluminium läfst sich Eisen aus
alkalischer Tartratlösung, auch bei Gegenwart von Phosphorsäure,
glatt und schnell trennen. Es darf nur so viel Kaliumnatrium-
tartrat zugegen sein, dafs die Bildung von basischem Eisensalz
verhindert wird, weil sonst leicht etwas Eisen in Lösung bleibt.
Die Stromdichte kann bis 1,6 Amp. betragen. — In Gegenwart

von Chrom gelang es weder nach der Vorschrift von Classen.
noch nach der von E. Smith, Eisen auch nur in Spuren niederzuschlagen. Beim Arbeiten nach der ersten Methode wurde an
der Anode eine gelbe Chromoxydverbindung, wahrscheinlich CrO_3.
erhalten. — Zur Trennung des Nickels vom Eisen versetzt man
auf Grund früherer Angaben v. Knorre's, nach Oxydation der
Eisenoxydul- zu -Oxydverbindungen durch Wasserstoffsuperoxyd,
mit Ammoniak in grofsem Ueberschusse. Eisenhydroxyd bleibt gefällt, Nickel dagegen löst sich wieder und wird mit D qdm $= 1$ Amp.
niedergeschlagen. Ebenso läfst sich Nickel vom Mangan trennen.
— Die Scheidung des Kobalts vom Eisen und Mangan gelingt
nach dieser Methode nicht. — A. Classen[1]) bemerkt dazu, dafs
die Trennung des Eisens vom Mangan Uebung erfordere, die des
Eisens und Chroms aber leicht und sicher auszuführen sei, was
M. Engels bestreitet.   *Ps.*

C. Engels. Quantitative Bestimmung von Mangan durch
Elektrolyse. II[2]). — Um die schon früher beschriebene Methode
der elektrolytischen Manganfällung bei Gegenwart von Ammonacetat unter Zusatz von Chromalaun oder Alkohol auch auf Salze
der Mangan- und Uebermangansäure anzuwenden, versetzt Verfasser die Säure mit Essigsäure und H_2O_2, bis Farblosigkeit eingetreten ist und zerstört den Ueberschufs an H_2O_2 mit Chromsäure. Die Stromstärke ND_{100} war 0,83 Amp., die Spannung
3 Volt; bei diesen Stromverhältnissen wurde die Elektrolyse in
einer Stunde beendigt. Das Verfahren eignet sich ebenso zur
Bestimmung anderer Manganoxyde, sowie zur Trennung von anderen Elementen, eventuell unter vorheriger Abscheidung mit
Ammoniak und Wasserstoffsuperoxyd, Filtriren, Auswaschen und
Lösen zur Elektrolyse. Sämmtliche Abscheidungen wurden in
mattirten Schalen vorgenommen. Hat man nur schwache Ströme.
wie etwa die einer Thermosäule zur Verfügung, so kann man bei
einer Temperatur von 80° schon mit 1 bis 1,1 Volt auskommen,
die Abscheidung erfordert jedoch dann neun Stunden. In der Kälte
und bei 1,25 Volt war auch nach 48 Stunden die Abscheidung
nicht beendet. Der Ueberzug in der Wärme haftet auch beim
Ueberführen in Mn_3O_4 durch Glühen fester an der Schale, der in
der Kälte erzeugte ist spröde und springt beim Glühen stets umher.
Die Beendigung der Analyse wird durch die Maximalspannung
1,5 Volt angezeigt, es ist diejenige Spannung, bei welcher bei 80°

---

[1]) Chem. Rundsch. 1896, S. 60 u. 80. — [2]) Zeitschr. Elektrochem. 3.
286—289 u. 305—308.

der Chromalaun in Chromsäure umgewandelt wird. Ersetzt man Chromalaun durch Alkohol, so ist man nicht so sicher, ob die Niederschläge haften werden, doch ist man zu diesem Agens gezwungen, wenn man Silber und Mangan zu trennen hat, die Bildung von unlöslichem Silberchromat schliefst den Zusatz von Chromalaun aus. Auch mufs die Maximalspannung bei Verwendung von Alkohol mindestens 2 Volt betragen. Die Zusammensetzung des Niederschlages variirt je nach den Fällungsbedingungen.

Die $\overset{+\,+}{Mn}$-Ionen vereinigen sich mit den OH-Ionen unter Bildung von $Mn(OH)_2$, das zum Theil Dissociation in MnO_2 und H_2, zum Theil in $MnO.OH$ und H erleidet. Der Niederschlag mufs demnach, wie auch die Erfahrung zeigt, aus MnO_2 und $MnO.OH$ resp. $Mn_2O_3 + H_2O$ bestehen. Mit Zunahme der Spannung und Stromdichte, sowie bei höherer Temperatur kommen in Folge weitergehender Dissociation mehr MnO_2-Ionen zur Abscheidung. Die Function des Chromalauns und des Alkohols, die beide haftende Niederschläge bedingen, wird darauf zurückgeführt, dafs sie durch Sauerstoffbindung die auflockernde Wirkung dieses Gases vermindern. *Mr.*

G. Viard. Ueber die Bestimmung des Mangans in Gegenwart von Phosphorsäure[1]. — Die Methode von Hannay[2] zur Bestimmung des Mangans giebt in Gegenwart von Phosphorsäure durchaus falsche Resultate, weil beim Erhitzen einer Lösung dieser beiden Körper mit Salpetersäure und chlorsaurem Kalium nicht Manganhyperoxyd, sondern phosphorsaures Manganoxyd, $Mn_2P_2O_8$.$3H_2O$, niederfällt, welches beim Glühen röthlichweifses, pyrophosphorsaures Manganoxydul liefert. *Brt.*

Walter T. Taggart und Edgar F. Smith. Trennung des Mangans von Wolframsäure[3]. — Bei Gegenwart von Chlorammonium gelingt die Trennung von Mangan und Wolfram durch gelbes Schwefelammonium nicht quantitativ. Ebenso erhält man durch Fällung von Mangan mit Alkalicarbonat bei Gegenwart von Wolframaten unrichtige und zwar zu niedrige Resultate. *Hf.*

H. Kunz-Krause. Ueber das eventuelle Vorkommen und den Nachweis flüchtiger Eisen- bezw. Manganverbindungen im aus Schwefeleisen entwickelten Schwefelwasserstoff[4]. — Verfasser hat Natriummonosulfid aus eisenfreiem Natriumoxyd und gewaschenem Schwefelwasserstoff in bekannter Weise dargestellt und beobachtete

---

[1] Bull. soc. chim. [3] 15, 973—975. — [2] JB. f. 1877, S. 1063. — [3] Amer. Chem. Soc. J. 18, 1053—1054; Ref.: Chem. Centr. 68, I, 309. — [4] Pharm. Centr.-H. 37, 569—572.

an der Natriummonosulfidlösung beim Stehen die Abscheidung
eines schwarzgrünen bis schwarzen Niederschlages. Bei Untersuchung dieses Niederschlages ergiebt sich, dafs derselbe nicht,
wie man bereits früher annahm, lediglich aus Eisensulfid besteht,
sondern die Elemente Eisen, eventuell Mangan, Schwefel und
Kohlenstoff enthält. Der Niederschlag verdankt nicht etwa seine
Entstehung mechanisch vom Schwefelwasserstoff mitgerissenem
Eisensulfid, sondern scheint auf die Gegenwart einer flüchtigen
Eisen bezw. Mangan und Kohlenstoff enthaltenen Verbindung
zurückzuführen zu sein, über deren Zusammensetzung Verfasser
vorläufig nur Vermuthungen ausspricht.   *Tr.*

Hanns Freiherr v. Jüptner. Einige Ursachen der mangeln-
den Uebereinstimmung bei Manganbestimmungen im Ferromangan[1]). — Die Differenzen in den Manganbestimmungen im
Ferromangan kommen zum Theil von der Benutzung verschiedener
Atomgewichtszahlen. Es wird dann die Art der Einstellung der
Permanganatlösungen besprochen. Die Einstellung mit Oxalsäure
ist gut. Die Einstellung mit metallischem Eisen, mit und ohne
vorhergehender Reduction durch Zink giebt sehr schwankende
Resultate. Mohr'sches Salz ist nur dann brauchbar, wenn vorher
seine Lösung mit Zink reducirt wird, oder der Eisengehalt desselben gewichtsanalytisch untersucht wird, da auch ganz klare,
unverwitterte Krystalle oft Eisenoxyd enthalten.   *v. Lb.*

H. Nicholson und S. Avery[2]) berichteten *über die elektrolytische
Bestimmung von Eisen, Nickel und Zink.* Durch Versuche wurde
die Beobachtung von Smith und Muir, dafs Eisen aus ammoniak-
haltiger Ammoniumtartratlösung leicht gefällt wird, aber stets
kohlenstoffhaltig ist; dies ist auch der Fall, wenn das Fällen in
neutraler Lösung vorgenommen wird; dagegen wird das Eisen
kohlenstofffrei erhalten, wenn es aus Formiat- oder Oxalatlösungen
gefällt wird; in Gegenwart von anderen organischen Säuren, Zucker,
Glycerin u. s. w. wird es aber kohlenstoffhaltig. Die elektrolytische
Ausfällung des *Eisens* aus Ammoniumoxalatlösung wird durch
die Gegenwart von Borax begünstigt. Eine 0,1 g Eisen entsprechende Menge Ferrosulfat wird in Wasser (25 ccm) gelöst,
dann wird Ammoniumoxalat (5 g) hinzugefügt und unter schwachem
Erwärmen gelöst, wonach die Lösung mit einer concentrirten
Boraxlösung (5 ccm) versetzt, auf 150 ccm verdünnt und durch
einen Strom von 0,02 Amp. in 16 Stunden elektrolysirt wird. Ein

[1]) Oesterr. Zeitschr. Berg- u. Hüttenw. 44, 15—20. — [2]) Amer. Chem.
Soc. J. 18, 654.

über dem ausgeschiedenen Eisen sich bildender brauner Niederschlag wird entfernt, indem man die Anode für einen Augenblick
mit der Wand der Schale in Berührung bringt, nachdem Wasser
bis über den braunen Rand hinaus hinzugefügt worden ist; der
braune Niederschlag geht dabei in Lösung. — Das ausgeschiedene
Eisen ist völlig adhärent und wird beim Waschen mit Alkohol
und Aether nicht oxydirt. Bei der elektrolytischen Bestimmung
von *Nickel* enthält das ausgeschiedene Metall nie Kohlenstoff.
Zink wird fast nach allen vorgeschlagenen Verfahren mit hin-
länglicher Genauigkeit bestimmt; doch hat es die Neigung, schwammig
auszufallen und sich theilweise zu oxydiren. Man erhält gute
Resultate durch Versetzen einer 0,06 g Zink enthaltenden Zink-
sulfatlösung in 150 ccm Wasser mit Ameisensäure (4 bis 6 ccm),
Zusatz von Natriumcarbonat (1 bis 1,5 g) und Elektrolyse in drei
Stunden mit einem Strom von 0,125 bis 1,0 Amp., dadurch wird eine
adhärente hellgraue, bisweilen fast metallisch glänzende Zinkschicht
erhalten. Wenn Metalle der Schwefelwasserstoffgruppe anwesend
sind, läfst sich die beschriebene Methode nicht verwenden. *Cr.*

A. Bornträger. Zur colorimetrischen Bestimmung kleiner
Eisenmengen mit Hülfe von Rhodankalium [1]. — Verfasser verwendet zur Bestimmung kleiner Eisenmengen in Weinen folgende
Methoden: 0,1 g Clavierdraht wird mit geringem Ueberschufs
von Salzsäure zu einem Liter gelöst. Von dieser Lösung werden
direct vor Verwendung 10 ccm unter Zusatz von 2 ccm verdünntem
H Cl auf 100 ccm verdünnt. Diese Normalflüssigkeit wurde mit
der zu vergleichenden in Cylinder aus weifsem Glase gefüllt,
$^1/_{10}$ Vol. Rhodankalium zugesetzt und nun die Intensitäten der
Rhodanidreaction verglichen. Diejenige von gröfserer Intensität
wurde entsprechend verdünnt, wieder um Dissociation zu verhüten,
mit etwas H Cl versetzt. Salzsäure und die eventuell in der Wein-
asche vorhandenen Mengen Chloride der Alkalien und Erdalkalien
stören nicht.   *Mr.*

G. Lunge. Zur colorimetrischen Bestimmung des Eisens [2].
— Es werden weitere Angaben über die von ihm und v. Kéler [3]
beschriebene Methode zur Bestimmung kleiner Eisenmengen,
namentlich in der *schwefelsauren Thonerde* des Handels gemacht.
Die Ausführung der colorimetrischen Bestimmung wird genau
beschrieben.   *Brt.*

F. A. Gooch und F. S. Havens. Eine Methode zur Trennung

---

[1] Chemikerzeit. 20, 396, 399. — [2] Zeitschr. angew. Chem. 1896,
S. 3—5. — [3] Daselbst 1894, S. 669.

von Aluminium und Eïsen [1]). — Dieselbe gründet sich auf den Umstand, daſs wasserhaltiges Chloraluminium, $AlCl_3 . 6 H_2 O$, in concentrirter Salzsäure kaum, Eisenchlorid dagegen sehr leicht löslich
ist. Um eine vollständige Trennung zu erreichen, sättige man
die concentrirte Lösung der beiden Chloride mit Salzsäuregas und
füge ein gleiches Volumen mit letzterem gesättigten Aethers hinzu.
Der Aether mischt sich vollständig mit der Flüssigkeit. Das
gefällte Chloraluminium kann man unter einer Lage von Quecksilberoxyd glühen, um dann die hinterbleibende Thonerde zu
wägen.   *Brt.*

H. Jüptner v. Jonstorff. Die Einführung von Normal-
methoden zur Analyse [2]). — Die Frage der Einführung einheitlicher Methoden zur Analyse von *Stahl* und *Eisen* wird in sehr
ausgedehnter Weise erörtert. Es sei auf das Original verwiesen.
                                                          Brt.

v. Grueber. Bestimmung der Sesquioxyde in Phosphaten
und Superphosphaten [3]). — Er bestimmt sowohl das *Eisen* als
das *Aluminium*, nicht aber nur ihre beiden Oxydhydrate ins
Gemein. Das Rohphosphat oder Superphosphat koche man mit
verdünnter Salzsäure, verdampfe zur Trockne und bringe die
Lösung des Rückstandes auf ein bestimmtes Volum. Ein Theil
des Filtrates wird mit reiner Natronlauge in starkem Ueberschusse
erhitzt, nach dem Erkalten auf ein bestimmtes Volum gebracht,
ein Antheil des Filtrates mit Salzsäure schwach angesäuert, dann
in der Siedehitze mit Ammoniak ausgefällt. Es fällt reine phosphorsaure Thonerde nieder, welche gewaschen, geglüht und gewogen
wird. Zur Bestimmung des Eisens wird ein anderer Theil des
obigen salzsauren Auszuges des Phosphates mit Zink und Schwefelsäure reducirt, sodann mit Permanganat titrirt.   *Brt.*

D. De Paepe. Bemerkung über die Bestimmung des Eisens
in den Kalksteinen [4]). — Bei der Abscheidung des Eisens aus
Ammoniumtartrat enthaltender, ammoniakalischer Flüssigkeit
durch Schwefelammonium fällt krystallisirtes weinsaures Calcium
mit nieder, wenn viel von diesem Metalle zugegen ist. Das
Calciumtartrat läſst sich durch Auswaschen nicht entfernen. Um
diesem Miſsstande abzuhelfen, entferne man zuvor den Kalk. Die
kieselsäurefreie, salzsaure Lösung des Kalksteins wird mit Salpetersäure gekocht, dann mit Ammoniak gefällt, der gewaschene Nieder-

---

[1]) Sill. Amer. J. [4] 2, 416—420. — [2]) Chem. News 74, 81—83, 89—91,
101—102, 118—119, 143—144, 159—160, 170—172. — [3]) Zeitschr. angew.
Chem. 1896, S. 741—742. — [4]) Chemikerzeit. 20, 1004.

schlag wieder in Salzsäure gelöst und die Lösung auf ein bestimmtes Volum gebracht. In einem Theile fällt man Eisenoxyd und Thonerde zusammen mit Ammoniak, wäscht, glüht und wägt. Zu dem anderen Theile fügt man Weinsäure, macht ammoniakalisch und fällt in der Wärme mit Schwefelammonium. Das mit heifsem, Ammoniumsulfid enthaltendem Wasser gewaschene Schwefeleisen wird dann wie üblich weiter auf Eisenoxyd verarbeitet, dessen Menge von dem Gewichte der obigen Fällung abgezogen wird, um die Menge der Thonerde finden zu lassen. *Brt.*

G. Cugini. Ueber die Art des Vorkommens von Eisen in den Pflanzen [1]). — Cugini reclamirt Molisch [2]) gegenüber die Priorität; er hat schon 16 Jahre früher festgestellt, dafs das Eisen in den Pilzen eine Verbindung mit der färbenden Substanz eingeht, so dafs das Eisen nicht direct, sondern erst nach dem Veraschen nachgewiesen werden kann. *Ld.*

Andrew A. Blair. Method of the determination of carbon in steel [3]). — Die beschriebene Methode ist im Princip von Wiborg angegeben, von de Nolly durch Zusatz von Phosphorsäure zu dem Gemisch verbessert und von H. A. Brustlein und den Chemikern der Marienstahlwerke St. Chamond ausgearbeitet worden. Man bedient sich dabei einer gesättigten Kupfersulfatlösung, einer 2,50 proc. Chromsäurelösung, welche zur Zerstörung etwa vorhandener organischer Substanz mit etwas Schwefelsäure zum Sieden erhitzt wird, und drittens eine Mischung von 35 ccm dieser Chromsäurelösung mit 115 ccm Wasser, 750 ccm concentrirter Schwefelsäure und 315 ccm Phosphorsäurelösung vom specifischen Gewicht 1,4. Diese Mischung wird ebenfalls aufgekocht. Die Oxydation wird in einem Rundkolben mit Tropftrichter, welcher durch einen aufsteigenden Kühler mit einer Gasbürette verbunden ist, vorgenommen, indem man in den Kolben eine gewogene Menge Stahlspähne einträgt und durch den Tropftrichter 15 ccm der Kupferlösung zufliefsen läfst. Wenn sich nach einer bis zwei Minuten ein reichlicher Kupferniederschlag gebildet hat, läfst man 15 ccm der Chromsäurelösung und 135 ccm der Mischung einfliefsen und erwärmt bis zum schwachen Sieden. Die entwickelte Kohlensäure bestimmt man dann in der Gasbürette neben dem Sauerstoff durch Absorption mit Kalilauge vom specifischen Gewicht 1,27. Daraus berechnet man dann den Kohlenstoffgehalt des Stahls. Die Methode giebt sichere Resultate. *v. Lb.*

---

[1]) Chem. Centr. 67, I, 252; Staz. sperim. agrar. ital. 28, 649—652. —
[2]) Chem. Centr. 63, II, 332. — [3]) Amer. Chem. Soc. J. 18, 223—227.

B. S. Summers. Kohlenstoffbestimmungen in der Eisensau [1]. — Der Verfasser hat bei graphitreichen Mustern durch Verbrennung des Kohlenstoffs mit Chromsäure nach der gebräuchlichen Methode zu niedrige Werthe erhalten. Er führt daher die Verbrennung des durch Säure isolirten Kohlenstoffs in einem mit Gold gelötheten Platinrohre im Sauerstoffstrome aus. Es ist in der Abhandlung der ganze zur Anwendung kommende Apparat beschrieben und abgezeichnet. *Brt.*

Leopold Schneider. Beitrag zur Bestimmung des Kohlenstoffs im Eisen und Stahl durch directe Verbrennung [2]. — Statt des bisher verwendeten Kupferpulvers bei der Verbrennnng des Eisens mit Kupfer- und Bleipulver wird Phosphorkupfer verwendet, welches durch 24stündiges Kochen mit concentrirter Salzsäure und nachfolgendem Wasser von kohlenstoffhaltigem Eisen befreit ist. Zur Kohlenstoffbestimmung werden 3 g Eisenpulver mit 10 g einer Mischung von Blei- und Phosphorkupferpulver gemengt und im Sauerstoffstrome verbrannt. *Hf.*

Fr. C. Phillips. Bestimmung des Schwefels in weifsem Gufseisen [3]. — Bei der Einwirkung von Salzsäure auf kohlenstoffreiches Eisen geht keineswegs aller Schwefel in Schwefelwasserstoff über. Es wird vielmehr eine ziemlich beträchtliche Menge in organische Schwefelverbindungen (Methylmercaptan, Methylsulfid u. s. w.) verwandelt, welche von Oxydationsmitteln nur schwer angegriffen werden. Er empfiehlt daher, das Eisen in einem Kohlensäurestrome langsam mit verdünnter Salzsäure (spec. Gew. 1,12) zu versetzen, 2 bis 2½ Stunden zu kochen und die Gase durch ein rothglühendes Porcellanrohr mit Platinfolie streichen zu lassen, worauf man sie in bromhaltige Salzsäure einleitet. Die gebildete Schwefelsäure kommt als Baryumsalz zur Wägung. *Brt.*

F. C. Phillips. Die Bestimmung des Schwefels im Gufseisen [4]. — Man erhitzt das feine Eisenpulver mit 5 Thln. eines Gemisches aus gleichen Theilen Soda und salpetersaurem Natrium oder aus 9 Thln. Natriumhyperoxyd, 9 Thln. Natronsalpeter und 2 Thln. Soda zur Rothgluth, behandelt mit Bromwasser und bestimmt im Filtrate die Schwefelsäure. Auch im *Ferromangan* läfst sich bei sehr vorsichtig ausgeführter Oxydation, am besten ohne Anwendung von Natriumhyperoxyd, in dieser Weise der Schwefel bestimmen. Die Methode ist auf weifses, nicht aber

---

[1] Amer. Chem. Soc. J. 18, 1087—1091. — [2] Oesterr. Berg- u. Hüttenzeitung 10, 121; Ref.: Chem. Centr. [4] 8, I, 1026. — [3] Chemikerzeit. 20, Rep. 234; Stahl u. Eisen 16, 633. — [4] Amer. Chem. Soc. J. 18, 1079—1086.

auf jedes graue Gußeisen anwendbar, da letzteres sich nicht immer
fein genug pulvern läßt. Graues Gußeisen kann nach dem von
demselben [1]) früher angegebenen Verfahren untersucht werden. *Brt.*

W. Schulte. Eine neue Methode zur Bestimmung des
Schwefels im Eisen [2]). — Man löst das letztere in mäßig verdünnter
Salzsäure, läßt die auftretenden Gase durch eine essigsaure Auflösung von Cadmiumacetat streichen und fügt zu dieser, nach
Aufhören der Gasentwickelung, eine Mischung von Kupfersulfatlösung und Schwefelsäure, mit welcher das ausgeschiedene
Schwefelcadmium sich sofort zu Schwefelkupfer und Cadmium-
sulfat umsetzt. Das gewaschene Schwefelkupfer wird geröstet
und das erhaltene Kupferoxyd gewogen. 1 Atom Schwefel liefert
1 Mol. Kupferoxyd. Es geht nicht an, jene Gase direct in Kupferlösung eintreten zu lassen, da Phosphor und Arsen Ausscheidungen
hervorrufen würden. *Brt.*

G. G. Boucher [3]) beschrieb eine Methode zur *Bestimmung
von Schwefel in Gußeisen und Stahl*, welche darauf beruht, daß
man die Probe (5 g) in eine concentrirte Lösung von Ammonium-
kupferchlorid löst, nach Auflösen des ausgeschiedenen Kupfers
filtrirt und das ungelöst bleibende (Schwefel, Graphit und wenig
Silicium) mit Königswasser oxydirt. Nach Filtriren, Neutralisation
mit Ammoniak, Versetzen mit Salzsäure und Fällen mit Baryumchlorid wird der Schwefel als Schwefelsäure bestimmt. Auch kann
man das Filter mit dem Schwefel mit Bromwasser und wenig
Salzsäure oxydiren, Ueberschuß von Brom abdampfen und dann
mit Baryumchlorid fällen. *Cr.*

G. Auchy. Drown's Methode zur Bestimmung des Schwefels
in Eisensau [4]). — Der Verfasser hat das Verfahren etwas abgeändert, indem er die aus dem Eisen durch heiße, verdünnte
Salzsäure entwickelten Gase durch eine stark alkalisch gemachte
Permanganatlösung leitet und nicht durch eine neutrale. Es
erfolgt alsdann die Oxydation des Schwefelwasserstoffs zu Schwefelsäure viel schneller. Die salzsaure Auflösung des Eisens wird
filtrirt, der Rückstand mit Königswasser verdampft, mit verdünnter Salzsäure aufgenommen und das Filtrat mit der Permanganatlösung vereinigt. Es folgt nun die Reduction des letzteren
durch Oxalsäure in der Hitze und die Fällung der Schwefelsäure
mit Chlorbaryum. Ein Gehalt von Kieselsäure in dem verwendeten

---

[1]) Siehe vorstehendes Referat. — [2]) Chem. Centr. 67, II, 1132—1133;
Chemikerzeit. 20, Rep. 288; Stahl u. Eisen 16, 865—869. — [3]) Chem. News
74, 76. — [4]) Amer. Chem. Soc. J. 18, 406—411.

Aetzkali oder ein Ueberschufs an Oxalsäure beeinflussen die Resultate nicht. — Nach einer späteren Bemerkung desselben [1] soll man die alkalische Permanganatlösung vor der Vereinigung mit dem salzsauren Auszuge des Eisenrückstandes aufkochen, und zwar am besten unter Zusatz von weiterem Permanganat. *Brt.*

Ch. Fairbanks. Ueber eine jodometrische Methode zur Bestimmung des Phosphors im Eisen [2]. — Der Phosphor wird in Form von phosphormolybdänsaurem Ammonium abgeschieden, in welchem dann die Molybdänsäure nach dem Verfahren von Gooch und Fairbanks [3] jodometrisch bestimmt wird. Der Phosphor wird unter der Annahme berechnet, dafs 1,794 Thle. desselben 100 Thln. Molybdänsäureanhydrid entsprechen. *Brt.*

C. P. Mixer. Unlöslicher Phosphor in Eisenerzen [4]. — Um den in Salzsäure unlöslichen Phosphor in Lösung zu bringen, erhitze man den kieselsäurehaltigen Rückstand einige Minuten lang zur dunkelen Rothgluth und ziehe neuerdings mit Salz- oder Salpetersäure aus. Wenn man drei bis fünf Minuten kocht, so geht nunmehr aller Phosphor in Lösung. *Brt.*

John Pattinson u. H. S. Pattinson. Notiz über die Bestimmung des Phosphors in Eisen und Eisenerzen [5]. — In einem früheren Vortrage hatten Verfasser darauf hingewiesen, dafs die Gegenwart von Titan die Ausfällung des Phosphors aus seinen Lösungen als Phosphomolybdat verhindert oder doch unvollkommen macht. In der Discussion erwähnt Hogg, dafs allerdings die Gegenwart von Titan die Reaction sehr verzögert, dafs aber doch aus 3,26 kg titanhaltigem Eisen und 6 bis 7 g Chlorammonium und einer Molybdänlösung von 3 g MoO_3 nach vierstündiger Digestion die Reaction eine vollkommene war. Pattinson führt daher seine abweichenden Resultate darauf zurück, dafs er kein Chlorammonium und weniger Molybdänlösung verwandte. *Mr.*

G. Auchy. Die Fällung des Phosphormolybdates bei der Stahlanalyse [6]. — Verwendet man die von Blair und Withfield [7] angegebene Molybdänlösung (100 g MO_3 werden in 400 ccm kaltem Wasser und 80 ccm NH_3 von der Dichte 0,91 gelöst, filtrirt und 300 ccm HNO_3 von der Dichte 1,42 und 700 ccm Wasser hinzugefügt), so gestaltet sich die Bestimmung des Phosphors im Stahl so, dafs man 2 g Stahl in mäfsig concentrirter Salpetersäure ($D = 1,13$) löst, 15 ccm concentrirtes Ammoniak und die

[1] Amer. Chem. Soc. J. 18, 498, Anm. 1. — [2] Zeitschr. anorg. Chem. 13, 117—120. — [3] Daselbst, S. 101. — [4] Chem. Soc. Ind. J. 15, 743—744. — [5] Daselbst 14, 1022. — [6] Amer. Chem. Soc. J. 18, 170—174. — [7] Daselbst 17, 747—760.

gleiche Menge Wasser zusetzt. Die früher übliche Molybdänlösung gab, frisch bereitet, bedeutend höhere Resultate, als drei
bis vier Wochen alte. Die günstigste Temperatur ist bei Abwesenheit von Arsen etwa 50°. Wendet man die von Blair und
Withfield angegebene Reduction des Niederschlages an, so ist
darauf zu achten, ob das verwendete $FeSO_4$ phosphorfrei ist. *Mr.*

George Auchy. Ueber die Phosphorbestimmung in Stahl
und Gufseisen [1]. — Der gelbe Niederschlag wird auf einem 7 cm-
Filter gesammelt, in möglichst wenig Ammoniak gelöst, die Lösung
in den Fällungskolben laufen gelassen, das Filter fünf Minuten
lang mit heifsem Wasser ausgewaschen, die Lösung mit 25 ccm
verdünnter Schwefelsäure (1 + 2) angesäuert, etwa 5 g Zinn-
granalien zugesetzt und der Kolben 5 bis 10 Minuten auf einer
heifsen Eisenplatte gelinde erwärmt, bis alles Zink gelöst ist.
Darauf entfernt man den Kolben von der Platte, fügt wenig
trockenes kohlensaures Natron zur Lösung, verkorkt den Kolben
nach Beendigung der Kohlensäureentwickelung, kühlt ab und
schüttelt öfters um. Darauf filtrirt man die Flüssigkeit von dem
ungelösten Zinn durch Baumwolle in einem sehr kleinen Hirsch-
rohr durch Saugen ab, spült den Kolben dreimal mit kaltem
Wasser nach und titrirt schliefslich das Filtrat ohne weitere Verdünnung. Die Reduction geht bis zu Mo_9O_3, das sich beim
Filtriren und Verdünnen zu $Mo_{19}O_{19}$ oxydirt. Zur Verhütung
stärkerer Oxydation sei die Flüssigkeitsmenge möglichst gering;
Siedehitze ist bei der Zinnreduction nachtheilig, grofser Schwefel-
säureüberschufs vortheilhaft. Die reducirte Lösung ist möglichst
vor Luft zu schützen und schnell zu filtriren und zu titriren. Der
gelbe Niederschlag, bei 150° sechs Stunden lang getrocknet, enthält 1,63 Proc. Phosphor. — Weitere Versuche darüber, ob die
Anwendung von Zucker zur Reduction des Mangandioxydnieder-
schlages, der bei Zusatz von Kaliumpermanganatlösung zur siedenden salpetersauren Lösung des Stahls entsteht, Fehler bei der
Phosphorbestimmung hervorrufe, ergaben, dafs Zucker dem Eisen-
sulfat vorzuziehen ist. *Hf.*

Kinder. Zinkbestimmung in Eisenerzen [2]. — Die Erze
werden in Salzsäure gelöst, welcher man wenig mehr verdünnte
Schwefelsäure zusetzt, als zur Bindung der Metalle nöthig ist.
Die Flüssigkeit wird zum Abrauchen der Schwefelsäure abgedampft;
dann wird mit Wasser aufgenommen und von dem das Bleisulfat

[1] Amer. Chem. Soc. J. 18, 955—970; Ref.: Chem. Centr. 68, I, 78. —
[2] Ref.: Zeitschr. angew. Chem. 1896, S. 610; Stahl u. Eisen 16, S. 676.

enthaltenden Rückstande abfiltrirt. Das Filtrat versetzt man nach
Entfernung etwaiger Metalle der Schwefelwasserstoffgruppe mit
Ammoniumformiat und Ameisensäure und fällt das Zink als
Schwefelzink. Sollte das letztere nicht rein weifs ausfallen, so
löst man den Niederschlag in Salzsäure, neutralisirt bis . zur
schwach alkalischen Reaction mit Ammoniak, säuert mit Ameisensäure an und fällt nochmals mit Schwefelwasserstoff.   *H.*

L. Rürup. Vergleichende Manganbestimmungen in Stahl und
Eisen [1]). — Ein Vergleich der sechs üblichen Methoden der
Manganbestimmung im Eisen und Stahl (Gewichtsanalytische Bestimmung als MnS oder als Mn_3O_4 nach vorangegangener Fällung
des Eisens als basisches Acetat, sowie nach Ford; volumetrische
nach Volhard, durch Fällung des Eisens mit schwefelsaurem
Natron in der Kälte und Titriren des Mangans mit Permanganat
und nach der Hampe'schen Chloratmethode) ergab, dafs bei
genauer Einhaltung der nöthigen Vorsichtsmafsregeln alle diese
Methoden übereinstimmende Resultate geben. Hinsichtlich der
Vorsichtsmafsregeln ist Folgendes zu bemerken. Bei den beiden
erstgenannten gewichtsanalytischen Methoden darf man zur Fällung
des Eisens nicht zu viel Natriumacetat zusetzen und man mufs
den geglühten Mn_3O_4-Niederschlag nochmals mit heifsem Wasser
auswaschen; ebenso mufs man im Niederschlag die Abwesenheit
von Eisen und im Filtrat diejenige von Mangan feststellen. Beim
Arbeiten nach Ford wurde etwas mehr Kaliumchlorat angewandt,
als Blair in seiner Stahlanalyse vorschreibt. Die Volhard'sche
Methode ergab zu niedrige Werthe, wenn die zur Titration ge-
langende filtrirte Flüssigkeit noch freies Zinkoxyd enthielt. Die
folgende Methode, welche der Verfasser im Krupp'schen Laboratorium in Essen sah und welche den Vorzug hat, in $1^{1}/_4$ Stunden
ausführbar zu sein, wird in der Art ausgeführt, dafs die Lösung
von 4 g Stahl in 75 ccm Salpetersäure von 1,2 spec. Gew. und
10 ccm Salzsäure in einem Literkolben *genau* mit Soda neutralisirt
und durch Zusatz von 18 ccm Natriumsulfatlösung (1 : 10) das
Eisen gefällt wird. $^3/_4$ Liter des Filtrats werden sodann, mit 18 g
Zinksulfat versetzt, zum Sieden erhitzt und mit Chamäleon titrirt.
— Bei der Hampe'schen Methode wurde ebenfalls mehr Kaliumchlorat angewandt, als Hampe vorschreibt.   *H.*

C. T. Mixer und H. W. Du Bois. Särnström's Methode
zur Bestimmung des Mangans in Eisenerzen [2]). — Diese Methode [3])

---

[1]) Chemikerzeit. 20, 285, 337. — [2]) Amer. Chem. Soc. J. 18, 385—389.
— [3]) JB. f. 1881, S. 895.

beruht auf der Reaction der höheren Manganoxyde mit Salzsäure in der Hitze, wobei Chlor entwickelt wird und Manganchlorür entsteht. Man kann nun das Eisen in der Hitze mit Hülfe von Soda oder Natriumdicarbonat ausfällen und dann, ohne vorher zu filtriren, das Mangan sofort mit Kaliumpermanganat bei 80° titriren. Wenn nur wenig Eisen zugegen sein sollte, so setze man Eisenchlorid hinzu. Die Verfasser geben nähere Vorschriften für die Ausführung der Analyse. Für manganreiche Erze und *Manganeisen (Ferromangan)* ist das Verfahren nicht dienlich. *Brt.*

A. Mignot. Bestimmung des Mangans im Eisen und Stahl[1]). — Man löst das Metall in concentrirter Salpetersäure, fällt das Mangan durch zugesetztes Kaliumchlorat, reducirt entstandene Uebermangansäure durch einige Tropfen Alkohol, kocht einige Zeit und löst den auf dem Filter gesammelten Niederschlag in Salzsäure, wobei Kohlenstoff und Silicium ungelöst bleiben. Das Mangan scheidet man mittelst Ammoniak und Bromwasser ab und wägt als Oxyduloxyd. Eine zweite Methode der Manganbestimmung besteht darin, daſs die zur Fällung fertige Lösung mit 5 bis 20 ccm Phosphorsalzlösung versetzt, zum Sieden erhitzt und tropfenweise unter Umrühren mit Ammoniak versetzt wird, bis ein Niederschlag von Manganammoniumphosphat, $MnNH_4PO_4$, entsteht. Nachdem der letztere krystallinisch geworden ist, kühlt man auf 0° ab, filtrirt und wägt als Pyrophosphat.   *H.*

A. Mignot. Bestimmung des Mangans im Eisen und Stahl[2]). — Eine nicht mehr als 0,003 bis 0,005 g Mangan enthaltende Menge des Metalls wird in 28 ccm Salpetersäure vom spec. Gew. 1,2 und 2 ccm Schwefelsäure gelöst und nach Zusatz von 5 g Bleisuperoxyd (oder Wismuthtetraoxyd) drei Minuten gekocht. Nach Zusatz von weiteren 5 g Bleisuperoxyd verdünnt man mit 100 ccm Wasser, filtrirt durch ein Asbestfilter und titrirt die gebildete Uebermangansäure mit Oxalsäure. Da es nicht sicher ist, daſs alles Mangan zu Uebermangansäure oxydirt wird, so wird empfohlen, die Oxalsäure auf eine in obiger Weise erhaltene Lösung eines Metalls von bekanntem Mangangehalt einzustellen. Die übrigen von dem Verfasser besprochenen Methoden der Manganbestimmung unterscheiden sich nicht wesentlich von den üblichen Methoden.   *H.*

Büttgenbach. Ueber Manganbestimmungen in Eisenerzen auf trockenem Wege[3]). — In der Technik ist es hinreichend,

---

[1]) Rev. Chim. anal. appl. 4, 329; Ref.: Chemikerzeit. 20, Rep. 234. — [2]) Rev. Chim. anal. appl. 4, 390; Ref.: Chemikerzeit. 20, Rep. 275. — [3]) Berg- u. Hüttenm. Zeitg. 55, 363—369.

Bestimmungen des reducirbaren Mangans durch zwei Tiegelproben, eine mit sehr saurer, die andere mit sehr basischer Schlacke auszuführen. Bei der ersteren wird ein Regulus von Eisen erhalten, während die Schlacke das Mangan und den Zuschlag enthält; bei der letzteren enthält der Regulus Eisen und Mangan, während die Schlacke frei von diesem sein soll. Die Differenz zwischen den Gewichten der beiden Reguli giebt den Gehalt an reducirbarem Mangan an, während die Differenz zwischem dem Gewicht der sauren Schlacke und dem des Zuschlages den Gesammtgehalt an Mangan angiebt.   *v. Lb.*

G. Giorgis. Ueber die Bestimmung des Mangans und des Chroms in Producten der Eisenindustrie [1]. — Entgegen den Angaben von Meinecke [2] und Carnot [3] fand er, dafs bei der Titrirung des Mangans mit Kaliumpermanganat der Endpunkt scharf erkennbar ist, wenn man genau nach Volhard's [4] Vorschrift verfährt und, Meinecke's Angaben gemäfs, eine starke Base im Ueberschusse zusetzt. — Giorgis versetzt die zu untersuchenden Manganlösungen mit Permanganat und titrirt des letzteren Ueberschufs mit einer Chromoxydsalzlösung zurück. Auflösungen von Producten der Eisenindustrie neutralisirt man zunächst mit Soda und fügt sie dann tropfenweise zu einem siedenden Gemische der Permanganatlösung mit viel Salpeter, läfst einige Zeit weiter sieden, bringt auf ein bestimmtes Volum und bestimmt in einem Theile des Filtrates den Ueberschufs an Permanganat mit einer Auflösung von Chromsulfat. — Derselbe hat sein [5] Verfahren zur Bestimmung des Chroms in Producten der Eisenindustrie für den Fall der Abwesenheit von Mangan in folgender Weise abgeändert. Er neutralisirt die Eisen und Chrom enthaltende Flüssigkeit mit Soda, läfst sie in eine siedende, mit Pottasche und Aetzkali stark alkalisch gemachte Auflösung von Permanganat einfliefsen, kocht einige Minuten lang, läfst erkalten, bringt auf ein bestimmtes Volum, filtrirt und bestimmt in einem gemessenen Theile des Filtrats den Ueberschufs an Permanganat mit einer Auflösung von Chromsulfat. — Um zusammen Mangan und Chrom zu bestimmen, neutralisirt er die diese Metalle neben Eisen enthaltende Flüssigkeit mit Soda, läfst sie in eine siedende, viel Salpeter enthaltende Auflösung von Permanganat einfliefsen, kocht noch einige Zeit, macht deutlich alkalisch, bringt auf ein

---

[1] Gazz. chim. ital. 26, II, 528—536. — [2] JB. f. 1885, S. 1935. — [3] Ann. min. [9] 8, 357. — [4] JB. f. 1879, S. 1048. — [5] JB. f. 1893, S. 2126; Gazz. chim. ital. 26, I, 277.

bestimmtes Volum und titrirt in einem gemessenen Theile des Filtrates den Permanganatüberschuſs mit Chromsulfatlösung. *Brt.*

F. Ulzer und J. Brühl. Ueber die Manganbestimmung im Roheisen [1]. — Scharf übereinstimmende Resultate lieferte den Verfassern folgendes Verfahren. Nach der Vorschrift von Volhard wird aus der Lösung das Eisenoxyd mit Zinkoxyd entfernt, dann werden 20 ccm einer 5 proc. Wasserstoffsuperoxydlösung hinzugefügt und, so lange noch ein Niederschlag entsteht, Aetznatron zugesetzt. Dann kocht man auf, läſst erkalten und bringt unter Zusatz von Oxalsäure von bestimmtem Gehalte den Niederschlag durch verdünnte Salpetersäure wieder in Lösung, erhitzt bis zum Kochen und titrirt mit Permanganat zurück. Aus der verbrauchten Oxalsäuremenge läſst sich der Mangangehalt berechnen, wobei der Niederschlag als $5 MnO_2 . MnO_7$ in Rechnung kommt. *Mr.*

G. C. Stone. Bemerkungen zu Herrn Auchy's Abhandlung über die volumetrische Bestimmung des Mangans [2]. — Er findet die Art und Weise, wie Auchy die Methode von Volhard anwendet, unnöthiger Weise complicirt und giebt ein vereinfachtes Verfahren an. Vor der Titrirung mit Permanganat wird die betreffende Lösung mit käuflichem Zinkoxyd neutralisirt. Des letzteren Gehalt an Mangan kommt dabei nicht in Betracht, da bei der Neutralisation kein Mangan in Lösung geht. *Brt.*

G. Auchy. Fehlerquellen bei Volhard's und ähnlichen Verfahren zur Bestimmung des Mangans im Stahl [3]. — Als Fehlerquellen macht er die folgenden namhaft: 1. Unvollständige Neutralisation durch Zinkoxyd, welche oft zu hohe Resultate verursacht. 2. Den zu schnellen Zusatz des erforderlichen Ueberschusses an Zinkoxyd und dem zu Folge zu niedrige Resultate. 3. Die Titrirung in salpetersaurer Lösung, welche um 0,01 bis 0,02 Proc. zu hohe Werthe liefert. 4. Die Neutralisation mit Zinkoxyd in der Hitze, welche zu hohe Resultate erhalten läſst. Stets sollte man durch einen blinden Versuch den Gehalt des Zinkoxyds und der übrigen Reagentien an Mangan ermitteln. Stone's [4] Modification ist leichter und rascher ausführbar als die Originalmethode, daher dieser vorzuziehen. *Brt.*

H. Brearley. The Estimation of nickel in steel [5]. — Verfasser hat gefunden, daſs die beiden Metalle sich trennen lassen,

---

[1] Chemikerzeit. 20, Rep. 36. — [2] Amer. Chem. Soc. J. 18, 228—230. — [3] Daselbst, S. 498—511. — [4] Siehe vorstehendes Referat. — [5] Chem. News 74, 17.

wenn man anstatt zur Fällung mit Natrium- oder Ammoniumacetat in neutraler Lösung zu arbeiten, einen erheblichen Ueberschufs von freier Essigsäure zusetzt.   Auch in solcher sauren
Lösung ist die Eisenfällung quantitativ. Zur Untersuchung von
Stahlsorten wird hierauf folgende Vorschrift begründet: 1 g Stahl
wird in starker HNO_3 gelöst, man neutralisirt mit NH_3, bis
schwacher Niederschlag entsteht, der durch wenig HCl zum Verschwinden gebracht wird; man setzt dann 70 ccm starke $C_2H_4O_2$
hinzu, fügt 950 ccm heifses Wasser, 50 bis 70 ccm Ammonacetat-
lösung zu und kocht auf. Dann wird auf 1000 ccm aufgefüllt
und etwa die Hälfte der Flüssigkeit durch Asbest filtrirt. Von
dieser wird dann ein bestimmter Theil mit KCN titrirt, das auf
reines Nickel eingestellt ist. Wolfram wird als WoO_3 abgeschieden,
Chrom und Mangan stören nicht, Kupfer mufs nach der Rhodanmethode entfernt werden.   *Mr.*

    S. Rideal und S. Rosenblum.   Die Analyse von Chrom-
eisenstein, Ferrochrom und Chromstahl [1]). — Etwa 0,5 g des sehr
fein gepulverten Ferrochroms werden mit 3 g Natriumsuperoxyd
gemischt und im Nickeltiegel mäfsig erhitzt, bis die Masse zu
schmelzen beginnt und aufglüht. Man erhitzt noch zehn Minuten,
läfst etwas abkühlen, setzt 1 g Natriumsuperoxyd dazu und erhitzt
noch fünf Minuten. Man stellt den noch warmen Tiegel in eine
Porcellanschale und giefst heifses Wasser darauf, wobei sich die
Schmelze schnell löst. Die Lösung ist durch Natriumferrat und
Natriummanganat tief purpurroth gefärbt. Beide Salze werden
durch Zusatz von 0,3 bis 0,6 g Natriumsuperoxyd reducirt, wobei
Eisenoxyd und Mangansuperoxyd entstehen. Man kocht darauf
die Lösung zehn Minuten, wodurch auch beträchtliche Mengen
Natriumsuperoxyd vollständig zersetzt werden. Man filtrirt von
dem unlöslichen Oxyde des Eisens, Nickels und Mangans ab.
da sonst keine scharfe Endreaction beim Titriren erhalten wird.
säuert das Filtrat an und titrirt wie gewöhnlich, indem man als
Indicator eine nicht mehr als 1 Proc. enthaltende Ferricyanid-
lösung benutzt. Für die Analyse von Chromstahl wird nach
Stead der Stahl in Schwefelsäure gelöst und die Lösung mit
Kaliumpermanganat gekocht, bis alles Chrom in Chromsäure verwandelt ist. Man kann auch den nach einer anderen Modification
von Stead's Methode erhaltenen Chromphosphatniederschlag durch
Schmelzen mit Natriumsuperoxyd in Chromat überführen.   *Hf.*

---

[1]) Chem. Soc. Ind. J. 14, 1017—1019; Chem. News 73, 1—2 (Ausz.):
Ref.: Chem. Centr. 67, I, 512—513.

E. H. Saniter. Die Analyse von Chromerz und Ferrochrom [1].
— **Rideal** und **Rosenblum** [2]) hatten gegen die vom Verfasser
vorgeschlagene Methode, mit Na_2O_2 aufzuschliefsen, eingewandt,
dafs das überschüssige Superoxyd bei Gegenwart von Schwefelsäure die mit Ferrosulfat zu titrirende Chromsäurelösung reducire.
Obwohl Verfasser meint, dafs alles Na_2O_2 durch die hohe Schmelztemperatur zerstört sei, empfiehlt er doch, in alkalischer Lösung
zunächst mit Kaliumpermanganat das Superoxyd zu zerstören
und dann vor der Titration mit Salzsäure zu erhitzen. Ferrochrom soll mit Na_2O_2 und BaO_2 aufgeschlossen werden, wobei
Verfasser behauptet, dafs bei seiner Vorschrift sich kein Baryum-
chromat bilden könne. *Mr.*

Elwin Waller. Analysis of the chrome ores [3]). — Der
Verfasser hat die Methode von **Clark** Chromerze durch Schmelzen
mit Natriumsuperoxyd und Titration der gebildeten Chromsäure
durch Jodkalium und Thiosulfat mehrfach angewandt. 2 g Natriumsuperoxyd sind schon hinreichend, 0,7 g Erz mit 35 bis 50 Proc.
Cr_2O_3 aufzuschliefsen. Bei Erzen, welche weniger Chromoxyd und
mehr Kieselsäure enthalten, braucht man mehr Natriumsuperoxyd.
Die benutzten Nickeltiegel erlitten nach 18 Schmelzen einen Gewichtsverlust von 1,3 g. Vor dem Ansäuern der Lösung der
Schmelze in Wasser mufs das Natriumsuperoxyd durch Kochen
zerstört werden, weil sonst ein Theil der Chromsäure reducirt wird.
v. Lb.

N. Tarugi. Zur Aufsuchung der Chromate und Arsenite [4]).
— Er antwortet auf Einwände **Antony's** [5]) betreffs einer unter
obigem Titel früher von **Tarugi** [6]) veröffentlichten Mittheilung.
Brt.

Zink, Cadmium. — **E. Jordis.** Zinkanalyse durch Elektrolyse [7]). — Angesichts der Einwände, die von **Classen** und **Nissenson** der vom Verfasser angegebenen Zinkbestimmungsmethode
(aus milchsaurer Lösung) gemacht worden sind, versucht derselbe
in den Darlegungen der beiden Autoren Irrthümer nachzuweisen
und durch analytische Belege die gröfsere Genauigkeit seiner
Methode darzuthu. *Br.*

A. Classen. Zur elektrolytischen Bestimmung des Zinks [8]).
— Der Verfasser versucht angesichts der neuen Zinkbestimmungsmethode von **Jordis** seine Oxalatmethode aufrecht zu erhalten.

---

[1]) Chem. Centr. 67, I, 1061; Chem. Soc. Ind. J. 15, 155—158. — [2]) Siehe
vorst. Ref. — [3]) Chem. Soc. Ind. J. 15, 436—437. — [4]) Gazz. chim. ital. 26,
I, 220—222. — [5]) Daselbst 25, II, 407. — [6]) Daselbst, S. 248. — [7]) Zeitschr.
f. Elektrotechn. u. Elektrochem. 2, 565—569. — [8]) Daselbst, S. 589—590.

Zum Schlufs bemerkt er, dafs zur Erzielung eines dichten Zinkniederschlages Anwesenheit von Ammoniumsulfat in der Zinksulfat-
lösung nicht nothwendig sei.   *Br.*

E. Jordis. **Zinkanalyse durch Elektrolyse** [1]). — An dem
vom Verfasser vorgeschlagenen Verfahren [2]) hatte Neumann verschiedene Mängel ausgesetzt, so z. B., dafs das Verkupfern der
Platinschalen zu zeitraubend sei, die Ausfällung des Zinks zu
lange dauert, die Ränder des Zinkniederschlages oxydirt oder gelöst wurden und eine Trennung des Zinks von anderen Metallen
meist chemisch auszuführen sei. Durch eine Verbesserung seines
Verfahrens gelang es dem Verfasser, die ersten drei Mängel zu
beseitigen. Die Platinschalen lassen sich in zwei Minuten verkupfern, wenn man eine kalt gesättigte, mit 5 Proc. concentrirter
Salpetersäure versetzte Kupfersulfatlösung benutzt, die Temperatur auf 50 bis 60° hält und mit einer Stromdichte (ND_{100}) von
1 bis 5 Amp. arbeitet; dasselbe wird auch mit der oxalsauren
Kupferammoniumoxalatlösung von Classen erreicht. Die Oxydation
des Zinkniederschlages wird vermieden, wenn man die Schale
2 bis 3 mm höher als das Niveau der Zinklösung verkupfert (eine
Lösung des Niederschlages tritt bei diesem Verfahren des Verfassers nicht ein). Zur schnelleren Abscheidung des Zinks wurde
folgende Vorschrift ausgearbeitet: die neutrale, 0,3 bis 0,5 g Zink
enthaltende Zinklösung (Volumen 120 bis 150 ccm) wird mit 2 g
schwefelsaurem, 5 bis 7 g milchsaurem Ammon und einigen
Tropfen Milchsäure versetzt und unter Rühren mit einer Stromdichte von 1 bis 1,5 Amp. elektrolysirt. Nach 40 bis 60 Minuten
spült man die Flüssigkeit in eine andere Schale und schlägt hier
die letzten Spuren des Zinks an einer verkupferten Scheibenelek-
trode nieder: diese zweite Phase der Fällung dauert 20 bis
25 Minuten. Der Elektrolyt bleibt bis zum Schlusse sauer. Das
Umrühren ist durchaus nothwendig, da sonst Schwammbildung
eintritt. Noch schneller geschieht die Fällung bei Anwendung von
Siedehitze; sollte hier nach einiger Zeit in Folge zu stark werdender Säuerung eine Gasentwickelung eintreten, so mufs der
Ueberschufs von Säure mit Ammoniak vorsichtig abgestumpft
werden. Die Rührvorrichtung kann wegfallen, da das Sieden eine
genügende Durchmischung des Elektrolyten bewirkt. 0,5 g Zink
und sogar mehr werden nach diesem Verfahren in 45 Minuten
abgeschieden. Die Beleganalysen geben gute Resultate an. *Br.*

---

[1]) Zeitschr. f. Elektrotechn. u. Elektrochem. 2, 655—657. — [2]) Zeitschr.
Elektrochem. 1895, S. 138.

H. Nissenson. Bemerkung zur Zinkanalyse durch Elektrolyse von Jordis[1]). — Der Verfasser lehnt die von Jordis zur Zinkbestimmung angegebene Methode ab und bezweifelt die Genauigkeit derselben. *Br.*

Vitali. Gehaltsbestimmung von Alaun und Zinksulfat[2]). — Es wird mit Natronlauge unter Anwendung von Phenolphtaleïn als Indicator titrirt, wobei beim Alaun die Reaction: $Al_2(SO_4)_3$. $K_2SO_4 + 6NaOH = 2Al(OH)_3 + K_2SO_4 + 3Na_2SO_4$ und bei Zinksulfat die Umsetzung: $ZnSO_4 + 2NaOH = Zn(OH)_2 + Na_2SO_4$ statt hat. *Brt.*

L. L. de Koninck. Ueber die acidimetrische Bestimmung des Zinks[3]). — Barthe[4]) hatte zu diesem Zwecke vorgeschlagen, die Zinksalzlösungen das eine Mal in Gegenwart von Methylorange, das andere Mal bei Anwesenheit von Phenolphtaleïn mit einem Alkali zu titriren und aus der Differenz des in den beiden Fällen verbrauchten Alkalis die Menge des gegenwärtigen Zinks abzuleiten, indem im ersten Falle nur die freie, im zweiten auch die an das Zink gebundene Säure in Betracht komme. Es soll aber bei der Titration in Gegenwart von Phenolphtaleïn der Neutralitätspunkt schon erreicht werden, wenn der Verbrauch an Alkali der Bildung eines basischen Salzes: $4ZnO, ZnSO_4$, entspricht. Lescoeur[5]) hat dem gegenüber behauptet, dafs nicht dies basische Salz, sondern einfach Zinkoxydhydrat ausfällt, was Barthe[6]) wiederum bestritten hat. De Koninck hat nun gefunden, dafs bei gewöhnlicher Temperatur sich ein Niederschlag von der Zusammensetzung: $7ZnO, 2ZnSO_4$ bildet, während bei 75° C. ein solcher von der Formel: $17ZnO, 3ZnSO_4$ resultirt und bei 100° C. ziemlich reines Zinkhydrat ausfällt. Es ist nicht zulässig, einen Alkaliüberschufs anzuwenden und dann mit Säure zurückzutitriren, indem dabei ganz unzuverlässige Werthe erhalten werden würden. Dagegen kann das Zurücktitriren mit der Zinksalzlösung selbst geschehen. Am besten titrirt man in der Siedehitze. *Brt.*

L. L. de Koninck u. E. Prost. Titrimetrische Zinkbestimmung durch Ferrocyankalium[7]). — Nach einer geschichtlichen Darlegung der Ausbildung dieses Verfahrens erörtern dieselben die bei der Titrirung in saurer Lösung unter verschiedenen

[1]) Zeitschr. f. Elektrotechn. u. Elektrochem. 2, 590—591. — [2]) Chem. Centr. 67, II, 1184; Giornali di Farmacia 1896, S. 194; Pharm. Centr.-H. 37, 733. — [3]) Monit. scientif. [4] 10, 180—182. — [4]) Bull. soc. chim. [3] 13, 82. — [5]) Daselbst, S. 280. — [6]) Daselbst, S. 472. — [7]) Zeitschr. angew. Chem. 1896, S. 460—468, 564—572.

Bedingungen statthabenden Reactionen und geben an, in welcher Weise die Methode am besten auszuführen ist. Es folgt dann die Angabe, wie das Verfahren für die Zinkbestimmung in Erzen anzuwenden ist. Die Titrirung mit Ferrocyankalium giebt ebenso zuverlässige Resultate, wie diejenige mit Schwefelnatrium und ist einfacher in der Ausführung.   *Brt.*

K. Dementjew. Eine neue Methode der volumetrischen Bestimmung des Zinks [1]. — Man löst die Zinkverbindung in Natronlauge und füllt mit Wasser alsdann auf ein bestimmtes Volumen auf. In der einen Hälfte dieser Lösung bestimmt man die Gesammtmenge der Basen, Natrium- und Zinkoxyd, durch Titriren mit Säure unter Anwendung von Tropäolin 00 als Indicator. Die zweite Hälfte der Lösung dient nur zur Bestimmung der Natronlauge, man titrirt in diesem Falle mit Phenolphtaleïn als Indicator. Aus der Differenz der beiden Titrationen berechnet man die Menge des Zinks. Bei Analyse reiner Zinksalze liefert diese Methode brauchbare Resultate, sind hingegen auch andere Metalle, wie Cadmium, Zinn, Blei etc., zugegen, z. B. in Zinkblende oder Zinkasche, so findet man zu hohe Resultate.   *Tr.*

Gottfried v. Ritter. Ueber die quantitative Bestimmung von Zink in organischen Salzen [2]. — Vorsichtiges Abrauchen mit Salpetersäure (in einer Muffel) und längeres Glühen des Rückstandes gab richtige Resultate.   *Bl.*

Ph. E. Browning u. L. C. Jones. Ueber die Bestimmung des Cadmiums als Oxyd [3]. — Er sammelt das ausgefällte kohlensaure Cadmium auf Asbest, glüht es und wägt das erhaltene Oxyd. Die Resultate fallen genau aus.   *Brt.*

Philip E. Browning u. Louis C. Jones. Ueber die Bestimmung des Cadmiums als Oxyd [4]. — Verfasser bespricht zunächst die von Muspratt [5] gefundene Thatsache, dafs bei der Bestimmung des Cadmiums als Oxyd in Folge der eintretenden Reduction die Resultate fast stets zu niedrig ausfallen, während bessere Resultate erhalten werden, wenn das Carbonat im Sauerstoffstrome bis zur Gewichtsconstanz erhitzt wird. Browning hat früher [6] bereits gezeigt, dafs die Methode zufriedenstellende Resultate liefert, wenn man sich zum Filtriren des Gooch'schen Tiegels bedient. In der vorliegenden Arbeit wollen Verfasser zeigen, dafs beim Filtriren des Carbonates durch eine Lage von

[1] Russ. Zeitschr. Pharm. 35, 263—264. — [2] Zeitschr. anal. Chem. 35, 311—314. — [3] Sill. Am. J. [4] 2, 269—270. — [4] Zeitschr. anorg. Chem. 13, 110—112; ins Deutsche übertragen von Edmund Thiele. — [5] Chem. Soc. Ind. J. 13, 214. — [6] Sill. Am. J. [3] 46, 280.

vorher erhitztem Asbest eine Reduction völlig vermieden wird. Sie verfuhren wie folgt: Eine abgemessene Menge einer Cadmiumlösung von bekanntem Gehalt wurde ungefähr bis zu 300 ccm verdünnt und eine 10 proc. Lösung von Kaliumcarbonat langsam unter beständigem Rühren hinzugefügt, bis kein Niederschlag mehr entstand. Das ausgefällte ·Carbonat wurde 15 Minuten lang gekocht und dadurch in krystallinische Form übergeführt. Nach dem Abfiltriren im Gooch'schen Tiegel wurde es sorgfältig gewaschen, getrocknet und bei Rothgluth bis zum constanten Gewicht erhitzt. Wurde das Oxyd mit einigen Tropfen Salpetersäure behandelt und wieder bis zur Gewichtsconstanz erhitzt, so ergab sich niemals eine wahrnehmbare Differenz. Wie aus den angeführten 21 Bestimmungen ersichtlich, betragen die Fehler bei einer 0,1139 bis 0,2555 g Cadmiumoxyd entsprechenden angewandten Menge — 0,0005 bis + 0009 g. Die Resultate fallen im Allgemeinen etwas zu hoch aus in Folge des Vorhandenseins geringer Mengen Alkalicarbonat.   *Bm.*

Blei, Kupfer. — Arthur L. Bleckert u. Edgar F. Smith. Trennung des Wismuths vom Blei[1]). — Das Wismuth wird nicht, wie Herzog vorgeschlagen, als basisches Acetat, sondern als Formiat gefällt und zwar wie folgt. Die saure Lösung der Nitrate von Wismuth und Blei wird fast vollständig mit kohlensaurem Natron neutralisirt, darauf eine Lösung von Natriumformiat vom spec. Gew. 1,084 und wenige Tropfen freie Ameisensäure zugesetzt, sodann mit Wasser verdünnt und fünf Minuten zum Sieden erhitzt. Nach dem Absetzen des Niederschlages wird heiſs filtrirt, mit heiſsem Wasser ausgewaschen, darauf der Niederschlag in Salpetersäure gelöst und mit kohlensaurem Ammon wieder gefällt. Da der Niederschlag noch Blei enthält, wird die obige Operation nochmals wiederholt.   *Hf.*

G. W. Thompson. Ueber die Analyse von weiſsen Farben[2]). — Zunächst wird bei weiſsen Oelfarben das Oel durch Benzol entfernt. Der Farbstoff kann aus Bleiweiſs, sogenanntem sublimirtem Bleiweiſs, das ein Gemisch von Bleisulfat, Bleioxyd und Zinkoxyd ist, ferner aus Bleisulfat, Zinksulfat, Schwerspath, Calciumsulfat, Calciumcarbonat, Porcellanerde, Kieselsäure, Schwefelzink oder Bleisulfit bestehen. Auf Bleiweiſs wird das in Essigsäure lösliche Blei berechnet. Bleisulfat wird mit Ammoniumacetat extrahirt

---

[1]) Amer. Chem. Soc. J. **18**, 1055—1056; Ref.: Chem. Centr. **68**, I, 308—309. — [2]) Chem. Soc. Ind. J. **15**, 432—434; Ref.: Chem. Centr. **67**, II, 369.

und die darin enthaltene Schwefelsäure wird dadurch von der an
Baryum gebundenen getrennt. Zur Ermittelung des Bleioxyds
wird die Kohlensäure bestimmt, hieraus die Menge des als Blei-
weifs vorhandenen Bleies berechnet und von dem in Essigsäure
löslichen Blei in Abzug gebracht. Calciumsulfat wird durch Wasser
gelöst oder mit einem Gemisch von 9 Thln. 95 proc. Alkohol und
1 Thl. Essigsäure behandelt. Calciumsulfat, Bleisulfat und Baryumsulfat bleiben ungelöst, während Calciumcarbonat, Zinkoxyd, Blei-
weifs und Bleioxyd in Acetate verwandelt und gelöst werden. *Hf.*

G. W. Thompson. **Die Bestimmung des Sulfats und Carbonats von Calcium in weifsen Farben** [1]. — Bei Behandlung
eines Gemisches von Calciumcarbonat und Bleisulfat mit Wasser
bildet sich sehr bald Bleicarbonat und Calciumsulfat, so dafs in
dieser Weise nicht, wie früher angegeben ist, nur das ursprünglich vorhandene Calciumsulfat, sondern auch das aus dem Calciumcarbonat gebildete Calciumsulfat gelöst wird. Bei einem
derartigen Gemisch mufs durch ein Gemisch von 9 Thln. 95 proc.
Alkohol mit 1 Thl. Salpetersäure von 1,4 spec. Gew. das Calciumcarbonat entfernt werden; zu diesem Zwecke digerirt man das
Gemisch mit der Lösung viermal je 20 Minuten, filtrirt und wäscht
mit der Lösungsflüssigkeit aus. Das Filtrat wird zur Trockne
verdampft, der Rückstand mit Schwefelsäure und Salpetersäure
versetzt und erhitzt, bis Schwefelsäuredämpfe auftreten, um etwa
entstandene Oxalsäure zu zerstören. Darauf nimmt man mit
Wasser und Ammoniumacetat auf, fällt durch Schwefelwasserstoff
etwa gelöstes Blei oder Zink und fällt aus dem Filtrat den Kalk
als Oxalat, wägt letzteres und berechnet es als Carbonat. Der
Gesammtkalkgehalt wird in üblicher Weise bestimmt; der Kalk-
gehalt in Form von Calciumsulfat ergiebt sich aus der Differenz
vom Gesammtkalk und Kalk in Form von Carbonat. *Hf.*

H. Amsel. **Zur Untersuchung von Chromgelb und Chromroth** [2]. — Da Chromgelb oder neutrales Bleichromat und Chromroth oder basisches Bleichromat auf einen eventuellen Gehalt an
Schwerspath, Gyps, Kreide, Baryumcarbonat und schwefelsaurem
Blei bei der chemischen Analyse zu prüfen sind und die hierzu
vorgeschlagenen analytischen Methoden nicht immer genügend
sind, so hat Verfasser bei Ausarbeitung seiner neuen Methode
einen anderen Gang eingeschlagen, indem er das verschiedene
Verhalten der Bleisalze und des Schwerspaths gegen Kalilauge

---

[1] Chem. Soc. Ind. J. 15, 791; Ref.: Chem. Centr. 68, I. 127. —
[2] Zeitschr. angew. Chem. 1896, S. 614—618.

hierbei verwerthete. Die Untersuchung erfolgt in der Weise, dafs man 0,5 g Farbe in einem Becherglase mit 10 bis 15 ccm 10 proc. Kalilauge schüttelt und schliefslich nach Hinzufügen von 10 ccm Wasser fünf bis zehn Minuten auf freiem Feuer kocht. Sämmtliche Bleiverbindungen, sowie der schwefelsaure Kalk gehen hierbei in Lösung, nur Baryumsulfat und Calciumcarbonat bleiben ungelöst. Man versetzt nun die alkalische Flüssigkeit mit concentrirter Salz- oder Salpetersäure bis zur sauren Reaction, kocht nochmals auf, filtrirt und wäscht den auf dem Filter gesammelten Schwerspath aus, trocknet, glüht und wägt ihn. Das salz- bezw. salpetersaure Filtrat neutralisirt man mit kohlensaurem Natrium, Blei und Kalk werden als Carbonate gefällt, während die Alkalisalze der Schwefelsäure und Chromsäure in Lösung bleiben. Man erhitzt dann mit Bromwasser auf dem Wasserbade und trennt dann die zurückbleibenden Oxyde von dem in Lösung befindlichen Natriumchromat und Natriumsulfat. Die Bestimmung des Chroms geschieht nach Classen als Chromoxyd, die der Schwefelsäure in der üblichen Weise als Baryumsulfat. Die Carbonate von Kalk und Blei bezw. Bleisuperoxyd, die man von Natriumchromat und -sulfat getrennt hatte, löst man jetzt in Salzsäure und bestimmt dann Kalk und Blei nach den üblichen analytischen Methoden. *Tr.*

O. v. Giese. Zur quantitativen Bestimmung des Bleies durch Elektrolyse [1]. — Die Versuche des Verfassers knüpfen an die von **Kreichgauer** an, der zur Abscheidung des Bleies aus salpetersaurer Lösung mit 12,0 bis 12,5 Vol.-Proc. HNO_3 und bei einer Temperatur von 70° eine Stromstärke von 0,1 Amp. als die günstigste empfiehlt. Dauer der Elektrolyse beträgt dann zwei Stunden. Diese Angabe hat v. Giese nicht bestätigt gefunden und kommt auf Grund eigener Versuche zu folgenden Schlüssen. Als Elektrodengefäfs empfiehlt sich die mattirte Platinzelle nach **Classen**. Es erscheint unthunlich, höhere Temperaturen als 55 bis 60° einzuhalten, da sonst Ungenauigkeiten sich einstellen. Die besten Resultate wurden mit $N.D_{100} = 1,0$ bis 1,5 Amp. erhalten, es wurden dann aus 1,4003 g $PbNO_3$ in $1\frac{1}{4}$ Stunden 1,01 g PbO_2 abgeschieden und damit die Elektrolyse beendigt. Der unter Einhaltung dieser Bedingungen erhaltene Niederschlag ist eine matte, fest haftende Masse, die bei 160 bis 180° getrocknet und dann langsam abgekühlt wird. — **Classen** [2] bemerkt zur vorstehenden Arbeit, die in seinem Laboratorium ausgeführt

---

[1] Zeitschr. f. Elektrotechn. u. Elektrochem. **2**, 586—588, 598—602. —
[2] Daselbst, S. 5, 6, 18.

worden ist, dafs die Veröffentlichung der Resultate ohne sein
Wissen geschehen und er daher keine Verantwortung für die
namentlich in den theoretischen Ausführungen vorhandenen Irrthümer übernimmt. Besonders macht er auf die merkwürdige Behauptung aufmerksam, in einer unzersetzten Lösung von Pb(NO$_s$)$_2$
existiren PbO$_2$-Ionen, und das Pb(NO$_3$)$_2$ ist in wässeriger Lösung
elektrolytisch, das Wasser hydrolytisch dissociirt.   *Mr.*

B. Neumann[1]) prüfte die *elektrolytische Bleibestimmung und
ihre Beeinflussung durch die Gegenwart von Arsen, Selen und
Mangan.* Für die Abscheidung des Bleies aus salpetersaurer
Lösung als Superoxyd wählt man am zweckmäfsigsten eine Stromdichte von 1 bis 2 Amp. pro 100 qcm Anodenfläche, und eine
Spannung von 2,3 bis 2,7 Volt, und elektrolysirt bei gewöhnlicher
Temperatur oder bei 60 bis 70° unter Anwendung einer mattirten
Schale. Das abgeschiedene Superoxyd wird bei 180° im Luftbade
getrocknet. — Die Gegenwart von *Arsen* verzögert die Abscheidung des Superoxyds. Es wird dabei nämlich auf der Kathode
gleichzeitig mit dem Arsen auch Blei niedergeschlagen. Ueber-
steigt aber die Menge des Arsens nicht 1 Proc. des Gewichtes der
angewandten Substanz, und ist alles Arsen ausgefällt, so geht das
niedergeschlagene Blei wieder in Lösung und als Superoxyd an
die Anode, so dafs bei genügend langem Stromdurchgang die
Abscheidung des Bleisuperoxyds dann doch quantitativ verläuft.
Dieser verzögernde Einflufs des Arsens wird durch Verminderung
des Säuregehaltes des Elektrolyten erhöht; es ist also für Anwesenheit einer genügenden Menge Salpetersäure stets Sorge zu
tragen. Der Einflufs des *Selens* ist ähnlich, jedoch etwas schwächer
als der des Arsens. — Die Gegenwart von *Mangan* bildet, falls
es bis zu höchstens 3 Proc. im Erze vorhanden ist, keine Fehlerquelle, wenn die Bleinitratlösung stark sauer ist und in der
Wärme (bei 70°) mit einem verhältnifsmäfsig starken Strome
(1,8 Amp.) elektrolysirt wird.   *Wy.*

Weinhart[2]) zerstört beim *elektrolytischen Nachweis von Blei
im Harn* die organischen Substanzen, die höchst wahrscheinlich
reducirend wirken, vor der Elektrolyse durch Eindampfen mit
Salpetersäure.   *Ps.*

A. Longi u. L. Bonavia. Ueber die volumetrische Bestimmung des Bleies[3]). — Ein Theil der zu diesem Zwecke empfohlenen Methoden ist einem experimentellen Studium unterzogen

[1]) Chemikerzeit. 20, 381—382. — [2]) Pharm. Centr.-H. 37, 759; Deutsche
Chemikerzeit. 11, 484. — [3]) Gazz. chim. ital. 26, I, 327—403.

worden, auf dessen einzelne Ergebnisse hiermit verwiesen sei. Nur sei erwähnt, daſs sich das Blei auf volumetrischem Wege mit hinreichender Genauigkeit bestimmen läſst.   *Brt.*

F. J. Pope. Volumetrische Bleibestimmung [1]). — Um das Blei in seinen Erzen zu bestimmen, zersetze man diese mit einem Gemische von Schwefel- und Salpetersäure, verdampfe möglichst zur Trockne, setze Wasser hinzu und lasse absitzen, sodann filtrire man, wasche aus und koche den Niederschlag einige Minuten mit einer essigsauren Auflösung von Natriumacetat, um das Bleisulfat in Lösung zu bringen. Die mit Ammoniak neutralisirte Flüssigkeit wird mit einem gemessenen überschüssigen Volum titrirter Kaliumdichromatlösung versetzt, das Filtrat vom Bleidichromatniederschlage nebst den Waschwässern auf ein bestimmtes Volum gebracht und darin der Ueberschuſs an Chromat mit arseniger Säure nach dem Ansäuern mit Schwefelsäure in der Kälte reducirt, um dann mit Natriumdicarbonat alkalisch zu machen und, in Gegenwart von Stärke, den Ueberschuſs an arseniger Säure mit Jodlösung zurückzutitriren.   *Brt.*

G. Giorgis. Bestimmung des Bleies in den Mineralien [2]). — Er hat das volumetrische Verfahren von Diehl [3]) abgeändert. Anstatt nämlich das überschüssige Bichromat mit unterschwefligsaurem Natrium zu titriren, reducirt er dasselbe mit schwefliger Säure, fällt das Chromoxyd mit Natronlauge, wäscht es und titrirt dann dessen schwefelsaure Lösung mit Kaliumpermanganat. Es werden die Einzelheiten bei der Bestimmung des Bleies in Mineralien, namentlich im Bleiglanz, angegeben.   *Brt.*

M. Lucas. Colorimetrische Bleibestimmung [4]). — Es werden Angaben gemacht über die colorimetrische Bestimmung des Bleies mit Hülfe von Schwefelammonium.   *Brt.*

L. Rürup. Bestimmung von Zinn und Kupfer in der Zinnkrätze [5]). — Man schmilzt 500 g der Durchschnittsprobe nach Kerl mit Weinstein, Soda und Kreide im hessischen Tiegel ein, bis nach etwa einer halben Stunde die Schlacke vollkommen dünnflüssig geworden ist, wägt nach dem Erkalten den gebildeten Metallregulus und bestimmt in einer Probe des Regulus in üblicher Weise das Zinn als Metazinnsäure und das Kupfer auf elektrolytischem Wege. Die Resultate werden genauer, weil die bei Verarbeitung kleiner Quantitäten auf nassem Wege ent-

---

[1]) Amer. Chem. Soc. J. 18, 737—740. — [2]) Gazz. chim. ital. 26. II, 522—527. — [3]) JB. f. 1880, S. 1189. — [4]) Chem. Centr. 67, I, 1284; J. Pharm. Chim. [6] 3, 459—462. — [5]) Chemikerzeit. 20, 406.

stehenden, durch die ungleichartige Zusammensetzung der Zinnkrätze bedingten Fehler wegfallen.   *H.*

  Emil Bock. Probiren von Kupfer und Kupferstein [1]). —
Zur Controle der Feuerprobe benutzt man das folgende Verfahren. Man löst 5 bis 10 g Substanz in Salpetersäure, dampft
unter Zusatz von etwas Schwefelsäure zur Syrupdicke ein, fällt
nach Zusatz von Wasser das Silber durch Normalkochsalzlösung,
filtrirt das Chlorsilber sammt dem unlöslichen Rückstande ab
und treibt in üblicher Weise mittelst einer Bleiplatte von 2 bis
3 g und etwas Borax das Silber ab.   *H.*

  Adam Jaworowski. Empfindliches Reagens auf Kupfer [2]).
— Verfasser hat schon vor einigen Jahren folgendes äufserst
empfindliches Reagens zum Nachweise von Kupfer empfohlen.
Man durchschüttelt 5 ccm der Versuchsflüssigkeit mit überschüssigem Salmiakgeist und einem bis zwei Tropfen Phenol und
läfst eine halbe bis eine Stunde erkalten. Bei Gegenwart von
Kupfer bildet sich eine hell bis dunkelblaue Lösung, welche unter
Trübung nachdunkelt, indem die ammoniakalische Phenollösung
mit Kupfersalzen Ozon entwickelt, welches Phenol und Ammoniak
oxydirt. Erwärmen beschleunigt die Reaction, macht sie aber
weniger empfindlich. Phenol kann durch Resorcin ersetzt werden.
                         Mt.

  F. Mawrow u. W. Muthmann. Zur quantitativen Bestimmung und Scheidung des Kupfers [3]). — Mischt man eine Kupfersulfatlösung mit unterphosphoriger Säure, so bildet sich bei
Temperaturen unter 60⁰ ein gelbrother Niederschlag, der aus
Kupferwasserstoff besteht. Bei höheren Temperaturen zerfällt
dieser in seine Bestandtheile. Da die Abscheidung des Kupfers
auf dem angegebenen Wege eine vollständige ist, so benutzen
Verfasser diese Reaction zur qualitativen und quantitativen Trennung des Kupfers vom Zink und Cadmium. Zur qualitativen
Trennung benutzt man einfach die käufliche unterphosphorige
Säure, da deren gewöhnliche Verunreinigungen — Gyps und freie
Schwefelsäure — unschädlich sind. Man versetzt die Lösung mit
der entsprechenden Menge des Reagenses, erhitzt zum Sieden und
setzt dasselbe so lange fort, bis sich das Kupfer zu dunkel
gefärbten Flocken zusammengeballt hat. Man filtrirt ab, wäscht
mit heifsem Wasser aus und fällt im Filtrat das Cadmium durch
Schwefelwasserstoff. Das ausgefällte Schwefelcadmium ist rein

---

[1]) Chemikerzeit. 20, 406. — [2]) Russ. Zeitschr. Pharm. 35, 83—85. —
[3]) Zeitschr. anorg. Chem. 11, 268—271.

gelb und enthält keine Spur von Kupfersulfid beigemengt. Zur quantitativen Bestimmung verwandelt man, wenn eine salzsaure Lösung vorliegt, durch Eindampfen mit Schwefelsäure zunächst in das Sulfat, verdünnt soweit, dafs die Flüssigkeit auf 0,1 g Cu etwa 100 bis 200 ccm Wasser enthält, fügt einige Cubikcentimeter der Lösung von unterphosphoriger Säure hinzu und erwärmt, bis die Wasserstoffentwickelung aufgehört hat. Das Kupfer fällt in Form eines schwammigen, krystallinischen, sehr leicht auszuwaschenden Niederschlages, welcher, auf ein gewogenes Filter oder in einen Goochtiegel gebracht, einige Male mit siedendem Wasser, dann mit Alkohol und schliefslich mit Aether gewaschen, bei 100° getrocknet und zur Wägung gebracht wird. Die Methode giebt völlig befriedigende Resultate.   *Mt.*

Albert H. Low. The copper assay by the iodide methode [1]). — Low hat seine Jodmethode zur Kupferbestimmung wie folgt verbessert: Darstellung der Natriumhyposulfitnormallösung. Ungefähr 19 g Hyposulfit wird in 1 Liter gelöst. 0,2 g reine Kupferspäne werden mit 2,5 ccm Salpetersäure von 1,42 spec. Gew. und 2,5 ccm Wasser gekocht bis zum völligen Verschwinden der rothen Dämpfe. Dann giebt man 6 bis 7 g Zinkacetat und 15 g Wasser zu, kocht einen Augenblick, kühlt und füllt zu 50 ccm auf. Dann fügt man 3 g Jodkalium hinzu bis zur Auflösung. Jodkupfer fällt unter Freiwerden von Jod aus. Man titrirt die braune Lösung mit der Hyposulfitlösung bis beinahe zur Entfärbung, fügt Stärkelösung zu und titrirt langsam weiter bis zum Verschwinden der Blaufärbung. 1 ccm Hyposulfitlösung entsprechen dann ungefähr 0,005 g Cu, was bei Anwendung von 0,5 g Cu etwa 1 Proc. entspricht. Die Hyposulfitlösung ist beständig. Das zu untersuchende Erz, 0,5 g, wird mit 5 bis 6 ccm starker Salpetersäure fast zur Trockne eingedampft, mit 5 ccm starker Salzsäure aufgekocht, dann mit 5 ccm Schwefelsäure die flüchtigen Säuren vertrieben, abgekühlt, mit 20 ccm Wasser versetzt und wieder gekocht bis zur vollständigen Lösung der Sulfate. Dann wird von Blei filtrirt, gewaschen, das Filtrat etwas eingedampft auf 50 bis 60 ccm, und zwei gebogene Stücke Aluminiumblech zugegeben. Zusatz von 5 ccm Schwefelsäure und Kochen während sieben Minuten. Falls am Aluminium noch etwas Kupfer hängt, kocht man nochmals auf, trennt dann Kupfer und Flüssigkeit vom Aluminium und decantirt die Flüssigkeit von Kupfer. Dann giebt man zum Aluminium 2,5 ccm Salpetersäure von 1,42 und 2,5 ccm Wasser,

---

[1]) Amer. Chem. Soc. J. **18**, 458—462.

fügt noch Wasser zu und erwärmt vorsichtig, bis alles Kupfer gelöst und filtrirt zum übrigen Kupfer. Ist das auch gelöst, so fügt man ungefähr $^1/_2$ g Kaliumchlorat zu, um den Arsenik zu oxydiren, kocht und wäscht dann Aluminium und Filter gut aus zu der Hauptmenge. Alles Kupfer ist nun als Nitrat vorhanden. Dann fügt man Zinkacetat hinzu und fährt fort, wie oben angegeben, bei Titerstellung der Hyposulfitlösung. Jodnatrium giebt man in etwas Ueberschuſs zu. Ist Wismuth zugegen, so giebt man die Stärke etwas früher zu. Tritt die blaue Farbe bald nach Verschwinden wieder bleibend auf, so sind entweder die rothen Dämpfe nicht vollständig entfernt, oder die Salpetersäure ist nicht vollständig an das Zink gegangen. Dann ist die Analyse verdorben; daher ist Zinkacetat mit etwas Ueberschuſs anzuwenden.   *Ldt.*

W. N. Hartley. The determination of the composition of a white sou by a method of spectrographic analysis[1]). — Bis vor nicht zu langer Zeit waren in Frankreich Sous im Verkehr, die wegen einer goldgelben Farbe „weiſse Sous" genannt wurden, und die wahrscheinlich während der Revolution 1798 geprägt worden waren. Um eine solche Münze, ohne sie zu zerstören, zu analysiren, wurde ihr Spectrum photographirt. In dieser Weise wurden zunächst die in der Münze enthaltenen Metalle annähernd erkannt; ihr gegenseitiges Verhältniſs wurde dadurch bestimmt, daſs man diese Photographie mit einer Reihe quantitativer Spectren von Metallsalzlösungen verglich. Nachdem man so die ungefähre Zusammensetzung ermittelt hatte, wurden Legirungen hergestellt, um das Metall nachzuahmen, und ihre Spectren photographirt. Es fand sich eine Legirung, die dasselbe Spectrum wie die Münze besaſs, und deren Analyse nach den gewöhnlichen Methoden ergab:

Blei	13,93 Proc.
Kupfer . . .	72,35 „
Eisen	0,85 „
Zink	12,70 „
	99,83 Proc.

$Hz.$

E. Wagner[2]) bringt *Beiträge zur quantitativen Analyse durch Elektrolyse.* Zur *Kupferbestimmung* wird die Lösung von 1 g Kupfersulfat in die von 4 g Ammoniumoxalat eingegossen, auf 60° erwärmt, 30 Minuten mit $D_{qdm} = 0,05$ Amp. elektrolysirt, 5 ccm kalt gesättigte Oxalsäurelösung zugesetzt, die Dichte auf 0,3 bis

---

[1]) Chem. News 73, 229. — [2]) Zeitschr. Elektrochem. 2, 613—616.

0,4 Amp. erhöht und nach je 20 Minuten noch viermal je
5 ccm Oxalsäurelösung zugesetzt. Dauer zwei Stunden. Die
Lauge wird nach beendeter Fällung bei Stromschlufs abgehebert, der Niederschlag dreimal mit Wasser und zweimal mit
absolutem Alkohol gewaschen und erst über dem Wasserbade,
dann im Trockenschrank bei 100⁰ getrocknet. So werden häfs-
liche Bodenflecke und braune Streifen auf dem glänzenden hellrothen Niederschlage vermieden. — Zur *Zinkbestimmung* setzt
man die Lösung von 1,5 bis 1,8 g Zinksulfat zu der von 4 g Ammoniumoxalat, erwärmt auf 55 bis 60⁰ und elektrolysirt mit
$D_{qdm} = 0,2$ Amp. Nach 15, und dann in Zwischenräumen von
25 Minuten noch fünfmal setzt man 5 ccm Weinsäure (6:100) so
hinzu, dafs nichts auf die Anode kommt. Die Stromdichte kann
bis 0,5 Amp. steigen bei einer Elektrodenspannung von 3 bis
3,2 Volt. Gewaschen und bei 70⁰ (auch 100 bis 110⁰ sind zulässig)
getrocknet wurde wie vorher. Der Niederschlag ist lichtgrau. —
Die *Trennung von Kupfer und Zink* läfst sich bei kleineren Mengen
des letzteren nicht exact ausführen. Sonst löst man je 1 g der
beiden Vitriole, setzt 3 ccm concentrirte Schwefelsäure zu und
elektrolysirt eine Viertelstunde mit $D_{qdm} = 0,08$ Amp. Dann
wird auf 60⁰ erwärmt und bei 2,04 Volt mit 0,35 Amp. weiter
gearbeitet. Nach dem Waschen bei geschlossenem Strome wird
die kupferfreie Lauge eingedampft, mit Aetzkali genau neutralisirt, in die Lösung von 4 g Ammoniumoxalat eingetragen und, wie
beim Zink beschrieben, elektrolysirt. Zur Erzielung richtiger
Resultate mufs ein Alkalischwerden des Bades durch Weinsäure-
zusatz verhindert und die Stromdichte auf 0,25 Amp. bei 2,25 Volt
Spannung gehalten werden.   *Ps.*

A. Holland[1]) beschreibt die *Analyse des Handelskupfers
auf elektrolytischem Wege*. Das gereinigte, zerkleinerte Metall (10 g)
wird in einem Gemisch von concentrirter Schwefelsäure (15 ccm)
und von Salpetersäure von 36⁰ B. (40 ccm), zuletzt unter Erwärmen
gelöst. Die auf 350 ccm verdünnte Lösung, von der etwa vorhandene Antimonoxyde durch Filtriren getrennt sind, wird mit
0,3 Amp. bei 6 mm Entfernung der Elektroden elektrolysirt. Nach
Abscheidung des Kupfers und Silbers werden Platinconus und
-spirale ohne Stromunterbrechung aus der Lösung gehoben, zweimal in Wasser und dann in absoluten Alkohol getaucht und bei
90⁰ 10 Min. lang getrocknet. Blei schlägt sich theils als Superoxyd auf der Anode nieder, theils bleibt es in Lösung. Die ent-

---

[1]) Compt. rend. 123, 1003—1005 und 1063—1065.

kupferte und entsilberte Flüssigkeit wird bis zur Entfernung der
Salpetersäure eingedampft. Nach dem Aufnehmen mit 1 bis 2 ccm
Salzsäure und etwas Wasser fällt man bei 70 bis 75° Arsen,
Antimon und den Rest des Bleies durch Schwefelwasserstoff, behandelt mit Schwefelammonium, verdampft die Lösung zur
Trockne, löst mit verdünnter Salzsäure, oxydirt mit Kaliumchlorat
und fällt Arsen als Magnesiumammoniumarseniat. Das Filtrat
wird mit Salzsäure versetzt und mit Schwefelwasserstoff gefällt,
das Antimonsulfid in 70 bis 80 ccm Natriumsulfidlösung vom spec.
Gew. 1,2 gelöst und nach Zusatz von 5 ccm 12,5 proc. Sodalösung
mit 0,18 Amp. elektrolysirt. Das niedergeschlagene Antimon wird
wie das Kupfer gewaschen und getrocknet. Das Filtrat vom ersten
Schwefelwasserstoffniederschlage befreit man von Schwefelwasserstoff, oxydirt durch Salpetersäure, verjagt diese durch Eindampfen
und fällt aus der wässerigen Lösung durch Ammoniak das Eisen,
das mit Permanganat titrirt wird. Zu dem Filtrat setzt man so
viel Ammoniumsulfat und Ammoniak, dafs in 100 ccm 8 bis 11 g
gebundenes und 12 bis 20 g freies Ammoniak vorhanden sind, und
fällt durch 0,48 Amp. Nickel und Kobalt. Zur Silberbestimmung
wird der zuerst erhaltene silberhaltige Kupferniederschlag oder
bei kleinem Silbergehalt eine neue Menge des Rohkupfers in
Salpetersäure gelöst. Das durch Zusatz von Salzsäure erhaltene
Silberchlorid wird in Ammoniak gelöst, wieder durch Salpetersäure gefällt und schliefslich in der Lösung in 2 proc. Kaliumcyanidlösung mit 0,025 bis 0,035 Amp. elektrolysirt. Blei wird
aus der Lösung von 10 g Rohkupfer in 50 ccm Salpetersäure von
36° Bé., die auf 350 ccm verdünnt ist, durch 0,3 Amp. als Superoxyd abgeschieden und bei 120° (nach anderen Arbeiten sind 170
bis 180° nöthig; D. Ref.) entwässert.   *Ps.*

   Victor Vedrödi. Ueber die Methode der quantitativen Bestimmung des Kupfers in den Vegetabilien [1]). — Zwischen den Resultaten des Verfassers [2]) und denen anderer Analytiker, besonders
Lehmann, hatten sich grofse Differenzen ergeben, welche Verfasser
durch Nachprüfung der Methoden controlirt. Es wird gezeigt, dafs
die Fällung des Kupfers durch Schwefelwasserstoff, auch bei den
minimalsten Mengen, richtige Resultate giebt. Die Mineralisirung
der Probe durch Glühen im Porcellantiegel im Fletscher'schen
Muffelofen ist zwar etwas zeitraubender als mit concentrirter
Schwefelsäure (Lehmann), aber mit weniger Arbeit verbunden.
Verflüchtigung von Kupfer tritt offenbar deshalb nicht ein, weil

---

[1]) Chemikerzeit. 20, 584—585. — [2]) Daselbst, S. 399.

genügend Leichtmetalle in der Asche der Vegetabilien vorhanden
sind, um alles Chlor zu binden. Die colorimetrische Methode, die
Lehmann empfiehlt, giebt allerdings auch bei wenig Kupfer richtige
Zahlen, dies ist aber nicht mehr der Fall, wenn die Probe, wie bei
Aufschließung mit concentrirter Schwefelsäure, lösliche Kieselsäure
aufnimmt, welche beim Versetzen mit Ammoniak zusammen mit
dem Eisenoxydhydrat als gelatinöser Niederschlag ausfällt und
einen grofsen Theil des Kupfers der Lösung mechanisch entzieht.
Es zeigte sich in solchen Fällen von Anfang an eine schwächere
Bläuung, als der angewandten Kupfermenge entsprach, und nach
einigem Stehen rifs der Niederschlag sogar das Kupfer nahezu
vollständig mit nieder. Die Resultate der Fällung mit Schwefelwasserstoff werden durch die gelösten Verunreinigungen nicht beeinflufst, andererseits kann auch die colorimetrische Bestimmung
dann angewendet werden, wenn für Entfernung der Kieselsäure
gesorgt wird. Durch diese Feststellung glaubt Verfasser die
gegenüber den seinigen zu niedrigen Resultate, welche Lehmann
und andere Analytiker erhalten haben, erklären zu können. *Bl.*

B. H. Paul und A. J. Cownley. Bestimmung von Kupfer
in Vegetabilien [1]). Verfasser findet in nicht mit Kupfer versetzten
Nahrungsmitteln Kupfermengen, die oft gröfser sind als die,
welche behufs Conservirung absichtlich zugesetzt zu werden pflegen;
so z. B. in conservirten Früchten 0,5 bis 1,44, in Austern 1,81
bis 3,03 Thle. in 10000 Thln. in Uebereinstimmung mit Vedrödi[2])
(siehe daselbst), dessen Verfahren er aber verwirft, da einerseits
durch Salzsäure möglicher Weise nicht alles Kupfer aus der ver-
aschten Probe extrahirt wird, andererseits alles durch Schwefelwasserstoff fällbare als Kupfer passirt. Er selbst löst die Asche
(von 100 g Material) in Salzsäure, das Ungelöste behandelt er mit
Salpetersäure, dampft die Lösung ab und fügt den geglühten und
mit Salzsäure wieder gelösten Rückstand der ersten Lösung zu.
Aus der eingedampften Flüssigkeit wird das Kupfer durch chemisch
reines Zink ausgefällt und, wenn es nicht reine Kupferfarbe hat,
wieder gelöst und colorimetrisch bestimmt.   *Bl.*

B. Blount. Bestimmung des Sauerstoffs im Handelskupfer [3]).
— Die übliche Methode durch Lösen in $AgNO_3$, Neutralisiren
des gefällten basischen Kupfernitrates mit $N-H_2SO_4$ und Rück-
titration des Ueberschusses mit N-Alkali gestattet nur, den als
CuO vorhandenen Sauerstoff zu bestimmen. Um den *Gesammt-*

---

[1]) Pharm. J. [4], Heft 1354, S. 441—442. — [2]) Chemikerzeit. 20, 584. —
[3]) Chem. Centr. 67, I, 869 u. Analyst 21, 57—61.

sauerstoff zu erhalten, erhitzt Verfasser in einem Schiffchen die Probe bis zum Schmelzen und leitet Wasserstoff über das Metall. Der Wasserstoff muſs sehr sorgfältig von Sauerstoff und Wasser befreit werden. Eine Rückwägung des desoxydirten Kupfers war wegen des beim Abkühlen eintretenden Spratzens unmöglich, und daher wurde das gebildete Wasser absorbirt und gewogen. *Mr.*

Felix Oettel. Eine neue Methode zur Bestimmung des Phosphors in Phosphorbronze [1]). — Man digerirt je nach der vermutheten Phosphormenge 3 bis 10 g Bronze, in Form von Spänen oder kleinen Abhieben, mit Salpetersäure, filtrirt das Zinnoxyd ab und wäscht es oberflächlich aus. Darauf trocknet man es im Porcellantiegel, glüht und erhält nach dem Zufügen von Cyankalium (circa das Dreifache vom Gewicht des Zinnoxyds) einige Minuten in feurigem Fluſs. Das Zinnoxyd wird hierbei zu einem grauen Metallschwamm reducirt, während die Schmelze neben Kaliumcyanat und überschüssigem Cyankalium allen Phosphor als Kaliumphosphat enthält. Man kocht mit Wasser aus, filtrirt, versetzt die Lösung mit concentrirter Salzsäure, kocht die Blausäure fort und fällt nach dem Erkalten die kleinen Mengen Kupfer und Zinn, die beim Auskochen der Schmelze in Folge des überschüssigen Cyankaliums wieder in Lösung gegangen waren, durch Schwefelwasserstoff. Die Flüssigkeit wird durch Kochen mit einigen Tropfen Bromwasser vom Schwefelwasserstoff befreit, abgekühlt, ammoniakalisch gemacht und mit Magnesiamixtur gefällt. Da sowohl das metallische Zinn, als auch die geringe Menge der Schwefelmetalle, sich sehr gut auswaschen läſst, so kann man leicht erreichen, daſs man bei der schlieſslichen Fällung nur 30 bis 50 ccm Flüssigkeitsvolumen hat. Diese Methode ist schnell durchführbar und liefert gute Resultate. *Mt.*

Silber, Quecksilber. — Frederic P. Dewey. Accuracy in Silver Assays [2]). — Verfasser constatirt an der Hand eines reichen Analysenmaterials, daſs die Bestimmung des Silbers und auch des Goldes meistens namhafte Fehlbeträge ergiebt, wenn man die übliche Methode der Cupellation der Edelmetalle anwendet. Die Verluste beruhen zum Theil auf einem Verdampfen des geschmolzenen Metalles, zum gröſseren Theil jedoch auf Verlusten, die durch die Aufnahme desselben durch die Schlacke und durch die Kapelle entstehen; letztere betragen bei Materialien mittleren Silbergehaltes bis 1³/₄ Proc., geringhaltige Materialien zeigen noch weit gröſsere Differenzen. Dagegen ist die Volhard'sche

---

[1]) Chemikerzeit. 20, 19—20. — [2]) Chem. Soc. Ind. J. 15, 434—436.

Titrationsmethode besonders bei Abwesenheit von Kupfer, das eine
Abänderung des Verfahrens bedingt, sehr zuverlässig.   *Mr.*

C. Hoitsema. Einige Bemerkungen über den Endpunkt der
Silbertitrirung nach Gay-Lussac[1]). — Die Thatsache, dafs bei der
Titirung ein sogenannter „neutraler" Punkt eintritt, bei welchem
sowohl Silbernitrat als Chlornatrium eine Fällung erzeugen, erklärt der Verfasser durch die Löslichkeit des Chlorsilbers. Er
stellt ferner noch theoretische Betrachtungen über die Frage an.
Bei der Titrirung mit Alkalibromid oder -jodid tritt ein solcher
neutraler Punkt nicht auf, weil Brom- und Jodsilber zu wenig
löslich sind.   *Brt.*

G. Denigès. Allgemein anwendbare Methode zur Bestimmung des Quecksilbers in irgend welcher Form[2]). — Bei Zusatz
von überschüssigem Cyankalium zu einer Quecksilberoxydsalz-
lösung entsteht Quecksilbercyanid-Kaliumcyanid, $Hg(CN)_2 . 2 KCN$.
Fügt man nun Ammoniak, Jodkalium und ein Zehntel Silbernitratlösung hinzu, so bilden sich Cyanquecksilber, Silberkalium-
cyanid, $AgCN.KCN$, und Kaliumnitrat. Sobald diese Umsetzung
erfolgt ist, erzeugt mehr Silberlösung eine weifse Trübung durch
Abscheidung von Jodsilber. Wenn die angewandten Mengen von
Cyankalium und Silbernitrat bekannt sind, so kann man diejenige
des Quecksilbers berechnen. Letzteres mufs als Oxydsalz vorhanden
sein oder zuvor in solches übergeführt werden, was man durch
Behandlung der betreffenden anderweitigen Verbindungen mit
Königswasser oder Salzsäure und chlorsaurem Kalium erreicht.
        Brt.

G. Denigès. Verallgemeinerung der Nefsler'schen Reaction
zum Nachweise von Quecksilber und Jodiden[3]). — Ebenso wie bei
der Nefsler'schen Reaction eine Auflösung von Jodquecksilber in
Jodkalium in Gegenwart von Aetzalkalien zum Nachweise des
Ammoniaks dient, kann man umgekehrt auf Grund derselben
Reaction auch Quecksilber und Jodide nachweisen. Zur Aufsuchung des Quecksilbers versetzt man die betreffende Flüssigkeit
mit Ammoniak, Jodkalium und Kalilauge. Bei der Aufsuchung
der Jodide wendet man statt des Jodkaliums Quecksilberchlorid an.
        Brt.

D. Vitali. Ueber die Ausmittelung des Quecksilbers in Vergiftungsfällen[4]). — Wenn es sich um die Aufsuchung von Spuren
Quecksilber handelt, so soll man nur eine oder zwei der ent-

---

[1]) Zeitschr. physik. Chem. 20, 272—282. — [2]) Bull. soc. chim. [3] 15,
862—871. — [3]) Chemikerzeit. 20, 70. — [4]) Daselbst, S. 517—518.

scheidendsten Reactionen anstellen. Nach der Zerstörung der
organischen Substanz nach Fresenius oder v. Babo dampft man
möglichst weit ein, aber ohne Krystalle abscheiden zu lassen.
leitet Schwefelwasserstoff ein, wäscht den eventuell erhaltenen
Niederschlag, trocknet ihn und behandelt ihn mit Königswasser.
Die Lösung wird mit Salzsäure verdampft, sodann auf elektrolytischem Wege untersucht, indem man kleine Stückchen von
Goldblech und eiserne Nägel hineinwirft. Das Quecksilber setzt
sich dann vornehmlich auf dem Golde ab. Man entfernt nach
etwa einstündiger Einwirkung die beiden Metalle, wäscht und
trocknet sie. Bei schwachem Glühen derselben in einem Reagenz-
rohre setzt sich das vorhandene Quecksilber als grauer Anflug ab.
welcher bei der Berührung mit Joddämpfen roth wird. Man kann
auch die getrockneten Gold- und Eisenstückchen in einer Porcellanschale auf dem Wasserbade erwärmen, während sie mit
einer mit Goldchloridlösung befeuchteten Schale bedeckt ist. Bei
Anwesenheit von Quecksilber tritt, in Folge der Reduction des
Chlorgoldes, eine violettblaue Farbe auf.   *Brt.*

E. F. Smith u. D. L. Wallace. Elektrolytische Quecksilber-
bestimmung[1]). — Es wird empfohlen, zur schnellen Bestimmung
des Quecksilbers in Substanzen, wo nicht direct eine Cyanidlösung
zur Elektrolyse hergestellt werden kann (z. B. in Zinnober), eine
0,2 bis 0,25 g betragende Menge der Substanz durch 20 bis 25 ccm
einer Schwefelnatriumlösung vom spec. Gew. 1,22 in einer als
Kathode dienenden Platinschale zu lösen und bei 70° mit einer
Stromdichte von 0,12 Amp. zu elektrolysiren. Die Fällung dauert
etwa drei Stunden und giebt genaue Resultate.   *Br.*

W. B. Rising u. Victor Lenher. Eine elektrolytische Methode
zur Bestimmung des Quecksilbers im Zinnober[2]). — Zur Vermeidung der Uebelstände, die dem Aufschließen des Zinnobers
mit Königswasser und mit Salzsäure anhaften, schlagen die Verfasser vor, Bromwasserstoff als Aufschließungsmittel zu benutzen.
Sie bereiten die Bromwasserstoffsäure durch Destillation von Bromkalium mit Schwefelsäure von 56° Bé. Das in Wasser aufgefangene
Destillat ist frei von Brom. Die nach dem Aufschließen erhaltene
saure Lösung wird mit Alkali neutralisirt, mit Cyankalium so
lange versetzt, bis der anfangs entstandene Niederschlag sich gelöst hat, und das Quecksilber durch einen schwachen elektrischen
Strom ausgefällt; als Kathode dient die die Lösung enthaltende
Platinschale. Die mitgetheilten Analysenresultate sind recht gut.
                                                          - *Br.*

---

[1]) Amer. Chem. Soc. J. 18, 169—170. — [2]) Daselbst, S. 96—98.

C. Glücksmann. Zur quantitativen Bestimmung des Quecksilbers im Hydrargyrum tannicum oxydulatum [1]). — Da die verschiedenen zu diesem Zwecke vorgeschlagenen Methoden wenig
befriedigende Ergebnisse liefern, so empfiehlt Verfasser nachfolgendes Verfahren. Eine abgewogene Menge Mercurotannat
(ca. 1 g) löst man in circa 10 g Königswasser auf, indem man
hierbei dafür Sorge trägt, dafs kein Verspritzen beim Erwärmen
der Flüssigkeit eintreten kann, alsdann verdünnt man mit 50 ccm
Wasser und filtrirt, falls die Auflösung nicht ganz klar sein sollte,
in ein Becherglas, indem man 50 ccm Wasser etwa zum Auswaschen des Filters verwendet. Die schwach gelb gefärbte Mer-
curichloridlösung wird nunmehr mit 50 ccm klarer Baryumhypo-
phosphitlösung (1 : 10) und 5 ccm concentrirter Salzsäure vermischt,
dann gut umgeschüttelt und nach einigen Minuten das abgeschiedene
Mercurochlorid auf einem Filter quantitativ gesammelt und so
lange ausgewaschen, bis das Filtrat mit verdünnter Schwefelsäure
sich nicht mehr trübt. Zu beachten ist, dafs Baryumhypophosphit
im Ueberschufs angewandt wird. Das Mercurochlorid wird jetzt
quantitativ vom Filter in ein Becherglas gespült und mittelst
50 ccm $^1/_{10}$-Normal-Jodlösung unter Zusatz einiger Körnchen Jodkalium in Lösung gebracht. Sobald Lösung eingetreten, fügt man
ein abgemessenes Volumen $^1/_{10}$-Normal-Natriumhyposulfitlösung (n)
bis zum Verschwinden der gelben Farbe hinzu und titrirt dann
mit Jodlösung (j) zurück. Der Procentgehalt an Quecksilber (p)
ergiebt sich dann nach der Formel:

$$p = \frac{100 - 2(n - j)}{g}.$$ $Tr.$

P. Jannasch und H. Lehnert. Trennung des Quecksilbers
von anderen Metallen durch Glühen ihrer Sulfide in einem Sauerstoffstrome [2]). — Die Trennung von Quecksilber und Zinn wird in
der Weise bewirkt, dafs beide Metalle mit Schwefelwasserstoff
gefällt und der bei 90° getrocknete Niederschlag im Sauerstoffstrome geglüht wird. Der Rückstand wird als Zinnsäure gewogen,
während das Quecksilber als Sulfid gefällt und gewogen wird.
                                                          $H.$

P. Jannasch. Ueber die Trennung des Quecksilbers von
Arsen, Antimon und Kupfer durch Glühhitze im Sauerstoffstrome [3]). — Um Quecksilber von Antimon zu trennen, trocknet
man das Gemisch ihrer Sulfide, trennt den Niederschlag vom

---

[1]) Zeitschr. österr. Apoth.-Ver. 34, 147—152. — [2]) Zeitschr. anorg.
Chem. 12, 132. — [3]) Daselbst, S. 359—364.

Filter und zerstört dies in näher beschriebener Weise durch rauchende Salpetersäure in der Hitze. Sodann wird der Niederschlag hinzugegeben und mit Salpetersäure oxydirt. Nach Verjagen der letzteren erfolgt das Glühen im Sauerstoffstrome. Der Rückstand von Antimondioxyd (SbO_2) wird gewogen. Die Bestimmung des überdestillirten Quecksilbers geschieht in der früher[1]) angegebenen Weise, als von der Trennung des Quecksilbers vom Zinn die Rede war. Auch der zur Vornahme der einzelnen Operationen dienende Apparat ist damals beschrieben worden. — Bei der Trennung des Quecksilbers vom Kupfer trennt man den getrockneten Niederschlag der Sulfide vom Filter, verbrennt letzteres im Apparat im Sauerstoffstrome, bringt den Niederschlag hinzu und oxydirt auch ihn durch Sauerstoff unter schliefslichem starkem Glühen, wobei das Quecksilber fortgeht und Kupferoxyd zurückbleibt. — Um Quecksilber von Arsen zu trennen, werden die Salze mit Magnesia im Sauerstoffstrome erhitzt, wobei das Arsen als arsensaures Salz zurückbleibt, das Quecksilber abdestillirt. Der Rückstand wird in Salzsäure gelöst, mit Citronensäure und endlich mit überschüssigem concentrirtem Ammoniak versetzt, um die Arsensäure als Magnesiumammoniumsalz zu fällen.   *Brt.*

Nickel, Kobalt, Molybdän, Wolfram, Uran, Vanadin.

— Goutal. Ueber die volumetrische Bestimmung des Nickels[2]. — Es wurden die verschiedenen zu diesem Zwecke vorgeschlagenen Methoden einer Prüfung unterzogen, deren Ergebnisse folgende sind. Das alte Verfahren Mohr's, bei welchem das Nickel in Gegenwart von Cyankalium mit Brom ausgefällt und das erhaltene Sesquioxyd titrirt wird, ist bei der Analyse von Mineralien und Hüttenproducten sehr geeignet. Th. Moore's Methode, bei welcher das Nickel mit Cyankalium in Gegenwart von Ferrokupfer oder Jodsilber titrirt wird, giebt gute Resultate, wenn nur Spuren Kobalt zugegen sind und genau nach Vorschrift verfahren wird. Die Verfahren, bei denen man zunächst das Kobalt durch Phosphorsalz oder molybdänsaures Ammonium oder Nitrosonaphtol abscheidet, sind zwar complicirt, geben aber bei richtiger Ausführung genaue Werthe. Fleischer's Verfahren und dessen Verbesserungen, wonach man aus einem Theile der Lösung Nickel und Kobalt zusammen und aus einem anderen nur das Kobalt als Sesquioxyd fällen und dann mit Eisenvitriol oder arseniger Säure bestimmen

---

[1]) Siehe vorstehendes Referat. — [2]) Chemikerzeit. **20**, Rep. 250; Ann. Chim. anal. appl. (1896) **1**, 305.

soll, liefern keine genauen Resultate, weil das Kobaltoxyd nicht von constanter Zusammensetzung erhalten wird. Ebenso wenig empfiehlt sich die Titrirung einer ammoniakalischen Nickellösung mit Schwefelkalium oder die Abscheidung des Metalles mit titrirter Oxalsäurelösung und Zurücktitriren des Ueberschusses an letzterer mit Permanganat, weil Nickelsulfid sich in Ammoniak etwas auflöst und oxalsaures Nickel nicht ganz unlöslich ist. Bessere Resultate liefert die Methode von Claafsen, bei welcher das Nickel durch oxalsaures Kalium und Essigsäure gefällt, der Niederschlag in Salzsäure gelöst und nun mit Permanganat titrirt wird. *Brt.*

R. G. Durrant. On a new compound of cobalt and a rapid method of detecting cobalt in presence of nickel[1]). — Wenn man zu der Lösung irgend eines Kobaltsalzes einen Ueberschufs von Alkalibicarbonat zusetzt und dem Wasserstoffsuperoxyd zufügt, so wird eine grüne Färbung der Lösung hervorgerufen, welche der Verfasser auf die Bildung von Kobaltsäure oder eines Kobaltates zurückführt. Die Verbindung konnte nicht isolirt werden. Die Titration ergab, dafs die grüne Färbung ihr Maximum erreichte, wenn die Reagentien der Gleichung: $CoCO_3 + 2H_2O_2 = CoO_4H_2 + CO_2 + H_2O$ diese Reaction gestatten, Kobalt bei grofsem Ueberschufs an Nickel in einer Lösung nachzuweisen. *v. Lb.*

F. A. Gooch und Ch. Fairbanks. Jodometrische Bestimmung der Molybdänsäure[2]). — Es wurden zunächst im Allgemeinen die Angaben von Mauro und Danesi[3]) bestätigt, dafs unter sorgfältiger Beobachtung gewisser Bedingungen bei anderthalbstündigem Erhitzen eines löslichen Molybdates mit Jodkalium und Salzsäure in zugeschmolzenem Rohre jedes Molekül Molybdänsäure 1 At. Jod in Freiheit setzt, sowie dafs bei verlängertem Erhitzen die Reaction etwas zu weit und beim Arbeiten in der Kälte nicht ganz zu Ende geht. Beim Steigen der anwesenden Menge Molybdänsäure, bei stärkerem Verdünnen der Flüssigkeit, sowie bei Zusatz von weniger Salzsäure oder Jodkalium fielen die Resultate leicht nicht genau aus, namentlich beim Arbeiten in der Kälte. Dies hat die Verfasser veranlafst, das Verfahren von Friedheim und Euler[4]) zu prüfen, bei welchem die Molybdatlösung mit Jodkalium und Salzsäure destillirt und im Destillat das Jod mit Thiosulfat titrirt wird. Es bestätigte sich, dafs dabei

---

[1]) Chem. News 73, 228—229. — [2]) Sill. Amer. J. [4] 2, 156—162; Zeitschrift anorg. Chem. 13, 101—109. — [3]) JB. f. 1891, S. 1194; Zeitschr. anal. Chem. 20, 507. — [4]) Ber. 28, 2066.

jedes Molekül Molybdänsäure 1 At. Jod in Freiheit setzt. Die
Methode giebt gute Resultate, wenn beim Abdestilliren des Jods
die von denselben gegebene Vorschrift genau eingehalten wird.
Zur Ausführung der Destillation, welche im Kohlensäurestrome
zu geschehen hat, wurde ein besonderer *Apparat* angegeben. Die
zugesetzte Menge Jodkalium sollte die verlangte nie um mehr
als 0,5 g übersteigen, da sonst die Molybdänsäure zu weit reducirt werden würde. — Dieselben schlugen schliefslich vor, die
Reduction der Molybdate mit Jodkalium und Salzsäure in einer
offenen Flasche in der Hitze vorzunehmen und dann mit Jodlösung die abgekühlte Flüssigkeit zu titriren, welche letztere zuvor
mit Weinsäure zu versetzen und durch Natriumdicarbonat alkalisch
zu machen ist. Von der Jodlösung ist ein Ueberschufs anzuwenden, welcher mit einer Auflösung von arseniger Säure zurücktitrirt wird.   *Brt.*

    C. Friedheim. Zur mafsanalytischen Bestimmung des
Molybdäns und Vanadiums[1]). — Der Verfasser verwahrt sich
gegen die von Gooch und Fairbanks[2]) für die von ihm und
Euler[3]) beschriebene Methode zur volumetrischen Bestimmung
des Molybdäns vorgeschlagenen Abänderungen. Der von Ch.
Fairbanks[4]) angegebenen Methode zur Bestimmung des *Phos-*
phors im gelben *phosphormolybdänsauren Ammonium* zieht er das
Verfahren von Finkener bezw. die mafsanalytische Methode nach
Hundeshagen-Pemberton vor. Weiter machte derselbe einige
Bemerkungen über die Bestimmung des Vanadiums, auf welche
verwiesen sei.   *Brt.*

    E. Defacqz. Contribution à l'étude des caractères ana-
lytiques des combinaisons du tungstène[5]). — Alle Verbindungen
des Wolframs lassen sich mehr oder weniger leicht in Wolframsäure überführen, deren Alkalisalze man allgemein durch Schmelzen
der jeweiligen Wolframverbindung mit Alkalicarbonaten erhält.
Auf diese Weise sind eine ganze Anzahl von Alkaliwolframaten
zugänglich, von denen einige beim andauernden Kochen mit
Wasser verschiedenen Umwandlungen unterliegen. Die üblichen
Reagentien geben mit den verschiedenen Wolframaten Niederschläge, deren Eigenschaften und Zusammensetzung je nach dem
verwendeten Wolframat und den Fällungsbedingungen andere sind.
Eine allgemeine Probe auf Wolframsäure ist jedoch die Reduction
mit Salzsäure und Zink oder Aluminium, wobei ein blaues Oxyd

---

    [1]) Ber. 29, 2981—2985. — [2]) Dieser JB., S. 2179. — [3]) Ber. 28. 2065.
— [4]) Zeitschr. anorg. Chem. 13, 117. — [5]) Compt. rend. 123. 306—308.

entsteht; leider ist diese Reaction nicht allzu sehr empfindlich.
Dagegen giebt Wolframsäure mit einer grofsen Anzahl von
organischen Körpern, mit Phenolen und Alkaloiden, sehr charakteristische Färbungen. Zu ihrer Ausführung behandelt man die
Wolframsäure mit der vier- oder fünffachen Menge an Kalium-
bisulfat und einigen Tropfen Schwefelsäure, bei geringem Erwärmen geht dann die Wolframsäure in Lösung. Man fügt dann
so viel Schwefelsäure hinzu, damit die Wolframsäure nicht beim
Erkalten ausfällt, und bringt einen Tropfen dieser Lösung mit
dem Reagens, mit dem man prüfen will, zusammen. Die charakteristischen Färbungen geben Phenol, intensiv saturnroth, und
Hydrochinon, intensiv amethystfarben. Beim Verdünnen verschwinden die Färbungen. Strychnin, Brucin, Nicotin, Atropin,
Cantharidin, Caffeïn, Santonin, Pilocarpin, Ergotin, Hyoscyamin
geben keine Färbungen. Während die Blaufärbung durch Reduction mit Mühe noch 1 mg erkennen läfst, zeigen Phenol und
Hydrochinon noch $1/_{400}$ bis $1/_{500}$ mg mit Deutlichkeit an; bei solchen
Verdünnungen geht die Hydrochinonreaction in Rosa über. *Mr.*

Ed. Defacqz. Ueber die Trennung des Wolframs von Titan[1]).
— Das Verfahren gründet sich darauf, dafs nach dem Eintragen
in ein schmelzendes Gemisch aus 8 Thln. Kalisalpeter und 2 Thln.
Pottasche und weiterem Erhitzen für acht bis zehn Minuten
Wolframsäure (geglüht oder nicht geglüht) und Wolfram sich
beim Ausziehen der Schmelze vollständig auflösen, während dies
Titansäure (geglüht oder nicht) und Titan nicht einmal spurenweise
thun, auch wenn 20 bis 30 Minuten geglüht wurde. Handelt es
sich nun darum, ein Gemisch der beiden Säuren oder Metalle zu
untersuchen, so erhitzt man dasselbe 20 bis 30 Minuten mit 7 bis
8 Thln. eines Gemisches aus 8 Thln. Salpeter und 2 Thln. Pottasche zur dunkeln Rothgluth, behandelt nach dem Erkalten mit
Wasser, verdampft zur Trockne, filtrirt und wäscht mit durch
Ammoniumnitrat gesättigtem Wasser. Aus dem Filtrat fällt man
das Wolfram als wolframsaures Quecksilberoxydul. Der in Wasser
unlösliche Theil der Schmelze wird getrocknet, geglüht und mit
Kaliumdisulfat geschmolzen, um dann die Titansäure in bekannter
Weise zu bestimmen.   *Brt.*

H. Wdowiszewski[2]) berichtete über die *Bestimmung des
Wolframs in den Ferrowolframaten.* Das Wolframeisen (0,5 bis
1 g) wird mit der Dittmar'schen Mischung (circa 6 g eines

¹) Compt. rend. 123, 823—824. — ²) Chem. Centr. 67, I, 770; Przeglad
Techniczny 1896, Zeszyt I.

2182 Urannachweis. Vanadinbestimmung.

2182 Urannachweis. Vanadinbestimmung.

Gemisches von 2 Thln. Borax und 3 Thln. Kaliumnatriumcarbonat)
gemengt und im Platintiegel, bis die flüssige Masse homogen
wird, geglüht; nach Auslaugen der Schmelze mit siedendem Wasser
bleibt Eisenoxyd zurück; die Lösung enthielt Wolframate, Chromate, Manganate und Silicate; sie wird zwei- bis dreimal mit
Salzsäure zur Trockne eingedampft; der Rückstand wird mit verdünnter Salzsäure ausgezogen, wobei Wolframsäure und Kieselsäure ungelöst bleiben; die erstere Säure wird dann in Ammoniak
gelöst, mit concentrirter Salzsäure niedergeschlagen und nach
dem Filtriren geglüht und gewogen.   *Cr.*

A. v. Meerten. Ueber den Nachweis von Uran in toxikologischen Fällen [1]). — Die stark giftigen, löslichen Uranverbin-
dungen werden in Speiseresten u. s. w. bestimmt, nachdem die
Phosphorsäure nach der Methode von Fresenius mit Ferrocyankalium in saurer Lösung und das Eisen mit Ammonacetat
in der Siedehitze entfernt ist.   *Mr.*

Charles Field III und Edgar F. Smith. Trennung des
Vanadins vom Arsen [2]). — Gemische von Natriumvanadat und
Natriumpyroarseniat zersetzen sich im Salzsäurestrome vollständig
in Chlornatrium und flüchtige Chloride, dagegen wird aus einem
Gemische von Vanadinsulfid und Arsentrisulfid auf gleichem Wege
beim Erhitzen auf wenig über 150⁰ nur das Arsen verflüchtigt.
Bei den quantitativen Trennungen wurden Temperaturen von ca.
250⁰ angewendet. In dieser Weise kann auch Vanadinit aufgeschlossen werden; hierbei verflüchtigen sich Vanadin und Arsen
vollständig, während Bleichlorid und Bleiphosphat zurückbleiben.
                                                           Hf.

Ph. E. Browning. On the reduction of Vanadic Acid by
Hydriodic and Hydrobromic Acids, and the volumetric estimation
of the same by titration in alkaline solution with Jodine [3]). —
Verschiedene Methoden sind auf die Reducirbarkeit des Vana-
diumpentoxyds zum Tetra- oder Trioxyd basirt; so reducirt Hol-
verscheid [4]) mit Kaliumbromid und starker Salzsäure, Friedheim [5]) mit Kaliumjodid und Schwefelsäure zum Tetraoxyd,
worauf das in Freiheit gesetzte Halogen in Kaliumjodidlösung
aufgefangen und dort titrimetrisch bestimmt wird. Friedheim
zeigte auch, dafs Jodkalium und starke Salzsäure das Pentoxyd
quantitativ in Trioxyd überführen können. Verfasser [6]) hatte

---

[1]) Chem. Centr. **67**, II, 929; Nederl. Tijdschr. Pharm. **8**, 306—307.
— [2]) Amer. Chem. Soc. J. **18**, 1051—1052; Ref.: Chem. Centr. **68**, I, 309.
— [3]) Sill. Amer. J. [4] **2**, 185. — [4]) Dissert. Berlin 1890. — [5]) Ber. **28**, 3067.
— [6]) Zeitschr. anorg. Chem. **7**, 158.

früher gezeigt, daſs die Reduction zum Tetroxyd auch mit Weinsäure gelingt und man dieses dann durch Alkalisiren mit Bicarbonat und Oxydation mit gestellter Jodlösung wieder in Pentoxyd überführen und so den Gehalt an Vanadinsäure feststellen
kann. Diese directe Oxydation läſst sich, wie Verfasser festgestellt
hat, auch bei den oben genannten Methoden anwenden. Man hat
nur nöthig, das bei der Reduction in Freiheit gesetzte Jod oder
Brom durch Kochen zu verjagen und, nachdem man die Flüssigkeit alkalisirt hat, mit Jodlösung zu titriren. Bei der Reduction
sind überschüssige Mengen von Kaliumjodid oder -bromid zu
vermeiden, da es sonst schwer hält, die Säureflüssigkeit jod- oder
bromfrei zu bekommen.	*Mr.*

Ph. E. Browning und R. J. Goodmann. Ueber die Anwendung gewisser organischer Säuren zur Bestimmung des Vanadiums [1]. — Sie weisen nach, daſs Browning's [2] Methode, bei
welcher die Vanadinsäure durch Weinsäure zu Tetraoxyd reducirt wird, auch in Gegenwart von Wolframsäure anwendbar ist.
Bei gleichzeitiger Anwesenheit von Molybdänsäure würden aber
zu hohe Werthe erhalten werden. Diesem Mifsstande läſst sich
abhelfen, wenn man die Weinsäure, statt in der Siedehitze, längere Zeit in der Kälte einwirken läſst. Statt der Weinsäure
lassen sich Oxalsäure, Citronensäure anwenden, welche die Molyb-
dänsäure auch in der Hitze nicht reduciren.	*Brt.*

Gold, Palladium, Platin.
— **J. W. Richards.** Trennung
des Silbers vom Golde durch Verflüchtigung [3]. — Wenn man kleine
Mengen einer Legirung von Silber und Gold auf Holzkohle in der
oxydirenden Flamme zur Rothgluth erhitzt, so geht das Silber
mit Leichtigkeit fast ganz fort. Den Rest des Silbers kann man
nahe der Weiſsgluth vertreiben. Bei letzterer beginnt auch das
Gold sich zu verflüchtigen.	*Brt.*

W. Borchers. Apparat zur Ausführung von Richards'
Verfahren der Scheidung von Gold und Silber durch Verflüchtigung [4]. — Richards hat gezeigt, daſs mit Hülfe einer
stark oxydirenden Stichflamme bei ca. 1200⁰ sich aus einer Gold-
Silberlegirung das Silber bis auf 5 Proc. der Goldmenge verflüchtigt. Steigert man nun die Temperatur auf 1500⁰, so verflüchtigt sich das Silber vollständig. Borchers schlägt nun
einen einfachen, auf Widerstandserhitzung eines Kohlenstäbchens

---

[1]) Sill. Amer. J. [4] 2, 355—360. — [2]) Zeitschr. anorg. Chem. 7, 158.
— [3]) J. Frankl. Inst. 141, 447—451. — [4]) Zeitschr. Elektrochem. 3, 85—86.

beruhenden Ofen vor, der sich zur Ausführung dieser Scheidung eignet. *Bs.*

Carnot[1]) gründete eine *colorimetrische Goldprobe* auf die Reaction, dafs eine neutrale Goldchloridlösung mit einigen Tropfen Arsensäure, nach einiger Zeit mit zwei bis drei Tropfen einer verdünnten Lösung von Eisenchlorür und wenig Salzsäure versetzt, eine *rosenrothe* Färbung giebt. Bei zu schwachem Ansäuern entsteht ein flockiger, purpurfarbener Niederschlag, auf Zusatz von zu viel Säure tritt die Reaction nicht ein, die Flüssigkeit bekommt jedoch einen Stich ins Bläuliche. Wird nun die Flüssigkeit (100 ccm) mit destillirtem Wasser gemischt und darauf Zink hinzugefügt, so zeigt sich je nach dem Gehalte an Gold eine Färbung von Rosa bis Purpur. Mit mehr als 1 mg Gold ist die Färbung zu intensiv, um genaue Schätzung zu erlauben; weniger als 0,1 mg Gold liefert hingegen eine zu schwache Färbung. Der Gehalt der „Test“-Lösungen an Gold bewegt sich demnach innerhalb dieser Grenzen. *Sm.*

Leonard. Probiren goldhaltigen Erzes und Sandes durch Amalgamation und mit dem Löthrohre[2]). — Zwei Tonnen einer Erz- oder Sandprobe wurden so lange zerkleinert und verjüngt, bis man eine Probe von einigen Pfund erhält, die nochmals zerkleinert und dann gesiebt wird. Man wägt eine bestimmte Menge, verreibt mit Quecksilber und Wasser, nimmt das Edelmetall mit Probirblei auf und treibt dies ab. Mehrfache Wiederholung dieses Processes giebt dann ein wägbares Korn. Da das Gold in dem Anreicherungsproduct gleichmäfsig vertheilt ist, so genügt eine kleine Probe, die vor dem Löthrohre verarbeitet wird. *Mr.*

Hamilton Merrit[3]) beschreibt ein Verfahren zum *Probiren von Golderzen und Sand durch Amalgamation und mit dem Löthrohre* am Fundorte. Merrit siebt 1 kg Probematerial durch ein Sieb mit 60 Maschen pro Quadratzoll, setzt hierzu 31 g (1 Unze) Quecksilber oder Natriumamalgam, welch letzteres vorzuziehen ist, und mischt Erz nebst Quecksilber eine Stunde lang mit dem Holzpistill. Das erhaltene Amalgam wird in einem tassenförmig getriebenen Stück Eisenblech zersetzt, auf Gold qualitativ mit dem Löthrohre probirt, zur quantitativen Bestimmung die Körner mit der Plattner'schen Scala gemessen. *Sm.*

---

[1]) Chemikerzeit. 20, Rep. 208; Berg- u. Hüttenm. Zeitg. 55, 215. —
[2]) Chem. Centr. 67, II, 65; Berg- u. Hüttenm. Zeitg. 55, 164—166. —
[3]) Chemikerzeit. 20, Rep. 199; Transact. of the Inst. of Am. Min. Eng. Pittsb. Meet., Febr. 1896.

H. Weil[1]) schrieb über *Goldproben.* — Man unterscheidet bei Goldproben Tiegel- und Ansiedeproben. Erstere eignen sich für Erze mit weniger als 62 g Gold (2 Unzen) pro 1 Tonne, letztere hingegen für reiche Erze; Erze mit Tellur, Arsen, Antimon, Zinn, Nickel, Kobalt werden verschlackt. Bei Ansiedeproben, die nur geringe Verluste geben, muſs die Muffel eine Temperatur von 1050 bis 1100° haben. — Goldlegirungen cupellirt man in der Londoner Münze nach einer Tabelle von Baaly je nach dem Feingehalt von 916 bis 333 mit der 8- bis 18fachen Menge Blei und dem nöthigen Silber in Koksmuffelöfen bei 1140 bis 1440°. Die Verluste variiren je nach der Temperatur der Cupellation, Dauer des Kochens mit Salpetersäure bei der Scheidung und dem Kupfergehalt; Material mit 916,6 Gold gab durchschnittlich einen Verlust von 0,4 bis 0,8 pro Mille. Es bleiben nach dem ersten Sieden in Salpetersäure ca. 2,5 pro Mille Silber im Golde zurück; die im Kerne zurückgehaltene Silbermenge ist variabel, je nach dem Verhältniſs von Silber zu Gold; die Proportion 2,4 : 1 ergab einen Rückhalt an Silber von 0,6 bis 0,7 pro Mille. Der Gasgehalt der Reguli beträgt zwei Zehntausendstel und besteht nach Graham hauptsächlich aus Kohlenoxyd.   *Sm.*

William J. Martin[2]) macht eine vorläufige Mittheilung über eine *Cyanidprobe für arme Gold-· und Silbererze.* Das fein gepulverte Erz wird mit ¼ proc. Cyankaliumlösung kräftig und wiederholt durchgeschüttelt. Man filtrirt, verdampft einen Theil der Flüssigkeit und fällt die Edelmetalle vermittelst Zinkspänen. Das Zink schmilzt man hierauf mit einer gröſseren Menge Blei ein und cupellirt. Bei Quarz und Pyriten gab diese Methode gute Resultate.   *Sm.*

A. W. Warwick. Laboratoriumsprobe in Verbindung mit der Goldextraction[3]). — Um die beste Art der Verarbeitung eines Golderzes zu ermitteln, wird eine Probe des Erzes zerkleinert und in verschiedenen Korngröſsen sortirt; darauf wird die durch Amalgamirung aus den einzelnen Fractionen extrahirbare Goldmenge bestimmt und hieraus die zweckmäſsigste Grenze der Zerkleinerung festgestellt. Vielfach kann die Menge des direct durch Amalgamation zu gewinnenden Goldes durch Erhitzen des Erzes behufs Entwässerung der Eisenhydroxyde oder durch Auslaugung der löslichen Salze gesteigert werden. Bei der Bestimmung des

---

[1]) Chemikerzeit. 20, 242; Berg- u. Hüttenm. Zeitg. 55, 249. — [2]) Chemikerzeit. 20, 185. — [3]) Chem. Soc. Ind. J. 15, 182—184; Ref.: Chem. Centr. [4] 8, I, 1115.

direct amalgamirbaren Goldes muſs auch die Höhe der Queck-
silberverluste ermittelt werden, da ein Erz, bei dem sich ein
Verlust von 1 Proc. des Quecksilbers herausstellt, nicht direct
amalgamirbar ist. Nach dem Amalgamiren wird der Schlamm in
Schüsseln oder Trögen mit Wasser behandelt, wobei das in goldhaltigen Mineralien, namentlich Pyrit, enthaltene Gold zusammen
mit dem von Eisenhydroxyd eingeschlossenen Golde (rusty gold)
zurückbleibt. Man bestimmt den Goldgehalt des auf den Trögen
zurückbleibenden Schliechs und zieht zur Bestimmung des im
Schwefelkies enthaltenen Goldes das in einer besonderen Probe
ermittelte „rusty gold" ab. Zur Bestimmung des letzteren concentrirt man eine Probe des Erzes im Troge, behandelt den Rückstand mit verdünnter Salzsäure, wäscht aus und behandelt eine
bis zwei Minuten mit einer 1 proc. Cyankaliumlösung. Man filtrirt
alle Waschflüssigkeit, verascht das Filter und schüttelt die Asche
mit dem Mineralrückstande eine halbe Stunde mit Quecksilber,
wobei das frei amalgamirbare Gold zusammen mit dem „rusty
gold" vom Quecksilber aufgenommen wird. Nach Abzug des vorher
bestimmten, direct amalgamirbaren Goldes erhält man die Menge
des „rusty gold".   *Hf.*

P. Cohn und F. Fleiſsner. Ueber die Trennung des Palladiums von Platin [1]. — Die Bestimmung des Palladiums als
Cyanid, welche für gewöhnlich durch Fällung mit Quecksilbercyanid ausgeführt wird, ist bei Gegenwart von Kupfer nicht ausführbar, da auch Kupfer so gefällt wird. Auch die Fällung des
Palladiums als Jodür mit Jodkalium bietet Nachtheile, da letzteres im Ueberschuſs von Jodkalium etwas löslich ist, namentlich
dann, wenn auch etwas Platin zugegen ist. Die Verfasser schlagen
zur Bestimmung des Palladiums neben Platin folgendes Verfahren
vor: Die Lösung der Chloride beider Metalle, welche vorher von
Salpetersäure sorgfältig befreit ist, wird mit 10 proc. Salmiaklösung versetzt und beinahe zur Trockne verdampft, der Rückstand mit 30 proc. Salmiaklösung übergossen und einige Zeit stehen
gelassen. Der Niederschlag wird dann in gewöhnlicher Weise
weiter behandelt; das Filtrat, welches alles Palladium als Am
moniumpalladochlorür gelöst enthält, wird dann mit ziemlich viel
Salpetersäure behandelt und auf dem Wasserbade eingeengt, wodurch man einen hochrothen krystallinischen Niederschlag von
Ammoniumpalladichlorür erhält, welcher mit concentrirter kalter
Salmiaklösung, die ein wenig Salpetersäure enthält, gewaschen wird.

[1] Monatsh. Chem. 17, 361—364.

Er wird dann wie das entsprechende Platinsalz weiter behandelt. Die angegebenen analytischen Belege ergeben eine gute Genauigkeit der Methode, auch wenn die Mengen Platin und Palladium in weiten Grenzen variirt werden. *Ltm.*

. Nach Miller[1]) werden zum *Probiren der Platinerze* letztere mit Kornblei angesotten. Den entstandenen Regulus behandelt man mit Salpetersäure vom spec. Gew. 1,05, oxydirt den Rückstand durch Erhitzen an der Luft und zieht denselben nachher nochmals zehn Minuten in der Siedehitze mit Salpetersäure aus. Man bringt den Rückstand als Platin in Rechnung. Ist aufser Platin noch Gold vorhanden, so wird der gewogene Rückstand mit verdünntem Königswasser (1 : 5) gekocht, die Lösung filtrirt, zur Trockne verdampft und nach dem Aufnehmen mit etwas Salzsäure durch Oxalsäure das Gold gefällt. Man filtrirt ab, cupellirt das Gold mit Blei und wiegt. Die Gewichtsdifferenz ergiebt das vorhandene Platin. Der bei der ersten Filtration gebliebene Rückstand besteht theilweise aus Iridium, das beim Kochen mit starkem Königswasser in Lösung geht; ganz ungelöst bleibt Osmiridium. *Sm.*

---

[1]) Chemikerzeit. 20, Rep. 284; Berg- u. Hüttenm. Zeitg. 55, 285.

Analyse organischer Stoffe.

Allgemeines.

H. W. Wiley. Bemerkung über den Gebrauch von Acetylen als Lichtquelle bei Polarisationen [1]). — Verfasser erhielt selbst in stark dunkel gefärbten Säften, wo die gewöhnlichen Lichtquellen gar nicht mehr durchdrangen, mit Acetylenlicht im Halbschattenapparat noch übereinstimmende Resultate. *Mr.*

F. Ranwez. Anwendung von Röntgenstrahlen bei analytischen Untersuchungen pflanzlicher Stoffe [2]). — Reiner Safran zeigt auf dem Photogramm nur geringe Schatten; mit $BaSO_4$ versetzte, 20 bis 30 Proc. Asche enthaltende Safransorten gaben sich scharf auf der Platte zu erkennen. *Mr.*

Josef Barnes. Ueber die Bestimmung organischer Substanzen mittelst Chromsäure [3]). — Zur Bestimmung der organischen Substanzen in Wässern wird die Flüssigkeit durch Erhitzen mit einer eingestellten schwefelsauren Lösung von Kaliumbichromat oxydirt. der Ueberschuſs der Chromsäure mittelst Ferrosulfatlösung entfernt und der Ueberschuſs letzterer Lösung mit Kaliumpermanganat zurücktitrirt. Die Oxydation soll weit vollständiger sein als durch Permanganat. *Bl.*

Paul Fritsch. Ueber die Bestimmung von Kohlenstoff und Stickstoff in organischen Verbindungen auf nassem Wege [4]). — Das vor einiger Zeit zur Analyse einiger organischer Substanzen [5]) vom Verfasser angewandte neue Verfahren, eine Combination der Messinger'schen [6]) Kohlenstoff- und Krüger'schen [7]) Stickstoffbestimmungsmethode wird genau beschrieben, die Apparate durch

---

[1]) Chem. Centr. 67, I, 682; Amer. Chem. Soc. J. 18, 179—182. — [2]) Chem. Centr. 67, II, 562; Rev. intern. falsif. 9, 117. — [3]) Chem. Soc. Ind. J. 15, 82—84; Ref.: Chemikerzeit. 20, Rep. 112; Ref.: Russ. Zeitschr. Pharm. 35, 205. — [4]) Ann. Chem. 294, 79—88. — [5]) Daselbst 286, 4. — [6]) Ber. 23. 2756. — [7]) Ber. 27, 609.

Abbildung erläutert. Der Messinger'sche Apparat wurde in der von Küster und Stallberg[1]) angegebenen Form benutzt. Entsprechend den Angaben von Dafert und Martin fällt die Stickstoffbestimmung nur dann richtig aus, wenn bei der Substanz die Kjeldahl'sche Stickstoffbestimmung *direct* anwendbar ist. — Die Substanz wird nach Messinger durch concentrirte Schwefelsäure und Chromsäure oxydirt, die Reactionsgase werden noch über ein kurzes, glühendes, mit einem Gemisch von Kupferoxyd und Bleichromat gefülltes Rohr geleitet und die getrocknete Kohlensäure wird gewogen. Der Rückstand im Kölbchen wird in ein Destillationsgefäfs übergeführt, alkalisch gemacht und das Ammoniak abgetrieben. *Bl.*

W. van Dam. Bestimmung von Stickstoff in den Aminen und deren Metallchloridverbindungen[2]). — Die Angabe Delépine's, dafs das Kjeldahl'sche Verfahren der Stickstoffbestimmung auf Chlorplatinate nicht anwendbar ist, vermuthlich weil das frei werdende Chlor das Ammoniak zum Theil zerstört, ist richtig. Es entweicht thatsächlich Stickstoff. Bei Zusatz von Zink ist das Verfahren brauchbar. Quecksilber wirkt ungenügend. Quecksilberdoppelsalze geben normale Resultate, da kein Chlor frei wird. Chloroaurate geben ebenfalls richtige Zahlen, was Verfasser nicht erklären kann. *Bl.*

G. Rivière und G. Bailhache. Zur Kjeldahl'schen Stickstoffbestimmung[3]). — Durch Zusatz von Natriumpyrophosphat zur concentrirten Schwefelsäure erhielt Verfasser mindestens so gute Resultate, als durch Quecksilber. Vortheile sind, dafs die Flüssigkeit nicht stöfst und dafs es nicht nöthig ist, vor dem Abdestilliren des Ammoniaks Schwefelkali zuzusetzen. *Bl.*

Immanuel Munk. Die Stickstoffbestimmung nach Kjeldahl, verglichen mit derjenigen nach Dumas[4]). — Die mit einem Caseïnpräparat ausgeführten Untersuchungen ergaben nach Dumas einen etwas höheren Stickstoffgehalt (13,61 Proc.) als nach Kjeldahl; bei der letzteren Methode erhält man das höchste Resultat bei Quecksilbersalz (13,53 Proc.), dann folgt dasjenige bei Zusatz von Kaliumbichromat (13,41 Proc.), und das niedrigste Resultat erhält man bei Kupfersalz (13,15 Proc.). In Folge dessen wird der Zusatz von Quecksilber an Stelle des Kupfers als vortheilhafter empfohlen. *Hf.*

---

[1]) Ann. Chem. 278, 215. — [2]) Rec. trav. chim. Pays-Bas 14, 217; Ref.: Bull. soc. chim. [3] 15, 623. — [3]) Bull. soc. chim. [3] 16, 806—811. — [4]) Du Bois-Reymond's Archiv 1895, S. 551—553; Ref.: Chem. Centr. [4] 8, I, 573.

C. Gorini. Die Methoden von Kjeldahl zur Bestimmung des Stickstoffs und Zuckers [1]). — In einem ausführlichen Bericht bespricht Verfasser die genannten Methoden mit all ihren Feinheiten, wie er sie im Laboratorium von Kjeldahl kennen gelernt. Zunächst behandelt er die Methode von Kjeldahl zur Bestimmung des Stickstoffs in organischen Verbindungen und dann die von Kjeldahl modificirte Methode von Soxhlet zur gewichtsanalytischen Bestimmung des Zuckers. Den Schluſs der Arbeit bilden Tabellen, in denen man aus der Zahl der Milligramme Kupfer die Menge von Glucose, Fructose, Invertzucker, Galactose. Lävulose und Maltose berechnen kann.   *Tr.*

W. R. Dunstan und F. H. Carr. Note on a difficulty encountered in the Determination of Nitrogen by the absolute method [2]). — Gelegentlich einer Untersuchung des *Aconitins* beobachteten die Verfasser, daſs die Analyse der freien Base nach der absoluten Methode zu hohe Resultate gab. Eine Untersuchung des Gases ergab, daſs es beträchtliche Mengen *Methan* enthielt. Die Menge desselben war um so geringer, je energischer die Verbrennung war. Ganz verhindert wird die Entwickelung von Methan bei Gegenwart von etwas Kupferchlorid.   *Mr.*

A. v. Asbóth. Magnesiumsulfat als Conservirungsmittel [3]). — Der Verfasser hat ein Conservirungsmittel angetroffen, welches Magnesiumsulfat enthielt. In einem Schinken wies er letzteres nach durch Kochen mit Königswasser und Prüfung auf Magnesium und Schwefelsäure im Filtrat.   *Brt.*

Kohlenwasserstoffe. — J. Coquillion. Sur les modifications apportées au grisoumètre et sur la limite d'approximation qu'il peut donner [4]). — Der Verfasser hat seinen Apparat (Compt. rend. 121, 894) noch verbessert, so daſs es möglich ist, in wenigen Minuten noch $1/100$ Proc. Methan und Wasserstoff mit demselben sicher zu bestimmen; für Kohlenoxyd ist die Genauigkeit nicht so groſs.   *Br.*

R. Jeller. Apparat zur Bestimmung in kleiner Menge vorhandener Gasbestandtheile, insbesondere Sumpfgas und Kohlensäure in Ausziehwetterströmen von Steinkohlenbergwerken [5]). — Von dem Bestreben ausgehend, einen gasanalytischen Apparat zu construiren, welcher auch in einem nicht mit zahlreichen Hülfsmitteln ausgestatteten Laboratorium die Analyse, z. B. von Aus-

---

[1]) Staz. sperim. agrar. ital. 29, 505—552; Ref.: Chem. Centr. 67, II. 641. — [2]) Chem. News 73, 128—129. — [3]) Chemikerzeit. 20, 496—497. — [4]) Compt. rend. 122, 613—614. — [5]) Zeitschr. angew. Chem. 1896, S. 692.

ziehwetterströmen der Steinkohlenbergwerke und ähnlicen Gasgemischen mit hinreichender Genauigkeit auszuführen gestattet,
hat der Verfasser das von Hempel angewandte Princip benutzt,
nicht die Volum-, sondern vielmehr die Druckverminderung zu
messen, welche bei der Absorption oder der Verpuffung eines
Bestandtheiles des Gasgemisches eintritt. Die Druckverminderung
wird durch die Höhe einer Wassersäule gemessen und durch Vorrichtungen, welche die Temperatur während des Versuchs constant
halten, werden praktisch hinreichend genaue Resultate erzielt. *H.*

P. Fritsche. Bestimmung des Aethylens in Gasgemischen[1]).
— Das Verfahren beruht auf der Umwandlung des Aethylens in
Aethylschwefelsäure, welche, mit Wasser destillirt, ein alkoholisches
Destillat liefert, dessen Alkoholgehalt in üblicher Weise ermittelt
wird. Zur Untersuchung äthylenarmer Gasgemische empfiehlt es
sich, Schwefelsäure und Gas in einem cylindrischen, mit zwei
Glashähnen verschlossenen, rotirenden Gefäſs zwei bis vier Stunden
auf 100° zu erwärmen, bei welcher Temperatur die Bildung der
Aethylschwefelsäure schneller als bei gewöhnlicher Temperatur
verläuft. Etwa in der Gasprobe enthaltenes Butylen wird durch
Waschen mit 70 proc. Schwefelsäure entfernt, während Propylen
als Aethylen gefunden wird.   *H.*

F. Haber und H. Oechelhäuser. Ueber die Bestimmung
von Aethylen neben Benzoldampf[2]). — Während Aethylen (entgegen den Angaben von Winkler) durch Bromwasser vollständig
absorbirt wird, wird Benzoldampf zwar auch nahezu vollständig
niedergeschlagen, aber nur mechanisch zurückgehalten. Es tritt
keine Bromirung des Benzols ein und der Titer des Bromwassers,
jodometrisch bestimmt, bleibt *unverändert*. Es läſst sich demnach
in einem Gasgemenge Benzol und Aethylen neben einander bestimmen, indem einerseits beide durch rauchende Schwefelsäure
zusammen absorbirt werden, andererseits aus der Gehaltsabnahme
des Bromwassers das Aethylen bestimmt wird.   *Bl.*

Frank. Clowes. Bestimmung der Grenzen der Explosionsfähigkeit von Acetylen und Erkennung und Bestimmung des Gases
in der Luft[3]). — Ein Gemisch von Acetylen und Luft explodirt
noch, wenn der Gehalt an ersterem Gase zwischen 3 und 82 Proc.
variirt. Für Wasserstoff, Kohlenoxyd, Aethylen und Methan sind
die entsprechenden Grenzen 5 bis 72 Proc., 13 bis 75 Proc., 4 bis
22 Proc., 5 bis 13 Proc. Brennt eine Wasserstoffflamme (Sicherheits-

---

[1]) Zeitschr. angew. Chem. 1896, S. 456. — [2]) Ber. **29**, 2700—2705. —
[3]) Chem. News 74, Nr. 1925, S. 188.

brenner) in einem Gemisch von Acetylen und Luft, so verändert sich die Flammenhöhe und man kann aus der Größe der
Flamme auf den Acetylengehalt schließen. Die Flamme wird
durch Acetylen grüngelb gefärbt, der Saum ist bläulich. *Bl.*

Charles F. Mabery. On the determination of sulphur in
illuminating gas and in coal [1]). — Der Verfasser hat seine zur
Bestimmung des Schwefels dienende Methode [2]), nach welcher das
schwefelhaltige Gas oder die schwefelhaltige verflüchtigte Substanz
in einem Glasrohr verbrannt, und die Verbrennungsproducte zur
Absorption der gebildeten Schwefelsäure in ein mit Glassplittern
und titrirter Alkalilauge beschicktes U-Rohr geleitet werden, auf
Leuchtgas angewandt. Die Resultate sind sehr befriedigend. Um
der Gefahr vorzubeugen, daß ein Theil des Schwefels bloß zu
Schwefeldioxyd verbrennen, und man bei der nachherigen Zurück-
titrirung der Kalilauge falsche Resultate erhalten könnte, setzt
man der Alkalilösung etwas Wasserstoffsuperoxyd zu, was, wie
Versuche zeigten, eine vollständige Oxydation der schwefligen
Säure und Sulfite bewirkt. Um den Schwefelgehalt der Steinkohlen zu bestimmen, bringt man eine Probe der Substanz
(ca. 0,5 g) in ein in der Mitte verengtes Rohr aus schwer schmelz-
barem Glase, erhitzt die Kohle stark im Luftstrom und leitet die
Verbrennungsgase durch Alkalilauge, die sich in einem dem obigen
analogen U-Rohr befindet. Versuche mit 13 Proben Steinkohle
ergaben etwas weniger Schwefel, als die Eschka'sche Methode.
— Die Asche enthielt im Mittel 0,043 Proc. Schwefel, die vergaste
Schwefelmenge betrug 0,73 bis 4,55 Proc. Das Verfahren verdient
— sowohl beim Leuchtgas wie bei der Steinkohle — wegen seiner
Geschwindigkeit den Vorzug vor dem gewichtsanalytischen. *Br.*

R. Zaloziecki. Zur Vereinheitlichung der Untersuchungsmethoden in der Petroleumindustrie [3]). — Bei der zur Beurtheilung
eines Rohöls bezüglich seiner Verarbeitungscapacität vorgenom-
menen Probedestillation sind drei Stadien zu unterscheiden.
Zuerst steigt das specifische Gewicht des Destillates bis ca. 0,870,
fällt dann wieder (in Folge von Zersetzung), um wieder auf 0,870
zu steigen und steigt dann continuirlich, während die schwerst
flüchtigen Antheile übergehen. Die während der zweiten Periode
übergehenden Mengen werden redestillirt und die Menge des jetzt
erhaltenen Destillates vom specifischen Gewicht bis 0,87 giebt die
durch die Operation des „Crackens" noch gewinnbaren Petroleum-

---

[1]) Amer. Chem. J. 18, 207—215. — [2]) Daselbst 16, 544. — [3]) Chem.
Rev. Fett- u. Harz-Ind. 3, 142—147; Ref.: Chem. Centr. 67, II, 454—455.

quantitäten an. Die zwischen 0,75 und 0,85 schwere Fraction wird als Petroleumdestillat bezeichnet, andererseits wird die gewinnbare Menge Petroleum auch aus dem Kochpunkt eruirt, indem man das von 150 bis 300⁰ Uebergehende als Petroleumausbeute betrachtet. Die auf diese beiden Arten erlangten Resultate decken sich nicht immer, die aus der Dichte gewonnenen stimmen besser mit den Betriebsergebnissen. Es ist besser, als untere Grenze des Kochpunktes 125 bis 130⁰ anzunehmen, da bei der Redestillation des bis 150⁰ flüchtigen Benzins noch eine ziemliche Menge Petroleum gewonnen wird. Dem wird durch das Herabsetzen der Fractionsgrenze auf ca. 125⁰ Rechnung getragen. Zur Bestimmung des ersten Dichtemaximums soll das Destillat in einen verdünnten Alkohol von der Dichte 0,865 eintropfen, sobald die Tropfen nicht mehr untersinken, beginnt die Periode des Crackens, sobald sie nicht mehr aufsteigen, ist diese Periode beendet.　　*Bl.*

K. Charitschkoff. Apparat zur Bestimmung der Quantität des mechanisch gebundenen Wassers in den Naphtaflüssigkeiten[1]). — An eine Glaskugel von 150 bis 200 ccm Inhalt schliefst sich eine 5 ccm-Röhre, die $^1/_{10}$ ccm Ablesung erlaubt. In den Glasballon werden 50 g des Untersuchungsgegenstandes (schwere Naphta, Goudron, Oeldestillate) eingewogen, und nun das mechanisch anhaftende Wasser durch genügenden Zusatz von Benzin ausgefällt und das Volumen des Wassers in der graduirten Röhre abgelesen. *Mr.*

Holde[2]) berichtete über die Unterscheidung von Petroleumbenzin und Steinkohlenbenzin. Die bekannte Reaction, dafs Jod sich in Petroleumbenzin mit himbeerrother, in Steinkohlenbenzin mit purpurrother oder violetter Farbe löst, läfst sich nur zum Nachweise ganz grober Zusätze des einen Benzins in dem anderen verwenden, da die Färbung verschiedener Petroleumbenzine mit Jod violett oder rosaviolett bis violettroth und in ihrem Charakter von der Concentration der Lösung abhängig ist, welches auch für die Lösung des Jods in Benzol gilt. Zu feineren Unterscheidungen kann man den Umstand benutzen, dafs reiner Asphalt in Petroleumbenzin unlöslich ist; der Asphalt mufs zuvor durch Auswaschen mit reinem Petroleumbenzin von allen darin löslichen Bestandtheilen befreit werden; eine kleine Messerspitze des so vorbereiteten, gepulverten Asphalts wird auf einem Filter mit 5 ccm des zu prüfenden Benzins übergossen; wird das Filtrat gelb gefärbt, ist Benzol zugegen; in dieser Weise lassen sich 5 bis 10 Proc.

---

[1]) Chem. Centr. 67, II, 640; Chem. Rev. Fett- u. Harz-Ind. 3, 165—166. — [2]) Chem. Centr. 67, I, 228; nach Mitth. techn. Vers.-A. Berlin 13, 241.

Benzol in gewöhnlichem Petroleumbenzin nachweisen; in bei 35° siedendem Benzin zeigte sich erst bei Zusatz von 10 Proc. Benzol deutlichere Gelbfärbung. *Cr.*

Friedrich Helfers. Bestimmung des Vergasungswerthes von Mineralölen [1]. — Es wird ein von **Werneke** construirter Apparat beschrieben, welcher die durch Ueberhitzung aus Mineralölen erhältliche Menge Oelgas bereits mit etwa 40 g Substanz so genau zu bestimmen erlaubt, daſs die erhaltenen Werthe mit den in Versuchsanstalten ermittelten genau übereinstimmen. *H.*

K. Charitschkoff. Prüfung des Erdöls auf den Grad der Raffination mit Lauge [2]. — Man erwärmt die zu untersuchende Erdölprobe mit 6 Proc. Natronlauge von 2° B. auf 70° und erkennt die Menge der dabei in Lösung gehenden Petrolsäuren schätzungsweise aus dem Grad der Trübung, welcher auf Zusatz von schwacher Salzsäure zu der alkalischen Lösung entsteht. *H.*

L. Singer. Ueber die Ausdehnungscoëfficienten der Mineralöle und ihre Beziehungen zur Bestimmung der Zündpunkte [3]. — Da bei der Bestimmung der Zündpunkte in der Ausdehnung der Oele eine zu wenig berücksichtigte Fehlerquelle liegt, so hat Verfasser 1. Rohöle und Destillate auf den Ausdehnungscoëfficienten untersucht, und 2. unter Berücksichtigung der bei der Ausdehnung erhaltenen Werthe den Entflammungspunkt geprüft. Ein Vergleich der Werthe der Rohöle zeigt, daſs Ausdehnungscoëfficient und specifisches Gewicht nicht immer im umgekehrten Verhältniſs zu einander stehen, sondern daſs hier oft sehr auffallende Abweichungen bemerkbar sind, die jedenfalls auf verschiedene chemische Zusammensetzung zurückzuführen sind. Im Allgemeinen sind die Ausdehnungscoëfficienten um so geringer, je höher das specifische Gewicht ist. Zur Bestimmung des Ausdehnungscoëfficienten bediente sich Verfasser des **Regnault**'schen Dilatometers, er beschreibt diesen Apparat näher, sowie die Bestimmung der Constanten. Der Ausdehnungscoëfficient eines Oeles zeigt mit wechselndem Barometerstand ziemlich differirende Werthe, eine Gesetzmäſsigkeit ergiebt sich hieraus nicht, doch scheint im Allgemeinen der Ausdehnungscoëfficient mit steigendem Barometerstand zu sinken. *Tr.*

Aufrecht. Bestimmung des Schwefelgehaltes im Petroleum [4]. — Letzteres soll über etwas Natriumbicarbonat langsam abdestillirt

---

[1] Zeitschr. angew. Chem. 1896, S. 650. — [2] Ref.: Daselbst, S. 708. — [3] Chem. Rev. Fett- u. Harz-Ind. 3, 215—221, 232—234; Ref.: Chem. Centr. 68, I, 211. — [4] Chem. Centr. 67, II, 361; Pharm. Zeitg. 41, 469.

werden, worauf man den Rückstand über etwas Natrium verdampft und dann mit salpetersaurem Ammonium glüht. Es folgt in der Lösung des Productes die Prüfung auf Schwefelsäure in üblicher Weise. *Brt.*

C. Engler. Der Schwefelgehalt des Petroleums[1]. — In Anwendung des im Vorjahre von Fr. Heusler angegebenen Princips wird der Schwefelgehalt des Petroleums in der Art bestimmt, dafs die Verbrennungsproducte mit einem Oxydationsmittel behandelt werden. Dieselben werden durch eine mit Glasperlen angefüllte und mit einer Lösung von Brom in Kalilauge oder Kaliumcarbonat beschickte Vorlage hindurchgesaugt. An der Lampe, in welcher das Petroleum verbrennt, ist eine Vorrichtung angebracht, um den etwa in der Luft enthaltenen Schwefel der Luft zurückzuhalten. Die zahlreichen mitgetheilten Analysen von Petroleum des Handels ergaben einen Schwefelgehalt von 0,0195 bis 0,0684 Proc. In einem einzigen Fall wurde dagegen der Schwefelgehalt zu 0,2098 Proc. ermittelt. *H.*

Richard Kifsling. Die Bestimmung des Schwefelgehalts der Verbrennungsgase des Leuchterdöls[2]. — Die Ausführung der Analyse geschah, ähnlich wie durch Engler, durch Hindurchsaugen der Verbrennungsproducte durch das Oxydationsmittel; als solches wurde indefs, wie von Heusler, Kaliumpermanganat angewandt. Der in verschiedenen Petroleumsorten ermittelte Schwefelgehalt schwankte zwischen 0,01 und 0,0593 Proc. *H.*

G. Morpurgo. Untersuchung der sogenannten Sulfuröle auf einen Gehalt an freiem Schwefel[3]. — Die in der Grofsindustrie mittelst Schwefelkohlenstoff extrahirten Oele enthalten oft aus diesem stammenden freien Schwefel. Zur quantitativen Bestimmung werden 25 g mit Natronlauge verseift, dann mit 10 ccm 10 proc. Bleiacetat versetzt und mit einigen Tropfen Essigsäure angesäuert, wobei sich ein Gemisch von freier Fettsäure, Bleiseife und Schwefelblei ausscheidet. Nach Entfernung des wässerigen Antheils wird mit 50 ccm 95 proc. Alkohol und Essigsäure versetzt, auf dem Wasserbade erwärmt und das sich abscheidende Bleisulfid durch Waschen mit Alkohol von Fettsäuren befreit, dann mit verdünnter warmer Essigsäure, schliefslich mit Ammoniak gewaschen, getrocknet und gewogen. *Bl.*

L. Hannemann. Ueber Brotöl[4]. — Bei Herstellung der sog. „angeschobenen Brote", d. h. derjenigen, die im Backofen so

---

[1] Chemikerzeit. 20, 197. — [2] Daselbst, S. 199. — [3] Pharm. Post 29, 501; Ref.: Chemikerzeit. 20, Rep. 290. — [4] Daselbst, S. 1023—1024.

dicht an einander geschoben werden, daſs ihre senkrechten Seitenflächen sich berühren, ist ein Bestreichen dieser Seitenflächen mit
Fett vor dem Einsetzen in den Backofen nöthig. Man verwendet
nun zum Bestreichen meist Schmalz oder Butter. An Stelle dieser
Fette ist sog. Brotöl in den Handel gebracht worden. Dasselbe
ist ein fast geruchloses Mineralöl, dessen Verwendung als Ersatz
für Butter natürlich nicht statthaft ist und wird aus diesem
Grunde vor diesem sog. Brotöl gewarnt.   *Tr.*

D. Holde.   Vorschläge zur Herbeiführung einheitlicher
Prüfungsmethoden bei Mineralschmierölen [1]. — Zur Untersuchung
des *Gefriervermögens*, durch welches festgestellt wird, ob und in
welchem Maſse ein Oel bei einer vorgeschriebenen Temperatur
flüssig ist oder bei welcher Temperatur ein Oel die erste Ausscheidung giebt bezw. aus dem tropfbar flüssigen in den salben-
artig festen Zustand übergeht, wird das bis 3 cm hoch mit dem
Oel beschickte Reagenzglas in Salzlösungen gestellt, deren Gefrierpunkt den gewünschten Temperaturen entspricht. Diese Salzlösungen
werden ihrerseits durch eine Mischung von 1 Thl. Viehsalz und
2 Thln. feingestoſsenem Eis oder Schnee abgekühlt. Nach einstündigem Verbleib in den Salzlösungen wird durch Neigen der
Röhrchen beobachtet, ob die Oele flieſsend oder erstarrt sind.
Zur Bestimmung des *Flieſsvermögens* wird Oel in einer U-Röhre
10 Minuten auf 50° erhitzt, dann wieder auf Zimmertemperatur
abgekühlt. Nach einstündiger Abkühlung läſst man auf die Oberfläche der Oele vermittelst des Martens'schen Apparates einen
Luftdruck von 50 mm Wassersäule eine Minute wirken. Die Steig-
höhe des Oeles in dem kürzeren Schenkel des U-Rohres giebt das
Maſs für das Flieſsvermögen. Für die *Verdampfbarkeit* giebt der
Entflammungspunkt im Pensky'schen Apparat ein Maſs. Vielleicht führt auch die Bestimmung der Gewichtsverluste der Oele bei
gleichartiger Erhitzung auf 100, 150, 200 und 250° unter günstigen,
Zersetzung ausschlieſsenden Bedingungen zum Ziel. Zur Bestimmung des *specifischen Gewichtes* bedient man sich des Aräometers
oder Pyknometers. Der *Ausdehnungscoëfficient* ergiebt sich aus
dem specifischen Gewichte bei verschiedenen Temperaturen oder
wird mit dem besonderen Apparate des Verfassers bestimmt. *Hf.*

L. Archbutt.   Eine Verdampfungsprobe für Mineralschmieröle [2]. — Verfasser schlägt vor, an Stelle der bisher üblichen
Methode zur Bestimmung der Flüchtigkeit eines Schmieröles, wo-

[1] Chem. Rev. Fett- u. Harz-Ind. 3, 17—22; Ref.: Chem. Centr. [4]. 8.
I, 521—522. — [2] Chem. Soc. Ind. J. 15, 326—328.

bei eine abgewogene Menge Oel, nachdem sie für einige Stunden in einem Raum von bestimmter Temperatur erwärmt war, zurückgewogen und aus dem Gewichtsverluste die Flüssigkeit berechnet wurde, das Oel in einem Rohr zu erhitzen, indem man eine bekannte Menge Luft- oder Dampfstrom durch das Rohr leitet. Die Luft- oder Dampfmenge ist auf eine bestimmte Temperatur gebracht, das Oel wird in einem Schiffchen in das Rohr eingeführt. Um die Luft oder Dampf auf bestimmte Temperatur zu erwärmen, hat Verfasser besondere Apparate construirt, auf deren Construction hier nicht näher eingegangen werden kann. Für eine Reihe von derartigen Mineralölen sind Beleganalysen im Luft- und Dampfstrom ausgeführt. Dieselben zeigen, dafs zwischen der relativen Flüchtigkeit und dem Entflammungspunkte eines Mineralöles keine Beziehung besteht.   *Tr.*

J. Klimont. Nachweis und Bestimmung von Fichtenharz in Paraffin[1]). — 10 g Substanz werden mit 50 ccm etwa 10 proc. alkoholischer Kalilauge auf dem Wasserbade verseift; die Masse wird zur Trockne gebracht und aus einem aliquoten Theile derselben im Soxhlet-Apparat das Paraffin mit Aether extrahirt. Für schnelle annähernde Bestimmung des Colophoniumgehaltes genügt es, die Säurezahl des Gemisches zu bestimmen, welche im Mittel zu 170 anzunehmen ist.   *Hf.*

L. A. Linton. Technische Analyse des Asphalts. Nr. 2[2]). — In dieser zweiten[3]) Abhandlung werden einige der in der ersten gemachten Angaben berichtigt und ergänzt, sowie weitere Beiträge zur Analyse des Asphalts geliefert. Es kommt u. A. zur Besprechung die Bestimmung des Wassers, welche bei 50° auszuführen ist, da bei 100° schon ein Theil des Petroleums fortgehen würde. Weiter wird über die successive Extraction mit Chloroform und Terpentinöl gehandelt.   *Brt.*

Samuel P. Sadtler. Analyse der Asphalte[4]). — Verfasser extrahirt mittelst Aceton das Petrolen, hierauf mittelst Chloroform das Asphalten. Die Substanz wird in einem gewogenen Goochtiegel mit Asbestfilter mit Sand gemischt. Der Gewichtsverlust bei 100° giebt die Feuchtigkeit und flüchtige Substanz. Die Gewichtsabnahme durch 12 Stunden langes Extrahiren mit Aceton am Rückflufskühler giebt das Petrolen, der Gewichtsverlust durch achtstündiges Extrahiren mit Chloroform das Asphalten. Der

¹) Chem. Rev. Fett- u. Harz-Ind. 3, 76—77; Ref.: Chem. Centr. [4] 8, II, 1035. — ²) Amer. Chem. Soc. J. 18, 275—279. — ³) Daselbst 16, 809. — ⁴) The Chemical Trade Journ. 1895, p. 42; Chem. Rev. Fett- u. Harz-Ind. 1896, S. 67—68.

Rückstand wird an der Luft geglüht, wodurch die Asche und aus
der Differenz gegen 100 Proc. die nicht bituminösen organischen
Stoffe gefunden werden.   *Bl.*

Alkohole, Alkoholische Getränke. — E. Merk. Molyb-
dänsäure, ein Reagens auf Alkohol [1]). — Schichtet man eine
Lösung von Molybdänsäure in concentrirter Schwefelsäure unter
eine alkoholische Flüssigkeit bei etwa 60⁰, so bildet sich ein
blauer Ring, der mit dem Alkoholgehalt an Intensität zunimmt.
Beim Schütteln verschwindet er, die Reaction ist aber keine für
Alkohol specifische.   *Ldt.*

Franz Freyer. Ueber die Anwendung des Ebullioskops und
den Einfluß der gelösten festen Körper auf die Alkoholbestimmung [2]).
— Die Vortheile der Anwendung des Ebullioskops zur Bestimmung
des Alkoholgehaltes in Weinen, Bier, Likören etc. beruhen auf
der schnellen Erzielung der Resultate. Die Nachtheile sind einer-
seits die Schwierigkeit eines constanten Siedepunktes eines Ge-
misches von Alkohol und Wasser — selbst die bedeutenderen
Verbesserungen des Apparates durch Halligaud wie später
Amagat überwinden diesen Punkt nur unvollständig — anderer-
seits der Einfluß, den gleichzeitig vorhandene Extractstoffe, wie
Zucker u. s. w., auf die Bestimmung ausüben. Durch eine lange
Reihe von Versuchen mit Gemischen von reinem Alkohol und
Wasser und solchen, die außerdem einen verschieden großen
Zusatz von Zucker erhielten, ist es ihm gelungen, empirische
Tabellen aufzustellen, welche die Ebullioskopangaben in hin-
reichender Genauigkeit corrigiren. Folgende Tabelle giebt die
Correcturen an, welche nach seinen Versuchen nöthig sind, um
den wahren Alkoholgehalt zu finden:

Extract in 100 ccm	Volumprocent Alkohol			
	5	10	15	20
	von der Ebullioskopangabe abzuziehen			
5	0	0	0,2	0,2
10	0,1	0,2	0,6	0,6
15	0,2	0,5	0,9	0,9
20	0,3	0,8	1,3	1,3

Die Untersuchungen, die sich vorläufig nur auf Zucker erstreckten,
sind noch nicht abgeschlossen.   *Ldt.*

---

[1]) Chemikerzeit. 20, 228. — [2]) Zeitschr. angew. Chem. 1896, S. 654—656.

Maurice Nicloux[1]) überreicht eine Notiz „Directe Bestimmung von Aethylalkohol in Lösungen von 1 : 3000 bis 1 : 5000".

Bl.

Nicloux. Bestimmung des Aethylalkohols in stark verdünnten Lösungen[2]). — Alkohol färbt Chromsäurelösung grün,
ein geringer Ueberschuſs von Chromat bewirkt dann einen Umschlag in Gelbgrün. Als Vergleichflüssigkeit diente wässeriger
Alkohol von $^1/_{500}$ bis $^1/_{9000}$ Gehalt. Die Chromatlösung ist zwei-
procentig. 5 ccm von $^1/_{500}$ Alkoholmischung braucht zur Grünfärbung
1,9 ccm Chromatlösung, zur Gelbfärbung 2 ccm, $^1/_{1000}$ Mischung
0,9 ccm resp. 1 ccm Chromatlösung. Nach diesen Normen berechnet man die gefundenen Werthe. *Ldt.*

Rudolf Hefelmann. Neues Verfahren zur Bestimmung
des Alkohols in Essenzen[3]). — Das vom Bundesrath zur steuer-
technischen Ermittelung des Alkoholgehaltes in Essenzen vorgeschriebene Verfahren (Ausscheidung der ätherischen Oele in
den mit Wasser verdünnten Essenzen durch Kochsalz) hat sich
zwar im Allgemeinen bewährt, liefert aber z. B. bei Eau de Cologne
keine guten Resultate. Verfasser verdünnt eine gemessene Menge
mit dem gleichen Volumen Wasser, fügt Petroläther hinzu und
schüttelt durch; nach mehreren Stunden wird die klare Alkohol-
schicht abgelassen und destillirt. Im Destillate wird der Alkohol
bestimmt und mit Berücksichtigung der Volumverhältnisse berechnet. Die ätherischen Oele gehen vollständig in den Petroläther
über, der seinerseits aus der verdünnten alkoholischen Lösung
keinen Alkohol aufnimmt und in dieser selbst unlöslich ist. *Bl.*

Josef Paul. Zum Nachweis von Aldehyd im Alkohol[4]). —
Verfasser modificirt das Verfahren Mohler's[5]) (Färbung entfärbter
Fuchsinlösung), indem er die Entfärbung der Fuchsinlösung, titrirte
Schwefeldioxydlösung, anstatt Bisulfitlösung verwendet. Der in
gröſserer Menge nöthige, ganz aldehydfreie Alkohol wird durch
tagelanges Kochen von Alkohol an einem mit warmem Wasser
gespeisten Rückfluſskühler und Isolirung des mittleren Theiles
des Destillates bereitet. Die colorimetrische Bestimmung wird
am besten mittelst eines Duboscque'schen Colorimeters ausgeführt. Als Vergleichsflüssigkeiten dienen typische Lösungen,
welche 25, 50, 100 mg Aldehyd im Liter 30 proc. Alkohols enthalten; für sehr aldehydarme Alkohole eine Vergleichsflüssigkeit,

---

[1]) Compt. rend. 123, 202. — [2]) Chemikerzeit. 20, Rep. 813; nach Ann.
Chim. anal. appl. 1, 445. — [3]) Pharm. Centr.-H. 37, 683—697; Ref.: Chem.
Centr. 67, II, 932—933. — [4]) Zeitschr. anal. Chem. 35, 647—659. — [5]) Da-
selbst, 31, 583.

die 10 mg im Liter 50 proc. Alkohols enthält. Die (übrigens selbst-
verständlichen) Einzelheiten der Ausführung sind sehr ausführlich
beschrieben. Acetal reagirt wie Aldehyd (vgl. Mohler, l. c.).
Furfurol giebt eine 70 mal schwächere Lösung wie Aldehyd, so
dafs kleine Mengen nicht stören. Angeregt durch O. F. Müller[1]
untersuchte Verfasser auch die Verwendbarkeit der Schwefelsäure-
verbindungen anderer Triphenylmethanfarbstoffe. Nur Methylviolett 5 R. [Bayer (Elberfeld)] ist brauchbar und fast besser als
Fuchsin.   *Bl.*

E. Rieter. Ueber die Bestimmung des Aldehyds in alkoholischen Flüssigkeiten[2]. — Von ungefärbten Flüssigkeiten, die im
Liter höchstens 0,025 g Aldehyd enthalten dürfen, bringt man
20 ccm mit 5 ccm Schwefligsäurelösung (0,5 g SO_2 im Liter) in
ein 100 ccm - Kölbchen, füllt bis zur Marke auf und läfst vier
Stunden stehen. In der einen Hälfte wird die nicht verbrauchte
schweflige Säure mittelst $1/200$ oder $1/100$ norm. Jodlösung bestimmt;
in der anderen Hälfte wird mittelst Alkali die aldehydschweflige
Säure zerstört, und nach dem Ansäuern die Gesammtmenge
schweflige Säure jodometrisch bestimmt. Die Differenz entspricht
der vom Aldehyd gebundenen Menge. 1 ccm $1/10$ norm. Jodlösung
= 0,32 mg SO_2. Bei gefärbten Flüssigkeiten wird das Destillat
geprüft.   *Bl.*

Barbet und Jandrier. Ueber die Bestimmung von Estern
in Alkoholen[3]. — Zur Vermeidung der bei der gewöhnlichen
Esterverseifung meist gefundenen zu hohen Zahlen ist nach den
Verfassern Zuckerkalk als Alkali geeignet, da dieser nicht mit
den stets vorhandenen Aldehyden, selbst beim Erhitzen, reagirt.
Die Titrirlösung stellt man aus 1 Thl. Kalk, 5 Thln. Zucker und
soviel Zuckerwasser dar, dafs die Flüssigkeit ca. $1/10$-normal ist.
Zur Ausführung der Analyse setzt man zu 100 ccm des zu untersuchenden Alkohols 10 ccm der Zuckerlösung hinzu, erhitzt zwei
Stunden im Rückflufskühler und titrirt den Ueberschufs an Alkali
zurück. Die verseifte Menge Kalk rechnet man auf Essigäther um.
                                                                Ldt.

F. Bordas und Sig. de Raczkowsky. Neues Verfahren zur
Glycerinbestimmung[4]. — Nicloux' Methode zur Bestimmung
von verdünntem Alkohol, bestehend in der Oxydation mittelst

[1] Zeitschr. anal. Chem. 35, 228. — [2] Schweiz. Wochenschr. Pharm.
34, 237—239; Ref.: Chem. Centr. 67, II, 368. — [3] Ref.: Chemikerzeit. 20,
Rep. 275; Ann. Chim. anal. appl. 1896, I, 367. — [4] Compt. rend. 123,
1071—1072.

Kaliumbichromatlösung und Schwefelsäure, ist nach dem Verfasser auch zur Analyse sehr verdünnter Glycerinlösungen geeignet. *Bl.*

L. **Magnier de la Source.** Bestimmung der freien Wein-säure im Wein [1]). — Nur KCl oder KBr scheiden aus dem Wein das schwer lösliche Kaliumditartrat vollständig ab, Kaliumacetat hält selbst bei Anwesenheit von viel Alkohol einen beträchtlichen Theil in Lösung.   *Mr.*

J. A. **Muller.** Ueber den Milchsäuregehalt algerischer Weine [2]). — Verfasser fand einen abnorm hohen Milchsäuregehalt, der bis zu 4,5 g im Liter ansteigt. Die Weine waren anscheinend nicht in saure Gährung gerathen, da sie im Uebrigen ein normales Verhalten zeigten. Eine Tabelle zeigt die Zusammensetzung einer gröfseren Anzahl Proben algerischer Weine.   *Bl.*

J. A. **Muller.** Ueber die Bestimmung der freien Milch- und Bernsteinsäure in Weinen [3]). — Das Gemenge der im trockenen Extract enthaltenen Säuren wird in Barytsalz verwandelt und das Salzgemisch durch Behandeln in 80 proc. Alkohol in lösliches Baryumlactat und unlösliches Baryumsuccinat getrennt. Immer geht ein Theil der Säure verloren, von der Bernsteinsäure im Mittel 16 Proc., von der Milchsäure 33 Proc. Letzterer Verlust rührt von der Verflüchtigung der Säure beim Trocknen im Vacuum her.   *Bl.*

Albin Belar. Prüfung des Rothweines auf fremde Farb-stoffe [4]). — Während der blaue und rothe Pflanzenfarbstoff (Antho-kyan), sowie der Farbstoff des Rothweines von Nitrobenzol nicht aufgenommen wird, gehen eine Reihe künstlicher Farbstoffe in dieses Lösungsmittel über, so Fuchsin, Purpurin, Safranin, Eosin, theilweise Methylenblau. (Indigocarmin nicht.)   *Bl.*

J. A. **de Cruz-Magalhaës.** Untersuchung von Wein auf Caramel, Möglichkeit der Verwechslung mit Theerfarbstoffen [5]). — Verfasser findet gelegentlich einer Untersuchung portugiesischer Weine, dafs Caramel ähnliche Reactionen wie einige Theer-farbstoffe giebt. Caramel aus Dextrose verhält sich verschieden von dem aus Rohrzucker gewonnenen.   *Bl.*

Arthur Bornträger. Bestimmung des Zuckers in Mosten und Weinen durch Titriren mit Fehling'scher Lösung [6]). — Die Abhandlung enthält Bekanntes.   *Bl.*

---

[1]) Chem. Centr. 67, II, 565; n. Rev. intern. falsific. 9, 115—116. — [2]) Bull. soc. chim. [3] 15, 1210—1213. — [3]) Daselbst, S. 1203—1206. — [4]) Zeitschr. anal. Chem. 35, 322—323. — [5]) Compt. rend. 123, 896—897. — [6]) Chem. Rundschau 1896, S. 41—44, 62—64.

W. Möslinger. Extractbestimmung im Wein [1]). — Enthält
eine Detailvorschrift, wie der Wein eingedampft und der Extract
getrocknet werden soll, um ganz gleichmäfsige Resultate zu erhalten, sowie die Beschreibung eines geeigneten Zellentrocken-
schrankes.   *Bl.*

**E. Riegler. Die Bestimmung des Alkohols und Extractes
im Weine auf optischem Wege** [2]). — Das Verfahren, welches Verfasser einschlägt, ist folgendes. Zunächst wird mit Hülfe des
Pulfrich'schen Refractometers der Brechungsexponent im Wein
bestimmt, dann verdampft man den Wein zur Befreiung von
Alkohol auf $1/3$ Volumen, füllt mit destillirtem Wasser auf das
ursprüngliche Volumen auf, ermittelt den Brechungsexponenten
der so gewonnenen Extractlösung und stellt schliefslich noch den
Brechungsexponenten des destillirten Wassers fest. Die Temperatur der drei Flüssigkeiten, deren Brechungsexponent bestimmt
wird, mufs immer dieselbe sein. Ist (N) der Brechungsexponent
des Weines, bezeichnet $(a + b)$ denjenigen der Extractlösung und
(a) denjenigen des destillirten Wassers, so erhält man den Alkohol
in Grammen in 100 ccm $= \dfrac{N - (a + b)}{0,00068}$ und den Extract in
100 ccm Wein $= \dfrac{(a + b) - a}{0,00145}$. Die Zahl 0,00145 ist die Erhöhung des Brechungsexponenten der Extractlösung gegen diejenige des Wassers durch 1 g Extract in 100 ccm Wein; die Zahl
0,00068 die Erhöhung des Brechungsexponenten des Weines gegen
diejenige der Extractlösung durch 1 g Alkohol in 100 ccm Wein.
Beide Zahlen hat Verfasser durch eine Reihe von Extract- und
Alkoholgehaltbestimmungen an Weinen ermittelt.   *Tr.*

**Karl Windisch. Ueber die Bestimmung des Extractes von
Most und Süfsweinen, Fruchtsäften, Likören, Würze und Bier** [3]). —
Da bei der chemischen Untersuchung zuckerhaltiger Flüssigkeiten
das directe Verfahren der Extractbestimmung, d. h. Eindampfen
und Trocknen des Rückstandes, mit grofsen Schwierigkeiten und
Unzuträglichkeiten verknüpft ist, so verwendet man besser das
indirecte Verfahren, welches darin besteht, dafs man die Dichte
der wässerigen Lösung der gesammten Extractstoffe bei einer bestimmten Temperatur ermittelt und den der gefundenen Dichte
entsprechenden Extractgehalt aus einer besonderen Extracttafel

---

[1]) Forschungsber. über Lebensm. **3**, 286—291; Ref.: Chem. Centr. **67**,
II, 809—811. — [2]) Zeitschr. anal. Chem. **35**, 27—31. — [3]) Arb. Kais. Ges.-A.
3, 77—103.

entnimmt. Enthält die wässerige Extractlösung andere flüchtige
Stoffe, die von Einfluſs auf die Dichte sind, z. B. Alkohol, so
muſs man sich zunächst eine wässerige Extractlösung herstellen.
1. *Most und Süſsweine.* Von H. Hager stammt die erste Extracttafel für Most und Süſsweine, die sich jedoch nicht als geeignet
erweist. Es ist dann ferner von Halenke-Möslinger neuerdings
eine Extracttafel auf Grund eines besonderen Verfahrens aufgestellt worden. Verfasser hat nun die aus der Halenke-Möslinger'schen Extracttafel entnommenen Extractwerthe mit den
auf directem Wege ermittelten verglichen und gefunden, daſs sie
zwar theilweise übereinstimmen, zum Theil aber auch erhebliche
Schwankungen zeigen. Als Ursache der Abweichungen glaubt
Verfasser annehmen zu müssen, daſs das von Halenke und
Möslinger angewandte Trocknungsverfahren sehr unsicher und
von mancherlei Zufällen abhängig ist, und daſs auch ohne Zweifel
die Verschiedenheit in der Zusammensetzung der Moste einen
Einfluſs auf die vergleichenden Bestimmungen von Halenke und
Möslinger ausgeübt hat. Dem Vorschlage von seiten Halenke-
Möslinger, ihre Mostextracttafel auf Süſsweine zu übertragen,
stehen erhebliche Bedenken gegenüber, da sie zunächst für die
zahlreichen Weine, die 4 bis 13 g Extract in 100 ccm enthalten,
nicht ausreicht. Wollte man die genannte Tafel ergänzen, so
könnte man sie doch nicht ohne Weiteres auf Süſsweine übertragen. Während die Moste immerhin noch eine einigermaſsen
gleichbleibende Zusammensetzung zeigen, treffen wir bei Süſsweinen je nach der Art der Herstellung groſse Verschiedenheiten
in der Zusammensetzung an. Es wird daher die Halenke-Möslinger'sche Mostextracttafel, auf Süſsweine übertragen, im Allgemeinen keine genauen Ergebnisse liefern. Verfasser betont
noch, daſs unter den Chemikern bei der Wahl der Tafeln für
die indirecte Extractbestimmung groſse Willkürlichkeit herrscht und
daſs bei der hohen Bedeutung, die man der Bestimmung des
Extractes in Süſsweinen beimiſst, diese Sachlage zu Unzuträglichkeiten führen muſs. 2. *Fruchtsäfte, Gelees und Honig.* Für diese
Substanzen wird man zweckmäſsig die indirecte Extractbestimmung
anwenden und dieselben, da sie zur Bestimmung der Dichte zu
dickflüssig sind, vorher in einer bekannten Menge Wasser lösen
und dann aus der Dichte der wässerigen Lösung den Extractgehalt berechnen. 3. *Verzuckerte Maische, Bierwürze und Bier.*
Die zuerst von Balling aufgestellte Extracttafel zur Untersuchung von Bier und Würze weist Rechenfehler auf und ist auch
die Arbeit Balling's mit Versuchsfehlern behaftet. Die ferner

von Schultze aufgestellte Extracttafel liefert in Folge von Fehlern, die der directen Extractbestimmung zu Grunde liegen, erheblich gröfsere Zahlen als alle übrigen Tafeln. Auch die von Elion aufgestellte Extracttafel ist nach Riiber's Untersuchungen nicht fehlerfrei. *4. Vorschlag einer neuen Extracttafel für alle im Vorstehenden behandelten Nahrungsmittel.* Da, wie im Vorstehenden bewiesen, die zur Untersuchung von Süfsweinen, Bier etc. benutzten Extracttafeln den Anforderungen, die an sie gestellt werden müssen, nicht genügen, hat Verfasser nun eine neue Extracttafel für alle die genannten Nahrungsmittel in Vorschlag gebracht. In befriedigender Weise entspricht den an eine Extracttafel für zuckerhaltige Flüssigkeiten zu stellenden Anforderungen eine genaue und richtige Rohrzuckertafel. Den Vorzug verdient eine von der Kaiserlichen Normal-Aichungs-Commission festgesetzte Tafel, die in Zukunft die amtliche Zuckertafel des Deutschen Reiches sein wird, nach welcher die Saccharimeter geaicht werden. Verfasser vergleicht in seiner sehr umfassenden Arbeit die bisher üblichen Tafeln mit der neuen Tafel und kommt zu dem Schlusse, dafs die neue Tafel für alle oben genannten Substanzen brauchbar ist. Verfasser hat die neue amtliche Tafel in eine Form gebracht, dafs man für jede ermittelte Dichte ohne jede Umrechnung den Extractgehalt entnehmen kann. Die genannte Tafel ist im Verlage von Julius Springer erschienen.   *Tr.*

L. Magnier de la Source. Sur la détermination de l'extrait sec du vin[1]. — Verwendet man statt 10 ccm nur 5 ccm Wein für die Extractbestimmung, so erhält man durch Verdunsten über concentrirter Schwefelsäure und nachfolgendes zweitägiges Trocknen über Phosphorsäure Resultate, welche von durch Trocknen im Vacuum erhaltenen Resultaten nur unwesentlich abweichen.   *Hj.*

Karl Windisch. Die chemische Untersuchung und Beurtheilung des Weines[2]. — Das Buch zerfällt in drei Abtheilungen, enthaltend 1. die Darstellung des Weines, in welcher der Traubensaft und seine Veränderungen während und nach der Gährung besprochen werden; 2. die vom Bundesrathe festgestellten Untersuchungsmethoden, aufserordentlich klar und präcis gefafst; 3. die Schlüsse, die aus den Untersuchungsergebnissen zu ziehen sind. Die Chemikerzeitung bezeichnet das Buch als das beste und vollständigste auf diesem Gebiete erschienene.   *Bl.*

S. Bein. Ueber die Bedeutung, Erzeugung, Untersuchung

---

[1] Rev. intern. falsif. 9, 16—17. — [2] Verlag von Julius Springer. Berlin 1896; Bespr. Chemikerzeit. 20, 670.

und Begutachtung der Ungarweine [1]). — Verfasser berücksichtigt
hierbei die Tokayerweine und gewöhnliche ungarische Süfsweine
und sonstige Ausbruchsweine. Die Untersuchung der süfsen
Ungarweine hat im Wesentlichen nach den Grundsätzen zu er-
folgen, die 1890 auf dem Wiener land- und forstwirthschaftlichen
Congresse aufgestellt sind. Für die Beurtheilung sind die durch
das 1893 in Kraft getretene ungarische Weingesetz festgelegten
Normen mafsgebend. Als vorläufige Beurtheilungsnormen empfiehlt
Verfasser: 1. *Nichtsüfse Ungarweine* sind mit Ausnahme der
Szamarodner- oder der in der Tokay-Hegylyaer-Gegend erzeugten
Weine genau so, hinsichtlich des Zuckergehaltes, wie die deutschen
Weine zu beurtheilen. Das Alkohol-Glycerinverhältnifs kann bis
auf 100:5 heruntergehen. 2. *Süfse Ungarweine*, z. B. Weine mit
Tokayer-Ursprungsbezeichnung, sollen in 100 ccm nicht viel mehr
als 0,35 g Asche, nicht viel über 14 Vol.-Proc. Alkohol, in der
Regel ca. 0,060 g P_2O_5, somit keine fremden Zuckerarten besitzen.
Süfse Medicinal-Ungarweine müssen aus Wein- oder Trockenbeeren
erzeugt sein und müssen denselben Anforderungen hinsichtlich
Alkohol und Aschengehaltes entsprechen, die man an süfse Ungarweine stellt.   *Tr.*

M. Barth. Zur Untersuchung und Beurtheilung der Süfsweine [2]). — Verfasser giebt eine ausführliche Beschreibung der
Bereitungsweise von Süfsweinen, indem er hierbei besonders die
griechischen und die Tokayer Süfsweine berücksichtigt. Die zur
Untersuchung vorliegenden Proben waren unbedingt zuverlässige,
einwandfreie, typische Muster. Ueber die chemische Untersuchung
dieser Weinsorten, die in einer sehr umfangreichen Arbeit niedergelegt ist, kann hier nicht näher berichtet werden und sei deshalb in Bezug auf die Einzelheiten auf die Originalarbeit verwiesen. Verfasser stellt schliefslich an die Weine ungarischen
und griechischen Ursprungs, sofern sie zu Medicinalzwecken dienen
sollen, auf Grund seiner Untersuchungen folgende Anforderungen:
I. *Die Tokayer Weine* müssen den Charakter concentrirter Weine
besitzen, die aus theilweise überreifen Trauben ohne jeden Zucker-
oder Alkoholzusatz gewonnen sind. Die trockenen Szamorodniweine
sollen mindestens 3 g zuckerfreies Extract, 0,200 g Mineralstoffe
und 0,040 g Phosphorsäure in 100 ccm enthalten. Die Menge des
Gährungsglycerins kann bis zu 13 Proc. des vorhandenen Alkoholgehaltes gehen. Von unvergohren gebliebenem Zucker kann Lävulose

[1]) Centralbl. Nahr.- u. Genufsm. 2, 309—313, 325—331; Ref.: Chem. Centr. **68**, I, 136—137. — [2]) Forschungsber. über Lebensm. 3, 20—38.

70 und mehr als 80 Proc. vom Gesammtzucker betragen. Die süſseu
Tokayer Ausbruchweine sind in hohem Maſse concentrirte Weine.
Ihr Gehalt an zuckerfreiem Extract ist selbst in den geringeren
Qualitäten höher als $3^{1}/_{2}$ Proc. in 100 ccm, bei 8 und mehr als
8 Proc. Zucker beträgt der zuckerfreie Extract 4 und mehr als 4 g
in 100 ccm. Der Mineralstoffgehalt geht in keinem Falle unter
0,250 g in 100 ccm, der Phosphorsäuregehalt nicht unter 0,060 g
in 100 ccm. Auch hier überwiegt Lävulose die Dextrose, sie
nähern sich in ihrem Verhältniſs nur bis 55:45. II. *Bei anderen
ungarischen Süſsweinen*, die nicht dem Tokayer Gebiet entstammen,
sollte man mindestens 3 g zuckerfreies Extract, 0,240 g Mineralstoffe und 0,040 g Phosphorsäure in 100 ccm fordern dürfen. Das
Glycerin-Alkoholverhältniſs wird etwas unter die bei deutschen
besseren Weinen beobachteten unteren Grenzen hinabgehen dürfen.
in dem Verhältniſs zwischen Lävulose und Dextrose muſs ein
merkliches Ueberwiegen der erstgenannten Zuckerart zu erkennen
sein. III. *Die griechischen trockenen Weine* sind keine eigentlichen
concentrirten Weine, sie gehen im Gehalt an zuckerfreiem Extract
bis zu 2,4 g, im Gehalt an Mineralstoffen bis zu 0,200 g, im Gehalt an Phosphorsäure bis 0,017 g in 100 ccm herunter. Ihr
Alkoholgehalt hat fast ganz der natürlichen Mostgährung zu entstammen. Enthalten sie noch geringe Mengen unvergohren gebliebenen Zuckers, so muſs die Lävulose ganz erheblich die
Dextrose überwiegen. IV. *Die griechischen Süſsweine* zeigen den
Charakter concentrirter Weine, ihr zuckerfreies Extract beträgt
mindestens 3 g, ihr Gehalt an Mineralstoffen mindestens 0,240 g.
ihr Gehalt an Phosphorsäure 0,030 g in 100 ccm. An Gährungs-
glycerin sind sie wesentlich ärmer als die Tokayer Süſsweine.
Im unvergohrenen Zucker schwankt das Verhältniſs von Lävulose
zu Dextrose von 55 : 45 bis 66 : 34. An Sulfaten sollen die
griechischen Weine einen Gehalt, der 0,2 g Kaliumsulfat in 100 ccm
entspricht, an Chloriden einen Gehalt, der 0,050 g Chlornatrium
in 100 ccm entspricht, nicht erreichen, zum mindesten nicht überschreiten.   *Tr.*

Ed. Späth und J. Thiel. Ueber Tresterweine [1]. — Eigene
Untersuchungen im Zusammenhalt mit den Ergebnissen anderer
Analytiker führen die Verfasser zu dem Resultat, daſs die im
Weingesetz aufgestellte Norm, Weine mit niedrigem Extract- und
verhältniſsmäſsig hohem Aschengehalt als Tresterweine aufzufassen.
im Ganzen berechtigt ist. Der Tresterwein enthält meist ziem-

_____

[1] Zeitschr. angew. Chem. 1896, S. 721—727.

lich normale Asche, insbesondere normalen Phosphatgehalt. Der
sehr geringe Alkoholgehalt pflegt ergänzt zu werden, dann fehlt
aber entsprechend Glycerin. Das auffälligste Merkmal ist der
hohe Gehalt des Tresterweins an Gerbsäuren, immer über 0,02 Proc.,
während Wein fast immer sehr wesentlich weniger als 0,01 Proc.
enthält.   *Bl.*

G. Teyxeira. Gessatura neï vini per trattamenti con mistura
bordolese [1]). — Weine, welche von Stöcken, die mit Kupferkalkbrühe behandelt sind, herrührten, verhielten sich ähnlich wie
gegypste Weine. Einige Proben enthielten auch geringe Mengen
Kupfer. Wenn die Reben zu spät mit der Kupferkalkbrühe behandelt werden, so können die Weine gegypst erscheinen.   *Hf.*

F. Glaser und K. Mühle. Zur Bestimmung der Phosphorsäure in Medicinalweinen [2]). — Man verdampft 100 ccm des Weines
zur Syrupdicke, giebt nach dem Erkalten 25 ccm concentrirte
Salpetersäure hinzu und erwärmt bis zum Eintreten der Reaction,
welche dann von selbst weiter geht. Nach Aufhören derselben
setzt man weitere 75 ccm der Säure hinzu und erwärmt schwach,
bis fast Alles verdampft ist. Sodann wird erkalten gelassen, mit
10 ccm concentrirter Schwefelsäure und etwas Quecksilber versetzt, weiter erhitzt und die wieder hell gewordene Flüssigkeit
nach dem Erkalten auf 250 ccm gebracht. 100 ccm derselben
(40 ccm Wein entsprechend) werden mit Ammoniak neutralisirt,
um dann die Phosphorsäure entweder nach der Molybdän- oder
der Citratmethode auszufällen, von welchen die letztere um etwas
zu niedrige Werthe liefert.   *Brt.*

Q. Sestini. Ueber den Nachweis und die Bestimmung des
Fluors im Weine und in den Quellwässern [3]). — Es wird zum
genannten Zwecke die Methode von Nivière und Hubert [4]) mit
derjenigen von Carnot combinirt. Ein zur Ausführung der Bestimmung dienender *Apparat* wird beschrieben. — Ein Theil des
Fluorgehaltes der Weine geht mit der Zeit in den Weinstein
über. — Kleine Mengen von Fluor fand derselbe in einem
Mineralwasser, nicht aber in zwei Quellwässern.   *Brt.*

W. Windisch. Ueber den Nachweis sehr geringer Mengen
von Fluor im Bier [5]). — Anderen Methoden ist die folgende vorzuziehen. Ein Liter gekochten Bieres wird mit Kalkwasser in der
Hitze versetzt, der Niederschlag auf einem Leinwandlappen ge-

---

[1]) Staz. sperim. agrar. ital. 29, 564—567. — [2]) Chemikerzeit. 20, 723.
— [3]) Chem. Centr. 67, II, 1008—1009; L'Orosi 19, 253—258. — [4]) Chem.
Centr. 66, II, 251. — [5]) Daselbst 67, II, 60; Wochenschr. Brauerei 13,
449—450.

sammelt, zwischen Filtrirpapier abgepreſst, sodann getrocknet und
geglüht. Man pulvert darauf die Masse, befeuchtet sie in einem
Platintiegel mit wenig Wasser und erhitzt mit concentrirter
Schwefelsäure unter Auflegen eines Uhrglases, aus dessen erfolgen-
der Aetzung die Gegenwart der Fluſssäure abzuleiten ist. *Brt.*

J. **Brand.** Ueber den Nachweis sehr geringer Mengen von
Fluor im Bier [1]). — Das Fluor wird mit Chlorcalcium gefällt und
geprüft, ob beim Erhitzen des Niederschlages mit concentrirter
Schwefelsäure Glas ätzende Dämpfe auftreten. *Brt.*

A. **Gawalowski.** Rasche Bestimmung des annähernden
Alkoholgehaltes und der Grädigkeit der Schankbiere [2]). — An
einer groſsen Anzahl von Bieranalysen hat Verfasser die Beobachtung gemacht, daſs die scheinbaren **Balling-Grade** des von
Kohlensäure befreiten Bieres ziemlich befriedigend mit den von
Hager indirect gefundenen Alkoholgewichtsprocenten übereinstimmen. Die Differenzen betrugen nur bis 0,6 Proc. Wird ferner
noch die Spindelanzeige des Bieres, das man durch Eindampfen
auf $1/_3$ Volumen entgeistet hat, bestimmt, so erhält man die
Stammwürzegradigkeit nach folgender Formel $g = 2a + e$, worin
(*a*) den Alkoholgehalt, (*e*) den Extractgehalt bedeutet. Verfasser
schlägt das genannte Verfahren zur Classification der Schankbiere für Marktpolizei etc. vor. *Tr.*

E. **Prior.** Ueber den Nachweis von Zucker in vergohrenen
Würzen und dem unvergährbaren Würzerest der Hefen Saaz.
Frohberg und **Logos** [3]). — Gelegentlich von Untersuchungen
über die diastatischen Achroodextrine hat Verfasser beobachtet.
daſs die bei der fractionirten Fällung der Stärkeumwandlungs-
producte erhaltenen unlöslichen Antheile kein krystallisirtes Osazon
geben, daſs aber dennoch Zucker vorhanden sein kann, so daſs
ein Irrthum leicht möglich ist. Verfasser kocht nun die 5 proc.
Lösung der fraglichen Dextrine viermal mit 95 proc. Alkohol je
eine halbe Stunde am Rückfluſskühler, entfernt den Alkohol aus
den vereinigten Auszügen, löst den Rückstand in Wasser und
macht die Osazonprobe. Scheidet sich zunächst nichts aus, so
ist Glucosazon abwesend, doch kann noch Maltosazon anwesend
sein; bleibt das in Wasser gegossene Reactionsgemisch hingegen
24 Stunden klar, so kann man auf die Abwesenheit jeder Art
Zucker schlieſsen. Durch die Behandlung mit dem 95 proc. Alkohol

---

[1]) Chem. Centr. 67, II, 512; Zeitschr. ges. Brauw. 19, 396—397. —
[2]) Centralbl. Nahr.- u. Genuſsm. 2, Heft 9; Ref.: Chem. Centr. 67, II, 67. —
[3]) Centralbl. f. Bacter. u. Parasitenk. 2, 2. Abth., 569—572; Ref.: Chem.
Centr. 67. II, 1011—1012.

giebt das Gemisch relativ mehr Zucker als Dextrin an das Lösungsmittel ab und man kann in den Auszügen Zucker nachweisen,
wenn dies im ursprünglichen Material nicht mehr möglich ist.
Mittelst dieser Methode untersuchte Verfasser die unvergohrenen
Antheile der mit den genannten Hefearten vergohrenen Würze,
und es zeigte sich, daſs thatsächlich durch diese best vergährenden Hefen, bei Anwesenheit von Dextrinen, kleine Mengen Zucker
unvergohren bleiben.   *Bl.*

· H. Schierning. Ueber die quantitative Bestimmung der
Proteïnstoffe in Würze [1]). — Im Anschluſs an frühere Untersuchungen [2]) kommt Verfasser zu dem Resultate, daſs man von
der *Natronfällung* (Na) absehen kann, wenn es gilt, die verschiedenen Proteïnstoffe durch Fällung zu bestimmen. Bei der
Barytfällung (Ba) fällt auſser den Stickstoffverbindungen der
früheren Fällung (Na) auch eine weitere N-Verbindung (Ba)–(Na)
= Denucleïn. Die Phosphorwolframfällung (Pw) ist gleich Ammoniak + Albumin + Denucleïn + Propepton + Pepton; sie wird
ausgeführt durch Zusatz von 5 ccm 10 proc. Schwefelsäure und
25 ccm 10 proc. Phosphorwolframsäure zu 25 ccm Würze und Auswaschen mit verdünnter Schwefelsäure. Die Fällung ist gleich
der Uranfällung + Ammoniak. Weiter werden zur Unterscheidung
der Proteïnstoffe vier Proben mit Zinnchlorid, Bleiacetat, Ferriacetat und Uranacetat gefällt und in jeder Fällung der Stickstoff
bestimmt. (Sn), (Pb), (Fe), (Ur) Stickstoff. Die (Sn) Fällung enthält nur Albumin. (Pb) enthält neben Albumin noch andere,
unter der Bezeichnung Denucleïn zusammengefaſste Proteïne.
(Pb)–(Sn)-Denucleïn. (Fe) enthält auſser den genannten Proteïnen
noch Propepton; Propepton = (Fe)–(Pb). — (Ur) enthält alle
Proteïne, inclusive Pepton; Pepton = (Ur)–(Fe). Die gröſsten
Schwierigkeiten bietet die (Fe)-Fällung. Durch Fällung mit
Magnesiumsulfat (Mg), welches Albumin + Propepton fällt, kann
das Resultat obiger Fällungen controlirt werden.   *Bl.*

E. Ehrich. Untersuchungen über die Stickstoffverbindungen
der Malz- und Bierwürzen [3]). — Zur Trennung der Proteïne,
Peptone und Amide hat der Verfasser die Fällung mit Blei- oder
Kupfersalzen (Proteïne), ferner mit Tannin und Phosphorwolframsäure (Peptone) in verschiedenen Combinationen benutzt und gelangt dabei u. A. zu dem Resultate, daſs die Trennung der Ei-

---

[1]) Tidsskrift for Fysik og Kemi 1896, I, 814; Ref.: Chemikerzeit. 20,
Rep. 180. — [2]) Zeitschr. anal. Chem. 33, 263; 34, 135. — [3]) Bierbrauer 1895,
S. 145, 161, 177; Ref.: Biederm. Centr. 25, 333—337.

weifskörper, Peptone und Amide zur Zeit noch sehr unsicher ist
und die Resultate der verschiedenen Methoden sehr bedeutend
von einander abweichen.   *Tf.*

   John Heron. Ueber die Bestimmung und die Veränderung
des Hopfengerbstoffs, und die Wirkung des Hopfengerbstoffes beim
Würzekochen [1]). — In einer auf 1005 ccm geaichten Flasche (5 ccm
sind Correctur für das Volumen des ausgezogenen Hopfens) werden
10 g Hopfen mit 900 ccm kochendem Wasser versetzt und unter
Schütteln im Wasserbade eine Stunde erwärmt. Nach dem Abkühlen
wird aufgefüllt und filtrirt; 100 ccm entsprechen 1 g Hopfen. (Das
sonst übliche Aufkochen ist zu vermeiden.) Die Bestimmung der
Gerbstoffe geschieht durch Titration mit Chamäleonlösung unter
Indigozusatz in der Weise, dafs eine Probe direct titrirt wird, während
eine zweite gleiche mittelst einer Gelatinelösung von Gerbsäure befreit und dann in gleicher Weise titrirt wird, wobei der Chamäleon-
verbrauch vom oxydirten Nichtgerbstoff herrührt. Aus der Differenz
wird der Gerbstoff gerechnet, oder besser als Oxalsäure angegeben.
Verfasser giebt genaue Ausführungsvorschriften. Mit Hülfe dieses
Verfahrens konnte Verfasser zeigen, dafs thatsächlich der Gerbstoff
beim Lagern des Hopfens abnimmt, besonders stark im ersten Jahre,
dann langsamer. Geschwefelter Hopfen ist haltbarer. Der Hopfengerbstoff fällt beim Würzekochen keinen löslichen Eiweifsstoff aus,
scheint aber mit den Peptonen eine gelöst bleibende Verbindung,
Tannopepton, zu geben, die auch im fertigen Bier vorhanden ist und
die Ursache der bei Abkühlung des Bieres eintretenden Trübung
sein soll. Es ist falsch, daraus, dafs fertiges Bier mit Eichengerb-
stoff einen Niederschlag von Gerbstoffeiweifs bildet, zu folgern,
dafs das Bier selbst keinen Gerbstoff enthält. Der Hopfengerbstoff
ist völlig werthlos und hat nur Bedeutung als Indicator für die
übrigen Hopfenbestandtheile, Harze und Bitterstoffe.   *Bl.*

   L. Braun. Beitrag zur quantitativen Bestimmung der Roh-
maltose in Würzen [2]). — Der geeignete Zeitpunkt zur Bestimmung
der Maltose in den Laboratoriumswürzen bei dunkeln und hellen
Malzen ist der, wenn man die Würze möglichst bald nach dem
Abläutern verarbeitet, indem man jedoch von einem Aufkochen
der Maische absieht. Die Wahl der Gefäfse, in denen die Fällung
ausgeführt wird, ist nicht unwichtig, man verwendet am besten
flache Schalen von 9 cm Durchmesser. Als Kochdauer überschreite

---

   [1]) J. of the Federated Institute of Brewing 1896, S. 162; Wochenschr.
Brauerei 13, 497—499; Ref.: Chem. Centr. 67, II, 136—138. — [2]) Zeitschr.
ges. Brauw. 19, 241—244; Ref.: Chem. Centr. 67, II, 67—68.

man nicht die Zeit von vier Minuten und benutze als Kochgefäfse nur Porcellangefäfse. Verfasser hat schliefslich noch versucht, wie sich die Fällungen unter Wasserstoffzutritt unter wechselnden Druckverhältnissen sowohl im Wasserstoff- wie Sauerstoff- und Luftstrom verhalten. Unter sonst gleichen Bedingungen erhält man eine sehr geringe Vermehrung des Kupferoxydulniederschlages im Wasserstoffstrome, während die Bestimmungen im Sauerstoff- und Luftstrome nahezu gleich sind. Die sogenannte Wiener Methode ist, wenn obige Kautelen berücksichtigt werden, dem Kjeldahl'schen Verfahren vorzuziehen. *Tr.*

Aldehyde, Aceton. — Barbet u. Jandrier. Unterscheidung der verschiedenen Aldehyde mittelst Phenolen [1]. — Wird zu einigen Centigramm eines Phenols 2 ccm starker, eine Spur eines Aldehyds enthaltender Alkohol gebracht und 1 ccm concentrirte nitrosefreie Schwefelsäure längs der Gefäfswand hinzugesetzt, so treten verschiedene Farbenreactionen in der alkoholischen und in der Säureschicht auf; oft wechselt die Farbe noch beim Vermischen. Besonders β-Naphtol und Hydrochinon sind zur Erkennung von Aldehyden geeignet; ersteres giebt mit fast allen Aldehyden eine gelbe Färbung und grüne Fluorescenz, speciell mit Benzaldehyd eine carmoisinrothe Färbung. Mit Hydrochinon geben Aldehyde orange Färbung. Phloroglucin giebt ebenfalls Farbenreactionen. Diese Reactionen sind auch zur colorimetrischen Bestimmung der Aldehyde geeignet. Umgekehrt können Phenole durch Aldehyde erkannt werden. So z. B. Phenol mittelst Acroleïn (Heliotropfärbung) und α-Naphtol durch Furfurol (rothviolette Färbung). *Bl.*

Lebbin. Ein neues Verfahren zum Nachweis von Formaldehyd [2]. — Wird eine Formaldehyd enthaltende Flüssigkeit mit etwa 5 cg Resorcin und dem halben Volumen 50 proc. Natronlauge gekocht, so schlägt die zuerst auftretende gelbe Farbe in ein schönes, feuriges Roth um. Andere Aldehyde geben die Reaction nicht. 1 Thl. Formaldehyd ist noch in 10 Millionen Theilen Wasser erkennbar. *Bl.*

B. Grützner. Ueber Formaldehyd als Reductionsmittel und über eine quantitative (mafsanalytische) Bestimmung desselben [3]. — Eine mit Silbernitrat und Formaldehyd versetzte Lösung von Kaliumchlorat scheidet beim Ansäuern mit Salpetersäure und Erhitzen eine der Gleichung: $HClO_3 + 3\,H_2\,CO + Ag\,NO_3 = 3\,H_2\,CO_2$

[1]) Ann. Chim. anal. appl. 1896, I, 325; Ref.: Chemikerzeit. 20, Rep. 267. — [2]) Pharm. Zeitg. 41, 681; Ref.: Chem. Centr. 67, II, 930. — [3]) Arch. Pharm. 234, 634—640.

$+ \text{AgCl} + \text{HNO}_3$ entsprechende Menge Chlorsilber ab. Statt dieses zu wägen, kann man gemessene Mengen $^1/_{10}$ norm. Silbernitrat benutzen und den Ueberschufs nach Volhard titriren. Ebenso wie Kaliumchlorat läfst sich auch Kaliumbromat analysiren, nicht aber Kaliumjodat. Umgekehrt kann eine Formaldehydlösung mittelst Kaliumchlorat analysirt werden. *Bl.*

Harry M. Smith. Ueber die Bestimmung des Formaldehyds [1]. — Der Formaldehyd wird durch stark alkalische Chamäleonlösung in der Kälte zu Ameisensäure, dann in der Hitze zu Kohlensäure oxydirt. Durch diese stufenweise Oxydation werden befriedigende Resultate erhalten. *Bl.*

H. Droop Richmond und L. K. Boseley. Weitere Bemerkungen über den Nachweis des Formalins [2]. — Verfasser hält in Verfolgung einer früheren Mittheilung [3]) das Eintreten der Schiff'schen Reaction für die Anwesenheit von Formalin in Milch für beweiskräftig, wenn die Färbung bei Säurezusatz bestehen bleibt. Die Destillation der Milch ist unnöthig. Tollens' Silberreductionsprobe ist sehr empfindlich, führt aber leicht zu Irrthümern. Sehr empfindlich ist auch Hehner's Probe mit starker Schwefelsäure (s. daselbst), Trillat's Probe mit Dimethylanilin. Die Bleisuperoxydprobe, Plöchl's Reaction und die von den Verfassern selbst angegebene Diphenylaminprobe sind nicht so empfindlich als die Schiff'sche und Hehner'sche Probe. Letztere wird nach den Verfassern besser durch *Schichtung* der Milch über concentrirte 90- bis 94 proc. Schwefelsäure und Beobachtung des violetten Ringes ausgeführt. *Bl.*

Otto Hehner. Nachweis von Formalin [4]. — Die Schiff'sche Probe kann in gegohrenen Getränken, in Folge möglicher Anwesenheit von Aldehyd, zu Täuschungen führen und ist auch nicht empfindlich genug. Hehner's Reaction in der von Richmond angegebenen Form (vgl. oben) zeigt 1 Thl. Formalin in 200000 Thln. Milch an. Acetaldehyd giebt die Reaction nicht. Der Grund, warum in Milch die Formalinreaction eintritt, scheint in der Anwesenheit des Caseïns zu liegen. Caseïnhaltige Formalinlösungen geben die Reaction sehr stark. Albumin und Pepton sind nicht betheiligt. Bei Prüfung von Wein wird etwas Milch zugesetzt. Bei Butter wird die wässerige Schicht der Schmelze geprüft. Eine andere sehr empfindliche Formaldehydprobe besteht darin, dafs

---

[1] Analyst 21, 148—150; Ref.: Chem. Centr. 67, II, 266—267. — [2] Analyst 21, 92—94. — [3] Ref.: Chem. Centr. 66, II, 463. — [4] Analyst 21, 94—97; Ref.: Chem. Centr. 67, I, 1145—1146.

ein Tropfen sehr verdünnter Phenollösung der Flüssigkeit zugesetzt
und über concentrirte Schwefelsäure geschichtet wird. Formalin
giebt einen carmoisinrothen Ring, Acetaldehyd einen orangegelben.
Aehnliche Reactionen entstehen, wenn statt Phenollösungen solche
von Salicylsäure, Resorcin oder Pyrogallol angewandt werden.
Die Phenolprobe liefert, wenn mehr als blofs Spuren von Formalin
anwesend sind, einen Niederschlag; wird diesem Bromwasser und
dann Alkali zugefügt, so entsteht eine intensiv violettrothe Färbung und ein Niederschlag. Die Silberreductions- und die Diphenylaminprobe sind wenig geeignet. *Bl.*

Norman Leonard. Ueber Hehner's Formaldehydnach-
weis [1]). — Hebner's Reaction versagt bei Anwendung chemisch
reiner Schwefelsäure und gelingt stets bei gewöhnlicher. Es ist
hierzu nämlich eine geringe Spur Eisenoxydsalz nöthig, die in
der Handelssäure stets anwesend ist. In einer Nachschrift giebt
Hehner selbst zu, dafs die Reaction durch Anwesenheit von
Eisenoxydsalz verschärft wurde. *Bl.*

Edward R. Squibb. Mafsanalytische Bestimmung des Acetons [2]). — Verfasser bringt eine Uebersetzung einer älteren Abhandlung von Robineau und Rollin [3]) und verbessert das Verfahren derselben, welches in der Abscheidung des in einer alkalischen Jodkaliumlösung gelösten Acetons durch unterchlorigsaures
Natron beruht, in Einzelheiten. Es wird bestätigt, dafs die Anwesenheit von Alkohol nicht störend ist, was schon Robineau
und Rollin angegeben hatten. *Bl.*

H. Chr. Geelmuyden. Ueber die Messinger'sche Methode
zur Bestimmung des Acetons [4]). — Bei Versuchen, die Acetonmenge nach Messinger's [5]) jodometrischer Methode in der Athem-
luft von Thieren zu bestimmen, kann die Luft nicht durch ein
Gemisch von Kalilauge und Jod geleitet werden, da dieses Gemisch in kürzester Zeit durch Jodatbildung unwirksam wird.
Messende Versuche des Verfassers bestätigen diese Angabe von
Collischon [5]). Es wurde daher die Aceton enthaltende Luft
durch 40 proc. Kalilauge geleitet, welche das Aceton gröfstentheils,
die Kohlensäure gänzlich aufnimmt, und der Rest des Acetons
durch Verbrennung mit Kupferoxyd und Absorption der entstandenen Kohlensäure in Barytwasser bestimmt. Eingehende Versuche
beweisen, dafs das Aceton, auch in 24 Stunden, durch 40 proc.

---

[1]) Analyst 21, 157—158; Ref.: Chem. Centr. 67, II, 267. — [2]) Amer.
Chem. Soc. J. 18, 1068—1079. — [3]) Monit. scientif. 14, 272. — [4]) Zeitschr.
anal. Chem. 35, 503—516. — [5]) Daselbst 29, 562.

Kalilauge nicht verändert wird, deren Anwendung, um die grofse Menge Kohlensäure aufzunehmen, nothwendig war. Bei der directen Titrirung der 40proc. acetonhaltigen Kalilösung nach Messinger wurde (durch Jodeinschlufs?) etwas zu viel Aceton gefunden. Es wurde deshalb kurz vor der Titrirung verdünnt. Zur Acetonbestimmung in Harnen wurde das Messinger-Huppert'sche [1] Verfahren (Destillation erst mit Essigsäure, dann mit Schwefelsäure) angewandt. Der gröfste Theil der Flüssigkeit mufs abdestillirt werden, um alles Aceton in das Destillat zu bekommen. Die Vorlage ist in Eis zu kühlen. Vor der Titrirung mit Jod wird *erwärmte* Kalilauge zugesetzt, da in kalten Lösungen die Bestimmungen zu niedrig ausfallen. Auch normale Harne können ein Jod bindendes Destillat geben. Doch kommen die Mengen (die abzuziehen wären) nicht in Betracht. Zusatz von Harnstoff bei der Destillation ist, aufser bei Anwesenheit gröfserer Nitritmengen, im Harn eher schädlich als nützlich.   *Bl.*

M. Klar. Beiträge zur Acetonbestimmung im Denaturirungs-Holzgeiste und in Rohacetonen [2]. — Verfasser kritisirt die zur Acetonbestimmung vorgeschlagene gewichtsanalytische Methode von Krämer und die mafsanalytische von Messinger, die beide auf demselben Princip, nämlich der Ueberführung des Jods mittelst unterjodigsaurem Natrium in Jodoform beruhen. Aus den angestellten Versuchen folgert Verfasser, dafs die Krämer'sche Methode stets zu niedere, ungleichmäfsige und daher unzuverlässige Resultate liefert, da die Jodmenge zur vollständigen Umsetzung des zugeführten Acetons, in Folge des durch die starke Concentration der Jodlösung eintretenden Nebenprocesses ($3\,\mathrm{NaOJ}$ $= \mathrm{JO_2ONa} + 2\,\mathrm{NaJ}$) nicht ausreicht, andererseits aber auch gewisse in dem Handelsäther, der zum Extrahiren des gebildeten Jodoforms dient, enthaltene Verunreinigungen (Wasserstoffsuperoxyd, Aethylperoxyd etc.) die Resultate mehr oder weniger beeinflussen. Richtige und einheitliche Ergebnisse erzielte der Verfasser, als er bei der Krämer'schen Methode den Holzgeist auf das 40fache mit Wasser verdünnte, den Jodzusatz tropfenweise unter fortwährendem Schütteln erfolgen liefs, reinen Aether anwandte und bei der Berechnung der Analysenresultate der jedesmaligen Höhe der Gesammtätherschicht und dem specifischen Gewicht des Holzgeistes Rechnung trug. In weiteren Versuchen hat Verfasser auch die Messinger'sche Methode, bei der aus einer bestimmten Menge zugesetzten überschüssigen Jods die zur Jodo-

---

[1] Zeitschr. anal. Chem. **29**, 632. — [2] Chem. Ind. 1896, S. 73—79.

formbildung nöthig gewesene Jodmenge maſsanalytisch bestimmt
wird, auf ihre Exactheit geprüft und kommt dabei zu dem Schluſs,
daſs, wenn dieser Methode auch noch manche Mängel anhaften,
sie doch der Krämer'schen Methode vorzuziehen sein dürfte. *Tr.*

G. Krämer. Bemerkungen zu der vorstehenden Abhandlung
über Acetonbestimmung [1]). — Verfasser führt eine Anzahl Beleganalysen an, die zeigen sollen, daſs bei Einhaltung der nöthigen
Kautelen für die Praxis genügend gute Zahlen nach seiner Methode
erhalten werden. Die Messinger'sche Methode kann nach Ansicht
Krämer's keine genaueren Resultate liefern als seine eigene
Methode, da beide auf demselben Princip beruhen.   *Tr.*

Aliphatische Säuren. — Scheurer-Kestner. Die Säure-
bestimmung im rohen Holzessigdestillat [2]). — Der rohe Holzessig
enthält einen Theil der Essigsäure als Ester, wodurch bei der
Titration zu wenig, andererseits enthält er Phenole, wodurch zu
viel Säure gefunden wird. Es können gegenüber den wahren
Werthen Differenzen bis zu 17 Proc. gefunden werden. Verfasser
destillirt 20 ccm der Flüssigkeit mit 15 g Phosphorsäure unter
zweimaligem Ersatz des verdampften Wassers ab und titrirt das
Destillat. Die Phenole sollen zurückbleiben. Auch zur Bestimmung
der Essigsäure in rohen Acetalen (Aluminiumacetat) wird das
Verfahren empfohlen.   *Bl.*

H. Quantin. Ueber die Unzulänglichkeit der derzeit benutzten Methoden zur Untersuchung des Essigs [3]). — Der Weinessig ist vom Spritessig hauptsächlich durch einen weit gröſseren
Extractgehalt verschieden, doch kann das Verhältniſs von Essigsäure zu Extract bei ersterem auſserordentlich schwanken, je nach
der verwendeten Weinsorte. Girard und Dupré haben angegeben,
daſs bei Weinessig das Verhältniſs von Essigsäure zu Extract
stets kleiner sei, 4,9 : 1, hingegen bei Spritessig stets gröſser als
13 : 1. Dem gegenüber zeigt Verfasser, daſs man Wein von groſsem
Extractgehalte leicht mit groſsen Mengen verdünnten Alkohols
gemischt in Essig umwandeln kann, oder dem Weinessig bedeutende Mengen Spritessig zufügen kann, ohne daſs ersteres Verhältniſs überschritten wird, daſs aber andererseits reiner Weinessig aus extractarmen Weinen leicht als Spritessig benutzt werden
kann. Nach Verfasser ist es genügend, wenn käuflicher Weinessig
frei von schädlichen Stoffen und wohlschmeckend ist. Will man
jedoch in Bezug auf Abstammung sicher gehen, so ist amtliche

[1]) Chem. Ind. 1896, S. 79. — [2]) Bull. soc. chim. [3] 15, 530—535. —
[3]) Monit. scientif. [4] 10, I, 171—176.

latente Färbung des Spritessigs (mit Phenolphtaleïn) das einzige
sichere Mittel.   *Bl.*

K. Farnsteiner. Zur Controle und Beurtheilung von Weinessig [1]). — Da im Handel unter dem Namen „Weinessig" selbst
Producte verstanden werden, zu deren Darstellung Wein überhaupt nicht benutzt wird, so schlägt Verfasser vor, in erster
Linie bei der Beurtheilung des Weines auf Grund der chemischen
Analyse die Frage zu entscheiden, wie viel Wein zur Herstellung
des Weinessigs verwendet worden ist. Dieses Ziel kann nach
Ansicht des Verfassers nur durch Bestimmung der in dem fraglichen Essig enthaltenen Weinbestandtheile erreicht werden und
hat Verfasser versucht, dieser Frage näher zu treten. Ueber die
diesbezüglichen Versuche, die vorläufig eine endgültige Beurtheilung
noch nicht gestatten, sei auf die Originalabhandlung verwiesen. *Tr.*

Tretzel. Zur Beurtheilung von Weinessig [2]). — Verfasser hat
zwei Handelsproben analysirt und diese verglichen mit selbst-
bereitetem Weinessig. Hauptsächlich maßgebend für die Beurtheilung eines Weinessigs sind der Extractgehalt und der Gehalt
an Mineralbestandtheilen. Die Handelsproben enthielten 0,36 und
0,542 Proc. Extract, der selbstbereitete 1,749 Proc., während die
Mineralbestandtheile im ersteren Falle 0,064 und 0,093 Proc., im
zweiten Falle 0,225 Proc. betrugen.   *Tr.*

J. H. de Jong. Der Nachweis der Milchsäure und ihre
klinische Bedeutung [3]). — Die Ausführung der Uffelmann'schen
Reaction auf Milchsäure geschieht am besten folgendermaßen:
5 ccm Magensaft werden mit zwei Tropfen Salzsäure zum Syrup
eingedampft und mit wenig Aether ausgezogen. Die ätherische
Lösung wird vorsichtig auf die Oberfläche von 5 ccm heißem, in
einem Reagenzglas befindlichem Wasser getropft und so verdunstet. In die entstandene wässerige Lösung wird etwas 5 proc.
Eisenchloridlösung gebracht und die Farbenintensität mit der
einer 0,05 proc. gleich behandelten Milchsäurelösung verglichen.
Die Boas'sche Methode, bestehend in Ueberführung der Milchsäure
in Acetaldehyd und Jodoform und Messen der verbrauchten Jodmenge, für deren Ausführung Verfasser ebenfalls eine detaillirte
Vorschrift giebt, ist nicht so rasch ausführbar als die vorstehende.
Milchsäuremengen, die viel weniger als 0,02 Proc. betragen, sind
klinisch ohne Bedeutung, daher ist der Aldehydnachweis mit

---

[1]) Forschungsber. über Lebensm. 3, 54—62. — [2]) Daselbst, S. 186—187.
— [3]) Arch. f. Verdauungskrankheiten 2, 1. Heft; Ref.: Chem. Centr. 67. II.
806—807.

Nelsler'chem Reagens, welches noch $^3/_{1000}$ Proc. anzeigt, für
klinische Zwecke nicht brauchbar. Bei jeder Milchsäurebestimmung
wird die gebundene Milchsäure mitbestimmt. Als Probenahrung
ist Hafermehlsuppe dem Ewald'schen Probefrühstück, das Spuren
von Milchsäure enthält, vorzuziehen. Der weitere Inhalt der Abhandlung ist medicinischer Natur.   *Bl.*

Albert Colson. Ueber die polarimetrische Bestimmung der
Weinsäure [1]). — Verfasser hat schon früher gezeigt, dafs die
durch eine wässerige Lösung von Aethylendiamintartrat bewirkte
Ablenkung des polarisirten Lichtes proportional der Menge des
gelösten Tartrates ist. Aus neuen Versuchen ergiebt sich, dafs
das Drehungsvermögen durch Veränderung der Temperatur leicht
beeinflufst wird; so zeigt z. B. eine Lösung des Tartrates, die
100 g Weinsäure im Liter enthält, bei 4° eine Ablenkung von
$+ 8^0 16'$ und bei 24° eine solche von $+ 8^0 36'$. Eine Lösung des
Tartrates, die 50 g Weinsäure im Liter enthielt, zeigte bei 4° eine
Ablenkung von $4^0 7'$ und bei 14° eine solche von $4^0 13'$. Fremde
Salze, wie z. B. Aethylendiamincitrat, scheinen bei dieser Temperaturcorrection ohne Einflufs zu sein. Bei Lösungen von Aethylendiamintartrat, die verschiedenen Gehalt zeigten, ergab sich, dafs
die frisch bereiteten Lösungen eine etwas höhere Ablenkung besitzen, als wenn die Lösungen einen Tag in gut verschlossenen
Gefäfsen gestanden haben. Arbeitet man bei 14° mit einem
Glasrohr von 0,50 m Länge mit einem Werlein'schen Saccharimeter, so drückt die Formel $q = 1,035\ \triangle$ die Menge Weinsäure (q) aus, die in einem Liter Lösung bei der entsprechenden
Ablenkung ($\triangle$) enthalten ist, vorausgesetzt, dafs der Gehalt an
Weinsäure 100 g im Liter nicht überschreitet.

Menge Weinsäure pro Liter .	200 g	100 g	50 g	25 g	12,5 g	6,25 g
$\triangle$ entsprechende Ablenkung	208	98—97,3	48,5	23,8—24,1	12	5,9
q berechnet	210	101,3—100,7	50,2	24,85	12,4	6,1

Arbeitet man mit einem Halbschattenapparat bei einer Flüssigkeitssäule von 0,20 m, so ist $q = 0,1965 . n$, wobei (q) den Gehalt
an Weinsäure im Liter und (n) die beobachteten Minuten Ablenkung bedeutet. Bei Mischungen von Aethylendiamintartrat mit
Aethylendiamincitrat ist zu bemerken, dafs der Unterschied
zwischen der Ablenkung einer Salzmischung und der Ablenkung
des reinen Aethylendiamintartrates mit dem Gehalt an Tartrat
und mit der Dichte wächst. Der Werth dieses Unterschiedes
scheint der Formel $0,4 q\ (d' - d)$ zu entsprechen, wobei (q) die

---

[1]) Bull. soc. chim. [3] 15, 158—162.

Menge Weinsäure, die durch die Formel $q = 1{,}035 \triangle$ gegeben ist, bedeutet, (d) die Dichte des Aethylendiamintartrates, das (q) Gramm Weinsäure im Liter enthält, (d') die Dichte der Lösungen, die experimentell zu ermitteln ist. *Tr.*

Alfred H. Allen. Ueber die Zusammensetzung und Untersuchung von käuflichem Weinstein [1]). — Nach kritischer Beleuchtung des Gegenstandes schlägt Verfasser ein Verfahren vor, das im Wesentlichen darauf beruht, dafs reiner Weinstein ebenso viel Alkali zur Neutralisirung (Phenolphtaleïn) verbraucht, als die Asche desselben an Säure zur Absättigung erfordert (Methylorange). Verunreinigungen, wie saures Kaliumsulfat, Gyps, bewirken, dafs der Verbrauch an Säure zur Neutralisirung der Asche geringer wird, während ein gröfserer Säureverbrauch die Anwesenheit von neutralem Kaliumtartrat anzeigt. Durch Bestimmung des Kalkes in dem unlöslichen Theile der Asche und durch Bestimmung der Schwefelsäure in der Weinsteinlösung werden alle Daten zur Berechnung der Menge der Verunreinigungen geliefert. *Bl.*

Henrik Enell. Ueber den Nachweis von Calcium bitartaricum im Tartarus depuratus [2]). — Das Calcium wird aus der durch Auslaugen des Glührückstandes mit verdünnter Salzsäure erhaltenen Lösung als Oxalat gefällt und dieses durch Permanganat titrimetrisch bestimmt. 0,12 Proc. Calciumbitartrat sind noch nachweisbar. *Bl.*

Mario Zecchini. Eine Modification der Methode von Goldenberg zur Bestimmung des Weinsteins [3]). — 3,75 g Weinstein werden fein gepulvert, 10 Minuten mit Salzsäure auf dem Wasserbade digerirt, dann wird auf 100 ccm aufgefüllt und 50 ccm abfiltrirt. Diese werden mit festem Kaliumcarbonat unter Vermeidung von Ueberschufs neutralisirt, kurze Zeit gekocht, abermals auf 100 ccm aufgefüllt und filtrirt. 20 ccm des Filtrates werden mit 4 bis 5 ccm Essigsäure, 50 ccm Alkohol und 50 ccm Aether heftig geschüttelt und nach vier bis fünf Stunden filtrirt. Der mit Aetheralkohol gewaschene Filterinhalt wird in Wasser gelöst, mit $^{1}/_{10}$ norm. Alkali titrirt. Die Operation dauert nur *einen* Tag, während nach Goldenberg fast drei Tage nöthig sind. *Bl.*

L. Lindet. Erkennung und Isolirung der Citronensäure und Aepfelsäure mittelst Chinin und Cinchonin [4]). — Die Löslichkeits-

---

[1]) Analyst 21, 174—180 u. 209; Ref.: Chem. Soc. J. 70, 584. — [2]) Nordisk Farm. Tidskr. 11, 393; Pharm. Zeitg. 41, 504; Ref.: Chem. Centr. 67, II, 515. — [3]) Staz. sperim. agrar. ital. 28; Ref.: Chem. Centr. 67, I, 520—521. — [4]) Bull. soc. chim. [3] 15, 1160—1163.

verhältnisse der Chinin- und Cinchoninsalze in Methylalkohol sind verschieden, so dafs die beiden Säuren neben einander aufgefunden und getrennt, auch aus Pflanzenextracten isolirt werden konnten. *Bl.*

Fette, Oele, Seifen, Wollfett. — Weifs. Zur Beurtheilung von Fetten nach quantitativen Methoden [1]). — Die für ein Fett ermittelten Reactionszahlen (z. B. Verseifungszahl, Hehner'sche Zahl, specifisches Gewicht, Jodzahl, kritische Temperatur) stehen unter einander in einer ganz bestimmten mathematischen Beziehung. Für die Analysen natürlicher Fette sind aber derartige mathematische Hülfsmittel von geringem Werthe, weil man einmal noch nicht alle Bestandtheile derselben kennt, dann aber auch die Constanten bekannter Bestandtheile noch nicht scharf genug festgelegt hat. *Hf.*

A. v. Asbóth. Die kritische Temperatur der Flüssigkeiten und eine neue Methode zur Bestimmung der Identität der Fette, Oele etc.[2]). — Bringt man in ein Probirglas einige Tropfen geschmolzener Butter, fügt etwas Alkohol zu und schmilzt dann die Röhre zu, so kann man beim Erwärmen beobachten, dafs die ursprüngliche Scheidewand sich immer mehr verwischt, bis schliefslich eine homogene Flüssigkeit resultirt. Umgekehrt beobachtet man beim Abkühlen erst feine Nebelbildung, bis schliefslich sich beide Componenten wieder scharf von einander trennen. Diese Anwendung der Lösungstheorie hat zuerst Crismer [3]) zur Untersuchung von Fetten und Oelen heranziehen wollen. Verfasser hat die Ergebnisse geprüft und ihre Bedeutung bestätigt gefunden. Als kritischer Punkt wird derjenige genommen, wo sich bei der abgekühlten Lösung ein deutlicher Trennungsstreifen zeigt. Bei Naturbutter war bei Verwendung von 90 proc. Alkohol die kritische Temperatur 111,5 bis 115°, Kunstbutter und Oleomargarine gaben Werthe zwischen 133 und 142°. Diese recht beträchtlichen Differenzen machen die neue Constante zu einem recht guten Hülfsmittel bei der Analyse der Butter. *Mr.*

Weifs [4]). — Lösungen verschiedener Fette in einem warmen Gemisch von Aether und Alkohol werden beim Abkühlen plötzlich trüb. Dieser Punkt ist sehr constant und scharf zu beobachten. Verfasser nennt ihn den kritischen Punkt. Die Temperatur, bei welcher die plötzliche Trübung eintritt, ändert sich, wenn das benutzte Gemisch von Alkohol und Aether anders zu-

---

[1]) Centralbl. Nahr.- u. Genufsm. 2, Heft 14; Ref.: Chem. Centr. [4] 8, II, 814. — [2]) Chemikerzeit. 20, 685—686. — [3]) Bull. ass. Belg. chim. 1895, Nr. 5. — [4]) Milchzeitg. 1896, S. 221—222, 243—244; Ref.: Deutsche Chemikerzeit. 11, 225.

sammengesetzt ist, die *Differenz* der kritischen Punkte verschiedener Fette ist aber immer die gleiche. Wird der kritische Punkt von Butterlösung einmal unter Anwendung von Aether + Alkohol von 95,75 Gew.-Proc. bestimmt, Resultat $= t'$, und ein anderes mal unter Anwendung von Aether + Alkohol von 86,2 Gew.-Proc., Resultat $= t$, so läfst sich der Wassergehalt der Butter p berechnen nach der Formel $p = 10 + \frac{1}{3}(t - t')$. — Die Ausführung ist sehr einfach und genau beschrieben. Die Differenzen zwischen dem kritischen Punkte der Butter und der Margarine sind sehr bedeutend, letzterer liegt um fast 28° höher als ersterer. (5 g Fett in 20 ccm eines Gemisches aus gleichen Volumtheilen Aether und Alkohol gelöst.) *Bl.*

Karl Dieterich. Untersuchung von reinen und verfälschten Fetten durch Bestimmung der „kritischen Temperatur"[1]. — Verfasser prüft die Methode von Weifs (siehe vorstehendes Referat), bezeichnet das Arbeiten als bequem, die Resultate als ziemlich gut stimmend. Doch kann die Methode nur beschränkte Anwendung finden. Geeignet ist sie für Fette und Oele, nicht für Wachse und andere schwer lösliche Körper. Bei allen Oelen sinkt die kritische Temperatur oft sehr stark. Für Nachweis von Verfälschungen ist das Verfahren sehr beschränkt anwendbar, da es gerade bei den werthvollen Materialien, wie Olivenöl, Mandelöl, Ricinusöl, Leberthran, im Stiche läfst. *Bl.*

A. Gawalowski und Alex. Katz. Prüfung der fetten und pyrogenen Oele mittelst Solubilitätstitration und zugehörigem Apparat[2]. — Zur Solubilitätstitration benutzt Verfasser die Feststellung des Punktes, wo die ätherische Lösung des Oeles durch Alkoholzusatz milchig getrübt wird. 4 g Oel werden in ätherischer Lösung mit etwas Alkanin I versetzt und mit Alkohol, den man tropfenweise aus einer Bürette zufliefsen läfst, vermischt, bis Emulsion eintritt und die Typen eines unter das Gefäfs gelegten schwarzbedruckten Papieres nicht mehr sichtbar sind. Die ätherische Lösung färbt sich rosenroth. Mineralöle, Theeröle haben einen sehr niedrigen, Ricinusöl, Olivenkernöl und Harzöl einen sehr hohen Solubilitätsgrad, so dafs hier eine Modification des Verfahrens nothwendig ist, über die an späterer Stelle berichtet werden soll. Für die obige Bestimmung haben Verfasser einen besonderen Apparat construirt, bei dem die Bürette direct an den Kolben, in dem man die Bestimmung vornimmt, angeschmolzen ist. *Tr.*

[1] Pharm. Centr.-H. 37, 485—489; Ref.: Chem. Centr. 67, II. 517. —
[2] Centralbl. Nahr.- u. Genufsm. 2, 213—214; Ref.: Chem. Centr. 67. II. 451.

D. Holde. Die Untersuchung des Erstarrungsvermögens von Schmierölen[1]. — Verfasser giebt eine kurze Zusammenstellung über die diesbezüglichen Untersuchungen der kgl. techn. Versuchsanstalt zu Berlin. 1. *Veränderungen des Erstarrungsvermögens von Mineralschmierölen durch Temperatureinflüsse.* Die Träger der Veränderung des Fliefsvermögens der dunkeln Eisenbahnöle durch Erhitzen sind leicht schmelzbare Pech- und Asphalttheilchen, die in diesen suspendirt sind. Bei Oelen, die in dünner Schicht völlig klar waren, bedingen die Aenderungen des Gefriervermögens die in den Oelen gelöst enthaltenen Paraffin- und Pechmengen. 2. *Einfluss des Wassergehaltes auf die Erstarrungstemperatur der Oele.* Die Versuche ergaben, dafs ein Gehalt an Wasser in einem unter 0° erstarrenden Oele eher eine Neigung zur Ueberkältung beim Abkühlen des Oeles, als eine Erhöhung des Erstarrungspunktes herbeiführt. 3. *Einfluss der Kühldauer auf das Erstarrungsvermögen des Rüböles und anderer Oele.* Für Rüböl und Rapsöl sind als Erstarrungspunkte — 2° bis — 10°, für Senföl — 8° bis — 16° in der Literatur angegeben. Durch 10- bis 24 stündiges Abkühlen auf 0° konnte Verfasser sämmtliche untersuchten und raffinirten Rüböle zum Erstarren bringen, nur eine Probe blieb flüssig und zeigte erst bei — 3° nach 10 Stunden starke stearinartige Abscheidung.   *Tr.*

J. H. Wainwright. Die Bestimmung fester Fette in künstlichen Gemischen thierischer und pflanzlicher Fette und Oele[2]. — Die Bestimmung geschieht durch Wägung des festen Prefskuchens. Es wird genau beschrieben, wie vorzugehen ist, um constante Resultate zu erzielen.   *Bl.*

D. Holde. Die Verseifbarkeit und die Verseifungszahl flüssiger Fette[3]. — Verfasser hat, um die Einwände, welche Henriques gegen die Verseifung der Oele durch viertelstündiges Kochen mit alkoholischer $\frac{1}{2}$-Normal-Kalilauge anführt, zu prüfen, Ricinusöl, Leberthran und Fischthran nach der genannten Methode sowie nach dem von Henriques vorgeschlagenen Verfahren der kalten Verseifung wiederholt untersucht. Die Untersuchung führte zu folgenden Resultaten. Doppelversuche, die an je einem Tage nach einem beliebigen Verfahren (viertelstündiges Kochen mit oder ohne Rückflufskühler oder kalte Verseifung) ausgeführt wurden, differirten bei gleichartig ausgeführten Bestimmungen im Maximum

---

[1] Chem. Rev. Fett- u. Harz-Ind. 3, 229—232; Ref.: Chem. Centr. **68**, I. 140. — [2] Amer. Chem. Soc. J. 18, 259—264. — [3] Mitth. Techn. Vers.-A. Berlin **14**, 82—86; Ref.: Chem. Centr. **67**, II, 142.

um drei Einheiten der Verseifungszahl, nur in fünf Fällen unter
35 mehr als eine Einheit. Die zu verschiedenen Zeiten, z. B. in
mehrwöchentlichen Zwischenräumen festgestellten Zahlen wichen
im Maximum bei Ricinusöl und Leberthran um 1 Proc., bei Fischthran um 1,5 Proc. von einander ab. Die Mittelwerthe für jede
Versuchsart stimmten gut unter einander, so daſs die Bedenken,
die von seiten Henriques geltend gemacht sind, nicht berechtigt
erscheinen. Als Indicator verwendete Verfasser bei sehr dunkeln
Lösungen Alkaliblau 6 b von Höchst a. M.   *Tr.*

    Rob. Henriques. Ueber kalte Verseifung, II [1]). — Verfasser
zeigt, daſs das Verfahren der kalten Verseifung (bestehend im
Schütteln und Stehenlassen der Petrolätherlösung der Fette mit
alkoholischem Kali), das bei leicht verseifbaren fetten Oelen und
Fetten sehr gute Resultate gab, auch auf schwer verseifbare
Wachse anwendbar ist und mit der Bestimmung der Säurezahl
verbunden werden kann. Auch Carnaubawachs, Japonwachs, Thrane
und Wallrath wurden völlig verseift. Ferner wurde die Verseifung
reiner Ester verschiedener Art studirt und ergab gute Resultate,
lieſs aber bei manchen aromatischen Substanzen, wie Salicylsäure-
ester, im Stich. Acetate der Phenole wurden nur durch groſsen
Alkaliüberschuſs verseift. Bei den Wollfetten konnte das Verfahren zunächst nicht mit Erfolg benutzt werden.   *Bl.*

    Rob. Henriques. Ueber kalte Verseifung, III [2]). — In Ver-
folgung der vorstehenden Arbeit wird gezeigt, daſs bei der Verseifung von Wollfett, sowohl kalt als in der Wärme, über die
Verseifung hinausgehende, tiefergreifende Zersetzung eintritt. Keine
Verseifungsmethode giebt eine Garantie für totale Verseifung
ohne gleichzeitige Zersetzung. In Weiterführung des Studiums
der kalten Verseifung reiner Ester zeigt Verfasser, daſs fast alle
Aethylester der Fettsäuren in 20 Stunden, unter Anwendung der
theoretischen Menge Alkali, also zum Schluſs, bei gröſster Verdünnung desselben, vollständig oder doch gröſstentheils verseift
werden (Ausnahme Salicylsäure). Wurde auf 1 Aequivalent Ester
$^1/_2$ Aequivalent Alkali angewandt, so verschwand dasselbe bei den
Estern der niedrigen Fettsäuren sehr rasch, mit steigendem Molekulargewicht derselben langsamer und nicht ganz vollständig.
Stearinsäure verhält sich aber wieder wie Propionsäure. Ester
mehrbasischer Säuren wirken energischer als die einbasischen. In

---

   [1]) Zeitschr. angew. Chem. 1896, S. 221—225; frühere Mitth. daselbst
1895, S. 721. — [2]) Zeitschr. angew. Chem. 1896, S. 423—428.

einer Nachschrift wird die Abhandlung von Ulzer und Seidel[1]) besprochen und revisionsbedürftig gefunden. *Bl.*

W. Herbig. Die Bestimmung der unverseifbaren bezw. schwer verseifbaren Bestandtheile in Fetten und Oelen[2]). — In früheren Arbeiten[3]) hat Verfasser diesen Gegenstand schon besprochen. Das Verfahren zur Bestimmung der „unverseifbaren" Antheile wird nochmals beschrieben; es besteht in Verseifung des Fettes (Wollfett) mit Kali, genauer Absättigung mit Säure bis zur Bildung neutraler Seifenlösung, Fällung mit Chlorcalcium, Extraction der getrockneten Kalksalze mit Aceton und Wägen des bei 105° vom Lösungsmittel befreiten Extractes. Nach diesem „Acetonverfahren" war bisher nur Wollfett untersucht worden. — Das Verfahren des Verfassers zur Bestimmung der „schwer verseifbaren" Antheile, bestehend im Verseifen unter Druck, wurde an reinen, künstlich dargestellten, schwer verseifbaren Substanzen, Palmitinsäurecholesterinester, Cerotinsäurecholesterinester und an aus chinesischem Wachs isolirtem Cerotinsäurecerylester studirt. Es zeigte sich, dafs chinesisches Wachs bei Verseifung unter Druck eine viel höhere, als bisher angenommene, Verseifungszahl hat, nämlich 120 statt 78. Der reine Cerotinsäurecerylester hat die Verseifungszahl 71. Das gefundene Plus deutet auf einen grofsen Gehalt an schwer verseifbaren Fetten von niedrigem Molekulargewicht. — Das „Acetonverfahren" und die Verseifung unter Druck können einander in gewissem Sinne controliren, insofern, als bei ersterem Verfahren die Summe der schwer und nicht verseifbaren Fettsubstanzen gefunden wird. *Bl.*

H. Heiler (berichtet von H. Beckurts). Zur Bestimmung der Köttstorffer'schen Verseifungszahl[4]). — Die Genauigkeit der Köttstorffer'schen Zahl wird sehr wesentlich von der Beschaffenheit des Glases beeinflufst; es wird empfohlen, Gefäfse aus resistentem Glase (Schott u. Genossen in Jena) zu benutzen, ferner statt der absolut alkoholischen ½-norm. Kalilauge eine Lösung von Kali in 90 proc. Alkohol anzuwenden und das Fett vorher in Aether zu lösen, da das gelöste Fett rascher verseift wird, so dafs die Lauge weniger auf die Glaswände wirkt. *Bl.*

Quirino Sestini. Ueber die Ranzidität der Oele und insbesondere des Olivenöles[5]). — Die von A. Scala angegebene Methode zur Bestimmung der Ranzidität von Fetten läfst sich

---

[1]) Dieser JB., S. 2235. — [2]) Dingl. pol. J. 301, 114—119; vgl. auch diesen JB., S. 2234. — [3]) Dingl. pol. J. 297, 135, 160; 292, 42, 66. — [4]) Apoth.-Zeitg. 11, 447—448; Ref.: Deutsche Chemikerzeit. 11, 321. — [5]) L'Orosi 19, 361—367; Ref.: Chem. Centr. 68, I, 440.

nach den Untersuchungen von Sestini auf Olivenöle nicht anwenden. Stark ranzige, ganz ungeniefsbare Olivenöle enthalten
sehr geringe Mengen von Glyceriden flüchtiger Säuren und andererseits kann man aus reinen Olivenölen nicht unbeträchtliche
Mengen flüchtiger Säuren abdestilliren. Die höchsten Refractions-
indices, die man an ranzigen Oelen ermittelt hat, sind 1,4729 und
1,4711, die niedrigsten Jodzahlen solcher Oele 78,6 und 79,3,
sowie 80,0.   *Tr.*

A. Scala. Neue Methode zur Bestimmung der Ranzidität
der Fette mit Ausnahme der Butter[1]). — Schweinefett, Olivenöl,
Rückstände der Margarinefabrikation enthalten im frischen Zustande keine *freien*, flüchtigen Fettsäuren. 14 Tage der Sonne
ausgesetzt, enthielten diese Fette freie, flüchtige Säuren, ohne
dafs man dieselben durch den Geschmack als ranzig erkennen
konnte. Nach Verfasser soll ein Fett dann als ungeniefsbar gelten,
wenn 5 g soviel flüchtige, *freie* Säuren enthalten, als 2 ccm ¹/₁₀-norm.
Alkali entspricht.   *Bl.*

Wm. Waltke u. Co. Technische Methode zur Bestimmung
der freien Fettsäuren in Fetten und Oelen[2]). Zur Berechnung
der freien Fettsäuren aus dem Alkaliverbrauche bei der Titration
wird allgemein für Fettsäuren aus thierischen Fetten das Molekulargewicht 280, für die aus Cocosöl dagegen 230 angenommen. Diese
letztere Zahl ist aber thatsächlich sehr schwankend, und wurde von
den Verfassern bei 50 untersuchten Proben zwischen 205 bis 239,5
variirend gefunden. Es ist daher nöthig, jedesmal auch das (scheinbare) Molekulargewicht zu bestimmen. Hierzu werden ca. 2 g der Fettsäuren benutzt, welche zwecks Bestimmung des Erstarrungspunktes
ohnehin abgeschieden werden müssen, in Alkohol gelöst und mit
²/₁₀-norm. Natron titrirt. Das gesuchte Molekulargewicht x ergiebt sich dann aus der gewogenen Fettsäuremenge g und den
verbrauchten Cubikcentimetern Lauge v aus der Formel $x = \dfrac{1000 g}{2 v}$.
Verfasser empfehlen diese Molekulargewichtsbestimmung auch bei
anderen Oelen nicht zu versäumen.   *Bl.*

H. W. Wiley. Bestimmung der Bromirungswärme von Oelen[3]).
— Die Bestimmung wird ähnlich wie die Maumené'sche Bestimmung der Erhitzungszahl mit concentrirter Schwefelsäure ausgeführt. 10 g Oel werden in 50 ccm Chlorkohlenstoff, 1 Vol. Brom

¹) Staz. sperim. agrar. ital. **28**, 733—736; Ref.: Chem. Centr. **67**, I, 520.
— ²) Chemikerzeit. **20**, 480; vgl. diesen JB., S. 2234. — ³) Amer. Chem. Soc.
J. **18**, 378—384.

in 4 Vol. Chlorkohlenstoff gelöst und je 5 ccm beider Lösungen zusammengebracht, wozu ein gegen Wärmeableitung ziemlich geschütztes Rohr dient, in dem ein empfindliches Thermometer angebracht ist. Für Olivenöl fand Verfasser die Bromirungswärme zu 19°, für Sonnenblumenöl zu circâ 28°. Lösungen in Chloroform sind weniger geeignet.   *Bl.*

J. A. Wilson. Notiz über den Bromwärmewerth von Oelen und Fetten [1]). — Verfasser hat die von Hehner und Mitchell beschriebene Methode zur Prüfung von Oelen und Fetten näher geprüft. Die genannte Methode besteht darin, dafs man 1 g Substanz in 10 ccm Chloroform in einem mit einem evacuirten Mantel umgebenen Probirrohr löst, 1 ccm Brom hinzufügt und die Temperaturerhöhung beobachtet. Verfasser hat nun an Stelle des evacuirten Mantels das Probirrohr mit Baumwolle umgeben und fand, dafs bei Cocosnufsöl der Wärmewerth, mit 5,5 multiplicirt, fast genau die Hübl'sche Jodzahl gab, während bei Oelen, bei denen die Temperaturdifferenz bis 17° betrug, man vorher erst 1° dazu zählen und dann erst mit dem Factor 5,5 multipliciren mufs. Verfasser führt hierfür Beleganalysen an.   *Tr.*

J. Lewkowitsch. Beiträge zur Analyse der Fette. VII. Die gewichtsanalytische Bestimmung der Bromzahl [2]). — Wenn man aus der Bromzahl die Jodzahl berechnet, so ergeben sich nur bei Oliven- und Rapsöl die richtigen Werthe, während in anderen Fällen sehr erhebliche Abweichungen beobachtet werden. Es ist somit die gewichtsanalytische Bestimmung der Bromzahl von Fetten ohne jeden Werth.   *Brt.*

R. Hefelmann. Ueber den Parallelismus der Refractometer- und Jodzahl der Fette [3]). — Im Grofsen und Ganzen gehen die Jodzahlen mit den Refractometerwerthen parallel, doch weichen häufig die Jodzahlen um 1 bis 8 Einheiten ab, während die Refractometerdifferenz nur 0,1 Refractometergrad beträgt. Eine wesentliche Beeinflussung der beiden Zahlen durch Zunahme der Acidität war bei Butter nicht zu constatiren. (Bei Schweinefett ist es bekannt, dafs es anormale Zahlen giebt, wenn es ranzig wird.) Reine Proben mit normaler Refraction, 48,5 bis 50,5, zeigten durchwegs anormale Dispersion; sie zeigten gelben Rand im Refractometer. Solche mit anormaler Refraction, 52,5 und höher, zeigten ebenfalls abnorme Dispersion (grünblauen bis violettblauen Rand) und erweisen sich nur zum Theil als Naturbutter.   *Bl.*

[1]) Chem. News 73, 87—88. — [2]) Chem. Soc. Ind. J. 15, 859. — [3]) Pharm. Centr.-H. 36, 667—669; Ref.: Chem. Centr. 68, I, 141.

R. Hefelmann. Kritische Betrachtungen über Refractometer-
und Jodzahl der Fette und der daraus zu isolirenden Fettsäuren [1].
— Verfasser kommt in einer kritischen Besprechung der Methoden
der Jodzahl und der Refractometerzahl der Fettsäuren von
E. Dieterich zu dem Schlusse, daſs diese Zahlen keine neuen
Anhaltspunkte für die Beurtheilung der Fette abgeben können,
dagegen erscheint es ihm dringend nöthig, für die entsäuerten,
unoxydirten Fette die Normal- und Grenzzahlen mit möglichster
Genauigkeit festzustellen. E. Dieterich's Tabellen über die Jod-
und Refractometerzahlen der Fettsäuren können nur da, wo allein
die Fettsäuren vorliegen, von entsprechendem Werthe sein.   *Mr.*

H. Mastbaum. Ueber die Jodzahl der Oele [2]). — Die von
van Ketel und Antusch [3]) erhaltenen Jodzahlen für Oele aus
reinen *Leinsamen*, welche mit Petroleumäther ausgezogen worden
waren, sind nicht maſsgebend, da man in der Industrie die Oele
durch kalte oder warme Pressung auszieht, also von obigen verschiedene Producte erzielt, welche weniger festes Fett enthalten.
Hieraus erklären sich vielleicht auch zum Theil die Differenzen
in den Jodzahlen, welche jene bei Oelen aus Samen und aus
Kuchen gefunden haben. In viel gröſserem Maſse aber kommen,
entgegen der Ansicht jener Autoren, die Veränderungen des Oeles
beim Lagern der Kuchen in Betracht.   *Brt.*

Eugen Dieterich. Hübl's Jodlösung und ihre Modification
durch Waller [4]). — Die Angabe Waller's, daſs die Jodaddition
in das Molekül der Oelsäureverbindung durch die Bildung von
Chlorjod beim Mischen der Sublimat- und Jodlösung erleichtert
wird, ist zutreffend. Die unter Zusatz von Salzsäure hergestellte
Hübl'sche Jodlösung ist haltbarer, als die Jodlösung ohne Salzsäure; die mit diesen beiden Lösungen erhaltenen Zahlen stimmen
aber nicht überein.   *Hf.*

W. Bishop. Untersuchungen über die Bestimmung des Oxydationsgrades der Oele [5]). — Die Bestimmung des Oxydationsgrades, d. i. der maximalen Gewichtszunahme auf 100 Theile Substanz beim Stehen an der Luft, kann bei Anwendung des Verfahrens
von Livache (Vertheilung des Oeles auf Bleischwamm) nur für
Leinöl praktisch durchgeführt werden; bei anderen Oelen verläuft
die Oxydation zu langsam. — Verfasser setzt dem Oel als Sauerstoffüberträger harzsaures Manganoxydul zu (für welches eine

---

[1]) Pharm. Centr.-H. 37, 713—715. — [2]) Zeitschr. angew. Chem. 1896.
S. 719—721. — [3]) Dieser JB., S. 2232. — [4]) Helfenberger Ann. 1895, S. 66—71.
— [5]) J. Pharm. Chim. [6] 3, 55—61; Ref.: Chem. Centr. 67, I, 527.

Bereitungsvorschrift gegeben wird) und vertheilt das Gemisch auf calcinirte Kieselsäure. In 5 bis 10 g Oel werden 2 Proc. des harzsauren Manganoxyduls unter Erwärmen gelöst, von der Mischung mittelst Pipette genau 1,02 g auf *1* g in einem flachen Schälchen ausgebreitete Kieselsäure vertheilt, worauf mittelst eines mitgewogenen Glasstäbchens umgerührt wird. Trocknende Oele bleiben bei 17 bis 25⁰, nicht trocknende bei 20 bis 30⁰ stehen. Dreimal in 24 Stunden wird gewogen, bis das Maximum der Gewichtszunahme erreicht ist. Dann tritt wieder Gewichtszunahme ein. Leinöl braucht bei 17 bis 23⁰ 48 Stunden, bei 22 bis 28⁰ 30 Stunden bis zum Maximum. Olivenöl braucht fünf Tage. Der Oxydationsgrad ist einfacher und billiger zu bestimmen als die Jodzahl. Für verschiedene Oele wird der Oxydationsgrad bestimmt. *Bl.*

K. Dieterich. Ueber die Farbenreactionen von verschiedenen Oelen mit Molybdänschwefelsäure [1]). — Die Angabe von van Engelen, dafs eine Purpurfärbung mit molybdänschwefelsaurem Natron für Erdnufsöl charakteristisch sei, ist nicht zutreffend, alte Oele geben eine schwarzbraune Färbung, andererseits geben Leberthran und Mandelöl die Purpurfärbung auch. Für verschiedene Oele (auch Verfälschungen) werden die Farbenreactionen mit Molybdänschwefelsäure beschrieben. Charakteristisch ist die schöne grüne Färbung, die Oleum Cucurbitae annimmt. *Bl.*

O. Henzold. Methode zur Gewinnung des Fettes zum Zweck der Untersuchung desselben [2]). — 300 g in erbsengrofse Stücke zerschnittener, in einer Reibschale zerkleinerter Käse werden mit 700 ccm 5 proc. Kalilauge bei 22⁰ 10 Minuten digerirt. Nach dieser Zeit ist das Caseïn gelöst und das Fett schwimmt in Klümpchen, die sich leicht vereinigen lassen, oben. Es wird abgeschöpft, gewaschen, ausgeschmolzen und filtrirt. Im Gegensatz zu dem Verhalten bei den Schnellmethoden, bei welchen Säure in Anwendung kommt, ist das Fett ganz unverändert, wie durch Untersuchung desselben gezeigt wird, wobei sich auch ergab, dafs das Fett von frischem wie von reifem Käse dieselbe Beschaffenheit hat, wie das der Milch, aus der er gewonnen wurde. Die Prüfung so isolirten Fettes eignet sich zur Feststellung, ob Natur- oder Kunstkäse vorliegt. *Bl.*

Paul Cornette. Nachweis von Harzöl in fetten Oelen [3]). — Harzsaures Natrium ist in Kochsalzlösung löslich. 10 g Fett

---

[1]) Pharm. Centr.-H. 36, 609; Ref.: Deutsche Chemikerzeit. 11, 412. — [2]) Milchzeitg. 24, 729—730; Ref.: Chem. Centr. 67, I, 140—141. — [3]) Rev. intern. falsif. 9, 122—123; Ref.: Chem. Centr. 67, II, 564—565.

werden mit Aetznatron verseift. Die Seife wird in heifsem Wasser
gelöst, nach dem Erkalten wird überschüssiges Kochsalz zugefügt
und von der ausgeschiedenen Seife getrennt. Auf Zusatz von
Säure zum Filtrat fallen die Harzsäuren aus. *Bl.*

Thomas S. Gladding. Notiz zur mikroskopischen Entdeckung
von Rindstalg in Schmalz [1]). — Verfasser giebt eine Anleitung, um
schön ausgebildete Stearinsäurekrystalle zu erzielen. *Bl.*

E. Utescher. Ist alles amerikanische Schmalz verfälscht? [2]).
— Verfasser hat früher eine einfache physikalische Untersuchungsmethode beschrieben für Schmalz, wonach dasselbe (5 bis 10 g)
in einem Reagensglase (15 bis 20 mm weit) geschmolzen und
dann aufrecht zum Abkühlen bei Seite gestellt wird. Reines
erstarrtes Schmalz zeigt hierbei in der Oberfläche des Schmalzes
eine charakteristische Lochbildung. Es ist jedoch nöthig, dafs
man das Schmalz abkühlt nach dem Schmelzen und es nicht zu
langsam erkalten läfst. Alle amerikanischen Handelssorten, mit
Ausnahme einer einzigen Marke (Sinclair), zeigten dieses eigenthümliche Verhalten nicht und Verfasser wirft deshalb die Frage auf: Ist
alles amerikanische Schmalz, das die Erstarrungsprobe nicht zeigt,
verfälscht, auch wenn es eine normale Jodzahl aufweist?. *Tr.*

A. Goske. Ueber die Analyse von Dampfschmalz [3]). — Gelegentlich eines Processes wurde vom Sachverständigen, nach
Besprechung der Herstellungsart des Schmalzes, welches behufs
Raffinirung mit Luft durchgearbeitet war, behauptet, dafs 1. die
Jodzahl nach dieser Behandlung durchschnittlich höher sei als
vorher, 2. die Welsmann'sche Reaction stärker auftrete als
beim Rohfette, und 3. die Becchi'sche Reaction häufig auftrete,
während das zugehörige Rohschmalz keine Reduction giebt. Dem-
gegenüber zeigt Verfasser an Beispielen, dafs die Jodzahl unverändert bleibt, resp. bald nach oben, bald nach unten abweicht
und dafs die Welsmann'sche Reaction die gleiche bleibt. Die
Becchi'sche Reductionsprobe gab in zwei Fällen eine geringe
Reduction (Stich ins Bräunliche), diese ist aber mit der intensiven
Bräunung, die Cottonöl hervorruft, nicht zu verwechseln und tritt
nicht mehr auf, nachdem das Schmalz durch Schütteln mit warmem
Wasser gereinigt wurde (Unterschied von cottonölhaltigem Material),
so dafs eventuell unter Anwendung dieser Modification die Becchi'-
sche Reaction zur Untersuchung von raffinirtem Schmalz nach wie
vor anwendbar bleibt. *Bl.*

---

[1]) Amer. Chem. Soc. J. **18**, 189. — [2]) Apoth.-Zeitg. **11**, 117—118. —
[3]) Chemikerzeit. **20**, 21.

P. Soltsien. Zur Prüfung von Schweineschmalz und Surrogaten für dasselbe [1]). — Im Anschluß an seine früheren Veröffentlichungen über denselben Gegenstand macht Verfasser noch folgende Angaben. Gemische von Schmeerschmalz und Speckschmalz zeigen bei der Erstarrungsprobe hinsichtlich der Contraction normales Verhalten, Kopffett des Schweines verhält sich abweichend, liefert nur geringe Contraction. Aehnlich verhält sich das Fett aus den schwächeren Beintheilen. Gemische von 5 Thln. Kopf- und Beinfett mit 6 Thln. Schmeer- und Speckschmalz zeigen noch starke Contraction. Zur Prüfung der festeren Antheile der Fette verwendet Verfasser neuerdings Aceton, von dem man auf 1 Thl. Fett etwa 2 Thle. verwendet. Setzt man dem Kopffett so viel Talg zu, daß es die Consistenz des Schmeerschmalzes erlangt, so liefert es nach der Behandlung mit Aceton einen Rückstand, der wie talghaltiges Schmalz erstarrt. Den Fettgemischen etwa zugesetzte Oele sind im Acetonauszug enthalten. Fette, die zur Erstarrungsprobe benutzt werden sollen, dürfen nicht mehrmals kurz hinter einander umgeschmolzen werden. Die Gefäße, in denen Verfasser diese Probe vornimmt, sind halbkugelig von 1,5 cm Durchmesser. Fette, die Baumwollensamen enthalten, nehmen bei längerem, vor Licht geschütztem Stehen eine gelbliche Färbung an.   Tr.

K. Fresenius. Neue Beobachtungen auf dem Gebiete der Speisefettuntersuchung [2]). — Wenn auch seit der strengeren Gesetzgebung grobe Verfälschungen von Speisefetten wohl selten vorkommen dürften, so sind doch kleinere Zusätze noch häufig genug. Zu ihrer Erkennung bedient sich der Verfasser des „Erstarrungspunktes" der Fette und erläutert die Ergebnisse an der Hand einer ausführlichen Tabelle. Als charakteristischer „kritischer Punkt" wird für Metzgerschmalz 26 bis 28⁰, für amerikanisches Dampfschmalz 24,1 bis 25,9⁰ angegeben. Im Weiteren unterzieht Verfasser die üblichen Special-Reagentien einer Kritik. Welsmann's Reaction ist vollkommen unzuverlässig und auch die Hübl'sche Jodzahl läßt bei raffinirten Verfälschungen im Stich, dagegen ist Becchi's Reagens ziemlich zuverlässig.   Mr.

Julius Zink. Beitrag zur Kenntniß der Knochenmarkfette [3]). — Das Rindermarkfett, aus den Röhrenknochen des Rindes stammend, ist ein hellgelbes, körniges Fett vom spec. Gew. 0,9311 bis 0,9380 bei 15⁰, das specifische Gewicht der Fettsäuren be-

[1]) Pharm. Zeitg. 41, 278—279. — [2]) Chemikerzeit. 20, 129—131. — [3]) Forschungsber. über Lebensm. 3, 441—443.

trägt 0,9300 bis 0,9399, der Schmelzpunkt des Fettes 37 bis 45°, derjenige der Fettsäuren 44 bis 46°, der Erstarrungspunkt des Fettes 29 bis 31°, derjenige der Fettsäuren 39 bis 40°, die Jodzahl des Fettes 39,2 bis 50,9, diejenige der Fettsäuren 41,4 bis 44,1, die Verseifungszahl des Fettes 195,8 bis 198,1, diejenige der Fettsäuren 204,5, die Säurezahl des frischen Fettes 1,5 bis 1,7, diejenige eines acht Monate alten Fettes 1,9, die Reichert-Meißl'sche Zahl für 2,5 g Fett 1,1, die Acetylzahl 16,7. Das Pferdemarkfett ist, frisch ausgeschmolzen, ein hellgelbes Oel, das mit krystallinischen Partikeln durchsetzt ist und nach einigen Tagen dickflüssig wird. Das specifische Gewicht des Fettes beträgt 0,9204 bis 0,9221 bei 15°, das der Fettsäuren 0,9182 bis 0,9289, der Schmelzpunkt des Fettes 35 bis 39°, derjenige der Fettsäuren 42 bis 44°, Erstarrungspunkt des Fettes 20 bis 24°, derjenige der Fettsäuren 34 bis 36°, die Jodzahl des Fettes 77,6 bis 80,6, der Fettsäuren 71,8 bis 72,2, Verseifungszahl des Fettes 199,7 bis 200,0, der Fettsäuren 210,8 bis 217,6, die Säurezahl des frischen Fettes 0,57 bis 1,0, des drei Monate alten Fettes 0,8, die Reichert-Meißl'sche Zahl für 2,5 g Fett 1,0, die Acetylzahl 34,6 bis 36,8. *Tr.*

J. Cracau. Zum Capitel der Talguntersuchung [1]. — Eine frühere Notiz des Verfassers scheint zu dem Mißverständniß geführt zu haben, als wenn Verfasser das Talgstearin mit dem Japanwachs bezw. Pflanzenwachs verwechselt habe. Er führt deshalb gewisse Identitätsreactionen an, die Pflanzenwachs von Talgstearin zu unterscheiden gestatten. Reines Talgstearin, in einer Porcellanschale geschmolzen, haftet, wie alle Fettsäuren, nach dem Erkalten sehr fest an den Wandungen der Schale und löst sich erst nach einigen Tagen freiwillig von dieser ab, bei Verfälschung mit Wachs erfolgt eine Ablösung von der Schale bereits nach einigen Stunden. Wird ein erbsengroßes Stück Japanwachs oder ein Gemisch von Talgstearin und Wachs in einer kleinen Porcellanschale mit ca. 5 ccm Kalilauge erhitzt, so tritt eine gelbe Färbung ein, die bei Talgstearin ausbleibt. Verfasser führt noch weitere derartige Unterscheidungsreactionen an, die er für wichtiger hält als die Bestimmung der Jodzahl, da die Reinheit eines Talges durch die normale Jodzahl allein nicht bewiesen ist. *Tr.*

A. Strohl. Jodzahl und Brechungsindex der Cacaobutter [2]. — Entgegen den bisher vorliegenden Beobachtungen, nach denen die Jodzahl der Cacaobutter von 32 bis 51 schwankt, ergaben die Untersuchungen bei 43 Proben verschiedener Herkunft nur

---

[1] Pharm. Zeitg. 41, 279. — [2] Zeitschr. anal. Chem. 35, 166—169.

Schwankungen von 32,8 bis 41,7. Die allgemein angewendeten
Verfahren zum Löslichmachen des Cacaos, die bisweilen bei
ungenügender Reife angewendete Gährung verändern die Jodzahl
der betreffenden Butter nicht. Die Brechungsindices schwankten
bei 40° C. von 1,4565 bis 1,4578. Zwischen Jodzahl und Brechungsindex der Cacaobutter besteht insofern ein Parallelismus, als bei
niedriger Jodzahl im Allgemeinen auch ein niedriger Brechungsindex vorhanden ist. *Hf.*

F. Filsinger. Zur Jodzahl der Cacaobutter[1]. — Zur Erklärung der Resultate Strohl's[2], welcher in Cacaobutter Jodzahlen bis zu 41,7 fand, während Verfasser gemeinsam mit R. Hen-
king 1889 gefunden hatte, daß die Jodzahlen zwischen 35,5 bis
37,5 betragen, nimmt Verfasser an, daß Strohl's Präparate zum
Theil sauer geworden waren; Verfasser selbst hatte bei Untersuchung
von Cacaoschalenbutter[3] eine durch Säurebildung hervorgerufene
Erhöhung der Jodzahl auf 41,2 beobachtet, welche Zahl aber nach
dem Entsäuern auf die normale Zahl 37 wieder zurückging. *Bl.*

A. Jorissen und Eug. Hairs. Prüfung des Leberthrans[4]. —
Für die Beurtheilung ist die Refractometerzahl, die Maumené'sche
Erhitzungsprobe, die Jodzahl maßgebend; die Köttstorffer'sche
und Hehner'sche Zahl, die Proben der freien Fettsäuren, die
Proben von Allen, Becchi und Welsmann sagen wenig aus.
Ferner sind brauchbare Proben die Violettfärbung beim Versetzen
einer Schwefelkohlenstofflösung des Thrans mit concentrirter
Schwefelsäure (Verfälschungen färben sich nicht oder indigblau),
und die feurigrothe, beim Stehen gelb werdende Färbung mit
rauchender Salpetersäure (Verfälschungen werden blau, dann grün).
Bl.

Georges. Die Bestimmung des Jods im Leberthran[5]: —
Man kocht 25 g Leberthran mit 25 g gepulvertem Kalisalpeter
und 30 g einer 20 proc. alkoholischen Kalilösung auf dem Wasserbade, verdunstet dann den Alkohol, trocknet den Rückstand auf
dem Sandbade und erhitzt schließlich 10 Minuten bei dunkler
Rothgluth. Es wird nunmehr die weiße Schmelze in Wasser
unter Zusatz von Essigsäure gelöst, die Lösung mit 5 ccm einer
5 proc. Ammonsulfatlösung versetzt, decantirt, das Jod mit Schwefelkohlenstoff entzogen und mit Hyposulfit titrirt. *Tr.*

. B. A. van Ketel und A. C. Antusch. Einige Unter-

[1] Zeitschr. anal. Chem. 35, 517—521. — [2] Siehe vorstehendes Referat.
— [3] Forschungsber. über Lebensm. 1895, S. 421. — [4] Rev. intern. falsif. 9,
120—122; Ref.: Chem. Centr. 67, II, 564. — [5] J. Pharm. Chim. [6] 3,
228—229; Ref.: Chem. Centr. 67, I, 768.

suchungen über Leinkuchenfett[1]). — Sie haben sowohl aus reinem
Leinsamen als aus Leinkuchen das Oel mit Petroleumäther extrahirt und in den Producten die Jodzahl bestimmt. Für die aus
den Samen gewonnenen Oele erhielten sie die mittlere Jodzahl
185, für die aus Kuchen gewonnenen aber Werthe von 166 bis 184.
Oele aus *Kohlsamen* gaben die Zahl 101, solche aus *Leindotter-*
samen den Werth 146. Die für die Oele aus Leinkuchen gefundenen niedrigen Jodzahlen waren nicht auf eine Verunreinigung
der Kuchen mit Unkrautsamenschalen zurückzuführen. Auch
hingen die niedrigen Werthe nicht etwa von einer durch das
Alter der Leinkuchen bedingten Zersetzung der Oele ab, indem
diese weder ranzig waren, noch auch sich erheblich in Essigsäure
lösten. Dagegen gaben einige dieser Oele eine kräftige Reaction
auf *Baumwollsamenöl.* Wenn die Jodzahl des Oeles gering ist
und die Leinkuchen nur wenig Schalen von Unkrautsamen enthalten, so prüfe man auf etwaigen Zusatz fremder Fette. *Brt.*

R. Glode Guyer. Bienenwachsanalyse[2]). — Verfasser bespricht die gebräuchlichen und bewährten Methoden der Bienenwachsanalyse; zu bemerken ist nur, dafs der Autor die Vorschriften
der britischen Pharmacopöe bemängelt, welche für den Schmelzpunkt des Bienenwachses 63,3⁰ feststellt, während derselbe zwischen
62 und 65⁰ schwanken kann, andererseits aber im specifischen
Gewicht Schwankungen von 0,950 bis 0,970 zuläfst, obwohl die
äufsersten beobachteten Werthe nur in der dritten Decimale Abweichungen zeigen (0,960 bis 0,965). *Bl.*

L. S. Lugowski. Controle der Methoden zum Nachweis von
Japanwachs und Talg im Bienenwachs[3]). — Verfasser kommt auf
Grund seiner Untersuchungen zu folgenden Resultaten. 1. Der
in Aether lösliche Theil des Bienenwachses enthält Myricin. a) Die
in Petroläther leicht löslichen Antheile bestehen aus Heptakosan,
$C_{27}H_{56}$, und Hentrikontan, $C_{31}H_{64}$, mit den Schmelzp. 59,5 und
68,0⁰; b) die in Petroläther schwer löslichen Antheile enthalten
Myricylalkohol, $C_{31}H_{64}O$ (Schmelzp. 85 bis 85,5⁰), Cerylalkohol
und einen Alkohol $C_{24}H_{50}O$ oder $C_{25}H_{52}O$, ferner Palmitinsäure,
eine Säure von Wachsgeruch (Schmelzp. 44⁰) und Cerolin, eine
riechende, klebrige Masse mit dem Schmelzp. 22⁰. 2. Der in
kochendem Alkohol lösliche Theil, Cerin, enthält freie Cerinsäure,
Melissinsäure und Fettsäuren mit unterhalb 78⁰ liegendem Schmelz-

---

[1]) Zeitschr. angew. Chem. 1896, S. 581—583; vgl. Mastbaum, dieser
JB., S. 2226. — [2]) Pharm. J. [4], Heft 1375, S. 384—386; Heft 1378,
S. 445—446. — [3]) Russ. Zeitschr. Pharm. 35, 839—840.

punkt. Japanwachs besteht vorzugsweise aus Tripalmitin und
einer geringen Menge freier Fettsäuren. Das specifische Gewicht
ist 0,970 bis 1,006, der Schmelzpunkt liegt zwischen 48 und 55°.
Durch die Bestimmung des specifischen Gewichtes sowie des
Schmelz- und Erstarrungspunktes kann man einen annähernden
Nachweis von Beimengungen von Talg und Japanwachs im Bienenwachs führen. Erhitzt man Bienenwachs in kalt gesättigter Boraxlösung, so giebt sich die Anwesenheit von Talg durch eine weiße
Trübung zu erkennen, ist Japanwachs zugegen, so wird die Flüssigkeit milchig, nach dem Erhitzen findet sich dann unter der er-
kalteten Bienenwachsschicht eine dritte seifenartige Schicht.
Genauer, aber auch complicirter ist der Nachweis von Talg und
Japanwachs durch Dazuthun von Glycerin, welches zu Ameisensäure
mit Permanganat oxydirt und als solche nachgewiesen wird. *Tr.*

Einheitliche Untersuchungsmethoden für Fette und Oele[1]). —
Der Verband der Seifenfabrikanten will obige Frage regeln und
bringt Vorschläge, die sich auf Probenahme und Untersuchung
beziehen, mit besonderer Rücksicht darauf, daß die Ansprüche
des Seifenfabrikanten an die Qualität des Oeles oder Fettes natur-
gemäß andere sind als z. B. die des Fettsäure- odor Kerzen-
fabrikanten. Eine Untersuchungsmethode muß allein diesen ge-
recht werden. Die erstatteten Vorschläge sind klar und einleuchtend,
können aber in Kürze nicht wiedergegeben werden. *Bl.*

Beschlüsse des Vereins Schweizer analytischer Chemiker in
der Jahresversammlung vom 27. und 28. Sept. 1895 in Neuen-
burg. Untersuchung und Beurtheilung von Seifen[2]). — Die aufgestellten Normen mögen im Original nachgelesen werden; neue
Methoden kommen nicht vor, sondern bloß genaue Ausführungsvorschriften für bekannte. *Bl.*

Ed. Spaeth. Zur Untersuchung von Seifen[3]). — Die Bestimmung der Füllstoffe wird mit der des Wassers verbunden.
Circa 5 g in dünne, sich rollende Lamellen geschnittene Seife
werden in ein gewogenes Extractionsgläschen gebracht, und bei
langsam steigender Temperatur, schließlich bei 105°, getrocknet.
Die Gewichtsabnahme giebt das Wasser. Darauf wird im Soxhlet
mit Alkohol extrahirt, bis nur die Füllmasse zurückbleibt, diese
gewogen und nach Bedarf näher untersucht. Andererseits werden
zur Bestimmung der übrigen Bestandtheile und des Wassers 5 g

[1]) Seifenfabrikant 1896, S. 19; Ref.: Deutsche Chemikerzeit. 11, 251—253.
— [2]) Ref.: Deutsche Chemikerzeit. 11, 53. — [3]) Zeitschr. angew. Chem. 1896,
S. 5—9.

Seife in einem eigenen Meſskölbchen mit verdünntem Alkohol
gelöst. Die eine Hälfte wird mit Quarzsand vermischt, vorsichtig
verdampft und der Rückstand gewogen, wodurch der Wassergehalt eruirt wird; die andere Hälfte wird aufs alte Volumen
verdünnt, in einen Scheidetrichter gebracht, mit gemessener Normal-
schwefelsäure versetzt und mit Petroläther ausgeschüttelt. In
einem aliquoten Theile der sauren, wässerigen Schicht wird durch
Zurücktitriren das Alkali gefunden, in einem anderen eventuell
das Glycerin bestimmt. Ein bekannter Theil der Petrolätherlösung wird in einem Kölbchen im Wasserstoffstrome verdunstet;
die trockenen Fettsäuren wurden gewogen und nachher geprüft. *Bl.*

Wm. Waltke u. Co. Ueber eine Bestimmung von freiem
Fett in Seifen[1]). — 10 g der absolut wasserfreien Seife werden
zerrieben in einen graduirten 200 ccm-Kolben gebracht und mit
100 ccm wasserfreiem Gasolin geschüttelt. Man füllt dann mit
Gasolin zur Marke auf, schüttelt um, läſst absitzen, decantirt
50 ccm der Lösung durch ein Faltenfilter in eine Platinschale
und trocknet nach dem Verdampfen bei 110°. Immerhin ist noch
eine Controle nöthig, ob der Rückstand, auch nach dem Trocknen,
vollkommen löslich in Gasolin ist, bleibt ein Rückstand, so war
Seife mit gelöst und die Bestimmung ist zu wiederholen. *Mr.*

Wm. Waltke u. Co. Zur Bestimmung des Gesammtalkalis
und des Fettsäuregehaltes in Seifen[2]). — 20 g Seife werden in
100 ccm Wasser gelöst, mit 70 g N-Schwefelsäure versetzt und bis
zur Abscheidung der Fettsäuren als klares Oel erwärmt. Nach
der Abkühlung wird die Masse unter Zuhülfenahme von Gasolin
umgespült, in einem graduirten Cylinder durchgeschüttelt und
das Volumen der Wasser- und Gasolinlösung abgelesen. In dem
Gasolinauszuge wird dann in einem bestimmten Quantum die
Menge der Fettsäuren, in der Wasserlösung das Alkali durch
Zurücktitriren bestimmt. *Mr.*

W. Herbig. Die Verwerthung der Jodzahl in der Analyse
des Wollfettes[3]). — Im Wollfett sind neben Fettsäuren fast nur
ungesättigte Substanzen vorhanden. Durch Verseifen desselben
und Extrahiren der aus dem Verseifungsproducte gewonnenen Kalksalze mit Aceton wurde ein Extract, E. I, erhalten. Durch Verseifen dieses Extractes unter *Druck* ein Extract, E. II, aus dem
durch Aceton ein bei 127° schmelzendes Gemisch, kleine Nadeln
und rechteckige Blättchen (wahrscheinlich Cholesterin und Iso-

[1]) Chemikerzeit. 20, 38; vgl. diesen JB., S. 2224. — [2]) Chemikerzeit.
20, 240; vgl. diesen JB., S. 2223. — [3]) Dingl. pol. J. 302, 17—23.

cholesterin), erhalten wurde. Gesättigte höhere Alkohole waren
nicht vorhanden, was auch durch die hohe Jodzahl, circa 67, bestätigt wurde. Es zeigte sich ferner, daſs durch die Verseifung
unter Druck eine weitergehende Zersetzung von Cholesterin etc.
über die beabsichtigte Verseifung hinaus nicht stattfindet. — Zur
Bestimmung der Jodzahl in Wollfettpräparaten, Cholesterin etc.
ist es nöthig, einen gröſseren Jodüberschuſs anzuwenden und circa
10 Stunden einwirken zu lassen. Die Jodzahl von amerikanischem,
seifenfreiem Wollfett ist circa 20, die der durch Verseifung daraus
gewonnenen Säuren kaum 5, die des Extractes (welcher also wesentlich aus Cholesterin und Isocholesterin zu bestehen scheint) circa 67,
die des Cholesterins ist 68.   *Bl.*

    Rob. Henriques. Die Verwerthung der Jodzahl in der Analyse
des Wollfettes von W. Herbig [1]). — Die im Titel angeführte Arbeit
widerspricht den eigenen Untersuchungen des Verfassers. Vor
Allem wirft Verfasser dem Autor der genannten Arbeit vor, daſs
dieser bei der Bestimmung der Jodzahl des Cholesterins ohne
irgend einen stichhaltigen Grund die Zeitdauer der Jodeinwirkung
nach 10 Stunden abbricht. Mit gleicher Willkür verfährt Herbig
auch bei der Bestimmung der Jodzahl in Extracten, die ganz
oder theilweise aus Cholesterin bestehen sollen. Auch hinsichtlich der Bestimmung der Jodzahl der einzelnen Fractionen des
Wollfettes und der hieraus gezogenen Schluſsfolgerungen werden
Herbig von Seiten des Verfassers schwerwiegende Vorwürfe
gemacht.   *Tr.*

    Ferd. Ulzer und W. Seidel. Zur Analyse des Wollfettes [2]).
— Weder durch Verseifen am Rückfluſskühler, noch in kupfernen
Röhren (vergl. Herbig und F. v. Kochenhausen [3]) konnten Verfasser das Wollfett vollständig verseifen. Sie versuchten statt
dessen die „Gesammtsäurezahl" nach dem Vorgange von Benedikt und Mangold [4]) zu bestimmen. Dieselbe führte zu übereinstimmenden Resultaten und ergab für australisches Wollfett
circa 100, für südamerikanisches circa 96. Zu bemerken ist, daſs
in die „Gesammtsäurezahl" die flüchtigen, wasserlöslichen Fettsäuren nicht inbegriffen sind. Nach Ansicht der Verfasser sind
für Beurtheilung von Wollfett die Bestimmung der Säurezahl, der
Gesammtsäurezahl, der Jodzahl, der Reichert-Meiſsl'schen Zahl
und der Gewichtsmenge der unverseifbaren Antheile maſsgebend. *Bl.*

---

[1]) Chem. Rev. Fett- u. Harz-Ind. **3**, 245—248; Ref.: Chem. Centr. **68**,
I, 267. — [2]) Zeitschr. angew. Chem. 1896, S. 349—350; vgl. diesen JB.,
S. 2223. — [3]) Dingl. pol. J. **292**, 42, 66, 91, 112; **297**, 135, 160; **298**, 118;
299, 233. — [4]) Chemikerzeit. **15**, 15.

L. Darmstätter und **J. Lifschütz.** Beiträge zur Kenntnifs der Zusammensetzung des Wollfettes [1]). — Ein früher erwähnter, aus dem partiell verseiften Wollfett isolirter, als Alkohol, $C_{10}H_{20}O$, angesprochener Körper erwies sich als lactonartiges Zersetzungsproduct, $C_{30}H_{58}O_3$, einer Säure, $C_{30}H_{60}O_4$. Auch $C_{11}H_{22}O$ ist kein Alkohol. — Durch Verseifung eines „Wollwachs" genannten Bestandtheiles des Wollfettes wurde eine alkohollösliche, nicht einheitliche, und eine alkoholunlösliche Seife gewonnen. Letztere gab bei der Verseifung eine Dioxysäure, (?) $C_{30}H_{60}O_4$, „Laurocerinsäure". Beim Schmelzen (104 bis 105°) entsteht aus derselben unter Wasseraustritt leicht $C_{30}H_{58}O_3$, aus diesem bildet sich beim Kochen mit Mineralsäuren das Laurocerinlacton, $C_{30}H_{58}O_2$; F.-P. 85°. Neben den Seifen entsteht Cholesterin (Cerylalkohol?) und eine Substanz; F.-P. 66 bis 68°. *Bl.*

Milch, Butter. — **M. Kühn.** Die Bestimmung des specifischen Gewichtes in geronnener Milch [2]). — Das Verfahren von **Soxhlet** (Verflüssigung mittelst Kalilauge) giebt um 1,5 bis 2,5° des Lactodensimeters zu niedrige, das von **Weibull** (Verflüssigung mittelst 10 proc. Ammoniak) um 0,57 bis 1,17° zu hohe Resultate. Durch eine Modification des letzteren Verfahrens, welche auch den Verhältnissen einer Controlstation angepafst ist, erhielt Verfasser genauere Zahlen. Auf einer circa 1,5 kg tragenden Wage wird die Probe brutto genau gewogen und schätzungsweise $^1/_{20}$ Volumen des vermutheten Inhalts an 22- bis 24 proc. Ammoniak genau gewogen zugefügt. (Die Dichte des Ammoniaks wird genau bestimmt und öfters controlirt.) Nach kurzem Schütteln und einstündigem Stehen ist die Milch verflüssigt; sie wird ausgeleert (das getrocknete Gefäfs zurückgewogen) und die Dichte des Milchammoniakgemisches bei 15° bestimmt. Das Gewicht des Gemisches, dividirt durch die Dichte, giebt das Volum, von welchem das Volum des Ammoniaks, d. i. sein Gewicht dividirt durch seine Dichte, abgezogen wird. Das Milchgewicht, durch das so eruirte Milchvolum dividirt, ergiebt die Dichte der Milch. *Bl.*

Rob. Eichloff. Ueber die Bestimmung des specifischen Gewichtes der mit Kaliumbichromat conservirten Milch [3]). — Die mit Kaliumbichromat versetzte Milch kann man zur Bestimmung des specifischen Gewichtes nicht mehr benutzen, da die Trockensubstanz durch diesen Zusatz vermehrt und in Folge dessen das specifische Gewicht der Milch erhöht wird. Wendet man aber

---

[1]) Ber. **29**, 1474—1477; früh. Mitth. Ber. **28**, 3133—3135; **29**, 618—622. — [2]) Chemikerzeit. **20**, 708—710. — [3]) Milchzeitg. **25**, 511.!

zur Conservirung statt der festen Substanz eine Kaliumbichromatlösung vom mittleren specifischen Gewicht der Milch an, so wird
das specifische Gewicht kaum merklich verändert; ebenso kann
auch die so conservirte Milch zur Fettbestimmung ohne Weiteres
benutzt werden. Die Differenz zwischen dem specifischen Gewicht
der frischen Milch und dem der conservirten Milch schwankt
zwischen — 0,0001 und + 0,0002 bei Milch mit dem spec. Gew.
1,0258 und 1,0343. Die Differenz zwischen dem Fettgehalt der
frischen und dem der conservirten Milch liegt bis zu 5 Proc. Fett
noch innerhalb der Fehlergrenze, welche letztere erst bei 6 Proc.
Fett überschritten wird. — Zur Herstellung der Kaliumbichromatlösung löst man 40 bis 45 g krystallisirtes Kaliumbichromat in
4 Liter Wasser auf. *Hf.*

M. J. Hamburger. Die Bestimmung des Milchgefrierpunktes
als Mittel, Verfälschung mit Wasser qualitativ und quantitativ
nachzuweisen [1]. — Der Gefrierpunkt der Milch, von verschiedenen
Kühen zu verschiedenen Zeiten entnommen, schwankt nur sehr
wenig. Die Depression gegenüber dem Gefrierpunkt des Wassers
ist bei der zuerst gemolkenen Milch kleiner als bei der später
fliefsenden, ferner bei Abendmilch gröfser als bei Morgenmilch,
bei normaler etwas gröfser als bei entrahmter. Der tiefste beobachtete Gefrierpunkt war — 0,574, der höchste — 0,556, das Mittel
aus zahlreichen Beobachtungen 0,561. Die gröfste Differenz 0,018
beträgt 3 Proc. des gefundenen Werthes. Wird Milch mit Wasser
versetzt, so steigt der Gefrierpunkt und zwar für je 1 Proc. um
0,0058°; da die gröfsten bei normaler Milch vorkommenden Abweichungen 0,018° betragen, so läfst sich eine mehr als 3 Proc.
betragende Verfälschung nachweisen und quantitativ bestimmen.
Die Ausführung braucht wenig Zeit, wenn die Milch in Eiswasser
vorgekühlt und dann erst in den Beckmann'schen Apparat gebracht wird. *Bl.*

Bordas et Génin. Sur le point de congélation du lait de
vache [2]. — Verschiedene Forscher haben darauf hingewiesen, dafs
die Kuhmilch einen bestimmten Gefrierpunkt habe, und dafs man
an einer Erhöhung dieses Gefrierpunktes eine stattgehabte Streckung
der Milch mit Wasser erkennen könne. Hamburger hatte angegeben, dafs eine Erhöhung des Gefrierpunktes um je 0,005°
über den normalen von — 0,56° einem Wasserzusatz von 1 Proc.
entspreche. Die Verfasser haben nun eine Reihe von 50 unter besonderen Vorsichtsmafsregeln entnommene Milchsorten untersucht

---

[1] Rec. trav. chim. Pays-Bas 15, 349—355. — [2] Compt. rend. 123, 425—427.

und fanden, daſs der Gefrierpunkt zwischen — 0,44 und — 0,56⁰ schwankt. Bei Molken schwankte er zwischen — 0,44 bis — 0,80⁰. Demnach kann die Gefrierpunktsbestimmung allein ebenso wenig zur Erkennung einer künstlichen Verdünnung der Milch dienen, wie die Bestimmung des specifischen Gewichtes oder des Extractes. *Tf.*

J. Winter. Ueber den Erstarrungspunkt der Kuhmilch, Antwort auf eine Abhandlung von Bordas und Génin [1]). — Bordas und Génin [2]) behaupten, daſs auch zweifellos reine Kuhmilch sehr schwankende Erstarrungspunkte habe, die sich zwischen — 0,47⁰ und — 0,80⁰ bewegen; dem gegenüber hält Verfasser seine Behauptung, daſs der Gefrierpunkt reiner Kuhmilch constant bei — 0,56⁰ liege, aufrecht. Zum gleichen Resultat ist auch Hamburger (siehe vorst.) gekommen. Eine ausgedehnte Tabelle stützt die Angaben des Verfassers. *Bl.*

Backhaus. Eine neue Methode, die Kuhmilch der Frauenmilch ähnlicher zu gestalten [3]). — Bekanntlich enthält die Frauenmilch verhältniſsmäſsig viel mehr Caseïn gegenüber der Kuhmilch. Um letztere zur Säuglingsernährung tauglicher zu machen, wird dieselbe durch Centrifugiren in Rahm und Magermilch zerlegt und letzterer ein passender Zusatz eines Fermentgemisches von Alkali, Trypsin und Lab gegeben, wodurch ein groſser Theil des Caseïns gelöst und peptonisirt wird; nach 30 Minuten ist 1,25 Proc. lösliches Eiweiſs vorhanden und der Rest des Caseïns zum Gerinnen gebracht, worauf durch Erwärmen auf 80⁰ die Enzymwirkung vernichtet und das abgeschiedene Caseïn durch Centrifugiren abgetrennt wird. Dann wird durch Rahmzusatz wieder 3,5 Proc. Fett und 0,5 Proc. Caseïn zugefügt, 1 Proc. Milchzucker hinzugegeben und sterilisirt. Da die Caseïnmenge der Frauenmilch dem Fettgehalt proportional ist, ist es nur nöthig, bei Bemessung des Rahmzusatzes sich nach dessen Fettgehalt zu richten, wofür Verfasser Tabellen ausgearbeitet hat. Das Verfahren ist auch betreffs der nothwendigen Apparate so ausgearbeitet, daſs es leicht in Molkereien etc. Anwendung finden kann. *Bl.*

Cammerer und Söldner. Analysen der Frauenmilch, Kuhmilch und Stutenmilch [4]). — Die Untersuchung, eine Fortsetzung der früheren (s. oben), ergab, daſs der Fettgehalt bei allen drei Milchsorten bald nach der Geburt am gröſsten war. Die Eiweiſsmenge (aus der Differenz des Gesammtstickstoffs und des nach

[1]) Compt. rend. 123, 1298—1303. — [2]) Siehe vorstehendes Referat und Compt. rend. 121, 696—698. — [3]) Milchzeitg. 25, 522; Ref.: Chemikerzeit. 20, 243 (Rep.). — [4]) Zeitschr. Biologie 33, 535—568; Ref.: Chem. Centr. 67, I, 65—66.

Hüfner gefundenen berechnet) war bei Frauenmilch 5 Tage nach der Geburt 1,98 Proc., nach 8 bis 11 Tagen 1,69 Proc., nach 20 bis 40 Tagen 1,22 Proc., nach 70 bis 120 Tagen 1,02 Proc., nach 170 Tagen 0,78 Proc. Stutenmilch enthielt im Mittel 1,91, Kuhmilch 3,04 Proc. Eiweifs. Aus Frauencolostrum wurde eine in Alkohol lösliche, stickstofffreie Substanz gewonnen, die durch Pergamentpapier nicht diffundirt, Fehling'sche Lösung kaum reducirt und beim Kochen mit Salzsäure einen stark reducirenden Körper abspaltet. *Bl.*

Söldner. Analysen der Frauenmilch[1]). — Der mittlere Gehalt der Frauenmilch an Eiweifs bezw. Stickstoff ist bedeutend kleiner, als bisher angenommen wurde. Frühmilch (Mitte der zweiten Woche nach der Geburt) enthält im Mittel in 100 g: Eiweifsstoffe 1,52 g, Fett 3,28 g, Zucker 6,50 g, Asche 0,27 g, Citronensäure 0,05 g, unbekannte Extractivstoffe 0,78 g. Die Schwankungen sind bei Eiweifs und Zucker sehr mäfsig, gröfser beim Fett, relativ sehr grofs bei der Asche. In Früh- und Mittelmilch ist die Menge unbekannter, Stickstoff enthaltender Extractivstoffe so grofs, dafs die Eiweifsbestimmung nach der Restmethode versagt. Solche Extractivstoffe sind in der Kuhmilch nur sehr wenig vorhanden, hingegen reichlich (0,78 Proc.) im Colostrum. Von den stickstoffhaltenden Abfallstoffen, die im Blute enthalten sind, gehen kleine Mengen in die Milch über. Harnstoff, Hypoxanthin, Kreatinin, Sulfocyansäure und Lecithin wurden nachgewiesen. Vermuthlich bildet der Harnstoff die Hauptmenge, ebenso, wie dies im Harn und im Blute der Fall ist. Diese Abfallstoffe finden sich bei der Analyse, da durch Gerbsäure nicht fällbar, jedenfalls als Hauptbestandtheile in den Extractivstoffen. *Bl.*

N. Leonhard und H. M. Smith. Die relative Zusammensetzung von Milch, Rahm und entrahmter Milch[2]). — Wanklyn und H. Droop Richmond fanden bei sehr reicher Milch, dafs im Rahm das Verhältnifs von fettfreier Trockensubstanz zu Wasser ein höheres als in der Milch ist. Hierdurch würde die Erkennung des Wasserzusatzes in der entrahmten Milch erschwert. Verfasser haben deshalb diese Erscheinung an verschiedenen Milchproben eingehender untersucht und fanden hierbei, dafs bei gewöhnlicher Temperatur in allen Schichten einer bei ruhigem Stehen den Rahm absetzenden Milch das Verhältnifs von fettfreier Trockensubstanz zu Wasser dasselbe war, selbst wenn die oberste Schicht

[1]) Zeitschr. Biologie 33, 43—71; Ref.: Chemikerzeit. 20, 158 (Rep.). — [2]) Analyst 21, 283—285; Ref.: Chem. Centr. 68, I, 191.

20 mal mehr Fett enthielt als die unterste. Nicht so gleichmäfsig war das Verhältnifs von Asche zu Wasser und glauben Verfasser, dafs der Grund derartiger Abweichungen in suspendirten mineralischen Verunreinigungen zu suchen ist. *Tr.*

Alfred H. Allen. Note on the concentration of condensed milk [1]). — Der Verfasser macht im Hinblick auf die im Handel mit condensirter Milch herrschenden Zustände den Vorschlag, gesetzliche Regeln für deren Zusammensetzung vorzuschreiben. *v. Lb.*

L. de Koningh. Berechnung der einer Milch zugesetzten Menge Wasser [2]). — Zur Beurtheilung der Milch dient die Thatsache, dafs die Menge des von Fett befreiten Trockenrückstandes selten oder nie unter 8,5 Proc. sinkt. Sollte zufällig oder absichtlich Rahm zugesetzt sein, so ist eine Correction bei der Berechnung vorzunehmen, da derselbe nur 5 Proc. nicht fetten Trockenrest enthält. Berücksichtigt man seinen Fettmehrgehalt von ca. 45 Proc., so läfst sich daraus berechnen, dafs für jedes Procent über 3 Proc. Fett (normaler Fettgehalt der Milch) rund 1 Proc. des durch Rechnung gefundenen Wasserzusatzes abgezogen werden mufs und andererseits für 1 Proc. unter 3 Proc. Fett man 1 Proc. Wasser zuzählen mufs. Hätte man z. B. 4 Proc. Fett und 8 Proc. fettfreien Rückstand gefunden, also $\frac{8,0}{8,5} = 94$ Proc. normale Milch oder 6 Proc. Wasser, so ergiebt sich der corrigirte Werth für Wasser = 5 Proc., ferner bei 2 Proc. Fett und 8 Proc. fettfreiem Rückstand, also 6 Proc. Wasser, ergiebt sich corrigirt 7 Proc. Wasser. *Tr.*

P. Solomin. Ueber den Nachweis von Soda in der Milch [3]). — Verfasser prüft ein von Tscherbakoff [4]) angegebenes Verfahren, welches darin besteht, dafs bei Zusatz des gleichen Volums 96 proc. Alkohols normale Milch in 1/2 Minute grofsflockig gerinnt. Das Gerinnen bleibt bei mit Soda oder Borax versetzter Milch aus. Nach Verfasser ist das Verfahren, das noch 0,06 Proc. Soda resp. 0,1 Proc. Borax erkennen läfst, sehr leicht ausführbar und geeignet. *Bl.*

L. Padé. Nachweis und Bestimmung von Natriumbicarbonat in der Milch [5]). — Um in dem wasserlöslichen Theil der Asche von 10 ccm Milch saure Reaction hervorzurufen, genügt ein Zusatz eines Tropfens 1/10-normaler Säure, während bei Gegen-

[1]) Analyst 21, 281—282. — [2]) Nederl. Tijdschr. Pharm. 8, 125—126; Ref.: Chem. Centr. 67, I, 1085. — [3]) Hyg. Rundsch. 6, 445—446; Ref.: Chem. Centr. 67, II, 66. — [4]) Wratsch 1896, Nr. 2. — [5]) Ann. Chim. anal. appl. 1896, I, 328; Ref.: Chemikerzeit. 20, Rep. 275—276.

wart von Natriumbicarbonat in der Milch eine gröfsere Menge Säure verbraucht wird; für eine quantitative Bestimmung ist jedoch der Umstand störend, dafs beim Veraschen eine theilweise Umsetzung des phosphorsauren Kalkes stattfindet ($4\,NaHCO_3$ $+ Ca_3(PO_4)_2 = 2\,Na_2HPO_4 + 3\,CaCO_3 + CO_2 + H_2O$). Es ist demnach in der wasserlöslichen Asche eine Phosphorsäurebestimmung auszuführen und zu der aus der Alkalinität gefundenen Menge Bicarbonat die ermittelte Menge Natriumphosphat mit dem Factor $\dfrac{336}{284}$ multiplicirt zuzuzählen.

Bl.

G. Denigès. Neues Fälschungsmittel der Milch und schnelles Verfahren zum Nachweis desselben [1]). — Verfasser hat drei Pulver, die von französischen Landwirthen zum Conserviren der Milch verwendet werden, untersucht. Zwei bestanden aus neutralem Kaliumchromat, das dritte aus einem Gemisch von neutralem und saurem Kaliumchromat. In einer Milchprobe wurden 0,3 g Salz pro Liter nachgewiesen. Zum Nachweis wurde 1 ccm einer $1\frac{1}{2}$- bis 2 proc. Silbernitratlösung zur Milch zugefügt, wodurch bei Anwesenheit derartiger Salze die Milch eine gelbe, röthlichgelbe oder röthliche Farbe zeigt. Angesäuerte Milch mufs vorher mit wenig kohlensaurem Kalk oder einer Spur Natriumacetat versetzt werden.

Tr.

R. T. Thomson. Bestimmung der Borsäure in Milch [2]). — 100 ccm Milch werden mit 1 bis 2 g Aetznatron in der Platinschale eingedampft und verkohlt, der Rückstand wird mit verdünnter Salzsäure aufgenommen. Die klare Lösung wird in einem 100 ccm-Kölbchen mit 0,5 g Chlorcalcium und nach Zusatz von Phenolphtaleïn mit Natronlauge bis zur Rothfärbung und 25 ccm Kalkwasser versetzt, wodurch die Phosphorsäure vollständig, die geringere Menge Borsäure *nicht* gefällt wird. Nach Auffüllung auf 100 ccm wird durch trockenes Filter filtrirt und werden 50 ccm des Filtrates mit verdünnter Schwefelsäure bis zum Verschwinden der Rosafärbung, dann nach Zusatz von Methylorange mit weiterer Schwefelsäure bis zur Rothfärbung des Methylorange versetzt; wird nun noch $^2/_{10}$-norm. Natronlauge bis zur Gelbfärbung hinzugefügt und die Kohlensäure durch Kochen verjagt, so sind alle Säuren in Form von neutral gegen Phenolphtaleïn reagirenden Salzen vorhanden, mit Ausnahme der Borsäure. Nach dem Ab-

---

[1]) Bull. d. l. Soc. d. pharm. d. Bordeaux; Rev. intern. falsif. 9, 36—37; Ref.: Chem. Centr. 67, I, 936—937. — [2]) Glasgow City Anal. Soc. Repts. 1895, 3; Analyst 21, 64—65; Ref.: Chem. Centr. 67, I, 868.

kühlen fügt man Glycerin hinzu, bis die Lösung wenigstens
30 Proc. enthält, und titrirt mit $^1/_5$-norm. Natron auf Rosafärbung.
1 ccm = 0,0124 g H_3BO_3.   *Bl.*

K. **Farnsteiner.** Zum Nachweise eines Zusatzes von Formaldehyd zur Milch [1]). — Verfasser prüft eine Reihe zum Nachweis von Formaldehyd vorgeschlagener Reactionen auf ihre
Empfindlichkeit. Fast alle (meist schon oben besprochen) sind
recht empfindlich. Am geeignetsten ist die **Hehner**'sche Reaction, in der von **Richmond** und **Boseley** angegebenen Form,
unter Anwendung eisenoxydhaltiger Schwefelsäure. Dieses Verfahren wird als Vorprüfungsmethode für die Marktcontrole
empfohlen.   *Bl.*

G. **Denigès.** Ueber ein rasches Verfahren, Formaldehyd in
der Milch nachzuweisen [2]). — Als Reagens wird die **Schiff**'sche
Lösung von fuchsinschwefliger Säure benutzt; es ist in saurer
Lösung anzuwenden. Die Reaction wird schärfer, wenn die Milch
vorher mit dem halben Volum Jodquecksilberreagens von **Tanret**
und etwas Essigsäure geschüttelt und das klare Filtrat geprüft
wird. Das Verfahren ist zur colorimetrischen quantitativen Analyse verwerthbar.   *Bl.*

H. W. **Wiley** und E. E. **Ewell.** Die Bestimmung der
Lactose in Milch mittelst zweifacher Verdünnung und Polarisation [3]). — Verfasser hat schon vor längerer Zeit vorgeschlagen [4]),
zur Bestimmung der Lactose in Milch die Eiweißkörper durch
Quecksilberoxydnitratlösung niederzuschlagen und das klare Filtrat zu polarisiren. Gegen dieses sonst fehlerfreie Verfahren (die
Anwesenheit eines dextrinhaltigen activen Körpers, der nach
Späth in der Milch vorkommen soll, ist nicht erwiesen) wurde
mit Recht eingewendet, daß die Volumcorrection für das ausfallende Eiweiß ungenau sei. Um sich von derselben unabhängig
zu machen, benutzt Verfasser das von **Scheibler** herrührende
Princip der doppelten Verdünnung. Die Polarisirung wird mit
gleichen Milchquantitäten, die nach Versetzen mit Quecksilberlösung einerseits auf 100 ccm, andererseits auf 200 ccm verdünnt
und dann filtrirt wurden, vorgenommen. Bedeutet y die gesuchte
wahre Polarisation, a die der ersten, b die der zweiten Lösung,
so ist $y = \dfrac{a.b}{a-b}$. Zur Ausführung werden je 65,82 g Milch mit

[1]) Forschungsber. über Lebensm. **3**, 363—370; Ref.: Chem. Centr. **68.**
I, 133—134. — [2]) J. Pharm. Chim. [6] **4**, 193—195; Ref.: Chem. Centr. **67.**
II, 808. — [3]) Amer. Chem. Soc. J. **18**, 428—434. — [4]) JB. f. 1884, S. 1674.

Quecksilberlösung gefällt, auf 100 ccm resp. 200 ccm verdünnt und dann im 4 Dec.-Rohr polarisirt. Die Menge der Milch wird so bemessen, weil nach Verfasser 32,91 g Lactose, zu 100 ccm gelöst, im 4 Dec.-Rohr genau 100° drehen. Bei dem Verfahren sollen Fehler von $^1/_{10}$ Proc. ganz ausgeschlossen sein. Die Bereitung der Quecksilberlösung ist angegeben. *Bl.*

Paul Thibault. Ueber die polarimetrische Bestimmung der Lactose in Frauenmilch [1]). — Die Klärung geschieht sehr rasch durch Zusatz des gleichen Volums einer Lösung, welche 10 g Pikrinsäure und 25 ccm Essigsäure im Liter enthält. Nach dem Schütteln wird sofort ein klares Filtrat erhalten. Das Drehvermögen wird nicht beeinflußt, die gelbe Farbe ist nicht hinderlich. Die im Liter Frauenmilch enthaltene Zuckermenge ist bei Polarisirung im 2 Dec.-Rohr gleich den abgelesenen Saccharimetergraden $\times$ 3,88. *Bl.*

Ed. v. Raumer und Ed. Späth. Die Bestimmung des Milchzuckergehaltes der Milch, sowie des specifischen Gewichtes des Milchserums; ein Beitrag zur Milchanalyse [2]). — Die Dichte des Serums kann bei ganz normaler Milch bis 1,0265 herabgehen, ohne daß der Milchzuckergehalt entsprechend niedrig ist. Die Bestimmung des Milchzuckers nach Soxhlet-Allihn gewichtsanalytisch ergiebt im Serum 0,1 bis 0,2 höhere Werthe, als in der Milch. Die Abnahme des Milchzuckers durch Gährung geht anfangs sehr langsam und wird erst nach mehr als 24 Stunden bedeutend. Die polarimetrische Bestimmung in durch Bleiessig geklärter Milch (es geht keineswegs an, mit Bleiessig zu kochen, wie vielfach angegeben, da dadurch Zucker zerstört wird) fällt etwas zu niedrig aus, in Milchserum ergab die Polarisirung meist richtige Zahlen, zuweilen wurde aber zu viel Zucker gefunden, herrührend von vermuthlich dextrinartigen Körpern, die hauptsächlich in der Milch der Kühe kurz nach dem Kalben anwesend sind. Deshalb ist die polarimetrische Milchzuckerbestimmung unzuverlässig. Nach den Verfassern schwankt die Dichte eines normalen Milchserums von 1,0260 bis 1,0330, der Milchzucker von 4,25 bis 5,20 Proc. *Bl.*

B. A. van Ketel. Beitrag zur Bestimmung von Milchzucker in Milch und Milchproducten [3]). — Bevor man den Milchzucker bestimmt, muß man Eiweißstoffe und Fette beseitigen, indem

---

[1]) J. Pharm. Chim. [6] 4, 5—10; Ref.: Chem. Centr. 67, II, 368—369. — [2]) Zeitschr. angew. Chem. 1896, S. 46—49, 70—73. — [3]) Nederl. Tijdschr. Pharm. 8, 151—153; Ref.: Chem. Centr. 67, II, 134.

man gleichzeitig Phenol und Bleizucker zufügt. Man giebt zu diesem Zwecke zu 50 ccm Milch 4 ccm Phenolum liquefactum und 10 ccm einer 10 proc. Bleizuckerlösung, schüttelt kräftig, filtrirt und wäscht so lange aus, bis Filtrat und Waschwasser zusammen 100 ccm ausmachen. Soll der Milchzucker mittelst Fehling'scher Lösung bestimmt werden, so wird das Blei vorher noch mittelst einiger Tropfen Natriumsulfatlösung entfernt.   *Tr.*

G. Denigès. Neues Verfahren zur schnellen und genauen Bestimmung des Caseïns der Milch[1]). — Die im anorganischen, analytischen Capitel[2]) besprochene titrimetrische Methode der Bestimmung des Quecksilbers wird in folgender Weise für die Bestimmung der Proteïnsubstanzen der Milch verwendet. Zu 25 ccm werden 20 ccm $^1/_{10}$-Norm.-Quecksilberchloridjodkaliumlösung und 2 ccm Essigsäure gefügt, wodurch das Caseïn ausgefällt wird und ein entsprechender Theil des Quecksilbers aus der Lösung verschwindet. Es wird auf 200 ccm verdünnt und filtrirt und vom Filtrate werden 100 ccm mit $^1/_{10}$-Norm.-Silbernitrat, nach Zufügung von Ammoniak und Cyankalium, titrirt bis zur bleibenden Trübung. Wäre im Filtrat noch alles Quecksilber vorhanden, so würden 4,8 ccm Silbernitrat verbraucht werden, der Mehrverbrauch giebt ein Maſs für die Caseïnmenge; es herrscht aber keine strenge Proportionalität und in Folge dessen bestimmte Verfasser für verschiedene nach Adam-Roux[3]) genau analysirte Milchproben den Verbrauch an Silbernitratlösung und bringt das Resultat in eine Tabelle. Die Anwendung derselben ist aber nicht nöthig, da man mit drei einfachen Formeln für das ganze Intervall (von 9 bis 44 g Caseïn im Liter) ausreicht. Diese empirischen Formeln sind, wenn mit x die Anzahl Gramme Caseïn im Liter bezeichnet wird, und der Verbrauch an *Zehntelcubikcentimetern* Silberlösung q ist, wenn ferner q-48 mit a bezeichnet wird:

$$x = a - 2 \qquad \text{wenn } a \text{ zwischen } 9 \text{ und } 24 \text{ liegt}$$
$$x = \frac{5a - 32}{4} \qquad \text{\textquotedbl}\ a\ \text{\textquotedbl}\quad 25\ \text{\textquotedbl}\quad 32\ \text{\textquotedbl}$$
$$x = 2a - 33 \qquad \text{\textquotedbl}\ a\ \text{\textquotedbl}\quad 33\ \text{\textquotedbl}\quad 44\ \text{\textquotedbl}$$

Ueber diese Grenzen hinaus ist es besser, die vorher verdünnte Milch zu untersuchen. Verfasser wies zugleich nach, daſs zur Fällung der Proteïne der verschiedensten Milchsorten gleiche Quecksilbermengen verbraucht werden. Das Verfahren ist in fünf Minuten ausgeführt; Caseïnfiltrat kann zur polarimetrischen Lactosebestimmung dienen.   *Bl.*

----

[1]) Bull. soc. chim. [3] 15, 1116—1126. — [2]) Siehe diesen JB., S. 2175. — [3]) Monit. scientif. [4] 5, 478.

A. Schlofsmann. Ueber die Eiweifsstoffe der Milch und die Methoden ihrer Trennung [1]). — Verfasser zeigt in einer sehr ausführlichen, kritischen, mit zahlreichen, meist medicinischen Schriften entnommenen Literaturnachweisen versehenen Abhandlung, dafs von den neuesten Autoren der Gesammtproteïngehalt der Frauenmilch zu hoch angenommen wird. Er weist ferner die Wichtigkeit der getrennten Bestimmung von Caseïn und Albumin für die Beurtheilung des Werthes einer Milch für die Säuglingsernährung nach. Der weit gröfsere Caseïngehalt der Kuhmilch (Verhältnifs von Caseïn zu Albumin 10:1) macht diese für die Kinderernährung weniger geeignet. Kälber, die einen ausgesprochenen Labmagen schon in kürzester Zeit nach der Geburt besitzen, assimiliren das Caseïn viel leichter als Kinder im ersten Lebensjahre, wo der Verdauungsapparat noch einen beträchtlichen Mangel an Drüsen aufweist. In den ersten Lebenstagen des Kalbes, wo die Fähigkeit, Pepsin zu bilden, noch fehlt, findet das Thier in dem Colostrum, das weit reicher an löslichem Albumin ist, als später die Milch, ein geeignetes Nährmittel. Zur Trennung des Albumins (und Globulins) vom Caseïn benutzt Verfasser die Fällbarkeit des letzteren durch Alaunlösung. Zusatz von Kochsalz erleichtert die vollständige Abscheidung, Zusatz von Calciumphosphat das Filtriren. Der Caseïnniederschlag wird getrocknet und der Stickstoffgehalt desselben nach Kjeldahl bestimmt, daraus wird das Caseïn berechnet. Das Filtrat wird mit Gerbsäurelösung gefällt und aus dem Stickstoff des Niederschlages wird Albumin (und Globulin) gerechnet. Die Summe der Stickstoffmengen stimmt sehr gut mit dem Gesammtstickstoff.

Bl.

A. Devarda. Die Acidität der Milch und ein einfaches Verfahren zur Bestimmung derselben [2]). — Der Aciditätsgrad von Milch wird durch die bei der Anwendung von Phenolphtaleïn als Indicator zur Neutralisation nöthige Alkalimenge gekennzeichnet. Die Bestimmung erfolgt nach nachfolgender Modification der Soxhlet-Henkel'schen Methode. Man füllt 100 ccm Milch in ein Kölbchen von 100 ccm, dessen Marke unten am Halse sitzt, fügt tropfenweise 4 proc. alkoholische Phenolphtaleïnlösung bis zu einer zweiten Marke hinzu und darauf so viel $\frac{n}{10}$-Natronlauge, bis nach wiederholtem Mischen des Gefäfsinhaltes letzterer dauernd

---

[1]) Zeitschr. physiol. Chem. 22, 197—226. — [2]) Oesterr. Molkereizeit. 1896; Ref.: Chem. Centr. 67, II, 1003.

roth gefärbt bleibt. Zum directen Ablesen der Säuregrade ist der
Kolbenhals auf halbe und ganze Grade eingetheilt.   *Hf.*

A. Gazzarini und Q. Sestini. Ueber die Methode von
Liebermann und Szekely zur Bestimmung des Milchfettes im
Vergleich mit anderen mehr gebrauchten Methoden[1]). — Die
Zahlen, welche man mit genannter Methode erhält, kommen den
Zahlen am nächsten, die man mit der gewichtsanalytischen
Extractionsmethode von Soxhlet erhält. Die Zahlen stimmen
am besten überein, wenn man bei der Methode von Soxhlet
als Extractionsmittel Petroläther anstatt Aether anwendet. Die
aräometrische Methode von Soxhlet, sowie die Methode von Mar-
chand-Longi liefern nicht so genaue Resultate. Verfasser
empfehlen als beste Methode die von Liebermann und Szekely.
                                                        Tr.

A. W. Stokes[2]) (London) hat ein englisches Patent
Nr. 12 184 vom 24. Juni 1895 erhalten auf einen Apparat, um
den Fettgehalt von Milch, Käseemulsionen etc. zu bestimmen. In
ein graduirtes, aus der Abbildung ersichtliches Gefäfs wird Amyl-
alkohol bis zu *einer*, Schwefelsäure bis zu einer zweiten, die
Milch bis zu einer dritten Marke eingefüllt; das geschlossene
Gefäfs wird bis zur Abscheidung des Fettes centrifugirt und der
Fettgehalt auf der Scala abgelesen.   *Bl.*

A. Liebrich. Bestimmung des Fettes in der Milch[3]). —
10 ccm Milch werden mit einigen Messerspitzen Quarzsand und
100 ccm Aether mehrmals je 5 Minuten geschüttelt; dann wird
die Hälfte des rasch geklärten Aethers mittelst eines Mefsgefäfses
abgegossen und im gewogenen Soxhlet-Kölbchen verdampft.
Der bei 100⁰ getrocknete Fettrückstand wird gewogen. Die Bestimmung soll genau sein.   *Bl.*

Kurzwig. Ueber Fettbestimmung der Milch[4]). — Von
A. Liebrich[5]) wird ein Verfahren zur Fettbestimmung empfohlen,
welches darin besteht, dafs man 10 ccm Milch mit nicht zu wenig
ausgeglühtem Quarzsand (einige Messerspitzen) in einem Misch-
cylinder von 200 ccm mit 100 ccm Aether dreimal je fünf Minuten
lang gut durchschüttelt, nach dem Klären der Aetherschicht die
Hälfte des angewandten Aethers abgiefst, im gewogenen Erlenmeyer'schen Kölbchen verdampft, bei 100⁰ trocknet und schliefslich wägt. Verfasser hat nun diese neue Methode controlirt und

---

[1]) Staz. sperim. agrar. ital. **29**, 384—391; Ref.: Chem. Centr. **67**, II.
866—367. — [2]) Chemikerzeit. **20**, 975. — [3]) Daselbst, S. 21. — [4]) Ber. pharm.
Ges. **6**, 291—292. — [5]) Siehe vorstehendes Referat.

gefunden, dafs sie unbrauchbar ist, da sie zu niedere Werthe ergiebt, wie Gegenbestimmungen nach der Schmid-Bondzynski-schen Methode zeigten. *Tr.*

G. Spampani und L. Daddi. Contributo allo studio delle origine dei grassi del latte[1]). — Versuche haben ergeben, dafs selbst geringe Mengen Sesamöl durch die Baudouin'sche Re-action nachzuweisen sind. Werden Ziegen mit Sesamöl gefüttert, so giebt die Milch dieser Ziegen die Baudouin'sche Reaction. Daraus mufs man schliefsen, dafs das Milchfett zum Theil aus dem Fett der Nahrung herrührt, und dafs letzteres unverändert oder doch ohne Veränderung seiner Eigenschaften in die Milch übergeht. *Hf.*

E. Solberg. Einige Untersuchungen über die chemische Zusammensetzung des Milchfettes der Kuh, der Ziege und des Rennthieres[2]). — Aus dem Molkenkäse reiner Ziegenmilch (Mysost) wurde durch Extraction mit Aether das Fett isolirt. Die physi-kalischen Constanten, sowie die usuellen Zahlen, Säurezahl, Köttstorfer'sche Zahl, Jodzahl etc. stimmten ziemlich mit denen des Kuhmilchfettes überein. Ein wie es scheint charakteristi-scher Unterschied besteht nur in der Menge der *flüchtigen*, in Wasser *unlöslichen* Säuren, an welchen das Fett der Ziegenmilch bedeutend reicher ist. Das Fett der Rennthiermilch zeigte gegen-über dem der Kuh- und Ziegenmilch einen höheren F.-P., da-gegen geringere Werthe für die Köttstorfer'sche, Hehner-sche und Hübl'sche Zahl. Die Menge der *unlöslichen flüchtigen* Fettsäuren war weit geringer als bei Kuh- oder gar Ziegen-milchfett. *Bl.*

G. Wesenberg. Ueber die Brauchbarkeit der Gerber'schen acidobutyrometrischen Methode zur Milchfettbestimmung[3]). — Das Verfahren stimmt mit dem aräometrischen nach Soxhlet sehr gut überein. *Bl.*

H. Hayward und M. E. Mcdonell. Anleitung zur Be-nutzung des Babcock'schen Apparates zur Bestimmung des Milchfettes[4]). — Die bekannte Methode wird mit Rücksicht auf die Ausführung durch Ungeübte beschrieben. *Bl.*

H. Schrott-Fiechtl. Ueber den wahrscheinlichen Fehler der Schnellmethoden von Babcock, Gerber und Thörner im

[1]) Staz. sperim. agrar. ital. **29**, 373—383. — [2]) Tidskrift for det norske Landbrug 1895, S. 330—338; Ref.: Biederm. Centr. **25**, 15—17. — [3]) Hyg. Rundsch. **6**, 444—445; Ref.: Chem. Centr. **67**, II, 70. — [4]) The Pennsylvania State College Agricultur Experiment. Station. Bulletin **33**, 1895; Ref.: Biederm. Centr. **25**, 854—855.

Vergleich zur gewichtsanalytischen Milchfettbestimmung [Sand-
methode[1])]. Nach den vier angegebenen Methoden führt Verfasser die Analyse von 100 verschiedenen Milchsorten aus (jede
doppelt) und berechnet nach der Methode der kleinsten Quadrate
den mittleren Fehler jeder Methode (mittlere Differenz zwischen
zwei nach derselben Methode ausgeführten Bestimmungen), sowie
die durchschnittliche Abweichung der drei anderen Methoden
gegenüber der gewichtsanalytischen. Das Resultat ist aus folgender Tabelle ersichtlich.

Fehler in Procent, auf Milch bezogen	Gewichts- analyse	Babcock	Gerber	Thörner
1. Mittlerer Fehler	± 0,034	± 0,030	± 0,021	± 0,024
2. Durchschnittl. Abweichung von der Gewichtsanalyse .	—	± 0,076	± 0,053	± 0,061

Bl.

. Saggau. Abmefsvorrichtungen zur Gerber'schen Acidobutyrometrie[2]). — Die Abmefsvorrichtungen bezwecken ein absolut genaues und sehr schnelles Arbeiten bei Massenfettbestim-
mungen nach der Gerber'schen Methode. Zum Abmessen des
Amylalkohols dient eine Bürette, zum Abmessen der concentrirten
Schwefelsäure ein automatisch abmessender Apparat, mit dem
man in circa sechs Minuten 24 Butyrometergläschen beschicken
kann. Bezüglich der Construction dieses Apparates, der von
C. Richter, Berlin N.W., Thurmstrafse 4 bezogen werden kann,
sei auf die Originalabhandlung verwiesen.   *Tr.*

     G. Grether. Einige Beiträge zur Acidbutyrometrie nach
Dr. Gerber[3]). — Verfasser hat an einer grofsen Anzahl von
Milchproben vergleichende Fettbestimmungen nach der gewichtsanalytischen, der aräometrischen Soxhlet'schen Methode und
der Gerber'schen acidbutyrometrischen Fettbestimmung ausgeführt. Hierbei ergaben sich bei keiner der Untersuchungen
Abweichungen über 0,2 Proc. Bei Parallelbestimmungen mit der
Gewichtsanalyse betrug die gröfste Differenz 0,14 Proc. Die
Gerber'sche Methode läfst sich bei genügender Genauigkeit rasch
ausführen. Man kann bei sehr geringem Materialaufwand in
kurzer Zeit eine grofse Anzahl Analysen — ein einigermafsen
geübter Arbeiter kann 30 bis 35 Bestimmungen in der Stunde
machen — ausführen.   *Tr.*

---

[1]) Milchzeitg. 1896, Nr. 12, 13, 14; Ref.: Biederm. Centr. 25, 638—639.
— [2]) Chemikerzeit. 20, 561—562. — [3]) Hyg. Rundsch. 6, 549—553.

Ed. Polenske. Ueber die Untersuchung der Butter auf fremde Fette mit dem Killing'schen Visçosimeter [1]). — Verfasser hat mit genanntem Instrument Buttersorten, Margarine und Rohmaterialien für Margarine geprüft. Die Auslaufszeiten der Butterfette differiren um 6,6 Secunden, die der Margarinefette um 12,4 Secunden. Die Auslaufszeiten für Butter lagen zwischen 14,6 und 21,2, für Margarine zwischen 38 bis 50,4 Secunden. Setzt man einem Butterfett von der Auslaufszeit 14,6 Secunden ca. 28 Proc. einer Margarine von der Auslaufszeit 38 Secunden zu, so erhält man ein Gemisch von 21,2 Viscosität, ferner liefert eine Margarine von 50,4 Auslaufzeit mit 42 Proc. einer Butter von 21,2 Secunden Auslaufszeit ein Gemisch mit der Auslaufszeit 38 Secunden. *Tr.*

Weifs. Eine neue Methode der Butterprüfung [2]). — In einer Mischung von Aether und Weingeist lösen sich die Fette bei sehr verschiedenen Temperaturen; bei der Abkühlung trüben sich die in der Wärme klaren Lösungen bei einer bestimmten Temperatur, welche sehr scharf begrenzt ist. Das Butterfett hat von allen gebräuchlichen Fettarten den niedrigst liegenden Trübungspunkt. Die sich hierauf gründende Methode zur Butterprüfung ist sehr einfach und gestattet zugleich den Wassergehalt der Butter schnell und ziemlich sicher zu ermitteln. Der erforderliche Apparat besteht aus einer Flasche (Medicinflasche) von 75 ccm Inhalt, durch deren Korkverschlufs ein Thermometer so geführt wird, dafs seine Kugel bis in die Mitte der Flüssigkeit taucht. Man erwärmt die Flasche über einer Spiritusflamme unter ständigem Schütteln, bis die Mischung klar geworden ist. Hält man die Flasche nach beendetem Erhitzen fest, zeitweise schüttelnd, so beobachtet man bei einer bestimmten Temperatur Trübwerden der Lösung. Etwa 1° über dem Trübungspunkt, welcher Punkt als kritischer Punkt bezeichnet wird, bilden sich Streifen in der Flüssigkeit, die beim Umschütteln sich wieder zertheilen, bis dann auf einmal die Flüssigkeit in ihrer ganzen Masse sich trübt. Die Flüssigkeit scheidet sich bei völliger Erkaltung in der Ruhe in zwei klare Schichten; später tritt Ausscheidung fester Schichten ein. Erwärmt man nun wieder über den kritischen Punkt hinaus, so tritt Klärung und beim Abkühlen wieder genau beim kritischen Punkt Trübung ein. Für ein und dasselbe Fett hängt der kritische Punkt von der Stärke des Aethers und Alkohols und von dem Mischungsverhältnifs beider ab. Für Butterfett wurde der

---

[1]) Arb. Kais. Ges.-A. 12, 546—547; Ref.: Chem. Centr. 67, I, 514—515. — [2]) Milchzeitg. 25, 221—223, 243—244.

kritische Punkt als zwischen 33 und 39⁰, für Margarinefett zwischen
60 und 62,6⁰ liegend ermittelt. Bei diesen Versuchen wurden
10 ccm Aether von 0,720 und 10 ccm Alkohol von 0,8037 spec.
Gew. bei 15⁰ verwendet. — Der kritische Punkt steigt proportional
dem Wasserzusatz, und zwar bedingt ein Mehr von 1 g Wasser
eine Zunahme des kritischen Punktes um 46,5⁰. Zur Ermittelung
des Wassergehaltes der Butter werden zunächst 5 g Butterfett in
10 ccm Aether vom spec. Gew. 0,722 und 10 ccm Alkohol von
86,2 Gewichtsproc. gelöst. Der kritische Punkt liege bei t'⁰. Ferner
werden 7 g Butter in 10 ccm Aether vom spec. Gew. 0,722 und
10 ccm Alkohol von 95,75 Gewichtsproc. gelöst; der kritische Punkt
dieser Lösung liege bei t⁰. Unter Berücksichtigung aller Verhältnisse (des Gehaltes an Milchzucker, Caseïn, Kochsalz) berechnet sich dann der Wassergehalt der Butter (p) nach der
Formel: $p = 10 + \frac{1}{3}(t - t')$. *Hf.*

Bischoff. Schnellmethode zur Butterprüfung [1]. — Ellen-
berger bespricht den von Bischoff construirten Apparat, der
vom Berliner Polizeipräsidium zur Marktcontrole vorgeschlagen
ist, und mit dem es jedem Laien in wenigen Minuten möglich
ist zu entscheiden, ob eine reine oder gefälschte Butter vorliegt.
Der Apparat besteht aus einer Heizvorrichtung, mittelst deren die
in einem Becherglase befindliche Butter geschmolzen wird, um
dann beobachtet zu werden. Reine Butter trennt sich beim
Schmelzen in eine obere, ölige, durchsichtige, klare oder nahezu
klare Schicht und einen mehr oder weniger beträchtlichen Bodensatz von Nichtfettstoffen. Aeltere reine Butter giebt zuweilen
eine leicht getrübte ölige Schicht. Margarine, innerhalb der
gesetzlichen Grenzen fabricirt, schmilzt undurchsichtig und stark
trübe und giebt in der Regel nur einen geringen Bodensatz.
Mischbutter, aus Margarine und Naturbutter bereitet, zeigt mehr
oder weniger starke Trübungen. Stark ranzige Butter zeigt
gewöhnlich trübe erscheinende ölige Schichten, doch ist eine solche
Butter durch den Geruch meistens schon von Margarine zu unterscheiden. Als verdächtig ist jede Butter zu betrachten, die bei
der Schmelzprobe eine deutlich trübe und undurchsichtig erscheinende Fettschicht giebt. *Tr.*

Emil Jahr. Neue Methoden der Butteruntersuchung [2]. —
Butter bildet mit Wasser in der Wärme Emulsionen, während
Fettgemische sich leicht wieder abtrennen. — Das geschmolzene

[1] Zeitschr. Nahrungsm. 10, 49—50. — [2] Milchzeitg. 24. 766—767;
Ref.: Chem. Centr. 67, I, 462.

Fett wird mit dem doppelten Wasservolumen von 37⁰ in einem Reagircylinder geschüttelt. Wird in Wasser von 50⁰ eingestellt, so trennt sich Margarine innerhalb fünf Minuten klar ab, Butter bleibt emulsionirt und scheidet sich allmählich, ohne scharfe Grenzen zu zeigen, ab. Auch das Verhalten der Emulsion bei Behandlung mit Permanganat, endlich die Art, wie sich das Fett aus einer Emulsion mit Kochsalzlösung abscheidet, geben Anhaltspunkte zur Beurtheilung, ob Naturbutter, Margarine oder ein Gemisch vorliegt. *Bl.*

E. Jahr. D. R.-P. Nr. 89 440, Verfahren zur Erkennung reiner Butter, reiner Margarine und anderer thierischer und pflanzlicher Fette, sowie von Gemischen dieser Fette [1]). — Das Fett wird mit 31⁰ warmem Wasser gemischt, stehen gelassen und aus der Geschwindigkeit der Fettabscheidung und dessen Beschaffenheit auf die Natur desselben geschlossen. Auch Bleichmittel können dem Wasserfettgemisch zugesetzt werden und statt Wasser kann Kochsalzlösung in Anwendung kommen. *Bl.*

Schäfer. Ueber die Emulgirbarkeit von Butter und Margarine, sowie kritische Betrachtung der auf dem Emulsionsvermögen der Fette begründeten Butterprüfungsmethoden [2]). — Veranlafst durch vorstehende Mittheilung von E. Jahr, versucht Verfasser für das verschiedene Emulsionsvermögen von Butter und Margarine eine Erklärung zu geben (unter der Referent sich nicht viel vorstellen kann). Die gröfsere Emulgirbarkeit der Butter ist übrigens längst bekannt. Verfasser warnt vor der Anwendung von Butterprüfungsmethoden, die auf der Emulgirbarkeit beruhen, um so mehr, als der Kunstbutterfabrikant durch Zusatz geeigneter Stoffe, wie Alkali, Gummilösung, zu den Fetten das Product ebenso emulgirbar als Butter herzustellen versteht. Auch die Farbenveränderungen, die bei Fetten durch Oxydationsmittel und insbesondere durch concentrirte Schwefelsäure hervorgerufen werden, sind unzuverlässige Kriterien. *Bl.*

Neumann Wender. Die physikalischen Methoden der Butteruntersuchung [3]). — *Die Schmelzprobe.* Die verschiedene Beurtheilung, welche die Schmelzprobe bei dem Nachweise einer Butterverfälschung gefunden hat, hat zu Untersuchungen Anlafs gegeben, aus denen hervorgeht, dafs reine Butter mitunter eine schwache Trübung giebt; Margarine und hochprocentige Mischungen von Margarine und Butter haben stets starke Trübungen ergeben.

---

[1]) Ber. 29, Ref. 1184—1185. — [2]) Milchzeitg. 25, 5—7; Ref.: Chem. Centr. 67, I. 462—463. — [3]) Zeitschr. Nahrungsm. 10, 46—49, 85—87.

Bei Butterproben, die viel Wasser und käsige Bestandtheile enthalten, kann der käsige Niederschlag zu Täuschungen Anlaſs geben. Alte, ranzige Butter, sowie ein fehlerhaft zubereitetes Product geben gewöhnlich eine trübe Schmelze. Die Butterschmelzprobe kann als Vorprobe Verwendung finden, Beweiskraft vor Gericht kann ihr nicht zugesprochen werden. — *Die Emulsionsproben.* Die Emulsionsproben von Mayer, Rolffs und Jahr sind nach anderweitigen Untersuchungen als nicht hinreichend sicher für den Nachweis von Butterverfälschungen anzusehen. Eigene Untersuchungen haben ergeben, daſs die Emulsionsproben bei genügender Uebung wohl den Nachweis einer Verfälschung gestatten, daſs aber die Proben doch zu unsicher sind, als daſs sie in der Hand des Laien brauchbare Resultate ergeben; so kann eine etwas stärkere Erwärmung über die Schmelztemperatur schon zu Irrthümern Anlaſs geben.   *Hf.*

E. A. de Schweinitz und J. A. Emery. Der Gebrauch des Calorimeters zur Erkennung der Verfälschung von Butter und Schmalz [1]). — Die Verbrennungswärme von Butter fand Verfasser zu 9327 bis 9362 Calorien, bei Oleomargarine bewegten sich die Werthe zwischen 9547 und 9765 Calorien. Demnach ist die calorimetrische Bestimmung geeignet, um Butter auf Margarine zu prüfen. Zwischen Butter und Kunstschmalz sind die Unterschiede geringer.   *Bl.*

R. Brullè. Eine Methode, durch Bestimmung des specifischen Gewichtes die Reinheit der Butter festzustellen [2]). — Daſs in der Praxis der Butterprüfung die Bestimmung des specifischen Gewichtes im Stiche läſst, obwohl das specifische Gewicht des Butterfettes bei 100° zwischen 0,864 und 0,868, hingegen das der Margarine zwischen 0,860 und 0,861 schwankt, liegt nur daran, daſs das ausgeschmolzene Fett wechselnde Wassermengen und kleine Verunreinigungen enthält. Wird das Fett klar abgegossen, mit gepulvertem Chlorcalcium getrocknet und mit Knochenkohle gereinigt, so ist das specifische Gewicht der Butter bei 100° 0,8655, das der Oleomargarine 0,8600. 10 Proc. Margarine sind in Butter noch nachweisbar. (Es ist nicht zu ersehen, ob eine genügende Anzahl Butterproben untersucht worden sind.)   *Bl.*

F. Stohmann. Zum Nachweis der Butterverfälschung [3]). — Das specifische Gewicht des Butterfettes, Hehner's Zahl, Reichert-Meiſsl-Wollny's Zahl und die Köttstorfer'sche Zahl können

---

[1]) Amer. Chem. Soc. J. **18**, 174—179. — [2]) J. de l'agriculture 1896. 7. März; Ref.: Biederm. Centr. **25**, 638. — [3]) Milchzeitg. **25**, 37—38.

nicht als sichere Merkmale beim Nachweise einer Butterverfälschung dienen. Am besten würde sich der Nachweis erbringen
lassen, wenn nach dem Vorschlage von Soxhlet die Margarine
mit Phenolphtaleïn versetzt würde.   *Hf.*

S. Stein. Est-il possible de reconnaître le beurre provenant
de vaches nourries avec des tourteaux de sésame et de coton?[1]).
— Nach Fütterung der Thiere mit Sesamkuchen giebt die Butter
nicht die Baudoin'sche Reaction, dagegen tritt die Becchi'sche
Reaction in der Butter bereits drei Tage nach Beginn der Fütterung mit Baumwollesaatmehl ein.   *Hf.*

R. Hefelmann und P. Mann. Zur Bestimmung der Köttstorfer'schen Verseifungszahl[2]). — Die v. Hübl'sche Jodzahl hat
für die Beurtheilung einer Butter wenig Werth, da die Resultate
zu sehr von der Art der Ausführung, ferner vom Alter des Fettes,
dessen vorhergehender Behandlung etc. abhängig sind und auch
bei den reinsten Materialien schwanken (z. B. bei reinem Olivenöl
zwischen 79 und 89). Die Reichert-Meiſsl'sche Zahl hat für die
Beurtheilung der Echtheit des Butterfettes an Werth verloren,
da noch im Jahre 1889 als unterste Ziffer bei reiner Butter 26
galt, jetzt aber bei nachweislich reiner Butter in einzelnen Fällen
die Zahl 18 bis herab zu 10 gefunden wurde. Die Köttstorfer'-
sche Zahl hat sich als sehr geeignet erwiesen, da sich das bei
Butter bis zum Jahre 1879 gefundene Minimum von 221,5 seitdem nur auf 220,5 vermindert hat. Wenn verschiedene, von mehreren
Seiten aufs Sorgfältigste ausgeführte Bestimmungen der Köttstorfer'schen Zahl bei demselben Fette bisweilen die gröſsten
Differenzen zeigten, so ist dies nach Verfassern auf die verschiedene
Beschaffenheit des Glases, in dem die Verseifung vorgenommen
wurde, zurückzuführen. Bei weichem Thüringer Glas wurden bei
Blindbestimmungen Gewichtsverluste bis 36, bei altem böhmischem
Glase bis 24 mg, bei gutem böhmischem Glase bis 14 mg gefunden.
Hingegen wurde bei Jenenser Normalglas im Maximum eine Gewichtsabnahme von 3 mg constatirt. Es sollten zur Bestimmung
der Verseifungszahlen von allen Analytikern nur Gläser von gleicher,
constanter Zusammensetzung, z. B. die Sorte „100" von Schott und
Genossen in Jena benutzt werden. Zur Abmessung der alkoholischen Kalilauge wird die Schellbach'sche Bürette empfohlen. *Bl.*

W. Karsch. Ein Beitrag zur Kenntniſs der Bestimmung
der flüchtigen Fettsäuren nach der Methode Leffmann-Beam[3])

---

[1]) Rev. intern. falsif. 9, 14. — [2]) Zeitschr. Nahrungsm. 10, 361—363. —
[3]) Chemikerzeit. 20, 607—608.

— Die Fehlerquellen der Reichert-Meifsl'schen Methode der Butterprüfung werden zwar bei stricter Anwendung der von Wollny vorgeschriebenen Mafsregeln sehr reducirt, doch ist es auch hier schwer, genaue Resultate zu erhalten, da die Antreibung des Alkohols zeitraubend ist und unvollständig bleibt, und da, wenn zur Beschleunigung ein Luftstrom benutzt wird (Sendtner), der durch Kohlensäureabsorption begangene Fehler noch vergröfsert wird. Von allen diesen Fehlern ist die Methode von Leffmann-Beam[1]), bestehend in der Verseifung des Butterfettes mit Glycerin-Natronlösung, frei und aufserdem bedeutend leichter und schneller auszuführen. Die Verseifung selbst dauert nur drei bis vier Minuten, wodurch Kohlensäureabsorption so gut wie vollständig vermieden wird. Es ergab sich bei zahlreichen Proben, dafs die Abweichungen bei Anwendung des Leffmann-Beam'schen Verfahrens unter einander 0,11 ccm $^1/_{10}$-norm. Alkalilösung nicht übersteigen und sich den Resultaten nach Wollny um so mehr nähern, je sorgfältiger letzteres (bei welchem Abweichungen vom 7fachen Betrage vorkommen) ausgeführt wird. Werden zur Bestimmung der flüchtigen Säuren zu der Seife nicht, wie usuell 135, sondern 135 ccm Wasser zugesetzt, so verbraucht das Destillat um circa 1 ccm mehr $^1/_{10}$-norm. Alkali, da aus der concentrirten Lösung mehr Fettsäuren übergetrieben werden.   *Bl.*

C. Aschmann. ′ Butteruntersuchung[2]). — 5 g des klaren Fettes werden mit 10 ccm 95 proc. Alkohol und 2 ccm 50 proc. Kalilauge verseift. Die Seife wird mit Wasser gelöst, mit 4 ccm 25 proc. Schwefelsäure versetzt, auf 200 ccm gebracht und mit 60 ccm Aether geschüttelt. Andererseits werden 30 ccm einer fast concentrirten Kochsalzlösung in ein 40 ccm fassendes Glasrohr gebracht, 8 ccm $^1/_{10}$-norm. Kalilauge zugefügt und endlich 20 ccm obiger ätherischer Lösung zugefügt. Nach heftigem Schütteln und zweistündigem Absitzen findet sich an der Grenzschicht der Kochsalz- und ätherischen Lösung ein dritter Niederschlag, der bei reiner Naturbutter nur 20 bis 25 mm, hingegen bei Margarine 60 bis 70 mm hoch ist, ja sogar bisweilen die ganze Aetherschicht erfüllt. Das Princip der Methode ist dies. Die Seifen der Fettsäuren mit niedrigem Molekulargewicht sind in dem Wasser löslich, die der höheren in diesem und dem Aether unlöslich. Die 8 ccm $^1/_{10}$-norm. Kalilauge führen bei Butterfett zunächst die

---

[1]) Analysis of milk and milkproducts, by H. Leffmann and W. Beam; P. Blakiston, Sohn and Co., Philadelphia 1893, S. 65. — [2]) Chemikerzeit. 20, 723—724.

niedrigen Glieder der Fettsäuren in Seifen über, die im Salzwasser gelöst bleiben, und verwandeln nur einen kleinen Rest an höheren Fettsäuren in unlösliche Seifen, während bei Oleomargarine, die nur sehr wenig niedrige Fettsäuren enthält, fast nur in Salzwasser unlösliche Seifen gebildet werden. Insofern ähnelt das Verfahren dem Reichert-Meifsl'schen der Bestimmung der flüchtigen Fettsäuren. Die Anwendung des Verfahrens zu quantitativen Zwecken wird in Aussicht genommen. *Bl.*

H. Bremer. Untersuchung von Butterfett und seinen Surrogaten[1]. — Verfasser empfiehlt zur Butterprüfung eine die Reichert-Meifsl'sche und Köttstorfer'sche Probe vereinigende Modification. 5 g geschmolzenes Butterfett werden in einem Schott'schen 300 ccm-Kolben mit 10 ccm einer Lauge, welche 1,3 g Aetzkali in 70 proc. Alkohol gelöst enthält, verseift; auf das Gefäfs wird ein 1 m langes Kühlrohr, das oben zur Abhaltung von Kohlensäure mit Bunsenventil versehen ist, aufgesetzt und der Inhalt auf dem Wasserbade unter Schütteln gekocht; nach 5 bis 10 Minuten wird gekühlt, bis kein Alkohol mehr ins Kühlrohr tritt, das Bunsen'sche Ventil und dann das Kühlrohr entfernt, und dann mit alkoholischer Schwefelsäure (drei Tropfen Phenolphtaleïnzusatz) auf Rothgelb und nach weiterem Phenolphtaleïnzusatz auf rein Gelb titrirt. Gleichzeitig werden 10 ccm der angewandten Kalilauge ebenfalls titrirt und aus der Differenz die Verseifungszahl gerechnet. Die austitrirte Seifenlösung wird jetzt mit einigen Tropfen alkoholischer Kalilauge versetzt und der Alkohol auf dem Wasserbade zum Schlufs, unter Einblasen von Luft, vertrieben. Die trockene Seife wird mit 100 ccm kohlensäurefreiem Wasser aufgenommen, mit 40 ccm Schwefelsäure (1 Vol. : 10 Vol.) versetzt, worauf 110 ccm Flüssigkeit abdestillirt werden. Der in Anwendung kommende Kühler mufs mindestens 50 ccm lang sein, und die Verbindung mit dem Destillationskolben schwanenhalsartig gebogen sein. Von dem Destillat werden 100 ccm mit der Kalilauge titrirt und die verbrauchten Cubikcentimeter mit 1,1 multiplicirt. Durch Einhalten obiger Vorschrift sollen eine Reihe Fehler, wie Esterverlust am Anfange der Verseifung, Bildung und Vermehrung von Fettsäuren durch Einwirkung des Aetzkalis auf den Alkohol und Fettsäurebestandtheile, vermieden und sehr genaue Resultate erzielt werden. Bei zahlreichen Untersuchungen von Rindstalg wurden so Reichert-Meifsl'sche Zahlen von 0,1

---

[1] Forschungsber. über Lebensm. 2, 424—435; Ref.: Chemikerzeit. 20, Rep. 15.

bis 0,35, für Oleomargarine von höchstens 0,55 erhalten. Das
Kreis'sche Verseifungsverfahren mit concentrirter Schwefelsäure
ist sehr von Zufälligkeiten bei der Ausführung abhängig und
liefert niemals so genaue Resultate wie obiges.   *Bl.*

K. Farnsteiner. Versuche über den Verlust ranziger Butter
an freier Säure beim Erhitzen und Waschen[1]). — Beim zwei-
stündigen Erhitzen von Butterproben auf 200⁰ betrug der Verlust an freier Säure 24 bis 38 Proc. der vorhandenen. (In einem
Falle bei Butter mit 41 Säuregraden sogar 77 Proc.) Wird nur
auf 150⁰ erhitzt, so ist der Verlust weit geringer, 0,8 bis 11,6 Proc.
Eine wesentliche Abnahme der flüchtigen, gebundenen Fettsäuren
wurde unter diesen Bedingungen nicht beobachtet. Es wurde
festgestellt, daſs beim Braten die Temperatur der Butter 100⁰
nur wenig überschreitet und daſs bei Backofentemperatur ranzige
Butter nur 1,6 Proc. der freien Säure verlor. Demnach ist der
Verlust ranziger Butter an freier Säure beim Braten und Kochen
gewiſs geringer als ein Fünftel. Durch Waschen mit Leitungswasser wird der Säuregrad nicht verändert.   *Bl.*

M. Vogtherr. Zur Vorprüfung der Butter[2]). — 5 g Material
werden mit 10 ccm concentrirter Schwefelsäure verrührt, bis alles
geschmolzen ist, und vorsichtig erwärmt. Gesalzene Butter entwickelt unter Schäumen Chlorwasserstoff. Sobald Schwefeldioxyd-
entwickelung beginnt, läſst man sie erkalten. Reine Butter wird
hierbei kirschsaftroth mit rosenrothem Schaum, Margarine braunroth mit hellbraunem Schaum, Schweineschmalz gelbbraun mit
gelbem Schaum. Gemische geben braunviolette Töne. Wird die
Mischung nach einer Stunde mit Wasser versetzt und umgerührt,
so scheiden sich die Fettsäuren bei Butter grau und flockig ab
und schmelzen beim Erwärmen zu einer dunkelgrauen, stark nach
Fettsäuren riechenden Flüssigkeit. Margarine scheidet eine hellbraune, wenig riechende, hart erstarrende Masse ab. Auch andere
Fette, Rindstalg, Schweineschmalz, Gänsefett, geben mehr oder
weniger charakteristische Erscheinungen.   *Bl.*

G. Bruylants. Ueber den Zusatz von Phenolphtaleïn zur
Margarine[3]). — Verfasser bezeichnet den Zusatz von 1/1000 Proc.
Phenolphtaleïn zur Margarine nach Soxhlet's Vorschlag als
zweckmäſsig und unschädlich.   *Bl.*

Planchon und Vuaflart. Neues Verfahren zum Nachweise

---

[1]) Forschungsber. über Lebensm. 3, 84; Ref.: Chemikerzeit. 20. Rep-
129. — [2]) Pharm. Centr.-H. 37, 560—562; Ref.: Chem. Centr. 67, II, 688. —
[3]) Milchzeitg. 1895, S. 697; Ref.: Biederm. Centr. 25, 356—357.

von Borax in Butter[1]). — 20 g Butter werden in Petroläther gelöst und mit Wasser geschüttelt. Die wässerige Lösung wird in einer Platinschale eingedampft und unter Zusatz von etwas Potasche verascht. Zu dem schmelzenden Inhalte zugefügte kleine Mengen Kupferoxyd färben denselben, bei Anwesenheit von Borax, blau. Phosphate und Fluoride stören nicht, Silicate kommen nicht in Betracht. 0,2 Proc. Borax ist deutlich nachweisbar. Das Verfahren ist auch für Bier und Milch, nicht aber für Wein anwendbar, da die Kupferfarbe durch Mangan häufig maskirt wird. *Bl.*

Cyanverbindungen. — C. Glücksmann. Ueber die Methode der quantitativen Blausäurebestimmung in den officinellen Wässern[2]). — Nach einer eingehenden Kritik der einzelnen zu diesem Zwecke vorgeschlagenen Methoden und ihrer Abänderungen wird das Verfahren von Volhard-Gregor als das beste und dasjenige von Liebig-Denigès als von kaum geringerem Werthe erklärt. Es folgen dann die Methoden von Liebig, Mohr-Vielhaber, Oster, Mohr. *Brt.*

Ed. Kremers und O. S. Schreiner. Quantitative Bestimmung von Cyanwasserstoffsäure in Bittermandelöl[3]). — Zu einem wässerigen Auszuge des Oeles wird Silbernitrat und dann überschüssiges Ammoniak zugefügt, hierauf wird angesäuert. Ohne die Behandlung mit Ammoniak wird nicht alle Blausäure gefällt, da dieselbe im Bittermandelöl als Benzaldehydcyanhydrin vorhanden ist, das erst durch Alkalien Blausäure abspaltet. Zur · volumetrischen Bestimmung wird Vielhaber's Verfahren folgendermaßen modificirt: 1 g Oel wird mit 10 ccm einer Suspension von Magnesia und einigen Tropfen gelber Kaliumchromatlösung versetzt und nach Mohr titrirt. Der Nachweis von künstlichem Benzaldehyd ist, da dieser fast immer durch Benzalchlorid verunreinigt ist, durch den Chlornachweis zu führen. Alles Bittermandelöl enthält viel Benzoësäure, künstliches oxydirt sich weit schneller als natürliches. *Bl.*

W. Maisel[4]) brachte *kritische Studien über den Nachweis der Cyanverbindungen in forensen Fällen.* Es wurde gezeigt, daß die *Guajac-Kupfersulfatreaction* nur dann sichere Resultate giebt, wenn außer Cyanwasserstoff keine flüchtigen Verbindungen, wie Alkohol, Aether, Schwefelkohlenstoff, Aldehyde u. s. f., anwesend

---

[1]) J. Pharm. Chim. [6] 4, 49—51; Ref.: Chem. Centr. 67, II, 515—516. — [2]) Chem. Centr. 67, I, 131, 329, 623; Pharm. Post 28, 533—534, 569—570, 582—584, 609—616; 29, 29—32, 41—42. — [3]) Pharm. Review, Sept. 1896; Pharm. Zeitg. 41, 687—688; Ref.: Chem. Centr. 67, II, 928. — [4]) Chemikerzeit. 20, Rep. 15; Forschungsber. über Lebensm. 1895, S. 399.

sind, weshalb dieselbe am besten nur zur Orientirung dient. Der
sichere Nachweis von Cyanverbindungen gelingt durch Destillation
der Lösung der zu untersuchenden Substanzen. Leichentheile,
Speisereste werden in Wasser unter Zusatz von Natriumbicarbonat
im Kohlensäurestrom bei 60 bis 70⁰, wobei 100⁰ nicht überschritten werden sollen, destillirt. Das Uebergehende wird in
Kalilauge eingeleitet und mit der erhaltenen Flüssigkeit zum
Nachweis der Blausäure die *Berlinerblau*reaction, die *Rhodan-*
und *Nitroprussid*probe, sowie die Prüfung mit *alkalischer Pikrinsäurelösung* angestellt. *Cyanwasserstoff* und *giftige Cyanide* lassen
sich neben *Ferro-* und *Ferricyanverbindungen* am besten mit der
Jacquemin'schen Reaction nachweisen, indem bei der Destillation
mit überschüssigem Natriumbicarbonat lediglich freie Blausäure
resp. die giftigen Cyanide ein cyanwasserstoffhaltiges Destillat
ergeben. In gleicher Weise werden *Nitroprussidverbindungen*, auf
welche Kohlendioxyd auch bei 100⁰ nicht einwirkt, durch Erhitzen
mit überschüssigem Natriumbicarbonat unter Entwickelung von
Blausäure zersetzt. Um *Blausäure* oder *Quecksilbercyanid* neben
Ferro- resp. *Ferricyanverbindungen* zu erkennen, säuert man mit
Weinsäure an, schüttelt mehrmals mit Aether aus, übersättigt die
ätherische Lösung mit alkoholischem Kali, verdampft den Aether
und prüft den in Wasser gelösten Rückstand, wie oben angegeben,
nach Jacquemin. Zur *quantitativen* Bestimmung der *Blausäure*
fängt man das Cyanwasserstoff haltende Destillat in Schwefelkalium-
lösung auf, entfernt den Ueberschuß an letzterem vermittelst
Bleioxyd und titrirt im Filtrat den vorhandenen Rhodanwasserstoff mit Silbernitrat[1]). Bei Gegenwart von Substanzen, die leicht
in Fäulniß übergehen, zersetzt sich Cyanwasserstoff oder Cyankalium nach drei bis vier Wochen, die freie Säure rascher als
das Salz. Die Angaben Kobert's über das spectroskopische Verhalten des Blutes bei Cyanwasserstoffintoxicationen müssen dahin
berichtigt werden, daß das Oxyhämoglobin sich niemals sofort
nach der Einführung der Blausäure in den Körper, häufig aber
auch gar nicht verändert.   *Sm.*

    J. Filsinger. Zum Nachweis der Blausäure in forensen
Fällen [2]). — Verfasser gelang es in einem Falle, selbst nach zehn
Tagen in Leichentheilen nach Constatirung der Abwesenheit von
Ferro- und Ferricyanwasserstoffsäure, durch Destillation mit Wein-

---

    [1]) Handelt es sich um die *quantitative* Bestimmung von *Blausäure* in
Schwermetallcyaniden, so läßt sich zu diesem Zweck vortheilhaft die Kjel-
dahl-Methode — Verseifen des Cyanwasserstoffs vermittelst concentrirter
Schwefelsäure — anwenden. — [2]) Chemikerzeit. **20**, 305.

säure (Dragendorff) im Destillat Blausäure nachzuweisen. Er
hebt besonders die Empfindlichkeit und Schönheit der Schönbein-
schen Guajak-Kupferreaction hervor, welcher nach W. Maisel[1]
und Ed. Schär[2] nur beschränkte Bedeutung zukommen soll. *Bl.*

Ernest J. Parry and John Henry Coste. Commercial
Prussian blue[3]. — Die Bestimmung nach Fürst giebt um 35 Proc.
zu niedrige Resultate bei der Untersuchung von Berlinerblau,
weil das Alkaliferrocyanid dabei nicht beachtet wird, welches
schon Williamson als integrirenden Bestandtheil dieser Farbe
erkannte. Ebenso, wie Dyer für die Eisencyanide angiebt, so läfst
sich auch der Stickstoff im Berlinerblau nach Kjeldahl bestimmen. Es wird also zweckmäfsig die Feuchtigkeit durch Trocknen bei 100°, das gebundene Wasser durch Verbrennen mit Bleichromat, das Cyan als Stickstoff, das Eisen neben Aluminium
durch Titration, das Alkali durch Titriren als Chlorid und die
Schwefelsäure wie üblich bestimmt. Das freie Eisen wird durch
Kochen mit Kalilauge abgeschieden. Es folgen Beleganalysen.
Das dabei gefundene Aluminiumoxyd stammt aus dem beigemengten Aluminiumferrocyanid. *v. Lb.*

K. Gorter. Ueber den Nachweis des Quecksilbercyanids[4].
— Verfasser weist darauf hin, dafs die Angabe von Dragendorff, dafs nur concentrirte Säuren aus Quecksilbercyanid Blausäure frei machen, nicht richtig ist, sondern dafs, wie Plugge
schon gezeigt hat, auch verdünnte Säuren, vor Allem verdünnte
Salzsäure, bei der Destillation mit Cyanquecksilber einen Theil
des Cyans als Blausäure in Freiheit setzen. Zum Nachweis des
Cyanquecksilbers empfiehlt Verfasser die Destillation mit Chlornatrium und Oxalsäure, die Blausäure liefert, während das Quecksilber beim weiteren Gang der Untersuchung auftritt. *Tr.*

D. Vitali. Zur toxikologischen Ermittelung von Quecksilbercyanid[5]. — Die Einwirkung von Magnesiumdraht oder -band auf
eine verdünnte Quecksilbercyanidlösung verläuft unter Cyanwasser-
stoffentwickelung und Quecksilberabscheidung nach folgenden
Reactionen:

$$Mg + 2H_2O = Mg(OH)_2 + H_2,$$
$$Hg(CN)_2 + H_2 = Hg + 2H.CN,$$
$$Mg(OH)_2 + Hg(CN)_2 = Mg(CN)_2 + HgO + H_2O,$$
$$2HgO + H_2 = Hg_2O + H_2O,$$
$$Hg_2O + H_2 = Hg_2 + H_2O.$$

---

[1] Siehe vorsteh. Referat. — [2] Forschungsber. über Lebensm. 1896,
S. 1. — [3] Analyst 21, 225—230. — [4] Pharm. Zeitg. 41, 245. — [5] Chemikerzeit. 20, Rep. 72; nach Boll. chim. farm. 34, 737.

Das Magnesiumcyanid zersetzt sich schon beim Verdampfen bei niederer Temperatur nach der Gleichung:

$$Mg(CN)_2 + 2H_2O = Mg(OH)_2 + 2HCN.$$

Zur toxikologischen Untersuchung wird die Probe unter eventuellem Wasserzusatz mit Magnesiumpulver in eine Retorte gebracht, erwärmt und die Gase in sehr verdünnte Natronlauge geleitet. Ehe der Retorteninhalt trocken wird, wird noch durch Einfliefsenlassen von Essigsäure das Magnesiumcyanid vollkommen zersetzt. Die Blausäure kann dann leicht in der Natronlauge nachgewiesen werden. Das Quecksilber befindet sich in der Retorte.   *Mr.*

F. W. Jones und F. A. Willcox. Analyse von „Cap Composition" [1]. — Letztere besteht gewöhnlich aus chlorsaurem Kalium, Schwefelantimon und *knallsaurem Quecksilber*. Sie ziehen das letztere durch Aceton aus, welches mit Ammoniak gesättigt ist. Der getrocknete Rückstand wird gewogen. Sodann zieht man ihn mit Wasser aus, trocknet und wägt das hinterbliebene Schwefelantimon. Es ergiebt sich dann durch einfache Subtraction die Menge des *Kaliumchlorats*.   *Brt.*

Harn. — Th. Drabtschik. Vergleich der angewandten Methoden zur quantitativen Bestimmung der Harnsäure [2]. — Die Methode von Ludwig-Salkowsky erwies sich bei der Prüfung mittelst reiner Harnsäurelösungen als die genaueste, der Fehler beträgt nur 1,46 Proc., hingegen begeht man nach der Heintzeschen Methode Fehler bis zu 6,4 Proc., nach der Fokker'schen bis 7,6 Proc., nach der Fokker-Salkowsky'schen bis 4,2 und bei der Salkowsky'schen bis 1,64 Proc. Bei Harnsäurebestimmungen im Harn treten noch gröfsere Differenzen auf. Die Riegler'sche Methode giebt höhere Werthe als die vorstehenden, doch rührt dies von der Anwesenheit anderer, Fehling'sche Lösung reducirenden Substanzen des Harns her. Die grofse Ungenauigkeit der Methoden von Clarency und von Haykraft ist schon früher von anderer Seite nachgewiesen worden.   *Bl.*

E. Riegler. Eine Methode zur Bestimmung der Harnsäure, beruhend auf der Eigenschaft, Fehling's Lösung in der Wärme zu rothem Kupferoxydul zu reduciren [3]. — Verfasser hat zunächst mit reiner Harnsäure die Kupfermenge ermittelt, die aus Fehlingscher Lösung beim fünfminutenlangen Kochen als Oxydul abgeschieden wird. Als Mittelzahl einer Reihe diesbezüglicher Versuche fand er für 1 g Harnsäure 0,8000 g Kupfer. Die Ab-

---

[1] Chem. News 74, 283. — [2] Wratsch 1896, S. 690; Ref.: Russ. Zeitschr. Pharm. 35, 389. — [3] Zeitschr. anal. Chem. 35, 31—34.

scheidung der Harnsäure aus dem Harn geschieht als harnsaures
Ammon. 200 ccm Harn werden mit 10 ccm einer gesättigten
Natriumcarbonatlösung versetzt, nach Umrühren und halbstün-
digem Stehen filtrirt man die ausgeschiedenen Phosphate ab,
wäscht den Niederschlag mit 50 ccm heifsen Wassers nach und
versetzt Filtrat sammt Waschwasser mit 20 ccm einer gesättigten
Lösung von Chlorammon. Nach fünfstündigem Stehen sammelt
man den Niederschlag, wäscht ihn aus, spritzt ihn dann in ein
Becherglas, fügt einige Tropfen Kalilauge, sowie 60 ccm Fehling'sche Lösung hinzu und kocht fünf Minuten. Das ausgeschiedene Kupferoxydul sammelt man auf einem Filter, wäscht
aus, löst es mit 20 ccm erwärmter Salpetersäure (1,1) und wäscht
das Filter mit Wasser nach, bis das Filtrat 70 bis 80 ccm beträgt. Zum Filtrat giebt man dann nach und nach trockenes
kohlensaures Natrium bis zur bleibenden Trübung und klärt dann
die Lösung durch tropfenweisen Zusatz von verdünnter Schwefelsäure. Diese Lösung füllt man dann auf 100 ccm auf und verwendet 25 ccm zur titrimetrischen Bestimmung, indem man zu
der genannten Menge 1 g Jodkalium giebt und nach 10 Minuten
langem Stehen unter Zusatz von Stärkelösung mit Natriumthiosulfat titrirt. Die Thiosulfatlösung stellt Verfasser dar, indem er
126 ccm einer $^1/_{10}$-Normallösung auf 500 ccm auffüllt, es entspricht dann 1 ccm dieser Lösung 0,002 g Harnsäure. Selbstredend
kann man auch das Kupferoxydul als solches oder nach der
Ueberführung in Kupfer zur Wägung bringen, es liefert dann die
gefundene Kupfermenge, mit $\frac{1,000}{0,800} = 1,25$ multiplicirt, die entsprechende Harnsäuremenge. *Tr.*

Alfred H. Allen. An improved method of determining
urea by the hypobromite process[1]. — Bei der gewöhnlichen
Methode, Harnstoff mit Kaliumhypobromid zu bestimmen, erhält
man nur 92 Proc. des Stickstoffgehaltes an Gas. Dies hat seinen
Grund darin, dafs ein Theil des Harnstoffs in Kaliumcyanat umgewandelt wird, welches thatsächlich von Fenton in der gebrauchten Bromlauge gefunden wurde. Verfasser setzte nun der
Harnstofflösung von vornherein Kaliumcyanat zu und fand, dafs
auf diese Weise aller Stickstoff des Harnstoffs als solcher frei
gemacht wird. Als die günstigsten Verhältnisse fand er folgende.
Auf 5 ccm Harn wendete er 0,25 g KCNO an, fügte dann 25 ccm
einer 40 proc. Natronlauge zu und liefs zu diesem Gemisch 2 ccm

---

[1] Chem. News 73, 103—104.

Brom in 16 ccm einer 20 proc. Kaliumbromidlösung zufliefsen, worauf die Gasentwickelung begann. *Lim.*

E. Riegler. Bestimmung des Harnstoffes im Harn[1]). — Der Harnstoff wird durch Millon's Reagens zu Kohlensäure und Stickstoff oxydirt. Beide Gase werden zusammen aufgefangen und gemessen. Aus einer Tabelle wird der Harnstoffgehalt abgelesen. *Bl.*

M. Nencki und J. Zaleski. Bestimmung des Ammoniaks in thierischen Flüssigkeiten und Geweben[2]). — Es wird angegeben, in welcher Weise dabei das Abdestilliren des Ammoniaks im Vacuum auszuführen ist, und ein hierzu dienender *Apparat* beschrieben. Die Freimachung des Ammoniaks wird bei 35° C. durch Kalkmilch bewirkt und dasselbe in titrirter Säure aufgefangen. Bei der genannten Temperatur wird der Harnstoff noch nicht angegriffen. Für die Untersuchung des Blutes wende man **Kalk**wasser statt der Kalkmilch an. *Brt.*

F. Hofmeister. Bericht über auf Physiologie und Pathologie bezügliche Methoden[3]). — a) *Bestimmung des Ammoniaks in thierischen Flüssigkeiten und Geweben.* M. Nencki und J. Zaleski[4]) vereinfachen den bekannten von Wurster angegebenen **Apparat** zur Bestimmung des Ammoniaks im Harn (Princip-Vacuumdestillation). — b) E. Baumann[5]). *Zur Bestimmung kleiner Mengen Jod in thierischen Geweben.* Das von Rabourdin vor längerer Zeit empfohlene Verfahren der colorimetrischen Bestimmung ist zu Grunde gelegt. Die Substanz wird durch Erhitzen mit Natron und Salpeter mineralisirt, die Lösung der Schmelze mit Schwefelsäure angesäuert und mit Chloroform geschüttelt, und die Färbung mit der von bekannte Jodmengen enthaltendem Chloroform verglichen. — c) *Bestimmung von Harnsäure im Harn.* F. G. Hopkins hat von seinem Verfahren der Harnsäurebestimmung[6]) eine Abkürzung vorgeschlagen. Er sieht von der Darstellung und Wägung der reinen Harnsäure ab und titrirt direct das harnsaure Ammon mit 1/20-norm. Permanganat. G. v. Ritter[7]) fand diese **Methode** ebenso genau als die Wägung der Harnsäure. M. Krüger[8]) versucht mit Benutzung der von *ihm* und Wolff[9]) angegebenen Methode zur Bestimmung der Alloxankörper (Harnsäure und Xanthenbasen) die Harnsäure allein zu bestimmen, indem er einer-

---

[1]) Wiener medic. Bl. 1896, Nr. 21; Ref.: Chem. Centr. 67, II, 812. — [2]) Chem. Centr. 67, I, 510—511; Arch. f. exp. Pathol. u. Pharmakol. 36. 385—394. — [3]) Zeitschr. anal. Chem. 35, 725—730. — [4]) Siehe vorstehendes Referat. — [5]) Zeitschr. physiol. Chem. 24, 489. — [6]) Zeitschr. anal. Chem. 32, 266. — [7]) Zeitschr. physiol. Chem. 24, 288. — [8]) Daselbst, S. 311. — [9]) Zeitschr. anal. Chem. 33, 768.

seits alle Alloxankörper, andererseits nach Oxydation mit Braunstein, der nur Harnsäure wegschafft, die übrigen Alloxankörper bestimmt. Die Resultate lassen an Schärfe noch viel zu wünschen übrig. M. Smidowitsch[1]) will die bekannte Haykraft'sche Methode durch Centrifugiren des harnsauren Silberniederschlages abkürzen. — d) *Bestimmung des Blutfarbstoffes.* W. Zangemeister[2]) beschreibt einen für colorimetrische Blutuntersuchung (und auch sonst) verwendbaren Apparat. F. Hoppe-Seyler und E. Albrecht[3]) verbessern die colorimetrische Doppelpipette von Hoppe-Seyler[4]). Ueber den Gebrauch des neuen Instrumentes machen G. Hoppe-Seyler[5]) und H. Winternitz[6]) nähere Angaben.　　　　　　　　　　　　　　　　　　　　　　　　*Bl.*

Louis Willen. Nachweis und Bestimmung von Aceton im Harn[7]). — Qualitativ wird das Destillat mittelst der Jodoformreaction geprüft. Zur quantitativen Bestimmung wird die Dichte der ersten, alles Aceton enthaltenden Theile des Destillates bestimmt und aus beigegebenen Tabellen der Gehalt abgelesen. Die Methoden von Gerhard (rothbraune Reaction mit Eisenchlorid) und von Legal (mittelst Nitroprussidnatrium) fand Verfasser unbrauchbar.　　　　　　　　　　　　　　　　　　　*Bl.*

G. Argenson. Acetonbestimmung im Harn[8]). — Der Harn wird abdestillirt, das Aceton des Destillates in Jodoform verwandelt, aus diesem mittelst alkoholischem Kali Jodkalium abgespalten und dasselbe mit Silbernitrat titrirt. Bei diesem (bekannten) Verfahren entspricht nach Verfasser das verbrauchte Silbernitrat nicht genau dem Aceton. Verfasser hat deshalb eine Tabelle ausgearbeitet, aus der für jeden Verbrauch an $^1/_{10}$-norm. Silberlösung die Acetonmenge entnommen werden kann.　　　　　　*Bl.*

B. A. van Ketel. Zur Bestimmung der Glucose im Harn[9]). — Durch Zusatz von 4 ccm Phenol. liquefact. und 15 ccm 10 proc. Bleiacetatlösung wird selbst der dunkelste, Eiweifs und Blut enthaltende Harn vollständig aufgehellt. Der Zucker kann in dem klaren Filtrat durch Fehling's Lösung bestimmt und nach Entfernung des Bleies auch als Glucosazon isolirt werden. Glucuronsäure stört hierbei nicht. Absichtlich zugesetzte Xylose liefs sich als Pentosazon nachweisen. Auch für die Milchzuckerbestimmung

[1]) Wien. medic. Bl. 1895, Nr. 46. — [2]) Zeitschr. Biolog. 33, 72. — [3]) Hoppe-Seyler's Handbuch d. physiol. u. pathol.-chem. Analyse, 6. Auflage. — [4]) Zeitschr. anal. Chem. 31, 726. — [5]) Zeitschr. physiol. Chem. 21, 461. — [6]) Daselbst, S. 468. — [7]) Schweiz. Wochenschr. Pharm. 34, 433—436; Ref.: Chem. Centr. 68, I, 134. — [8]) Bull. soc. chim. [3] 15, 1055—1058. — [9]) Zeitschr. physiol. Chem. 22, 278—280.

in Milch ist das sehr rasche und genaue Verfahren anwendbar.
Die Analyse kann dank der Gegenwart der Carbolsäure zu beliebiger späterer Zeit ausgeführt werden.   *Bl.*

Frédéric Landolph. Analyse optique des urines et dosage
exact des protéides, des glucosides et des matières saccharoïdes
non fermentescibles [1]). — I. *Zucker im Harn.* Normaler, gesunder
Harn enthält stets 0,1 bis 0,2 g Zucker im Liter. Die genaue
Bestimmung kann nur durch Vergährung gemacht werden. Einzig
Harne von Kranken, die Eiweifs, Eiter etc. enthalten, sind öfters
ganz frei von Zucker. — II. *Optische Bestimmung des Zuckers.*
Unterhalb 10 g im Liter mufs der Zucker durch Vergährung bestimmt werden, während bei mehr als 20 g Zucker im Liter ebenso
genaue Resultate wie durch Gährung mittelst des Saccharimeters
erhalten werden. — III. *Directer und indirecter Reductionscoëfficient.* Der *directe Reductionscoëfficient* darf nur mit gekochtem
und filtrirtem Harn ermittelt werden. Auf 10 ccm desselben
wendet man 10 ccm Wasser und 40 ccm Fehling'scher Lösung
an. Man erhitzt zum Sieden und hält nach begonnener Reaction
(meist nach drei bis fünf Minuten) noch 20 Minuten im Kochen.
Das Gewicht des abfiltrirten, gewaschenen und getrockneten Kupferoxyduls, berechnet pro Mille, giebt den directen Reductionscoëfficienten an. Ein Drittel des Gewichtes desselben zeigt die Menge
nicht vergährbarer Zuckerstoffe in einem Liter an, wenn man jedesmal die dem vergährbaren Zucker und der Harnsäure entsprechende
Menge Oxydul davon abzieht. Eine mehr als 3 g im Liter betragende Menge an nicht vergährbaren Zuckerstoffen ist das sichere
Vorzeichen von Diabetes. — Zur Erlangung der *indirecten Reductionscoëfficienten* spaltet man zunächst im rohen, dann im gekochten und filtrirten Harn mittelst Mineralsäuren das Mucin,
die analogen Proteïnstoffe und die Glucoside, und verfährt dann,
wie bei der Bestimmung des directen Reductionscoëfficienten. Die
Differenz der beiden indirecten Coëfficienten giebt die Menge des
Mucins etc., die Differenz zwischen dem directen und indirecten
Coëfficienten, bestimmt mit demselben gekochten und filtrirten
Harn, die Menge der Glucoside an. — IV. *Polaristrobometrische
Untersuchung der Harne.* Enthält ein Urin Eiter und analoge
pathogene Elemente, so erreicht die Linksdrehung in dem sehr
empfindlichen Polaristrobometer von Pfister und Streit 5 bis
8°. In diesen Fällen kommt es sogar vor, dafs das Gesichtsfeld
in einer Ausdehnung von mehreren Graden total dunkel erscheint.

---

[1]) Compt. rend. **123**, 1301—1302.

Diese sonderbare Erscheinung ist dann besonders wichtig, wenn die Eiterzellen bei der Untersuchung unter dem Mikroskop bereits verschwunden waren, da man nur mittelst dieser Methode sich überzeugen kann, ob vorher pathogene Elemente vorhanden waren oder nicht. *Rh.*

A. Jassoy. Ueber eine einfache quantitative Bestimmung des Traubenzuckers im Harn mittelst gasanalytischer Methode [1]. — Verfasser läfst den eventuell verdünnten Harn in einem eigenen Apparate vergähren und bestimmt die entwickelte Kohlensäure. Da diese über *Wasser* aufgefangen wird und Verfasser aus 0,1 g Dextrose nur 16 ccm Kohlendioxyd statt 24,8 ccm erhält, aufserdem Beleganalysen fehlen, kann auf die Beschreibung hier verzichtet werden. *Bl.*

Th. Lohnstein. Nochmals die densimetrische Bestimmung des Traubenzuckers im Harn [2]. — Dem Verfahren des Verfassers, welches darin besteht, dafs die Dichte der Harnhefesuspension vor und nach der Vergährung bestimmt wird, wurde der Vorwurf gemacht, dafs es hauptsächlich in Folge der complicirten erforderlichen Rechnung für die Praxis zu umständlich sei. · Verfasser zeigt, dafs, wo es, wie beim Arzt, nur auf eine Genauigkeit der ersten Decimale ankommt, die Rechnung bedeutend vereinfacht werden kann. Jassoy's Einwände (siehe vorstehendes Referat) sind nicht begründet, und das gasanalytische Verfahren desselben ist nicht vertrauenswürdig, da für 0,1 g Dextrose 16 statt 24,8 ccm Kohlensäure zur Messung kommen. *Bl.*

A. Jassoy. Nochmals die quantitative Zuckerbestimmung im Harn [3]. — Verfasser antwortet auf die Entgegnung Lohnstein's, macht diesem den Vorwurf, dafs es nicht möglich sei, vor und nach der Vergährung eine homogene Hefesuspension zu erhalten und dafs das Urometer ungenau sei; aufserdem wird der Nichtzucker des Harns bei der Gährung ebenfalls verändert. Dafs Verfassers Verfahren nicht die theoretische Kohlensäuremenge liefere, habe nichts zu bedeuten, es liefere trotzdem richtige Zahlen. *Bl.*

Georges. Ueber die Eiweifsbestimmung im Harn [4]. — Da die Kochprobe nur dann zuverlässig, wenn der Urin nicht zu stark verdünnt ist, d. h. einen genügenden Gehalt an Salzen besitzt, so fügt Verfasser zu 50 ccm Urin 10 ccm einer gesättigten Magnesium-

---

[1] Apoth.-Zeitg. 11, 34—35; Ref.: Chem. Centr. 67, I, 578—579. — [2] Apoth.-Zeitg. 11, 64—65; Ref.: Chem. Centr. 67, I, 578. — [3] Apoth.-Zeitg. 11, 78; Ref.: Chem. Centr. 67, I, 670. — [4] J. Pharm. Chim. [6] 4, 108—110; Ref.: Chem. Centr. 67, II, 565.

sulfatlösung, kocht auf und giebt dann erst einige Tropfen Essigsäure hinzu. Das Coagulum wäscht man bis zum Verschwinden
der Schwefelsäurereaction aus. An Stelle von Magnesiumsulfat
kann man auch Chlorbaryum oder Chlorcalcium verwenden. *Tr.*
Wassiljew. Zur vergleichenden Schätzung der verschiedenen
Methoden für die quantitative Eiweifsbestimmung im Harn [1]). —
Zur einfachen quantitativen Bestimmung des Eiweifs im Harn
benutzt Verfasser die Eigenschaft der Salicylsulfonsäure, alle
Arten von Eiweifs niederzuschlagen. 1 ccm einer 25 proc. Lösung
von Salicylsulfonsäure giebt nach Versuchen des Verfassers
0,01006 g Eiweifs. Zur Bestimmung von Eiweifs im Harn werden
10 bis 20 ccm Harn (bei alkalischer Reaction mit Essigsäure
schwach sauer gemacht) nach dem Verdünnen mit Wasser mit
zwei Tropfen einer 1 proc. wässerigen Lösung von Echtgelb versetzt und mit einer 25 proc. Lösung von Salicylsulfonsäure bis
zur bleibenden Ziegelrothfärbung titrirt. Diese Versuche wurden
durch die Gewichtsmethode controlirt, der Unterschied betrug im
Durchschnitt nicht mehr als 0,007 Proc. Aufserdem hat Verfasser
die Methoden von Tanret, Venturoli, Roberts und von Esbach
mit der gewichtsanalytischen Methode controlirt und stellt Mittheilungen über diese vergleichenden Untersuchungen in Aussicht. *Tr.*

Adam Jaworowski. Zum Nachweis von Eiweifs und Pepton
im Urin [2]). — Als Reagens wird empfohlen eine Lösung von 1 Thl.
molybdänsauren Ammons und 4 Thln. Citronensäure in 40 Thln.
Wasser. 4 ccm des filtrirten, nicht alkalisch reagirenden Harnes
werden mit einem Tropfen dieses Reagens versetzt; bei Gegenwart von Eiweifs oder Pepton entsteht sofort oder nach einiger
Zeit eine weifse Trübung. Der Peptonniederschlag löst sich beim
Erwärmen und erscheint beim Erkalten wieder, der Eiweifsnieder-
schlag löst sich beim Erwärmen nicht. Es ist vortheilhaft, den
Harn zuerst mit Natriumcarbonat zu übersättigen, dann zu fil-
triren, das Filtrat auf ein Drittel einzudampfen, wenn nöthig,
nochmals zu filtriren, dann mit Amylalkohol auszuschütteln, mit
Citronensäure zu neutralisiren und nun erst das beschriebene
Reagens zuzusetzen.   *Ld.*

Kohlehydrate. — B. Tollens. Ueber die in den Pflanzenstoffen und besonders in den Futtermitteln enthaltenen Pentosane,
ihre Bestimmungsmethoden und Eigenschaften [3]). — Die Mittheilung enthält nichts wesentliches Neues.   *Bl.*

---

[1]) Russ. Zeitschr. Pharm. **35**, 645—646. — [2]) Daselbst 1896, S. 85. —
[3]) J. Landwirthsch. **44**, 171—194; Ref.: Chemikerzeit. **20**, 204 (Rep.).

B. Tollens. Nachtrag zu der Abhandlung von F. Mann, M. Krüger und B. Tollens[1]). — Verfasser geht von der etwas complicirten Berechnung der Pentosane aus dem gefundenen Furfurol wieder ab und schlägt folgende Umrechnung vor:

Furfurol x 1,84 = Pentosan (im Allgemeinen),
„ x 1,64 = Xylan,
„ x 2,02 = Araban.

Die sehr ausführliche Mittheilung[2]), zu der Obiges den Nachtrag bildet, ist S. 971 eingehend besprochen worden. *Bl.*

B. Tollens. Ueber den Nachweis der Pentosen mittelst der Phloroglucin-Salzsäure-Absatzmethode[3]). — Die bekannte Pentosenreaction durch Erwärmen der Lösung mit Salzsäure und Phloroglucin und Beobachtung des Absorptionsstreifens zwischen D und F der kirschrothen Lösung wird weitaus schärfer, wenn so lange erwärmt wird, bis die gebildete Phloroglucinverbindung herausfällt. Der Niederschlag wird filtrirt und gewaschen, wobei derselbe violett wird, wenn Pentosen oder Galactose anwesend waren, darauf in Alkohol gelöst und die Lösung nunmehr vor dem Spectralapparate geprüft. Mit anderen Zuckerarten als Pentosen erhaltene Fällungen geben keine Absorptionsstreifen, wohl aber geben Galactose und Raffinose violette Fällungen, die der übrigen Zuckerarten waren gelb bis braun. Nach Einnahme von 2 g Arabinose fand Verfasser schon nach $3/4$ Stunden die Absorptionsstreifen im Harn; sie verschwanden erst nach 23 Stunden gänzlich. — Viele Weine zeigten die Pentosenreaction. *Bl.*

Volquartz. Spindel mit Correctionsscala[4]). — Der Apparat (D. R.-G.-M. 53564) gestattet eine directe Ablesung von Graden beim Spindeln von Zuckersäften auch bei Temperaturen ober- und unterhalb 17,5⁰ C. Der Quecksilberfaden der mit Thermometer versehenen Spindel giebt die Correctionsgrade an, um welche die Spindelung zur Erlangung der Normaldichte vermehrt oder vermindert werden muſs. Die Scalen der Spindeln müssen für jedes einzelne Instrument auf Grund vorhandener Tabellen empirisch eingetheilt werden. *Tr.*

Franz Herles. Das basisch-salpetersaure Blei als Klärmittel zu Polarisationszwecken[5]). — Das von verschiedenen Autoren als praktisch befundene Klärmittel gestattet, die Lösung ohne Ent-

[1]) Zeitschr. angew. Chem. 1896, S. 194—195. — [2]) Daselbst, S. 33—46. — [3]) Ber. 29, 1202—1209. — [4]) Zeitschr. Ver. Rüb.-Ind. 1896, S. 392—393; Ref.: Chem. Centr. 67, II, 226. — [5]) Zeitschr. f. Zuckerind. Böhmen 21, 189—193; Ref.: Chem. Centr. 68, I, 332—333.

färbung mit Knochenkohle zur Inversionspolarisation zu benutzen.
Die Inversionsconstante ist dann etwas höher als diejenige der
nicht geklärten Zuckerlösung und beträgt für 0^0 143,5. Die
Clerget'sche Formel erhält dann die nachstehende Form:

$$S = \frac{100 \; P - J}{143,5 - \frac{t}{2}}.$$

Für gleichzeitige Bestimmung von Saccharose und Raffinose mittelst Inversionspolarisation für die mit genanntem Klärmittel behandelten Lösungen leitet Verfasser die Formel (Polarisation bei
20^0) ab:

$$S = \frac{0,5124 \, . \, P - J}{0,8474};$$

bei anderer Temperatur:

$$S = \frac{(0,4724 + 0,002 \, t) \, P - J}{0,9074 - 0,003 \, t},$$

$$R = \frac{P - S}{1,85}.$$

(S) bedeutet Saccharose, (P) directe Polarisation, (J) Inversionspolarisation, (t) Temperatur der invertirten Lösung und (R) wasserfreie Raffinose.   *Tr.*

F. Sachs. Einfluß der Temperatur auf die Polarisation des
Zuckers [1]. — Wie jede andere Flüssigkeit nimmt auch die Zuckerlösung beim Erwärmen ein größeres Volumen ein und nimmt in
Folge dessen ihre Polarisation dementsprechend ab. Eine Normallösung von Zucker, die bei $17,5^0$ C. 100^0 polarisirt, wird, wie man
durch Rechnung finden kann, bei 10^0 C. $100,11^0$, bei 35^0 $99,48^0$
polarisiren. Die Ausdehnung der Glas- oder Messingröhre, in der
sich die Lösung befindet, kann vernachlässigt werden. Die Frage,
ob die Temperatur nicht auch eine directe Einwirkung auf die
Polarisation ausübe, war ferner von großer Wichtigkeit. Diesbezügliche Versuche von O. v. Wachtel ergaben im Mittel eine
Differenz von $0,27^0$ für 8^0 C., während die Ausdehnung der Flüssigkeit nur eine Differenz von $0,11^0$ hätte ergeben müssen. Da auch
von anderer Seite die Beobachtungen Wachtel's bestätigt wurden,
so haben einige belgische Handelschemiker die Temperatur beim
Polarisiren beobachtet und ihre Angaben nach einer Tabelle corrigirt. Für je einen Temperaturgrad stellte Verfasser Differenzen

[1]) Zeitschr. Ver. Rüb.-Ind. 1896, S. 264—270; Ref.: Chem Centr. **67**,
II, 134.

von 0,05⁰ fest und hat, um diese Correction zu prüfen, in einem
mit einer Wasserschicht umgebenen Polarisationsrohr mit Metall-
mantel gearbeitet, so daſs beim Polarisiren keine merkliche Tem-
peraturveränderung eintreten konnte. Verfasser hält jedoch eine
Correction für zu weit gehend, da man sonst auch schlieſslich noch
die Temperatur beobachten müſste, bei der die Auffüllung auf
100 ccm im Glaskolben geschah. *Tr.*

George Defren. Bestimmung der reducirenden Zuckerarten
durch Wägung des Kupferoxyds[1]). — Das im Goochtiegel abfiltrirte Kupferoxydul soll durch Glühen in Kupferoxyd verwandelt
und als solches gewogen werden. Hierzu hat Verfasser Tabellen
umgerechnet. Die Fällung soll in mehr übereinstimmender Weise
als bisher genau nach einer alten, von O'Sullivan herrührenden
Vorschrift vorgenommen werden. *Bl.*

H. Elion. Notiz über die gewichtsanalytische Bestimmung
der Zuckerarten, insbesondere der Maltose, mit Fehling'scher
Lösung[2]). — Das bei der Reduction erhaltene Kupferoxydul wird
im Asbestrohre gesammelt, erst bei Luftzutritt, dann im Wasserstoffstrome geglüht; das reducirte Kupfer wird in Salpetersäure
gelöst. Das Asbestrohr wird vor dem Versuche und nach Auflösung des Kupfers gewogen und das Mittel beider Wägungen in
Rechnung gebracht. Zur Zuckerbestimmung dient 1. eine Kupfervitriollösung, die im Liter 69,278 g krystallisirtes Kupfersulfat
enthält, und 2. eine Seignettesalzlösung, welche in einem halben
Liter 173 g Seignettesalz und 125 g Kaliumhydroxyd enthält. Um
die Fehler auszuscheiden, die durch die Zersetzung der Fehling-
schen Lösung für sich allein entstehen, verfährt der Verfasser
in der Weise, daſs er die Kupfermenge, die durch Zersetzung der
Fehling'schen Lösung allein erhalten wird, durch einen besonderen Versuch bestimmt, indem er genau wie bei der Zuckerbestimmung operirt, jedoch an Stelle der Zuckerlösung dasselbe
Volumen reines Wasser zusetzt. Die so erhaltene Kupfermenge
wird von der bei der Zuckerbestimmung erhaltenen in Abzug
gebracht. Es wurde so gefunden, daſs 100 Gewichtstheile Maltose
bei verschiedenen Verdünnungsgraden stets 114,3 Gewichtstheile
Kupfer ergaben. Es empfiehlt sich ferner, die Dauer des Kochens
auf zwei Minuten herabzusetzen. *Bl.*

William Kalmann. Notiz zur Methode der gewichtsanalytischen Bestimmung der Zuckerarten[3]). — Die Wägungen

[1]) Amer. Chem. Soc. J. 18, 751—766. — [2]) Rec. trav. chim. Pays-Bas 15,
116—122. — [3]) Oesterr.-ungar. Zeitschr. Zuckerind. u. Landw. 25, Ref. 43—44
Chem. Centr. 67, I, 1031—1032.

des Kupferoxyduls fallen in Folge der schlechten Qualität des Asbests, durch den filtrirt wird, häufig falsch aus. Verfasser titrirt das ausgewaschene Kupferoxydul nach Mohr durch Reduction von Ferrisulfatlösung und Zurückmessen mit Chamäleon. *Bdl.*

Z. Peška. Zur volumetrischen Zuckerbestimmung mittelst Kupferoxydammoniaklösungen [1]. — Es wird die von Pavy vorgeschlagene ammoniakhaltige Modification' der Fehling'schen Lösung empfohlen. Die Kupferlösung wird auf 80° erhitzt und hierauf die Zuckerlösung vorsichtig an der Wand des Becherglases herabfliefsen gelassen, während eine über der Flüssigkeit schwimmende Schicht von Paraffinöl [2] sowohl den Zutritt von Luft, als das Entweichen von Ammoniak hindert. Zur Bereitung der modificirten Fehling'schen Lösung werden 6,927 g reines Kupfersulfat in Wasser gelöst, mit 160 ccm 25 proc. Ammoniak versetzt und auf 500 ccm verdünnt, weiter werden 34,5 g Seignettesalz und 10 g Natron ebenfalls zu 500 ccm gelöst. Es genügen nach dem Verfasser für jede genaue Bestimmung drei Titrationen, von denen die erste eine orientirende, die dritte eine Controlbestimmung ist. Die erste wird mit 50 ccm Kupfer und 50 ccm Seignettesalzlösung bei 80 bis 85° ausgeführt, indem die Zuckerlösung unter vorsichtigem Umrühren zugesetzt wird, bis 1 ccm derselben Entfärbung zur Folge hat. Bei der zweiten Titration wird bei 80° so viel Zuckerlösung zugesetzt, dafs die Lösung eben noch blau bleibt, dann wird rasch auf 85° erhitzt und die Zuckerlösung zehntelcubikcentimeterweise bis zur Entfärbung zutropfen gelassen. — Peška [3] hat für *Glycose, Invertzucker, Milchzucker* und *Maltose* Tabellen aufgestellt für 0,1- bis 1 proc. Lösungen. Als Vortheil seiner Modification bezeichnet Peška die constante Concentration der reagirenden Flüssigkeiten, welche bei dem von F. Gaud [4] zur Verhütung des Luftzutrittes angewendeten Stickstoff- oder Wasserstoffstrome nicht erreicht wird, da ein solcher fortwährend Ammoniak austreibt.   *Bl.*

A. W. Gerrard. Cyankupferreagens zur Bestimmung der Glucose [5]. — Zu 10 ccm mit 40 ccm Wasser versetzter Fehlingscher Lösung, die in einer Porcellanschale zum Kochen erhitzt wird, wird allmählich eine 50 proc. Cyankaliumlösung bis fast zur Entfärbung zugetropft, hierauf werden noch 10 ccm Fehling'sche Lösung zugesetzt, dann läfst man die zu bestimmende Zucker-

---

[1]) Listy, Chemiké 19, 1; Ref.: Dingl. pol. J. 299, 93. — [2]) Vgl. A. Allen, Chem. News 71, 257. — [3]) Zeitschr. Ver. Rüb.-Ind. 45, 916. — [4]) Compt. rend. 119, 651. — [5]) J. Pharm. Chim. [6] 3, 250—251; Ref.: Chem. Centr. 67, II, 135—136.

lösung aus einer Bürette bis zur Entfärbung der kochenden Lösung
zufliefsen. Dadurch wird die Ausscheidung von Kupferoxydul vermieden. Verfasser hatte schon früher[1]) ein ähnliches Reagens
beschrieben, dasselbe erwies sich aber als nicht sehr haltbar. *Bl.*

Caulse. Ueber die Bestimmung der Glucose[2]). — Verfasser
bemerkt zu vorstehender Mittheilung von Gerrard, dafs er schon
1889 ein analoges Verfahren vorgeschlagen habe, nämlich der
Fehling'schen Lösung Ferrocyankalium zuzusetzen, wodurch ebenfalls die Ausscheidung von Kupferoxydul verhindert wird. Gerrard's
Verfahren bietet diesem gegenüber keine Vortheile.   *Bl.*

L. de Koningh. Bestimmung von Dextrose in Zucker[3]). —
Verfasser invertirt, wenn Rohrzucker anwesend ist, erst die Lösung
mit $1/_{10}$ Vol. rauchender Salzsäure bei 68° und bestimmt dann
in einem Theil dieser Lösung die Gesammtglucose, während ein
anderer Theil der Lösung im 220 mm-Rohr eines Dubosc'schen
Apparates polarisirt wird. Gefunden z. B. 6° Linksdrehung. Man
invertirt nun eine der Gesammtglucose entsprechende Menge
Rohrzucker und polarisirt unter den obigen Bedingungen. Gefunden z. B. 12°. Angenommen, die Gesammtglucose der Probe
sei 60 Proc., dann sind nur $6/_{12}$, d. h. 30 Proc. davon optisch sichtbar. Der Rest besteht aus einem solchen Gemenge von Dextrose
und Lävulose, deren Polarisation sich gegenseitig aufhebt. Bei
beispielsweise 18° enthält ein solches Gemenge 29 Proc. Dextrose,
die Probe enthielt mithin $\frac{30 \times 29}{100} = 8{,}7$ Proc. Dextrose.   *Tr.*

E. Riegler. Eine Bestimmungsmethode des Traubenzuckers
und der Harnsäure auf gasvolumetrischem Wege[4]). — Ueber-
schüssiges salzsaures Phenylhydrazin reducirt Fehling'sche Lösung
unter Freiwerden von Stickstoff gemäfs der Gleichung:

$$C_6H_5N_2H_2 \cdot HCl + 2CuSO_4 + H_2O = C_6H_6 + 2H_2SO_4 + Cu_2O + N_2.$$

Wird nun ein gleiches Volumen der Kupferlösung zunächst mit
einer Traubenzuckerlösung reducirt und dann mit dem Hydrazin
behandelt, so ergiebt sich um so weniger elementarer Stickstoff,
je mehr Zucker zugegen gewesen war. Hierauf läfst sich eine
Methode zur Bestimmung des Traubenzuckers gründen, für deren
Ausführung derselbe nähere Angaben macht, ebenso, wie er den
erforderlichen Apparat beschreibt. — Auf dem gleichen Princip

[1]) Chem. Centr. 64, I, 445; Pharm. Centr.-H. 34, 70. — [2]) J. Pharm. Chim.
[6] 3, 433; Ref.: Chem. Centr. 67, II, 135. — [3]) Nederl. Tijdschr. Pharm.
8, 238—239; Ref.: Chem. Centr. 67, II, 641. — [4]) Chem. Centr. 67, II, 602;
Wien. med. Blätter 1896, S. 451; Apoth.-Zeitg. 11, 585.

ist die Bestimmung der Harnsäure basirt. Letztere ist aus dem
Harn zunächst auf bekannte Weise abzuscheiden. Die gefundene
Harnsäuremenge ist für die Löslichkeit der Säure zu corrigiren. *Brl.*

Arthur Bornträger. Ueber den Einfluſs der Gegenwart
der Bleiacetate auf die Ergebnisse der Bestimmung des Invertzuckers nach **Fehling-Soxhlet**[1]). — Bei Gegenwart von Blei-
salzen findet man in Zuckerlösungen bei der Titrirung geringere
Zuckergehalte als bei Abwesenheit von Blei. Ein Theil des vorhandenen Bleies geht in den Kupferoxydulniederschlag. Der
Einfluſs verschiedener Bleimengen und verschiedener Verdünnung
der **Fehling**'schen Lösung, sowie der Kochdauer wird untersucht. *Bl.*

Sig. de Raczkowski. Dosage des sucres dans les sucs de
fruits, sirops, liqueurs, confitures et miels[2]). — Die Arbeit enthält eine eingehende Besprechung: 1. der Aenderungen des
specifischen Drehungsvermögens der *Saccharose, Glucose, Lävulose*
und des *Invertzuckers* mit der Concentration der Lösung und der
Temperatur; 2. des *Reductionsvermögens der Glucose, Lävulose* und
des *Invertzuckers;* 3. der *Berechnung* des Zuckergehaltes aus dem
Werthe der specifischen Drehung; 4. der *Berechnung* des Gehaltes
einer Lösung an *Saccharose, Invertzucker, Glucose* oder *Lävulose*
neben einander auf Grund der Werthe für das Reductionsvermögen
und für die specifische Drehung vor und nach der Inversion:
5. der praktischen Ausführung der vorgenannten Bestimmungen.
und 6. der optisch activen Nichtzuckersubstanzen, ihrer Erkennung
und Entfernung. Wesentliche neue Beobachtungen sind in der
Arbeit nicht enthalten. *Y.*

Pellet. Zur Bestimmung des Invertzuckers[3]). — Für solche
Bestimmungen in Melassen etc., welche noch andere reducirende
Stoffe enthalten, ist die Beobachtung verwerthbar, daſs reiner
Traubenzucker und Invertzucker schon bei 15 Minuten langem
Erwärmen auf 77 bis 80° von **Fehling**'scher Lösung vollständig
oxydirt werden, während viele andere reducirende Stoffe erst bei
100° angegriffen werden. *Y.*

Ernst Beckmann. Beiträge zur Prüfung des Honigs[4]). —
Von allgemein chemischem Standpunkte erwähnenswerth sind in
dieser Arbeit folgende Notizen. — Fructose und Dextrose unterscheiden sich stark in ihrer Löslichkeit in Aceton. 10 Thle.

---

[1]) Deutsche Zuckerind. 1895, S. 1169, 1711, 1741; Ref.: Biederm. Centr.
25, 476—477. — [2]) Monit. scientif. [4] **10**, 19—39. — [3]) Bull. ass. Belg. chim.
14, 145; Ref.: Chemikerzeit. **20**, 268. — [4]) Zeitschr. anal. Chem. **35**, 263—284.

siedenden Acetons lösen 4,94 g Dextrose, während Lävulose in
jedem Verhältnifs aufgenommen wird. — Aus *Stärkesyrup* wird
durch *Aceton* oder *Methylalkohol* ein rein weifses, nicht hygroskopisches *Dextrin* von schwach süfsem Geschmack gefällt, welches
mit hellgelber Jod-Jodkaliumlösung eine rothbraune Färbung
erzeugt (Erythrodextrin?). Wird aus dem Filtrat der Methylalkohol entfernt, so erzeugt Aethylalkohol eine neue Fällung, welche
stark hygroskopisch ist. — Der feste *Stärkezucker* des Handels
liefert in concentrirter Lösung wohl mit Aethylalkohol, nicht aber
mit Methylalkohol eine Fällung, und zwar besteht dieselbe aus
46 Proc. einer sehr hygroskopischen dextrinartigen Substanz
(Gallisin, Isomaltose?). — Die mit Methylalkohol und Aethylalkohol erhaltenen Fällungen unterscheiden sich in ihrer Vergährbarkeit, und zwar sind die mit Methylalkohol erhaltenen schwerer
vergährbar, als die anderen. — Die *Dextrine* des Stärkezuckers
werden im Gegensatz zu denen des Honigs gefällt durch Barythydrat und Methylalkohol als Baryumdextrinat. — Zur Ausführung
von Diffusionsversuchen unter Vermeidung gröfserer Wassermengen
hat der Verfasser einen im Princip dem Soxhlet'schen Extractionsapparat ähnlichen Apparat construirt, über welchen das Nähere
im Original nachgesehen werden mufs.   *Y.*

    Ernst Beckmann. Untersuchung von Honig[1]. — Im Ver-
ein mit F. Burkhardt stellte Verfasser Versuche an zum Nachweise eines Zusatzes von Stärkesyrup, Handelsdextrin etc. zum
Honig, die Methode der Fällung mit Baryt und Methylalkohol[2]
mit der Vergährungsmethode zu vereinen, doch ohne Erfolg, da
die Hefen vom Typus Saaz und Frohberg nur solche Stoffe aus
dem Honig entfernen, die keine Barytniederschläge geben. Die
Verfasser studirten auch die von Lintner mittelst Oxalsäure
erhaltenen Stärkeabbauproducte. Es waren nicht ganz reine
Achroodextrine, und dieselben lieferten anscheinend mit Verminderung des Molekulargewichtes verminderte Barytniederschläge.
Im Honig dürfte ein Achroodextrin von noch geringerem Molekulargewichte als Lintner's Achroodextrin II vorhanden sein. *Bl.*

    H. W. Wiley. Bestimmung von Lävulose im Honig und in
anderen Substanzen[3]. — Während das optische Drehungsvermögen
der übrigen im Honig vorkommenden Kohlehydrate kaum veränderlich ist, fällt das Drehungsvermögen der Lävulose, welches

[1] Forschungsber. über Lebensm. 3, 329—330; Ref.: Chem. Centr. 67,
II, 932. — [2] Chem. Centr. 67, II, 401—404; Zeitschr. anal. Chem. 35,
263—284. — [3] Amer. Chem. Soc. J. 18, 81—90.

bei 0° — 108,2° ist, sehr stark, und ist bei 88° — 53°, also gleich
der Linksdrehung der Glycose, so dafs Invertzucker bei 88° überhaupt nicht dreht. Eine Differenz von 0,628° Drehung für je 1°
Temperaturdifferenz entspricht 1 g Lävulose. Es wird ein Apparat
beschrieben, mit dessen Hülfe das Drehungsvermögen bei 0° und
bei 88°, aber auch bei beliebigen, dazwischen liegenden Temperaturen bestimmt werden kann. Der Apparat hat eine Vorrichtung, die verhindert, dafs sich die abschliefsenden Deckplatten
des Polarisationsrohres in der Kälte mit Thau beschlagen. *Bl.*

P. Korn. Prüfung und Werthbestimmung von Malzextract
unter specieller Berücksichtigung von Verfälschung mit fremden
Zuckern und Dextrin[1]). — Aufser Maltose und Dextrin, den beiden
Hauptbestandtheilen, enthalten Malzextracte, die auch aus dem
besten Material dargestellt sind, stets Spuren von Dextrose und
Saccharose, die beide als normale Bestandtheile der gekeimten
Cerealien auftreten. Ein Malzextract ist um so reiner, je mehr
Maltose und je weniger fremde Zucker und Dextrin er enthält.
Als Verfälschungen kommen hauptsächlich in Betracht: Dextrin,
Traubenzucker in Gestalt von Stärkesyrup und Rohrzucker. Der
Dextringehalt sollte 25 Proc. der gefundenen Maltosemenge nicht
überschreiten. Verfasser trennt Gesammtzucker und Dextrin
quantitativ und bestimmt dann erst durch partielle oder volle
Inversion die drei in Frage kommenden Zuckerarten vermöge ihres
verschiedenen Reductionsvermögens gegen alkalische Kupferlösung.
Trennung von Zucker und Dextrin. 15 g Extract werden mit 75 g
Sand unter Zugabe von 100 g absolutem Alkohol verrieben und
die erhaltene Masse so lange im Extractionsapparat mit absolutem
Alkohol in der Wärme ausgezogen, bis eine Probe des abfliefsen-
den Alkohols alkalische Kupferlösung bei Wasserbadtemperatur
nicht mehr reducirt. Unter Umständen sind hierzu 36 bis 48 Stunden nöthig. Nach Abdunsten des Alkohols aus dem alkoholischen
Extracte nimmt man den Rückstand mit Wasser auf und bringt
das Ganze auf ein bestimmtes Volumen. Der Trockenrückstand
des alkoholischen Auszuges liefert annähernd den Gesammtzucker-
gehalt neben Spuren von Glycerin. Zieht man die mit Alkohol
schon extrahirte Sandmasse mit heifsem Wasser aus, so ist die
Trockensubstanz dieser Lösung nach Abzug des Aschengehaltes
gleich dem Dextringehalt. *Trennung der Zuckerarten.* Die Bestimmung der Maltose, Dextrose und Saccharose gründet sich auf
das verschiedene Verhalten derselben gegen alkalische Kupfer-

---

[1]) Ber. pharm. Ges. 6, 349—359.

lösung und auf die Möglichkeit, durch partielle Inversion mittelst
Invertins in schwach saurer Lösung den Rohrzucker, durch längere
Einwirkung etwas stärkerer Säuren auch die Maltose vollkommen
zu hydrolisiren und in Invertzucker resp. Dextrose überzuführen.
An Stelle der Fehling'schen Lösung verwendet Verfasser die von
Ost empfohlene Kupferkaliumcarbonatlösung (Ber. 1890, S. 1035
und 3003), die so eingestellt wird, dafs in 50 ccm derselben
298 mg Cu enthalten sind. Man erhitzt nun 50 ccm Ost'scher
Lösung mit 25 ccm Zuckerlösung zehn Minuten auf 100⁰ im
Dampfbade und bestimmt das nicht reducirte Kupfer am besten
gewichtsanalytisch als Sulfür. Die reducirte Kupfermenge re-
präsentirt den Reductionswerth der im Malzextract vorhandenen
Maltose und Dextrose. Die Inversion des Rohrzuckers führte
Verfasser aus, indem er 0,05 g Invertin und 0,05 g HCl(= 0,2 g
HCl.1,124) auf 100 ccm einer Lösung von 2 Proc. Maltose und
0,2 Proc. Saccharose drei Stunden lang bei 60⁰ einwirken liefs.
Man ermittelt dann mit Ost'scher Lösung die Menge des Invert-
zuckers. Da 360 Thle. Invertzucker 342 Thln. Rohrzucker ent-
sprechen, so mufs man die aus der Ost'schen Tabelle gefundene
Invertzuckermenge noch mit 0,95 multipliciren, um den Gehalt
an Rohrzucker zu bekommen. Zur Inversion der Maltose hat
Verfasser die circa 10 proc. Zuckerlösung mit 18 g verdünnter
Schwefelsäure (1 + 5) und 32 g Wasser vier Stunden lang am
Rückflufskühler auf 100⁰ erhitzt. Nach dem Abkühlen wurde die
Lösung mit krystallisirter Soda neutralisirt, auf ein bestimmtes
Volumen gebracht und mit Ost'scher Lösung die Dextrose bestimmt. Die Maltosemenge erhält man, wenn man zu der ge-
fundenen Dextrosemenge 5 Proc. hinzu zählt, da 100 Thle. Maltose
bei der Inversion 95 Thle. Dextrose geben. Ist (a) die Kupfer-
reductionszahl der Zuckerlösung direct, (b) nach Inversion des
Rohrzuckers, (c) nach voller Inversion von Rohrzucker und Maltose, so erhält man nach den Ost'schen Tabellen aus (a) den
Gehalt an Dextrose und Maltose, aus (a—b) den Rohrzucker,
schliefslich den Gehalt an Dextrose nach Inversion, indem man
von (c) die nach (a) und (b) gefundene, von Rohrzucker nach
Inversion reducirte Kupfermenge in Abzug bringt. Verfasser führt
zum Schlufs noch Analysen von Malzextracten an.   *Tr.*

E. Bandke. Zur Untersuchung von Malzextract unter
specieller Berücksichtigung der Verfälschungen mit Dextrin und
Zucker [1]). — Nachdem sich Verfasser durch analytische Versuche

---

[1]) Ber. pharm. Ges. 6, 359—361.

davon überzeugt hat, dafs man Verfälschungen in Malzextracten nicht durch Bestimmung der Phosphorsäure in der jedesmaligen Trockensubstanz der Extracte nachweisen kann, schlägt er nachfolgendes Verfahren ein. Zum Nachweis von Dextrinzusatz bringt Verfasser 10 ccm einer 2 proc., auf Trockensubstanz berechneten Extractlösung mit 70 ccm destillirtem Wasser und 30 ccm absolutem Alkohol zusammen. Eine opalescirende, aber durchsichtige Flüssigkeit spricht für ein gutes Malzextract, bei 10 Proc. Dextrin wird die Flüssigkeit kaum durchscheinend, bei 20 Proc. ist sie undurchsichtig und sammelt sich ein Niederschlag an. Zum Nachweis von Traubenzucker nimmt man 5 ccm einer 2 proc. Malzextractlösung, verdünnt mit 5 ccm Wasser, füllt in ein Einhorn'sches Saccharimeter und fügt Saccharomyces exiguus oder Milchzuckerhefe, da beide alle anderen Zuckerarten, nur Maltose nicht, angreifen, hinzu. Bei 32° läfst man 24 Stunden stehen. Ist ein Malzextract rein, so ist nach Ablauf dieser Zeit keine Spur Kohlensäure wahrnehmbar, während man solche bei einem Zusatz von Traubenzucker wahrnimmt.   *Tr.*

Enum Subaschow. Ueber eine Trennungsmethode der Galactose und Arabinose [1]. — Galactose und Arabinose lassen sich durch Ueberführung in die Benzhydrazidverbindung von einander trennen.   *Bl.*

Edm. C. Shorey. Ueber zwei Fehlerquellen der in Zuckerfabriken angewendeten Analysen [2]. — Je nachdem man mit kaltem oder heifsem Wasser verschieden lange extrahirt, fällt die Bestimmung der rückständigen Rohfaser verschieden hoch aus. Verfasser will den nach Extraction mit Alkohol hinterbleibenden Trockenrückstand als „Rohfaser" bezeichnet wissen. Ferner giebt die sehr übliche Methode der Albuminoidbestimmung durch Fällung mit Kupferhydroxyd und Stickstoffbestimmung im Niederschlag, je nachdem kalt oder warm gefällt wird, verschiedene Resultate.   *Bl.*

W. Fresenius und L. Grünhut. Ueber die Bestimmung des Rendements und die chemische Analyse von Rohrzucker [3]. — Die Verfasser referiren über eine grofse Reihe von Abhandlungen und Vorschlägen zahlreicher Autoren. Die berücksichtigten Arbeiten sind zum Theil auch älteren Datums. Ein Auszug aus dem sehr sorgfältigen, selbst schon gedrängten Berichte ist nicht

---

[1] Zeitschr. Ver. Rüb.-Ind. 1896, S. 270—273; Ref.: Chem. Centr. **67. II.** 134—135. — [2] Amer. Chem. Soc. J. 18, 462—465. — [3] Zeitschr. anal. Chem. **35**, 690—725.

herzustellen, ohne die Grenzen dieses Jahresberichtes zu überschreiten. *Bl.*

F. Strohmer und A. Stift. Chemische Zusammensetzung
österreichisch-ungarischer Consumzuckersorten [1]). — Als Mittel
der Analysen sämmtlicher in den Verkehr kommender Sorten
wurde gefunden:

Zuckergehalt	99,73	Proc.
Wasser	0,06	„
Sulfatasche	0,05	„
Carbonatasche	0,04	„
Organischer Nichtzucker	0,15	„

Sämmtliche Sorten waren frei von Invertzucker. *Y.*

D. Sidersky. Ueber die gleichzeitige Bestimmung der
mineralischen und organischen Acidität von Rübensäften [2]). —
Ein mit einer wässerigen Lösung von Congoroth 4 R (1 g im Liter)
getränktes Papier wird durch Mineralsäuren rothbraun gefärbt,
nicht aber durch organische Säuren. Noch empfindlicher in
dieser Beziehung ist der Rübenfarbstoff, welcher sich an der Luft
bei Abwesenheit von Mineralsäuren rasch unter Dunkelfärbung
oxydirt. Gegenwart von freier Schwefelsäure hindert die Oxydation, nicht aber die Gegenwart von organischen Säuren. Man
titrirt also mit Kali, bis die beim Einfallen der Tropfen entstehende Färbung beim Schütteln eben nicht mehr verschwindet
(mineralische Acidität) und von da ab bis zur alkalischen Reation
auf Lackmus (organische Acidität). *Tf.*

E. Effront. Eine neue Methode zur Bestimmung der Stärke
in den Getreidearten [3]). — Man bestimmt zunächst das Wasser in
einem Theil des fein gemahlenen Getreides, in weiteren 3 g das
Fett durch wiederholtes Ausziehen mit Aether. Das entfettete und
dann getrocknete Mehl verreibt man alsdann mit 10 ccm 41 proc.
Salzsäure, wodurch die Stärke gelöst, zum Theil in Dextrin übergeführt wird, während nur wenig Glucose entsteht und die Cellulose unangegriffen bleibt. Das Säurestärkegemisch kommt nunmehr
in einen mit Wasser beschickten Kolben und füllt man dann bis
zu 100 ccm auf. Nach dem Filtriren überzeugt man sich mittelst
des Mikroskopes, ob das Unlösliche mit Jod keine Stärke mehr
erkennen läfst, neutralisirt in diesem Falle 75 ccm des Filtrats
mit Natronlauge ganz genau, säuert dann wieder mit $^2/_{10}$ bis

---

[1]) Oesterr.-ungar. Zeitschr. Zuckerind. u. Landw. 24, 999; Ref.: Zeitschrift Nahrungsm. 10, 33—38. — [2]) Journ. d. fabricants d. sucre 37, Nr. 3;
Ref.: Fortschr. d. Zuckerindustrie; Dingl. pol. J. 300, 260. — [3]) La Bière
4, 145; Ref.: Wochenschr. Brauerei 13, 1278—1279.

$^3/_{10}$ ccm Normalsäure an, dampft die Flüssigkeit auf dem Wasserbade bis zur Hälfte ein, indem man dabei stets für saure Reaction Sorge trägt. Von Neuem füllt man jetzt in einem Kolben auf 75 ccm auf, filtrirt dann wiederholt durch ein mit Asbestflocken beschicktes Filter und polarisirt das klare Filtrat im 40 cm-Rohr. In dem Rest der Flüssigkeit bestimmt man die Glucose mit Fehling'scher Lösung titrimetrisch. Bei Anwendung von 5 ccm Fehling'scher Lösung und (n) ccm Verbrauch an Füssikeit erhält man in 100 ccm der hydrolysirten Stärke $\frac{1}{n} \cdot \frac{1}{0,025}$ g $\times$ 100 g Glucose $= (g)$. Bezeichnet man mit (R) die Drehung in Graden Soleil für ein 20 cm-Rohr, die (Ra) der abgelesenen Rotation im 40 cm-Rohr entspricht, so rührt ein Theil dieser Drehung von der Glucosemenge (g) her. 1 g Glucose in 100 ccm zeigt eine Drehung von 4,8, d. h. (g) g bewirken eine Drehung von $(4,8.g)$ Graden. Drückt man die Drehung der Glucose als Dextrin aus, so ist, da Dextrin 3,7mal stärker dreht als Glucose, dieselbe $g . 4,8 . 3,7$. In (R) hat man aber schon eine Drehung von $4,8.g$. Man muſs also zu (R) noch hinzufügen (R_1), dann hat man in der Summe $(R + R_1)$ die Drehung aller Stoffe, Stärke, Dextrin und Glucose, alles ausgedrückt als Drehung des Dextrins. R_1 ist aber $g . 4,8 . 3,7 - g . 4,8 = g . 4,8 . 2,7$. 1 g Dextrin entspricht aber 17,76^0, mithin ist $\frac{R + R_1}{17,76}$ die Anzahl Gramm Stärke (oder Dextrin), die in 3 g Getreidemehl enthalten war.   *Tr.*

　　Geo. W. Rolfe und Geo. Defren. Analytische Versuche über die Hydrolyse der Stärke durch Säuren[1]. — In der sehr ausgedehnten, zahlreiche Tabellen und Curventafeln enthaltenden Abhandlung stellen die Verfasser die Beziehung fest, die bei fortschreitender Hydrolyse zwischen dem Reductionsvermögen und dem optischen Drehungsvermögen besteht. Einerlei, wie die Hydrolyse durchgeführt wird, kann diese Beziehung durch die Curve bezw. Gleichung $x^2 + y^2 + 468x - 646y + 1580 = 0$ wiedergegeben werden, wobei x das Drehungsvermögen, y das Reductionsvermögen bedeutet. Andere mit zahlreichen Beobachtungen übereinstimmende Curven finden Verfasser, indem die optische Drehung als Abscisse, die Procente an Dextrin, Malton und Dextrose als Ordinaten aufgetragen werden. Ferner arbeiteten Verfasser eine Tabelle aus, mit deren Hülfe die Umwandlung der Stärke durch Beobachtung des Drehungsvermögens rasch verfolgt

　　[1] Amer. Chem. Soc. J. 18, 869—900.

werden kann; sie ist zur Betriebscontrole in Stärkezuckerfabriken bestimmt. Weiter wurde die Schnelligkeit der Hydrolyse der Stärke in ihrer Abhängigkeit von der Temperatur, von der Art und der Concentration der Säure untersucht. Die Verhältnisse sind hier weit complicirter, wie etwa bei der Hydrolyse des Rohrzuckers oder des Salicins, da erstens die Stärke anfangs ungelöst ist, aufserdem die entstehenden Producte Dextrin, Maltose, Dextrose successive, das eine aus dem vorhergehenden gebildet werden. Wenn als Anfangspunkt die Zeit gewählt wird, wo alle Stärke gelöst bezw. in Dextrin übergegangen ist, so hat man zwei aufeinander folgende Reactionen zu unterscheiden: a) die Hydrolyse des Dextrins zur Maltose, b) die Hydrolyse der letzteren zu Dextrose, wobei, während einerseits Maltose durch die Reaction b) verschwindet, gleichzeitig durch die Reaction a) neue Maltose gebildet wird. Daher ist die Aenderung des Maltosegehaltes nur durch eine sehr complicirte Gleichung ausdrückbar, statt deren Verfasser eine Annäherungsformel benutzen. Das Verhältnifs der Geschwindigkeitsconstanten bei verschiedenen hydrolysirenden Säuren stimmt recht gut mit dem von Ostwald gefundenen Verhältnifs der Constanten bei der Rohrzuckerinversion. Bei Hydrolyse mit Salzsäure in verschiedener Verdünnung wächst die Geschwindigkeit etwas rascher als die Concentration (während die Leitfähigkeit bekanntlich langsamer wächst). Der Einflufs der Temperatur auf das Wachsen der Geschwindigkeit der Hydrolyse wird durch eine nahezu parabolische Curve ausgedrückt. *Bl.*

W. J. Sykes und C. A. Mitchell[1]) beschrieben ein *Verfahren zur Bestimmung der diastatischen Kraft von Malz etc.*, welches in Folgendem besteht: In eine 200 ccm fassende Flasche werden 100 ccm Stärkelösung und 1 ccm Malzextract gegeben, die Lösung gut durchgeschüttelt und eine Stunde bei 70° F. stehen gelassen. Dann werden 50 ccm Fehling'sche Lösung zugesetzt, auf 98° F. erhitzt und der Kolben danach sieben Minuten in siedendes Wasser gestellt. Der erhaltene Kupferoxydulniederschlag wird im Soxhlet'schen Filterröhrchen gesammelt, mit Wasserstoff reducirt und das Kupfer gewogen. Das Gewicht des Kupfers, dividirt durch 0,438 und multiplicirt mit 100, ergiebt die diastatische Kraft. *Y.*

G. Baumert. Zur Frage des chemischen Nachweises von Pferdefleisch[2]). — G. Baumert hat zum Nachweis von Pferdefleisch die Glycogenjodreaction benutzt. Da aber Dextrin eine

---

[1]) Chem. Centr. **67**, II, 108. — [2]) Zeitschr. angew. Chem. 1896, S. 412.

ähnliche Reaction giebt, so hat er diese beiden Körper mittelst Eisenhydrat getrennt. Glycogen giebt nämlich mit Eisenhydrat eine unlösliche Verbindung (wie es Landwehr nachgewiesen hat), Dextrin dagegen bleibt in der Lösung. Aus der Eisenverbindung wird das Glycogen isolirt und mit Jod geprüft. *Wr.*

J. König. Die Nothwendigkeit der Umgestaltung der jetzigen Fett- und Nahrungsmittelanalyse [1]). — Die bekannte Weendermethode genügt den heutigen Ansprüchen deshalb nicht mehr, weil die Pentosane durch die angewandte $1^1/_4$ proc. Schwefelsäure theilweise gelöst, theilweise aber bei der wahren Cellulose zurückgelassen werden, und daher zum Theil bei den stickstofffreien Extractivstoffen, zum Theil bei der Cellulose und incrustirenden Materie verrechnet werden. Verfasser stellt vergebens eine grofse Zahl Versuche an, durch Verwendung von Säuren und Alkalien verschiedener Concentration alle Pentosane mit den Hexosanen in Lösung zu bringen. Dasselbe Ziel der Abtrennung der Pentosane, aber derart, dafs dieselben ungelöst bleiben, sucht er auch durch Behandeln der Futtermittel mit heifsem Wasser im Druckkessel zu erreichen. Es gehen aber sehr viel Pentosane in Lösung; dasselbe gilt von Aufschliefsungsversuchen mit Diastase und mit Pepsinsalzsäure. Verfasser weist auf den grofsen Fehler hin, den dadurch die Stärkebestimmung, wenn sie in der usuellen Weise ausgeführt wird, erleidet. Theilweise Abhülfe wird geschaffen, wenn die Stärke nicht aus dem reducirten Kupferoxydul berechnet, sondern mittelst Vergährung bestimmt wird, da die störenden Pentosen nicht vergährbar sind. Schliefslich glaubt Verfasser durch Behandeln der Futtermittel mit *sehr* verdünnten Säuren unter Druck das Ziel, alle Pentosane zu lösen, ohne die Faser anzugreifen, erreichen zu können. In diesem Falle wird es nicht schwierig sein, einen Ausdruck für den Gehalt eines Futtermittels an den einzelnen Kohlehydraten zu gewinnen, und zwar folgendermafsen: A. Durch Behandeln mit Wasser werden die löslichen Kohlehydrate erhalten, deren Trennung in Monosaccharide (Dextrose etc.), Disaccharide (Rohrzucker) und Polysaccharide (Dextrin, Gummi) bekannt ist. — B. Stärke wird durch Dämpfen unter Druck oder durch Diastase (allerdings mit der schon besprochenen Ungenauigkeit) gefunden. — C. Mittelst der *aussubildenden* Säurebehandlung werden die Hemicellulosen, Hexosane und Pentosane gelöst und wie folgt getrennt: α) Gesammtmenge an Hexosen und Pentosen durch Fehling'sche Lösung; β) vergährbare Hexosen nach der Gährmethode; γ) Pentosen (Furfurolmethode); δ) unver-

---

[1]) Landw. Vers.-Stat. **48**, 81—110.

gährbare Hexosen $= \alpha-\beta-\gamma$. — D. Wahre Cellulose und Lignin als unangegriffener Rückstand, wobei letzteres noch durch Oxydations- oder Reductionsmittel entfernt werden kann. *Bl.*

H. Suringar und B. Tollens. Untersuchungen über verschiedene Bestimmungsmethoden der Cellulose[1]. — Nach einer sehr reichhaltigen Uebersicht der bisher benutzten Verfahren beschreiben die Verfasser die Herstellung ihres Ausgangsmateriales und prüfen die verschiedenen Methoden. A. Weender Rohfaserverfahren. B. Rohfaserbestimmung nach Hönig[2]. C. Die alte Methode von Fr. Schultze. D. Verfahren von Lange[3]. E. Cellulosebestimmung nach Gabriel[4] (Glycerin-Kalimethode). F. Chlormethode nach Crofs und Bevan[5]. Sie kommen zu der Schlufsfolgerung, dafs sämmtliche Methoden nicht genügen, indem sie theils unreine Cellulose zur Wägung gelangen lassen, theils Verluste durch theilweise Zerstörung derselben bedingen. Die Chloratmethode von Fr. Schultze, über die Verfasser ein abschliefsendes Urtheil noch nicht geben können, braucht lange Zeit zur Ausführung, scheint aber noch die richtigsten Zahlen zu liefern. *Bl.*

G. Baumert. Ueber die quantitative Bestimmung der Rohfaser in Nahrungs- und Genufsmitteln[6]. — Bei der Prüfung der vegetabilischen Nahrungs- und Genufsmittel ist die Rohfaserbestimmung eine unentbehrliche analytische Operation. Die gegenwärtig gebrauchten Verfahren geben keine zuverlässigen Resultate. G. Baumert hat Versuche angestellt, um das Henneberg-Stohmann'sche Verfahren zu vereinfachen. Als Reagentien wendet er verdünnte Schwefelsäure (12,5 g concentrirte Schwefelsäure im Liter) und verdünnte Natronlauge (12,5 g NaOH im Liter) an. 2 g fein zerkleinerte Substanz werden im 200 ccm fassenden Becherglase mit 90 proc. Alkohol durchfeuchtet und nach Zusatz von etwas Asbest mit 100 ccm verdünnter Schwefelsäure übergossen. Die Masse wird gemischt und, eine Stunde im Wasserbade erhitzt, durch ein Asbestfilter mittelst Luftpumpe durchgesaugt. Den Inhalt des Trichters bringt man dann in das Becherglas zurück, giebt 100 ccm verdünnter Natronlauge dazu, digerirt eine Stunde und filtrirt wieder, wäscht aus und bringt den Inhalt des Trichters in eine Platinschale, trocknet und wägt.

[1]) Zeitschr. angew. Chem. 1896, S. 712—719, 742—750. — [2]) Chemikerzeit. 14, 868, 902. — [3]) Zeitschr. angew. Chem. 1895, S. 561. — [4]) Zeitschr. physiol. Chem. 16, 370. — [5]) Cellulose, an outline of the chemistry of the structural elements of plants, p. 95. — [6]) Mittheilungen aus dem physiol. Laboratorium des landw. Institutes der Universität Halle a. S.; Zeitschr. angew. Chem. 1896, S. 408—411.

Nach dem Glühen wägt man wieder. Aus der Differenz der beiden Wägungen berechnet man den Procentgehalt der Rohfaser in der untersuchten Substanz. Wenn man mit den fettreichen Materialien zu thun hat, so extrahirt man zuerst dieselben mit Alkohol. *Wr.*

Aromatische Kohlenwasserstoffe. — G. Denigès. Rasche volumetrische Thiophenbestimmung im Benzol [1]). — 2 ccm Benzol und 30 ccm acetonfreier Methylalkohol werden mit 10 ccm einer stark schwefelsauren Quecksilberlösung (50 g Quecksilberoxyd, 200 g concentrirte Schwefelsäure, 1000 ccm Wasser) versetzt. Es bildet sich ein Niederschlag von der Zusammensetzung

$$SO_4 < ^{Hg-O}_{Hg-O} > H_2 SC_4 H_4.$$

Nach dem Schütteln und Klären wird abfiltrirt und in 21 ccm des Pikrates, nach starker Verdünnung mit Wasser und Klärung von ausgeschiedenen Benzol, das Quecksilber nach der Methode des Verfassers mittelst Ammoniak, Cyankalium und Silbernitrat titrirt. Die Menge des im Liter Benzol enthaltenen Thiophens in Grammen ist 2,8 $(n-0,3)$, wo n die verbrauchten Cubikcentimeter $^1/_{10}$ norm. Silberlösung bedeutet. Von Benzol, das mehr als 25 g Thiophen im Liter enthält, ist nur 1 ccm anzuwenden. *Bl.*

Henry Bassett. Eine verbesserte Methode der Anthracen-prüfung [2]). — Diese neue verbesserte Methode des Verfassers wird wie folgt ausgeführt. Zunächst oxydirt man in der üblichen Weise, indem man circa 98 proc. schwefelsäurefreie Chromsäure verwendet, den nächsten Tag mit 400 ccm Wasser verdünnt, dreistündigem Stehen filtrirt, mit kaltem Wasser nachwäscht dann das Chinon auf dem Filter im Wassertrockenschrank troc Alsdann bringt man das Chinon vom Filter in eine Flasche dem man es mit Eisessig abspült, fügt 2,5 ccm einer Chroms lösung (= 1,5 g CrO$_3$) und 10 ccm gewöhnliche reine Salpete (1,42) hinzu und kocht eine Stunde am Rückflußkühler. nächsten Tag verdünnt man mit 400 ccm Wasser, läßt drei S den stehen, filtrirt, wäscht erst mit Wasser, dann mit koche 1 proc. Kalilauge und schließlich mit heißem Wasser nach. Chinon wird dann in eine flache Schale gebracht, bei 100 trocknet, mit 10 Thln. reiner concentrirter Schwefelsäure ge und zehn Minuten auf dem Wasserbade erhitzt. Man läßt dan Nacht stehen, damit es Feuchtigkeit aufnimmt, verdünnt, wäscht mit Wasser, kochender Alkalilauge und heißem Wass früher schon angegeben, trocknet schließlich und wägt. V

---

[1]) Bull. soc. chim. [3] 15, 1064—1065. — [2]) Chem. News 73, 1

führt zum Schluſs noch eine Reihe von Beleganalysen mit technischen Anthracenproducten und auch reinem Anthracen an. *Tr.*

Amine. — Ch. Gaſsmann. Schnelle Bestimmung der Componenten eines Gemenges der primären, secundären und tertiären Amine
desselben aliphatischen Radicals [1]). — Die Methode beruht darauf,
daſs jedes der Amine dieselbe Menge Säure zur Neutralisirung
bedarf, dagegen nur das primäre und secundäre durch salpetrige
Säure zersetzt werden, und zwar durch gleiche Mengen derselben.
Das Basengemenge wird in Wasser zu 1 Liter gelöst, ein Antheil
der Lösung mit normaler Salzsäure unter Anwendung von Phenolphtaleïn austitrirt; ein anderer ebenso groſser, den man mit dem
Anderthalbfachen der zur Neutralisirung erforderlichen Menge
Salzsäure, mit dem doppelten Volum Alkohol und kleinen, neutralen und salpetrigsäurefreien Eisstückchen versetzt hat, vorsichtig mit normaler Natriumnitritlösung und Jodamylum als
Index titrirt. Ist m_x das Molekulargewicht des Aethylendiamins
(die Methode ist zunächst für die Aethylendiamine aufgestellt),
m_y das des Diäthylendiamins, m_s das des Triäthylendiamins, a das
Gesammtgewicht der Diamine, b die Anzahl verbrauchter Cubikcentimeter der Salzsäure, c die des Natriumnitrits, beide bezogen
auf die ganze Menge a, so ist in Grammen:

$$a = x + y + z; \quad b = \frac{2000\,x}{m_x} + \frac{2000\,y}{m_y} + \frac{2000\,z}{m_s};$$

$$c = \frac{2000\,x}{m_x} + \frac{2000\,y}{m_y}.$$

Hieraus folgt:

$$x = \frac{[(m_y - m_s)c + b\,m_s - 2000\,a]\,m_x}{2000\,(m_y - m_x)};$$

$$y = \frac{[2000\,a - b\,m_s + c\,(m_s - m_x)]\,m_y}{2000\,(m_y - m_x)};$$

$$z = \frac{(b - c)\,m_s}{2000}\,{}_{s}).$$

Für ein Gemisch von Monaminen gelten dieselben Gleichungen
unter Einsetzung der entsprechenden Molekulargewichte und der
Zahl 1000 an Stelle von 2000. Die erhaltenen Resultate bei den
Aethylendiaminen sind nach der Versicherung des Verfassers auf
$^1/_8$ bis $^1/_2$ Proc. genau. *S.*

---

[1]) Compt. rend. **123**, 313—315. — [2]) Die im Original angegebenen
Zahlenwerthe für m_x, m_y, m_s, x, y und z enthalten augenscheinlich Rechen-
fehler, weshalb auf ihre Wiedergabe verzichtet wird. Auch die Formel des
Triäthylendiamins ist unrichtig angegeben.

Charles Platt. Die qualitative Prüfung von Acetanilid [1]). — Verfasser bringt eine gröfsere Reihe von Farben- und Fällungsreactionen.   *Bl.*

P. Dobriner und W. Schranz. Bestimmung von Anilin in Gegenwart kleiner Mengen Toluidin und Bestimmung von Toluidin in Gegenwart kleiner Mengen Anilin [2]). — Verfasser hat die von H. Reinhardt empfohlene Methode zur Bestimmung von Anilin in seinen Gemischen mit Toluidinen, bei der durch Einwirkung von nascirendem Brom Anilin in ein Tribromderivat und die Toluidine in Dibromderivate übergeführt werden, daraufhin geprüft, ob dieselbe auch brauchbar ist, wenn einer der beiden Componenten nur in geringer Menge in dem Basengemisch zugegen ist. Die Versuche der Verfasser haben nun ergeben, dafs mittelst der genannten Methode geringe Mengen von Toluidin im Anilin sich nachweisen lassen, und dafs die zur Berechnung des Anilingehaltes von Reinhardt aufgestellte Gleichung $x = 2,3777\, vt$ $- 1,3777 \cdot a$, in der (a) die angewandte Menge Anilinöl, (x) die darin gefundene Menge Anilin, (t) den Titer der Bromlauge auf reines Anilin, (v) die Anzahl der verbrauchten Cubikcentimeter Bromlauge bedeutet, richtig ist. Bei der Titration von Toluidin allein oder in seinen Gemischen mit geringen Mengen Anilin erhält man jedoch unter Zugrundelegung der obigen Formel nicht ganz richtige Werthe, vollzieht man jedoch die Titerstellung der Bromlauge auf reines Toluidin und berechnet durch Multiplication mit $\dfrac{93}{160,5}$ den Titer (t) für Anilin, so erhält man mit obiger Formel brauchbare Werthe. Zum Schlufs ist eine Anzahl Beleganalysen angeführt.   *Tr.*

Phenole. — G. Frerichs. Ueber einige Methoden zur quantitativen Bestimmung von Phenol [3]). — Der Verfasser hat die bekannten Verfahren auf ihre Brauchbarkeit geprüft. *Brt.*

H. Fresenius und C. J. S. Makin. Ueber die Bestimmung des Phenols in Seifen und Desinfectionsmitteln [4]). — Verfasser halten die von Charles Low vorgeschlagene Methode für die geeignetste. Dieselbe besteht darin, dafs eine gewogene Menge Seife in heifsem Wasser gelöst und dann mit Salzsäure die Fettsäure abgeschieden wird. Im Filtrat von dieser bestimmt man das Phenol entweder durch Wägung als Tribromphenol oder mafsanalytisch nach Koppeschaar bezw. Tóth. Verfasser haben

[1]) Amer. Chem. Soc. J. 18, 142—146. — [2]) Zeitschr. anal. Chem. 34, 735—740. — [3]) Chem. Centr. 67, II, 214. — [4]) Zeitschr. anal. Chem. 35, 325—334.

nun in der Weise das Phenol aus den Seifen oder Desinfectionsmitteln in wässerige Lösung übergeführt, dafs sie die zu untersuchende Substanz entweder direct oder nach Zufügung einer
geeigneten Menge Schwefelsäure oder Salzsäure der Destillation
mit Wasserdämpfen unterwarfen. Durch blinde Versuche wurde
ermittelt, ob die bei der Destillation möglicher Weise mit in das
Destillat übergehenden Fettsäuren Brom, das zur Bestimmung des
Phenols dient, absorbiren konnten. Der Fehler ist so gering, dafs
man in der Praxis denselben jedoch vernachlässigen kann. Die
Bestimmung des Phenols im Destillat geschah in der bekannten
Weise auf jodometrischem Wege. *Tr.*

A. **Swoboda.** Eine neue Reaction auf Pikrinsäure [1]). —
Eine kalte Lösung von Pikrinsäure in Wasser giebt mit einer
ebensolchen von Methylenblau sofort einen flockigen, violetten
Niederschlag, löslich in Aether, Chloroform und heifsem Wasser.
Bei Verdunstung der blauen Chloroformlösung bleibt ein violett
gefärbter Rückstand. Mittelst dieser Reaction kann Pikrinsäure
direct auf den Gebrauchsgegenständen nachgewiesen werden. Umgekehrt kann mittelst Pikrinsäure Methylenblau aufgefunden
werden. *Bl.*

A. **Jorissen.** Neue Reaction zum Nachweis von Dulcin in
Getränken [2]). — Die Isolirung geschieht nach dem Verfahren von
Morpurgo. Zu dem in 5 ccm Wasser vertheilten Product werden
zwei bis vier Tropfen einer genau neutralen Quecksilberoxydnitratlösung gegeben, worauf 10 Minuten im Wasserbade erhitzt wird.
Die mehr oder weniger intensive Violettfärbung geht durch Zusatz von wenig Bleisuperoxyd in eine äufserst intensive Violettfärbung über. Phenol, Harnstoff, Saccharin geben diese, dem
p-Phenetolcarbamid zugehörende Reaction nicht, ebenso wenig der
nach **Morpurgo**'s Vorschrift bereitete Aetherrückstand aus dulcin-
freiem Bier. *Bl.*

G. **Frerichs.** Zur quantitativen Bestimmung der Kresole [3]).
— Die Bestimmung geschieht auf acidimetrischem Wege nach
Bader. Es werden einige Details betreffend die Bestimmung des
p-Kresols gegeben. *Brt.*

L. **de Koningh.** Ueber die Analyse von löslichem Kreosot [4]).
— 100 ccm der Probe werden, so lange noch Wasser übergeht,
destillirt und die Menge des Destillates, nachdem dasselbe durch

[1]) Zeitschr. österr. Apoth.-Ver. 1896, S. 617; Ref.: Deutsche Chemikerzeit.
11, 356. — [2]) Journ. de Pharm. de Liège 3, Art. 2; Ref.: Chem. Centr. 67,
I, 1084. — [3]) Chem. Centr. 67, II, 566. — [4]) Nederl. Tijdschr. Pharm. 8,
388—390; Ref.: Chem. Centr. 68, I, 206.

vorheriges Ausschütteln mit Benzol von übergegangenem Oel befreit ist, gemessen. Zur Bestimmung des Kresols schüttelt man 50 ccm mit 200 ccm 10 proc. Natronlauge und zieht die Natronlauge wieder mit Petroläther aus. Mittelst Salzsäure scheidet man dann das Kresol ab und mifst dasselbe. Um das darin enthaltene Harz zu ermitteln, erhitzt man einen Theil auf 180°. Der Rückstand mufs dann von der Kresolmenge abgezogen werden. Um das Harz zu bestimmen, vermischt man 10 g mit Petroläther, bis keine Trübung mehr entsteht, läfst absitzen, wäscht einige Male mit Petroläther aus und verjagt den Petroläther durch gelinde Wärme. Den Rückstand löst man in Wasser und fällt dann durch Salzsäure das Harz. Zur Alkalibestimmung verbrennt man 10 g und titrirt die Asche mit Normalsalzsäure. Das mit Chlorbaryum titrirte Sulfat ist abzuziehen. Gewöhnlich kommen Kali und Natron neben einander vor. *Tr.*

Ed. Hirschsohn. Die Unterscheidung des Buchentheers von Birken-, Tannen- und Wachholdertheer [1]. — Aus den Untersuchungen des Verfassers ergeben sich für den Buchentheer folgende charakteristische Eigenschaften. 1. Der Buchentheer löst sich klar in Eisessig und unterscheidet sich hierdurch von Birken- und Wachholdertheer. 2. Buchentheer wird von Benzol, Schwefelkohlenstoff, Terpentinöl und Provenceröl nur wenig gelöst, von absolutem Aether und Chloroform unvollkommen; Birken-, Tannen- und Wachholdertheer lösen sich in den angeführten Lösungsmitteln entweder vollkommen oder geben nur eine opalisirende Lösung. 3. Der Petrolätherauszug des Buchentheers verändert sich nicht beim Schütteln mit verdünnter Kupferacetatlösung, bei Tannen- und Wachholdertheer beobachtet man eine grünliche Färbung. 4. Der wässerige Auszug des Theers giebt mit Eisenchlorid eine rothe Färbung, dieselbe Färbung geben auch Tannen- und Wachholdertheer, während Birkentheer eine grüne Färbung giebt. 5. Der wässerige Auszug giebt mit Anilin und Salzsäure eine rothe Färbung wie der Tannentheer; Birken- und Wachholdertheer geben keine rothe Färbung. *Tr.*

Aromatische Säuren. — **G. Rebière.** Verfahren zur quantitativen Bestimmung benzoësaurer Salze [2]. — Das Alkalibenzoat wird unter Phenolphtaleïnzusatz titrirt, vorher wird auf möglichst complicirte Weise darauf hingearbeitet, dafs ein neutrales Salz zugegen sei. *Bl.*

---

[1] Russ. Zeitschr. Pharm. 35, 801—803. — [2] Pharm. Zeitg. 41, 115—116; Ref.: Chem. Centr. 67, I, 669.

E. Ludwig. Einfache Methoden für den Nachweis von Salicylsäure und von Borsäure in Nahrungs- und Genufsmitteln [1]). —
Auf Salicylsäure wird in dem Verdunstungsrückstande eines mit
einem Gemisch von Aether und Petroläther gewonnenen Auszuges
mittelst der violetten Eisenchloridreaction geprüft; Borsäure wird
in der concentrirten Lösung durch die grüne Färbung, welche
die beim Eindampfen mit concentrirter Salzsäure entweichenden
Dämpfe einer Bunsen- oder Spiritusflamme ertheilen, gefunden.
Genaue Ausführungsvorschriften ermöglichen dem Nichtchemiker
(Marktprüfer etc.), die Untersuchung vorzunehmen.   *Bl.*

Franz Freyer. Die quantitative Bestimmung von Salicyl-
säure [2]). — Zu 100 ccm circa $^2/_{10}$ norm. Bromlösung (bestehend aus
einer Lösung von Kaliumbromid und Kaliumbromat, welche vor
dem Gebrauch angesäuert wird) wird überschüssiges Jodkalium
gesetzt und der Verbrauch von $^1/_{10}$ norm. Thiosulfat bestimmt. Zu
anderen 100 ccm kommt erst die angesäuerte Salicylsäurelösung
(Brom mufs in starkem Ueberschufs vorhanden sein), dann
wird in gleicher Weise wie oben behandelt. Die Differenz zwischen
den verbrauchten Mengen Thiosulfat entspricht dem gebundenen
Brom; 6 Atome Brom = 1 Mol. Salicylsäure. Trotzdem 1 Mol.
Salicylsäure nur 6 Atomen Brom entspricht, ist es nöthig, einen
Ueberschufs von mehr als 8 Atomen Brom anzuwenden, da sich
zunächst Tribromphenolbromid bildet, wozu 8 Atome Brom nöthig
sind. Bei der Einwirkung des Jodkaliums kommen dann allerdings, indem sich Tribromphenol aus dem Tribromphenolbromid
bildet, 2 Atome Brom zur Geltung, als ob sie frei wären und
2 Aeq. Jod werden durch dieselben in Freiheit gesetzt. Es gilt
eben bei der Salicylsäure dasselbe, was von Phenol bekannt ist.
Für die Prüfung von Wein auf Salicylsäure ist das Verfahren
ohne vorherige Extraction deshalb nicht anwendbar, weil, abgesehen von schwefliger Säure, im Weine sonstige brombindende
Körper vorhanden sind. Zur *qualitativen* Prüfung wurden 100 ccm
Wein (bezw. Bier etc.) bis auf einen geringen Rest abdestillirt
und die letzten Antheile des Destillates, in welchen sich die
Salicylsäure stark anhäuft, mittelst Eisenchlorid geprüft. Die
erste Hälfte des Destillates, welche kaum Spuren von Salicylsäure
enthält, kann zur Alkoholbestimmung verwendet und so beide
Proben verbunden werden.   *Bl.*

Karl Böttinger. Ueber das Verhalten der Gallussäure und

---

[1]) Das österreichische Sanitätswesen 1896, Nr. 47; Ref.: Zeitschr.
Nahrungsm. 10, 377—378. — [2]) Chemikerzeit. 20, 820—821.

des Tannins gegen Jodquecksilberchlorid [1]). — Gallussäure verbraucht von dem v. Hübl'schen Reagens immer mehr als Tannin. Bei ersterer entsteht ein stark goldgelb gefärbter, wasserlöslicher Körper, bei letzterem ein gelbes, körniges, in Wasser kaum lösliches Product. Beim Zurücktitriren der v. Hübl'schen Lösung mit Thiosulfat findet immer Nachbläuung der Stärkelösung statt. Der Verbrauch ist bei Anwendung von concentrirter v. Hübl'scher Lösung bedeutend gröfser als bei schwacher. Die Jodzahl schwankt bei krystall. Gallussäure von 219,3 bis 357,8, bei Tannin von 187,2 bis 273,7. Die Höhe der gefundenen Zahlen weist auf gleichzeitigen Verlauf verschiedener Reactionen hin. Der Umstand, dafs die Jodzahl des Tannins kleiner als die der Gallussäure ist, soll mit seiner Constitution in Verbindung gebracht werden können.   *Bl.*

L. Maschke. Eine Fehlerquelle der gewichtsanalytischen Methode der Gerbstoffbestimmung [2]). — Das Verfahren der Gerbstoffbestimmung mittelst Hautpulver ist in Bezug auf die Genauigkeit der Resultate abhängig von der Reinheit des Hautpulvers, und es können ganz enorm differirende Analysenresultate erhalten werden, wenn der „Hautfactor" grofs ist. Beispiele sind angeführt. Abhülfe ist nur möglich durch eine Vereinbarung der Fachleute in Bezug auf die Ausführungsmodalitäten und in erster Linie durch Gründung einer Station zum gemeinsamen Bezuge geeigneten Hautpulvers.   *Bl.*

R. L. Jenks. Das Hautpulverfilter [3]). — Verfasser hat die von Procter beschriebene Flaschenform, die als Hautpulverfilter vorgeschlagen ist, insofern verbessert, als er im Innern der Flasche einen besonders construirten Glasdreifufs anbringt. Hierdurch erreicht er, dafs eine geringere Menge Hautpulver, als man sonst braucht zum Filtriren, nöthig ist, dafs die Tanninflüssigkeit in die Mitte des Filters gelangt und sich nicht an den Gefäfswänden in die Höhe zieht.   *Tr.*

Wanters. Recherche de la saccharine dans les bières [4]). — Durch Zusatz von Saccharin fällt das specifische Gewicht bei 15°, welches bei normalem Bier zwischen 1,016 und 1,024 schwankt, bis auf 1,006, und ebenso die Trockensubstanz von 55 bis 70 auf 30 und sogar 25. Zum Nachweis des Saccharins extrahirt Bruylants nach der Neutralisation mit Natriumcarbonat mit Alkohol, verdampft den Alkohol und extrahirt nach dem Ansäuern der

[1]) Chemikerzeit. 20, 984—985. — [2]) Dingl. pol. J. 302, 46—48. — [3]) Chem. Soc. Ind. J. 15, 426—427. — [4]) Monit. scientif. [4] 10, 146—147.

alkoholischen Lösung des Rückstandes mit Phosphorsäure das
Saccharin mit Aether. Die von Börnstein empfohlene Methode,
das Saccharin nach Zusatz von Resorcin und Schwefelsäure, Er-
hitzen und Neutralisation der wässerigen Lösung mit Kalilauge
an der grünen Fluorescenz zu erkennen, ist unzuverlässig. Die
Methode von Herzfeld und Reischauer, die Bestimmung des
Schwefels durch Ueberführung in Schwefelsäure, ist bei geringen
Mengen Saccharin sehr difficil. Zu empfehlen ist die Methode
von Schmidt, nach welcher das Saccharin durch Aetzalkalien in
Salicylsäure übergeführt wird.   *Hf.*

Hugo Eckenroth. Untersuchungen über die Handelssaccharine [1]. — Verfasser führt zunächst einige Methoden an,
mittelst deren man bisher die Güte der Handelssaccharine prüfen
konnte. Die Methode von R. Hefelmann zieht Verfasser derjenigen von Ira Remsen und W. M. Burton vor, da sie bei
Anwendung von 2,5 g Saccharin vollkommen übereinstimmende
Resultate liefert, wenn 300 fach süfsende Producte zur Untersuchung kommen. Als besonderes Reinheitskriterium empfiehlt
Verfasser, den Schmelzpunkt des Saccharins zu bestimmen. Absolut reines Saccharin schmilzt bei 223,5 bis 224°, wenn man bis
200° vorher ziemlich rasch erhitzt hat. Verfasser empfiehlt auch
zur Beurtheilung der Reinheit des Saccharins die Bestimmung der
Feuchtigkeit, sowie des Glührückstandes. Reine Saccharine besitzen sehr geringe Mengen Feuchtigkeit und kaum nennenswerthe
Antheile eines Glührückstandes. Wenn man von den sog. Sac-
charinnatriumpräparaten absieht, kann man zur Beurtheilung der
Reinheit des Saccharins die directe Titration mit $1/10$-Normal-
alkali unter Zusatz von Phenolphtaleïn als Indicator benutzen.
1 g Saccharin entspricht 54,6 ccm $1/10$-Normalalkali. Aus den
Untersuchungen des Verfassers ergiebt sich, dafs von den verschiedenen Handelsmarken das französische Saccharin das beste
und reinste Product ist. Ziemlich gleichwerthig mit diesem ist
das von der Firma „Chemische Industrie, Basel" in den Handel
gebrachte Product. Von den deutschen Präparaten ist das Präparat von Dr. F. v. Heyden-Radebeul dem Präparat der Fabrik
Fahlberg, List u. Co.-Salbke a E. vorzuziehen.   *Tr.*

Hefelmann. Zur Untersuchung der Handelssaccharine [2]. —
Verfasser kommt in Folge der Mittheilungen Eckenroth's
und Fahlberg, List u. Co.[3] nochmals auf seine Methode der

[1]) Pharm. Zeitg. 41, 141—142. — [2]) Daselbst, S. 379. — [3]) Pharm.
Zeitg. 41, 344; siehe vorstehendes Referat.

Saccharinbestimmung zu sprechen. Danach wird der Saccharingehalt einer Handelsprobe indirect durch Bestimmung des Imidstickstoffs ermittelt. Etwa vorhandene Parasäure kann man ohne wesentlichen Fehler ebenfalls indirect aus der Differenz zwischen Gesammtstickstoff und Imidstickstoff bestimmen. Wägbar sind noch Parasäuremengen von 1 Proc., nachweisbar noch 0,1 bis 0,2 Proc. Von den deutschen Saccharinpräparaten erwies sich die Marke „Sulfinid, chem. rein" der Firma von Heyden als am reinsten, Parasäure wurde darin nicht gefunden. *Mr.*

Karl Brenzinger. Bestimmung der Parasulfanilsäure [1]. — Die Methode beruht darauf, daſs aus Parasulfanilsäure bei Einwirkung von Brom (in Gestalt wässeriger Lösung) die Sulfogruppe glatt in Form von Schwefelsäure abgespalten wird. Durch Bestimmung der letzteren kann die Parasulfanilsäure leicht ihrer Menge nach ermittelt werden. Da aus Metanilsäure die Sulfogruppe durch Brom nicht abgespalten wird, so können Verunreinigungen derselben an Parasulfanilsäure leicht bestimmt werden. *Hr.*

Aetherische Oele, Balsame, Kautschuk. — E. Russel Budden. Ueber ein geeignetes Polarimeter zur Prüfung ätherischer Oele [2]. — Der Apparat besitzt den Vorzug, in jedem Winkel Beobachtung mit gewöhnlichem Licht zuzulassen. Die Beschreibung ist ohne Abbildung nicht zu geben. *Bl.*

Em. Gossart. Nachweis von Verfälschungen der vegetabilischen Essenzen [3]. — Wenn zu einer flüssigen Mischung eine andere, die qualitativ gleich zusammengesetzt, aber in anderem Verhältniſs gemischt ist, zugetropft wird, so taucht der Tropfen ein, ist auch die quantitative Zusammensetzung sehr ähnlich, so rollt er auf der Flüssigkeit herum. Mittelst dieses „homöotropischen Verfahrens" will Verfasser ätherische Oele, deren Verunreinigung qualitativ bekannt ist, quantitativ prüfen, indem zu einem reinen Präparat so lange von der Verunreinigung zugesetzt wird, bis das Gemisch mit der in Frage stehenden Probe „homöotrop" ist. *Bl.*

Schimmel u. Co. Zur Werthbestimmung einiger ätherischer Oele [4]. — *Bergamottöl.* Reines hinterläſst 5 bis 6 Proc. Verdampfungsrückstand (hauptsächlich Bergapten). Ein Mehr läſst

---

[1] Zeitschr. angew. Chem. 1896, S. 131—133. — [2] Analyst 21, 14—15; Ref.: Chem. Centr. 67, I, 507. — [3] Bull. soc. chim. [3] 15, 597—609. — [4] Schimmel u. Co., Ber. 1896, October; Pharm. Zeitg. 41, 697—698; Ref.: Chem. Centr. 67, II, 977—978.

auf fettes Oel schliefsen. Es löst sich in $^1/_2$ Thl. 90 proc. Alkohol. Die Dichte 0,882 bis 0,886 wird durch Verfälschung mit Terpentinöl, Citronenöl, Pomeranzenöl und Alkohol verringert, durch fettes Oel und Cedernholzöl erhöht. Die optische Drehung im Decimeterrohr bei 15 bis 20° ist + 8 bis + 10°. Der wichtigste Bestandtheil ist Linalylacetat, von welchem 30 bis 40 Proc. vorhanden sind. Es wird durch Verseifung von 2 g Oel mit 10 ccm $^1/_2$ norm. alkohol. Kalilauge und Zurücktitriren (Indicator Phenolphtaleïn) bestimmt. *Citronenöl.* Dichte 0,858 bis 0,856, optische Drehung im Decimeterrohr + 59 bis + 67° bei 20° Temperatur (Temperaturcorrection ist angegeben). Terpentinöl allein vermindert die Drehung; ist aufserdem Pomeranzenöl anwesend, so kann die Drehung normal sein. Nach fractionirter Destillation wird in diesem Falle die Rotation der zuerst übergehenden 10 Proc. des Destillats bestimmt, in welcher Fraction am meisten niedrig siedendes Pinen enthalten ist. Die Rotation ist beträchtlich kleiner. *Pomeranzenöl.* D^{15}, 0,848 bis 0,852. Optische Drehung im Decimeterrohr + 96 bis + 98°. Alle Verfälschungen vermindern dieselbe. Verfälschung mit Terpentinöl wird wie beim Citronenöl nachgewiesen. *Lavendelöl.* D^{15}, 0,883 bis 0,895. Optische Drehung im Decimeterrohr — 4 bis — 8°. Reines Oel löst sich in drei Raumtheilen 70 proc. Alkohol. Hauptbestandtheil Linalyl- und wenig Geranylacetat; zusammen wenigstens 30 Proc., oft 40 Proc. *Nelkenöl* enthält im Vorlauf Methylalkohol und Furfurol. Amerikanisches *Pfefferminzöl* enthält kleine Mengen Amylalkohol und Schwefelverbindungen. *Rautenöl.* Dichte 0,833 bis 0,840. Optische Drehung 0° 3′ bis 2° 10′ im Decimeterrohr. Klar löslich in 2 bis 3 Thln. 70 proc. Alkohol. Erstarrt bei 8 bis 10° in Folge Ausscheidung von Methylnonylketon. *Rosmarinöl.* Dichte über 0,900; dreht schwach rechts; löst sich in $^1/_2$ Thl. 90 proc. Alkohol, in 10 Thln. 80 proc. *Y.*

Arthur Bornträger. Zur Prüfung des Bergamottöls auf Reinheit[1]. — Verfasser giebt gegenüber Schimmel u. Co.[2] zu, dafs aufser der Bestimmung der Verseifungszahl auch die des specifischen Gewichtes und des optischen Drehungsvermögens gemacht werden müsse, da der Gehalt des Bergamottöls letzter Ernte an Linalylacetat oft nur 33 bis 34 Proc. betrug, während Verfasser in einer früheren Abhandlung[3] 38,5 bis 42 Proc. gefunden hatte. *Bl.*

---

[1] Zeitschr. anal. Chem. **35**, 523—525. — [2] Siehe vorstehendes Referat. — [3] Zeitschr. anal. Chem. **35**, 35.

Siegmund Charas. Ueber Kremel's Benzoinreaction zur Unterscheidung des ätherischen Bittermandel- und Kirschlorbeeröles [1]). — Nach Kremel (Commentar zur österreichischen Pharmacopoë) giebt Bittermandelöl beim Kochen mit alkoholischem Kali die Benzoinreaction, Kirschlorbeeröl nicht. Dies ist unzutreffend, beide Oele verhalten sich vielmehr gleich, da das Benzoin durch Einwirkung des Cyankalis auf den Benzaldehyd entsteht und seine Bildung von der Quantität der im Oel enthaltenen Blausäure abhängt. . *Bl.*

Jos. Hendrix. Ueber Sandelholzöl [2]). — Ein gutes Oel soll bei 15° nach Cripps das specifische Gewicht nicht unter 0,97, nach Schimmel u. Co. nicht unter 0,975 besitzen. Bei 20° mufs sich 1 Thl. Oel in 5 Thln. 70 proc. Alkohol klar lösen. Im 100 mm-Rohr schwankt die Drehung zwischen — 16 und — 20°. Reines Oel ist schwach gelblich oder farblos, von neutraler oder schwach saurer Reaction und enthält 90 Proc. Santalol. Verfasser giebt noch folgende Reaction an. Eine alkoholische Lösung von Carbolsäure, in der Sandelholzöl gelöst ist, giebt beim Ueberschichten mit concentrirter Salzsäure bei reinem Oele an der Berührungszone der beiden Schichten eine gelbe, bald tiefroth werdende Färbung. *Tr.*

Karl Dieterich. Beiträge zur Verbesserung der Harzuntersuchungsmethoden [3]). — In weiterer Verfolgung des Gegenstandes bespricht Verfasser seine die Verseifung betreffenden Versuche. Er ist von der Verseifung durch sehr langes Behandeln der Harze mit Alkali und Wasserdampf wieder zurückgekommen. I. *Perubalsam.* 1 g wird in einem ½-Literkolben mit 50 ccm Petroläther und 50 ccm ½ norm. alkoholischer Kalilauge versetzt, unter Umschütteln, gut verschlossen, 24 Stunden stehen gelassen. Hierauf wird mit 300 ccm Wasser versetzt und nach Lösung der ausgeschiedenen Harzseife mit ½ norm. Schwefelsäure zurücktitrirt. Die verbrauchten Cubikcentimeter Kalilauge × 28 geben die Verseifungszahl; sie ist 260 bis 276 und wird durch Verfälschung mit Styrax, Benzoë, Copaivabalsam, Ricinusöl etc. erniedrigt. Bei Bestimmung der *Säurezahl* ist möglichste Verdünnung erforderlich. Die Zahl ist 68 bis 80 und wird durch Verfälschungen erhöht. Durch Subtraction derselben von der Verseifungszahl wird die Esterzahl gefunden; sie schwankt zwischen 188 und 196. Die Be-

---

[1]) Zeitschr. österr. Apoth.-Ver. 34, 549—552; Ref.: Chem. Centr. 67, II, 564. — [2]) J. Pharm. Chim. [6] 4, 499—501; Ref.: Chem. Centr. 68, I, 166. — [3]) Ber. d. pharm. Ges. 6, 247—275; Ref.: Chem. Centr. 67, II, 1137—1139.

stimmung der ätherunlöslichen Bestandtheile läſst Verfälschungen nicht erkennen. Die bei dieser Bestimmung nebenbei erhaltene ätherische Lösung wird zur Bestimmung des Cinnameïns und Harzesters benutzt. Man schüttelt sie mit 20 ccm 2 proc. Natronlauge aus und wägt den Verdunstungsrückstand, Cinnameïn. Aus der abgetrennten alkalischen Harzlösung wird der Harzester durch Säure ausgefällt, filtrirt und gewogen. Die Gehalte an Harzester und Cinnameïn stehen ungefähr im Verhältniſs von 1 : 3. Verhältnisse wie 1 : 2 bezw. 1 : 5 lassen auf grobe Verunreinigung schlieſsen. Verfasser macht Versuche über die Anwendbarkeit der Methode der „kritischen Temperatur" von Weiſs (s. d.), sowie der Maumené'schen Erhitzungszahl mit concentrirter Schwefelsäure. II. *Ammoniacum.* Bei Bestimmung der flüchtigen Säuren ist von Anfang titrirte Lauge in die Vorlage zu bringen. Für die Ausführung der Destillation wird eine genaue Vorschrift gegeben. Ammoniacum mit hoher Säurezahl ist vorzuziehen. — Zur Prüfung auf Verfälschung mit Galbanum wird im salzsauren Auszug auf Umbelliferon reagirt. Die Verseifungszahl wird ähnlich wie beim Perubalsam kalt bestimmt. Es werden gleichzeitig zwei Proben in Arbeit genommen und es wird die zweite nach 24 stündigem Stehen mit weiterem Normalalkali versetzt und noch 24 Stunden stehen gelassen. Wird dann zurücktitrirt, so erhält man einen zweiten, gröſseren Alkaliverbrauch, *Verseifungszahl,* von welchem die zuerst gefundene „*Harzzahl*" abgezogen wird. Die Differenz ist die „Gummizahl". *Bl.*

Karl Dieterich. Beiträge zur Verbesserung der Harzuntersuchungsmethoden [1]. — III *Galbanum.* Die Untersuchung geschieht in ganz ähnlicher Weise, wie vorstehend für Perubalsam und Ammoniacum angegeben. Verfasser giebt eine Specialvorschrift für die Bestimmung der Harz-, Gummi- und Verseifungszahlen, den obigen ganz ähnlich. Die Säurezahlen schwanken zwischen 73 und 114,2, die Harzzahlen zwischen 107,8 und 122,5, die Gummizahlen zwischen 8,4 und 11,1, die Verseifungszahlen zwischen 116,2 und 135,8. *Bl.*

Karl Dieterich. Ueber den Nachweis von Vanillin in Harzen [2]. — Vanillin ist zum Unterschied von fast allen Harzbestandtheilen in Salzsäure löslich. Zur quantitativen Bestimmung (im Perubalsam, Styrax, Benzoë) wurden die salzsauren Auszüge von 1 kg Material stark alkalisch gemacht und mit 20 g Hydroxyl-

[1] Ber. d. pharm. Ges. **6.** 305—314; Ref.: Chem. Centr. **68,** I, 131—132. — [2] Pharm. Centr.-H. **37,** 424—427; Ref.: Chem. Centr. **67,** II, 364—365.

aminchlorhydrat erwärmt. Das Vanillinoxim wird mit Aether ausgeschüttelt. Das aus Styrax gewonnene Vanillinoxim ist mit dem
synthetischen identisch, demnach ist im Styrax nicht der Di-
methyl- oder Methyläthyläther des Protocatechualdehyds, sondern
Vanillin selbst anwesend. Das Verfahren von Wöllner, i. e. Abscheidung des Vanillins als β-Trithioanilin, ergab Verfasser keine
guten Resultate. Ferner konnte Verfasser die Pyrogallolsalzsäure-
reaction zu einem colorimetrischen Verfahren verwerthen; dasselbe
giebt etwas zu hohe Resultate.   *Bl.*

   J. Montpellier. Zur Analyse von Guttapercha [1]). — Zur
Beurtheilung einer Guttapercha sind der Wassergehalt, der Gehalt an reiner Guttapercha, sowie der Harze Fluavil und Alban,
der Aschengehalt und etwaige fremde Substanzen zu ermitteln.
Der Wassergehalt ist wegen der leichten Oxydirbarkeit der Guttapercha nicht im Luftbade, sondern durch sechs bis sieben Stunden
langes Erhitzen auf 100° in einer Kohlensäure- oder Stickstoff-
atmosphäre zu bestimmen. Die Harze Fluavil und Alban bestimmt
man zunächst zusammen, indem man 0,5 bis 1 g des fein zer-
schnittenen Materials zunächst in einem aus Platindrahtnetz
hergestellten Conus fünf bis sechs Stunden erhitzt und dann den
Rückstand dieselbe Zeit noch im Soxhlet'schen Apparate mit
Alkohol extrahirt und hierauf bei 100° im Kohlensäurestrom
trocknet. Aus der Gewichtsdifferenz der Guttapercha vor und
nach der Behandlung mit Alkohol erhält man unter Addition des
Wassergehaltes die Mengen Fluavil und Alban. Die beiden Harze
lassen sich durch Auskrystallisiren trennen; das Alban ist in Alkohol weniger löslich. Verunreinigungen lassen sich durch Extraction mit Chloroform, welches Guttapercha sowie die genannten
Harze löst, feststellen. Der Aschengehalt der Guttapercha überschreitet nie 0,5 Proc.   *Hf.*

   Alkaloide, Bitterstoffe. — H. Thoms. Toxikologisch-chemische Arbeiten [2]). — Verfasser hat die vier Methoden des Nachweises der Alkaloide (Stas-Otto, mod. Stas-Otto, Verf. n. Hilger,
Dragendorff und Kippenberger) einer vergleichenden Prüfung
unterzogen und kommt dabei zu dem Schluß, daß die Methode
von Kippenberger den Vorzug vor den übrigen Verfahren verdient, indem sie ohne Schwierigkeiten durchführbar ist und dabei
sehr brauchbare Resultate liefert. Verfasser hat nun bei dieser
Methode außer den Pflanzenstoffen auch eine Reihe von synthetisch

[1]) Ann. Chim. anal. appl. 1, 1; Ref.: Chemikerzeit. 20, Rep. 47. —
[2]) Ber. d. pharm. Ges. 6, 276—284.

dargestellten, stark oder giftig wirkenden Körpern berücksichtigt, z. B. Acetanilid, Antipyrin, Chinin, Coffeïn, Pikrinsäure, Piperin, Salicylsäure, Sulfonal und Santonin. Beim Arbeiten nach der Kippenberger'schen Methode ist daher, wenn man diese Stoffe berücksichtigt, folgender Gang einzuschlagen: durch Chloroform werden ausgeschüttelt aus *saurer Lösung* Acetanilid, Aconitin, Antipyrin, Cantharidin, Coffeïn, Colchicin, Digitalin, Geissospermin, Jervin, Narcotin, Papaverin, Pikrinsäure, Pikrotoxin, Piperin, Salicylsäure, Sulfonal und Santonin, aus *alkalischer Lösung* Aromorphin, Atropin, Brucin, Chinin, Codeïn, Coniin, Emetin, Nicotin, Pilocarpin, Sparteïn, Strychnin und Veratrin, nach *Uebersättigen mit Alkalibicarbonat* Morphin und Narceïn, nach *Zusatz von Kochsalz* Strophanthin. Da beim Ausschütteln mit Chloroform häufig Emulsionen entstehen, so empfiehlt sich, um diese Emulsionen zu beseitigen, häufig Zusatz von etwas Alkohol oder Aether. Bei Gegenwart von Quecksilberchlorid wird der Nachweis der Alkaloide oft erschwert, da z. B. Coffeïn und auch Antipyrin mit Quecksilberchlorid Verbindungen eingehen, die als solche in das Ausschüttelungsmittel übergehen.   *Tr.*

Vadam. Charakterisirung der Alkaloide durch ihre mikrokrystallinischen Niederschläge [1]. — Die verdünnte salzsaure Alkaloidlösung wird auf 12 Objectgläschen gebracht und der Reihe nach mit 12 Reagentien versetzt. Je nachdem krystallinische oder amorphe Formen oder gar keine Ausscheidungen auftreten, läfst sich eine grofse Anzahl von Alkaloiden ausscheiden, so dafs bald nur die Wahl zwischen einer sehr beschränkten Zahl durch Specialreactionen nachzuweisender Alkaloide bleibt.   *Bl.*

Adam Jaworowski. Ein neues Reagens auf Alkaloide [2]. — Nach Jaworowski können die vanadinsauren Salze zum Nachweise der Alkaloide dienen. Zur Darstellung des Reagens werden 0,3 g vanadinsauren Natrons in 10 ccm Wasser unter Erwärmen gelöst und nach der Abkühlung mit einer Lösung von 0,3 g CuSO$_4$ in 10 ccm Wasser zusammengegossen. Dazu wird so viel concentrirter Essigsäure zugegossen, als es zur Lösung des ausgefallenen vanadinsauren Kupfers erforderlich ist. Bei der Untersuchung wird eine bestimmte Menge des Alkaloids in einer Mischung von 4 bis 5 ccm Wasser mit 1 bis 10 Tropfen verdünnter Essigsäure (1 : 18) gelöst. Wenn man mit einem Alkaloidsalze zu thun hat, so fällt Essigsäure aus. Die kalte Lösung wird mit einem Tropfen

---

[1] J. Pharm. Chim. [6] **4**, 485—488; Ref.: Chem. Centr. **67**, I, 133. —
[2] Russ. Zeitschr. Pharm. **35**, 326—328.

des Reagens versetzt. Wenn nach ¹/₄ Stunde kein Niederschlag
entstanden ist, so wird ein Theil der Lösung erwärmt und zu
dem anderen Theile wird mehr vom Reagens zugesetzt. Aus dem
Erscheinen der Trübung und Concentration des Alkaloids wird
über die Angehörigkeit des letzteren zu einer von drei folgenden
Gruppen geschlossen. Die erste Gruppe enthält diejenigen Alkaloide, die aus einer 0,0x- bis 0,00x proc. Lösung gefällt werden.
Hierzu gehören folgende Alkaloide: Thebaïn, Berberin (gelber
Niederschlag), Nicotin, Aconitin (dunkelgelber Niederschlag),
Strychnin, Chinin, Chinidin Cinchonidin, Cinchonin, Brucin,
Emetin, Apomorphin (blauer Niederschlag). Zur zweiten Gruppe
gehören diejenigen Alkaloide, die aus einer 0,x proc. Lösung ge-
fällt werden. Hierzu gehören: Morphium, Spartein, Papaverin,
Atropin, Narcotin, Codeïn, Cocaïn, Hyoscin. Zur dritten Gruppe
der Alkaloide gehören solche, welche keinen Niederschlag geben,
nämlich: Coffeïn, Colchicin, Coniin, Cotoin, Narceïn, Pilocarpin,
Piperin, Solanin, Theobromin, Veratrin.   *Wr.*

H. Behrens. Zur mikroskopischen Analyse[1]. — Zum mikroskopischen Nachweis der Alkaloide machte Verfasser folgende
Angaben: *Cocain* wird aus verdünnter saurer Lösung durch
Natriumcarbonat oder Natronlauge in prismatischen Krystallen,
aus mäfsig concentrirten neutralen Lösungen durch Platinchlor-
wasserstoff als Haufwerke von gekrümmten Feder- und Haar-
krystallen ausgeschieden. — *Strychnin*, aus salzsaurer Lösung
durch Ferrocyankali gefällt, giebt sehr charakteristische Aggregate, theils aus blafsgelben Tafeln, theils aus prismatischen
Zwillingsformen, mit 120° Neigung der Hauptaxe bestehend,
theils auch flügelartige Gebilde. — *Brucin* wird aus concentrirten
Lösungen durch Alkalien in dünnen Prismen· und bräunlichen,
verästelten oder fächerförmig angeordneten Nadeln gefällt. —
Morphin in alkalischer Lösung giebt mit Ammoncarbonat rechtwinkelige, bis 300 µ lange Prismen mit negativer Doppelbrechung
und gerader Auslöschung, oft zu Gittern von 2000 µ Ausdehnung
vereinigt. Aus saurer Lösung fällt Natriumbicarbonat prismatische
und pyramidenförmige, oft in der Mitte tonnenartig verbreiterte
Krystalle von Morphin. Natriumcarbonat fällt rascher 400 bis
500 µ lange, rechtwinkelige oder sechseckige Prismen. — *Codeïn*
fällt mit Natriumbicarbonat nach längerer Zeit vom Rande des

[1] Behrens, Anleitung zur mikroskopischen Analyse der wichtigsten
organischen Verbindungen. Verl. von Leop. Vofs; Ref.: Zeitschr. Nahrungsm.
10, 250—252.

sich dunkel färbenden Probetröpfchens aus; 10 bis 40 μ dicke, 100 bis 400 μ lange, rhombische, mit Domen combinirte Prismen. — *Narcotin* scheidet sich durch Kochen des wenig angesäuerten Acetates in grofsen, prismatischen, büschelförmigen Krystallen aus; Natriumcarbonat fällt ähnliche Formen. — *Narceïn* fällt durch Kochen der essigsauren Lösung rascher als Narcotin in haarförmigen, zu Büscheln vereinigten oder zu Rosetten gruppirten, bräunlichen Krystallen. Dem Referate sind acht Figuren beigegeben, welche vorstehende Angaben verdeutlichen. *Bl.*

W. P. H. van den Driessen Mareeuw. Colorimetrische Alkaloidbestimmung in Extractum Chinae liquidum [1]). — Man bestimmt die Verdünnung, bei welcher auf Zusatz von Kaliumquecksilberjodid (Meyer's Reagens) keine Opalescenz mehr eintritt. Zu dem Zwecke wird 1 g Extract zu 1 Liter in Wasser gelöst, 1 ccm hiervon mit zwei Tropfen Salzsäure versetzt und auf 8 ccm aufgefüllt; dann mufs, wenn der vorgeschriebene Mindestgehalt von 4 Proc. Alkaloiden vorhanden sein soll, durch fünf Tropfen des Reagens noch Opalescenz eintreten. *Mr.*

C. Kippenberger. Eine neue, für die analytische Praxis geeignete Methode der quantitativen Isolirung von Alkaloiden [2]). — Verfasser findet, dafs die jodwasserstoffsauren Alkaloidsuperjodide in Aceton sehr leicht löslich sind, und gründet auf diese Beobachtung folgende quantitative Isolirungsmethode. Die gefällten Superjodide werden auf dem Filter mit Wasser gewaschen und nach vollständigem Ablaufen desselben in Aceton aufgelöst. Auf Zusatz von Wasser zur klaren Lösung fallen die Superjodide wieder aus, durch Zusatz der nöthigen Menge Alkali geht das Jod als Jodid und Jodat, das Alkaloid als jodwasserstoffsaures Salz in Lösung. Zusatz von Säure im Ueberschufs macht wieder etwas Jod frei, welches durch Thiosulfat entfernt wird. Es resultirt so eine saure, wässerige Alkaloidlösung, welche nach Verdunsten des Acetons und Freimachen der Base durch Alkalizusatz mit Aether oder Chloroform aufgenommen wird. Um zu ermitteln, ob die Methode auch für forense Zwecke geeignet sei, werden gewogene Alkaloidmengen in verschiedenen Flüssigkeiten, unter anderen in Lösungen von Albumin und Pepton, Syntonin, Caseïn und in Blut, sowie in Extracten aus allen Leichentheilen gelöst und die Lösung analysirt. Um zu verhindern, dafs die Proteïnstoffe, deren Superjodide in Aceton theilweise löslich sind, in den Jodidnieder-

---

[1]) Nederl. Tijdschr. Pharm. **8**, 105—111; Chem. Centr. **67**, I, 1086. — [2]) Zeitschr. anal. Chem. **35**, 407—421.

schlag eingehen, wurde die Fällung in neutraler oder schwach
alkalischer Lösung durchgeführt, wobei keine Proteïne ausfallen.
Eine grofse Reihe von Amidokörpern der Fettreihe, wie Glycocoll etc., der aromatischen Reihe, Tyrosin etc., ferner Körper, wie
Cholin, Neurin, Cadaverin, Xanthinbasen, Lecithin, Harnstoff,
Alloxan etc., fallen mit Jodjodkalium ebenfalls nicht aus. Somit
erscheint die Methode für forense Fälle geeignet. Weiter stellte
Verfasser Versuche an, wie weit das Verfahren zur quantitativen
Bestimmung von Alkaloiden in officinellen Extracten etc. dienlich
sei und zwar mit günstigem Erfolge. Er bringt für diese Zwecke
die kleine Aenderung an, dafs der mit verdünntem Alkali und
Säure behandelten *sauren* acetonhaltigen Lösung das Aceton nebst
Jodspuren durch Petroläther entzogen wird, wobei auch eventuelle
andere Verunreinigungen in Lösung gehen. Zur Erlangung un-
gefärbter Alkaloide empfiehlt Verfasser dieselben, statt wie gewöhnlich mit Ammoniak, mit Sodalösung versetzt, mit Aether zu
extrahiren. Gelegentlich beobachtet Verfasser, dafs eine *stark*
alkalische, wässerige Morphinlösung auf Zusatz von wenig Jodkalium enthaltender Jodlösung gelb und dann grasgrün wird,
vermuthlich durch Bildung von Oxydimorphin. Die Reaction tritt
nur bei Morphin, nicht bei Apomorphin, Codeïn etc. ein. *Bl.*

  C. Kippenberger. Die Benutzung von Jodlösungen zum
Zwecke der titrimetrischen Werthbestimmung von Alkaloidlösungen.
III [1]). — Im Anschlufs an zwei vorhergehende Mittheilungen [2])
läfst der Verfasser auf eine Reihe von Salzsäure, Schwefel-
säure, Bromwasserstoff, Jodwasserstoff, sowie Salze enthaltenden
Alkaloidlösungen (Strychnin, Brucin, Chinin, Morphin, Atropin,
Narcotin) Jod in Jodkalium gelöst, einwirken und bestimmt durch
Analyse des Filtrates vom Superjodidniederschlag die Menge Jod-
wasserstoffsäure und freies Jod, welche zur Bildung des jodwasser-
stoffsauren Alkaloidsuperjodids nöthig war. Der Verbrauch an
Jodwasserstoff oder an Jod sollte bei einsäurigen Alkaloiden der
Formel Alk. H J. J$_2$ entsprechen, es wird aber, von ganz besonderen,
noch zu erörternden Umständen abgesehen, meist viel mehr Jod
verbraucht. Wie diese Mengen sich mit geänderten Versuchsbedingungen ändern, beschreibt der Verfasser in ausführlicher
Weise unter Heranziehung eines umfangreichen Versuchsmaterials.
Das Ziel, die Bedingungen aufzufinden, unter denen die Alkaloide,
wie theoretisch angenommen, 2 Atome Jod per Aequivalent ver-
brauchen und demnach jodometrisch titrirt werden können, wird

---

[1]) Zeitschr. anal. Chem. 35, 422—471. — [2]) Daselbst 34, 294; 35, 10.

im Wesentlichen nicht erreicht; nur dann, wenn das Alkaloid
in titrirter Salzsäure oder Schwefelsäure gelöst wird und hierauf
mit einer Lösung, die 1 g Silbernitrat mit 10 g Jodkalium zu
20 ccm gelöst, enthält, in dem Verhältniſs versetzt wird, daſs auf
jedes Säureäquivalent genau 1 Silberäquivalent vorhanden ist,
giebt die darauf folgende jodometrische Titration die gewünschten
Resultate. Der Verfasser führt aus, daſs die Unregelmäſsigkeiten
daher rühren, daſs das jodwasserstoffsaure Superjodid sich nicht
durch Addition von Jodwasserstoff und Jod, sondern in der Weise
bildet, daſs das durch hydrolytische Spaltung in der sauren Lösung
frei gewordene Alkaloid groſsentheils, zunächst mit dem freien Jod,
unter Bildung von jodwasserstoffsaurem Alkaloid und *Jodsäure*
reagirt, worauf ersteres weiterhin Jod aufnimmt, während die
Jodsäure mit anwesender Jodwasserstoffsäure wieder freies Jod
bildet. Die Einzelheiten mögen in der Originalabhandlung nach-
geschlagen werden; Referent konnte diese Ansichten weder theilen
noch verstehen. In einer Nachschrift bespricht Verfasser eine
Abhandlung von M. Gomberg[1]) über die Einwirkung von
Wagner's Reagens auf Caffeïn und bestreitet, daſs Caffeïn in
essigsaurer Lösung mit Jodlösung keinen Niederschlag erzeugt,
zeigt vielmehr, daſs beim Caffeïn ähnliche Verhältnisse walten
wie beim Chinin (welches als zweisäurige Base 4 Jod addirt), daſs
aber in Folge der starken hydrolytischen Spaltung der wässerigen
Caffeïnsalzlösung genau 4 Jod addirt werden. *Bl.*

E. Riegler. Asaprol als Reagens auf Alkaloide[2]). — Asaprol
kann zum Nachweise von Eiweiſskörpern dienen. Die Albumosen
und Peptonfällungen verschwinden beim Erwärmen, erscheinen
aber nach dem Erkalten der Flüssigkeit wieder. Ganz so verhalten sich gegen Asaprol die Alkaloide in saurer Lösung. Bleibt
also der durch Asaprol im Harn erzeugte Niederschlag bestehen,
so ist mit Sicherheit Albumin erkannt, ein Verschwinden der
Fällung würde für Albumosen und Peptone, sowie für Alkaloide
sprechen und müſste man dann auf letztere weiter untersuchen.
Als Alkaloide, die in saurer Lösung Niederschläge geben, hat
Verfasser bisher folgende erkannt: Antipyrin, Atropin, Brucin,
Chinidin, Chinin, Cinchonidin, Cocain, Codeïn, Morphin, Pilocarpin,
Sparteïn, Strychnin und Veratrin. *Tr.*

H. Beckurts u. G. Frerichs. Zur quantitativen Bestimmung
von Alkaloiden in pharmaceutischen Extracten[3]). — Verfasser

[1]) Siehe diesen JB., S. 2311. — [2]) Wien. med. Bl. 1896, Nr. 13; Ref.:
Pharm. Centr.-H. 37, 845. — [3]) Apoth.-Zeitg. 11, 916—917.

haben das von C. Kippenberger empfohlene Verfahren zur
quantitativen Bestimmung von Alkaloiden, welches sich auf die
Fällung von jodwasserstoffsauren Alkaloidsuperjodiden mittelst
einer Jodjodkaliumlösung gründet, an Extracten geprüft und
kommen dabei zu dem Schluſs, daſs das genannte Verfahren
unbrauchbar ist, weil durch Jodjodkalium nicht blofs Alkaloide,
sondern auch gewisse, in den Extracten enthaltene Extractivstoffe
gefällt werden, somit also eine Trennung von Alkaloiden und
Extractstoffen unmöglich wird.   *Tr.*

    W. A. Puckner. Ueber die Bestimmung des Caffeïns [1]). —
Gomberg's Verfahren (S. 2301) giebt wechselnde Resultate und
hat gegenüber der Methode, das Caffeïn aus schwach schwefelsaurer
Lösung mit Chloroform auszuschütteln, keine Vortheile. Das Ausschütteln gelingt, entgegen Gomberg's Angaben, sehr vollständig
auch dann, wenn die Lösung ziemlich reich an Schwefelsäure ist.
                                                          Bl.

    Georges. Ueber die Bestimmung des Caffeïns [2]). — Das
Verfahren ist auf die von Tanret beobachtete Erscheinung basirt,
daſs die Natriumsalze der Zimmtsäure, Benzoësäure und Salicylsäure die Löslichkeit des Caffeïns in Wasser steigern. 5 g der
fein pulverisirten Probe mischt man mit feinem Sand und zieht
dann mit einer 1 proc. Natriumsalicylatlösung so lange aus, bis
die Flüssigkeit ungefärbt abläuft. Man dampft dann bis auf
50 ccm ein, extrahirt mit Chloroform und gewinnt so nach dem
Verdunsten des Chloroforms ein weiſses Präparat.   *Tr.*

    A. Petit und P. Terrat. Bestimmung des Caffeïns im Thee [3]).
— Bei der Caffeïnbestimmung Kalk oder Magnesia anzuwenden,
um das in den Vegetabilien vorhandene gebundene Caffeïn frei-
zumachen, ist zwecklos, da diese Substanzen dies nicht zu bewirken vermögen. Als brauchbar empfohlen wird das Verfahren
von Petit und Legrise, d. h. Extraction des durchfeuchteten
Thees mit Chloroform; statt dessen kann auch 60- bis 80 proc.
Alkohol Verwendung finden. Grandval's Verfahren, Extraction
des mit Ammoniak und Aether durchmischten Thees mit Chloroform, bietet gegen das obige keine Vortheile.   *Bl.*

    E. H. Gane. Die Bestimmung des Caffeïns im Thee [4]). —
Verfasser bestätigt durch eine Versuchsreihe die Beobachtungen

---

[1]) Amer. Chem. Soc. J. 18, 978—981. — [2]) J. Pharm. Chim. [6] 4,
58—59; Ref.: Chem. Centr. 67, II, 516. — [3]) Ann. Chim. anal. appl. 1896,
I, 228; Ref.: Chemikerzeit. 20, Rep. 204. — [4]) Chem. Soc. Ind. J. 15,
95—96; Ref.: Chem. Centr. 67, I, 873.

Allen's über die Extraction von Thee. Man kann wässerige Lösungen von Caffeïn bis zur Trockne eindampfen, ohne dafs Alkaloidverluste eintreten. Werden Caffeïnlösungen mit Kalk erhitzt, so können Verluste von 20 bis 50 Proc. eintreten, während beim Kochen mit Magnesia keine Abnahme zu bemerken ist. Mittelst Chloroform oder Aether kann man Gemische von gepulverten Theeblättern mit Kalk oder Magnesia nicht vollständig durch Extraction erschöpfen. Arbeitet man nach der von Allen vorgeschlagenen Methode, so erhält man meist gleich hohe, zuweilen auch gröfsere Zahlen als nach der Paul'schen Methode. Die bequeme und zuverlässige Methode von Allen wird, wie folgt, ausgeführt: 6 g fein gepulverter Thee werden mit 500 ccm Wasser sechs Stunden am Rückflufskühler gekocht, das Filtrat wird auf 600 ccm aufgefüllt, gekocht und mit 4 g Bleiacetat versetzt. Nach zehn Minuten langem Kochen am Rückflufskühler filtrirt man und dampft 500 ccm des Filtrates auf 50 ccm ein. Das überschüssige Blei beseitigt man mit· Natriumphosphat, dann dampft man auf 40 ccm ein und entzieht das Caffeïn durch vier- bis fünfmaliges Ausschütteln mit Chloroform.   *Tr.*

M. Gomberg. Ueber die Einwirkung von Wagner's Reagens auf Caffeïn und eine neue Methode zur Bestimmung desselben[1]). — Wagner's Reagens fällt aus neutraler und essigsaurer Lösung Caffeïn nicht, fällt es hingegen aus mineralsaurer Lösung quantitativ als Perjodid der Formel: $C_8 H_{10} N_4 O_2$, HJ, J_4. Die Eigenschaften dieser wohlcharakterisirten Substanz von violettrother Farbe und dem Schmelzpunkt 213 bis 215° werden beschrieben. Zur Bestimmung wird das Caffeïn mit Chloroform ausgezogen, mit Bleiacetat und Schwefelwasserstoff gereinigt und die Lösung in zwei Theile getheilt. Ein Theil wird sofort mit Jodjodkalium gefällt und im klaren Filtrat das Jod zurücktitrirt. Der zweite Theil wird erst angesäuert, dann in gleicher Weise behandelt. Aus der Differenz ergiebt sich die Caffeïnmenge (der erste Theil läfst Superjodide von fremden, aus neutralen Lösungen fällbaren Verunreinigungen fallen). 1 ccm $^1/_{10}$ norm. Jodlösung = 0,00485 g Caffeïn. Verfasser tritt den Ansichten Kippenberger's[2]) über die Art der Einwirkung von Jod auf Alkaloide entgegen. Keinesfalls hält er dieselben auf die beim Caffeïn statthabenden Verhältnisse übertragbar.   *Bl.*

A. Eminger. Methoden der Theobrominbestimmung in Cacao-

---

[1]) Amer. Chem. Soc. J. **18**, 378—384; siehe Puckner, S. 2300. —
[2]) Zeitschr. anal. Chem. **34**, 317; **35**, 10.

präparaten [1]). — Nach Versuchen des Verfassers wird 1 Thl. Theobromin gelöst von 736,5 Thln. Wasser bei 18⁰, von 136 Thln. bei
100⁰, von 5399 Thln. 90 proc. Alkohol bei 18⁰, von 440 Thln. bei
Siedehitze, von 818 Thln. siedendem absolutem Alkohol, von
21000 Thln. Aether bei 17⁰, von 4856 Thln. Methylalkohol bei
18⁰, von 5808 Thln. Chloroform bei 18⁰, von 2710 Thln. siedendem
Chloroform. In Tetrachlorkohlenstoff ist Theobromin bei 18⁰ vollständig unlöslich. Wird Theobromin mit fixen alkalischen Erden,
mit Alkalien oder Bleihydroxyd längere Zeit in der Wärme in
Berührung gebracht, so erleidet es Zersetzung. Theobromin beginnt bei 220⁰ zu sublimiren, ohne zu schmelzen; Coffeïn sublimirt
bei 180⁰ und beginnt bei 220⁰ zu schmelzen. Die Bestimmung
des Theobromins im Cacaosamen oder dessen Präparaten kann
nach folgendem Verfahren vorgenommen werden: 10 g der gepulverten Substanz werden im Kolben mit 150 g Petroleumäther
übergossen, der Kolben verkorkt und die Mischung unter öfterem
Umschütteln etwa 12 Stunden stehen gelassen. Das ausgezogene
Fett kann vernachlässigt werden, da Coffeïn darin nicht nachgewiesen werden kann. Die rückständige Masse wird getrocknet
und 5 g davon zur Theobrominbestimmung verwendet; man kocht
dieselben mit 100 g einer 3 - bis 4 proc. Schwefelsäure vor dem
Rückflufskühler, bis die Bildung von Cacaoroth bemerkbar wird,
was etwa eine halbe Stunde dauert. Sodann wird der Inhalt des
Kolbens in ein Becherglas gespült und in der Hitze mit der vorher genau berechneten Menge Baryumhydroxyd neutralisirt, hierauf
in einer Quarzsand enthaltenden Schale zur Trockne verdampft.
Der Rückstand wird fünf Stunden lang mit 150 g Chloroform im
Soxhlet'schen Apparat ausgezogen, das Chloroform abdestillirt
und der Rückstand eine Stunde lang bei 100⁰ getrocknet. Hierauf
wäscht · man mit höchstens 100 g Tetrachlorkohlenstoff, indem
man den Inhalt des Kolbens eine Stunde lang öfter umschüttelt,
wobei das Fett und das Coffeïn in Lösung gehen. Diese Lösung
wird filtrirt, verdunstet, der hierbei erhaltene Rückstand wiederholt mit Wasser ausgekocht, die wässerige Lösung in einer gewogenen Schale abgedampft und der Rückstand (Coffeïn) gewogen. Der im Kolben befindliche, in Tetrachlorkohlenstoff
unlösliche Theil wird mit dem Filter, durch welches filtrirt wurde,
mit Wasser ausgekocht, die Lösung filtrirt, abgedampft und das
zurückbleibende reine Theobromin gewogen. Auf diese Weise

----

[1]) Forschungsber. über Lebensm. 3, 275—285; Ref.: Deutsche Chemikerzeitung 11, 377.

wurden in 18 verschiedenen Cacaosorten 0,88 bis 2,34 Proc. Theobromin und 0,00 bis 0,36 Proc. Coffeïn gefunden. *Bl.*

Melchior Kubli. Die Anwendung meiner Methode der Prüfung des Chininsulfates auf salzsaures Chinin [1]. — Bei der Anwendung der modificirten Ammoniakprobe von **Kerner** und **Weller** auf salzsaures Chinin wird dieses durch Glaubersalzzusatz in Chininsulfat verwandelt und wie dieses geprüft. Da aber, wie Verfasser zeigt, die Löslichkeit des Chininsulfates bei überschüssigem Natriumsulfat bedeutend verringert ist, ist es erforderlich, eine genau bestimmte Menge Natriumsulfat zuzusetzen. Für 18 g lufttrockenes Chininchlorhydrat sind genau 0,375 g chemisch reines, wasserfreies Natriumsulfat nöthig; eine derart vorschriftsmäſsig bereitete Lösung verhält sich bei der „Wasserprobe" und „Carbodioxydprobe" genau normal, ebenso wie eine entsprechend bereitete Lösung von reinem Chininsulfat. Bei Prüfung von reinem Chininchlorhydrat, dem absichtlich 1 bis 10 Proc. der salzsauren Nebenalkaloide, Cinchonidin, Hydrochinin, Chinidin und Cinchonin zugesetzt wurden, zeigte sich, daſs alle diese Verunreinigungen bis zu $1/_2$ Proc. herab durch die Wasserprobe scharf nachgewiesen werden, insbesondere wurde bemerkt, daſs das Verhalten mit Cinchonidinchlorhydrat verunreinigten salzsauren Chinins sich genau deckt mit dem der meisten Handelssorten von Chininchlorhydrat (welches also offenbar hauptsächlich mit Cinchonidin verunreinigt zu sein pflegt), ebenso wie dies vom Verfasser früher [2] für schwefelsaures Chinin schon nachgewiesen wurde. Die Ausführung der Wasserprobe gestaltet sich beim Chininchlorhydrat folgendermaſsen: 1,8 g Chininchlorhydrat und 0,375 g wasserfreies Natriumsulfat werden im gewogenen Kölbchen mit Wasser auf 62 g gebracht, fünf Minuten zum Kochen erhitzt, rasch unter Schütteln auf 19 bis 20° abgekühlt, durch Wasserzusatz wieder zu 62 g ergänzt, eine halbe Stunde unter Schütteln in einem Wasserbade von 20° stehen gelassen. Der Niederschlag wird durch ein trockenes Filter (von 9 cm Durchmesser) zurückgehalten und von der klaren Chininlösung *A* werden 5 ccm in einem trockenen Gläschen mit drei Tropfen einer Sodalösung (1 Thl. trockene Soda, 10 Thle. Wasser) versetzt, worauf destillirtes Wasser bis zur klaren Lösung zugefügt wird. Bei chemisch reinem, salzsaurem Chinin werden genau 10 ccm Wasser nöthig sein (Titer). Dieser Titer vergröſsert sich, wenn Nebenalkaloide anwesend sind und

---

[1] Russ. Zeitschr. Pharm. **35**, 705—708, 721—725, 738—741, 753—756, 769—771. — [2] Daselbst **34**, 593, 609, 625, 641, 657, 673, 689, 705, 721, 737.

zwar beträgt der Mehrverbrauch per Procent Verunreinigung
0,55 ccm, wenn dieselbe Cinchonidin ist, 0,50 ccm, wenn sie aus
Hydrochinin, 3,0 ccm, wenn sie aus Chinidin, und 0,75 ccm, wenn
sie aus Cinchonin besteht. Bei der Carbodioxydprobe verhalten
sich die Verunreinigungen ebenfalls völlig so, wie dies bei der
Prüfung des Chininsulfates (l. c.) schon gezeigt wurde; insbesondere
verringert eine Beimengung von ¹/₂ bis 4 Proc. Hydrochinin das
Volumen des ausgeschiedenen Chinincarbonates um ein und denselben Werth von 0,2 ccm, während die drei übrigen Chinin-
begleiter zunächst bis zu 2 Proc. das Volumen des ausgeschiedenen
Chinincarbonates vermehren, bei größerer Menge aber vermindern und schließlich die Ausscheidung ganz verhindern. Untersuchungen käuflicher Chininsorten ergaben, daß die als purissimum
bezeichneten Handelssorten ¹/₂ bis 9 Proc. Verunreinigungen enthalten, welche bis zu einem Gehalt von 5 Proc. durch die in der
Pharmacopöe vorgeschriebene *officinelle Ammoniakprobe nicht* gefunden wurden. — Die beiden Proben, insbesondere die Wasser-
proben, genügen allen praktischen Anforderungen, die Wasserprobe
ist in einer Stunde, die Carbodioxydprobe in einundeinhalb Stunden
auszuführen, zusammen geben sie ein deutliches Bild von der
Größe und Art der Verunreinigung. Es wird die Ausführung für
officinelle Zwecke genau angegeben. Die Wasserprobe ist oben
schon beschrieben; für die Carbodioxydprobe werden 5 ccm der
Chininlösung *A* (s. o.) in einem trockenen Glascylinder von 25 bis
30 ccm Inhalt mit drei Tropfen der Sodalösung versetzt, der entstandene Niederschlag wird durch Zusatz von 5 ccm einer reinen,
frisch bereiteten Bicarbonatlösung klar gelöst, worauf bei 15⁰
luftfreie, trockene Kohlensäure eingeleitet wird. Man erhält bei
reinem Chininchlorhydrat (Ph. Germ. III) eine reichliche, die
Flüssigkeit erfüllende Ausscheidung, bei verunreinigtem, aber noch
der Pharm. russ. IV entsprechendem Präparat eine ziemlich reichliche, noch meßbare Menge eines Niederschlages, bei recht unreinem (noch der Pharm. russ. III entsprechendem) Präparat deutliche Spuren einer krystallinischen Ausscheidung.   *Bl.*

O. Hesse. Zur Prüfung von Chininsulfat[1]. — Verfasser
unterzog die beiden Methoden von Kubli[2], von denen die eine
die verschiedene Löslichkeit der Chinaalkaloidsulfate in Wasser
benutzt und die andere in der Fällbarkeit von *reinem* Chininsulfat durch Kohlensäure beruht, einer Nachprüfung. Die beiden

---

[1]) Arch. Pharm. 234, 195—203. — [2]) Siehe vorstehendes Referat; Russ.
Zeitschr. Pharm. 34, 593, 609, 625, 641, 657, 673, 689, 705, 721, 737.

Methoden sind nicht als einwandsfrei zu betrachten und erfordern eine gewisse Geschicklichkeit, daher zieht Verfasser die Ammoniakprobe diesen beiden Proben, als leichter ausführbar und zu weniger Täuschungen veranlassend, vor.   *Mr.*

Melchior Kubli. Zur Prüfung des Chininsulfates nach meiner Methode[1]). — Verfasser widerlegt ausführlich die von Weller und Hesse[2]) gegen seine Methode der Prüfung von Chininsulfat[3]) gemachten Einwürfe.   *Bl.*

J. G. Kramers. Ueber die Bestimmung des Chinins mit Nitroprussidnatrium[4]). — Kalte, gegen Lackmus neutral reagirende, wässerige Chininsalzlösungen geben mit Nitroprussidnatrium einen in Tropfen sich abscheidenden, allmählich krystallinisch werdenden Niederschlag von lachsbrauner Farbe. Heiſse, etwa 1 proc. Lösungen geben mit Nitroprussidnatrium eine milchige, bald verschwindende Fällung; beim Erkalten aber scheiden sich lange Krystallnadeln ab. Das nitroprussidwasserstoffsaure Chinin ist in kaltem (10°) Wasser sehr wenig löslich, in solchem, welches Nitroprussidnatrium enthält, fast unlöslich, wenig in kaltem Alkohol, gar nicht in Aether und Benzol löslich. Es schmilzt unter Zersetzung bei 177 bis 185°; im feuchten Zustande zu rasch über 105° erhitzt, werden die Krystalle in Folge partieller Zersetzung blau. Das Hydrochinin verhält sich ganz wie das Chinin, nur ist der Niederschlag etwas löslicher als die Chininverbindung. Die anderen Chinaalkaloide geben mit Nitroprussidnatrium nur ölige Tropfen, die nicht krystallinisch erstarren; die Verbindungen sind nur wenig löslicher als die Chininverbindung. Kein Niederschlag entsteht, wenn die Lösung 1,07 mg Cinchonidin, 1,62 mg Chinidin, 2,68 mg Cinchonin oder 5,74 mg Homocinchonidin im Cubikcentimeter enthält. Zur Prüfung der Chininsalze des Handels versetzt man eine höchstens 1 proc. Lösung derselben in der Wärme mit Nitroprussidnatrium, läſst erkalten, filtrirt nach ein bis drei Tagen und sammelt den Niederschlag in einem, in seinem engen Theil mit einem Baumwollpfropfen verstopften Filtrirröhrchen, wäscht die Krystalle mit wenig Wasser aus und trocknet vorsichtig bei 105 bis 110°. Das Filtrat wird durch Versetzen mit Seignettesalz auf Cinchonidin geprüft oder alkalisch gemacht, mit Aether ausgeschüttelt und der Verdunstungsrückstand gewogen.   *Bl.*

---

[1]) Arch. Pharm. 234, 570—585. — [2]) Siehe vorstehendes Referat. — [3]) Russ. Zeitschr. Pharm. 34, 657, 673, 689, 705, 721, 737. — [4]) Rec. trav. chim. Pays-Bas 15, 138—147.

Adam Jaworowsky. Neues Reagens auf Chinin [1]). — Man versetzt 5 ccm der Alkaloidlösung tropfenweise mit einer frisch bereiteten Lösung von 10 proc. Natriumthiosulfatlösung in 5 proc. Kupfersulfatlösung. Bei Gegenwart von Chinin, Chinidin, Cinchonin, Cinchonidin entsteht ein gelber Niederschlag. Man darf die Mischung zum Nachweise des Chinins nur circa eine Minute beobachten, da die Mischung selbst unter Zersetzung Niederschlag bildet. Atropin, Brucin, Cocaïn, Coffeïn, Morphium, Papaverin, Theobromin und Veratrin geben diesen Niederschlag nicht, Strychnin nur schwache Trübung.   *Mt.*

Alfred H. Allen. Ueber die Titration des Chinins [2]). — Chininsulfat reagirt gegen Cochenille, Rothholz und Blauholz neutral, hingegen alkalisch gegen Methylorange, auf welches das sogenannte saure Sulfat, $(C_{20}H_{24}N_2O_2)H_2SO_3$, neutral reagirt. Die Wirkung verschiedener Alkaloide auf die meisten Indicatoren wird besprochen.   *Bl.*

David Howard. Zur Chininprobe [3]). — Verfasser bringt eine Zusammenstellung einiger gebräuchlichen Methoden der officinellen Chininprüfung nebst Besprechung ihrer Vorzüge und Nachtheile, ohne Neues zu sagen.   *Bl.*

C. Carrez. Eine neue Reaction auf Antipyrin und Chinin [4]). — Ein Gemisch gleicher Theile von Chinin und Antipyrin giebt, mit Bromwasser und hierauf mit Ammoniak versetzt, eine rothe Färbung, die keine der Substanzen für sich giebt. Die rothe Verbindung, Chinerythropyrin, läfst sich durch Chloroform ausschütteln. Man kann auf diese Weise, nach Zusatz von Antipyrin auf Chinin, sowie nach Zusatz von Chinin auf Antipyrin prüfen. Das Verfahren ist auch zur Prüfung des Harns brauchbar. *Bl.*

C. Kippenberger. Zur chemischen Werthbestimmung des Antipyrins [5]). — Nach **Manseau** [6]) läfst sich Antipyrin durch Jodlösung bestimmen, indem eine 1 proc. wässerige Lösung bei 40° mit Jodjodkalium versetzt wird, bis die über dem Niederschlag stehende Flüssigkeit Stärkelösung bläut. Verfasser findet dieses Verfahren unbrauchbar; es werden nur dann richtige Werthe gefunden, wenn die Antipyrinlösung mit reichlichen Mengen Jodwasserstoffsäure versetzt ist, da sonst der Jodverbrauch ein bei Weitem zu hoher wird. Zur Erklärung des Mehrverbrauchs werden ähnliche Speculationen herangezogen, wie in der Abhandlung

---

[1]) Russ. Zeitschr. Pharm. **35**, 83—85. — [2]) Analyst **21**, 85—86; Ref.: Chem. Centr. **67**, I, 1146. — [3]) Pharm. J. [4] Heft 1381, S. 505—507. — [4]) J. Pharm. Chim. [6] **3**, 253—255. — [5]) Zeitschr. anal. Chem. **35**, 659—677. — [6]) JB. f. 1889, S. 2440.

„Benutzung von Jodlösungen zum Zwecke der titrimetrischen Werthbestimmung von Alkaloidlösungen" (s. d.). Unter Anwendung obiger
Vorsichtsmaſsregel läſst sich auch Salipyrin titriren. Anwesenheit von Acetanilid, Phenacetin, Sulfonal stört nicht; auch Anilin
nicht, wenn die Lösung genügend sauer ist. Das colorimetrische
Verfahren von Schaak (beruhend auf Bildung von Nitroso-
antipyrin) giebt nach Verfasser kaum brauchbare Resultate. Besser
könnte eine Methode sein, die auf Fällung des säurefreien Antipyrins mittelst Gerbsäure beruht.   *Y.*

   J. Jean. Quantitative Bestimmung des Kolanins [1]). — Die fein-
gepulverten, mit Kalk versetzten Kolanüsse werden durch Chloroform vom Coffeïn und Theobromin befreit, das rückständige Pulver
wird mit 90 proc. Alkohol extrahirt. Aus dem Extract wird Tannin
und Farbstoff durch Kochen mit Wasser entfernt und der unlösliche Rückstand, Kolanin, getrocknet und gewogen.   *Y.*

   Vulpius. Ueber Eucaïn und Cocaïn [2]). — Die sehr ähnlichen Alkaloide sind durch Farbenreactionen nicht zu unterscheiden. Das Eucaïnchlorhydrat löst sich bei 12° in 9 Thln.
Wasser, das Cocaïnchlorhydrat in weniger als seinem Gewichte.
Zur Prüfung von Cocaïn auf Eucaïn wird 0,1 g Chlorhydrat, in
50 ccm Wasser gelöst, mit zwei Tropfen Ammoniak versetzt. Reine
Cocaïnlösung scheidet nach einer Minute Cocaïnkrystalle ab und
bleibt klar und durchsichtig, während bei nur 2 Proc. Eucaïn
Trübung auftritt, die durch Wasserzusatz verschwindet. Eucaïn
färbt ebenso wie Cocaïn feuchtes Calomel grau, nur langsamer.
                                                        Y.

   H. Behrens. Zur mikrochemischen Unterscheidung von
Cinchonidin und Homocinchonidin [3]). — Dem Verfasser gelang
es, auf mikrochemischem Wege Unterschiede zwischen den Brom-
und Jodhydraten, den Chloroplatinaten von Cinchonidin und
Homocinchonidin, sowie zwischen den freien — durch Fällung
und Sublimation erhaltenen — Basen festzustellen. Eine 0,5 proc.
Lösung der Chlorhydrate von Cinchonin, Cinchonidin und Homocinchonidin läſst beim Erwärmen und auf Zusatz von wenig
Natriumbicarbonat zuerst nur Cinchonin (kurze Stäbchen, ohne
Gabelung und Verästelung) ausfallen; später wird Cinchonidin
in Gestalt von spitzen Nadeln und fadenförmigen, stark verästelten Gebilden gefällt; Homocinchonidin liefert dagegen sechs-

[1]) Pharm. Centr.-H. 37, 303 und Rép. de Pharm. 1896, Nr. 3; Ref.:
Chem. Centr. 67, II, 67. — [2]) Pharm. Centr.-H. 37, 295—296; Ref.: Chem.
Centr. 67, II, 121. — [3]) Zeitschr. anal. Chem. 35, 133—143.

seitige Täfelchen und grofse Sterne. Noch stärker tritt der Unterschied in der Ausbildung an Sublimaten von Cinchonidin und Homocinchonidin hervor. Platinchlorid fällt aus verdünnter, schwach salzsaurer Lösung das Cinchonidinchloroplatinat in Gestalt von anfangs klaren, später radialfaserigen Sphäroiden, das Homocinchonidinsalz in Form grofser, verzweigter Dendriten und Rosetten. Beim Eindampfen mit Salzsäure und Bromnatrium wird das Bromhydrat des Cinchonidins in Tröpfchen, dasjenige des Homocinchonidins in grofsen Prismen und Pyramiden erhalten. Auch das saure Jodhydrat des ersteren wird nur in gelben Tröpfchen erhalten, während man es beim letzteren in grofsen citronengelben Prismen erhält. Die Homocinchonidinsalze zeigen also eine gröfsere Krystallisationsfähigkeit als die Cinchonidinsalze, und lassen sich nicht als verunreinigte Salze des Cinchonidins auffassen; vielmehr scheint es zwei Modificationen dieser Base zu geben, die zwar in ihren physikalischen Eigenschaften (Löslichkeit, Schmelzpunkt, Activität) nur geringe Unterschiede aufweisen, aber sowohl in freiem Zustande wie auch in ihren Salzen verschieden krystallisiren. Nach Hesse (Ann. Chem. 258, 140) soll es gelingen, die beiden Cinchonidinarten in schwefelsaurer Lösung in einander überzuführen (in der Wärme Cinchonidin in Homocinchonidin, in der Kälte Homocinchonidin in Cinchonidin), der Verfasser erhielt jedoch bei seinen Umwandlungsversuchen negative Resultate. Zum Schlufs theilt der Verfasser noch die Resultate der Untersuchung von verschiedenen Cinchonidin-, Homocinchonidin- und Chinetumproben einer Amsterdamer Chininfabrik mit. *Br.*

D. B. Dott. Opiumprüfung [1]). — Verfasser beschreibt und kritisirt die älteren und neueren Methoden der Morphiumbestimmung im Opium und schlägt schliefslich zwei neue Methoden vor. Die erste besteht darin, dafs er 10 g Opium mit Alkohol (0,920) extrahirt, die Lösung auf ein Viertel eindampft, dann mit einer 0,05 g Ammoniumoxalat enthaltenden wässerigen Lösung versetzt, genau mit Ammoniak neutralisirt und nach einstündigem Stehen filtrirt. Das Filtrat wird auf 8 ccm eingeengt und mit 2,5 ccm Ammoniak (0,960) und 25 ccm Alkohol versetzt. Nach 18 stündigem Stehen filtrirt man durch ein gewogenes Filter, wäscht mit morphiumhaltigem Wasser, trocknet, wäscht mit Chloroform, trocknet bei 80°, wägt und titrirt. Nach der anderen Methode werden 10 g Opium mit 30 ccm Wasser digerirt, 10 ccm

---

[1]) Chem. Soc. Ind. J. 15, 91—94; Ref.: Chem. Centr. 67, I, 869.

Wasser mit 1,8 g Chlorbaryum zugesetzt, dann rührt man um, filtrirt und wäscht. Im erwärmten Filtrate fällt man das Baryum durch Schwefelsäure, filtrirt, neutralisirt das Filtrat mit Ammoniak und dampft auf 8 ccm ein. Nach Zusatz von 0,05 g Ammoniumoxalat kühlt man, setzt 1 ccm Alkohol, 1 ccm Aether und überschüssiges Ammoniak hinzu, rührt um und filtrirt nach vier bis fünf Stunden durch ein gewogenes Filter. Schliefslich wäscht man mit morphiumhaltigem Wasser, trocknet, wäscht mit Chloroform, trocknet, wägt und titrirt das Morphium in einem aliquoten Theil. *Tr.*

G. Looff. Bestimmung des Morphins in Opium [1]). — Um aus dem Opiumauszuge diejenigen Stoffe zu entfernen, die bei der Fällung des Morphins hinderlich sind, verwendet Verfasser salicylsaures Natrium und giebt folgende Vorschrift an: 5 g fein gepulvertes Opium reibt man mit 5 g Wasser an, verdünnt und bringt die Mischung in einem gewogenen Kölbchen auf 44 g Gesammtgewicht. Alsdann schüttelt man das verschlossene Kölbchen eine Viertelstunde, fügt 1 g salicylsaures Natrium hinzu, schüttelt von Neuem ein Paar Minuten und filtrirt. 25,8 g des Filtrates, entsprechend 3 g Opium, versetzt man mit 3 g Aether und 1 g Ammoniakflüssigkeit, schüttelt kräftig durch (10 Minuten) und sammelt das ausgeschiedene Morphin auf einem kleinen glatten Filter, wäscht mit Wasser nach, trocknet, wäscht alsdann mit Benzol und trocknet von Neuem. *Tr.*

Richard Kifsling. Zur Bestimmung des Nicotins und des Ammoniaks im Tabak [2]). — Die von Vedrödi vorgeschlagene Verwendung von Petroläther an Stelle von Aethyläther empfiehlt sich nicht, da bei dem hohen Siedepunkt des Petroleumäthers jedenfalls die Gefahr, dafs beim Abdestilliren des Petroleumäthers aus einer ätherischen Nicotinlösung Nicotinverluste entstehen, gröfser ist, als bei Verwendung des niedriger siedenden Aethyläthers. Die Befürchtung Vedrödi's, dafs bei dem Uebertreiben des Nicotins im Wasserdampfstrome Alkali mit übergerissen wird, ist bei genauem Arbeiten nach der Vorschrift hinfällig. Die·Bestimmung des Ammoniaks nach Vedrödi durch Destillation von 20 g Tabakpulver mit 10 ccm alkoholischer Natronlösung und 100 ccm Wasser bis zur Trockne wird durch frühere Untersuchungen von.Vedrödi selbst, wonach sich aus den stickstoffhaltigen organischen Bestandtheilen des Tabaks unter Einwirkung von Natronlauge Ammoniak bildet, als unrichtig hingestellt. Zur Ermittelung

---

[1]) Apoth.-Zeitg. 11, 192. — [2]) Zeitschr. anal. Chem. 34, 731—734.

der verschiedenen im Tabak enthaltenen Stickstoffverbindungen verfährt man zweckmäſsig wie folgt: Der Nicotingehalt wird in üblicher Weise bestimmt. Zur Bestimmung des Amidostickstoffs werden 10 g Tabakpulver mit 100 ccm 40 proc. Alkohols am Rückfluſskühler extrahirt, nach dem Erkalten wird filtrirt und das Filtrat von Alkohol befreit. Der Rückstand wird mit Wasser, welches mit Schwefelsäure angesäuert ist, verdünnt und dann zur Ausfällung der Eiweiſsstoffe, Peptone, des Nicotins und des etwa vorhandenen Ammoniaks mit möglichst wenig Phosphorwolframsäure versetzt. Von der auf 100 ccm verdünnten Flüssigkeit filtrirt man 75 ccm ab, dampft dieselben unter Zusatz von etwas Chlorbaryum im Hoffmeister'schen Schälchen ein und bestimmt den Stickstoff in gewohnter Weise. Ferner werden 20 g Tabakpulver mit etwa 350 g schwefelsäurehaltigem Wasser in der Wärme behandelt; man verdünnt dann mit so viel Wasser, daſs das Gewicht der gesammten Flüssigkeit 400 g beträgt, filtrirt ab und fällt in 200 g die Eiweiſskörper und andere organische Stoffe mit Quecksilberchlorid; filtrirt wiederum, entfernt das Quecksilber mit Schwefelwasserstoff und führt die Amide durch einstündiges Kochen des sauren Filtates vom Schwefelquecksilber in Ammoniak und Amidosäuren über. Nach Zusatz von Alkali werden dann Nicotin und Ammoniak im Wasserdampfstrome ausgetrieben und das Ueberdestillirende in titrirte Schwefelsäure geleitet. Man erhält so alle Daten zur Berechnung von Nicotin, Ammoniak und Amidin, wobei die Hälfte des ermittelten Amidostickstoffs in Rechnung gestellt wird; der verbleibende Restbetrag vom Gesammtstickstoff des Tabaks ist auf Eiweiſs umzurechnen. *Hf.*

G. Dragendorff. ˙Beiträge zur gerichtlichen Chemie[1]). — Verfasser beschreibt die Eigenschaften und Reactionen nachfolgender neuerer Arzneimittel: *Pyrodin* (Acetylphenylhydrazin), *Malakin* (Salicylaldehyd - p - Phenetidin), *Lactophenin* (Lactophenacetin), *Gallanol* (Gallanilid), *Analgen* (o-Aethoxy-ana-Monobenzoylamidochinolin), *Thermodin* (Acetyl-p-Aethoxyphenylurethan), *Neurodin* (Acetyl-p-Oxyphenylurethan), *Symphorole* (Natrium, Lithiumund Strontiumsalze der Caffeïnsulfosäure). Von Glycosiden und Bitterstoffen sind *Strophantin*, *Adonidin*, *Helleboreïn*, *Convallamarin*, *Digitonin* und *Digitalin*, *Saponin*, *Sapotoxin*, *Quillajasäure*, *Phloridzin*, *Amygdalin*, *Hesperidin*, *Ononin*, *Condurangin*, *Podophyllin*, *Podophyllotoxin*, *Pikropodophyllin*, *Cotoin*, *Paracotoin*, *Leucotin*, *Peucadanin* und *Ostruthin* durch Identitätsreactionen charakterisirt.

[1]) Arch. Pharm. 234, 55—87.

Da die Quebrachoalkaloide in einzelnen Reactionen dem Strychnin und Brucin ähneln, so sind auch für das *Quebrachin* Reactionen angegeben, die zur Unterscheidung von den genannten Alkaloiden benutzt werden können. Aufserdem sind Reactionen zum Nachweise folgender Stoffe angeführt: *Aspidospermin, Quebrachamin, Hypoquebrachamin, Aspidosamin, Erythrophlocin, Ditain, Ditamin, Hydrochinin, Cuprein, Chinamin, Cinchonamin, Hydrocinchonin, Cinchotenin, Eserin, Eseridin, Cytisin* und *Arecolin.* Zum Schlufs sind die spectroskopischen Eigenschaften des *Morphins* und *Oxydimorphins* angegeben, die zur Unterscheidung beider dienen können. *Tr.*

P. J. L. Reijnen. Trennung einiger organischer Verbindungen [1]. — Verfasser versucht für die meisten neuen Arzneimittel einen systematischen Trennungsgang auszuarbeiten. Das Ziel wurde nur theilweise erreicht; folgender Weg bewährte sich am besten. Die Probe wird mit Petroläther behandelt: *1. Gruppe;* sehr leicht löslich in Petroläther: *Thymol* und *Salol*, trennbar durch verdünnte Natronlauge. *2. Gruppe;* wenig löslich: Betol, Exalgin, α-Naphtol, β-Naphtol, Tetronal, Trional. *3. Gruppe;* erst in 1000 Thln. Petroläther löslich oder ganz unlöslich: Acetanilid, Antipyrin, Methacetin, Phenacetin, Resorcin, Saccharin, Salipyrin, Sulfonal. *Trennung der zweiten Gruppe:* Bei Behandlung mit 90 proc. Alkohol bleibt Betol gröfstentheils zurück. Das Filtrat wird mit dem gleichen Volumen Wasser versetzt, hierbei fällt noch etwas Betol, ferner Trional und Tetronal aus; letzteres bleibt beim Auskochen mit Wasser zurück, ersteres wird gelöst. Die verdünnte alkoholische Lösung wird zur Trockne eingedampft, und die Naphtole werden durch verdünnte Natronlauge aufgenommen (die Trennung der beiden von einander gelang nicht). Es bleibt nur Exalgin neben Spuren von Trional und Tetronal zurück; durch Behandeln mit starker Salzsäure wird ersteres gelöst. *Trennung der dritten Gruppe:* Der von Petroläther nicht gelöste Rückstand wird mit kleinen Benzolmengen geschüttelt; leicht gelöst werden Sulfonal, Salipyrin und Antipyrin. Sulfonal erkennt man durch seine Unlöslichkeit in Alkohol. Da Antipyrin bei gleichzeitiger Anwesenheit von Resorcin theilweise in Resopyrin übergeht, wird nach Abscheidung des Sulfonals mit einem Ueberschufs von Aetznatron behandelt und mit Chloroform ausgeschüttelt. Antipyrin geht in Chloroform über. Die Natronlösung wird

---

[1] Nederl. Tijdschr. Pharm. **8**, 172—190, 229—237; Ref.: Chem. Centr. **67**, II, 213, 640—641.

angesäuert; es fällt Salicylsäure aus, und aus dem Filtrat wird
durch Aether das Resorcin gewonnen. Der in Benzol unlösliche
Antheil der dritten Gruppe wird durch Wasser vom Rest des
Resorcins befreit. Der Rückstand hinterläfst beim Behandeln mit
Chloroform Saccharin ungelöst. Der Verdampfungsrückstand des
Chloroforms wird mit concentrirter Salzsäure übergossen. Es hinterbleibt Phenacetin und Acetanilid, während aus der salzsauren Lösung durch Wasser Methacetin gefällt wird. Verfasser bringt auch
eine Anzahl Angaben über die Reactionen neuerer Heilmittel und
deren Löslichkeit in den verschiedenen Lösungsmitteln.   *Bl.*

C. H. la Wall. Die festen Extracte und die Regelung ihres
Gehaltes an wirksamen Bestandtheilen [Standardisation][1]. — Die
durch die verschiedene Herstellung, das Lagern u. s. w. hervor-
gerufenen Mifsstände in Beziehung auf den Gehalt pharmaceu-
tischer, fester Extracte an wirksamen Bestandtheilen, sowie die
Regelung der diesbezüglichen Verhältnisse wurden eingehend besprochen.   *Sd.*

H. Eschenburg. Bestimmung des Alkaloidgehaltes in Cort.
Chinae succirubrae[2]. — Verfasser bespricht zunächst die verschiedenen Methoden, die in der Literatur verzeichnet sind und
kommt dabei auf Grund ausführlicher Untersuchungen zu dem
Schlufs, dafs zur Zeit noch kein Verfahren bekannt ist, nach
welchem mit geringem Zeitaufwand und ohne besondere Uebung
gute Resultate erhalten werden. Verfasser giebt auch ein Verfahren an, mit dem er sehr einfach rein weifse Alkaloide erhielt,
doch nur ca. 65 Proc. vom Gesammtgehalt, so dafs, wenn dieses
Verfahren nicht vervollkommnet werden kann, es keinen besonderen
Werth besitzt.   *Tr.*

J. M. A. Hegland. Abscheidung und quantitative Bestimmung von Hydrastin in Extractum Hydrastis liquidum[3]. — Nach
dem Alkalischmachen des Extractes mittelst Ammoniak schüttelt
man mit Aether aus, wäscht die Aetherlösung mit etwas Wasser,
versetzt mit Oxalsäure und destillirt den Aether ab. Den Rückstand zieht man alsdann mit warmem Wasser aus, übersättigt
die filtrirte Flüssigkeit mit Ammoniak und extrahirt von Neuem
mit Aether. Man dunstet nunmehr die filtrirte Aetherlösung zur
Trockne und hat jetzt einen schwach gelben amorphen Rückstand
von reinem Hydrastin, das sich klar in Alkohol und in angesäuertem
Wasser löst.   *Tr.*

[1] Pharm. J. 56, 161—162. — [2] Apoth.-Zeitg. 11, 147—148. — [3] Nederl.
Tijdschr. Pharm. 8, 197—198; Ref.: Chem. Centr. 67, II, 454.

H. Beckurts. Ueber die Bestimmung des Hydrastins und Berberins im Extractum Hydrastis canadensis [1]). — Auf Veranlassung von Beckurts hat W. Schultze folgendes zuverlässiges Verfahren ausgearbeitet: Das Extract. Hydrast. fluid. wird mit Bleiessig gereinigt, das Blei mit Schwefelsäure gefällt, die Hälfte des Filtrates wird vom Alkohol befreit, mit Ammoniak alkalisch gemacht und mit Aether ausgeschüttelt. Der Verdunstungsrückstand wird nochmals mit kleinen Aethermengen aufgenommen, dieser wird nebst Spuren von Ammoniak durch Einblasen von Luft entfernt und der in gemessener $1/_{10}$ norm. Salzsäure gelöste Rückstand wird mit $1/_{100}$ norm. Alkali zurücktitrirt. 1 ccm $1/_{100}$ norm. Salzsäure = 0,00383 g Hydrastin; als Indicator dient Cochenille. Das Verfahren von O. Linde ist ebenfalls gut brauchbar. *Bl.*

G. Daccomo und L. Scoccianti. Bestimmung der Filixsäure in den officinellen Präparaten von Filix mas [2]). — Verfasser verwertheten die Eigenschaft der Filixsäure, in ätherischer Lösung aus wässeriger Kupferacetatlösung das Kupfersalz der Filixsäure, $(C_{14}H_{15}O_5)_2Cu$, quantitativ auszufällen, um den Gehalt der officinellen Präparate an Filixsäure mittelst Kupferacetates zu ermitteln. Verfasser haben an einer Reihe von Extracten nach der genannten Methode den Gehalt an Filixsäure ermittelt. Die hierbei gefundenen Werthe zeigen sehr grosse Schwankungen bei den verschiedenen Extracten und kann der Grund hierfür in der verschiedenen Herkunft und der verschiedenen Sammelzeit der zu den Extracten verwendeten Materialien gesucht werden. Doch bedingen nach Ansicht der Verfasser auch verschiedene andere Ursachen die Zusammensetzung des ätherischen Extractes, so vor allem die Reinheit des Aethers, sowie die Dauer der Einwirkung der Lösungsmittel. *Tr.*

· Alois Kremel. Aloë. Nachweis derselben in Gemischen [3]). — Aloïn bezw. Aloëpulver wird durch concentrirte Salpetersäure zu der bei Verdünnung mit Wasser sich ausscheidenden Chrysaminsäure oxydirt, welche an ihren charakteristischen Eigenschaften: carminrothe Färbung des Alkalisalzes, violette Färbung des Ammonsalzes und Unlöslichkeit des Barytsalzes in Wasser leicht erkannt wird. *Natal*aloë giebt keine Chrysaminsäure. Bei Prüfung von Tincturen und wässerigen Extracten werden zunächst durch Behandeln mit Alkohol Eiweifsstoffe abgeschieden. Durch

[1]) Apoth.-Zeitg. 11, 552; Ref.: Chem. Centr. 67, II, 565—566. — [2]) Boll. chim. farm. 1896 [5], S. 129; Ref.: Apoth.-Zeitg. 11, 174—176. — [3]) Helfenberger Annal. 1895, S. 25—30; Ref.: Chem. Centr. 67, II, 365—366.

Aufnehmen des Verdunstungsrückstandes mit Wasser werden Harze zurückgelassen. Die wässerige Lösung wird mit basischem Bleiacetat gereinigt, das Blei wird entfernt und der Verdampfungsrückstand mit Salpetersäure oxydirt. Eine grofse Anzahl untersuchter Tincturen gab negative, nach Zusatz von 1 Proc. Aloë positive Resultate. *Bl.*

M. Pierre Apéry. Neue Reaction auf Aloë für gerichtlich chemische Untersuchungen [1]. — Das Untersuchungsobject wird mit Alkohol extrahirt, der Verdunstungsrückstand in Wasser gelöst, die Lösung mit Bleiacetat gereinigt und mit Essigsäure oder Salpetersäure neutralisirt. Einige Tropfen Eisenchloridlösung erzeugen selbst bei Verdünnung von 1 : 3000 eine braune Färbung. Sabina, Absynthium etc., die ähnlichen Zwecken wie Aloë dienen, geben diese Reaction nicht, Phenole enthaltende Substanzen, wie Kolanüsse, Arecanüsse, Pambotano, geben zwar eine ähnliche Reaction, kommen aber als *Tonica* gewifs nie mit dem drastischen Aloë zusammen in Betracht, da sie dessen Wirkung aufheben. Andere Reactionen, wie die von Bornträger, Coippes, Kremel, werden besprochen und nicht geeignet gefunden. *Bl.*

Farbstoffe. — B. W. Gerland. Ueber einige neue Methoden zur Indigoprüfung [2]. — Die alte Methode, in Extracten den Indigo durch Reduction in Lösung zu bringen und das dann wieder ausgefällte Indigotin gewichtsanalytisch zu bestimmen, giebt wegen der eintretenden Verluste und der Unreinheit des Niederschlages unrichtige Resultate. Für praktische Zwecke schlägt Verfasser Extraction mit *Nitrobenzoldämpfen* vor, indem diese, durch einen Rückflufskühler streichend, gleichzeitig die auf einem Kattunstreifen mit Papierbrei als Filter ruhende Probe passiren, sich im Rückflufskühler condensirend, das Indigotin dem mit Nitrobenzol beschickten Probirrohre zuführen, wo der Farbstoff mit 3 bis 6 Proc. Verunreinigungen krystallisirt. Die Verunreinigung entfernt man mit HCl und H_2O_2, die reinen Krystalle werden auf gewogenem Filter bestimmt. Zur genauen Bestimmung führt Verfasser in die unlösliche Monosulfosäure über, wäscht aus und löst zur Disulfosäure. Diese titrirt man nach der Hydrosulfitmethode nach Bernthsen, wofür Verfasser einen besonderen Apparat angiebt. *Mr.*

Eiweifskörper, Blut. — A. Devarda. Ueber die Prüfung der Labpräparate und die Gerinnung der Milch durch Käselab [3]. —

[1] Bull. soc. chim. [3] 15, 979; Ref.: Deutsche Chemikerzeit. 11, 471—472. — [2] Chem. Centr. 67, I, 727; Chem. Soc. Ind. J. 15, 15—17. — [3] Landw. Vers.-Stat. 47, 401—447.

Zur Prüfung der käuflichen Labpräparate (Pulver und Extracte) auf ihren Wirkungswerth wird bekanntlich die Stärke der Wirkung auf normale, frische Kuhmilch festgestellt. Unter Wirkungswerth wird die Anzahl Raumtheile normaler Milch, welche durch 1 Thl. Lab bei 35° in 40 Minuten zum Gerinnen gebracht wird, verstanden. Die Wirkung des Labs ist proportional seiner Menge und der Zeit, daher die Menge Milch v, welche ceteris paribus durch Lab zum Gerinnen gebracht wird, proportional der Labmenge l und der Gerinnungszeit T. Als Normallab wird eine Labflüssigkeit benutzt, von der 1 Thl. 10000 Vol.-Thle. frischer Kuhmilch zum Gerinnen bringt. Zur Bestimmung des Wirkungswerthes W^1 eines Labs wird dasselbe mit einem Controllab, dessen Werth W bekannt ist und bisweilen controlirt wird (es hält sich fast zwei Jahre unverändert), verglichen, der wichtigste Punkt ist die Beschaffung normaler Milch. Dieselbe muſs unbedingt Mischmilch aus einem Stalle mit groſsem Viehbestande sein, ist nur von gesunden, gut gefütterten Kühen zu entnehmen, mit peinlicher Reinlichkeit zu sammeln, sofort auf 15° abzukühlen und durch Umgieſsen von Kohlensäure zu befreien. Besteht über die Reinheit und Frische der Versuchsmilch Zweifel, so ist dieselbe durch ³/₄ Stunden bei 75 bis 80° zu sterilisiren, da bei inficirter Milch die Gerinnungszeiten dem Wirkungswerth des Labs nicht mehr proportional sind. Der Wirkungswerth eines schwächeren Labs wird zu hoch gefunden. Dies rührt daher, daſs in der Milch selbst etwas vorhanden ist, was die Gerinnung durch Lab befördert, und zwar sind dies Bacterien, Milchsäure und Labbacterien, die ja auch für sich ein freiwilliges Gerinnen der Milch verursachen. Auſserdem ist die Gerinnungsfähigkeit der Milch auch von der chemischen Zusammensetzung abhängig. Durch Zusatz basischer Substanzen (Borax) wird die Gerinnungsfähigkeit vermindert, durch Säure erhöht, aber verhältniſsmäſsig weniger, da der Zusatz alkalischer Substanzen ein Ausfällen der gelösten Calciumphosphate, der Zusatz von Säure Auflösung von suspendirtem Di- und Tricalciumphosphat bewirkt, welche Substanzen für die Gerinnung der Milch wesentlich sind. Im Anhang weist Verfasser darauf hin, daſs die Bestimmung der Gerinnungszeit von zu untersuchender Milch mittelst Lab von bekanntem Wirkungswerthe umgekehrt für die Beurtheilung derselben, insbesondere ob sie mit Natriumcarbonat versetzt oder ob sie sterilisirt sei, wird benutzt werden können. 11 Tabellen enthalten das sehr reiche Untersuchungsmaterial. *Bl.*

A. Stutzer. Chemische Untersuchung der Käse [1]). — 1. Zur Aschenbestimmung werden 10 bis 15 g Käse in einer im Muffelofen erhitzten Platinschale verascht. Bleibt Kohle, so wird dieselbe mit Wasser ausgezogen, das Unlösliche verascht und mit dem Rückstande der Wasserlösung vereint. Chlor, Kalk und Phosphorsäure werden in der Asche nach bekannten Methoden bestimmt. Für alle übrigen Bestimmungen werden, um gute Durchschnittsproben zu erhalten, je 100 g Käse mit 400 bis 500 g geglühtem Quarzsand verrieben. 2. Das Wasser wird in 15 g dieser Käse-Sandmischung durch Trocknen bei 100° bestimmt; der Fehler durch Verflüchtigung von Ammoniak ist sehr klein. 3. Das Fett wird aus der so gewonnenen Trockensubstanz durch Aether extrahirt. 4. Stickstoff. a) Der Gesammtstickstoff wird nach Kjeldahl in der nicht entfetteten Mischung bestimmt. b) Zur Fällung der Eiweiſsstoffe kann Kupferoxydhydrat nicht dienen, da dasselbe Peptone (Pankreaspepton) nicht fällt. Wie schon Bondzynski [2]) gefunden hat, läſst sich Phosphorwolframsäure zur Trennung der für die Ernährung werthvollen Substanzen Caseïn, Albuminat, incl. Albumose und Pepton, von den werthlosen Amidokörpern und Ammonsalzen sehr gut verwenden; weiter läſst sich noch erstere Gruppe durch Kochen mit Wasser in gerinnende Caseïne und Albuminate einerseits, und in in der Hitze gelöst bleibende Albumosen und Peptone andererseits trennen. Ferner ist es zweckmäſsig, die leichter von den schwerer verdaulichen Stickstoffsubstanzen zu trennen (s. weiter unten). Der *Ammoniakstickstoff* wird in einer mit 200 ccm Wasser übergossenen (5 g Käse entsprechenden) Sandmischung durch Destillation mit Baryumcarbonat bestimmt. Eine gleiche Menge Sandmischung wird zur Bestimmung des *Amidstickstoffs* mit 150 ccm Wasser heftig geschüttelt, nach 15 Stunden wird verdünnte Schwefelsäure und Phosphorwolframsäure zugefügt und filtrirt und gewaschen, bis 500 ccm Filtrat vorhanden sind. 200 ccm werden zur Stickstoffbestimmung verwendet und der Ammoniakstickstoff vom Resultat abgezogen. Zur Bestimmung der *unverdaulichen Stickstoffsubstanzen* wird ein Quantum entfetteter Sandmischung (5 g Käse entsprechend) mit 500 ccm einer aus Schweinemagen unter Thymolzusatz bereiteten Verdauungsflüssigkeit (Bereitung genau beschrieben) übergossen, 48 Stunden bei 37 bis 40° stehen gelassen und von Zeit zu Zeit Salzsäure zugefügt, bis der Gehalt von 0,2 Proc. Salzsäure auf 1 Proc. gestiegen ist. Im filtrirten und gewaschenen unverdaulichen Rück-

---

[1]) Zeitschr. anal. Chem. 35, 493—502. — [2]) Landw. Jahrb. d. Schweiz 1894.

stande wird der Stickstoff bestimmt. Zur Bestimmung des *Stickstoffs in Form von Albumose und Pepton* wird Sandmischung (5 g Käse) mit 100 ccm Wasser zum Kochen erhitzt, die Flüssigkeit klar in einen $1/_2$ Liter-Kolben abgegossen und der Rückstand so oft in gleicher Weise behandelt, bis die Mengen des klaren Abgusses $1/_2$ Liter betragen. In einem Theil der Flüssigkeit werden Albumosen und Pepton mit Phosphorwolframsäure gefällt und gewaschen. Im Niederschlag wird der Stickstoff bestimmt. Der *Caseïn- und Albuminatstickstoff* wird gefunden, indem vom Gesammtstickstoff der Ammoniak-, Amido- und Albumosenstickstoff, sowie der unverdauliche Stickstoff abgezogen wird. Endlich wird unter genauest angegebenen Cautelen die Menge Albumin- und Caseïnstickstoff, die durch Magensaft in 30 bezw. 60 Minuten verdaut wird, bestimmt. Verfasser bringt Analysen von drei Käsesorten (Camembert, Schweizer, Gervais), die in obiger Weise ausgeführt wurden. Die Menge des unverdaulichen Stickstoffs ist sehr gering, 2,4 bis 8,6 Proc. vom Gesammtstickstoff. Vom Caseïn- und Albuminstickstoff wird schon in 60 Minuten drei Viertel bis Alles durch Verdauungsflüssigkeit gelöst. *Bl.*

A. Kofsler u. Th. Pfeiffer. Eine neue Methode der quantitativen Fibrinbestimmung [1]. — Da eine Betheiligung der Fibringeneratoren am Zustandekommen der Immunität wahrscheinlich geworden, so wird der Blutgerinnungsvorgang auch für den Kliniker erhöhte Bedeutung erlangen. Die jetzt gebräuchliche Methode der Fibrinbestimmung ist umständlich und mit zahlreichen Fehlerquellen behaftet. Das neue Verfahren beruht darauf, dafs man im Plasma einerseits, und im Serum andererseits den Stickstoff bestimmt. Die Differenz dient zur Fibrinberechnung. Das Blut wird direct aus der Vene in Kaliumoxalatlösung aufgefangen, dann wird durch Centrifugiren das Plasma gewonnen und dessen Stickstoffgehalt nach Kjeldahl bestimmt. Eine Probe des Plasmas wird mit Chlorcalciumlösung versetzt und der Spontangerinnung überlassen; im abgeschiedenen Serum wird gleichfalls der Stickstoffgehalt ermittelt. Durch Multiplication des im künstlichen Serum gefundenen Stickstoffgehaltes mit dem Quotienten $\dfrac{p + k}{p}$, worin p die zur Gerinnung gebrachte Plasmamenge, k die zugesetzte Chlorcalciumlösung bedeuten, erhält man den Stickstoffgehalt des dem untersuchten Plasma entsprechenden

[1] Centr. inner. Medic. 1896, S. 8—14.

Serums. Die Umrechnung auf den im nativen Plasma enthaltenen Fibrinstickstoff geschieht nach der Formel:

$$N_f = \frac{v}{v - v_1} \left(N_p - N_s \frac{p + k}{p} \right).$$

Darin bedeuten: N_f die Stickstoffmenge des aus der Volumeinheit des nativen Plasmas abscheidbaren Fibrins, N_p den durch Analyse gefundenen Stickstoffgehalt des Oxalatplasmas, N_s den durch Analyse gefundenen Stickstoffgehalt des künstlichen (mit Chlorcalciumlösung verdünnten) Serums, v das nach Bleibtreu ermittelte Volum des Oxalatplasmas, v_1 die in 100 ccm Blut enthaltene Menge von Oxalatlösung, p und k die zum künstlichen Gerinnungsversuch verwendeten Mengen von Plasma und Chlorcalciumlösung. Der Fibrinstickstoff wird nicht auf Fibrin umgerechnet, weil zuverlässige Analysen des menschlichen Blutfibrins fehlen und weil ja die Fibrinstickstoffwerthe den Fibrinmengen direct proportional sind. Die Methode hat sich bei zahlreichen Untersuchungen als brauchbar erwiesen. *Ld.*

H. Ritthausen. Ueber die Berechnung der Proteïnstoffe in den Pflanzensamen aus dem gefundenen Gehalte an Stickstoff[1]. — Die Bestimmung des Proteïngehaltes von Pflanzensamen und Abfällen derselben durch Multiplication des gefundenen Stickstoffgehaltes mit 6,25 setzt einen Stickstoffgehalt der betreffenden Eiweißkörper von 16 Proc. voraus. Nun ist durch die Untersuchung dieser Eiweißkörper bewiesen worden, daß deren Stickstoffgehalt mehr oder weniger von dieser Zahl abweicht und 16,6 bis 18,4 Proc. beträgt. Es kann demnach diese alte Berechnungsart nicht weiter aufrecht erhalten werden. Ritthausen stellt die gefundenen Stickstoffgehalte für die Eiweißkörper der Pflanzensamen zusammen und schlägt statt 6,25 folgende Factoren zur Proteïnstoffberechnung vor: für Getreide und Hülsenfruchtsamen 5,7, für Oelsamen und Lupinen 5,5. Ausnahmen von der Regel machen Gerste, Mais, Buchweizen, Sojabohnen, weiße Bohnen, für die ebenso wie für Raps, Rübsen und Candlenuts der Factor 6 geeignet ist. *Ld.*

C. Stelling. Beitrag zur Beurtheilung des Leimes[2]. — Die Klebkraft des Leimes, welche auf dessen Gehalt an Glutin bezw. Chondrin beruht, wird durch die bei der Fabrikation desselben aus genannten Körpern entstehenden Zersetzungsproducte beeinträchtigt. Die Menge dieser als Nichtleim zusammengefaßten Substanzen läßt sich mit einer für praktische Zwecke hinreichenden

---

[1] Landw. Vers.-Stat. 47, 391—400. — [2] Chemikerzeit. 20, 461.

Genauigkeit bestimmen, indem man eine Lösung von 15 g Leim in 60 ccm Wasser mit so viel Alkohol versetzt, dafs das ganze Volum 250 ccm beträgt, und gut durchschüttelt; nach sechs Stunden filtrirt man, verdampft einen aliquoten Theil des Filtrats und wägt den bei 100° getrockneten Verdampfungsrückstand. *H. Gieseler.* Nachweis der Beschwerung von Seide[1]). — Unbeschwerte Seide läfst sich von der mit den geringsten Mengen Beschwerungsmitteln versehenen Seide leicht vermittelst der Röntgen-Strahlen unterscheiden; nur letztere Seide liefert hierbei ein Schattenbild.   *Sd.*

H. Silbermann. Quantitative Bestimmung der Beschwerungsmittel in Seide[2]). — Beschwerungen der weifsen oder hellfarbigen Seiden mit Zucker oder Magnesiumsalzen bestimmt man in den wässerigen Auskochungen der Seide (Zucker mit Fehling'scher Lösung nach eventuellem Invertiren mit etwas Salzsäure, Magnesiumverbindungen als Pyrophosphat, Glaubersalz mit Chlorbaryum). In der mit Wasser ausgekochten Seide bestimmt man dann das Zinn durch Veraschen u. s. w. Zur Bestimmung des Zinns kann man auch eine Seidenprobe mit Aetznatron und Salpeter (gleiche Mengen) im Porcellantiegel veraschen. Ist das Zinn als Gerbstofflack vorhanden, so mufs dieser durch Kochen mit verdünnter Salzsäure zerlegt werden; der Gerbstoff wird mit Leim gefällt. Baryumsulfat oder Kieselsäure werden in der Asche nachgewiesen und durch Flufssäure getrennt. Dunkelfarbige Seiden müssen aufser auf Zinn auch noch auf Eisen oder Chrom geprüft werden. Die Bestimmung dieser Materialien geschieht ebenfalls in der Asche. Bei schwarzer Seide wird entweder die Charge von der Faser durch abwechselndes Kochen mit Natronlauge (20 g Natronhydrat im Liter) und mit verdünnter Salzsäure abgezogen, oder es wird nach einer eventuellen Behandlung mit kochender Alkalicarbonatlösung und Säure (zur Entfernung von Farbstoffen, Gelatine, Berlinerblau) der Stickstoffgehalt der Seide bestimmt und dieser auf reine Seide umgerechnet.   *Sd.*

G. Hoppe-Seyler. Zur Verwendung der colorimetrischen Doppelpipette von F. Hoppe-Seyler zur klinischen Blutuntersuchung[3]). — Die colorimetrische Doppelpipette von F. Hoppe-Seyler[4]) wurde bei den klinischen Blutuntersuchungen mit gutem Erfolge von G. Hoppe-Seyler und von seinen Schülern angewendet und zu solchen Zwecken sehr empfohlen.   *Wr.*

---

[1]) Dingl. pol. J. 300, 240. — [2]) Chemikerzeit. 20, 472—478. — [3]) Zeitschrift physiol. Chem. 21, 461—467. — [4]) Daselbst 16, 509.

Hugo Winternitz. Ueber die Methode der Blutfarbstoffbestimmung mit Hoppe-Seyler's colorimetrischer Doppelpipette [1]).
— Hugo Winternitz hat eine gröfsere Versuchsreihe angestellt,
um eine Methode zur Blutfarbstoffbestimmung mit Hoppe-
Seyler's colorimetrischer Doppelpipette auszuarbeiten. Eine Beschreibung der verbesserten Pipette, die mit Albrecht'schem
Glaswürfel versehen wurde, haben seiner Zeit F. Hoppe-Seyler [2])
und dann Albrecht [3]) angegeben. Die Abhandlung von Winternitz, der früher als Assistent bei F. Hoppe-Seyler angestellt
war, bildet eine werthvolle Ergänzung dazu. Um die Fehler-
grenzen der Methode festzustellen, wurden die Hämoglobinbestim-
mungen in reinen Lösungen von CO-Hämoglobin colorimetrisch
und gewichtsanalytisch ausgeführt und mit einander verglichen.
Die Differenz betrug blofs 0,07 Proc. des Hämoglobingehaltes. Bei
der Gelegenheit wurden CO-Hämoglobinbestimmungen an den
Lösungen ausgeführt, die vor einigen Jahren von F. Hoppe-
Seyler vorbereitet und in verstopften Fläschchen aufbewahrt
wurden. Es hat sich dabei erwiesen, dafs CO-Hämoglobinlösungen
von 1885 und 1889 verändert waren, diejenigen aber von 1890,
1893 und 1895 absolut unverändert geblieben sind. Bei den
Beobachtungen am Blute betragen die Fehler höchstens 0,5 Proc.
Bei der Ausführung der Bestimmung soll man das Blut in die
4 proc. Ammonoxalatlösung einlassen, um die Gerinnung zu verhindern.   *Wr.*

Adolf Jolles. Ueber eine quantitative Methode zur Bestimmung des Bluteisens zu klinischen Zwecken [4]). — Das Blut wird
verascht, die Asche mit Salzsäure gelöst, die Lösung mit Nitroso-
β-naphtol gefällt, der Niederschlag abfiltrirt, getrocknet, geglüht
und das so erhaltene Eisenoxyd gewogen. Um aus sehr kleinen
Blutmengen das Eisen zu bestimmen, werden mit einer Capillar-
pipette 0,05 ccm Blut abgemessen, in einem Platintiegel verascht,
das Eisenoxyd durch Schmelzen mit saurem schwefelsaurem Kalium
löslich gemacht und unter Anwendung von Rhodanammonium in
entsprechender Weise colorimetrisch bestimmt.   *Ld.*

**Verschiedene Nahrungs- und Genufsmittel. — E. Fleu-
rent.** Sur une méthode chimique d'appreciation de la valeur
boulangère des farines de blé [5]). — Auf Grund zahlreicher Untersuchungen sind bei den verschiedenen Getreidearten drei Classen

---

[1]) Zeitschr. physiol. Chem. **21**, 468—480. — [2]) Daselbst **16**, 509. —
[3]) Zeitschr. f. Instrumentenk. 1892, Heft 12. — [4]) Monatsh. Chem. **17**,
677—696. — [5]) Compt. rend. **123**, 755—758.

von Kleber zu unterscheiden: 1. sehr elastische Kleber, bei denen das Wasser mit den Händen ausgedrückt werden kann und welche beim Trocknen nur sehr wenig verlieren; 2. trockene, brüchigere und leicht zu trocknende Kleber; 3. sehr weiche und wenig elastische Kleber, die beim Pressen in der Hand festhaften, beim Trocknen zerfliefsen und die Gestalt des Gefäfses annehmen. — Diese Unterschiede sind in dem verschiedenen Gehalt des Klebers an Glutenin und Gliadin begründet. Bei der Wichtigkeit dieser Eigenschaften des Klebers für den Backwerth des Mehles ist versucht worden, eine Methode zur Bestimmung desselben zu finden; hierbei ist das Conglutin, welches nur in geringer Menge vorkommt, unberücksichtigt gelassen. Man verfährt wie folgt: In eine weithalsige Flasche werden 80 ccm alkoholische Kalilauge von bekanntem Gehalt (ungefähr 3 g Aetzkali pro 1 Liter Alkohol bei 70°), einige Glasperlen und der in kleine Stücke zertheilte Kleber aus 33,33 g Mehl gebracht. Nach häufigem Durchschütteln bis zur vollständigen Lösung (d. h. nach 36 und bisweilen 48 Stunden) wird die Lösung mit Kohlensäure übersättigt, darauf gut durchgeschüttelt und werden dann 20 ccm derselben in einer gewogenen Schale eingedampft und getrocknet. Ferner wird ein Theil der Lösung filtrirt, um das unlösliche Glutenin zu entfernen; von diesem Filtrat werden ebenfalls 20 ccm in einer gewogenen Schale eingedampft und getrocknet. Nach Abzug des in 20 ccm enthaltenen Kaliumcarbonates ergiebt sich aus den beiden Trockenrückständen das Gesammtgluten, das Glutenin und das Gliadin. — Aus Backversuchen mit Mehlen, von denen die Zusammensetzung des Klebers ermittelt wurde, ist zu schliefsen: 1. dafs das Brot um so besser ist, je näher der Gehalt des Klebers an Glutenin und Gliadin dem Verhältnifs von 25 Proc. Glutenin und 75 Proc. Gliadin kommt; 2. bei einem Gehalte des Klebers an 20 Proc. Glutenin und 80 Proc. Gliadin entwickelt sich das Brot zwar gut, wird jedoch beim Backen flach und compact; 3. bei 34 Proc. Glutenin und 66 Proc. Gliadin entwickelt sich der Teig weder bei der Gährung noch beim Backen, das Brot bleibt compact und unverdaulich; 4. schon bei einer Abweichung von 2 Proc. von dem unter 1. angegebenen Verhältnifs zwischen Glutenin und Gliadin stellen sich Schwierigkeiten beim Verbacken des Mehles heraus. *Hf.*

Jos. van der Plancken. Nachweis von Alaun in Mehl und Brot[1]. — Da die Campecheholztincturprobe nur bei frischem Mehl, nicht aber bei altem Mehl und gesäuertem Brot eintritt,

---

[1] Rev. intern. falsific. 9, 119; Ref.: Chem. Centr. 67, II, 563

so schlägt Verfasser folgenden Weg ein. 10 bis 20 g Mehl oder Brotpulver werden mit Wasser zu einem Teig verarbeitet und dann mit einer hinreichenden Menge kohlensaurem Natrium, freiem Chlornatrium, sowie 10 Tropfen frischer Blauholztinctur und 5 g kohlensaurem Kalk versetzt. Nachdem man die Masse gut verrieben hat, bringt man sie in einen graduirten Cylinder und füllt mit Wasser auf 100 ccm auf. Sehr bald bildet sich ein Niederschlag und die über demselben stehende Flüssigkeit ist bei Abwesenheit von Alaun rothviolett, bei Anwesenheit von Alaun bläulichgrau gefärbt. Die Reaction tritt noch ein bei 1 g Alaun pro 1 kg Substanz.   *Tr.*

S. Bein. Der Nachweis des Eigelbs in Mehlfabrikaten [1]). — Zu vorstehender Abhandlung äußert sich S. Bein, daß er auf die Anwesenheit von ätherlöslicher Phosphorsäure im Mehl immer Rücksicht genommen und die den ätherlöslichen, phosphorhaltigen Substanzen des Mehls entsprechende Menge Phosphorsäure (0,005 Proc.) abgezogen habe, was als selbstverständlich nicht speciell erwähnt worden sei.   *Bl.*

Ed. Spaeth. Nachweis des Eigelbs (Eidotter) in Mehlfabrikaten [2]). — Verfasser wendet sich gegen das Verfahren S. Bein's, die Anwesenheit von Eigelb in Mehlpräparaten aus dem Phosphorgehalt zu erschließen, da jedes Mehlfabrikat auch ohne Eigelbzusatz phosphorhaltig ist; er schlägt vor, den Nachweis durch Untersuchung des durch Aether extrahirten Fettes zu führen, und bestimmt zu diesem Zwecke insbesondere die Constanten der in Aether löslichen Fettstoffe des Eigelbs und des Weizenmehls. Besondere Verschiedenheiten zeigen sich bei der Bestimmung der Jodzahl (Eigelb *68,48*, Weizenmehl *101,5*) und bei Prüfung im Zeiß'schen Refractometer. Besonders ersteres Verfahren ist geeignet, das Eiweiß qualitativ nachzuweisen und annähernd zu schätzen. Das Mehlpräparat wird nach Zerreiben mit Aether extrahirt, der getrocknete Extract mit Petroleumäther aufgenommen und filtrirt. Nach Verjagung des Petroläthers wird die Jodzahl des getrockneten Rückstandes nach v. Hübl bestimmt. Ist sie über 98 (und der Phosphorsäuregehalt des Mehls unter 0,005 Proc.), so können nur Spuren von Eigelb anwesend sein.   *Bl.*

Oswald Campion. Untersuchung der Mehle [3]). — Verfasser will die übrigens auch schon von anderer Seite angegebene Färbung

---

[1]) Zeitschr. Nahrungsm. 10, 282—283. — [2]) Forschungsber. über Lebensm. etc. 3, 49; Ref.: Zeitschr. Nahrungsm. 10, 171—173. — [3]) Chem. Centr. 67, I, 1034 u. Rev. intern. falsific. 9, 47—48.

der Mehlproben beim Benetzen mit Wasser zu ihrer Beurtheilung heranziehen. Schlechte Mehle zeigen dann bläuliche Farbe. *Mr.*

C. Violette. Blaufärbung von Mehl mittelst Anilinblau und dessen Nachweis[1]). — Manche gelb gefärbten, aber sonst geschätzten Mehlsorten werden durch Vermischen mit feinst zerriebenem Anilinblau geschönt. Zum Nachweise wird auf einem Teller, über eine 2 bis 3 mm hohe Wasserschicht, Filtrirpapier gelegt und das Mehl aufgestreut. Es zeigen sich dunkle Pünktchen, welche sich sehr bald zu kreisrunden, blauen Flecken vergröfsern. *Bl.*

Balland. Zur Proteïnbestimmung im Méhl[2]). — Die Menge des Klebers und des Gesammtstickstoffs vertheilt sich unter die verschiedenen Mehlnummern verschieden, wenn das Mahlen nach verschiedenen Systemen vorgenommen wird. Tabellen machen dies anschaulich. *Bl.*

L. Lindet. Bestimmung des Stärkemehles in Getreidekörnern[3]). — Die zerstofsenen Körner werden mit einer Lösung, die 2 Proc. Pepsin und so viel Salzsäure (1,5 Proc.) enthält, dafs eine gleichzeitige Wirkung der Diastase verhindert wird, bei 40 bis 50° 12 bis 24 Stunden behandelt und dadurch die Proteïne in Lösung gebracht. Dann wird die Masse in einem Seidenbeutel mit Wasser behandelt, und die durch die feinen Maschen gegangene Stärke, nach Zusatz von etwas Formaldehyd, auf einem gewogenen Filter gesammelt, getrocknet und gewogen. *Bl.*

Ed. Spaeth. Ueber den Nachweis des Mutterkorns im Mehl[4]). — Verfasser hält den Nachweis des Mutterkorns im Mehl auch auf mikroskopischem Wege für den sichersten und besten. Zur Erkennung und Isolirung des Mutterkorns aus dem Mehl bedient er sich der Chloroformmethode, indem er in einer ca. 20 cm langen und 2½ cm weiten, am unteren Ende etwas verengten Röhre das Mehl mit Chloroform mittelst einer Centrifuge tüchtig durch einander schüttelt. Ist Mutterkorn im Mehl enthalten, so schwimmt es nach dem Durchschütteln mit den im Mehl vorhandenen specifisch leichteren Bestandtheilen (Haare, Kleienbestandtheile) auf der Chloroformschicht, von der es mechanisch getrennt wird. Die abgehobenen Bestandtheile bringt man in ein Schälchen, kocht mit Wasser unter Zusatz von etwas Salzsäure und prüft dann, falls Mutterkorn im Mehl enthalten war, die rothbraunen Stückchen unter dem Mikroskop in einer Chloralhydrat-

---

[1]) Bull. soc. chim. [3] 15, 456. — [2]) Compt. rend. 123, 136—137. — [3]) Bull. soc. chim. [3] 15, 1163—1164. — [4]) Pharm. Centr.-H. 37, 542—543.

lösung. Auch auf chemischem Wege nach der Methode von
A. Hilger (Arch. Pharm. 233, 819) kann man das in der oben
angegebenen Weise abgeschiedene Mutterkorn nachweisen. *Tr.*

Ed. Spaeth. Ueber Untersuchungen von Mehl und über
das Fett von Weizen- und Roggenmehl[1]). — Verfasser hat versucht, in wie weit der Fettgehalt eines Mehles resp. das Verhalten
des isolirten Fettes es ermöglicht, festzustellen, ob reine Mehle,
ob Weizen- oder Roggenmehl und ob feinere oder gröbere Mehle
vorliegen. Die Ergebnisse dieser Arbeit faſst Verfasser in folgende Sätze zusammen. 1. Als Extractionsmittel für das Fett in
Mehlen ist nur leicht siedender Petroläther geeignet. Die Fettbestimmung vermag über den Feinheitsgrad eines Mehles Auf-
schluſs zu geben, da der Fettgehalt mit der Zunahme der Kleienbestandtheile, also in den gröberen Mehlen, in einem gewissen
Verhältniſs steht. 2. Das im Mehlkörper des Weizenmehles enthaltene Fett besitzt eine andere Zusammensetzung, als das in den
Schalentheilen, letzteres ist reicher an ungesättigten Fettsäuren.
3. Die Fette des Weizen- und Roggenmehles weisen eine ziemliche Verschiedenheit auf. Bei sehr feinen Mehlen kann dieser
Unterschied zur Identificirung dienen, nicht so bei Mischungen
der gröberen Mehle. Die Brechungsindices der Fette des Weizens
und Roggens verhalten sich verschieden. 4. Beim stärkeren Austrocknen des Mehles sowohl, wie beim längeren Erhitzen des
Fettes wird das Jodabsorptionsvermögen stark beeinfluſst, man
zieht am besten das Fett in der Kälte aus und trocknet das Fett
nach dem Verjagen des Petroläthers im Wasserbade unter Durchleiten von Wasserstoff. 5. Das Fett aus altem, feucht gewordenem
Mehl zeigt eine niedrigere Jodzahl als das aus normalem Mehl.
Tr.

E. Wagner. Zum Nachweis des Taumellolches (Lolium tomu-
lentum) im Roggenmehl nach der Petermann'schen Methode[2]).
— Die genannte Methode besteht darin, daſs man das zu prüfende Mehl mit 85° Alkohol heiſs extrahirt und das Filtrat des
Auszuges mit absolutem Alkohol fällt. Den gesammelten und
getrockneten Niederschlag löst man dann in kaltem Wasser und
fällt nochmals mit absolutem Alkohol. Die Anwesenheit des
Lolium im Mehl ergiebt sich aus dem Saponingehalt des Niederschlages. Charakteristische Reactionen des Saponins sind seine
Farbenreaction mit concentrirter Schwefelsäure (anfangs roth,

---

[1]) Forschungsber. über Lebensm. etc. 3, 251—259. — [2]) Russ. Zeitschr.
Pharm. 35, 282.

dann rothviolett) und seine physiologische Wirkung. Weitere Reactionen, die Petermann sonst noch angiebt, sind nach Ansicht des Verfassers für den Nachweis von Lolium gegenstandslos. *Tr.*

A. Jaworowski. Verfälschung von Leinmehl und Senfmehl [1]. — Verfälschungen dieser Stoffe mit gepulvertem Rapskuchen stellt man nach Angaben des Verfassers, wie folgt, fest. Man giebt 2 bis 3 g des Untersuchungsobjectes in eine vorher auf 70° erwärmte Mischung aus 10 g Chlornatrium, 20 g Wasser und 0,3 g verdünnter Salzsäure, kocht dann und stumpft nach dem Kochen und Abkühlen die freie Salzsäure im Filtrate mit Natriumcarbonat ab. Alsdann vertheilt man die Flüssigkeit in zwei Reagensgläser, fügt zu der Flüssigkeit in dem einen zwei bis drei Tropfen 1 proc. Ferricyankaliumlösung und betrachtet die Flüssigkeitssäule in beiden Gläsern innerhalb einer halben Minute im auffallenden Lichte. Die Farbe der Flüssigkeit, die man mit reiner Leinsaat erhält, bleibt auch nach Zusatz von Natriumbicarbonat farblos und ändert sich nicht durch Ferricyankalium. Senfsamendecoct wird durch Natriumbicarbonat gelb und weiterer Zusatz von Ferricyankalium verändert die Farbe nicht in der ersten Minute. Enthält die zu prüfende Probe 5 bis 10 Proc. Rüb- oder Rapssamen, so färbt sich die Flüssigkeit auf Zusatz von Natriumbicarbonat gelb und Ferricyankalium bewirkt eine bräunliche, röthliche oder violette Farbe. *Tr.*

Ed. von Raumer. Ueber den Nachweis künstlicher Färbungen bei Rohkaffee [2]. — Die hauptsächlich als Färbemittel für Kaffee verwandten Stoffe sind chromsaures Blei, Mennige, Ocker, Graphit, Kohle, Talk, Indigo, Smalte, Berlinerblau und Chromoxyd. Der Nachweis dieser Stoffe wird dadurch erschwert, daſs selten mehr als 0,25 bis 0,5 g Farbe pro 1 kg Kaffee Verwendung finden. Verfasser hat nun eine gröſsere Anzahl von gefärbten Kaffeesorten mikrochemisch untersucht, indem er mit dem Rasirmesser ganz dünne Schnitte der Oberhaut der Kaffeebohnen loslöste, in einen Wassertropfen auf den Objectträger brachte und zur Entfernung der Luft gelinde erwärmte. Ungefärbte Kaffeeproben zeigen unter dem Mikroskop reines parenchymatisches Oberflächengewebe, während die Farben sich deutlich erkennen und auch durch chemische Reagentien unterscheiden lassen. So sprachen z. B. blaugrüne Partikelchen für Berlinerblau, da sie beim Betupfen mit Kalilauge röthlichgelbe Fleckchen von

---

[1] Russ. Zeitschr. Pharm. 35, 360—361; Pharm. Centr.-H. 37, 767. —
[2] Forschungsber. über Lebensm. etc. 3, 333—337.

Eisenhydroxyd lieferten. Lichtblaue Partikelchen wurden andererseits als Smalte. daran erkannt, daſs sie nicht mit Natronlauge reagirten, von Salzsäure, sowie auch von salpeterhaltiger Schwefelsäure nicht verändert wurden, also weder von Berlinerblau, noch von Ultramarin oder Indigo herrühren konnten. Um die einzelnen Farben in concentrirter Form von den Bohnen mechanisch abzulösen, hat Verfasser einen besonderen Apparat construirt, bei dem die an der Oberfläche der Bohnen haftende Farbe mittelst eines Reibeisenbleches abgerieben wird, so daſs es möglich ist, so viel Pulver zu erhalten, daſs man es zur chemischen wie mikroskopischen Prüfung verwenden kann.   *Tr.*

X. Rocques. Bestimmung des Zuckers in der Schokolade [1]. — Man erwärmt 15 g zerriebene Schokolade mit 90 ccm Wasser auf 40°, bis die Masse sich emulgirt hat, schüttelt dann kräftig um und filtrirt nach vorherigem Zusatz von 15 ccm 10 proc. Bleiessiglösung in ein graduirtes Rohr. Zu 70 ccm Filtrat giebt man dann 30 ccm einer Mischung von 20 ccm 10 proc. Natriumsulfatlösung und 10 ccm Eisessig. Das Filtrat enthält allen Rohr- und etwaigen Traubenzucker. Den letzteren bestimmt man in einem Theile des stark verdünnten Filtrates. Zur Ausführung der Rohrzuckerbestimmung bringt man 50 ccm Filtrat mit Wasser auf 500 ccm, erhitzt drei Stunden auf dem Wasserbade und ermittelt dann aus dem Invertzuckergehalt in bekannter Weise die Menge des Rohrzuckers. Bei diesem Verfahren wird etwa vorhandenes Dextrin nicht angegriffen. Im Durchschnitt soll Schokolade nach den Versuchen des Verfassers 55 Proc. Rohrzucker enthalten.   *Tr.*

Marpmann. Zu dem mikroskopischen Nachweis gefärbter Wurst [2]. — Eine Scheibe Wurst von 1 cm Dicke wird zerkleinert und mit 50 proc. Alkohol übergossen. Die Zellen und Zelltheilchen färben sich durch den etwa vorhandenen Farbstoff und können eventuell unter dem Mikroskop erkannt werden. Bei wenig Farbstoff hellt man die Präparate auf, indem man mit Carbolxylol entwässert. Man verdrängt dann das Carbolxylol durch Tetrachlorkohlenstoff und bringt in Cedernöl. Die so erhaltenen Präparate sind durchsichtig und lassen etwaige Färbungen leicht erkennen. Nach dem Digeriren der Wurstproben mit Alkohol soll eine Extraction mit ammoniakalischem Wasser nicht unterbleiben, weil darin gewisse Farbstoffe besser sich lösen als in verdünntem Alkohol. Das Verhalten der Fleischalbuminate gegen Anilinfarb-

---

[1] Rev. intern. falsific. 9, 198; Ref.: Chem. Centr. 68, I, 268. — [2] Zeitschrift angew. Mikrosk. 1895, S. 13; Ref.: Pharm. Centr.-H. 37, 744—745.

stoffe hat Verfasser in einer Tabelle zusammengestellt. Ist eine
Wurst mit wenig Farbstoff, z. B. Safranin, gefärbt, und ist der
Farbstoff schwer zu erkennen, so extrahirt Verfasser mit 50 proc.
Alkohol, dampft die von Fett befreite Flüssigkeit bis auf einige
Tropfen ein und färbt damit ein kleines Wurstpartikelchen.   *Tr.*

H. Weller. Die Zusammensetzung der Wurstwaaren des
Handels [1]). — Verfasser berichtet in dieser Arbeit speciell über
die Bestimmung der Stärke in Wurstwaaren, die er, wie folgt,
ausführt. 40 g Fleischwurst werden mit 0,3 g reinem Zinkchlorid,
0,5 g reiner Salzsäure (1,19) und 100 ccm Wasser unter beständigem Umschütteln erst im Wasserbade, dann schliefslich im
Oelbade bis 150° erwärmt. Nach dem Abkühlen wird die Mischung
auf 200 ccm aufgefüllt, die filtrirte Flüssigkeit polarisirt und aus
den abgelesenen Graden die Stärkemenge berechnet. Da Fleisch
wie Wurstwaaren für sich mit Zinkchlorid wie oben behandelt das
polarisirte Licht nach links etwas ablenken, so mufs eine Correction stattfinden, über welche Verfasser weitere Mittheilungen in
Aussicht stellt.   *Tr.*

Courlay und Coremons. Chemischer Nachweis von Pferdefleisch [2]). — Verfasser vereinfachen die Methode von Bräutigam-
Edelmann in folgender Weise. 50 g des zu prüfenden Materials
werden mit 200 g Wasser ausgekocht und die filtrirte Brühe wird
mit einigen Tropfen Jodjodkaliumlösung geprüft. Bei Anwesenheit von Pferdefleisch entsteht eine dunkelbraune Färbung, die
beim Erhitzen auf 80° verschwindet, beim Erkalten wieder erscheint (Glycogenreaction). Bei Abwesenheit von Pferdefleisch
zeigt sich nichts. Ist das zu prüfende Material, z. B. mit Mehl
versetztes Wurstfüllsel, stärkehaltig, so wird zuerst die Stärke
durch Kochen mit der zwei- bis dreifachen Menge concentrirter
Essigsäure gefällt und das Filtrat wie oben geprüft. Kein anderes
Fleisch zeigt eine ähnliche Reaction, nur das Fleisch eines thierischen Fötus, das jedoch wohl immer ausgeschlossen ist, giebt
ebenfalls die Glycogenreaction. Speciell der Kaumuskel des
Pferdes giebt die Reaction nicht.   *Bl.*

J. Nufsberger. Zum Nachweis von Pferdefleisch [3]). — Verfasser benutzte zur Fällung der Eiweifsstoffe anstatt Kaliumquecksilberjodid Chlorzink. 50 g Fleisch wurden zum Nachweis
des Glycogens und Traubenzuckers mit 200 ccm 1 proc. Kalilauge

---

[1]) Forschungsber. über Lebensm. etc. **3**, 430—432. — [2]) Zeitschr.
Nahrungsm. **9**, 387; **10**, 173—174. — [3]) Chem. Rundsch. 1896, S. 61—62;
Ref.: Chem. Centr. **68**, I, 265—266.

gekocht, dann wurde zur Lösung so viel Salzsäure gegeben, daſs
eben noch deutlich alkalische Reaction wahrzunehmen war, und
das Eiweiſs hierauf durch Kochen mit Chlorzink niedergeschlagen.
Im Filtrat kann man Glycogen abscheiden mittelst Alkohol, doch
muſs man, da Chlorzink in den Niederschlag mit eingeht, den
Aschengehalt desselben feststellen. Verfasser berücksichtigt bei
der Untersuchung des Pferdefleisches besonders das im Fleisch
enthaltene Fett und hat Kammfett, Nierenfett und Speck auf
ihre Jodzahlen geprüft, wobei er im Mittel den Werth 84,6 erhielt, während Rindsfett 35 bis 44 und Schweinefett 59 bis 63
als Jodzahl aufweist. Groſs sind ferner die Unterschiede in der
Refractionszahl. Für Pferdefett ergiebt sich im Mittel 53,5, für
Schweinefett gilt als oberste Grenze 51,9, während für Rindsfett
nie über 49 gefunden wurde. Zieht man Fett zur Bestimmung
der Jod- oder Refractionszahl mit Aether aus, so ist zu berücksichtigen, daſs diese Werthe durch andere in Alkohol lösliche
Substanzen beeinfluſst werden können. Nach seinen Untersuchungen hält Verfasser die Prüfung des im Fleisch enthaltenen
Fettes für das einfachste Mittel zum Nachweise des Pferdefleisches. Aus Muskelfasern zieht man das Fett, nachdem dieselben bei 100° getrocknet sind, mit Aether aus.   *Tr.*

    R. Frühling. Ueber Pferdefleisch und Pferdefett[1]). — Ver-
fasser hat verschiedene Fettsorten: 1. Fett vom Hals und Rücken,
2. Fett aus der Umgebung des Herzens, und 3. Nierenfett vom
Pferde untersucht. Für das specifische Gewicht der drei Fettsorten
ergab sich im Mittel 0,9180 bei 17,5°, als Jodzahl im Mittel 80,0,
als Verseifungszahl im Mittel 185,0. Für die Fettsäuren wurde
als Jodzahl im Mittel 81,6, als Schmelzpunkt 48,8°, als Erstarrungspunkt 41,5° ermittelt. Ferner hat Verfasser drei Wurst-
sorten mit und ohne Speckzusatz untersucht. Die Würste wurden
nach dem Zerkleinern mit Wasser ausgekocht, das Fett abgehoben
und geprüft. Als Jodzahlen für Wurst ohne Speck ergab sich
im Mittel 72,5, bei Wurst mit 15 Proc. Speck 62,3, bei solcher
mit 50 Proc. Speck 57,2. Da für reines Schweinefett die Jodzahl
zwischen 59,9 und 63,8 nach den verschiedenen Angaben liegt,
so ist es mithin unmöglich, in Wurstmischungen Pferdefett bezw.
Pferdefleisch nachzuweisen.   *Tr.*

    J. Mayrhofer. Ueber die Bestimmung der Stärke in Fleisch-
waaren[2]). — Nach einem von **Dragendorff** herrührenden Princip

---

[1]) Zeitschr. angew. Chem. 1896, S. 352—353. — [2]) Forschungsber. über
Lebensm. etc. 3, 141—143; Ref.: Chem. Centr. 67, II, 70.

wird die Fleischprobe auf dem Wasserbade mit 8 proc. alkoholischem Kali behandelt; in kürzester Zeit geht fast alles (bei Würsten selbst die Därme) in Lösung, nur Stärke bleibt zurück. Nach Verdünnung mit kochendem Alkohol wird filtrirt und der mit Alkohol gewaschene Rückstand mittelst wässeriger Kalilauge in Lösung gebracht. Die Stärke wird mit Essigsäure wieder ausgefällt und auf gewogenem Filter gesammelt. Die quantitative Bestimmung der Stärke ist oft nöthig, da in einigen deutschen Verwaltungsbezirken ein Zusatz von 2 bis 3 Proc. Mehl zu Wurstwaaren geduldet wird.   *Bl.*

L. de Koningh. Bestimmung des Trockenrückstandes in Beef-Tea [1]). — Die Suppe wird mit Gerbsäure von bekanntem Wassergehalt versetzt und bei 100° getrocknet. Es bildet sich eine ölige Schicht, auf der das abgeschiedene Wasser schwimmt und rasch verdampft. Der Rückstand läſst sich glatt veraschen.   *Bl.*

Py. Beitrag zur Analyse der Fruchtsäfte, Syrupe und Confituren [2]). — Mit 25 Proc. Bleiacetat gereinigte und mit 10 proc. Salzsäure invertirte Proben werden einerseits polarimetrisch untersucht, andererseits wird der Zucker durch Fehling'sche Lösung bestimmt. Mit reinem Rohrzucker präparirter Fruchtsaft zeigt eine Ablenkung bis 17°, welche man auch durch Rechnung erhält, wenn man das Gewicht des reducirenden Zuckers mit 2,066 multiplicirt. Uebrigens können Stärkezucker und Dextrin bei diesem Verfahren doch übersehen werden. Künstliche Syrupe, die ihre Acidität gewöhnlich zugesetzter Weinsäure und Citronensäure verdanken, verrathen sich bei der Extractbestimmung, da der Extract nach Abzug des Zuckers bei reinen Syrupen 1,2 bis 1,5 Proc. beträgt. Zusatz von „Gelose" wird durch Auffindung von „Arachnoidiscus japonica" nachgewiesen. Diese in der Gelose immer vorhandene, der Species „Grammatophora" angehörende Diatomee, ist unter dem Mikroskop sehr charakteristisch.   *Bl.*

Albert Einecke. Beiträge zur Kenntniſs der chemischen Zusammensetzung von Säften verschiedener Stachel-, Johannis- und Erdbeersorten [3]). — Der Zweck der Arbeit ist, festzustellen, ob die verschiedenen Handelssorten obgenannter Früchte sich in Bezug auf Saftgehalt, Zucker, Säure etc. constant und so weit unterscheiden, daſs aus der chemischen Untersuchung ein Rück-

---

[1]) Nederl. Tijdschr. Pharm. 8, 208. — [2]) J. Pharm. Chim. [6] 2, 488—491; Ref.: Chem. Centr. 67, I, 133—134. — [3]) Landw. Vers.-Stat. 48, 131—160.

schlufs auf die Abstammung der Frucht gezogen werden kann.
Diese Frage wird verneint. Es wird auch der Einflufs des Jahrganges, der von Klima und Boden, der der Düngung untersucht.
Die Resultate sind in fünf Tabellen niedergelegt.   *Bl.*

Ed. Spaeth. Ueber Verfälschungen von Zimmt und Macis
mit Zucker und über den Nachweis des letzteren[1]). — Da Zimmt
häufig insofern verfälscht wird, als man ihn mit solchem Material
mischt, dem vorher das süfs schmeckende Oel des Zimmtes entzogen, so verfälscht man weiterhin derartigen Zimmt durch Zusatz von Zucker. Verfasser hat in einigen Zimmtproben 5 bis
10 Proc. Zucker nachweisen können. Aber auch Macis scheint
neuerdings mit Zucker, vielleicht des Preisunterschiedes wegen,
versetzt zu werden, wenigstens konnte Verfasser in drei Macisproben ca. 20 Proc. nachweisen. Es wurden zunächst Zimmtsorten auf ihren Zucker, den sie fertig gebildet enthalten, geprüft.
Nur Ceylonzimmt dreht die Ebene des polarisirten Lichtes,
während andere Zimmtproben keine Drehung zeigen. Ceylonzimmt
enthält 0,5 bis 1,56 Proc. Zucker (auf Invertzucker berechnet).
Um einen Zuckerzusatz im Zimmt nachzuweisen, schüttelt man
20 g Zimmtpulver mit 100 ccm Wasser wiederholt tüchtig, filtrirt,
klärt mit Bleiessig und polarisirt. Bei verfälschter Macis liefs
sich der Zuckerzusatz schon durch die Lupe erkennen, quantitativ
wird er polarimetrisch ermittelt. Reine Macis ist optisch inactiv.
        Tr.

Ed. Spaeth. Ueber neuere Verfälschungen von Gewürzen[2]).
— Verfasser betont zunächst, dafs, wenn auch von Seiten der
Gewürzmüller nicht mehr so plumpe Verfälschungen vorkommen,
wie sie früher wohl üblich waren, doch immerhin noch fremde
Stoffe (5 bis 10 Proc.) häufig angetroffen werden. Vielfach sind
es die ihrer ätherischen Oele beraubten Gewürze, die man den
reinen Gewürzen beimischt. Zu diesem Zweck werden extrahirte
Nelken, Zimmt, Pfeffer und Ingwer häufig verwendet. Extrahirten Ingwer konnte Verfasser sogar als Verfälschung im Pfeffer,
sowie in gemahlenen Nelken nachweisen; in einem anderen Falle
enthielt Pfeffer Linsenmehl, während er andererseits extrahirten
Anis, Pfefferstiele und weifsen Mohnkuchen enthielt. Den gewöhnlichen Penangpfeffer färbt man künstlich, um ihn dem werthvolleren Singaporepfeffer ähnlich zu machen. Auch andere Gewürze, wie Kümmel, Coriander, Anis und Fenchel, werden in

---

[1]) Forschungsber. über Lebensm. etc. 3, 291—296. — [2]) Daselbst,
S. 308—313.

ähnlicher Weise verfälscht. Piment wird mit Stielen und Staub, sowie mit Wachholderbeeren verfälscht. Bei Muscatblüthe und Macis wird häufig alte gemahlene und gelb gefärbte Semmel beigemischt. Verfasser führt schliefslich noch mehrere Recepte zur Herstellung von Gewürzen an, die sogenannte präparirte Gewürze liefern, und regt es an, gegen den Vertrieb solcher präparirter Gewürze endlich Stellung zu nehmen.   *Tr.*

Rud. Hefelmann. Ueber die Verfälschung des Zimmts mit Rohrzucker[1]). — Verfasser ist der Ansicht, dafs der Zucker nicht blofs als Geschmackscorrigens für Zimmt dient, der mit Material vermischt ist, dem das ätherische Oel vorher entzogen ist, sondern auch zur Verdeckung eines starken Sandgehaltes des gemahlenen Zimmtbruches. Nach den bayerischen Vereinbarungen soll ein marktfähiges Zimmtpulver nicht mehr als 5 Proc. Gesammtasche und nicht über 1 Proc. in Salzsäure unlösliche Asche (Sand) enthalten. Verfasser hat eine Reihe Zimmtproben geprüft und kommt hierbei zu dem Schlufs, dafs es angesichts der Verfälschung durch Rohrzucker angezeigt erscheint, in allen Fällen aufser der Gesammtasche auch den Sandgehalt der Gewürze zu bestimmen und die von Spaeth empfohlene Chloroformprobe niemals zu unterlassen.   *Tr.*

T. F. Hanausek. Fortschritte in der Untersuchung der Gewürze und deren Fälschungen[2]). — Der Bericht giebt eine Uebersicht über die zahlreichen, in den Jahren 1894 und 1895 veröffentlichten, die Untersuchung von Gewürzen betreffenden Abhandlungen einer grofsen Reihe von Autoren. Es werden Zimmt, Ingwer, Curcuma, Gewürznelken, Safran, Vanille, Pfeffer, Piment, Cardamomen, Paprica, Anis, Fenchel, Senf, Mais und Muscatnufs behandelt.   *Bl.*

---

[1]) Pharm. Centr.-H. 37, 699—701. — [2]) Chemikerzeit. 20, 775—778.

Autorenregister.

1888; Ueberführung von Phenylhydrazin in Diazobenzol durch salpetrige Säure 1888.

Altschul, M. Gefrierpunkte einiger Flüssigkeiten 67.

Alvarez und Jean. Beiträge zur qualitativen Analyse 2130.

Alvisi, G. Ueber Triäthylsulfinmetaluminat 857.

Amici, R. N. Photochemie und Thermochemie 82.

Ampola, G. siehe Oddo 239.

Ampola, H. siehe Oddo 1887.

Ampola G. und Garino, E. Ueber Denitrification 2037.

Ampola, G. und Rimatori, C. Dimethylanilin in der Kryoskopie 40; Methyloxalat in der Kryoskopie 40.

Amsel, H. Untersuchung von Chromgelb und Chromroth 2164; zur Kenntnifs harnsaurer Metalloxyde 1596.

Anderson, W. Carrick. Methode zur Bestimmung des specifischen Gewichts und der Porosität von Koks 2111.

André, G. siehe Berthelot 131, 172, 174, 448, 449, 766, 987, 973, 979.

André siehe Berthelot 2030.

Andreas, E. Elektricitätserzeugung auf chemischem Wege 102.

Andreocci, A. Ueber ein Additionsproduct des Santonins mit Salpetersäure. Einwirkung von Salpetersäure auf Desmotroposantonin 1844; über Schwefelstickstoff 423; siehe Cannizzaro 1195.

Andresen. Verhalten gegen ammoniakalische Silberlösung 81.

Andrews, Launcelot. Die Reduction der Schwefelsäure durch Kupfer als eine Function der Temperatur 371.

Andrews, Thomas. Thermo-elektrische Vorgänge und Ströme zwischen Metallen in geschmolzenen Salzen 95.

Andrews, W. W. Einige Erweiterungen der Gypsmethode bei der Löthrohranalyse 2049.

Andrews, E. siehe Meldola 1925.

Angeli, Angelo. Einwirkung des Hydroxylamins auf Nitrobenzol 1126; über Nitrohydroxylamin 418; über Victor Meyer's Esterificationsgesetze 129.

Angeli, Angelo und Rimini, Enrico. Nitrosit des Isosafrols 1182; über die Wirkung der salpetrigen Säure auf Campheroxim 197; Wirkung der salpetrigen Säure auf einige Oxime der Campherreihe 197.

Anschütz, R. Constitution des Tartrazins 1694.

Antony, U. und Benelli, T. Aufsuchung des Bleies im Trinkwasser 2072; Aufsuchung kleiner Bleimengen im Trinkwasser 2072.

Antony, U. und Gigli, G. Hydrolytische Zersetzung des Ferrinitrats und -sulfats 560; Hydrolytische Zersetzung des Nitrats und Sulfats des Eisens 568.

Antropoff, R. v. siehe Seyffert 748.

Antusch, A. C. siehe Ketel, van 2232.

Apel, M. und Witt, O. Condensation von Formaldehyd mit Anhydro-ennea-heptit 658.

Apéry, M. Pierre. Neue Reaction auf Aloë für gerichtlich-chemische Untersuchungen 2314.

Appert, Léon. Die Rolle des Aluminiums in den Gläsern 553.

Applegard, Rollo. Direct ablesbares Platinthermometer 328.

Appleyard, J. R. siehe Walker 932.

Archbutt, L. Verdampfungsprobe für Mineralschmieröle 2196.

Archdeacon, W. H. siehe Cohen 1094.

Arctowski, H. Künstliche Dendriten 63; Löslichkeit beim Erstarrungspunkt der Lösungsmittel 33.

Argenson, G. Acetonbestimmung im Harn 2263.

Armstrong, H. E. Beziehung von Pinen zu Citren 1573; Bemerkung über Nitrirungen 1198; Ketopinsäure aus Pinen 187; Mechanismus der gegenseitigen Umwandlung optischer Antipoden 152; Notiz über Esterbildung 1281; Studien über die Terpene und verwandte Verbindungen. Mittheilung über Ketopinsäure, ein Oxydationsproduct des festen Chlorhydrats aus Pinen 1574.

Armstrong, Henry E. und Davis, A. W. Bromnaphtol 1199.

Armstrong, Henry E. und Wynne, W. P. Constitution der Triderivate des Naphtalins 1125; Naphtylaminsulfosäure und Chlornaphtalinsulfosäure 1124.

Arnaud, A. Umwandlung der Taririsäure und der Stearolsäure in Stearinsäure 761.

oxyde 236, 1891; Isomerie der Diazometallsalze 236.

Bamberger, E. und Dieckmann, W. Ueber das Tetrahydrür des Isochinolins 1825.

Bamberger, E. und Ekecrantz, Thor. Methyläther des Nitrosophenylhydroxylamins 1126.

Bamberger, E. und Knecht, Maja. Reduction der Nitro- zur Hydroxylamingruppe 1075.

Bamberger, E. u. Kraus, E. Ueber Thiodiazoverbindungen 1901; das Verhalten einiger Diazoverbindungen gegen Kaliumsulfit 1895.

Bamberger, M. Ueber den Nachweis von Argon in dem Gase einer Quelle in Perchtoldsdorf bei Wien 430.

Bancroft, Wilder D. Auflösen und Schmelzen 24.

Bandke, E. Zur Untersuchung von Malzextract unter specieller Berücksichtigung der Verfälschungen mit Dextrin und Zucker 2275.

Barbet und Jandrier. Bestimmung von Estern in Alkoholen 2200; Nachweis und Bestimmung von Nitriten im Wasser 2071; Unterscheidung der verschiedenen Aldehyde mittelst Phenolen 2211.

Barbier, Ph. u. Bouveault, L. Aldehyde, welche sich von den isomeren Alkoholen $C_{10}H_{18}O$ ableiten 1506; über die aus den Alkoholen $C_{10}H_{18}O$ abgeleiteten Aldehyde 202; über das Citronellal und seine Isomerie mit dem Rhodinal 203, 1502; Constitution des Rhodinols 1505; Darstellung und Eigenschaften des Ionons 189; Einwirkung von Chlorwasserstoff auf Licareol, Licarhodol und Lemoneol; Beziehungen zwischen den drei Alkoholen 1508; Extraction von Rhodinol aus dem Pelargoniumöl und dem Rosenöl 203; Gewinnung von Rhodinol aus Pelargoniumöl und Rosenöl: Identität dieser beiden Alkohole 1504; über das Homolinalool und über die Constitution des Licareols und Licarhodols 1509; über die Isolemonylverbindungen, Darstellung und Eigenschaften des Ionons 1507; partielle Synthese der Geraniolsäure; Constitution des Lemonols und Lemonals 202; partielle Synthese der Geraniumsäure: Constitution des Lemonols und Lemonals 1504; Synthese des natür-

lichen Methylheptenons 202; Constitution des Rhodinols 203; über das Rhodinol und seine Umwandlung in Menthon 203, 1511; Synthese des natürlichen Methylheptenons 1498.

Barendrecht, H. P. Alkoholhydratfrage 645; Dimorphie des Eises 64.

Barillot, E. Ausbeute verschiedener Holzarten an Holzkohle, Methylalkohol und Essigsäure 641.

Barlow, W. Nachtrag zu den Tabellen homogener Structur und Bemerkungen zu E. v. Feodorow's Abhandlung über regelmäßige Punktsysteme 145.

Barnes, Josef. Bestimmung organischer Substanzen mittelst Chromsäure 2188.

Barnett, R. E. siehe Tilden 443.

Barr, John M. siehe Henderson 165, 803.

Barr, L. siehe Holman 67.

Bartel, A. Gerbstoffextraction 1643.

Barth, M. Untersuchung und Beurtheilung der Süfsweine 2205.

Barthe, L. Quecksilberoxycyanid 955.

Bartoli, A. Compressibilitätscoëfficienten der Kohlenwasserstoffe C_nH_{2n+2} 17.

Bartolotti, Pietro. Derivate des Benzophenons 1429.

Baseler Chemische Fabrik Bindschedler. Darstellung von neuen Condensationsproducten aus Phtalsäureanhydrid und dialkylirten mAmidophenolen 1321; Darstellung von Dioxy-α-naphtoë-α-sulfosäure 1344.

Baskerville, Charles. Reduction von concentrirter Schwefelsäure durch Kupfer 872.

Basset, Henry. Eine verbesserte Methode der Anthracenprüfung 2282.

Bathrick, H. A. Fällung von Salzen 39.

Battandier. Alkaloide der Fumariaceen und Papaveraceen 1666.

Bau, A. Vergährbarkeit der Galactose 1002.

Baucke, H. Darstellung und Eigenschaften des Phenylpropiolsäureamids 1257; Einwirkung von Ammoniak auf die Aether der Phenyldibrompropionsäure 1257.

Bauer, E. Zur Bestimmung des Kalis als Kaliumplatinchlorid 2134; siehe Kehrmann 1084.

Bauer, Eugen siehe Häufsermann 1145.

Bauer, F. u. Hilger, A. Zur chemischen Kenntnifs der Pfefferfrucht 2046.

Baugé, G. Krystallinisches Ammoniumchromocarbonat 599.

Baum, F. siehe Auwers 1167.

Baumann, E. Zur Bestimmung kleiner Mengen Jod in thierischen Geweben 2262; über das normale Vorkommen des Jods im Thierkörper. III. Der Jodgehalt der Schilddrüsen von Menschen und Thieren 2025.

Baumann, E. und Roos, E. Normales Vorkommen des Jods im Thierkörper 357; über das normale Vorkommen des Jods im Thierkörper. II. 2024.

Baumert, G. Chemischer Nachweis von Pferdefleisch 2279; über die quantitative Bestimmung der Rohfaser in Nahrungs- und Genufsmitteln 2281.

Baumhauer, H. Ueber den Rathit, ein neues Mineral aus dem Binnenthaler Dolomit 456.

Beadle, O. siehe Crofs 1033.

Beadle, Clayton und Dahl, O. W. Temperatursteigerung der Cellulose bei der Absorption von Wasserdampf 1029.

Beccari, Ludovico u. Rimini, Enrico. Biologische Wirkung einiger neuer Stickstoffverbindungen des Sauerstoffs 2022.

Béchamp, A. Aenderungen der Milch beim Kochen 2028.

Bechi, de siehe Friedel 1215.

Becke, F. Ein Wort über das Symmetriecentrum 145.

Becker, Jul. siehe Busch 1723.

Becker, P. Darstellung beständiger naphtalinsulfosaurer Tetrazosalze 1916.

Beckmann, Ernst. Untersuchungen in der Campherreihe 192; Untersuchungen in der Campherreihe. Ueber Campherpinakon 1517; Beiträge zur Prüfung des Honigs 2272; Untersuchung von Honig 2273; Verhalten proteïnartiger Stoffe gegenüber Aldehyden 1969.

Beckmann, E. und Eickelberg, H. Zur Kenntnifs der Menthone 190; zur Kenntnifs der Menthone, Ueberführung in Thymol 1488.

Beckmann, Ernst und Elsner, O. Einwirkung von Akroleïn auf Proteïnstoffe 1970.

Beckurts, H. Ueber die Bestimmung

des Hydrastins und Berberins im Extractum Hydrastis canadensis 2313; siehe Heiler 2223.

Beckurts, H. u. Frerichs, G. Zur quantitativen Bestimmung von Alkaloiden in pharmaceutischen Extracten 2299.

Beensch, Leo siehe Fischer 177, 1616.

Beeson, J. L. Ein einfacher zur Analyse von Futterstoffen geeigneter Extractionsapparat 2065; Vorkommen von Aminen in dem Saft des Zuckerrohrs 877.

Béhal, A. Stereochemie des Stickstoffs 232.

Béhal und Guerbet. Oxydation der Camopholensäuren mit Brom 201.

Behrend, O. Constitutionsbeziehungen zwischen Ricinölsäure und Oelsäurederivaten 770.

Behrens, H. Zur mikroskopischen Analyse 2296; zur mikrochemischen Unterscheidung von Cinchonidin und Homocinchonidin 2307.

Behrens, J. Ursprung des Trimethylamins in Hopfen und die Selbsterhitzung desselben 872.

Beijerinck, M. W. Eigenthümlichkeit der löslichen Stärke 1021; Einrichtung einer normalen Buttersäuregährung 2014; Nachweis und Verbreitung der Glucose, des Enzyms der Maltose 1998.

Beijlikgy, M. W. Darstellung von Natrium- und Kaliumdichromat 501.

Bein, S. Bedeutung, Erzeugung, Untersuchung und Begutachtung der Ungarweine 2204; Nachweis des Eigelbs in Mehlfabrikaten 2322.

Belar, Albin. Prüfung des Rothweines auf fremde Farbstoffe 2201.

Bellati, W. Ideen von Bartolomeo Bizio über die Lösungen 33.

Bellocq, A. Bestimmung der Borsäure 2110.

Benda, L. siehe Gnelun 1905.

Benelli, T. siehe Antony 2072.

Bennet, A. A. und Pammel, E. E. Gas producirende Bacterien 1989.

Bennett, A. A. u. Placercay, L. A. Quantitative Bestimmung der drei Halogene Chlor, Brom und Jod in Mischungen ihrer binären Verbindungen 2076.

Benneville, J. G. de. Carbide von Chrom, Molybdän und Wolfram 606.

Bialobrzeski, M. Anwendung saurer Lösungen von arseniger Säure in der Mafsanalyse 2054; chemische Untersuchung der Folia Bucco 1590; Zusammensetzung des nach verschiedenen Methoden dargestellten Hämins und Hämatins 1976.

Biehringer, Joachim. Elektrolyse organischer Körper 115; Farbstoffe der Pyroningruppe 1207; Lichtempfindlichkeit von Tetramethyldiamidodiphenylmethanoxyd 81; Nachruf auf Pasteur 138.

Biétrix, A. Chlorirung der Gallussäure. Bildung von Dichlorgallussäure und von Trichlorpyrogallol 1349; Einwirkung von Nitrosodimethylanilin auf einige Bromderivate der Gallussäure 1881; Einwirkung des Phenylhydrazins auf Gallussäure und auf Dibromgallussäure 1350; Tetraphenylhydrazindibromgallussäure 1350.

Bignan, N. Magnesiumsulfid 516.

Biltz, H. Ueber eine Aenderung in der Form der Mefskolben 2061; Molekulargröfsen einiger anorganischer Substanzen 6; Oxydation durch Hydroxylaminchlorhydrat 1440.

Biourge, Ph. Ueber die alkoholische Gährung 2009.

Bird Moyer, J. Metalltrennungen mittelst Salzsäuregas 2123.

Bischoff. Schnellmethode zur Butterprüfung 2250.

Bischoff, C. A. Kuppelung von Malonsäureestern mit einfacher Bindung 710; der quantitative Verlauf der Synthesen von Aethern fünf-, sechsund siebenbasischer Fettsäuren 712; Umsetzung von Chloressigäther mit Natriummalon- und -acetessigäthern 709.

Bishop, W. Untersuchungen über die Bestimmung des Oxydationsgrades der Oele 2226.

Bistrzycki, A. u. Nencki, K. Constitution der Phenolphtalein-Alkalisalze 1319.

Blair, Andrew A. Bestimmung des Kohlenstoffs im Stahl 2149.

Blake, R. F. siehe Letts 2117.

Blanc, G. Einwirkung von Aluminiumchlorid auf Camphersäureanhydrid 198.

Blank, Oscar. Zur Kenntnifs der α-Methylphtalsäure 1333; Notiz über β-Naphtylessigsäure 1262.

Blau, F. Gewinnung von Brom 354.

Bleckert, Arthur L. und Smith, Edgar F. Trennung des Wismuths vom Blei 2163.

Bleier, O. Ueber gasanalytische Apparate 2062; Zusatzänderungen zum Orsat'schen Apparate 2063.

Blifs, C. L. siehe Orndorff 1206.

Blomstrand, C. W. Constitution der aromatischen Diazokörper und ihrer Isomeren 236; zur Diazofrage 237, 1883.

Blount, B. Bestimmung des Sauerstoffs im Handelskupfer 2173.

Blount siehe Stanger 586.

Blum, F. Eine neue Classe von Verbindungen der Eiweifskörper 1969.

Blyth, T. R. Wismuthoxyjodid 463.

Blythe, G. W. Darstellung reiner, wasserfreier Cyanwasserstoffsäure 905.

Bocchi, Icaro. Ueber die Identificirung der Filixsäure und über ihren toxikologisch-chemischen Nachweis bei Vergiftungen mit Filixextract 1612.

Bocchi, O. Ueber Chlorthymol und Dichlorcymol 1159.

Bock, Emil. Probiren von Kupfer und Kupferstein 2168.

Bodländer, G. Ueber abnorme Gefrierpunktserniedrigungen 54.

Bodzynski, St. von. Das Cholesterin der menschlichen Fäces 707.

Boedtker, Eyvind. Einwirkung von Chloraluminium auf Thiophen enthaltendes Benzol 1686.

Böhm, R. Zur Kenntnifs der Filixsäuregruppe 1615.

Böhringer, C. F. u. Söhne. Darstellung von Vanillin 1393.

Boek, Johannes. Ueber eine Umwandlung, die das Licht im Methämoglobin hervorruft 2022.

Boer siehe Brieger 2018.

Boeris, Giovanni siehe Ciamician 1728, 1730.

Börnstein, E. Einwirkung von Benzosulfochlorid auf Nitrosodimethylanilin 1927.

Boëseken, J. Condensationsmethode von Claisen 1253.

Böttcher, O. Zur Bestimmung des Ammoniakstickstoffs in künstlichen Düngemitteln 2091.

Boettinger, Carl. Abkömmlinge der Glycolsäure 1154; Abkömmlinge der Naphtylamine 1122; über das Ver-

matischen Kohlenwasserstoffe in Gegenwart von Aluminiumchlorid 1289; Einwirkung von Hydrazin auf aromatische Glyoxylsäuren 1938; neue Methode der Darstellung aromatischer Aldehyde 1370; Synthese aromatischer Säuren und Aldehyde mittelst Aluminiumchlorid 1228.

Bouveault, L. siehe Barbier 189, 202, 203, 1498, 1502, 1504, 1505, 1506, 1507, 1508, 1509, 1511.

Bower, H. Darstellung von Cyanverbindungen aus lösliche Ferrocyan- und Schwefelverbindungen enthaltenden Flüssigkeiten 946; Darstellung von Cyaniden und Sulfocyaniden 947; Darstellung von Ferrocyaneisen 950; Darstellung von Ferrocyaniden 951.

Bradley, E. siehe Kastle 1068.

Brand, J. Nachweis sehr geringer Mengen von Fluor im Bier 2208.

Brandes, P. siehe Stoehr 1840.

Brauchbar, Maximilian. Einwirkung von wässeriger Kalilauge und gesättigter Pottaschelösung auf Isobutyraldehyd 661.

Braun. Beziehungen zwischen der Citratlöslichkeit der Phosphorsäure in Knochenmehlen und der Mehlfeinheit derselben 2101.

Braun, Erich. Citratlöslichkeit der Phosphorsäure 452.

Braun, L. Einwirkung von Isobutyraldehyd auf Malon- und Cyanessigsäure 740; quantitative Bestimmung der Maltose in Würzen 2210.

Braun, R. Chemische Mineralogie 145.

Brauner, B. Argon, Helium und Prout's Hypothese 4.

Brauns, R. Einwirkung von trockenem Chlorwasserstoff auf Serpentin; Betrachtungen über die chemische Zusammensetzung der Mineralien der Serpentin-, Chlorit- und Glimmergruppe 481; über Nachbildung von Anhydrid 510.

Brearley, H. Bestimmung von Nickel im Stahl 2157.

Breckenridge, J. E. siehe Kreider 2136.

Bredig. Die Kationenbeweglichkeit metamerer Aminbasen 148.

Bredig, G. Wärmeleitung und Ionenbewegung 33, 147.

Bredt, J. Camphoronsäure 201.

Bredt, J. und Kallen, J. Anlagerung von Blausäure an ungesättigte Carbonsäuren 686.

Bredt, J. und Rosenberg, M. v. Partielle Synthese des Camphers und über die Constitution der Camphersäure und des Campherphorons 191, 1513.

Bremer, H. Untersuchung von Butterfett und seinen Surrogaten 2255.

Brenke, W. C. siehe Palmer 1135.

Brenkeleveen, M. van. Zusammensetzung der Gase aus einem Brunnen 615.

Brenzinger, Karl. Bestimmung der Sulfanilsäure 2290.

Brereton Evans, Clare de. Tertiäre aromatische Amine 1117.

Brieger und Boer. Antitoxine und Texine 2018.

Brochet, A. Darstellung von reinem gasförmigem Formaldehyd 657; Einfluß der Activität auf die Oxydationen der Alkohole 647; Einwirkung von Chlor in der Kälte auf Isobutylalkohol 647; Einwirkung von Chlor auf normalen Propylalkohol 646.

Brochet, A. und Cambier, R. Darstellung von Methylamin 870.

Brock, J. G. siehe Raschen 951.

Brögger, W. C. Ueber die verschiedenen Gruppen der amorphen Körper 145.

Bromberg, Otto. Zur Kenntniß der Phtalazinderivate 1829; siehe Fischer 175, 975, 978.

Bromlay siehe Swan 476.

Brooke, Simpson und Spiller, Lted. und Simpson, W. S. Darstellung von Farbstoffen 1713.

Brooks, Cecil, J. Quantitative Bestimmung von Zinn 2121.

Brown, Crum. Veranschaulichung der neueren Theorie der Salzlösungen 113.

Brown, Harold. Neue Arbeiten auf dem Gebiete der organischen Chemie 139.

Brown, D. Rainy. Notiz über käuflichen Lackmus 1636.

Brown, Reginald B. siehe Hummel 1644.

Browne, Frank. Analyse von chinesischem Opium 1676.

Browning, Ph. E. Reduction von Vanadinsäure durch Jod- und Bromwasserstoff und Bestimmung derselben durch Titration mit Jod in alkalischer Lösung 2182.

Browning, Ph. E. und Goodmann, R. J. Ueber die Anwendung gewisser organischer Säuren zur Bestimmung des Vanadiums 2183.

Browning, Ph. E. und Jones, L. C. Bestimmung des Cadmiums als Oxyd 2162.

Brüggemann, Fr. Derivate des Veratrols 1183.

Brühl, J. W. Stereochemisch - spectrische Versuche 148; spectrochemische Untersuchung des α- und β-Formylphenylessigesters 1287.

Brühl, J. siehe Ulzer 2157.

Brugnatelli, L. Krystallform der Adipinsäure und ihres Ammoniumsalzes 741.

Brullé, R. Eine Methode, durch Bestimmung des specifischen Gewichtes die Reinheit der Butter festzustellen 2252.

Brunel, H. Ueber Thioglyoxylsäure 856.

Brunner, K. Eine Indoliumbase und ihr Indolinon 1731, 1732.

Bruylants, G. Ueber den Zusatz von Phenolphtaleïn zur Margarine 2256.

Bruyn, C. A. Lobry de. Einwirkung der Alkyljodide auf Hydroxylamin 861; Entflammungspunkt von Petroleum 620.

Bruyn, C. A. Lobry de siehe Ekenstein 170.

Bruyn, C. A. Lobry de und Ekenstein, W. Alberda van. Umwandlung von Zucker unter dem Einfluß von Bleihydroxyd 171.

Bruyn, C. A. Lobry de und Leent, F. H. van. Ammoniakderivate der Mannose, Sorbose und Galactose 169.

Bryant, A. P. Eine Methode zur Trennung der unlöslichen Phosphorsäure in gemischten Düngern, welche aus Knochen und anderen organischen Stoffen abstammen, von derjenigen, welche aus Mineralphosphaten herrührt 2103.

Bucher, John E. siehe Michael 719.

Bucherer, A. H. Elektromotorische Kräfte als Functionen der Löslichkeit 110; elektromotorische Kraft und Vertheilungsgleichgewicht 99.

Buchner, Eduard. Ueber Pseudophenylessigsäure 1251.

Budden, E. Russel. Ueber ein geeignetes Polarimeter zur Prüfung ätherischer Oele 2290.

Budden, E. Russel und Hardy, H. Nachweis geringster Mengen von Metallen in Flüssigkeiten 2072.

Bueb, J. siehe Reichardt 950.

Bücherer, Alfr. H. Aluminium aus Aluminiumsulfid 543.

Bückse, E. Verfahren und Apparat zur Darstellung von Magnesiummanganit und Salzsäure aus dem Doppelsalz Manganmagnesiumchlorid 516.

Bülow, C. Verhalten des o-Nitro-p-phenylendiamins gegen salpetrige Säure 1904.

Bürgin, H. siehe Kehrmann 1865, 1876, 1878.

Büttgenbach. Manganbestimmungen in Eisenerzen auf trockenem Wege 2155.

Bull, Benjamin S. siehe Einhorn 872.

Bull, J. C. und Lagerwall, R. E. M. Herstellung von Legirungen 548.

Bunge, Paul. Neuerungen an analytischen Wagen 330.

Buntrock, A. siehe Witt 1980.

Burgaſs, R. Anwendung des Nitroso-β-naphtols in der anorganischen Analyse 2049.

Burgeſs, H. E. siehe Chapman 1585.

Burri, R. und Stutzer, A. Zur Frage der Nitrification im Erdboden 2035.

Busch, M. Ueber Benzylidenimid 1879; Derivate des Hydrosulfamins 1715; zur Kenntniß der o-Amidobenzylamine 1834.

Busch, A. und Becker, Jul. Reihe von Tetrazolverbindungen 1723.

Busch, M. und Stern, Alfred. Einwirkung von Ammoniak und Aminbasen auf Disulfide 1189.

Bushong, F. W. Benzimidoäthyläther und Benzimidomethyläther 1236.

Buſs, O. Spectralanalyse einiger toxikologisch und pharmakognostisch wichtiger Farbstoffe mit besonderer Berücksichtigung des Ultravioletts 87.

Busse, G. siehe Harries 1402.

Cabot, John W. und Vanghen, Samuel W. Darstellung von Mangan 554.

Cain, J. siehe Bone 630.

Calvert, Sidney siehe Jackson, Loring 1088, 1128.

Calvert, H. F. und Ewan, F. Colloidale Chromschwefelsäure 595.

Cambier, R. siehe Brochet 870.

Cammerer und Söldner. Analysen der Frauenmilch, Kuhmilch und Stutenmilch 2238.

Campbell, E. D. Schema für die zulässige Genauigkeitsgrenze bei der

Claus, Ad. und Huth, M. Zur Kenntnifs der Resorcinketone 1454.

Claus, Ad. und Mohl, E. Zur Kenntnifs der Oxychinolinalkylate 1796.

Claus, Ad. und Schnell, L. Nitrochinolin und Amidochinolin 1783.

Claus, Ad. und Setzer, E. Zur Kenntnifs des ana-Nitro- und des o-Nitro-, des ana-Amido- und des o-Amidochinolins 1787.

Clavenad. Neue Körper für Glühlicht 495.

Clemm, H. siehe Curtius 742, 840.

Cleve, A. Ueberführung sauerstoffhaltiger Triazolabkömmlinge in die sauerstofffreien Alkyltriazole 1719.

Clever, A. siehe Muthmann 393, 421.

Clever, A. und Muthmann, W. Untersuchungen über den Schwefelstickstoff 420.

Cloetta, M. Darstellung und Zusammensetzung des salzsauren Hämins 1630.

Clowes, Frank. Bestimmung der Grenzen der Explosionsfähigkeit von Acetylen und Erkennung und Bestimmung des Gases in der Luft 2191; die genaue Bestimmung des Sauerstoffs durch Absorption mit alkalischer Pyrogallollösung 2057; Entdeckung und Schätzung des Kohlenoxyds in der Luft 2112.

Coates, Charles E. und Dodson, W. R. Stickstoffassimilation durch die Baumwollpflanzen 2034.

Cochenhausen, von. Lanolium anhydricum, Adeps lanae und Wollfett 825.

Cochius, Friedrich. Gasmefsröhre mit in das Innere der Röhre hineinragendem Thermometer 329.

Cohen, J. B. und Archdeacon, W. H. Einwirkung von Natriumalkoholat auf gewisse aromatische Amide 1094.

Cohn, Paul. Ueber o-Benzoylphenol 1428; über Chinolin-Oxychinoline 1794.

Cohn, P. und Fleifsner, F. Trennung des Palladiums von Platin 2186.

Cohn, Rudolf. Quantitative Eiweifsspaltung durch Salzsäure 1972.

Cohnheim, Otto. Ueber das Salzsäurebindungsvermögen der Albumosen und Peptone 1983.

Collet, A. Einwirkung von α-Brombutyrylchlorid auf Benzol in Gegenwart von Aluminiumchlorid 1059; Triphenyläthanon 1418.

Collet, M. A. Einwirkung des α-Brompropionchlorids auf Benzol bei Gegenwart von Aluminiumchlorid 1413.

Collie, J. Norman siehe Ramsay 428.

Collie, J. N. und Ramsay, W. Verhalten von Argon und Helium bei elektrischer Entladung 82.

Collie, J. Norman und Wilsmore, N. T. W. Bildung von Naphtalin und von Isochinolinderivaten aus Dehydracetsäure 1825.

Colson, A. Darstellung der Säurefluoride 674; Einwirkung von Chlorwasserstoffgas auf die Alkalisulfate 501; über die polarimetrische Bestimmung der Weinsäure 164, 2217.

Combes, Charles. Darstellung von Aluminiumlegirungen durch chemische Reaction 546; Derivate des Triphenylsilicoprotans 1967.

Comboni, E. Gegenwart und Bestimmung der Pentosane in der Traube und ihren Producten 1035.

Comey, A. M. siehe Jackson 586.

Compagnie parisienne de Couleurs d'Aniline. Darstellung von blauen basischen Farbstoffen 1873; Darstellung von Farbstoffen der Rosindulinreihe 1875; Darstellung von Nitranilinsulfosäure 1113.

Comstock, William C. Anwendung von Antimontrichlorid in der Synthese aromatischer Ketone 1410.

Cone, E. F. Bestimmung des Pyrrhotits in Pyriten 2080.

Coningk siehe Oechsner de 1038, 1234.

Conrad, M. Halogensubstituirte Acetessigester 766.

Conrey, James T. Fabrikation von Cyaniden 947.

Constam, J. E. und Hansen, A. von. Elektrolytische Darstellung von Percarbonaten 117.

Coquillion, J. Ueber Verbesserungen des Grisonmeters und über seine Genauigkeitsgrenze 2190.

Coremons siehe Courlay 2327.

Cornelson, A. und Kostanecki, St. v. Einwirkung der Aldehyde auf Ketone 1430.

Cornette, Paul. Nachweis von Harzöl in fetten Oelen 2227.

Cossa, A. Reaction von Anderson 1748.

Gegenwart von Nitraten in der Luft
406; siehe Rolfe 183, 2278.

Dehérain, P. P. und Demoussy, C.
Oxydation der organischen Substanz
des Bodens 2037.

Delacre, Maurice. Constitution des
Pinacolins 671; Synthese des Benzols durch Einwirkung von Zinkäthyl
auf Acetophenon 1043.

Delage und Gaillard. Darstellung
von glycerinphosphorsaurem Calcium
652.

Delauney. Atomgewichte der Elemente 6.

Delépine, M. Einwirkung von Wasser
auf Formaldehyd 657; Einwirkung
von Schwefelwasserstoff und Schwefelkohlenstoff auf das Trimethyltrimethylentriamin 853; Methode zur Trennung der Methylamine 872; über die
Methylamine 871; Wirkung von
Schwefelkohlenstoff auf Trimethyltrimethylentriamin 877.

Demarcay, Eug. Ueber ein neues
in den seltenen Erden enthaltenes,
dem Samarium nahestehendes Element 539.

Demeler, C. siehe Paal 1442.

Dementjew, K. Methode der volumetrischen Bestimmung des Zinks
2162.

Demerliac, R. Anwendung der Clapeyron'schen Formel auf den
Schmelzpunkt des Benzols 68.

Demoussy, C. siehe Dehérain 2037.

Denigès, G. Allgemein anwendbare
Methode zur Bestimmung des Quecksilbers in irgend welcher Form 2175;
Ausdehnung der Legal'schen Reaction auf Körper, die die Acetylgruppe oder ihre Derivate enthalten
673; neues Fälschungsmittel der
Milch und schnelles Verfahren zum
Nachweis desselben 2241; neues Verfahren zur schnellen und genauen
Bestimmung des Caseïns in der Milch
2244; über ein rasches Verfahren,
Formaldehyd in der Milch nachzuweisen 2242; rasche volumetrische
Thiophenbestimmung im Benzol 2282;
Verallgemeinerung der Nefsler'schen
Reaction zum Nachweise von Quecksilber und Jodiden 2175.

Dennhardt. Verbindung von Caffeïn mit Quecksilberchlorid 928.

Dennis, L. M. Trennung des Thoriums von den anderen seltenen
Erden mittelst Kaliumtrinitrids 2120.

Dennstedt, M. und Ahrens, C. Bestimmung von schwefliger Säure und
Schwefelsäure in den Verbindungsproducten des Leuchtgases 2087.

De Paepe, D. Bestimmung des Eisens
in den Kalksteinen 2148.

Derry, E. W. siehe Finlay 949.

Desgrez siehe Bouchard 431.

Devarda, A. Acidität der Milch und
ein einfaches Verfahren zur Bestimmung derselben 2245; über die Prüfung der Labpräparate und die Gewinnung der Milch durch Käselab
2314.

Dewey, F. P. Die gegenwärtige Genauigkeit der chemischen Analyse
2048; Genauigkeit bei Silberproben
2174.

Dewey, Fr. R. Trennung von Silbersulfid und Kupfersulfid 364.

Dewitz, E. siehe Claus 1789.

Diamant, Julius. Ueber die directe
Einführung von Hydroxylgruppen in
Oxychinoline 1798.

Dibdin, W. J. und Grimwood, R.
Analyse des Mörtels 2138.

Dieckmann, W. siehe Bamberger
1825.

Diepolder, E. Ueber 3-Nitro-p-oxybenzoësäure und 3-Amido-p-oxybenzoësäure 1271.

Dierbach, K. Ein neuer Bunsenbrenner 327.

Dieterich, Eugen. Hübl's Jodlösung
und ihre Modification durch Walter
2226.

Dieterich, Karl. Beiträge zur Verbesserung der Harnuntersuchungsmethoden 2292, 2293; über kritische
Temperaturen von Fettsäuren 825;
Nachweis von Vanillin in Harzen
2293; neuere Chemie der Harze und
ihre Nutzanwendung auf Untersuchungsmethoden 1596; Regenerirung von Jod aus Jodrückständen
357; über die Farbenreactionen von
verschiedenen Oelen mit Molybdänschwefelsäure 2227; über das Palmendrachenblut 1598; Untersuchung von
reinen und verfälschten Fetten durch
Bestimmung der kritischen Temperatur 2220.

Dinesmann. Künstlich. Moschus 1077.

Dinkler. Arsenbestimmung 2105.

Dischinger, A. siehe Fischer 1860.

Ditte, A. Löslichkeitsbeeinflussung
der Haloidsalze der Alkalien durch
die entsprechenden freien Säuren 31.

Dupont, J. und Guerlain, J. Französisches Rosenöl 1593.

Durand, Huguenin und Co. Darstellung eines Leukofarbstoffs der Gallocyaningruppe 1882; Darstellung eines grünen beizenfärbenden Oxazinfarbstoffs 1878.

Durrant, R. G. Ueber eine neue Verbindung des Kobalt und einen schnellen Nachweis von Kobalt neben Nickel 2179.

Duyk. Aetherische Oele in chemischer und industrieller Beziehung 1483.

Dyes, W. A. Reindarstellung der Gährungsmilchsäure 765.

Eakle, A. S. Krystallographische Kenntnifs der überjodsauren und jodsauren Salze 361.

Easterfield, T. H. siehe Wood 1597.

Eberhard, O. Laboratoriumsapparate. Vorstofs, Kühler 331; die Trockensubstanzbestimmung in Wässern und die Massenuntersuchung von Trinkwässern 2068.

Ebers siehe Majert 1173.

Ebner, Victor v. Umkehrung der Doppelbrechung leimgebender Gewebe durch Reagentien 1980.

Eckenroth, Hugo. Untersuchungen über die Handelssaccharine 2289.

Eckenroth, Hugo und Klein, Karl. Einwirkung einiger sauerstoffhaltiger Halogenverbindungen auf Benzoësäuresulfinidnatrium (Saccharin) 1247.

Eckenroth, Hugo und Koerppen, Georg. Derivate des o-Benzoësulfinids (Saccharin) 1248.

Eder und Valenta. Funkenspectren von Kupfer, Silber und Gold 83; über drei verschiedene Spectren des Argons 425; spectralanalytische Untersuchung des Argons 84.

Edinger, A. Einwirkung von Bromschwefel auf aromatische Amine 1777; Einwirkung von Halogenschwefel auf aromatische Amine 1777; zur Kenntnifs des Jodisochinolins und der beiden isomeren Jod-o-phtalsäuren 1819.

Edinger, A. und Lubberger, H. Einwirkung von Chlorschwefel auf Chinolin 1777.

Edmunds, J. Die Bestimmung von Schwefelsäure oder von Baryum 2086.

Edwards, H. W. Bessemern von Nickelstein 587.

Edwards, Vincent. Notiz über die rasche Bestimmung von unlöslichem Phosphat 2097.

Effront, E. Eine neue Methode zur Bestimmung der Stärke in den Getreidearten 2277.

Egeling siehe Guldensteeden 2073.

Eggert, A. siehe Troeger 1452.

Ehrich, E. Untersuchungen über die Stickstoffverbindungen der Malz- und Bierwürzen 2209.

Ehrmann, Ed. Fortschritte der Farbstoffindustrie 1200.

Eibner, A. Constitution der Nitrosoderivate der beiden secundären Aethylidenaniline 1116.

Eichloff, Rob. Bestimmung des specifischen Gewichts der mit Kaliumbichromat conservirten Milch 2236.

Eickelberg, H. siehe Beckmann 190, 1488.

Eilvart, A. Die räumlichen Beziehungen der Atome 140.

Einecke, Albert. Chemische Zusammensetzung von Säften verschiedener Stachel-, Johannis- und Erdbeersorten 2329.

Einhorn, Alfred. Reduction der Benzylamincarbonsäuren 1250; Reduction der Phenolcarbonsäuren 1263.

Einhorn, Alfred und Bull, Benjamin S. Ueber das o-Hexamethylendiamin 872.

Ekecrantz, Thor siehe Bamberger 1126.

Ekenstein, W. Alberda van. Krystallisirte Mannose 177; siehe Bruyn 171.

Ekenstein, W. Alberda van, Jorissen, W. P. und Reicher, L. Th. Rotationsänderung beim Uebergang von Lactonen in die correspondirenden Säuren 179.

Elbs, Karl. Elektrolytische Oxydation des p-Nitrotoluols 123, 1210; elektrolytische Reduction des Nitrobenzols 1073; Theorie der Bleiaccumulatoren 97.

Elbs, K. und Schönherr, O. Theorie der Bleiaccumulatoren 97.

Electrometallurgical Company. Chromlegirungen 590.

Elion, H. Notiz über die gewichtsanalytische Bestimmung der Zuckerarten, insbesondere der Maltose, mit Fehling'scher Lösung 181, 2269.

Elliot, W. J. Einwirkung von Chloroform und wässeriger Kalilauge auf Amidobenzoësäure 1240.

amidophenoläther 1155; Trennung v. Gemengen primärer aromat. Basen mittelst Formaldehyd 1091.

Farbwerke Mühlheim, vormals Leonhardt u. Co. Verfahren zur Darstellung basischer alkylirter Farbstoffe der Pyrongruppe 1746; Darstellung blauer basischer Oxazinfarbstoffe 1877, 1878; Darstellung blauvioletter basischer Farbstoffe 1874; Darstellung violettblauer basischer Farbstoffe 1878; Darstellung v. Diäthyldiamidodioxyditoluylenmethan 1211; Darstellung von Nitrosoverbindungen der Amidophenole 1153.

Farnsteiner, K. Controle und Beurtheilung von Weinessig 2216; Nachweis eines Zusatzes von Formaldehyd zur Milch 2242; Versuche über den Verlust ranziger Butter an freier Säure beim Erhitzen und Waschen 2256.

Farr, E. H. und **Wright, R.** Pharmacie von Conium maculatum 2045.

Fatnall, R. siehe **Rowland** 82.

Favrel, G. Einwirkung von Natriumcyanessigsäure-, Propyl-, Butyl- und Amylester auf Diazobenzolchlorid 1892.

Fay, Henri. Einwirkung des Lichtes auf einige organische Säuren in Gegenwart von Uransalzen 79, 80, 163.

Fay, H. siehe **Norris** 2088.

Fedorow, E. v. Grundgesetz der Krystallographie 55.

Feliciani, G. Analyse des Säuerlings von Rom (Ponte Molle) 2067.

Fell, A. G. Aufschliessung von natürlichen Bleierzen behufs Gewinnung von Bleiverbindungen 522.

Fenton, Henry J. Horstman. Constitution einer neuen zweibasischen Säure, die durch Oxydation der Weinsäure entstanden ist 163.

Feodorow, E. v. Theorie der Krystallstructur 145.

Ferée siehe **Guntz** 70.

Fernbach, A. Die Phosphorsäure in Gerste und Malz. Das Malz enthält keine freie Säure 2039.

Ferrand. Ueber eine neue Reihe von Sulfophosphorverbindungen. Die Thiophosphite und Thiophosphate 452.

Ferrari, A. siehe **Martinotti** 2103.

Fichter, Fr. Eine allgemeine synthetische Methode zur Gewinnung von γ, δ-ungesättigten Säuren 684.

Fichter, Fr. u. Herbrand, A. Eine

neue Darstellungsweise einiger Lactone der Fettreihe 687.

Field III, Charles u. Smith, Edgar F. Trennung des Vanadins vom Arsen 2182.

Fields, John. Modification der Gunning'schen Methode für Nitrate 2093.

Filehne, W. Pyramidon, ein Antipyrinderivat 1697.

Fileti, M. und Baldoacco, G. Halogenderivate der Stearin-, Oel- und Elaïdinsäure 681.

Filippi, Filippo de. Untersuchungen über Ferratin 1974.

Filsinger, F. Zur Jodzahl der Cacaobutter 2231.

Filsinger, J. Zum Nachweis der Blausäure in forensen Fällen 2258.

Finlay, J. und Derry, E. W. Darstellung von Cyaniden und anderen Cyanverbindungen 949.

Fischer, Emil. Neue Bildungsweise der Oxazole 1704; Caffeïn und seine Synthese 929; Configuration der Weinsäure 161, 691; Configuration der d-Weinsäure 809; Krystallisirte wasserfreie Rhamnose 74, 979; Untersuchung des Pr-Phenyloxyindols 1742.

Fischer, Emil und Beensch, Leo. Optisch isomere Methylmannoside 177; über die beiden optisch isomeren Methylmannoside 1616.

Fischer, Emil und Bromberg, Otto. Notiz über die Lyxonsäure 175, 978; über eine neue Pentonsäure und Pentose 175, 975.

Fischer, Emil und Herborn, Heinr. Ueber Isorhamnose 174, 979.

Fischer, Emil u. Niebel, Wilhelm. Verhalten der Polysaccharide gegen einige thierische Secrete und Organe 1007.

Fischer, Otto. Ueber Phenazinbildungen 1861; „die Constitution der Safranine" von R. Nietzki 1861.

Fischer, O. u. Albert. Zur Kenntnifs der Naphtazine 1859.

Fischer, Otto und Dischinger, A. Oxydationsproducte des Amidodiphenylamins 1860.

Fischer, Otto und Hepp, E. Zur Kenntnifs der Isorosinduline 1862; Nachträge zur Kenntnifs der Induline und Safranine 1857.

Fittig, R. Umlagerungen bei den ungesättigten Säuren. Ueber die Isomeren der Pyrocinchonsäuren 802;

Umwandlung ungesättigter α-Oxy-säuren in die isomeren γ-Ketonsäuren 682.

Flawitzky, F. Eine Hypothese über die Atombewegung der Elemente und die Entstehung der letzteren 5, 144; periodische Function 5.

Fleck, Hermann. Trennung des Trimethylamins von Ammoniak 870.

Fleifsner, F. siehe Cohn 2186.

Fleurent, E. Bestimmung des Backwerthes von Mehlen 2320; Zusammensetzung des Klebers 1978.

Förster, A. siehe Herzfeld 2140.

Förster, F. siehe Mylius 473, 563.

Förster, O. Löslichkeit von Phosphaten in Citronensäure und Ammoniumcitrat 2100; Waschapparat für die Salpeterstickstoffbestimmung nach G. Kühn 2093.

Fonseca, A. Ueber den Einfluss, welchen die Acidität der Moste auf die alkoholische Gährung ausübt 2008.

Fonzes-Diacon. Einwirkung von Mercurichlorid auf Alkohole 653.

Foote, H. W. siehe Wells 489.

Forster, Martin O. Eine neue aus Campheroxim entstehende Base 197; Untersuchungen über die Terpene und verwandte Verbindungen. Neue Derivate aus dem Dibromcampher 195.

Fortey, Emily C. siehe Richardson 646.

Foulis, W. und Holmes, P. F. Gewinnung von Cyaniden aus Gasen auf nassem Wege 947.

Foulk, C. W. Die Wirkung eines Ueberschusses an Reagens bei der Fällung des schwefelsauren Baryums 2085.

Fourlinnie, C. Ueber die Gestalt der Atome 140.

Fournier, H. Diäthylenkohlenwasserstoffe 623; Ester der secundären Allylalkohole 648.

Fradifs, N. Volumetrische Bestimmung des Kalkes in Producten der Zuckerfabrikation 2138.

Framm, F. Zersetzung von Monosacchariden durch Alkalien 173, 982.

Francesconi, L. Constitution der Oxydationsproducte der Santonsäure 1345.

Franchimont, A. P. N. Einwirkung von reiner Salpetersäure auf Mono- und Dimethylamide 933, 1234.

Franchimont siehe Umbgrove 866.

Franchimont und Taverne, H. J. Einige Piperidine und die Einwirkung von Salpetersäure auf dieselben 1757.

Franchimont, A. P. N. und Umbgrove, H. Ueber Methylnitramin, Dimethylnitramin und eine seiner Isomeren 867.

Franchimont, A. P. N. und Erp, H. van. Einwirkung von Alkalien auf neutrale aliphatische Nitramine 879; das Oxalpiperidid und die Einwirkung von Salpetersäure auf dasselbe 1757; über die Nitramine 1115.

Franchot, R. Nascirender Wasserstoff 93.

Francis, Francis E. Ueber Dinitrodibenzylbenzidin und einige Derivate 1117.

Franck, L. siehe Rossel 399.

Francke, Br. siehe Zincke 1304, 1464.

François, Maurice. Einwirkung der Wärme auf das Mercurojodid 533; über Quecksilberjodür 534.

Frank, A. Betrieb von Gasmaschinen mit Acetylen 630; siehe Caro 949.

Frank, Léon. Die Diamanten des Stahls 466.

Franke, Adolf. Einwirkung von alkoholischem Natron auf Isobutyraldehyd 662; über das aus dem Isobutyraldehyd entstehende Glycol und dessen Derivate 663.

Franke, E. Bestimmung des Stickstoffs im Guano 2090.

Frankfurt, S. Zur Kenntnifs der chemischen Zusammensetzung des ruhenden Keimes von Triticum vulgare 2041.

Frankland, P. und Mac Gregor, J. Ester der activen und inactiven Monobenzoyl-, Dibenzoyl-, Diphenacetyl- und Dipropionylglycerinsäure 160, 727.

Frankland, Percy und Pickard, Rob. Howson. Drehung optisch activer Verbindungen in organischen Lösungsmitteln 157.

Frankland, Percy und Wharton, Frederic Malcolm. Stellungsisomerie und optische Activität. Die Drehungen von Dibenzoyl- und Ditoluyltraten 156, 730.

Frederick, T. B. Dupré. Zur Kalibestimmung 2135.

Freer, Paul C. Einwirkung von Natrium auf Aldehyd 658.

Freese, H. siehe Hantzsch 1899.

Gaab, Carl siehe Hell 1138; siehe Schneider 2109.

Gabriel, S. und Giebe, Georg. Einwirkung des Glycocolls auf Acetophenon-o-carbonsäure 1274.

Gabriel, S. und Hirsch, Carl Freiherr v. Darstellungsweise der Thiazoline 1712; über Isoallylamin (1-Aminopropylen) 878.

Gabriel, S. u. Stelzner, R. Ueber β-Amido-α-Hydrindon 1439; über (Bis) Methylindazol 1700; über die Farbbase $(C_{15}H_{11}N)x$ aus Benzylphtalimidin 1316; über Nitrobenzylmercaptan 1061; Untersuchung des Oxäthylbenzylamins 1840; zur Kenntnifs der Chinazolinverbindungen 1836.

Gadamer. Chemie des schwarzen und weifsen Senfs 183, 1618; über das Thiosinamin 935; zur Kenntnifs des Atropins bezüglich seines Drehungsvermögens als freie Base und in Form seiner Salze 212, 1655.

Gaillard siehe Delage 652.

Galitzin, B. Molekularkräfte und Elasticität der Moleküle 11.

Gallineck siehe Courant 1268.

Gallivan, F. B. siehe Jackson, Loring 1087.

Gamgee, Arthur. Beziehungen des Turacins und Turacoporphyrins zum Blutfarbstoff 1631.

Gardner, J. A. siehe Marsh 188.

Gardner, J. H. siehe Marsh 1515.

Garelli, F. Feste Lösungen von Phenol in Benzol 53; kryoskopisches Verhalten von Substanzen, welche eine dem Lösungsmittel ähnliche Constitution besitzen 53; kryoskopische Versuche zur Lösung der Frage nach der Constitution der Tropanin- und Granatinbasen 50, 227.

Garelli, F. u. Ciamician, G. Einflufs der chemischen Constitution organischer Stoffe auf ihre Fähigkeit, feste Lösungen zu bilden 54.

Garfunkel, H. Chinoxalinjodmethylat 1847; siehe Hinsberg 1841.

Garino, E. siehe Ampola 2037.

Garola, C. Bestimmung der Phosphorsäure in organischen Substanzen 2098.

Gaspari, Ausonio de. Derivate des Veratrols 1184.

Gafsmann, Ch. Bildung der Dinitronaphtaline 1078; Constitution der Alkaloide von Coca und Belladonna 1666; Derivate des Eugenols 1227;

Lösungsmittel für Farbstoffe 1850; schnelle Bestimmung der Componenten eines Gemenges der primären, secundären und tertiären Amine desselben aliphatischen Radicals 2283; Untersuchung des Perinitronaphtalins 1079.

Gattermann, L. siehe Schmidt 1480.

Gattermann, L. und Schultze, H. Ueber Thiobenzophenon 1412.

Gattermann, Ludwig, Lockhart, A. E. und Weinling, O. Elektrolytische Reduction aromatischer Nitrokörper 115, 116.

Gautier, A. Bestimmung des Arsens 2105; latentes Leben der Samen 2032.

Gautier, A. u. Hélier, H. Vereinigung des Sauerstoffs mit Wasserstoff bei niedrigen Temperaturen 8.

Gautier, Henri. Ueber die Legirungen der Metalle 547; über die Schmelzbarkeit der Legirungen 548; siehe Moissan 540.

Gawalowski, A. Elektrolytischer Apparat 2059; eine neue Muffel 2059; Erkennung und Unterscheidung der einzelnen Gerbsäurearten, sowie deren chemischer Nachweis 1645; Nachweis der Nitrite in Trinkwässern 2071; neuer Verbrennungsofen 2061; rasche Bestimmung des annähernden Alkoholgehaltes und der Grädigkeit der Schankbiere 2208; unter hochgespanntem Dampf- oder Gasdruck wirkende Apparate für analytische Zwecke 2065.

Gawalowski, A. und Katz, Alex. Prüfung der fetten und pyrogenen Oele mittelst Solubilitätstitration und zugehörigem Apparat 2220.

Gazzarini, A. u. Sestini, Q. Ueber die Methode von Liebermann und Szekely zur Bestimmung des Milchfettes im Vergleich mit anderen mehr gebrauchten Methoden 2246.

Geelmuyden, H. Chr. Ein neues Barytrohr 2112; über die Messinger'sche Methode zur Bestimmung des Acetons 2213.

Geerligs, H. C. P. Chinesische Sojabohnenpräparate 2042.

Gehe u. Co. Mittheilungen aus dem Handelsberichte 1978.

Geigy, J. R. u. Co. Alkalische blauviolette Farbstoffe 1215; Darstellung von p-Amidobenzaldehyd, sowie von im Kern substituirten p-Amidobenzaldehyden 1388; Darstellung einer

Sulfosäure der Malachitgrünreihe 1216;
Darstellung von Farbstoffen, welche
zugleich die Azo- und Hydrazou-
gruppe enthalten, aus p-Amidobenzaldehyd 1937; Farbstoffe der Malachitgrünreihe 1215.

Generosow, A. siehe Zelinsky 1041.

Génin siehe Bordas 2237.

Gennari, G. Rotationsdispersion des
Nicotins und seiner Salze 155; siehe
Nasini 154.

Genvresse, P. Disulfid des Trioxy-
phenylens 1194; Untersuchung aromatischer Disulfide 1189.

Georges. Ueber die Bestimmung des
Caffeïns 2300; die Bestimmung des
Jods im Leberthran 2231; Eiweifs-
bestimmung im Harn 2265.

Georgievics, G. v. Zur Kenntnifs der
gefärbten Rosanilinbasen 1212; Erwiderung 1213.

Gérard, Ernest. Cholesterine der Kryptogamen 707; Gährung der Harnsäure
931.

Gerber, C. siehe Berg 702.

Gerilowski, D. Ueber stereoisomere
Salze der o-Diazobenzolsulfosäure
1895.

Gerilowski, D. und Hantzsch, A.
Weiteres über die stereoisomeren
Salze aus Diazosulfanilsäure 237, 1893.

Gerlach, M. u. Passon, M. Bestimmung der leicht löslichen Phosphorsäure in Thomasmehlen 2101.

Gerland, B. W. Ueber einige neue
Methoden zur Indigoprüfung 2314.

Gerrard, A. W. Cyankupferreagens
zur Bestimmung der Glucose 2270.

Gesellschaft für chemische Industrie in Basel. Darstellung von
schwarzen Polyazofarbstoffen aus Dioxynaphtoëmonosulfosäure 1915; Triphenylmethanfarbstoffe aus Nitro-
leukobasen mittelst Elektrolyse 1215.

Geuther, Th. siehe Knorr 1693.

Giacomelli, L. Ueber die rasche Bestimmung des Phosphorsäureanhydrids in den Phosphaten und Superphosphaten 2103.

Giebe, Georg. Ueber α-Methylphtalid
und o-Aethylbenzoësäure 1335; siehe
Gabriel 1274.

Giese, O. v. Quantitative Bestimmung
des Bleies durch Elektrolyse 2165.

Gieseler. Nachweis der Beschwerung
von Seide 2319.

Gigli, G. siehe Antony 560, 568.

Gilbert, E. Welchen wissenschaftlichen Werth haben die Resultate
der Kohlensäuremessungen nach der
Methode von Dr. med. H. Wolpert?
2116.

Gildemeister siehe Bertram 202,
1502.

Gildemeister, Ed. u. Stephan, K.
Ueber Palmarosaöl 1593.

Gill, Augustus H. Gaspipette für die
Absorption von Leuchtgasbestandtheilen 2068.

Gill, A. H. und Richardson, H. A.
Bemerkungen über die Bestimmung
von Nitriten im Trinkwasser 2071.

Gin. Entzuckerung durch Elektrolyse
1016.

Ginzberg, Alexander. Dehydration
des Menthan-1-2-8-triols 1225; über
Sobrerol (Menthendiol) 1490; siehe
Wagner 186, 1580.

Giordani, Felice. Ueber das Oel von
Angelica archangelica 748.

Giorgis, G. Bestimmung des Bleies
in den Mineralien 2167; Bestimmung
des Mangans und des Chroms in
Producten der Eisenindustrie 2156.

Girard, Alexander. Reinigung von
Alkohol nach dem Verfahren von
Bang und Ruffin 642.

Girard, O. siehe Goldschmidt 51.

Girardet, F. siehe Meslans 674,
1233.

Giustiniani, E. siehe Piutti 800.

Giwartovsky, R. siehe Claus 1795.

Gladding, Thomas S. Bestimmung
von Eisenoxyd und Thonerde in Phosphaten nach der Ammoniumacetatmethode 2103; Bestimmung des Schwefels in Pyriten 2079; eine gravimetrische Methode zur Bestimmung der
Phosphorsäure als phosphormolybdänsaures Ammonium 2096; neue
Methode zur Bestimmung von Eisenoxyd und Thonerde in Phosphaten
2104; Notiz zur mikroskopischen
Entdeckung von Rindstalg in Schmalz
2228.

Glaser, C. Analyse des Monazitsandes
und die Bestimmung der Thonerde
2119.

Glaser, F. u. Mühle, K. Zur Bestimmung der Phosphorsäure in Medicinalweinen 2207.

Gley, E. siehe Camus 2029.

Glimman, G. Ueber das Dammarharz 1597.

Glode Guyer, R. Bienenwachsanalyse 2232.

Guichard, M. Ueber den Molybdänglanz und die Darstellung des Molybdäns 600; über ein Molybdänjodür 600.

Guillot, A. Physikalische Eigenschaften der Säuren der Fettreihe 673.

Guinchaut. Derivate der Cyanessigäther 941; Verbrennungswärmen von Cyanderivaten 940.

Guldensteeden Egeling, O. Nachweis von Blei und Kupfer im Trinkwasser 2078.

Gundlich, Ch. und Knoevenagel, E. Ueber Derivate des Dihydromonochlorbenzols und ihre Dehydrirung 1057.

Gunn, Alexander. Bestimmung der Gesammtalkaloide in Cocablättern 1667.

Gunnell, O. siehe Perkin 1640.

Guntz. Einwirkung des Lithiums auf den Kohlenstoff und einige Kohlenstoffverbindungen 466.

Guntz und Ferée. Lösungswärme des Mangans in verdünnter Salzsäure 70.

Gustavson, G. Venyltrimethylen und Aethylidentrimethylen 632.

Guthzeit, M. und Bolam, K. W. Ueber eine auffallende Spaltung der Kohlenstoffkette des Dicarboxylglutaconsäureäthylesters 819.

Guttenberg, A. Salzsäurebindung des Glutins 1979.

Guye, Ph.-A. Stellungsisomerie und Drehungsvermögen 156.

Guye, Ph.-A. und Chavanne, L. Studie über die molekulare Dissymmetrie. Untersuchungen über die Drehungen homologer activer Körper 157.

Guye, Ph.-A. und Goudet, Ch. Optische Superposition von sechs asymmetrischen Kohlenstoffatomen in demselben activen Molekül 157.

Guye, Ph.-A. und Jordan, Ch. Aenderungen der Dichte von Flüssigkeiten mit der Temperatur 14; Rotationsdispersion der activen, nicht polymerisirenden Flüssigkeiten 154; über die activen α-Oxybuttersäurederivate 731; Untersuchungen über die activen Oxybuttersäuren 159.

Guye, Ph.-A. und Melikian, P.-A. Neue Beispiele der normalen Rotationsdispersion 154.

Guyer siehe Glode 2232.

Guyot. p-Toluyl-o-benzoësäure 1295; siehe Haller 1223, 1423.

Gwozdarew, N. J. Ueber Aethylendiaminverbindungen des Palladiums 874.

Haarmann und Reimer. Bildung von wohlriechenden Ketonen 1491.

Haber, F. Notiz über Oxydation durch Hydroxylamin 418; Zersetzung von Hexan und Trimethyläthylen in der Hitze 621.

Haber, F. und Oechelhäuser, H. Bestimmung von Aethylen neben Benzoldampf 2191.

Haber, F. und Weber, A. Leuchtgasverbrennung an gekühlten Flächen 615; Verbrennung des Leuchtgases in gekühlten Flammen und in Gasmotoren 616.

Habermann. Nachweis von Kohlenoxyd 2112.

Hada, Seihachi. Umwandlung von Mercuro- und Mercurisalzen in einander 534.

Häfelin siehe Claus 235, 1409.

Haefke, H. Einige Bemerkungen zu Dr. P. Lösche's neuer Methode zur Kalibestimmung 2133.

Haefke, H. siehe Vogel 2132.

Hänlein, F. H. Fortschritte auf dem Gebiete der Gerberei 1645.

Häufsermann, O. Herstellung von Bleichflüssigkeiten 852.

Häufsermann, C. und Bauer, Eugen. Abkömmlinge des Phenyläthers 1145.

Häufsermann, C. und Teichmann, H. Abkömmlinge des Phenyläthers 1144.

Haga, Tamasesa siehe Divers 375, 377, 381, 417.

Hairs, Eug. siehe Jorissen 2231.

Hall, Ch. M. Legirung von Kupfer und Bor 524.

Haller, A. Ueber das Campholid, ein Reductionsproduct des Camphersäureanhydrids 196; über isomere Campholide 196; Einwirkung von Phenylhydrazin auf Ester cyansubstituirter Säuren 882; Extraction der Terpenalkohole aus den ätherischen Oelen 1484; Umwandlung der Camphersäure in Campher. Theilweise Synthese des Camphers 192.

Haller, A. und Guyot. Bildung von Diphenylanthron aus Phtalylchlorid 1423; Einwirkung von Phosphoroxychlorid auf Tetramethyldiamidotriphenylmethancarbonsäure 1223.

der Deformationen in den Metallen 144.

Hartwig, R. siehe Claus 1791.

Haschek, J. u. Exner, F. Ultraviolette Funkenspectren der Elemente 83.

Hasselberg, B. Flammenspectren von Kobalt und Nickel 83.

Hattensaur, G. Quantitative Bestimmung des Arsens in roher concentrirter Schwefelsäure 2106.

Haupt, Ernst. Einfluß organischer Basen auf die Lösungsfähigkeit des Harns für Harnsäure 910.

Haufsner, Alfred. Neuerungen in der Papierfabrikation 1029.

Hawkins, S. H. und H. und Donnithorne Gun Patents und Ammunition Co. Lim. Neuer rauchloser Explosivstoff 503.

Haworth, E. siehe Bentley 688.

Haworth, E. und Perkin jun., William Henry. Darstellung von Glycol 650.

Hayward, H. und Mcdonell, M. E. Anleitung zur Benutzung des Babcock'schen Apparates zur Bestimmung des Milchfettes 2247.

Hazen, A. Messung der Färbungen natürlicher Wässer 2074.

Heath, G. L. Elektrolytisches Stativ 2059.

Heberlein, Georg siehe Rupe 1948.

Hébert, Alex. Eine neue ungesättigte Fettsäure, die Isanosäure 827; über einige ölhaltige Samen 826; über Isanosäure 746.

Hébert, Alex. u. Truffaut, G. Physiologische Untersuchung der Cyclamen 2043.

Hedin, S. G. Bemerkungen zu Köppe's Abhandlung: Ueber eine Methode zur Bestimmung isometrischer Concentrationen 21; Bildung von Arginin aus Proteïnkörpern 211; Spaltungsproducte der Proteïnkörper 1971.

Hefelmann, Rudolf. Bestimmung des Alkohols in Eisenerzen 2199; kritische Betrachtungen über Refractometer- und Jodzahl der Fette und der daraus isolirenden Fettsäuren 2226; Löslichkeit von o-Anhydrosulfaminbenzoësäure (Saccharin) und p-Sulfaminbenzoësäure 1247; Parallelismus der Refractometer- und Jodzahl der Fette 2225; zur Untersuchung der Handelssaccharine 2259; Verfälschung des Zimmts mit Rohrzucker 2331.

Hefelmann, Rudolf und Mann, P. Zur Bestimmung der Köttstorferschen Verseifungszahl 2255.

Heffter, A. Ueber Cacteenalkaloide 215; Beiträge zur chemischen Kenntniß der Cacteen 1650; Cacteenalkaloide 1649.

Hegland, J. M. A. Abscheidung und quantitative Bestimmung von Hydrastin in Extractum Hydrastis liquidum 2312.

Hebner, Otto. Nachweis von Formalin 2212.

Heibling. Elektrolytische Herstellung von Legirungen von Eisen mit Mangan, Chrom, Aluminium und Nickel 566.

Heid, J. G. Werthbestimmung von Borax 2110.

Heide, K. v. d. und Hofmann, K. A. Verbindungen der niederen Molybdänoxyde und Sulfide mit Ammoniak und mit Cyankalium 603.

Heidenreich, M. Quantitative Analyse durch Elektrolyse 2124.

Heidenreich, O. siehe Jannasch 2080, 2118.

Heilbrun, R. L. siehe Freund 903, 1722.

Heiler, H. Bestimmung der Köttstorffer'schen Verseifungszahl 2223.

Heilpern, Johann. Ueber das sog. Carbothiacetonin 902.

Heim, L. Nachweis von Rufs in der Luft 2075.

Heine, L. Ueber die Molybdänsäure als mikroskopisches Reagens 2095.

Heinke, J. L. und Perkin jun., W. H. Einwirkung von β-Jodpropionsäureäther auf die Natriumverbindung des Isopropylmalonsäureäthers 713.

Helbach, G. siehe Nietzki 1127.

Held, M. Ueber Acetylcyanessigester 847.

Helfers, Friedrich. Bestimmung des Vergasungswerthes von Mineralölen 2194.

Hélier, H. siehe Gautier 8.

Hell, Carl und Gaab, Carl. Derivate des Isoanethols 1138.

Hell, Carl und Hollenberg, A. Einwirkung von Natriumäthylat auf Anetholdibromid und Bromanetholdibromid 1137.

Hell, Carl und Portmann, B. Einwirkung des Natriumäthylats auf Aethylisoeugenoldibromid 1136.

destillate und über die Theorie der
Erdölbildung 617; Entfernung des
Thiophens aus dem Benzol 1045;
Terpene 184.

Hewitt, J. T. und Pope, F. G. Abbau des Citraconfluoresceïns 1362;
Condensation von Chloral mit Resorcin 1175.

Hewitt, J. T. und Stevenson,
Henry E. Die drei Chlorbenzolazo-
salicylsäuren 1868.

Heyden, F. von, Nachfolger. Darstellung von Anisidincitronensäure
1158; Darstellung von Benzoësulfon-
imiden 1245; Darstellung von Mono-
und Diphenetidincitronensäure 1158;
Darstellung von Oxybenzylalkoholen
1224.

Heyerdahl, P. M. Untersuchungen
über den Dorschleberthran 828.

Hibbs, J. G. Atomgewichte von Stickstoff und Arsen 1.

Hicks und O'Shea. Herstellung von
reinem Eisen 559.

Higley, Geo. O. und Davis, W. E.
Die Einwirkung von Metallen auf
Salpetersäure. Reduction von Sal-
petersäure durch Silber 413.

Hilgard, E. W. Geologische Wirksamkeit der Alkalicarbonatlösung 500.

Hilger, A. Ueber Columbin- und
Columbosäure 1603; siehe Bauer
2046; siehe Künnmann 999.

Hill, Edwin A. Argon. Prout's
Hypothese und das periodische Gesetz 435.

Hilliger, H. W. Aluminiumalkoho-
late 645.

Hillmann, P. Einfluss des Labfermentes auf die Milcheiweifsstoffe und
die Bewerthung der Milch für Käsereizwecke 2002.

Himmelbauer. Zur Kenntnifs der
Pyrazolonderivate 1691.

Himmelschein, A. siehe Hinsberg
1071, 1859.

Hinds, J. L. D. Photometrische Bestimmung von Kalk und Schwefelsäure 2084.

Hinsberg, O. Ueber einige Chino-
xalinabkömmlinge 1846.

Hinsberg, O. und Garfunkel, H.
Ueber hydrirte Azine 1841.

Hinsberg, O. und Himmelschein,
A. Benzolsulfinsäure als Reagens
1859; Oxy- und Aminoderivate des
Diphenylsulfons 1071.

Hinsberg, O. und Koller, P. Ein-

wirkung der Aldehyde auf aromatische o-Diamine 1707.

Hinsberg, O. und Pollak, J. Abkömmlinge des Dichlorchinoxalins
1849.

Hirsch. Herstellung von Saccharin
1246; Verbindung des Antipyrins mit
Quecksilberchlorid 1698.

Hirsch, Benno siehe Hantzsch 1903.

Hirsch, Carl Freiherr von siehe Gabriel 878.

Hirsch, Friedrich. Ueber den Chininsäureester und dessen Ueberführung
in p-Oxykynurin 1792.

Hirschbrunn siehe Claus 1780.

Hirschsohn, Ed. Unterscheidung
des Buchentheers von Birken-, Tan-
nen- und Wachholderthheer 2286; Verhalten des Zinnchlorürs gegen ätherische Oele 1484.

Hirtz, H. Einwirkung von Brom auf
aromatische Jodverbindungen 1058.

Hjelt, E. Alkylsubstituirte Valero-
lactone 768; Geschwindigkeit der
Hydrolyse des Phtalids und Meconins
134; Geschwindigkeit der Lacton-
bildung bei einigen Säuren der
Zuckergruppe 180; Stereoisomere
Methylcarbocaprolactonsäuren 770;
Verseifung der alkylsubstituirten
Malonsäureester 685.

Hjort, Johan. Neue eiweifsverdauende
Enzyme 2000.

Hlavati, F. Erzeugung von Ammoniak oder Ammoniaksalzen aus dem
Stickstoff der atmosphärischen Luft
oder aus Verbrennungsgasen organischen Ursprungs 399.

Hobohm, K. siehe Vorländer 1685,
1747.

Hodgkinson, W. R. Fluoren und
Acenaphten 1052.

Höfker. Mittlere Weglänge in Dämpfen
metamerer Aminbasen bei gleichem
Druck und gleicher Temperatur 148.

Höhnel, M. Ueber das Convolvulin,
das Glycosid der Tubera Jalapae 1603;
zur Kenntnifs der Metaplumbate 522.

Hönig, M. und Spitz, G. Mafsanalytische Bestimmung der Borsäure
2109.

Höpfner, C. Herstellung von Lösungen
der Chloride von Schwermetallen aus
gerösteten Erzen mittelst schwefliger
Säure 350; Verfahren zur Verarbeitung von Schwefelmetallen, insbesondere Schwefelzink 364.

Hof, L. siehe Auwers 1165.

Hof und Kauffmann. Elektrolytische Reductionsfähigkeit aromatischer Aldehyde 1371.

Hofacker, E. siehe Kehrer 683.

Hofer. Darstellung von Chlorstickstoff 403.

Hoffa, E. siehe Traube 882.

Hoffmeister, W. Bestimmung der citratlöslichen Phosphorsäure in Thomasschlacken durch directe Fällung der nach Wagner erhaltenen Citratlösung 2101.

Hofman siehe Curtius 924.

Hofmann, H. O. Einwirkung von Metallsulfiden auf die Lösung von Chlorsilber in Natriumthiosulfat 532.

Hofmann, K. A. Eine neue Persulfomolybdänsäure 602; über das Nitroprussidnatrium 953, 954; siehe Heide 608; siehe Wiede 575.

Hofmann, K. A. und Wiede, O. F. Neue Darstellungsmethode des Phenyläthers der Eisentetranitrososulfosäure 561.

Hofmeister, P. Bericht über auf Physiologie und Pathologie bezügliche Methoden 2262; die Bildung des Harnstoffs durch Oxydation 912.

Hogg, T. W. Notiz über die Calorimetrie 2057.

Hoitsema, C. Beitrag zur Kenntnifs von Explosionen 334; Bemerkungen über den Endpunkt der Silbertitrirung nach Gay-Lussac 2175.

Holde, D. Die Verseifbarkeit und die Verseifungszahl flüssiger Fette 2221; Untersuchung von Petroleumbenzin und Steinkohlenbenzin 2193; Untersuchung des Erstarrungsvermögens von Schmierölen 2221; Vorschläge zur Herbeiführung einheitlicher Prüfungsmethoden bei Mineralschmierölen 2196.

Holland, A. Analyse des Handelskupfers 2171.

Hollemann, A. F. Darstellung des Phenylacetylens 1055; Oxalenmonamidoxim und Hydroxylamin 748; über die Fulminate 907.

Hollenberg, A. siehe Hill 1137.

Holliday, Read und Sons. Blaue Farbstoffe 1216.

Holm, E. Titriren mit Kalkwasser 2054.

Holman, S. W. Thermoelektrische Interpolationsformeln 100.

Holman, S. W., Lawrence, R. R. und Barr. Schmelzpunkte einiger Metalle 67.

Holmes, P. F. siehe Foulis 947.

Holste. Die Kohlensäure und ihre Verwendung 474.

Hood, John James siehe Albright 963.

Hood, J. J. und Salamon, A. G. Herstellung von Alkalicyaniden 950.

Hoogewerff, S. und Dorp, W. A. van. Einwirkung der Alkalihypochlorite und -hypobromite auf die Amine 839.

Hooker, Samuel C. Constitution des Lapachols und seiner Derivate. Structur der Amylenkette 1472; Lomatiol (Hydroxyisolapachol) 1205, 1476.

Hopkins, Cyril G. Neuer Destillationsaufsatz für die Stickstoffbestimmung 2065.

Hopkins, F. G. Bestimmung von Harnsäure im Harn 2262.

Hoppe-Seyler, F. und Albrecht, E. Bestimmung des Blutfarbstoffs 2263.

Hoppe-Seyler, G. Verwendung der colorimetrischen Doppelpipette von F. Hoppe-Seyler zur klinischen Blutuntersuchung 2319.

Horne, R. M. Einwirkung von Calcium-, Strontium- und Baryumsalzen auf die Verhinderung der Coagulation des Blutes 2023.

Hostmann, Georg. Zur Kenntnifs der aromatischen Thioketone nebst Anhang: zur Kenntnifs des Resorcindimethyläthers 1453.

Howard, David. Zur Chininprobe 2306.

Howe, J. L. und Mertins, P. S. Bemerkungen über Reinsch's Probe auf Arsenik und Antimon 2106.

Howe, Jas. Lewis. Beitrag zur Kenntnifs der Ruthencyanide 962.

Howe, W. T. H. Existenz von zwei o-Phtalsäuren 1311.

Howells, V. A. siehe Ornsdorff 1057.

Hubert, A. siehe Nivière 1036; siehe Pictet 1815.

Hürthle, K. Fettsäure-Cholesterinester des Blutserums 706; über Hämosterin, einen neuen Bestandtheil des Blutes 2024.

Hugounenq, L. Reinigung von Phenylglucosazon 1000.

Hulin, Léon Paul. Säurecharakter besitzende Peroxyde von Schwermetallen und der Alkalien bezw. alkalischen Erden 352.

Hummel, J. J. siehe Perkin 1638, 1641.

Hummel, J. J. u. Brown, Reginald B.

Die färbenden Eigenschaften von Catechin und Catechugerbsäure 1644.

Humphreys, W. J. Diffusion einiger Metalle in Quecksilber 23.

Humphreys, W. J. und Mohler, J. F. Wirkung des Druckes auf die Wellenlängen der Linien in den Bogenspectren einiger Elemente 87.

Hunt, H. F. und Steele, L. J. Freiwillige Oxydation von Aluminium in Berührung mit Quecksilber 549.

Hunter, J. R. siehe Remsen 1244.

Husmann, Aug. siehe Koenigs 1671.

Huth, M. siehe Claus 1454.

Huth, P. siehe Erdmann 202, 1500.

Ihle, R. Bildung von Ammoniak bei der Elektrolyse der Salpetersäure 111; katalytische Wirkung der salpetrigen Säure und das Potential der Salpetersäure 101.

Ince, Josef. Die alte Firma Godfrey 138.

Ipatiew, W. Einwirkung von Brom auf die tertiären Alkohole der Fettreihe 633; Einwirkung von Bromwasserstoff auf Kohlenwasserstoffe der Reihe C_nH_{2n-2} 631; siehe Bayer 201.

Ipatiew, Wladimir und Baeyer, Adolph. Ueber die Caronsäure 1568.

Isajew, W. siehe Zelinsky 811.

J. Beiträge zur Analyse von Strontianverbindungen 2139.

J. Elektrolyse von Schlempen des Entzuckerungsbetriebes 494.

Jackobson, H. siehe Smorawski 2038.

Jackson, C. Loring 1085, 1086; siehe Loring Jackson 1085, 1086, 1128, 1174, 1303, 1595.

Jackson, C. Loring und Comey, A. M. Einwirkung von Salpetersäure auf Kaliumkobalticyanid 586.

Jackson, D. H. siehe Dunstan 215, 1648.

Jacobson, P., Jaenicke, M. und Meyer, Friedr. Reductionsproducte von Azokörpern 1923.

Jäger, W. und Wachsmuth, R. Cadmium-Normalelement 98.

Jaenicke, M. siehe Jacobson 1923.

Jaffé, B. und Darmstädter. Reinigung von Saccharin 1246.

Jahns, E. Vorkommen v. Stachydrin in den Blättern von Citrus vulgaris 1683.

Jahr, E. Neue Methoden der Butteruntersuchung 2250; Verfahren zur Erkennung reiner Butter, reiner Margarine und anderer thierischer und pflanzlicher Fette, sowie von Gemischen dieser Fette 2251.

Jakowkin, A. A. Beziehungen zwischen den Gesetzen der activen Massen und des osmotischen Druckes 22; Dissociation polyhalogener Metallverbindungen in wässeriger Lösung 124; Vertheilung eines Stoffes zwischen zwei Lösungsmitteln 38.

Jandrier siehe Barbet 2071, 2200, 2211.

Jannasch, P. Methode der Ueberführung von Sulfaten in Chloride 2084; quantitative Metalltrennungen in alkalischer Lösung durch Wasserstoffsuperoxyd 2126; Trennungen des Mangans von Kupfer und Zink (Wasserstoffhyperoxydmethode), sowie des Kupfers von Zink und Nickel (Schwefelwasserstoff- und Rhodanmethode) 2125; Trennung des Quecksilbers von Arsen, Antimon und Kupfer durch Glühhitze im Sauerstoffstrome 2177; über das Verhalten der Mineralien der Andalusitgruppe gegen Aufschliessungsmittel 2050; über eine empfindliche Form der Quecksilberjodidreaction 538.

Jannasch, P. und Grosse, S. Trennung des Wismuths von den Metallen der Kupfer- und der Eisengruppe durch Erhitzen ihrer Salze in einem trockenen Salzsäurestrome 2124.

Jannasch, P. und Heidenreich, O. Bestimmung des Schwefels in unorganischen Sulfiden. Analyse von käuflichem Massivgold 2080; über die Aufschliessung der Silicate durch Borsäure 2118.

Jannasch, P. und Lehnert, H. Bestimmung des Schwefels in unorganischen Sulfiden durch Glühen derselben in einem Sauerstoffstrome und Auffangen der flüchtigen Oxyde in Wasserstoffsuperoxyd 2079; Trennung des Quecksilbers von anderen Metallen durch Glühen ihrer Sulfide in einem Sauerstoffstrome 2177.

Jannasch, P. und Locke, J. Untersuchung des Topases 481.

Jannasch, P. und Weingarten, P. Quantitative Bestimmung des Wassers in den Silicaten nach der Boraxmethode 2074.

und Alkali aus den Lösungen durch Platinmohr 27.

Kellner, K. Erzeugung von Bleichflüssigkeit durch Elektrolyse von Kochsalzlösungen 351.

Kelvin, Lord, Bottomley, J. T. und Maclean, Magnus. Leitfähigkeit von Luft 94.

Kendall, J. A. siehe Swan 476, 949.

Kenrick, Franz B. Potentialsprünge zwischen Gasen und Flüssigkeiten 92.

Kerp, Wilhelm. Fortschritte auf dem Gebiete der ätherischen Oele und der Terpene 1483; über Diphenylenketon und Pseudodiphenylenketon 1419; zur Kenntnils des Campherphorons, Isophorons und des Mesityloxyds 197.

Kesselkaul, L. und Kostanecki, St. v. Einwirkung des Benzaldehyds auf Chloracetopyrogallol 1434.

Kessler, J. L. Aluminiumsalze 548.

Kestner, Paul. Drehbare Autoclaven zur Ausführung von unter Druck vorzunehmenden Versuchen 326.

Kielbasinsky, W. H. siehe Friedländer 1132.

Kijanicin. Bestimmung der organischen Substanz in der Luft 2076.

Kiliani, H. Nachweis der Digitalis-Glycoside und ihrer Spaltungsproducte durch eisenhaltige Schwefelsäure 1608; Milchsaft der Antiaris toxicaria 2045; über Digitoxin 182, 1609.

Kiliani, H. und Schäfer, J. Ueber Quercit 176.

Killing, C. Gasglühlicht 77.

Kinder. Zinkbestimmung in Eisenerzen 2153.

Kinoshita, J. Vorkommen von zwei Arten Mannan in der Wurzel von Conophallus konyaku 1037; Gegenwart von Asparagin in der Wurzel von Nelumbo nucifera 726; Verbrauch von Asparagin bei der Pflanzenernährung 725.

Kippenberger, C. Chemische Werthbestimmung des Antipyrins 2306; die Benutzung von Jodlösungen zum Zwecke der titrimetrischen Werthbestimmung von Alkaloidlösungen 2298; eine neue, für die analytische Praxis geeignete Methode der quantitativen Isolirung von Alkaloiden 2297.

Kipping, F. Stanley. ω-Bromcamphersäure 198; Darstellung von Dimethylketohexamethylen und Ver-

suche zur Synthese von Dimethylhexamethenylmalonsäure 750; Derivate der Camphensäure 199; siehe Lapworth 187, 194, 1224, 1539; siehe Revis 1515.

Kirpal, Alfred siehe Goldschmidt 1774.

Kissel. Ueber das Isonitrosochloraceton 668.

Kissling, Richard. Bestimmung des Nicotins und des Ammoniaks im Tabak 2309; Bestimmung d. Schwefelgehalts der Verbrennungsgase des Leuchterdöls 2195; Fortschritte auf dem Gebiete der Chemie des Tabaks 2047; Verbesserung der Arbeitsweise beim Gebrauch des einfachen Engler'schen Viscosimeters 2062.

Kistjakowsky, W. Extraction des Glycogens aus der Leber und Muskeln 1025.

Kitschelt, M. Verkochen von Woll- und Baumwollfarbstoffen 1918.

Klages, A. Derivate des m-Xylols 1110; siehe Jünger 188, 1536.

Klages, E. siehe Jünger 190.

Klages siehe Jünger 1486.

Klar, M. Beiträge zur Acetonbestimmung im Denaturirungsholzgeiste u. in Rohacetonen 2214; Bericht über Spiritus und Spirituspräparate 644; chemisch reiner Harnstoff 912; Gehaltsbestimmung des Liquor Kalii arsenicosi 2106.

Klecki, Valerian von. Ein neuer Buttersäuregährungserreger u. dessen Beziehungen zur Reifung und Lochung des Quargelkäses 2014.

Klein, Karl siehe Eckenroth 1247.

Kleinsteuber, F. G. Ersatz für Hartgummi 1601.

Klimenko, E. Ueber die Reaction, welche bei photochemischer Zersetzung des Chlorwassers in der Anwesenheit der Salzsäure und der Metallchloride vor sich geht 350.

Klimenko, B. und Euthyme. Reaction der unterchlorigen Säure mit Chlorkobalt und Chlormangan 351, 575; Reaction der unterchlorigen Säure auf Chlorkalium 360.

Klimenko u. Rudnitzky, W. Ueber den Einfluß der Salzsäure und der Metallchloride auf die photochemische Zersetzung des Chlorwassers 349.

Klimont, J. Nachweis und Bestimmung von Fichtenharz in Paraffin 2197.

Klinger, H. und Lonnes, C. Einwirkung von Schwefelsäure auf Benzilsäure 1295; über Diphenyldiphenylen- u. Tetraphenylenäthylen 1052; über Diphenyldiphenylen- und Tetraphenylenpinacolin 1421; zur Kenntnifs des Benzhydroläthers 1422.

Klobb, M. T. Ueber Diphenacylcyanessigsäure 1299.

Klobb, T. Cyanhaltige Säuren 1290; Derivate der Cyanessigester 701; über Valerylcyanessigester 882.

Kluge, Fritz. Zur Bestimmung des Kalkgehaltes im Rohmaterial zur Portlandcementfabrikation 487.

Knecht, Maja siehe Bamberger 1075.

Knett, Jos. Künstlicher Eisenglanz als Anflug an gesalzenen Thonwaaren 567.

Knobloch, J. Das Einstellen der volumetrischen Lösungen des Arzneibuches 2050.

Knöpfer, G. siehe Goldschmidt 821.

Knoevenagel, E. Darstellungsweise des Benzylidenacetessigesters 849; siehe Gundlich 1058.

Knorr, L. Intramoleculare Atombewegung 230; Jodalkyladditionsproducte des Antipyrins 230; Isomeriemöglichkeiten für die Diacylbernsteinsäureester 230; Studien üb. Tautomerie 1463; Studien über Tautomerie. Diacylbernsteinsäureester 811; zur Kenntnifs des Antipyrins 1689.

Knorr, L. und Genther, Th. Reduction des Nitrosoantipyrins und das 4-Amidoantipyrin 1693.

Knorr, L. und Pschorr, R. Ueber das 4-Oxyantipyrin 1692.

Knorr, L. u. Rabe, P. Einwirkung von Benzoylchlorid auf Antipyrin 1691.

Knorr, L. und Stolz, Fr. Reduction des Nitrosoantipyrins und das 4-Amidoantipyrin 1693.

Knudsen, Peter. Constitution des Pilocorpins 217, 1682.

Knueppel, Chr. A. Darstellung von Chinolin und Chinolinderivaten 1776; Verbesserung des Skraup'schen Verfahrens zur Darstellung von Chinolin und Chinolinderivaten 1775.

König, J. Die Nothwendigkeit der Umgestaltung der jetzigen Fett- und Nahrungsmittelanalyse 2280.

Königs, W. Ersetzung von Hydroxyl in Chinaalkaloiden durch Wasserstoff 221, 1669.

Koenigs, W. und Husmann, August.

Umlagerung von Cinchonin in Cinchonidin 221, 1671.

Koenigs, W. und Wolff, Fritz. Ueber Reductionsproducte der Cinchomeronsäure und Apophylleusäure 1770.

Körner und Menozzi, A. Einwirkung der Dimethylamine auf Fumarsäure- und Maleïnsäuredimethylester 799.

Koerppen, Georg siehe Eckenroth 1248.

Köthner. Telephonanalyse 2138.

Köthner, Paul siehe Erdmann 503, 507.

Kohlrausch, F. Elektrolytische Verschiebungen in Lösungen und Lösungsgemischen 108.

Kohn, Charles A. Modificirte Form des Apparates von Schrötter zur Bestimmung von Kohlensäureanhydrid 2115.

Kohn, Leopold. Einwirkung des alkoholischen Kalis auf den Isovaleraldehyd 665.

Kolb, A. Derivate des Phenylacetons 1843.

Koller, P. siehe Hinsberg 1707.

Komers, K. Vereinfachung der Untersuchung von Ackererden 2058.

Komppa, Gust. Darstellung der Camphoronsäure und ihrer Abkömmlinge 695; Versuch zur synthetischen Darstellung der Camphoronsäure und ihrer Abkömmlinge 201.

Kondakow, J. Polymerisation der Kohlenwasserstoffe der Aethylenreihe unter der Einwirkung von Chlorzink 624, 625.

Koninck, L. L. de. Acidimetrische Bestimmung des Zinks 2161; Berechnung der einer Milch zugesetzten Menge Wasser 2240; Bestimmung des Schwefels in Erzen 2079; Controle der Graduirung gasometrischer Apparate 2063; eine neue Gasbürette 2064; Prioritätsansprüche 2073.

Koninck, L. L. de und Prost, E. Titrimetrische Zinkbestimmung durch Ferrocyankalium 2161.

Koningh, L. de. Analyse von löslichem Kreosot 2285; Bestimmung von Dextrose in Zucker 2271; Bestimmung des Trockenrückstandes in Beef-Tea 2329; Bestimmung des Wassers in Superphosphaten 2074.

Konowalow. Einwirkung von Salpetersäure auf die Butylbenzole 1076.

Konowalow, M. Einwirkung von

Säuren auf die Salze der Nitroverbindungen 1081; nitrirende Wirkung
der Salpetersäure 865.

Korn, P. Prüfung und Werthbestimmung von Malzextract unter specieller
Berücksichtigung von Verfälschung
mit fremden Zuckern und Dextrin
2274.

Kortright, F. L. Wärmetönung der
elektrolytischen Dissociation einiger
organischer Säuren 127.

Kossel, A. Bildung von Thymin aus
Fischsperma 1984; über die basischen
Stoffe des Zellkernes 1650.

Kossel, A. und Neumann, Albert.
Ueber Nucleïnsäure und Thyminsäure 1984.

Kossler, A. und Pfeiffer, Th. Eine
neue Methode der quantitativen Fibrinbestimmung 2317.

Kostanecki, St. von siehe **Bablich**
1429; siehe **Cornelson** 1430; siehe
Kesselkaul 1434.

Kostanecki, St. von und Oppelt, E.
Derivate des 2-Oxybenzalacetophenons
1431.

Kostanecki, St. v. u. Podrajansky.
Einwirkung von Furol auf Acetophenon 1684.

Kostanecki, St. von u. Rossbach, G.
Einwirkung von Benzaldehyd auf
Acetophenon 1398; Einwirkung von
Benzaldehyd auf Methyl-p-tolylketon
1400.

Kostanecki, St. v. u. Schneider, M.
Aether einiger ungesättigter Oxy-
ketone 1437.

Kostanecki, St. v. und Tambor, J.
Einwirkung von Alkalien auf Benzalacetophenon und Benzaldiacetophenon
1432; synthetischer Versuch in der
Gentisinreihe 1438; über α-Cumaryl-
phenylketon 1424.

Kosyrew, D. siehe **Tanatar** 48.

Kotzur, Eugen. Gewinnung von Zinnchlorid aus unreinen, zinnhaltigen
Lösungen 490.

Krämer, G. Bemerkungen zu der vorstehenden Abhandlung über Acetonbestimmung 2215.

Krämer, G. u. Spilker, A. Cyclopentadien im Steinkohlentheer 636.

Krafft, F. Ueber Dehydroundecylen-
säure 682; über Extractum Filicis
1611.

Krafft, F. und Kaschau, A. Selenanthren 1193; Selenverbindungen 1073.

Krafft, F. und Lyons, R. E. Ueber

Diphenylselenon 1071; über Thianthren 1191.

Krafft, F. und Weilandt, H. Siede-
temperaturen beim Vacuum des Kathodenlichts. Sublimationstemperatur
beim Vacuum des Kathodenlichts 13.

Kramers, J. G. Bestimmung des
Chinins mit Nitroprussidnatrium 222,
2305.

Kramm, William. Lösungsmittel der
Harnfarbstoffe 1632.

Krapivin, S. siehe **Selinsky** 103.

Krassousky. Ueber das Dinitrobenzylchlorid und das Tetranitrostilben 1085.

Kratz, E. Derivate des m-Nitro-o-
amidobenzamids und m-Nitro-o-amidobenzhydrazids 1933.

Kraus, E. siehe **Bamberger** 1895,
1901.

Krause, P. R. Herstellung von Chlor
346.

Kraut, K. Kohlensaures Zinkoxyd 519.

Kreider, D. A. u. Breckenridge, J. E.
Die Trennung und Identificirung von
Kalium und Natrium 2136.

Kremel, Alois. Aloë-Nachweis in Gemischen 2313.

Kremers, Edward siehe **Richtmann**
189, 1485.

Kremers, Ed. und Schreiner, O. S.
Quantitative Bestimmung von Cyanwasserstoffsäure in Bittermandelöl
2257.

Krickmeyer, R. Isomorphismus der
Alkalisalze 56.

Kriebel, F. siehe **Moehlau** 1341.

Krönig, Bernhard siehe **Paul** 2019.

Kromer, N. Bestandtheile der Samen
von Pharbitis Nil. L. 2043; über ein
in der Adonis aestivalis enthaltenes
Glycosid 1602.

Kromschröder, Geo. Synthese des
3 (n)-o-Amidophenyldihydrochinazo-
lins 1830.

Kroupa, Gustav. Amerikanischer
Procefs der Nickelgewinnung 587.

Krüger, M. siehe **Mann** 971.

Krüger, M. und Wolff. Bestimmung
von Harnsäure im Harn 2262.

Krüger, Paul siehe **Tiemann** 205, 645,
1498.

Krüger, Th. Richard. Abspaltung
von Kohlensäure aus Phosphorfleischsäure durch Hydrolyse 1988.

Krüfs, G. Spectroskopische Untersuchungen über den Zusammenhang
zwischen Zusammensetzung und Absorptionsspectrum 86.

Kruis siehe Rayman 2005.

Krupp, Fr. Desoxydirung sauerstoffhaltiger Metalle oder Metalllegirungen 547.

Kubierschky. Die deutsche Kaliindustrie 494.

Kubli, Melchior. Anwendung meiner Methode der Prüfung des Chininsulfats auf salzsaures Chinin 2303; Prüfung des Chininsulfats nach meiner Methode 2305.

Kühling, O. Ersatz der Isodiazogruppe durch cyklische Reste 1759.

Kühn, M. Die Bestimmung des specifischen Gewichtes in geronnener Milch 2236.

Kuenen, J. P. und Randall, W. W. Die Ausdehnung von Argon und Helium, verglichen mit der der Luft und des Wasserstoffs 425.

Künnmann, O. u. Hilger, A. Chemie des Honigs 999.

Küster, F. W. Die Bedeutung der Arrhenius'schen Theorie der Ionenspaltung für die analytische Chemie 2048; Constitution der Pentachlorpentdionsäure, hergeleitet aus ihrer elektrischen Leitfähigkeit 108; kritische Studien zur volumetrischen Bestimmung von carbonathaltigen Alkalilaugen und von Alkalicarbonaten, sowie über das Verhalten von Phenolphtaleïn und Methylorange als Indicatoren 2055; Reaction zwischen Ferrisalzen und Jodiden in wässerigen Lösungen 128; über die Löslichkeitsverhältnisse des Baryumsulfats 2081.

Küster, William. Zur Kenntnifs des Hämatins 1975.

Kulisch. Abhängigkeit der Glycerinbildung von den Gährungsbedingungen 2016.

Kulisch, V. Zur Kenntnifs des Lophins und der Glyoxazine 1706.

Kumpf, G. Trennung des Kreosols und Guajacols von den im Kreosot enthaltenen einatomigen Phenolen 1176.

Kuntze, L. Versuche zur Bestimmung des Salpeterstickstoffs in unseren Ackererden 2091.

Kunz-Krause. Bildung von Cyanwasserstoffsäure bei Einwirkung von salpetriger Säure in der Kälte auf ungesättigte organische Säuren 905; Versuche zur Constitutionserschliefsung des Emetins 1672.

Kunz-Krause, H. Ueber das eventuelle Vorkommen und den Nachweis flüchtiger Eisen- bezw. Manganverbindungen im aus Schwefeleisen entwickelten Schwefelwasserstoff 2145.

Kurzwig. Bestimmung des Fettes in der Milch 2246.

Kwiatnowski. Kobaltcarbonat als Reagens auf freie Salzsäure im Magensaft 2078.

Lachmann, A. Constitution der Säureamide 932; über die Existenz des Pentaäthylstickstoffs 874.

Lachowicz, Br. Condensation des Benzaldehyds mit Acetessigester mittelst aromatischer Amine 1381.

Ladenburg, A. Ueber den asymmetrischen Stickstoff 208, 209, 232, 841, 844, 1810; Constitution des Tropins 223; Imide der Weinsäure und Benzoylweinsäure 162; das Isopipecolin 207, 1765; das specifische Drehungsvermögen der Pyroweinsäure 159.

Lafar, F. Einflufs organischer Säuren auf die Alkoholgährung 2008.

Lagerwall, R. E. M. siehe Bull 548.

Lamar, W. R. siehe Jackson, Loring 1085.

Lamberti-Zanardi, M. Einwirkung von Chlor auf Benzoylnitrocarbazol 1745; siehe Mazzara 1160, 1744.

Lander, G. D. siehe Japp 850; siehe Purdie 159.

Landie, John. Ueber den Stickstoff und seine Verbindungen bei der Destillation der Steinkohlen 401.

Landis, E. K. Indirecte Analyse 2049.

Landolt, H. Verhalten circularpolarisireuder Krystalle im gepulverten Zustande 153.

Landolph, Frédéric. Optische Untersuchung des Harns und genaue Bestimmung der Proteïde, Glucoside und der nicht vergährbaren Zucker 2264.

Landsteiner, Karl siehe Scholl 868.

Lane, N. J. Bestimmung der Schwefelsäure 2084.

Lang, V. v. Ueber die Symmetrieverhältnisse der Krystalle 55, 145.

Langbein, H. Untersuchung der Saccharine des Handels mit Hülfe der calorimetrischen Bombe 1247.

Lange, M. Darstellung von Polyazoverbindungen 1916.

Langen, Hans Rudolf. Entzuckerung von Melasse mit Hülfe von Baryumhydroxydsulfit 1014.

analytische Bestimmung der Bromzahl 2225.

Lieben, Ad. Einwirkung von alkoholischem Kali auf Aldehyde und die dabei entstehenden zweiwerthigen Alkohole 659.

Liebenow, C. Theorie der Bleiaccumulatoren 96; Vorgänge im Accumulator 96.

Liebermann, C. Aufbau eines isomeren Narcotins 213; Derivate des Isonarcotins 214, 1679; Herrn Michael zur Erwiderung 1256; zur Tautomerie der o-Aldehydsäuren I und II 1352, 1355.

Liebermann, C. und Cybulski, G. Nachträgliches zum Cuskhygrin 1672.

Liebermann, C. u. Friedländer, S. Zur Geschichte der natürlichen Krappfarbstoffe 1685.

Liebisch, Th. Grundriß der physikalischen Krystallographie 145.

Liebmann, Louis. Elektrolyse von Hydrochinon 122, 1455.

Liebrecht, A. und Röhmann, F. Darstellung von wasserlöslichen Caseïnverbindungen 1977.

Liebrich, A. Bestimmung des Fettes in der Milch 2246.

Lifschütz, J. siehe Darmstädter 676, 703, 2236.

Likhatscheff, Alexis. Physiologisches Verhalten der Gentisinsäure 1803.

Limpricht, H. Ueber die Benzoylsalicylsäure 1307.

Linck, G. Beitrag zu den Beziehungen zwischen dem Krystall und seinem chemischen Bestand 57, 145; Beziehungen zwischen den geometrischen Constanten eines Krystalls und dem Molekulargewicht seiner Substanz 146.

Linde, C. Erzielung niedriger Temperaturen 10.

Linde. Verflüssigung der Luft 401.

Lindet, L. Bestimmung der Stärke im Getreide 183, 2323; Erkennung und Isolirung der Citronensäure und Aepfelsäure mittelst Chinin und Cinchonin 2218; Nachweis und Trennung der wichtigsten Pflanzensäuren 703; Untersuchung und Trennung von Citronen- und Aepfelsäure mittelst Chinin und Cinchonin 166.

Lindner, Paul. Fruchtätherbildung durch Hefen in Grünmalz und in Würzen 2010.

Linebarger, C. E. Dielektricitätsconstanten von Flüssigkeitsgemischen 94; innere Reibung von Flüssigkeitsgemischen 13; Oberflächenspannungen von Flüssigkeiten 12.

Lintner, C. J. Einwirkung von Alkalilauge auf die Phenylosazone von Di- und Polysacchariden 179, 1007.

Linton, L. A. Technische Analyse des Asphalts 2197.

Lippmann, E. O. von. Bemerkung zur Frage über die Ursache der Birotation 981; ein „angewandter" Chemiker des vorigen Jahrhunderts 137; stickstoffhaltige Bestandtheile aus Rübensäften 182, 726; Ursache der Birotation 157.

Littlefield, R. D. siehe Naylor 1603.

Lloyd Snape, H. Einwirkung von Diphenylendiisocyanat auf Amidoverbindungen 1119; über einige Phenylthiocarbaminate 1107.

Lobry de Bruyn, C. A. siehe Eckenstein, van 994.

Lobry de Bruyn, C. A. u. Eckenstein, W. Alberda van. Einwirkung von Alkalien auf den Zucker 984.

Lobry de Bruyn, C. A. und Leent, F. H. van. Ammoniakderivate von Mannose, Galactose und Sorbose 1064; Einwirkung von Salzsäure auf aromatische Nitroverbindungen 1073.

Locher, E. siehe Kehrmann 1866.

Locke, J. siehe Jannasch 481.

Lockhart, A. E. siehe Gattermann 115.

Lockyer, J. N. Spectroskopische Untersuchung der Gase von Eliasit 86; über die neuen aus Uranpecherz erhaltenen Gase 427.

Lodholz siehe Claus 1780.

Löb, Walther. Bedeutung der Elektrochemie für die organische Chemie 118; Elektrolyse der Benzoësäure 1232; elektrolytische Reduction aromatischer Nitrokörper 1074; elektrolytische Reduction des Nitrobenzols in salzsaurer Flüssigkeit 119; neue Arbeitsmethoden der organischen Chemie 123; Theorie der Bleiaccumulatoren 97.

Lösche, P. Neue Methode zur Kalibestimmung 2134.

Loew, Eduard. Zur Concentration der Schwefelsäure 371.

Loew, O. Das Asparagin in pflanzenchemischer Beziehung 840; Stickstoffbindung in den Proteïnstoffen 1972.

Löwenherz, Richard. Einfluß des Zusatzes von Aethylalkohol auf die

auf Carbazol 1744; Einwirkung von
Sulfurylchlorid auf p-Kresol 1160.
Mazzolino, G. siehe Longi 964.
Mc Cay, Le Roy W. Ueber Sulfoxy-
arsenate 456.
Mcdonell, M. E. siehe Hayward
2247.
Mc Farland, B. W. siehe Wheeler
1097.
Mc Ilhiney, Parker C. Das Cassel-
Hinman's che Gold-Bromverfahren
612.
Medvedew, Au. Oxydationskraft der
Gewebe 2022.
Meerten, A. v. Nachweis von Uran
in toxicologischen Fällen 2182.
Meikle, J. Gewinnung von Ammo-
niak aus Koks 401.
Meillère, G. Bestimmung der freien
und gebundenen Kohlensäure in den
bicarbonathaltigen Wässern 2114;
Molybdänreagens 2095.
Meinecke, Carl siehe Freund 921.
Meinecke, E. Kritische Untersuchungen über die Bestimmungen der Phosphorsäure 2094.
Meister, Lucius u. Brüning. Darstellung eines phosphorhaltigen Productes aus gasförmigem Phosphor-
wasserstoff und Carbonylchlorid 442.
Melander, G. Ausdehnung des Sauerstoffs bei Drucken unter einer Atmosphäre 7.
Meldola, R. Nitroguajacol 1179; Reduction von Nitroverbindungen 1926.
Meldola, R. und Andrews, E. Alkalische Reduction von Nitranilin
1925.
Meldola, R. u. Streatfield, Fr. W.
Beziehung zwischen der Constitution
und dem Schmelzpunkte des Allyl-
p-dinitrodiazoamidobenzols 1905; Untersuchung gemischter, eine Orthonitrogruppe enthaltender Diazoamide
1904.
Meldrum, Robert. Wirkung von Permanganat, Chromsäure und Jod auf
Bacterien 2020.
Melikian, P.-A. siehe Guye 154.
Melikoff, P. Entstehungsweise der
natürlichen Soda 37.
Mende, Fritz. Spaltung der Pipecolinsäure in ihre beiden optischen Componenten 209, 1766.
Menozzi, A. siehe Körner 799.
Merck. Darstellung von Methylen-
Tannin oder Condensationsproducten
von Tannin mit Formaldehyd 1351.

Merck, E. Condensation der Gerbstoffe
mit Formaldehyd 1646; Darstellung
von Brenzcatechin 1171; Darstellung
von Brom- und Jodhämol 1975; Darstellung eines Wismuthsalzes des
Condensationsproductes aus Gallussäure und Formaldehyd 1351; Darstellung von Kohlensäure- und Alkyl-
kohlensäureäthern von Oxyphenyl-
urethanen, bezw. von acidylirten
Amidophenolen 1153; Darstellung
von salicylsaurem Theobromin 931;
Pflanzenstoffe aus den Blättern von
Leukodendron concinuum 1615; Pflanzenstoffe aus Radix imperatoriae
ostruthium 1618; Pilocarpidin 217;
über einen krystallisirten Bitterstoff
aus Plumeria acutifolia 1624; Verbindung aus Aloin und Formaldehyd
1602; das Wismuthsalz der Methylen-
digallussäure 1351; Molybdänsäure,
ein Reagens auf Alkohol 1624.
Merling, G. Beziehung zwischen
physiologischer Wirkung und chemischer Structur-Synthese von Eucaïn
1667; über Eucaïn 1766.
Merrit, Hamilton. Probiren von
Golderzen und Sand durch Amalgamation und mit dem Löthrohr 2184.
Mertins, P. S. siehe Howe 2106.
Meslans. Einwirkung von Fluor auf
Schwefel 368; Esterificationsgeschwin-
digkeit der Fluorwasserstoffsäure 131.
Meslans und Girardet, F. Säure-
fluoride 1233; über die Säurefluoride
674.
Metcalf, W. N. siehe Hantzsch 881.
Metzner, René. Darstellung der Selen-
säure 389; über das Selensäureanhy-
drid 390.
Meunier, J. Ueber Dichloralglucose
und Monochloralglucosan 176, 1001.
Meyenburg, F. v. Einwirkung von
Chlorkohlenoxyd auf Dimethyl- und
Diäthylamidophenol 1145.
Meyer, A. Ueber Anemonin 1624.
Meyer, Carl siehe Thiele 965.
Meyer, E. v. Zur Kenntniss des Man-
delsäurenitrils 1274; zur Kenntniss
der p-Toluolsulfinsäure 1063.
Meyer, Friedr. siehe Jacobson 1923.
Meyer, H. siehe Herzig 1318.
Meyer, Richard und Heinrich. Stu-
dien in der Phtaleïngruppe. II. 1317,
1319.
Meyer, Richard und Seeliger, Alb.
Einwirkung von Oxaläther auf aro-
matische Amidokörper 1180.

Mixer, C. T. und Du Bois, H. W.
Särnström's Methode zur Bestimmung des Mangans in Eisenerzen 2154.

Mjöen, Alfred J. Das fette Oel aus den Samen von Strophantus hispidus 704; Kenntnifs des fetten Oeles aus den Samen von Hyoscyamus niger 704; Oel von Secale cornutum 828.

Modica, Orazio. Pharmakologische Untersuchungen über Furfuramid und Furfurin 1683.

Moehlau, R. Ueber 2,3-Amidonaphtoësäure 1261; zur Constitutionsfrage der 2,3-Oxynaphtoësäure und ihrer Derivate 1278.

Moehlau, R. und Kriebel, F. Ueber 1,2-Dioxy-3-naphtoësäure 1341.

Moer, v. d. Constitution des Pilocarpins 217, 1681.

Mörner, K. A. H. Untersuchungen über die Proteïnstoffe und die eiweifsfällenden Substanzen des normalen Menschenharnes 2027.

Möslinger, W. Darstellung der Maltonweine 2011; Extractbestimmung im Wein 2202.

Mohl, E. siehe Claus 1796.

Mohler, J. F. siehe Humphreys 87.

Mohr, L. s. Paal 1389.

Moissan, H. Ueber die Bildung der gasförmigen und flüssigen Kohlenwasserstoffe durch Einwirkung von Wasser auf die Carbide der Metalle. Classification der Carbide 472; Darstellung und Eigenschaften der Cercarbide 539; Darstellung und Eigenschaften des Titans 488; Darstellung und Eigenschaften des Uraniums 606; Darstellung krystallisirter Carbide der Erdalkalimetalle im elektrischen Ofen 467; Darstellung von Silicium im elektrischen Ofen 478; Einwirkung von Fluor auf Argon 439; über die Löslichkeit des Kohlenstoffs in Rhodium, Iridium und Platin 545; Untersuchungen über das Aluminium 545; Untersuchungen über die Boride des Nickels und Kobalts 584; Untersuchungen einiger Borverbindungen 540; Untersuchung des Graphits aus einem Pegmatit 465; Untersuchung von kohlenstoffhaltigem Vanadium und von Vanadiumcarbid 469; über das Lanthancarbid 468; über das Mangancarbid 469; über eine neue Methode der Darstellung von Legirungen 545; Untersuchungen über einige Meteorite 465; über den schwarzen Diamant 465; über ein Stück von brasilianischem, schwarzem Diamant 465; Untersuchung einiger Varietäten von Graphit 465; Untersuchungen über die verschiedenen Varietäten des Kohlenstoffs. Untersuchungen des amorphen Kohlenstoffs, des Graphits und des Diamants 466; Untersuchungen über das Wolfram 470, 604; Versuche zur Darstellung des Diamants 463; Zusammensetzung einiger Siliciumverbindungen 478.

Moissan, H. und Étard. Ueber die Carbide des Yttriums und des Thoriums 468.

Moissan, H. und Gautier, H. Bestimmung der specifischen Wärme des Bors 540.

Moissan, H. und Lengfeld, F. Ueber ein neues Zirkoniumcarbid 470.

Moissan, H. und Moureu, Ch. Einwirkung von Acetylen auf Eisen, Nickel und Kobalt 590; Einwirkung des Acetylens auf Eisen, Nickel, Kobalt und Platinschwamm 627.

Moldauer, D. Isomere Nitrosophloroglucindiäthyläther 1187.

Molisch, Hans. Die Krystallisation und der Nachweis des Xanthophylls (Carotins) im Blatte 1633.

Molisch, H. Mikrochemische Reaction auf Chlorophyll 1627; Phycocyan, ein krystallisirbarer Eiweifskörper 1970.

Molz, W. siehe Meyer 1047.

Monnet, P. Toluolsulfochloride 1068.

Monsacchi, U. siehe Schiff 20.

Montemartini, Clemens. Dimethyl-2-3-pentandisäure (α-β-Dimethylglutarsäure) 690; Synthesen in der Adipinsäurereihe 790; über das Anhydrid der α-Methyladipinsäure und über 2-Methylpentamethylenketon 794.

Montpellier, J. Zur Analyse von Guttapercha 2294.

Moraczewski, W. v. Eine Methode der qantitativen Salzsäurebestimmung im Magensaft 2077.

Moreau siehe Cazeneuve 917.

Moreigne, Henri. Ueber das Raphanol, einen neuen Körper aus Raphanus niger 1621.

Morgan, W. C. siehe Gooch 2089.

Morgan, A. E. Herstellung von Cyanverbindungen 476.

Moro, P. Untersuchungen über die 1-5-Naphtalindicarbonsäure und ihre Derivate 1338.

Paternò, E. Para-Bromtoluol als Lösungsmittel bei kryoskopischen Messungen 40; Phenol als kryoskopisches Lösungsmittel 39; Veratrol als Lösungsmittel bei kryoskopischen Messungen 41.

Paterson, D. Efflorescenz eines Ferroaluminiumsulfats 565.

Paton, J. M. C. Die Menge der im Wasser enthaltenen Luft 397.

Patterson, Thomas Stewart. Jodoso- u. Jododerivate des Benzaldehyds 1386.

Pattinson, John und H. S. Bestimmung des Phosphors in Eisen und Eisenerzen 2152.

Paturel, G. Ueber die chemische Bestimmung des landwirthschaftlichen Werthes der Phosphorsäuredünger 2097.

Pauer, J. Absorptionsspectren von Benzol, Toluol, o-, m-, p-Xylol, Aethylbenzol, Brombenzol, Jodbenzol, Nitrobenzol, Amidobenzol, Pyridin, Thiophen, Naphtalin und Anthracen 85; Absorptionsspectra einiger Verbindungen im dampfförmigen und flüssigen Zustande 88.

Paul, B. H. und Cownley, A. J. Bestimmung von Kupfer in Vegetabilien 2173; Jaborandi und seine Alkalien 1681.

Paul, Jos. Nachweis von Aldehyd 658; Nachweis von Aldehyd im Alkohol 2199.

Paul, L. G. Darstellung von Alkalinitrit 414.

Paul, L. Technische Verwendung von o- und p-Nitrophenol 1141.

Paul, Theodor und Krönig, Bernhard. Verhalten der Bacterien zu chemischen Reagentien 2019.

Pavia, G. siehe Meyer 1397.

Pavlow, J. siehe Nencki 910.

Pawlewski, Br. Einwirkung von Phtalyl- und Succinylchlorid auf B. NH₃-Verbindungen 1325.

Payne, George F. Aschenbestandtheile der Wassermelone 2045.

Pechmann, H. v. Ueber Diazomethandisulfosäure 966.

Pechmann, H. v. und Nold, A. Einwirkung von Diazomethan auf Phenylsenföl 1713.

Peinemann, Karl. Beiträge zur pharmaceutischen und chemischen Kenntniß der Cubeben und der als Verfälschung derselben beobachteten Piperaceenfrüchte 2046.

Peirce, A. W. Gravimetrische Bestimmung des Selens 2088; über die Existenz des Selenmonoxyds 388; siehe Gooch 392, 395, 2089.

Pekelharing, C. A. Neue Bereitungsweise des Pepsins 2000; Vorhandensein eines Nucleoproteïds in Muskeln 1985.

Pellet. Einfluß des Bleiessigs auf die Drehung der Zucker 984; über die Löslichkeit des Kalkes in einer 10 proc. Zuckerlösung 1013; zur Bestimmung des Invertzuckers 2272.

Pellizari, G. Diphenyltetrazolin 1723; Identität des Formopyrins 1699; neue Derivate des Amidoguanidins 918.

Pellizari, G. und Massa, C. Synthesen des Triazols und seiner Derivate. II. Monosubstituirte Triazole 1721.

Pemsel, Wilhelm siehe Meyer 640.

Peniakoff, D. A. Darstellung von Aetzalkalien 503; Darstellung von Schwefelaluminium 543.

Perdrix, L. Einwirkung von Kaliumpermanganat auf mehrwerthige Alkohole und ihre Derivate 653.

Peré, A. Mechanismus der Verbrennung ternärer Körper durch eine Gruppe aërober Mikroorganismen 1990.

Pergami, A. Wirkung der Alkohole auf Tetrachloräther 653.

Perkin, Arthur G. Luteolin 1636; Methode, Alizarin zu sublimiren 1477; Säureverbindungen der natürlichen gelben Farbstoffe 1640.

Perkin, A. G. und Allen, G. Y. Die färbende Materie des sicilianischen Sumachs (Rhus coriariae) 1639.

Perkin, A. G. und Gunnel, O. Die färbende Materie von Quebracho colorado 1640.

Perkin, A. G. und Hummel, J. J. Das färbende Princip der Rinde von Myrica nagi 1638; die in verschiedenen englischen Pflanzen enthaltenen färbenden Materien 1641; Vorkommen von Quercetin in der äußeren Haut der Zwiebel 1641; siehe Bablich 1639.

Perkin, W. H. Magnetisches Drehungsvermögen der aromatischen Verbindungen 76; Derivate der Propionsäure, Acylsäure und Glutarsäure 714; siehe Bentley 688, 726; siehe Bone 795; siehe Heinke 713; siehe Haworth 650.

Perkin jun., William Henry und

Pommerehne, H. Einwirkung von Jodmethyl auf Xanthinsalze 927; siehe Toppelius 918.

Ponsot, A. Gefrierpunktserniedrigungen in wässerigen Lösungen 45; Präcisionskryoskopie 47.

Ponzio, G. Einwirkung von Salpetersäure auf aliphatische Aldehyde 667; über die Bereitung der aliphatischen Senföle und über ihr Verhalten zu Schwefelwasserstoff 909.

Pool, J. F. A. Verhalten von frischem Eiweifs und Handelseiweifs gegen einige Metallsalze 1975.

Pope, Frank G. siehe Hewitt 1175, 1362.

Pope, F. J. Bestimmung der Sulfide im Calciumcarbid 2080; volumetrische Bleibestimmung 2167.

Pope, W. J. Acetonverbindung der Camphersäure 200; bemerkenswerther Fall von Phosphorescenz 77; Brechungsconstanten krystallinischer Salze 66; circularpolarisirende Stoffe im amorphen und krystallinischen Zustande 153.

Portmann, B. siehe Hell 1136.

Potilitzin, A. Zersetzung des Kaliumbromats beim Erwärmen 356.

Pouchet, Gabriel. Ueber den Panbotano 2045.

Poulet, V. Untersuchungen über die Nahrungsaufnahme der Pflanzen 2033.

Poulsen, V. siehe Freuchen 66.

Poupé, T. Apparat für Invertzuckerbestimmung 332.

Poynting, J. H. Osmotischer Druck 22.

Prager, A. Zur Kalibestimmung 2134.

Pratt, H. Doppelsalze von Cäsium, Rubidium, Natrium und Lithium mit Thallium 509.

Precht, H. Beiträge zur Kenntnifs der Bestimmung des Kalis als Kaliumplatinchlorid 2132.

Prentice, B. Derivate der Dimethylacrylsäure 762; siehe Baeyer 201, 1555.

Prescott, Albert P. Perjodide 360; siehe Baer 1758.

Preyer, W. Argon und Helium im System der Elemente 3.

Prinsen-Geerlings, H. C. Zuckerarten des Zuckerrohrs 1009.

Prior, E. Beziehungen des osmotischen Druckes zu dem Leben der Hefe und den Gährungserscheinungen 2006; leicht und schwer vergährbare

Kohlehydrate 1018; Nachweis von Zucker in vergohrenen Würzen und dem unvergährbaren Würzerest der Hefen Saaz, Frohberg und Logos 2208; über ein neues Diastase-Achroodextrin und die Isomaltose 1019; ein drittes Diastase-Achroodextrin und die Isomaltose 178.

Prost, E. siehe Koninck 2161.

Prud'homme, M. Benzylirte Parafuchsine 1221; Condensation von aromatischen Hydrolen und Aminen in Gegenwart von concentrirter Schwefelsäure 1217; neue Synthese von Parafuchsin und seiner Mono-, Di-, Tri- und Tetraalkylderivate 1221; Oxydation der Fuchsine durch Bleisuperoxyd 1219; über die sulfonirten Triphenylmethanfarbstoffe. Untersuchung der Patentblaufarbstoffe 1918.

Prunier, L. Sulfantimonsaures Natrium (Schlippe'sches Salz) 461.

Pschorr, Robert. Neue Synthese des Phenanthrens und seiner Derivate 1055; siehe Knorr 1692.

Puckner, W. A. Ueber die Bestimmung des Caffeïns 2300.

Purdie, Th. und Sanders, G. D. Einwirkung von Alkyljodiden auf äpfelsaures Silber 159, 802.

Purdie, Thomas und Williamson, Sidney. Aether der optisch activen Aepfel- und Weinsäure 158; Ester der optisch activen Aepfelsäure und Milchsäure 735.

Purgotti, A. Anwendung des blauen Molybdänoxyds in der Mafsanalyse 2052; Methode zur Bestimmung einiger Substanzen mit Hülfe von schwefelsaurem Hydrazin 2052.

Py. Beitrag zur Analyse der Fruchtsäfte, Syrupe und Confitüren 2329.

Quantin, H. Die Unzulänglichkeit der derzeit benutzten Methoden zur Untersuchung des Essigs 2215.

Quenda, E. Ueber einige β, γ-substituirte Hydantoine 926.

Quincke, F. Nickelextractionsverfahren 590.

Quiroga, Atanasio. Arginin 211; Argin, Arginin 1652.

Rabaut, Ch. Ueber einige Phenylsulfanide 1109.

Rabe, P. siehe Knorr 1691.

Remsen, Ira, Hartmann, R. N. und Muckenfufs. Einwirkung von Phosphorpentachlorid auf p-Sulfaminbenzoësäure 1240.

Remsen, Ira und Hunter, J. R, Beziehungen der Anilide der isomeren o-Sulfobenzoësäurechloride 1244.

Remsen, Ira und Karlslake, W. J. o-Cyanbenzolsulfonsäure 1245.

Remsen, Ira und MacKee, R. S. Reinigung der Chloride der o-Sulfobenzoësäure und Einwirkung verschiedener Reagentien auf dieselben 1243.

Remsen, Ira und Muckenfufs, A. M. Umwandlungen von p-Sulfaminbenzoësäure unter dem Einflufs der Wärme 1241.

Retgers, J. W. Beiträge zur Kenntnifs der Isomorphismen 56, 60, 146; Stellung des Tellurs im periodischen System 6; Umwandlung des gelben Phosphors in rothen 441.

Retter, Alfred. Ueber Neuerungen in der Düngerindustrie 2103.

Reverdin, Frédéric. Jodderivate des Anisols und Wanderung des Jodatoms 1155; Wanderung des Jodatoms in den Derivaten des Anisols und Phenetols 1156.

Revis, C. und Kipping, F. St. u-Bromcampher 1515.

Reychler, A. Ueber Camphenbromid 188, 1538; über die Condensationsproducte des Isovaleraldehyds 665; Einwirkung von Trichloressigsäure auf Terpene 188,1541; über Geranylchlorid 189, 1499; Isobornylchlorid und Camphenchlorhydrat 189, 1537; siehe Masson 190, 1487.

Rey-Pailhade, J. de. Rolle des Philothions und der Laccase bei der Keimung der Samen 1994.

Richard, Jules siehe Schloesing 432.

Richards, E. H. und Ellms, J. W. Die färbende Materie natürlicher Wässer, deren Ursprung, Zusammensetzung und quantitative Messung 2074.

Richards, J. W. Trennung des Silbers vom Golde durch Verflüchtigung 2183.

Richards, Th. W. u. Parker, H. G. Neubestimmung des Atomgewichts von Magnesium 2.

Richards, Th. W. u. Rogers, E. F. Atomgewichte des Zinks, Analyse von Zinkbromid 2.

Richardson, Arthur und Fortey, Emily C. Einwirkung von Licht auf Aether 646; Einwirkung von Licht auf Amylalkohol 646.

Richardson, F. W. und Aykroyd, H. E. Cachou de Laval 1642; Sulfide, Sulfite, Thiosulfate und Sulfate; ihre Bestimmung in Gemischen derselben 2083.

Richardson, H. A. siehe Gill 2071.

Richarz, Franz und Lonnes, Carl. Wasserstoffsuperoxyd bei Convectionsströmen 115.

Richmond siehe Droop Richmond 2212.

Richtmann, W. O. und Kremers, Edward. Menthennitrosochlorid und einige Derivate desselben 189, 1485.

Rideal, S. und Rosenblum, S. Die Analyse von Chromeisenstein, Ferrochrom und Chromstahl 2158.

Riedel, Fr. Einwirkung von Cyanessigäther bezw. Benzylcyanid auf Aldehyde, Ketone, Aldehydammoniak etc. 1272.

Riedel, J. D. Darstellung von Cocaïnaluminiumcitrat 1667; Darstellung von Condensationsproducten des Acetylamidophenylhydrazins m. Acetessigester 1700.

Riegler, E. Asaprol als Reagens auf Alkaloide 2299; Bestimmung des Alkohols und Extractes im Weine auf optischem Wege 2202; Bestimmung des Harnstoffs im Harn 2262; Bestimmungsmethode des Traubenzuckers und der Harnsäure auf gasvolumetrischem Wege 2271; Bestimmungsmethode der löslichen Jodverbindungen auf titrimetrischem Wege 2178; Chinaptol, ein neues Antipyreticum und Antisepticum 1671; eine empfindliche, einfache Reaction auf salpetrige Säure 2093; Methode zur Bestimmung der Harnsäure 2260; Titerstellung der Thiosulfatlösung mittelst Jodsäure 2053; Werthbestimmung und Titerstellung von Chamäleonlösung 2051; Bestimmung des Aldehyds in alkoholischen Flüssigkeiten 2200.

Rimatori, C. siehe Ampola 40.

Rimbach, E. Vorkommen der Abietineenharzsäuren 747.

Rimini, E. Condensation von Acetondicarbonsäureäther mit Oxaläther, Malonsäureäther und Bernsteinsäureäther 744; Monoketazocamphadion

197; neue Untersuchungen in der Camphergruppe 197; über das Monoketazocamphadion 1937; siehe Angeli 197, 1182; siehe Beccari 2022.

Rinne, F. Krystalltypen bei Metallen, ihren Oxyden, Sulfiden, Hydroxyden und Halogenverbindungen 60; physikalisch-chemische Einwirkung von Schwefelsäure und Salzsäure auf Heulandit und über ein leicht zu gewinnendes Siliciumdioxyd 481.

Rising, W. B. und Lenher, Victor. Elektrolytische Methode zur Bestimmung des Quecksilbers im Zinnober 2176.

Ristenpart, Eugen. Einwirkung von Ammoniak und Alkylaminen auf Bromäthylphtalimid 1314.

Ritter, G. v. Bestimmung von Harnsäure im Harn 2262; quantitative Bestimmung von Zink in organischen Salzen 2162.

Ritthausen, H. Alloxantin als Spaltungsproduct des Convicins aus Saubohnen 919; Berechnung der Proteïnstoffe in den Pflanzensamen aus dem gefundenen Gehalte an Stickstoff 21318; Galactit aus den Samen der gelben Lupine 182, 1087; Reactionen des Alloxantins aus Convicin der Saubohnen und Wicken 939; über Convicin 182; über Leucinimid, ein Spaltungsproduct der Eiweißkörper beim Kochen mit Säuren 1972; Vicin, ein Glycosid 182, 1623; Wassergehalt und Reaction des Alloxantins 939.

Rivals, P. Aethyläther der Chloressigsäure 700; Lösungen der Trichloressigsäure 701; thermochemische Studien über o-Chlorbenzoësäure und einige ihrer Derivate 71.

Rivals siehe Berthelot 74, 75.

Rivière, G. u. Bailhache, G. Zur Kjeldahl'schen Stickstoffbestimmung 2189.

Roberts-Austen, W. C. Diffusion der Metalle 23.

Rocques, X. Bestimmung des Zuckers in der Chokolade 2326; Veränderungen der Branntweine beim Altwerden 645.

Rodewald, H. Quellung der Stärke 1021.

Rodger, J. W. siehe Thorpe 14.

Röhmann, A. siehe Liebrecht 1977.

Rösler, Friedrich. Synthese einiger Erzmineralien und analoger Metallverbindungen durch Auflösen und Krystallisirenlassen derselben in geschmolzenen Metallen 337.

Rößler, C. Darstellung von reinem Wismuth 461.

Rogers, E. F. siehe Richards 2.

Roithner, G. siehe Weidel 724.

Rolfe, Geo. W. und Defren, Geo. Analytische Versuche über die Hydrolyse der Stärke durch Säuren 2278; Hydrolyse der Stärke durch Säuren 183.

Romanoff, L. siehe Spring 26.

Romijn, G. Bestimmung des Sauerstoffs im Wasser 2069; krystallwasserhaltiges Natriumsalicylat 1266.

Ronde. Empfindliches Lackmuspapier 2057.

Roos, E. Ueber die Wirkung des Thyrojodins 2026; siehe Baumann 357, 2024.

Rosdalsky, G. Abkömmlinge des Piperazins 1841.

Rose, F. siehe Kast 621.

Rosenberg, M. v. siehe Bredt 191, 1513.

Rosenblum, S. siehe Rideal 2158.

Rosendahl, H. V. Lappaconitin, Septentrionalin und Cynoctonin 220, 1648.

Rosenfeld, Max. Volumetrische Elektrolyse der Salzsäure 333.

Rosenheim, Arthur. Ueber die Einwirkung anorganischer Metallsäuren auf organische Säuren. II. Mittheilung. Zur Kenntniß der Thonerde-, Chrom- und Eisenalkalioxalate. Die Ueberführungszahlen und die äquivalente Leitfähigkeit der complexen Oxalate 551.

Rosenstiehl, A. Constitution des Patentblau 1218; Einwirkung von Jodmethyl auf wässerige Lösungen von Krystallviolett, Malachitgrün und Methylenblau. Hydrolyse dieser Farbstoffe 1222; Hydrolyse des Methyljodürs 640; über einige den Fuchsinen und den amidirten Carbinolen eigene Reactionen 1219; Ester und Salze. Unterschied in der Fuchsinreihe 1217.

Rosenthal, J. Alkaloid der Rinde der Rabelaisia philippinensis 1683; Bestimmung der Kohlensäure in der atmosphärischen Luft nebst Bemerkungen über die Dissociation von Dicarbonatlösungen 2115.

lösungen mittelst schwefliger Säure 174, 1010.

Stift, A. siehe Strohmer 2277.

Stindt, H. siehe Graebe 1054.

Stobbe, E. Herstellung von Seidenwolle 1982.

Stoehr, C. und Brandes, P. Gewinnung homologer Pyrazinbasen 1840; über Pyrazine und Piperazine 1840.

Stoermer, R. und Lepel, Victor v. Ueber einige gemischte aliphatische secundäre Amine 874, 925.

Stohmann, T. Zum Nachweis der Butterfälschung 2252.

Stohmann, F. und Schmidt, Raymund. Calorimetrische Untersuchungen über den Wärmewerth der Hippursäure, ihrer Homologen und der Anisursäure 71.

Stokes, A. W. Apparat, um den Fettgehalt von Milch, Käseemulsionen etc. zu bestimmen 2246.

Stokes, H. N. Verhalten der Tri- und Tetrametaphosphiminsäure 239.

Stoklasa, Julius. Studien über die Assimilation elementaren Stickstoffs durch die Pflanzen 399.

Stolz, Fr. Ueber Formopyrin 1699; siehe Knorr 1693.

Stone, G. C. Bemerkungen zu Herrn Auchy's Abhandlung über die volumetrische Bestimmung des Mangans 2157; Löslichkeit von Wismuthsulfid in Alkalisulfiden 2107; wahrscheinliche Entstehung von Permanganat durch directe Verbrennung von metallischem Mangan 555.

Storch, L. Verdünnungsgesetz der Elektrolyten 109.

Stränge, E. H. siehe Dixon 943.

Straub, A. Producte der alkoholischen Gährung der Bierwürze mit besonderer Berücksichtigung der Bildung von Bernsteinsäure 2009.

Straufs, Hermann. Zur quantitativen Bestimmung der Salzsäure im menschlichen Magensaft 2077.

Streatfield, Fr. W. siehe Meldola 1904, 1905.

Strohl, A. Jodzahl und Brechungsindex der Cacaobutter 2230.

Strohmer, F. Scalenbeleuchtungsvorrichtung für Polarisationsapparate 2059.

Strohmer, F. und Stift, A. Chemische Zusammensetzung österreichisch-ungarischer Zuckersorten 2277.

Stschukareff, A. Vertheilung eines Stoffes zwischen zwei Lösungsmitteln 38.

Stutzer. Chemische Untersuchung der Käse 2316; Beobachtungen über die Wirkung von Wasser auf Cement 487; siehe Burri 2035.

Stutzer, A. und Karlowa, A. Die Bestimmung von Harnsäure im Guano 2091.

Subak, J. siehe Werner 1238.

Subaschow. Arabinose- und Galactosebenzhydrazid 1003; über eine Trennungsmethode der Galactose und Arabinose 2276.

Suboff, P. Wärmecapacitäten verschiedener Gläser 69.

Süfs, P. Einwirkung von Eisenchlorid auf Quecksilber 537.

Suida, W. siehe Mauthner 705.

Sulc, O. Elektrolytisches Silberperoxyd 525; siehe Rayman 134.

Summers, B. S. Kohlenstoffbestimmungen in der Eisensau 2150.

Surawicz, S. Physikalische Eigenschaften der wasserfreien und wasserhaltigen Verbindungen 62.

Suringar, H. u. Tollens, B. Untersuchungen über verschiedene Bestimmungsmethoden der Cellulose 2281.

Swan, J. W., Bromlay u. Kendall, J. A. Verfahren zur Herstellung von Cyaniden 476.

Swan, J. W. und Kendall, J. A. Darstellung von Cyaniden 949.

Swarts, Fr. Ueber die Fluoressigsäure 759.

Swaters, J. A. B. Die wirksamen Bestandtheile von Piscidia Erythrina 1601.

Swoboda, A. Eine neue Reaction auf Pikrinsäure 2285.

Swoboda, Hanno. Verhalten des basisch essigsauren Bleioxyds zu Zuckerlösungen 983.

Sykes, W. J. und Mitchell, C. A. Verfahren zur Bestimmung der diastatischen Kraft von Malz 2279.

Symons, W. H. u. Stephens, F. R. Kohlendioxyd. Seine volumetrische Bestimmung 7, 2115.

Syniewski, V. Methylcarbonate mehrwerthiger Phenole 1171.

Szarvasy, E. Volumetrische Bestimmung des Arsens 2105.

Sztankay, J. M. Neue Bildungsart des Magnesiumnitrides. Eigenschaften des Berylliums 517.

Täuber, E. Darstellung acidylirter Alkyl- bezw. Halogenalkyläther von solchen Amidophenolen, deren p-Stellung zur Amido- und Hydroxylgruppe besetzt ist 1154; Darstellung von Aethoxy- und Methoxyphenylsuccinimid 1154; über das Didiamidodiphenyl 1951.

Täuber, E. u. Walder, Fr. Amidonaphtolsulfosäure 1200.

Tager, Issar. Beziehungen des Chloracetyls und Chlorbenzoyls zum Styrol bei Gegenwart von Chlorzink 1400.

Tambor, J. siehe Kostanecki 1424, 1432, 1438.

Tammann, G. Aenderung des Volumens bei der Bildung von Lösungen 19; die Thätigkeit der Niere im Lichte der Theorie des osmotischen Druckes 2027.

Tanatar, S. Die Lösungs- und Neutralisationswärme des Nitroharnstoffs und seines Kaliumsalzes 933; Entstehungsweise der natürlichen Soda 37, 498; fumarsaures Hydroxylamin und dessen Zersetzungsproducte 417; Notiz über untersalpetrige Säure 405; Umwandlung des Trimethylens in Propylen 624.

Tanatar, S., Choina, J. und Kosyrew, D. Depression einiger Elektrolyte und Nichtelektrolyte in gemischten Lösungsmitteln 48.

Tanret. Einwirkung von Aspergillus niger auf Zucker 180, 2010; über β- und γ-Galactose 1003; molekulare Modificationen und Multirotation der Zuckerarten 157, 167, 979; über die Multirotation der reducirenden Zucker und den Isodulcit 978.

Tardy siehe Bouchardat 1585.

Tarugi, N. Aufsuchung der Chromate und Arsenite 2159; Darstellung des Ferricyanammoniums 565; neues Verfahren zur Trennung der Phosphate in der Gruppe des Ammoniaks 2049.

Tarulli, G. Anwendung der Elektrolyse der Kupferlösungen für die Bestimmung des Zuckers 181.

Tarulli, G. u. Cubeddu, Mameli, E. Bestimmung des Reductionsvermögens des Zuckers durch Elektrolyse 181.

Tassilly. Apparat zur Filtration bei Luftausschlufs 327; Bildungswärme der krystallisirten Strontium- und Calciumjodide 70.

Tassinari, G. Studien über das Gummigutthharz 1600.

Taverne, H. J. siehe Franchimont 1757.

Teichmann, H. siehe Häufsermann 1144.

Terrasse, G. L. siehe Orndorff 363.

Terrat, P. siehe Petit 2300.

Teyxeira, G. Einflufs der Behandlung der Reben mit Kupferkalkbrühe auf den Wein 2207.

Than, Carl v. Compensationsmethode der Gasometrie 2056.

Thayer. Künstliches Wintergrünöl 1267.

Thibault, Paul. Polarimetrische Bestimmung der Lactose in Frauenmilch 2243.

Thiel, J. siehe Späth 2206.

Thiele, E. siehe Vaccino 674.

Thiele, H. siehe Hempel 573.

Thiele, Johannes und Heuser, Karl. Hydrazinderivate der Isobuttersäure 883.

Thiele, J. und Meyer, Carl. Reduction des Aethyl- und Methylnitramins 965.

Thomas, G. L. siehe Young 617.

Thomas, V. Absorption von Stickoxyd durch Ferrobromid 413; Einwirkung des Stickstoffdioxyds auf die Stannihaloide 491; Einwirkung von Jod auf Zinnchlorür 490; Einwirkung v. Stickstoffsuperoxyd auf einige Chlor-, Jod- und Bromverbindungen 408; Einwirkung von Stickstoffdioxyd und Luft auf Wismuthchlorid 462.

Thompson, C. J. S. Alchemie und Pharmacie 137.

Thompson, C. W. Analyse von Legirungen von Blei, Zinn, Antimon und Kupfer 2129.

Thompson, F. E. Ueber den Schwefel im Flufseisen 557.

Thompson, G. W. Analyse von weifsen Farben 2163; Bestimmung des Sulfats und Carbonats von Calcium in weifsen Farben 2164.

Thompson, S. P. Hyperphosphorescenz 77.

Thoms, H. Das Onocerin 707; toxikologisch-chemische Arbeiten 2294.

Thomsen, Jul. Dichte des Wasserstoffs und Sauerstoffs 9.

Thomson, R. T. Bestimmung der Borsäure in Milch 2241; Bestimmung von Thonerde und Eisenoxyd in Mineralphosphaten, Düngemitteln, Aluminiumsulfat, Alaun etc. 2141.

Thorpe, J. F. siehe Perkin 751.

van Eckenstein, W. Alberda. Ueber krystallisirte Mannose 1004, 1615.

van Eckenstein, W. Alberda und Lobry de Bruyn, C. A. Hydrazone der Zucker; die alkylirten Naphtylhydrazone und Phenylhydrazone 170, 984; über die Methyl-, Aethyl-, Allyl- und Benzylphenylhydrazone, sowie über die β-Naphtylhydrazone der Zucker .994.

van Erp, H. Wirkung von schmelzendem Kali auf Methylnitramin und Dimethylnitramin 879; siehe Franchimont 1115, 1757.

van Ketel, B. A. Beitrag zur Bestimmung von Milchzucker in Milch und Milchproducten 2243; zur Bestimmung der Glucose im Harn 2263.

van Ketel, B. A. und Antusch, A. C. Einige Untersuchungen über Leinkuchenfett 2232.

van Laer. Directe Vergährung von Rohrzucker und Maltose 2010.

van Ledden-Hulsebosch. Ueber den Ammoniakgehalt von Korkstöpseln 2094.

van Leent, E. Einwirkung von Methylalkoholkali auf die Trinitrobenzoësäure 1240.

van Leent, F. H. siehe Lobry de Bruyn 1004, 1073.

van Loon, J. und Meyer, Victor. Das Fluor und die Esterregel 1231.

van Romburgh, P. Nitrirung von Dimethyltoluidin 1114.

van 't Hoff. Vorlesungen über Bildung und Spaltung von Doppelsalzen 150; Studien zur chemischen Dynamik 150.

Varet, R. Bildungswärme der Cyanide von Lithium, Magnesium und Kupfer 70; Gesetz der Umsetzungen zwischen Quecksilbercyanid und den Salzen der Alkalimetalle und Erdalkalimetalle 537; Untersuchungen über die Doppelbromide 355; Untersuchungen über die Doppelcyanide 961; Verbindungen von Quecksilbercyanid und Halogensalzen 956.

Vassalo, D. siehe Minunni 864.

Vater, H. Wesen der Krystalliten 64; Einfluss der Lösungsgenossen auf die Krystallisation des Calciumcarbonats 63.

Vaubel, W. Der Benzolkern 1040, 1041; Bromverbindungen des as-m-Xylidins 1111.

Vaubel, W. Configuration der Chinon-

imidfarbstoffe 235, 1857; Gehaltsbestimmung von Benzidin und Tolidin 1119; Verhalten der Chinonimidfarbstoffe gegen nascirendes Brom 1860; Verhalten der Naphtole und Naphtylamine gegen nascirendes Brom 1195; zur Kenntnifs des Dehydrothiotoluidins und der Primulinbase 1713; Zusammenhang zwischen Farbe und Constitution der Triphenylfarbstoffe 1214.

Vaughan, Samuel W. siehe Cabot 554.

Vedrödi, Victor. Bestimmung des Nicotins und des Ammoniaks im Tabak 1676; das Kupfer als Bestandtheil unserer Vegetation 2040; quantitative Bestimmung des Kupfers in den Vegetabilien 2172.

Veitch, E. P. Verschiedene Modificationen der Pemberton'schen volumetrischen Methode zur Bestimmung der Phosphorsäure in Handelsdüngern 2097.

Veley, Victor H. Die Reactionsfähigkeit alkalischer Erden gegen Chlorwasserstoffgas 510.

Venable, F. P. Chloride des Zirkoniums 489.

Verein chemischer Fabriken. Darstellung von Chlor 346; Darstellung von Thiosulfat 373.

Verley, A. siehe Otto 1394, 1491.

Verwey, Aart. Pentamethenylmalonsäure und Pentamethenylessigsäure 699.

Viard, G. Bestimmung des Mangans in Gegenwart von Phosphorsäure 2145.

Vidal, Leon. Wirkung der Chromsäure oder der alkalischen Dichromate auf das latente Bild 88.

Vidal, Raymond. Darstellung substantiver schwarzer Farbstoffe 1188.

Vieille siehe Berthelot 628.

Vigouroux, E. Einwirkung von Silicium auf die Alkalimetalle, Zink, Aluminium, Zinn, Antimon, Wismuth, Gold und Platin 478.

Villard, P. Verbindung von Argon mit Wasser 439.

Villiger, Victor und Baeyer, Adolf. Ueber die Nopinsäure 1562.

Villiger, Victor. Ueber die Nopinsäure 186.

Viola, C. Beweis der Rationalität einer dreizähligen Symmetrieaxe 147; elementare Darstellung der 32 Krystallclassen 147; über geometrische Ableitung in der Krystallographie 147.

Waller, Elwin. Analyse von Chromerzen 2159.

Walter, J. Beitrag zur Erklärung der Sandmeyer'schen Reaction 1886; Druckrohr für Laboratoriumsversuche 325.

Walther, Hans. Verwendung von Rhodansalzen und Vorschläge zu deren synthetischer Gewinnung 963.

Walther, R. Darstellung von Cyanamid 906; Einwirkung von Orthoameisensäureäther auf primäre aromatische Amine 1108; Reductionen mit Phenylhydrazin 1942.

Waltke, Wm. und Co. Bestimmung des Gesammtalkalis und des Fettsäuregehaltes in Seifen 2234; Bestimmung von freiem Fett in Seifen 2234; Bestimmung von kohlensaurem, kieselsaurem und borsaurem Natrium in Seifen 2110; technische Methode zur Bestimmung der freien Fettsäuren in Fetten und Oelen 2224.

Wanters. Nachweis des Saccharins im Bier 2288.

Warren, H. N. Tetranitrocellulose, ein neues Explosionsmittel 184, 1031.

Warren, W. H. siehe Jackson, Loring 1595.

Warwick, A. W. Laboratoriumsprobe in Verbindung mit der Goldextraction 2185.

Wassiljew. Zur vergleich. Schätzung der verschiedenen Methoden für die quantitative Eiweißbestimmung im Harn 2266.

Wdowiszewski, H. Bestimmung des Wolframs in den Ferrowolframaten 2181.

Weber, A. siehe Faber, F. 615, 616.

Weber, H. A. Einwirkung einiger Theerfarben auf die Pepsin- und Pankreasverdauung 2002.

Wedekind, E. Aufklärung der Isomerieverhältnisse in der Tetrazolgruppe 1722.

Weeren. Neuerungen im Eisenhüttenbetriebe 558.

Weger, M. Zur Kenntnifs der Siccative 829.

Wegscheider, Rud. Verhalten der Opiansäure und ihrer Ester gegen einige Aldehydreactionen 1357; über das Phenylhydrazon und Oxim des Protocatechualdehyds 1392.

Weidel, H. Ueber das γ-Acetacetylchinolyl 1813.

Weidel, H. und Roithner, G. Ueber den Abbau einiger Säureimide 724.

Weigert, L. Chemie der rothen Pflanzenfarbstoffe 1633.

Weigmann, H. Studien über das bei der Rahmreifung entstehende Aroma der Butter 2015.

Weil, H. Ueber Goldproben 2185; Constitution der Farbbasen der Triphenylmethanreihe 1213, 1214.

Weilandt, H. siehe Krafft 13.

Weiler, Max. Entstehung von p-Tolyphenylmethan aus p-Bromtoluol und Natrium 1049; über die bei der Einwirkung von Natrium auf Brombenzol entstehenden hochmolekularen Kohlenwasserstoffe 1049.

Weingarten, P. siehe Jannasch 2074.

Weinhart. Elektrolytischer Nachweis von Blei im Harn 2166.

Weinling, C. siehe Gattermann 115.

Weinschenk, E. Vergleichende Studien über dilute Färbung der Mineralien 492.

Weisberg, J. Löslichkeit von Calciumsilicat in Zuckerlösungen 181, 1013, 1014; Löslichkeit von Calciumsulfit in Wasser und in Zuckerlösungen 1014.

Weiss. Eine neue Methode zur Butterprüfung 2249; zur Beurtheilung von Fetten nach quantitativen Methoden 2219; Prüfung von Butter und Margarine durch die Löslichkeit im Alkoholäther 2219; Volumendifferenz und Benutzung derselben zur Einstellung von Flüssigkeiten auf ein bestimmtes specifisches Gewicht 21.

Weisse, K. Einführung eines vierten Radicals an Stelle von Hydroxyl in das Triphenylcarbinol 1223.

Weller, H. Zusammensetzung der Wurstwaaren des Handels 2327.

Wells, H. L. u. Foote, H. W. Ueber die Doppelfluoride von Cäsium und Zirkonium 489.

Wende, Hermann. Imide der Traubensäure 165, 844.

Wender, Neumann. Die physikalischen Methoden der Butteruntersuchung 2251.

Wenghöffer, L. Thiol 1181, 1182.

Went. Chemisch-physiologische Untersuchungen über die Zuckerrohr 1010.

Werner, A. Stereochemie des Stickstoffs 234; Stereoisomerie bei Derivaten der Benzhydroxamsäure 234.

Winkler, Cl. Ueber den Einfluss des Wasserdampfgehaltes saurer Gase und deren Vegetationsschädlichkeit 2031.

Winogradski, C. N. Assimilation des freien atmosphärischen Stickstoffs durch Mikroben 400.

Winter, J. Ueber den Erstarrungspunkt der Kuhmilch. Antwort auf eine Abhandlung von Bordas und Génin 2238.

Winternitz, Hugo. Ueber die Methode der Blutfarbstoffbestimmung mit Hoppe-Seyler's colorimetrischer Doppelpipette 2320.

Winterstein, E. Oxim des salzsauren Glucosamins 176, 1000; siehe Schulze 2038.

Winther, Chr. Optisches Verhalten der Aepfelsäure 152.

Winton, A. L. Eine modificirte Ammoniummolybdatlösung 2097.

Winzheimer, E. siehe Zincke 1800.

Wirths, Victor. Derivate des p-Amidophenols 1147.

Wischo, Fr. Beiträge zum Studium des Melilotols 1592; Bemerkungen über Rutin 1621.

Wislicenus, Hans. Glatte Reduction der Nitrogruppe zur Hydroxylamingruppe 1075; über activirte Metalle (Metallpaare) und die Verwendung des activirten Aluminiums zur Reduction in neutraler Lösung 120.

Wislicenus, W. Isomerie der Formylphenylessigester 830, 1283; Verhalten alkalischer Lösungen des Formylphenylsäureesters gegen Säuren 1282; zweckmäfsige Form von Mefskolben 2060.

Wislicenus, Wilhelm u. Goldstein, Karl. Synthesen mit Phenylmalonsäureester 699.

Witkowski, A. W. Elektrisches Thermometer für niedrige Temperaturen 329; thermodynamische Eigenschaften der Luft 402.

Witt, O. siehe Apel 658.

Witt, O. N. und Buntrock, A. Fortschritte auf dem Gebiete der chem. Technologie der Gespinnstfasern 1980.

Wöhler, Lothar siehe Meyer 1260.

Wörner, E. Beiträge zur Beurtheilung der Isomerie der Trithioaldehyde 229, 1382.

Wohl, A. Darstellung aromatischer Hydroxylaminverbindungen 1075; Reinigung und Entzuckerung von Zuckerlösungen durch Bleioxyde 1014.

Wolf, O. G. L. siehe Ruhemann 756.

Wolff, Fritz siehe Koenigs 1770; siehe Krüger 2262.

Wolffenstein, R. Darstellung von Cykloacetonsuperoxyd 670; Darstellung von Wasserstoffsuperoxyd 389; über stereoisomere Coniine 207; siehe Levy 208, 1764.

Wolmann, L. Methoden zur quantitativen Elektrolyse von Schwermetallen 2124.

Wolpian, L. J. Structur des Cymols und des Terpens des Cuminöles 1535.

Wood, R. W. Dissociationsgrad einiger Elektrolyte 107.

Wood, T. B. Das nutzbare Kali und die nutzbare Phosphorsäure im Boden 2136.

Wood, T. Barlow, Spivey, W. T. N. und Easterfield, T. H. Charas, das Harz des indischen Hanfs 1597.

Woolcott, George Harold siehe Meldola 1141.

Worm, Wladimir. Methoden der Acidimetrie 2053.

Wray, Edward siehe Meldola 1141.

Wright, R. siehe Farr 2045.

Wünsch, A. Ueber Benzolchinin 1670.

Wulff, L. Morphologie des Natronsalpeters 64.

Wyatt. Darstellung von Calciumcarbid und Acetylen 467.

Wynne, W. P. siehe Armstrong 1124, 1125.

Wyrouboff, G. Einige Beobachtungen über die Amidochromate 597; periodische Classification der Elemente 3; über Polymorphie und Isomorphie 147.

W., C. Bleischeidung der Melasse nach Kafsner 1015.

Xhonneux, P. Wirkung der Essigsäure auf Zuckerlösungen 1010.

Yabe, K. Notiz über Sakehefe 2010.

Yoshimura, K. Constitution einiger Schleimsubstanzen 1037.

Young, Georg. Sauerstoffhaltige Triazoabkömmlinge 1718.

Young, S. und Thomas, G. L. Isopentan aus Amyljodid 617.

Zacharia, A. J. Einwirkung von Chlor auf Glycerin in Gegenwart von Jod 651, 830; Einwirkung von Phosphorchloriden auf halogenirte Phenole 1176.

Zaleski, St. Verfahren zur Bestimmung der Kohlensäure in beliebiger Tiefe wenig zugänglicher Behälter von Säuerlingen 2113.

Zaleski, J. siehe Nencki 910, 2262.

Zaloziecki, R. Theorie und Praxis der chemischen Reinigung von Mineralölen 619; Veränderlichkeit der gasförmigen, ungesättigten Kohlenwasserstoffe 621; Vereinheitlichung der Untersuchungsmethoden in der Petroleumindustrie 2192.

Zambelli, L. Bestimmung sehr kleiner Mengen von salpetriger Säure 2094.

Zamboni, A. Eisenamalgam 557.

Zangemeister, W. Bestimmung des Blutfarbstoffs 2263.

Zanninovich-Tessarin, H. Elektrolytische Dissociation der Lösungen in Ameisensäure 112.

Zecchini, Mario. Modification der Methode von Goldenberg zur Bestimmung des Weinsteins 2218.

Zelinsky, N. Stereoisomere Dimethyltricarballylsäuren 694.

Zelinsky, N. und Generosow, A. Untersuchungen in der Hexamethylenreihe. Synthese von Heptanaphten 1041.

Zelinsky, N. u. Isajew, W. Stereoisomere Dimethyldioxyadipinsäuren 811.

Zelinsky, N. und Reformatsky, A. Synthese des Nononaphtens 1043.

Zelinsky, N. und Rudsky, M. Synthetische Versuche in der Pentamethylenreihe 635.

Zelinsky, N. u. Tschernoswitow, N. Stereoisomere Dimethyltricarballylsäuren 693.

Zelinsky und Weymann. Einwirkung von Aluminiumbromid auf die Nitroverbindungen der Fettreihe 866.

Zellner, Julius. Zur Kenntnifs der Rapinsäure 676.

Ziegelbauer, Rudolf. o-Phenylenbiguanid 1131.

Ziegenbein, H. Alkaloide von Corydalis cava 219.

Ziegler, E. siehe Auwers 784, 1162.

Zinberg, S. siehe Friedländer 1277.

Zincke, Th. Ueber Amidoverbindungen 1931; o-Dinitroverbindungen der Benzolreihe 1089; Einwirkung von Chlor auf Oxychinoline 1800; Umwandlung von Bromprotocatechusäure in eine Dibrom-o-naphtochinoncarbonsäure 1310.

Zincke, Th. und Francke, Br. Einwirkung von Salpetersäure auf Bromprotocatechusäure. Ueberführung in 3-5-Dibrom-β-naphtochinon-7-carbonsäure 1464; über Bromprotocatechusäure und die drei isomeren Brom- und Nitroveratrumsäuren 1304.

Zincke, Th. und Helmert, Br. Constitution der Acimide 1930; über Azimidouramidobenzoësäuren und Azimidobenzoësäuren 1931.

Zincke, Th. und Wiederhold, K. Ueber Dichlor-β-chinolinchinon und dessen Umwandlungsproducte 1806.

Zincke, Th. und Winzheimer, E. Ueber Chloroxy-α-chinolinchinon und dessen Umwandlungsproducte, Hydrinden-, Inden- und Acetophenonderivate der Pyridinreihe 1800.

Zink, Julius. Beitrag zur Kenntnifs der Knochenmarkfette 2229.

Zoppellari, J. Kryoskopisches Verhalten und Zusammensetzung einiger Acetate schwacher Basen 49; über einige Erscheinungen beim Gefrieren verdünnter Lösungen 48.

Zuboff, P. Verbrennungswärmen einiger organischer Verbindungen 71.

Sachregister.

Aethoxypropylisochinolin 1822.
Aethoxytribromxylenol 1162.
Aethoxytriphenyltetrazoliumchlorid 1723.
Aethyladipinsäure 794.
Aethylalkohol, Bestimmung in stark verdünnten Lösungen 2199; Vorkommen im rohen Holzgeist 641.
Aethylallylcarbinolester 648.
Aethylallylessigsäure 769.
Aethylallylmalonsäure 769.
Aethylallylmalonsäureester 769.
Aethylamidotriazsulfol 1721.
Aethylanhydrodibenzilacetessigester 850.
Aethylanisylketonoxim 1442.
Aethylarabinose, Hydrazon 995.
Aethylbenzalbiuret 914.
Aethylbenzamid 1336.
Aethylbenzhydroximbuttersäure 890.
Aethylbenzoësäure 1335; Nitrirung 1336.
Aethylbenzoësäureäthylester 1336.
Aethylbenzol, Absorptionsspectrum 85.
Aethylbenzolchlorphosphin 1954, 1962.
Aethylbenzoldiäthylmethylphosphoniumjodid 1963.
Aethylbenzoldiäthylphosphin 1963.
Aethylbenzolphosphinige Säure 1963.
Aethylbenzolphosphin 1963.
Aethylbenzolphosphinphenylhydrazon 1963.
Aethylbenzolphosphinsäure 1963.
Aethylbenzoltriäthylphosphoniumjodid 1963.
Aethylbenzonitril 1336.
Aethylbenzoylchlorid 1336.
Aethylbenzoylessigsäure 849.
Aethylbenzoylessigsäureäther 849.
Aethylbenzoylpropionsäure 1292.
Aethylbenzureïd 1336.
Aethylbenzylparafuchsin 1221.
Aethylbernsteinsäureäther 719.
Aethylcarboxylglutarsäureester 788.
Aethylcyanmethylglutaconimid 1752.
Aethyldidurochinon 1460.
Aethylen, Bestimmung in Gasgemischen 2191; Bestimmung neben Benzoldampf 2191; langsame Verbrennung 621.
Aethylenbromid, Einwirkung auf Saccharinnatrium 1249.
Aethylendiäthyldiamin 1314.
Aethylendiaminverbindungen des Palladiums 874.
Aethyldiammoniumchlorpalladid 874.
Aethylendiphenyläther 689.
Aethylendibenzoësäure 1249.
Aethylendinitroharnstoff, Verhalten gegen Barytwasser 880.

Aethylenditolylsulfon 1065.
Aethylendixylenoläther 1161.
Aethylenglycol 650.
Aethylenmercaptan, Verbindungen der Zucker mit demselben 996.
Aethylenreihe, Polymerisation ihrer Kohlenwasserstoffe unter der Einwirkung von Chlorzink 624.
Aethylensalicylat, Verhalten im Organismus 1266.
Aethylfumarsäureäther 719.
Aethylgalactose, Hydrazon 995.
Aethylglutarsäure, Anhydrid, Anilsäure, Anil, Tolilsäure, Tolil, Naphtilsäuren, Naphtil 786; Leitfähigkeit, Schmelzpunkt der Säure und des Anhydrids 774.
Aethylhydrazin 966.
Aethylhydrazone der Zucker 994.
Aethylidenaniline 1116.
Aethylidenphenylhydrazin 1948.
Aethylidentrimethylen 632, 633.
Aethylisobutylanhydrodibenzilacetessigester 851.
Aethylisobutyltrichloracetat 654.
Aethylisocyanid 942.
Aethylisoeugenoldibromid, Einwirkung des Natriumäthylats 1136.
Aethylisophtalsäure 1471.
Aethylisorosindon 1864.
Aethylisorosindulin 1864.
Aethyljodid und Zink, Einwirkung auf Fettsäureäther 719.
Aethylketocyanmethyloxydihydropyridin 1752.
Aethyllophin 1707.
Aethylmaleïnaminsäure 801.
Aethylmaleïnimid 801.
Aethylmannose, Hydrazon 995.
Aethylmercaptopenthiazolin 894.
Aethylmercaptotriazol 1718.
Aethylmesitylen, Acetylirung in Gegenwart von Chloraluminium 1397.
Aethylmethylessigsäure 675.
Aethylmethylparabansäure 931.
Aethylnaphtylketon 1415.
Aethylnaphtylketoxim 1415.
Aethylnitramin, Reduction 965.
Aethyloxalsäurechlorid, Einwirkung auf die aromatischen Kohlenwasserstoffe in Gegenwart von Aluminiumchlorid 1289.
Aethylpentadecylketon 670.
Aethylphenacylcyanessigsäure 1290.
Aethylphenantridin 1816.
Aethylphenonaphtazon 1856.
Aethylphenyleudiamin, Oxydationsproduct 1854.

Benzoylmethyltetramethyloxypiperidin-
carbonsäuremethylester 1766.
Benzoylmorphin 212, 1679.
Benzoylnitrobenzaldoxim 864.
Benzoylnitrocarbazol, Einwirkung von
Chlor 1745.
Benzoyloxylaurinsäure 1607.
Benzoylpellotin 215.
Benzoylphenol 1428; Phenylhydrazon
1428.
Benzoylphenylamidothiobiazol 1714.
Benzoylphenylcumarketon 1404.
Benzoylphenylnaphtylcarbazol 1281.
Benzoylphenylthiosemicarbazid 921.
Benzoylphtalsäure 1366.
Benzoylpicolinketoxinsäure 1768.
Benzoylpicolinsäure 1767.
Benzoylpseudotropeïn 1656.
Benzoylsalicylsäure 1307.
Benzoylsalicylsäureäthylester 1308.
Benzoylsalicylsäuremethylester 1308.
Benzoylsalicylsäurephenylester 1309.
Benzoylsalol 1309.
Benzoylsarkosin, Bildungswärme 72.
Benzoyltetrahydroisochinolin 1827.
Benzoyltoluol 1412.
Benzoyltricarballylsäureester 694.
Benzoyltriphenylcarbinol 1413.
Benzoyltriphenylmethan 1413.
Benzoyltropigenin 225.
Benzoylvanillin, Trithioaldehyde aus
demselben 1383.
Benzoylveratrol 1184.
Benzoylweinsäure, Imide 162.
Benzpinacolin 1422; Molekulargewicht
und Reduction 1422; aus Benzophe-
nonchlorid 1051.
Benzsulfhydroxamsäure, Verhalten ge-
gen Alkali 1063.
Benztoluid 1095.
Benzyläthoxyphtalazin 1829.
Benzylamidophenylamidotoluol 1130.
Benzylamidosulfobenzoësäure 1248.
Benzylamincarbonsäuren, Reduction
1250.
Benzylarabinose, Hydrazon 995.
Benzylbenzoësäure, Darstellung aus
Benzoylbenzoësäure 1295.
Benzylbenzoësäureamid 1295.
Benzylbenzoësäuresulfinid 1248.
Benzylcampher, Einwirkung von Brom
1516.
Benzylcyanid, Einwirkung auf Aldehyde,
Ketone etc. 1272.
Benzylenimidazolylmercaptau 1440.
Benzylgalactose, Hydrazon 995.
Benzylglucose, Hydrazon 995.
Benzylhexahydrokresol 1533.

Benzylhexahydrotoluidin 1533.
Benzylidenacetessigester, Darstellung
849.
Benzylidenaceton 1400; Reduction 1405.
Benzylidenacetophenon, Oximreaction
1399.
Benzylidenacetophenonoxim, Additions-
producte mit Hydroxylamin 1400.
Benzylidenamidophenylguanidin 918.
Benzylidenamidotolylguanidin 918.
Benzylidenanilin 1105.
Benzyliden-, Methyl- und Aethylsalicy-
den- und Anisalcampher. Krystallo-
graphische Eigenschaften 198.
Benzylidendiphenylmethylpyrazolon
1382.
Benzylideneucarvon 1532.
Benzylidenhydrazon 1939.
Benzylidenimid 1716.
Benzylidenmenthon 1532.
Benzylidenmethoxymandelsäureamid
1710.
Benzylidenmethylhexanon 1531, 1533.
Benzylidenmilchsäureamid 1706.
Benzylidennaphtylamin 1106.
Benzylidennaphtylendiamin 1708.
Benzylidenphenylendiamin 1708.
Benzylidenphenylhydrazon 1380.
Benzylidenpulegon 1532.
Benzylidentoluidin, Condensation mit
Benzaldehyd durch Cyankalium 1375;
Reaction mit Cyankalium 1373.
Benzyllactose, Hydrazon 995.
Benzylmaleïnaminsäure 802.
Benzylmaleïnimid 802.
Benzylmannose, Hydrazon 995.
Benzylmercaptan, Verbindungen der
Zucker mit demselben 996.
Benzylmethylhexanol 1533.
Benzylmethylnitramin 1115.
Benzylmethylphtalazon 1829.
Benzyloxybenzaldehyd, Trithioaldehyde
aus demselben 1383.
Benzylparafuchsin 1221.
Benzylphenacylcyanessigsäure 1290.
Benzylphenoxyphtalazin 1829.
Benzylphenyläthylamin 1706.
Benzylphenylendiamin 1855.
Benzylphenylhydrazone 171; der Zucker
994.
Benzylphenyloxäthylamin 1705.
Benzylphtalazon 1829.
Benzylphtalimidin 1277, 1829; Farb-
base ($C_{15}H_{11}N)x$ aus demselben 1316.
Benzylrhamnose, Hydrazon 995.
Benzylrosindon 1856.
Benzylrosindulin 1856.
Benzylsultam, Derivate 1225.

Chlorpinakonan 193, 1517, 1521.
Chlorpropionsäureäthylester, Drehung 737.
Chlorpropylaldehyd 646.
Chlorpropylaminchlorhydrat 878.
Chlorpropylisochinolin 1822.
Chlorpropylpseudonitrol 669.
Chlorpseudocumylphosphinsäure 1964.
Chlorquecksilberformanilid 1098.
Chlorrhodanbenzol 1903.
Chlorsalicylaldehyd 1623.
Chlorsaligenin 1623.
Chlorschwefel, Einwirkung auf Pentaerythrit 655, 795.
Chlorschwefelstickstoff 424.
Chlorsilber, Lösung in Natriumthiosulfat, Einwirkung von Metallsulfiden 532.
Chlorstickstoff, Darstellung 403.
Chlorthiodiphenylamin 1153.
Chlorthiophen, Condensirung mit Chlorthiophen 1223.
Chlorthymol 1159.
Chlortolylphosphinsäure 1961, 1962.
Chlorwasser, Einfluß der Salzsäure und der Metallchloride auf die photochemische Zersetzung 349, 350.
Chlorxylidin 1110.
Chlorxylochinon 1111.
Chlorxylol 1110.
Chlorxylolsulfonsäure 1110.
Chlorzink, Einwirkung auf die Polymerisation der Kohlenwasserstoffe der Aethylenreihe 624; geschmolzenes, elektrolytische Zersetzungsspannung 123.
Chlorzinkdoppelsalze der Diazo- und Tetrazoverbindungen von Amidoazokörpern, Darstellung 1907.
Cholesterile 705.
Cholesterin 705; aus Wollfett 677; der menschlichen Fäces 707.
Cholesterinester des Blutserums, Fettsäure 706.
Cholesterine der Kryptogamen 707.
Cholesteron 705.
Cholesteryläther 705.
Cholesterylen 705.
Cholsäure, Constitution 705.
Chrom 2141; Bestimmung in Producten der Eisenindustrie 2156; Carbide 606; elektrolytische Herstellung von Legirungen mit Eisen 566; Legirung mit Stahl 558; Nachweis 2130.
Chromalaun, wässerige Lösung davon, Einwirkung der Wärme 598.
Chromate, Aufsuchung 2159.
Chrombasen, Constitution 576.
Chromeisenstein, Analyse 2158.

Chromerz, Analyse 2158, 2159.
Chromgelb 2164.
Chromhydroxydniederschläge 591.
Chromlegirungen 590.
Chrom- und Eisenlegirungen, Herstellung 557.
Chromodischwefelsäure 593.
Chromotrischwefelsäure 593.
Chrom-, Thonerde- u. Eisenoxalate 551.
Chromroth 2164.
Chromsäure, Wirkung auf Bacterien 2020.
Chromsäure oder alkalische Dichromate, Wirkung auf das latente Bild 88.
Chromschwefelsäure 593; colloidale 595.
Chromstahl, Analyse 2158.
Chromsulfatverbindungen 594.
Chromsulfid, krystallisirtes, Darstellung und Eigenschaften 591.
Chromthiophosphit 453.
Chromthiopyrophosphat 453.
Chromverbindungen 591.
Chrysen, Constitution 1427.
Chrysoketon, Synthese 1427.
Chrysophansäure 1646.
Cincholinsäureimid, Zersetzungs-Geschwindigkeit 134.
Cincholoiponsäure 220, 1771.
Cincholoiponsäureäthylester 1773.
Cinchomeronsäure, Reductionsproducte 1770.
Cinchomeronsäureimid, Zersetzungs-Geschwindigkeit 134.
Cinchonidin, Cinchonin 221; Entstehung aus der Umlagerung von Cinchonin 1671.
Cinchonidin und Homocinchonidin, mikrochemische Unterscheidung 2307.
Cinchonin, Umlagerung in Cinchonidin 221, 1671.
Cinnamylenbenzylidenaceton 1389.
Cinnamylidenimidchlorhydrat 1716.
Circularpolarisirende Krystalle in gepulvertem Zustande 153; Stoffe im amorphen unkrystallisirten Zustande 153.
Citraconfluorescein, Abbau 1363.
Citraconsäureimid, Zersetzungs-Geschwindigkeit 134.
Citradibrombrenzweinanilsäure 790.
Citradibrombrenzweintolilsäure 790.
Citral aus Citronenöl 1507.
Citratmethode, Anwendung bei Bestimmung der citratlöslichen Phosphorsäure in Thomasmehlen nach Wagner 2099.
Citrazinsäure 1769.
Citren, Beziehung zu Pinen 1573.

Emetin, Constitutionserschließung 1672.
Emulgirbarkeit von Butter und Margarine 2251.
Entropie, katamere 58.
Entropische Reihen 61.
Entwickelung, photographische. Anwendung der Aldehyde und Ketone in Gegenwart von Natriumsulfit 1174.
Entzuckerung zuckerhaltiger Flüssigkeiten 1015.
Enzyme, ihre Natur 1989.
Epidibromhydrin 649.
Erdalkalimetalle 510.
Erdöl, Entflammungspunkt 621; Entstehung 619; Prüfung der Raffination mit Lauge 2194.
Erdölbildung, Theorie 617.
Erdöllampen, entstehendes Gasgemisch 621.
Erstarrungspunkt der Kuhmilch, Antwort an Bordas und Génin 2238.
Erwiderung an E. Erlenmeyer und C. Liebermann 1256; an Herrn Michael 1256.
Erythroleïn 1636.
Erythrolitmin 1636.
Erythrooxyanthrachinoncarbonsäure, spectroskopische Beobachtungen 86.
Erythrophleïn 1672.
Erythrophleïnsäure 1673.
Essenzen, vegetabilische, Nachweis von Verfälschungen 2290.
Essig, Untersuchung 2215.
Essigsäure, Wirkung auf Zuckerlösungen 1010.
Essigsäureester einiger optischer Alkohole, Bildungsgeschwindigkeit 131.
Ester, Bestimmung in Alkoholen 2200; von ringförmiger Structur 784.
Ester und Salze, Unterschied in der Fuchsinreihe 1217.
Esterbildung 132, 1281; Chemie 1230; Gesetze 1230; indirecte 130; sterische Wirkung atomreicher Alkyle 1239.
Esterificationsgesetze von Victor Meyer 129.
Esterprobe, zweckmäßige Ausführung 1231.
Esterregel und Fluor 1231.
Estragol aus Anisöl 1586.
Eucaïn 1766, 2307; Synthese 1667.
Eucalyptus Kinos, Färbende Eigenschaften der Gerbstoffe aus demselben 1635.
Eucarvon, Condensation mit Benzaldehyd 1532; Oxydation mittelst Permanganat 1544, 1547.

Euchinin 1670.
Eudesmin 1635.
Eugenol, Abspaltung der Methylgruppe vermittelst Bromwasserstoffsäure 1227; Constitution 1227, 1305; Derivate 1227.
Eugenoxacetsäure 1227.
Eurhodindisulfosäure 1873.
Eurhodine, Nomenclatur 1851; am Stickstoff alkylirte, Darstellung von Sulfosäuren 1873.
Eurhodol 1851.
Eurodinsulfosäure 1873.
Euxanthinsäure, Furfurolbildung 971.
Euxanthon 1420; Reduction 1421; Salze 1420.
Experiment siehe Methodik 333.
Explosionen 334.
Explosivstoff, rauchloser 503.
Exsiccatoren 333; mit Chlorcalciumaufsatz 332.
Extract, Bestimmung im Wein 2202, 2204; Bestimmung im Wein auf optischem Wege 2202; von Most und Süßweinen, Fruchtsäften, Likören, Würze und Bier 2202.
Extracte, feste, Regelung ihres Gehaltes an wirksamen Bestandtheilen 2312.
Extractionsapparat 2066; für Analyse von Futterstoffen 2065.

Fällung von Salzen 39.
Färbende Materie natürlicher Wässer, Ursprung, Zusammensetzung und Messung 2074.
Färbung, dilute, der Mineralien 492.
Fäulniß 1989.
Fäulnißgerüche 2017.
Farbe bei Trinkwässern, Bestimmung 2074; der Ionen, Hypothese derselben 34; von Atom, Ion und Molekül 35.
Farbe und elektrolytische Dissociation 34.
Farbenreactionen von verschiedenen Oelen mit Molybdänschwefelsäure 2227.
Farbholzextracte, Prüfung 1634.
Farbstoff aus Dichlorbenzaldehyd 1385.
Farbstoffe 2314; Darstellung 1713; alkaliechte, blauviolette 1215; basische, Darstellung aus substituirten Naphtylendiaminen 1922; blaue, basische, Darstellung 1873; blaue, Darstellung 1216; blauviolette, basische, Darstellung 1874; fremde, im Rothwein 2201; gelbe natürliche, Säureverbindungen 1640; substantive schwarze,

Fluor, Einwirkung auf Schwefel 368;
Nachweis geringer Mengen im Bier
2208; Nachweis und Bestimmung im
Wein, in den Quellwässern und im
Bier 2207; Nachweis in Silicaten und
Boraten 2078; und die Esterregel 1231.
Fluoracetamid 760.
Fluoren 1052; Einwirkung von Brom,
Chlor und Schwefel 1053.
Fluorenalkohol aus Pseudodiphenylen-
keton 1419.
Fluorenon 1054; aus Amidobenzophe-
non 1411.
Fluoresceïn, Constitution 1325.
Fluoresceïne, substituirte, Darstellung
beizenfärbender Farbstoffe 1325.
Fluoresceïncarbonsäure 1368.
Fluorescenz des Natrium- und Kalium-
dampfes 89; des Natrium- und Ka-
liumdampfes und ihre Bedeutung für
die Astrophysik 493.
Fluoressigsäure 759, 760.
Fluoressigsäuremethylester 759.
Fluorindine, Constitution 1876.
Fluornitrobenzoësäure 1232.
Fluornitrobenzoësäuremethylester 1232.
Fluorwasserstoffsäure, Esterifications-
geschwindigkeit 131.
Flufseisen, Schwefelgehalt 557.
Flufssäure 362; Herstellung 363.
Folia Bucco, chemische Untersuchung
1590.
Formaldehyd, Anwendung zur Trennung
von Gemengen primärer aromatischer
Basen 1091; Bestimmung 2212; Condensation mit Anhydro-ennea-heptit
658; Condensation mit Gerbstoffen
1646; Condensationsproducte mit Tannin 1351; Einwirkung auf Harnstoff
910; Einwirkung auf Hühnereiweifs
1969; Einwirkung auf Phenylhydrazin in saurer Lösung 1947; Einwirkung von Wasser 657; Lösung desselben, Umwandlung in desinficirende
Dämpfe 657; Nachweis 2211; Nachweis in der Milch 2242; Nachweis
nach Helmer 2213; als Reductionsmittel 2111; Verbindung mit Antipyrin 1698; reines, gasförmiges, Darstellung 657; und aromatische Hy-
droxylamine, Condensationsproducte
derselben 1126.
Formaldehyd und Isobutyraldehyd, Einwirkung von alkoholischem Kali 660.
Formalterephtaldihydrazin 1941.
Formaminobiphenyl 1816.
Formazylameisenester 967.
Formazylsulfosäure 968.

Formazylwasserstoff 1109.
Formopyrin 1698, 1699; Identität mit
Methylenbisantipyrin 1699.
Formylacetanilid 1097.
Formylaminopiperidinformiat 1753.
Formylbenzanilid 1095.
Formylbenztoluid 1095, 1099.
Formylbromaminobenzol 1093.
Formylbutyranilid 1097.
Formylchloraminobenzol 1093.
Formylchloranilid 1093.
Formyldiphenyloxäthylamin 1121.
Formylessigester, Darstellung 832.
Formylharnstoffderivate 913.
Formylmalursäure 913.
Formyloxalursäure 913.
Formylphenylessigester 830, 833, 1282;
spectrochemische Untersuchung 1287;
Verhalten der Lösungen desselben
gegen Säuren 1282.
Formylpropionanilid 1097.
Formylracemursäure 913; Formylharn-
stoffderivate 166.
Formylstearanilid 1097.
Formylsuccinursäure 913.
Formylthiosemicarbazid 921.
Frauenmilch, Analyse 2238, 2239.
Frauenmilch, Methode, die Kuhmilch
derselben ähnlich zu machen 2238.
Fruchtätherbildung durch Hefen in
Grünmalz und in Würzen 2010.
Fruchtsäfte, Analyse 2329.
Fructose 982; Einwirkung von Blei-
hydroxyd und Alkali 985; Hydrolyse
135; Verhalten gegen substituirte
Hydrazine 994; Zersetzung durch
Alkalien 178.
Fructoseketazin 172, 993.
Fuchsin S., Anwendung bei der Schiff-
schen Reaction 1220.
Fuchsine, Oxydation durch Bleisuper-
oxyd 1219; Reactionen 1219.
Fuchsin, entfärbtes und Aldehyde, Re-
action 1220.
Fulminate 907.
Fumariaceen, Alkaloide 1666.
Fumarin 1666.
Fumarsäure 801.
Fumarsäuredimethylester, Einwirkung
der Dimethylamine 799.
Fumarsäureperoxyd 674.
Funkenspectren, ultraviolette 83.
Furalacetophenon 1684.
Furaldiacetophenon 1684.
Furalmethyltolylketon 1684.
Furangruppe 1683.
Furfuralmalonsäureester, Verhalten von
aromatischen Basen 1762.

im Harn 2262; Bestimmung auf gasvolumetrischem Wege 2271; Bestimmung, quantitative 2260; Einfluſs organischer Basen auf die Lösungsfähigkeit 910; Gährung 931.

Harnsaure Metalloxyde 1596.

Harnstoff, Bestimmung im Harn 2262; Bestimmung nach der Hypobromitmethode 2261; Bildung durch Oxydation 912; Einwirkung auf gewisse Säureanhydride 1326; reiner 912.

Harnstoffe, symmetrische, aromatische 917; Lösungsmittel 1632.

Harnstoff und die symmetrischen Harnstoffderivate, Darstellung 916.

Harnstoffbildung bei Säugethieren 910.

Hartgummi 1601.

Harze 1596; Nachweis von Vanillin 2293.

Harzöl, Nachweis in fetten Oelen 2227.

Harzuntersuchungsmethoden, Verbesserung 2292, 2293.

Hautpulverfilter 2288.

Hefe, Fermentationsvermögen und Activität 2004.

Hefezellen, Intracellulare Ernährung 2003.

Helium, Atomgewicht 426; gasförmiger Bestandtheil gewisser Mineralien 436; im System der Elemente 3, 5, 435; in Mineralien 438; in der Berliner Atmosphäre 82; Spectrum 427; Stellung unter den Elementen 10; Verhalten bei elektrischer Ladung 82.

Helium und Argon 435; ihre Ausdehnung, verglichen mit der Luft und des Wasserstoffs 425; Eigenschaften 424; Homogenität 428; Inactivität dieser Elemente 428; in den Quellen von Bath 431; Vorkommen in einer natürlichen Stickstoffquelle 431.

Helium und das Gas X (?) 435.

Helium und Prout's Hypothese 4.

Hemellithol 1046.

Hemimellithsäure 1363; Esterbildung 1231; Fluoresceïne derselben 1367; Condensation mit Benzol 1366.

Hemimellithsäureanhydrid 1365.

Hemimellithsäureïmid 1365.

Hemimellithsäuremethylester 1365.

Hemipinaminsäureäthyläther 1361.

Hemipinaminsäureïsomethyläther 1361.

Hemipinaminsäuremethyläther 1361.

Hemipinbenzylaminsäuremethyläther 1361.

Hemipinimid, Constitution 1305.

Hemipinsäurebenzylamid 1359.

Hemipinsäurebenzylimid 1360.

Hemipinsäureïsobenzylimid 1359.

Heptamethylen, seine Derivate und deren thermische Eigenschaften 639.

Heptanaphten, Synthese 1041.

Heptylenamin aus Methylhexenon und aus Pulegon 1527.

Heptylsäure 667.

Heptylsenföl 909.

Heteroxanthin aus Harn 928.

Heulandit, physikalisch-chemische Einwirkung von Schwefel- und Salzsäure 481.

Hexableinitrat 412.

Hexabenzoylmyricetin 1638.

Hexabromdiphenyloctandion 1408.

Hexachloraceton 830.

Hexachloräthan 647.

Hexachlorpropanon 651, 830.

Hexadien 623.

Hexahydroäthylbenzol aus Santonsäure 1345.

Hexahydrobenzylamincarbonsäuren, stereoisomere 1250.

Hexahydrochinolinsäuren 210, 1812.

Hexahydrochlorcymol 1486.

Hexahydrocinchomeronsäure 1770.

Hexahydrocuminsäure, Bildungswärme 71.

Hexahydrodiäthylbenzylamincarbonsäure 1250.

Hexahydromethylfluoren 1534.

Hexahydrophenylamidoessigsäure 1251.

Hexahydropseudocumol 1043.

Hexajodbenzol 1328, 1329, 1330.

Hexalkyltrioxyrosanilinchlorhydrate 1147.

Hexamethyldiphenyldisulfid 1194.

Hexamethylendiäthylmethan 840.

Hexamethylendiäthylurethan 742.

Hexamethylendiamin 742, 840, 872.

Hexamethylenreihe, Untersuchungen 1041.

Hexamethyltriamidodiphenylanthrin 1424.

Hexan, Zersetzung in der Hitze 621.

Hexandiindol 653.

Hexanitrodiphenylamin, Darstellung 1114.

Hexasulfomolybdänsäure 602.

Hexensäure 685.

Hexosen 981.

Hexylenbromid 632.

Hexyltolylsulfon 1065.

Hippursäure, Wärmewerth, ihre Homologen und die Anisursäure 71.

Histidin 1651.

Holzarten, Ausbeute an Holzkohle, Methylalkohol und Essigsäure 641.

154*

Isobromnitrosocampher 1517.
Isobuttersäure, Hydrazinderivate 883.
Isobutyl 625.
Isobutylalkohol, Einwirkung von Chlor in der Kälte 647.
Isobutylanhydrodibenzilacetessigsäure 851.
Isobutylchlorisobuttersäureester 647.
Isobutylnaphtylketon 1416.
Isobutylnaphtylketoxim 1416.
Isobutylsenföl 909.
Isobutyltheobromin 928.
Isobutyltolylsulfon 1065.
Isobutyraldehyd, das daraus entstehende Glycol und dessen Derivate 663; Einwirkung auf Malon- und Cyanessigsäure 740; Einwirkung von alkoholischem Natron 662; Einwirkung von wässeriger Kalilauge und gesättigter Pottaschelösung 661.
Isobutyraldehyd und Formaldehyd, Einwirkung von alkoholischem Kali 660.
Isobutyrylnaphtylthiocarbamid 918.
Isobutyryltolylthiocarbamid 918.
Isocamphenon 1517.
Isocampher 197, 1517.
Isocamphol 190.
Isocamphoronsäure 191, 901, 1581, 1584; aus Pinonsäure 1577.
Isocarbopyrotritarsäure 817.
Isocarbopyrotritarsäureester 815.
Isocarbostyril, Abkömmlinge 1822.
Isochinolin 1819; Abkömmlinge 1822; Darstellung von Homologen desselben 1820; Tetrahydür 1825.
Isochinolinderivate, Bildung aus Dehydracetsäure 1825.
Isoconiin 1810.
Isocopellidin 208; salzsaures. Trennung vom salzsauren Copellidin 1764.
Isocrotylamin 894.
Isocumarin, Abkömmlinge 1822.
Isodiazobenzol 1892.
Isodiazogruppe, Ersatz durch cyklische Reste 1759.
Isodiazohydroxyde, Zusammensetzung 236, 1891.
Isodiazosulfonsäure 1892.
Isodiazotoluol 1892.
Isodulcit 978.
Isodurol, Acetylirung in Gegenwart von Chloraluminium 1397.
Isodurolcarbonsäure 1230, 1260.
Isodurylsäure 1046.
Isodypnopinakolin 1044.
Isoeugenoldibromid, Keton aus demselben 1441.
Isoeugenolnitrophenylsulfosäure 1393.

Isoeugenoxacetsäure 1228.
Isofenchon 197.
Isogeraniumnitril 1507.
Isohexensäure 740.
Isoimide 1359; Einwirkung der Alkohole 1360.
Isoketocamphersäure 191, 1584; Entstehung aus Dioxydihydrocampholensäure 1581; aus Pinonsäure 1577.
Isoketocamphoronsäure, Constitution 1584.
Isolapachol 1472, 1475.
Isolemonylverbindungen 1507.
Isolomatiol 1206, 1476.
Isomaltose 178, 1018.
Isomaltose und Diastase-Achroodextrin 178.
Isomere Verbindungen, optisch 150.
Isomerie in der aromatischen Reihe 1038.
Isomeriefälle in der Reihe C₆ 228.
Isomorphismus 56, 60; der Alkalisalze 56; von Thallium- und Diphenyljodoniumnitrat 57.
Isonarcotin 213; Derivate 214, 1679.
Isonitrodiazobenzolhydrat 1903.
Isonitrosocampher, Atomverschiebungen 198.
Isonitrosochloraceton 668.
Isonitrosohydrindon 1439.
Isonitrosophenylaceton 1845.
Isonitrosopulegon 1555.
Isopentan aus Amyljodid 617.
Isopernitrosofenchon 197.
Isophenylnitromethan 1082.
Isophoron 197.
Isophtalazid 1940.
Isophtalhydrazinacetessigäthylester 1940.
Isopipecolin 206, 207, 1765.
Isopropyläpfelsäureisopropylester 803.
Isopropylallylcarbinolester 648.
Isopropylallylessigsäure 769.
Isopropylallylmalonsäure 769.
Isopropylallylmalonsäureester 769.
Isopropylbenzoylpropionsäure 1292.
Isopropylcarboxyglutarsäurediäthylester 787.
Isopropylcarboxyglutarsäuretriäthylester 787.
Isopropylfurannaphtochinon 1473.
Isopropylglutaranilsäure 718.
Isopropylglutarsäure 717, 787.
Isopropylglutarsäure-Aethyläther 717.
Isopropylglutarsäureanhydrid 717.
Isopropylheptanonsäure 1551.
Isopropylisobutylacrylsäure 666.
Isopropylisobutylglycerinsäure 666.
Isopropylmalonsäureäther, Natriumver-

Kohlenwasserstoffe 1041, 2190; C_n H_{2n-2}, Darstellung 635; der Reihe C_nH_{2n-2}, Einwirkung von Bromwasserstoff 631; aromatische 2282; gasförmige und flüssige, Bildung durch Einwirkung von Wasser auf die Carbide der Metalle, Classification der Carbide 472; gasförmige, ungesättigte, ihre Veränderlichkeit 621; hochmolekulare Entstehung bei der Einwirkung von Natrium auf Brombenzol 1049; Halogenderivate 1057.

Koks, Bestimmung des specifischen Gewichtes und der Porosität 2111; Bestimmung von Kohlenstoff oder Asche darin 2111.

Kola, Pharmakologie 1673.

Kolanin 1673; Bestimmung, quantitative 1673, 2307.

Koprosterin 707.

Kopsia flavida, Abscheidung und Nachweis des Alkaloids 1674.

Korksäure 797.

Korksäureacid 840.

Korksäureanhydrid 798.

Korksäureazid 742.

Korksäurehydrazid 742, 840.

Krappfarbstoffe, natürliche, Geschichte derselben 1636.

Kreatinin, Nachweis im Harn 932.

Kreatinine 918.

Kreide, gepresste, Einfluss der Zeit auf das Zusammenschweissen 69.

Kreosol und Guajacol, Trennung von den im Kreosot enthaltenen einatomigen Phenolen 1176.

Kreosot, lösliches, Analyse 2285; des Theers 1176.

Kresol, Destillation mit Bleioxyd 1159; Einwirkung von Sulfurylchlorid 1160.

Kresole, Bestimmung, quantitative 2285; Verbindungen mit Antipyrin 1693.

Kresorcin 1307.

Kresylglyoxylsäure, Hydrazon- 1939.

Krioskopie 39.

Kritische Präparatenstudien 582; kritische Temperatur der Flüssigkeiten 2219.

Kryohydrate 62.

Kryoskopie 48.

Kryoskopische Messungen, Einfluss der Temperatur des Kühlbades 45; kryoskopische Untersuchungen 49; kryoskopische Versuche, Lösung der Frage nach der Constitution der Tropanin- und Granitaminbasen 50; kryoskopische Versuche mit Phenolsalzen 51. Kryoskopisches Verhalten von Sub-

stanzen mit einer dem Lösungsmittel ähnlichen Constitution 53; kryoskopisches Verhalten und Zusammensetzung einiger Acetate schwacher Basen 49.

Krystall, Beziehungen zu seinem chemischen Bestande 57.

Krystallelemente, Aenderung mit der Zusammensetzung in isomorphen Reihen von Sulfaten 496.

Krystalle, Absorption von ultravioletten Strahlen 89.

Krystalliten 64.

Krystallographie, Grundgesetz 55.

Krystallographische Eigenschaften von isomorphen Salzen und dem Atomgewicht der darin enthaltenen Metalle 58.

Krystallstructur, Einheit der 59.

Krystalltypen bei Metallen, ihren Oxyden, Sulfiden, Hydroxyden und Halogenverbindungen 60.

Krystallviolett, Einwirkung von Jodmethyl auf die wässerige Lösung desselben, Hydrolyse 1222.

Krystallwassertheorie 135.

Kühlapparat, sog. Liebig'scher 331.

Kühler 331.

Kühlpipette 331.

Kuhmilch, Analyse 2238.

Kupfer 2163; Bestandtheil unserer Vegetabilien 2040; Bestimmung 2170; Bestimmung in Vegetabilien 2172, 2173; Bestimmung in der Zinnkrätze 2167; Bestimmung, quantitative, und Scheidung 2168; empfindliches Reagens auf 2168; Funkenspectrum 83; Nachweis im Trinkwasser 2073; Probiren von 2168; Schmelzpunkt 67; Trennung von Mangan 2126; Trennung von Nickel 2126; Trennung von Quecksilber durch Glühhitze im Sauerstoffstrome 2177; Trennung von Zink 2126, 2171; Wanderungsgeschwindigkeit 109.

Kupfer, Blei, Zinn und Antimon, Analyse von Legirungen derselben 2129.

Kupfer und Bor, Legirungen 524.

Kupfer und Zink, Structur und Constitution der Legirungen 523.

Kupferguss, Bleizusatz 524.

Kupfermetaplumbat 522.

Kupfermünze, spectroskopische Untersuchung 2170.

Kupfernitrat, Dissociation des Hydrats 335.

Kupferprobe nach der Jodidmethode 2169.

Methoxybenzylidenmandelsäureamid 1710.
Methoxychinolinjodmethylat 1797.
Methoxychlorchinolin 1793.
Methoxyindolcarbonsäure 1737; Oxydation 1739.
Methoxyindolcarbonsäureamid 1738.
Methoxyindolcarbonsäurechlorid 1738
Methoxyindolcarbonsäuremethylester 1737.
Methoxylphenylglyoxylsäureester 1290.
Methoxymandelsäureamid 1710.
Methoxymethyloxychinoxalin 1847.
Methoxyphenylcinnamenyloxazol 1711.
Methoxyphenylphenyloxazol 1710.
Methoxyphenylpropylphenyloxazol 1711.
Methoxyphenylsuccinaminsäure 1150.
Methoxyphenylsuccinimid 1150; Darstellung 1154.
Methoxypropylisochinolin 1822.
Methoxypseudoisatin 1789.
Methoxytribromxylenol 1162.
Methylacetessigsäuremethylester 768.
Methylacridon 1815.
Methyladipinsäure 203, 204, 205, 690, 792, 794, 1494; aus Rhodinol 1506; Leitfähigkeit, Schmelzpunkt der Säure und des Anhydrids 774.
Methyläthenylnitramidophenylenamidin 1134.
Methyläthenylnitroacetylamidophenylenamidin 1134.
Methyläthylacetaldehyd 634.
Methyläthyläthylen, asymmetrisches 626.
Methyläthylbernsteinsäure 719; asymmetrische 779; Flüchtigkeit im Dampfstrome 775; asymmetrisch, Leitfähigkeit, Schmelzpunkt der Säure und des Anhydrids 774; symmetrisch, Leitfähigkeit, Schmelzpunkt der Säure und des Anhydrids 774.
Methyläthyldioxytriazin 1881.
Methyläthylessigsäure 748, 1605.
Methyläthylketon-Semicarbazon 896.
Methyläthylpiperylhydrazin, elektrolytische Oxydation 1750.
Methyläthylpropylketoxim 870; Ueberführung in Pseudonitrol 869.
Methyläthylthiazolin 1713.
Methyläthylthiosemicarbazid 922.
Methylalkohol, Dissociation 126.
Methylamide, Einwirkung von reiner Salpetersäure 933; Zersetzung durch Salpetersäure 1235.
Methylamidophtalid 1338.
Methylamidotriazsulfol 1721.

Methylamin, Darstellung 870; Methylenverbindung 872; salzsaures 871.
Methylamine 871; Methode zur Trennung 872.
Methylaminpikrat 873.
Methylanemoninhydrat 1625.
Methylantipyrin 1689.
Methylarabinose, Hydrazon 995.
Methylasparaginäthylestersäure 801.
Methylazimidobenzoësäure 1933.
Methylbenzaconin, Bildung 1648.
Methylbenzalbiuret 914.
Methylbenzalphtalid 1333.
Methylbenzhydroximsäure und ihre Ester 1288.
Methylbenzoylpropionsäure 1292.
Methylbenzoyltriacetonalkamincarbonsäuremethylester 1667, 1766.
Methylbenzylidenhydrazon 1762.
Methylbernsteinsäure, Flüchtigkeit im Dampfstrom 775.
Methylbrombuttersäure 689.
Methylbromisovaleriansäure 752.
Methylbutyrolacton 688, 698.
Methylbutyrolactoncarbonsäure 698.
Methylbutyrolactoncarbonsäureester 697.
Methylcampherimin 1522.
Methylcarbocaprolactonsäuren, stereoisomere 770.
Methylcarbonate mehrwerthiger Phenole 1171.
Methylcarboxylglutarsäureester 785.
Methylcinchoninsäure 1108.
Methylcyanmethylglutaconimid 1752.
Methylcyanmethylglutaconmethylimid 1752.
Methylcyanpropionsäure 686.
Methylcyclohexanon, Bisnitrosoverbindung 1557.
Methyldesoxybenzoincarbonsäure 1824.
Methyldiäthenyltetramidobenzol 1134.
Methyldicyanoxystilben 1824.
Methyldidurochinon 1460.
Methyldihydrofurfurantricarbonsäureester 756.
Methyldihydrofurfurantricarboxylsäureäthyläther 1684.
Methyldimethylindolium 1732.
Methyldimethylindoliumoxydhydrat 1731.
Methyldioxyphenazin 1856.
Methyldioxytriazin 1880.
Methylenamidonaphtolsulfosäure, Darstellung 1205.
Methylenbisantipyrin 1699; Identität mit Formopyrin 1699.
Methylenblau, Einwirkung von Jod-

Monoketazocamphadion 1937.
Monotropa Hypopithys, Glycosid des Methylsalicylsäureesters 1621.
Morin 1638, 1639; Verbindungen mit Mineralsäuren 1640.
Moringa pterygosperma 1647.
Morintetramethyläther 1639.
Morphin 211; Bestimmung in Opium 2309; Beziehungen zu Methylpseudomorphin 1677; Einwirkung auf Mischungen von Ferrisalz u. Kaliumferricyanid 1676; Nachweis, mikroskopischer 2296.
Morphotrope Beziehungen der β-Naphtolderivate 1199.
Moschus, künstlicher 1077; Darstellung 1078.
Muffel, neue 2059.
Multirotation der Zucker 979; der reducirenden Zucker 978; der Zuckerarten, molekulare Modificationen 157, 167.
Musivgold, käufliches, Analyse 2080.
Mutterkorn, Nachweis im Mehl 2323.
Myosin im Weizen 2040.
Myrica nagi, das färbende Princip der Rinde desselben 1638.
Myricetin 1638, 1639; Verbindungen mit Mineralsäuren 1640.
Myristinsäure 703; aus Wollfett 676.
Myrobalanentannoform 1646.
Myronsaures Kalium 183, 1618.

Nahrungs- und Genufsmittel 2320.
Naphtaflüssigkeit, Apparat zur Bestimmung der Quantität des mechanisch gewogenen Wassers in derselben 2066.
Naphtalidonaphtazin 1871.
Naphtalin, Absorptionsspectrum 85; Bildung aus Dehydracetsäure 1825; Bildungswärme 71; Constitution der Triderivate desselben 1125; Ketone 1414.
Naphtalinazooxynaphtoësäure, Darstellung und Reduction 1341.
Naphtalinderivate, isomere, Untersuchung 1203.
Naphtalindicarbonsäure und ihre Derivate 1338.
Naphtalindicarbonsäureäthylester 1339.
Naphtalindicarbonsäureamid 1339.
Naphtalindicarbonsäurechlorid 1339.
Naphtalindicarbonsäuremethylester 1339.
Naphtalindicarbonsäurenitril 1338.
Naphtalindicarbonsäurephenylester 1339.
Naphtalindisulfonsäure 1125.

Naphtalinreihe, Derivate 1277.
Naphtalsäure, Oxydation 1868.
Naphtalsäureanhydrid, Oxydation 1863.
Naphtazarin, Darstellung 1471.
Naphtazine 1870.
Naphtobenzaldehydin 1709.
Naphtochinoncarbonsäure 1343.
Naphtochinoncarbonsäuremethyläther 1344.
Naphtochinonsulfosäure, Einwirkung von Nitrosoverbindungen u. Natriumthiosulfat 1480; und Phenylendiamin, Azoniumverbindungen 1866.
Naphtoësäure 1262.
Naphtoësäurealdehyd 1391.
Naphtofluoren 1428.
Naphtofluorenon 1427.
Naphtofluoresceïn, Darstellung 1324.
Naphtole, Verhalten gegen nascirendes Brom 1195.
Naphtoläther, Einwirkung von Säurechloriden in Gegenwart von Aluminiumchlorid 1416.
Naphtolderivate, morphotropische Beziehungen 65; morphotrope Beziehungen 1199.
Naphtolsulfosäure, Darstellung aus Naphtoläthersulfosäure 1201.
Naphtophenazin, Oxydation 1841.
Naphtophenylamidin 1238.
Naphtoresorcin 1203; Darstellung 1204.
Naphtoresorcindisulfosäure 1204.
Naphtosalicyleïn 1267.
Naphtoylbenzoësäure, Constitution 1427.
Naphtylacetonitril 1262.
Naphtylamine, Abkömmlinge 1122; Verhalten gegen nascirendes Brom 1195.
Naphtylaminobrenzweinsäure 1102.
Naphtylaminphenylglyoxylsäure 1106.
Naphtylaminsulfosäure 1124, 1125.
Naphtylarabinose, Hydrazon 995.
Naphtylenaminsulfosäure, in Mittelstellung enthalten in secundären Diazofarbstoffen, Darstellung 1912.
Naphtylendiamin 1278; Darstellung 1132.
Naphtylendiamine, substituirte, Darstellung von basischen Farbstoffen 1922.
Naphtylendiamindisulfosäure, Darstellung von Azofarbstoffen 1923.
Naphtylendiaminsulfosäure 1133.
Naphtylessigsäure 1262.
Naphtylessigsäuremethylester 1263.
Naphtylgalactose, Hydrazon 995.
Naphtylglucose, Hydrazon 995.
Naphtylglyoxalsäureester 1294.
Naphtylglyoxylsäure 1293.
Naphtylhydrazone der Zucker 994.

Pseudocumylphosphin 1954, 1963, 1965.
Pseudocumylphosphinige Säure 1963.
Pseudocumylphosphinsäure 1963; Oxydation 1965.
Pseudocumylphosphinsäuredihydrazid 1964.
Pseudodehydrolapachon 1475.
Pseudodiphenylketon 1419.
Pseudojonon, Uebergang zum Jonon 1508.
Pseudomorphin 211, 1677; Beziehungen zu Methylpseudomorphin 1677.
Pseudonitrole 869; Reduction zu Ketoximen 868.
Pseudophenylessigsäure 1251.
Pseudophenylessigsäureamid 1252.
Pseudosaccharinchlorid 1225.
Pseudotheobromin 927.
Pseudotolylessigester 1252.
Pseudotolylessigsäure 1252.
Pseudotropin, Darstellung aus Tropin 1656; Darstellung eines Ketons aus demselben 1655.
Psidium guayava 1648.
Pulegen 1530.
Pulegensäure 1529.
Pulegensäureamid 1529.
Pulegensäurenitril 1529.
Pulegol 1533.
Pulegon 1526; Addition von Brom 1529; Condensation mit Benzaldehyd 1532; Geschichte 201; Geschichte desselben 1555; synthetisches 1532.
Pulegonamin 1529.
Pulegonbisnitrosylsäure 1556.
Pulegondibromid 1529.
Pulegonoxim, Darstellung 1528.
Purginsäure 1605; Spaltung durch Mineralsäuren 1606.
Purpurinsulfosäure, Darstellung 1479.
Puzzolanen, Genesis 482.
Pyramidon, ein Antipyrinderivat 1697.
Pyrantin 1150.
Pyrazin aus Traubenzucker und Ammoniak 1840.
Pyrazinbasen, homologe, Gewinnung 1840.
Pyrazine 1840.
Pyrazingruppe 1840.
Pyrazolgruppe 1688.
Pyrazolon, Einwirkung von Chlorkohlenoxyd 1692.
Pyrazolonbildung aus ungesättigten Säuren und Hydrazinen 1693.
Pyrazoloncarbonsäureester 1694; aus Dicarboxylglutaconsäureäthylester 1694.
Pyrazolonderivate 1691.

Pyrethrin 1621.
Pyridazine 1450.
Pyridin, Absorptionsspectrum 85; Einwirkung auf einige Chlorhydrine 1763; und Homologe 1748; und Homologen, Reduction 1749.
Pyridinreihe, Elektrosynthesen 1749.
Pyridinverbindungen, Synthesen aus Ketonäthern und Cyanessigester in Gegenwart von Ammoniak und von Aminen 1751.
Pyrite, Bestimmung des Pyrrhotits 2080.
Pyrocamphensäure 188.
Pyrocinchonimid, Zersetzung, Geschwindigkeit 134.
Pyrocinchosäure, Isomeren der 802.
Pyrodin, Eigenschaften und Reactionen 2310.
Pyrogallolsalicyleïn 1267.
Pyrogalloltricarbonsäureester 1171.
Pyroguajacin 1599.
Pyrometer, pneumatisches 329.
Pyrongruppe 1745; Darstellung basischer alkylirter Farbstoffe derselben 1748.
Pyroningruppe, Farbstoffe derselben 1207.
Pyropapaverinsäuremethylester 1774.
Pyrophosphorsäure, Bestimmung 448; Umwandlung 449.
Pyroweinsäure, specifisches Drehungsvermögen 159.
Pyrrhotit, Bestimmung in Pyriten 2080.
Pyrrole 1688.

Quebrachin, Eigenschaften und Reactionen 2311.
Quebracho colorado, färbende Materie desselben 1640.
Quebrachotannoform 1646.
Quecksilber 2174; Ausmittelung in Vergiftungsfällen 2175; Bestimmung, allgemein anwendbare 2175; Bestimmung, elektrolytische 2176; Bestimmung, elektrolytische, im Zinnober 2176; Einwirkung von Quecksilber 537; Nachweis durch die Nessler'sche Reaction 2175; Trennung von anderen Metallen durch Glühen ihrer Sulfide in einem Sauerstoffstrome 2177; Trennung von Arsen, Antimon und Kupfer durch Glühhitze im Sauerstoffstrome 2177.
Quecksilberbromocyanide 957.
Quecksilberchlorocyanide 958.
Quecksilbercyanid, Gesetz der Umsetzungen mit den Salzen der Alkalimetalle und Erdalkalimetalle 537.

Zink und Kupfer, Structur und Constante der Legirungen 523.
Zinkanalyse durch Elektrolyse 2159, 2160, 2161.
Zinkbromid, Analyse von 2.
Zinkdarstellung, elektrolytische 519.
Zinkhydrocarbonate 519.
Zinkmalonat 708.
Zinknitrat, Dissociation des Hydrats 335; basisches 412.
Zinkoxyd, kohlensaures 519.
Zinkplatten, Corrosionserscheinungen 98.
Zinksulfat, Gehaltsbestimmung 2161.
Zinksulfid, krystallisirtes, künstliche Darstellung 366.
Zinkthiophosphit 453.
Zinkthiopyrophosphat 453.
Zinkweifs 520.
Zinn 2119; Bestimmung in ammoniakalischer Lösung durch Wasserstoffsuperoxyd 2128; Bestimmung in der Zinnkrätze 2167; Bestimmung, quantitative 2121; als Conservirungsmittel für Lebensmittel und seine quantitative Bestimmung 2122.
Zinn, Blei, Antimon und Kupfer, Analyse von Legirungen derselben 2129.
Zinnchlorid, Einwirkung von Jod 490; Gewinnung aus unreinen zinnhaltigen Lösungen 490.
Zinnchlorür und Eisenchlorid, Geschwindigkeit der Reaction zwischen beiden 337.
Zinnkrätze, Bestimmung von Zinn und Kupfer 2167.
Zinnober, Darstellung auf nassem Wege 537.
Zinnschlacken, Analyse 2121.
Zinntetrajodid 491.
Zirconium, Chloride 489.
Zirconium und Cäsium, Doppelfluoride 489.
Zirconium und Thorium, Einwirkung von Phosphorpentachlorid auf ihre Dioxyde 490.
Zirconiumcarbid 470.
Zirconiumtetrachlorid 489, 490.
Zirconwolframsäure, Verbindungen 489.
Zucker, Bestimmung durch Anwendung der Elektrolyse der Kupferlösungen 181; Bestimmung in Mosten und Weinen 2201; Bestimmung in Chocolade 2326; Bestimmung, quantitative, im Harn 2265; Bildung in

ruhenden Kartoffeln 1020; Bestimmung nach Kjeldahl 2190; Einfluß der Temperatur auf die Polarisation 2268; Einwirkung von Alkalien 984; Herstellung aus Stärkelösungen 998; Hydrazone der, die alkylischen Naphtylhydrazone und Phenylhydrazone 170; Inversion durch Salze 172; Nachweis von Verfälschungen von Zimmt und Macis 2330; Nachweis in vergohrenen Würzen und dem unvergährbaren Würzerest der Hefen von Saaz, Frohberg u. Logos 2208; Trennung von Dextrin 2274; Umwandlung unter dem Einfluß von Bleihydroxyd 171; Verbindungen mit dem Aethylen-, Trimethylen- und Benzylmercaptan 169; Verfälschung von Malzextract 2275; Zersetzung unter dem Einfluß der Säuren und Bildung der Kohlensäure 172; unter dem Einfluß der Säuren 987; nicht vergährbare Bestimmung im Harn 2264; Bestimmung, volumetrische, mittelst Kupferoxydammoniaklösungen 2270.
Zuckerarten 970; Abbau durch Mikroorganismen 1990; Bestimmung in Säften, Honig etc. 2272; Bestimmung, gewichtsanalytische 2269; Bestimmung, gewichtsanalytische, mit Fehling'scher Lösung 2269; Einfluß des Bleiessigs auf die Drehung derselben 984; Einwirkung auf ammoniakalisches Silbernitrat 173; Trennung 2274; reducirende Bestimmung durch Wägung des Kupferoxyds 2269.
Zuckerbusch 1619.
Zuckerfabriken, Fehlerquellen der in denselben angewendeten Analysen 2276.
Zuckerlösungen, Inversion mittelst schwefliger Säure 174; Verhalten zum essigsauren Bleioxyd 983.
Zuckerrohr, chemisch-physiologische Untersuchungen 1010; Zuckerarten desselben 1009.
Zuckersorten, österreichisch-ungarische, Zusammensetzung 2277.
Zweibasische Säure, Constitution einer neuen, durch Oxydation von Weinsäure entstandene 163.
Zwillingselemente 6.
Zymoglukase 1998.
Zymon im Weizen 2040.

Formel-Register.

— 2 II —

$C_2H_2O_2$ Glyoxal 179. 861.
$C_2H_2O_3$ Glyoxylsäure 1289.
$C_2H_2O_4$ Oxalsäure 79. 80. 293. 1186.
 1326. 1827. 2008. 2018.
C_2H_3N Acetonitril 912.
$C_2H_3N_3$ Triazol 1718.
$C_2H_3Br_3$ Tribrommethylen 650.
C_2H_4O Acetaldehyd 71. 173. 279. 646.
 653. 658. 673. 740. 745. 753.
 754. 912. 1208. 1946. 1970.
 2004. 2017. 2257.
$C_2H_4O_2$ Essigsäure 41. 79. 113. 114.
 641. 646. 912. 2004. 2008.
 2012. 2013. 2018. 2215.
$C_2H_4O_3$ Glycolsäure 761. 912. 1154.
$C_2H_4O_4$ Glyoxalsäure 912.
$C_2H_4N_4$ Dicyandiamid 294.
$C_2H_4Cl_2$ β-Dichlorhydrin 1763.
$C_2H_4Br_2$ Aethylenbromid 650. 696. 700.
 1160. 1249.
— β-Dibromhydrin 1763.
C_2H_5N Methylenverbindung des Me-
 thylamins 872.
— Vinylamin 1315.
C_2H_5Br Aethylbromid 40. 41. 1324.
C_2H_5J Aethyljodid 719. 1729. 1732.
C_2H_6O Aethylalkohol 41. 180. 641.
 642. 645. 653. 912. 1324.
 2004. 2012. 2013. 2257.
$C_2H_6O_2$ Glycol 173. 650. 912. 1108.
C_2H_6S Aethylsulfhydrat 1453.
$C_2H_6S_2$ Aethylenmercaptan 169. 996.
C_2H_7N Aethylamin 801. 844. 912.
 1315. 1716. 1752.
— Dimethylamin 246. 799. 800.
 871. 873. 1250. 1716. 1867.
$C_2H_7N_3$ Methylguanidin 932.
$C_2H_8N_2$ Aethylhydrazin 966.
— Aethylendiamin 874. 2283.
C_2OCl_4 Trichloracetylchlorid 1757.

— 2 III —

C_2HOCl_3 Chloral 176. 654. 673. 1001.
 1175. 1220. 1398.
— Dichloracetylchlorid 1418.
C_2HOBr_3 Bromal 176. 673. 1001.
$C_2HO_2Cl_3$ Trichloressigsäure 113. 132.
 188. 701. 1394. 1541.
$C_2H_2OCl_2$ Chloracetylchlorid 71.
— Dichloraldehyd 1437.
$C_2H_2O_2N_2$ Diazoessigsäure 889.
— Knallsäure 965.
$C_2H_2O_2Cl_2$ Dichloressigsäure 856. 862.
$C_2H_2O_2Br_2$ Dibromessigsäure 862.
$C_2H_2O_3S$ Thioglyoxylsäure 856.
C_2H_2NJ Jodacetonitril 965.

C_2H_3OCl Chloraldehyd 861.
— Acetylchlorid 71. 1396. 1400.
 1416.
$C_2H_3O_2Cl$ Chloressigsäure 753. 760. 862.
 881. 1113. 1172. 1173. 1228.
 1394.
— Chlorkohlensäuremethylester
 1171. 1293.
$C_2H_3O_2Cl_3$ Chloralhydrat 176. 1001.
 1023. 1220.
$C_2H_3O_2Br$ Bromessigsäure 753. 754. 760.
$C_2H_3O_2J$ Jodessigsäure 753. 754.
$C_2H_3O_2Fl$ Fluoressigsäure 760.
$C_2H_3O_3N$ Oximidoessigsäure 862.
— Oxaminsäure 912.
C_2H_3NS Methylsenföl 922.
$C_2H_3N_3S$ Imidothiobiazolin 921.
— Mercaptotriazol 1718.
$C_2H_4ON_4$ Imidourazol 920.
$C_2H_4O_2N_2$ Glyoxim 861.
— Formylharnstoff 166.
— Oxamid 287. 912.
$C_2H_4O_2N_2$ Hydroxyloxamid 262.
— Oxalenmonoamidoxim 262.
— Oxalsäuremonoamidoxim
 748.
— Lecco's Metazonsäure 1084.
$C_2H_4O_4N_2$ Nitraminessigsäure 881.
$C_2H_4N_4S$ Methylamidotriazsulfol 1721.
C_2H_5ON Acetamid 673. 912. 932.
C_2H_5OCl α-Monochlorhydrin 1763.
$C_2H_5O_2N$ Glycocoll 256. 290. 673. 912.
 1274. 2298.
— Nitroäthan 852. 866. 1084.
 1942.
— Monomethylcarbaminsäure
 934.
$C_2H_5O_3N_3$ Biuret 897. 934.
$C_2H_5O_3N$ Aethylnitrat 1942.
$C_2H_5O_3N_3$ Nitraminacetamid 880.
C_2H_5NS Thiacetamid 1712. 1713.
$C_2H_6ON_2$ Methylharnstoff 914.
$C_2H_6O_2N_2$ Dimethylnitramin 868. 879.
 934. 1115. 1116.
— Isomeres des Dimethylnitra-
 mins 868.
— Aethylnitramin 966.
$C_2H_6O_2N_2$ Hydrazinoessigsäure 882.
$C_2H_6O_2N_4$ Oxalendiamidoxim 750.
$C_2H_6O_3S$ Aethylsulfonsäure 1235.
C_2H_6NCl Chloräthylamin 1161.
C_2H_6NBr Bromäthylamin 1712.

— 2 IV —

$C_2H_3ON_3S$ Nitroimidothiobiazolin 921.
$C_2H_3ONBr_2$ Dibromacetamid 768.
$C_2H_3ON_3S$ Thiourazol 288. 920. 1720.
C_2H_4ONCl Chloracetamid 1949.

C_2H_4ONFl Fluoracetamid 760.
$C_3H_4O_{12}N_2S_4$ Azinmethandisulfosäure
     966.
$C_2H_5ON_3S$ Formylthiosemicarbazid
     921. 1718.
$C_2H_7O_3NS$ Taurin 1315.

— 2 V —

$C_2H_3ONClBr$ Chlorbromacetamid 768.

C_3-Gruppe.

C_3H_4 Allylen 1047.
C_3H_6 Trimethylen 272. 624.
—   Propylen 272. 624.

— 3 II —

$C_3H_2N_2$ Malonitril 722. 724. 905. 942.
$C_3H_3Br_3$ Allyltribromid 1763.
C_3H_4O Propargylalkohol 653.
—   Acroleïn 867. 1970.
$C_3H_4O_2$ Acrylsäure 714. 755.
$C_3H_4O_3$ Brenztraubensäure 293. 671.
     743. 1100. 1102. 1358. 1693.
     1812. 1847.
$C_3H_4O_4$ Malonsäure 79. 176. 708. 740.
     820. 821. 912. 1762.
$C_3H_4Br_2$ α-Epidibromhydrin 936.
     β-Epidibromhydrin 649.
C_3H_5N Aethylcyanid 290.
—   Aethylisocyanid 942.
—   Propionitril 1314.
C_3H_5Br Allylbromid 1048. 1069.
$C_3H_5Br_3$ Tribrompropan 936.
C_3H_5J Allyljodid 1510. 1905.
C_3H_6O Aceton 273. 647. 668. 670.
     716. 754. 884. 902. 912.
     1174. 1389. 1400. 1430.
     1491. 1531. 1532. 1533.
     1614. 1754. 1755. 2213.
     2214. 2263.
—   Propylaldehyd 740. 753. 754.
     1292.
—   Allylalkohol 1291.
—   Propylenoxyd 154.
$C_3H_6O_2$ Propionsäure 79. 80. 714. 761.
     912. 2013. 2018.
—   Ameisensäureester 753. 754.
     832. 1283.
—   Orthoameisenäther 849. 1108.
$C_3H_6O_3$ Milchsäure 154. 173. 181. 804.
     912. 982. 1155. 1981. 1988.
     1989. 2004. 2216. 2217.
—   Rechtsmilchsäure 180. 738.
—   Linksmilchsäure 738. 2012.
     2013.
$C_3H_6O_4$ Glycerinsäure 913.
$C_3H_6Br_2$ Propylenbromid 272. 696. 698.
     1070.

$C_3H_6Br_2$ Trimethylenbromid 1041.
C_3H_7N Allylamin 878. 1752.
—   Isoallylamin 878. 879.
C_3H_7J Isopropyljodid 1729.
C_3H_8O Propylalkohole 624. 646. 2004.
—   Isopropylalkohol 120.
$C_3H_8O_2$ Methylal 1273.
$C_3H_8O_3$ Glycerin 173. 180. 651. 653.
     830. 2004. 2008. 2012. 2013.
$C_3H_8S_2$ Trimethylenmercaptan 169.
     997.
C_3H_9N n-Propylamin 122.
—   Trimethylamin 324. 870. 871.
     872. 1716. 1768. 2018.
C_3OCl_6 Hexachlorpropanan (Hexa-
     chloraceton) 830.
$C_3N_2Br_2$ Dibrommalonitril 942.
$C_3N_3Cl_3$ Cyanurchlorid 944.
C_3N_3As Arsencyanid 905.

— 3 III —

C_3HOBr_5 Pentabromaceton 1408.
C_3HN_2Br Monobrommalonitril 942.
$C_3H_2OBr_4$ Tetrabromaceton 1408.
$C_3H_2O_3Br_2$ Isodibrombernsteinsäurean-
     hydrid 252.
$C_3H_3O_2N$ Cyanessigsäure 741. 941.
$C_3H_3O_2Br$ β-Bromacrylsäure 650.
$C_3H_3O_3N_3$ Cyanursäure 914. 944.
$C_3H_3O_3Cl_3$ Trichlormilchsäure 179. 830.
$C_3H_3O_4N_3$ Nitrohydantoin 879.
$C_3H_4ON_2$ Cyanacetamid 936. 937. 941.
     1751.
$C_3H_4O_2N_2$ Hydantoin 182.
$C_3H_4O_5N_4$ Aethylendinitroharnstoff 880.
$C_3H_4N_2S$ Amidothiazol 862.
$C_3H_4ON_2$ Cyanäthylamidoxim 722.
C_3H_5OCl Monochloraceton 861. 1066.
     1247.
—   α-Chlorpropylaldehyd 646.
—   Epichlorhydrin 1763.
—   Propionylchlorid 1233.
C_3H_5OBr Bromallylalkohol 649.
—   Monobromaceton 669.
C_3H_5OJ Monojodaceton 670.
C_3H_5OFl Propionylfluorid 674. 1233.
$C_3H_5O_2Cl$ Chlorkohlensäureester 852.
     881. 914. 1293. 1842. 1949.
—   Chloressigsäuremethyläther
     709.
—   Chlorameisensäureäthylester
     897. 942.
$C_3H_5O_2Br$ Brompropionsäure 753.
—   α-Brompropionsäure 753. 754.
     862. 1414.
$C_3H_5O_2J$ β-Jodpropionsäure 855.
$C_3H_5O_2Fl$ Fluoressigsäuremethylester
     759.

C₄H₉O₂N₂S Isothioallophansäure-
ester 899.

C₄H₈N₂Br₂S Thiosinaminbromid 935.
—   Additionsproduct des
           Allylharnstoffs 899.

C₄H₈N₂J₂S Thiosinaminjodid 935.
C₄H₁₀O₄N₂S β-Methyltaurocarbamin-
           säure 936.

C₄H₁₀NCl₂B Diäthylaminchlorborin
           859.

C₄H₁₀NCl₂P Diäthylaminchlorphos-
           phin 858.

C₄H₁₀NCl₂Si Diäthylaminchlorsilicin
           859.

— 4 V —

C₄H₁₀ONCl₂P Diäthylaminoxychlor-
           phosphin 858.

C₄H₁₀NCl₂SP Diäthylaminsulfochlor-
           phosphin 858.

— 4 VI —

C₄H₈O₄N₂ClBrS β-Chlorbrommethyl-
           taurocarbaminsäure
           936.

C₅-Gruppe.

C₅H₆ Cyclopentadien 636.
C₅H₈ Aethylidentrimethylen 633.
—   Vinyltrimethylen 272. 632. 633.
—   Dimethylallylen 631.
C₅H₁₀ Trimethyläthylen 621. 622. 623.
           625. 626.
—   as. Methyläthyläthylen 626.
—   Amylen 626.
C₅H₁₂ Pentan 617.
—   Isopentan 617.

— 5 II —

C₅H₄O₂ Furfurol 75. 172. 179. 673. 696.
           754. 971. 973. 989. 1436.
           1437. 1684. 1686. 2267.
C₅H₄O₆ Brenzschleimsäure 75.
—   Citraconsäureanhydrid 242.
C₅H₅N Pyridin 41. 50. 85. 324. 975.
           1647. 1748. 1749. 1750. 1763.
           1840. 1972.
C₅H₅N₅ Adenin + 3 H₂O 182. 726. 1985.
C₅H₆O₃ Brenzweinsäureanhydrid 242.
           688.
—   Methylbutyrolacton 688.
—   Tetrinsäure 768.
C₅H₆O₄ Citraconsäure 149. 246.
—   Mesaconsäure 149. 155. 246.
—   Glutaconsäure 820.

C₅H₆O₄ Vinakonsäure 696.
—   Methylmaleïnsäure 156.
—   Methylfumarsäure 156.
C₅H₆O₅ Acetondicarbonsäure 273.
C₅H₆O₆ Monomethylweinsäure
           + ½ H₂O 162. 279. 810.
C₅H₆N₂ β-Amidopyridin 1768.
—   Dimethylmalonitril 906. 942.
—   Methylpyrazin 1840.
C₅H₆Cl₄ Tetrachlorcyclopentan 637.
C₅H₆Br₂ Dibromcyclopenten 637.
C₅H₆Br₄ Tetrabromcyclopentan 637.
C₅H₆S Methylthiophen (Thiotolen)
           1223.
C₅N₇Cl Monochlorcyclopenten 636.
           638.
C₅H₇Cl₃ Trichlorcyclopentan 637.
C₅H₈O Tiglinaldehyd 1177. 1599.
—   Ketopentamethylen 1685.1686.
C₅H₈O₂ Acetylaceton 248. 673.
—   Digitalin 1608. 2310.
—   Dimethylacrylsäure 286. 714.
           762. 764.
—   β, β-Dimethylacrylsäure 714.
—   α - Methylbutyrolacton 689.
           698.
—   Methylcrotonsäure 755.
—   Allylessigsäure 768.
—   Valerolacton 768.
—   Angelikasäure 304. 310.
—   Tiglinsäure 310.
—   1, 2 - Trimethylencarbonsäure
           698.
C₅H₈O₃ Lävulinsäure 172. 766. 988.
           989. 1511. 1850.
—   α-Oxypentensäure 683.
—   Formylessigester 847.
—   Verbindung von 1-Oxybutter-
           säure mit Formaldehyd 735.
—   β-β-Dimethylglycidsäure 763.
—   Brenztraubensäureäthylester
           1103.
—   α-Aethoxyacrylsäure 672.
—   Acetessigsäuremethylester
           1709.
—   Pyrotraubensäureester 752.
C₅H₈O₄ Dimethylmalonsäure 660. 809.
           934. 942. 1235. 1614.
—   Malonsäuredimethyläther 709.
           710. 711.
—   Glutarsäure 714. 742.
—   Methylbernsteinsäure 155.775.
—   Brenzweinsäure 1123.
—   Xylan 1037.
—   Pentaerythrit 174.
C₅H₈O₅ Oxyglutarsäure 820.
—   (α-γ)-Oxyglutarsäure 633.
—   Lyxonsäurelacton 175. 976.

$C_5H_8O_7$ Xylotrioxyglutarsäure 175. 981.

$C_5H_9N_3$ Aethylglyoxyxalin 1707.

$C_5H_9Br_2$ Bromid aus Vinyltrimethylen 633.

C_5H_9N Amidocyclopenten 638.

C_5H_9J Jodid aus Aethylidentrimethylen 633.

—   Pentamethenyljodid 699.

$C_5H_{10}O$ Isovaleraldehyd 665. 754. 1472.

—   Isoamylaldehyd 665.

—   Diäthylketon 673. 753. 1747.

—   Propylmethylketon 1811.

—   Methylpropylketon 753. 1402.

—   Methyläthylacetaldehyd 634.

$C_5H_{10}O_2$ Valeriansäure 41. 646. 675. 761.

—   d-Valeriansäure 158.

—   r-Valeriansäure 734.

—   Trimethylessigsäure 934. 1235.

—   Methyläthylessigsäure 748. 779. 1605. 1608.

—   Propionsäureester 1253.

—   Glycol aus Vinyltrimethylen 633.

—   Säure aus Convolvulinolsäure 1608.

—   2-Methylbutansäure 158.

$C_5H_{10}O_3$ Milchsäureäthylester 737.

—   l-Milchsäureäthylester 159.

—   γ-Oxyvaleriansäure 770.

$C_5H_{10}O_4$ Methyltetrose 161. 809. 810.

$C_5H_{10}O_5$ Xylose 157. 180. 971. 972. 975. 995.

—   a-Xylose 168.

—   Lyxose 175. 975. 976. 977.

—   Ribose 975.

—   Arabinose 157. 173. 174. 180. 971. 973. 974.

—   α-Arabinose 167.

—   β-Arabinose 167.

—   γ-Arabinose 167.

$C_5H_{10}O_6$ Xylonsäure 175. 975. 976. 977.

—   Ribonsäure 179.

—   l-Arabonsäure 180.

—   Lyxonsäure 175. 975. 976. 977.

$C_5H_{10}N_2$ Methylenpiperazin 1842.

$C_5H_{10}Br_2$ Amylenbromid 631. 1499.

—   β-Dimethyltrimethylenbromid 631.

$C_5H_{11}N$ Piperidin 51. 849. 1352. 1381. 1391. 1647. 1657. 1749. 1750. 1757. 1762.

—   Base aus Tropinsäure 227.

—   α-Methylpyrrolin 1658.

—   Butylmethylenimin 880.

$C_5H_{11}N$ Methylisobutylidenamin 875.

$C_5H_{11}Cl$ Amylchlorid 626.

$C_5H_{11}Br$ Bromkohlenwasserstoff aus Dimethyläthylcarbinol 634.

$C_5H_{12}O$ Amylalkohol 155. 645. 646.

—   l-Amylalkohol 158.

—   Pinakolin 276.

—   Dimethyläthylcarbinol 633.

$C_5H_{12}O_2$ Dimethylderivat des Acetons 673.

$C_5H_{12}O_4$ Pentaerythrit 655.

$C_5H_{12}N_2$ Piperylhydrazin 1750.

$C_5H_{13}N$ Methylisobutylamin 875. 926.

—   Isoamylamin 876.

$C_5H_{14}N_2$ Cadaverin 2298.

— 5 III —

$C_5H_2NBr_3$ Tribrompyridin 226.

$C_5H_4O N_4$ Hypoxanthin 182. 726. 2239.

$C_5H_4O_2N_4$ Xanthin 182. 726.

$C_5H_4O_3N_4$ Harnsäure 931. 2260. 2261. 2262. 2263.

$C_5H_5O N$ α-Oxypyridin 1799.

$C_5H_5O N_3$ Verbindung des Cyanoforms mit Methylalkohol 724.

$C_5H_5O N_5$ Guanin 182. 726. 1985.

$C_5H_5O_2N$ Maleïnsäuremethylimid 259.

—   Dihydrooxypyridin 1972.

—   Citraconsäureimid 134. 286.

$C_5H_5N_3S_2$ Verbindung aus Allyldithiourazol 904.

$C_5H_6O_2Br_2$ β β-Dibromacrylsäureester 821.

$C_5H_6O_2Cl_2$ Dichlorlävulinsäure 273.

$C_5H_6O_2Br_2$ Dibromlävulinsäure 273.

$C_5H_6O_4Br_2$ Dibrommalonsäuredimethyläther 710.

$C_5H_6O_5N_2$ Formylmalonursäure 913.

$C_5H_7O N$ Crotonaldehydcyanhydrin 683.

$C_5H_7O N_3$ Dimethyloxytriazin 1881.

$C_5H_7O_2N$ Cyanessigester 693. 701. 937. 941. 1272. 1273. 1751. 1752.

$C_5H_7O_2N_3$ Cyanäthenylacetylamidoxim 722.

—   Dimethyldioxytriazin 1881.

$C_5H_7O_3Cl$ Monochlordimethacrylsäure 763.

$C_5H_7O_3N$ Methylmaleïnaminsäure 242. 801.

—   Methylfumaraminsäure 801.

—   Maleïnsäuremonomethylamid 261.

—   Pyroglutaminsäure 726.

$C_5H_7O_3Br$ γ-Brommethylacetessigsäuremethylester 768.

$C_5H_7O_4N$ Methylimid der Traubensäure 165. 844.

—   Methyltartrimid 162. 845.

$C_5H_7O_4N_2$ Nitroacetonylharnstoff 879.

$C_5H_7O_4Cl$ Chlormalonsäuredimethyläther 712.

$C_5H_7O_4Br$ Brommalonsäuredimethyläther 710. 711. 712. 713.

$C_5H_7O_5N$ Oximidopropionacetsäure 862. 863.

$C_5H_7N_3S$ n-Allylmercaptotriazol 1718.

$C_5H_7N_3S_2$ Allyldithiourazol 903. 1722.

$C_5H_8ON_2$ Dimethylcyanacetamid 938.

$C_5H_8OCl_2$ γ-Chlor-α-methylbutyrylchlorid 689.

$C_5H_8O_2N_2$ Dimethylhydantoin 938.

—   Acetonylharnstoff 902.

—   β-Methyl-β-Lactylharnstoff 725.

—   Glutaconamid 1751.

$C_5H_8O_4N_2$ Succinursäure 1327.

$C_5H_8O_4S$ Thioglycolhydracrylsäure (Propansäurethio-3,2-äthansäure) 824.

—   Thiolactylglycolsäure (Propansäurethio-2,2-äthansäure) 824.

$C_5H_8O_5N_2$ Carbäthoxyäthylnitrolsäure 852.

$C_5H_8O_6S$ α-Sulfopropionessigsäure (Propansäuresulfon-2,2-äthansäure) 825.

—   β-Sulfopropionessigsäure (Propansäuresulfon-3,2-äthansäure) 825.

$C_5H_8O_6S_2$ Pentaerythritdischwefelsäureester 655.

C_5H_9OCl Valerylchlorid 882. 1492.

—   r-Valerylchlorid 734.

—   d-Valerylchlorid 734.

C_5H_9OBr Aethyläther des Bromallylalkohols 649.

$C_5H_9O_2Cl$ Chlorpropionsäureester 735. 737.

—   α-Chlorpropionsäureester 736. 737. 738.

$C_5H_9O_2Br$ α-Methyl-γ-buttersäure 689.

—   2-Brom-2-Methylbutansäure 158.

—   Brompropionsäureester 693. 735. 736.

—   α-Brompropionsäureäther 710. 716.

—   Bromisovaleriansäure 753.

—   α Bromisovaleriansäure 753. 754.

$C_5H_9O_2J$ Jodpropionester 1695.

$C_5H_9O_2J$ β-Jodpropionsäureäther 717. 726.

$C_5H_9O_2N$ Acetylurethan 914. 1880.

$C_5H_9O_2Cl$ Chloroxyisovaleriansäure 762. 763.

$C_5H_9O_4N$ Glutaminsäure 150. 726. 1972.

—   Methylasparaginsäure 246.

C_5H_9NS μ-β-Dimethylthiazolin 1713.

—   μ-Aethylthiazolin 1712.

—   Isobutylsenföl 909.

$C_5H_9NS_2$ μ-β-Mercaptomethylpenthiazolin 894.

$C_5H_{10}ON_2$ Nitrosopiperidin 1750.

$C_5H_{10}ON_4$ Carbonamidhydrazo-i-butyronitril 883.

$C_5H_{10}O_2N_2$ Brenzweinsäureamid 288. 724. 725.

—   Nitropiperidin 1757.

$C_5H_{10}O_2Cl_2$ Pentaerythritdichlorhydrin 655.

$C_5H_{10}O_3N_2$ Glutamin 161. 726. 918.

—   As. Dimethylpropylpseudonitrol 869.

—   Aethylpropylpseudonitrol 869.

$C_5H_{10}O_3N_4$ Methylenharnstoff 910.

—   Körper aus Harnstoff 910.

$C_5H_{10}O_4N_2$ Methyl-n-propyldinitromethan 869.

—   Methylisopropyldinitromethan 869.

—   Diäthyldinitromethan 869.

$C_5H_{10}N_2S_2$ Körper aus Trimethyltrimethylentriamin 854.

—   Dimethylformocarbothialdin 855. 877.

$C_5H_{11}ON$ Methylpropylketoxim 869.

—   Methylisopropylketoxim 869.

$C_5H_{11}ON_3$ Semicarbazon des Methyläthylketons 895.

$C_5H_{11}O_2N$ Betaïn 726.

$C_5H_{12}ON_2$ Methylpropylharnstoff 926.

—   Nitrosomethylisobutylamin 876. 926.

$C_5H_{12}O_2N_2$ Hydrazinovaleriansäure 888.

$C_5H_{12}ON$ Butylaminomethylalkohol 880.

—   Neurin 2298.

$C_5H_{13}ON_3$ Methylpropylharnstoff 875.

$C_5H_{15}O_2N$ Cholin 726. 2298.

— 5 IV —

$C_5H_4O_4N_2Cl_2$ Dichlormaleïnursäure 264.

$C_5H_4O_4N_2Br_2$ Dibrommaleïnursäure 266.

$C_5H_7ON_3S$ Acetyl-c-Methylimidothiobiazolin 921.

C₃H₉O₂NS Carboxyäthylthiocarb-
aminsäuremethylester
899.
C₅H₁₀O₂N₂S a-b-Carboxyäthylme-
thylthiocarbamid 898.
C₅H₁₀NCl₂P Piperidinchlorphosphin
858.

— 5 V —

C₅H₈ONBrS μ-Methoxy-γ-brompenthiazolin 901.

C₆-Gruppe.

C₆H₆ Dimethylbiacetylen 229.
— Allylenylallylen 229.
— Benzol 40. 41. 53. 54. 55. 73. 85.
94. 618. 1045. 1048. 1119. 1189.
1295. 1365. 1366. 1367. 1396.
1397. 1410. 1413. 1414. 1418.
2282.
C₆H₁₀ Diallyl 228. 1510.
— Hexadiën 623.
— Methylisopropylacetylen 632.
— Bipropylen 228.
— Allylpropylen 228.
— Trimethylallen 632.
C₆H₁₂ Tetramethyläthylen 671.
C₆H₁₄ Hexan 120. 621. 622. 623.
C₆J₆ Hexajodbenzol 1329. 1330.
C₆Cl₆ Hexachlorbenzol 1176.

— 6 II —

C₆HCl₅ Pentachlorbenzol 1176.
C₆H₂Cl₄ Tetrachlorbenzol (1, 2, 4, 6)
1176. 1384.
C₆H₂Br₄ Tetrabrombenzol 1087.
— 1, 2, 4, 5-Tetrabrombenzol
1088.
— 1, 3, 5, 4-Tetrabrombenzol
1088.
C₆H₃Cl₃ Trichlorbenzol 1073. 1085.
C₆H₃Br₃ Tribrombenzol 1087.
— Sym. Tribrombenzol 1088.
C₆H₄O₂ Chinon 122. 1071. 1452. 1453.
1456. 1457. 1826. 1981.
C₆H₄O₆ Dicarbintetracarbon-Buten-
disäuredimethylsäure 711.
C₆H₄Cl₂ o-Dichlorbenzol 1039. 1073.
1058.
— m-Dichlorbenzol 1039. 1050.
1058.
— p-Dichlorbenzol 1039.
C₆H₅N₃ Azimidobenzol 1089.
C₆H₅Cl Chlorbenzol 1887. 1891. 1956.
C₆H₅Br Brombenzol 40. 85. 1089.
— p-Brombenzol 1049.

C₆H₅J Jodbenzol 85. 1058. 1061. 1088.
C₆H₆O Phenol 40. 41. 52. 53. 55.
1107. 1140. 1144. 1171. 1173.
1194. 1212. 1224. 1243. 1269.
1319. 1908. 2017. 2018. 2284.
2285.
C₆H₆O₂ Resorcin 53. 847. 1108. 1145.
1175. 1212. 1243. 1307. 1321.
1322. 1358. 1367. 1368. 1454.
1455. 1882. 1937. 1992. 1993.
2213. 2311.
— Brenzcatechin 53. 241. 1071.
1143. 1145. 1171. 1172. 1173.
1174. 1212. 1959. 1993.
— Hydrochinon 53. 122. 1071.
1108. 1145. 1171. 1174. 1212.
1304. 1455. 1620. 1693. 1746.
1992. 1993.
— o-Dioxybenzol 1188.
— p-Dioxybenzol 1188.
— δ-Methylfurfurol 981.
— Biacetylenglycol 653.
C₆H₆O₃ Phloroglucin 297. 972. 973.
1186. 1438. 1637. 1639. 1693.
1817. 1993.
— Pyrogallol 912. 1071. 1212.
1693. 1992. 2213.
— Methylhydroxycumalin 279.
758.
— Methylfurfurancarbonsäure
279.
— Oxymethylfurfurol 1186.
C₆H₆O₄ Apionol 1588.
C₆H₆O₆ Aconitsäure 155. 250.
C₆H₆O₈ Aethantetracarbonsäure 279.
C₆H₆Br₄ Tetrabromid des Dimethylbiacetylen 229.
C₆H₆Br₆ Benzolhexabromid 241.
— β-Benzolhexabromid 1057.
C₆H₆S Thiophenol 1068. 1452. 1453.
— Phenylmercaptan 1107.
C₆H₆S₂ Dithioresorcin 1108.
— Dithiohydrochinon 1108.
C₆H₇N Anilin 41. 85. 721. 1073. 1092.
1100. 1101. 1103. 1130. 1131.
1163. 1216. 1234. 1237. 1238.
1321. 1352. 1370. 1381. 1458.
1478. 1695. 1724. 1748. 1768.
1775. 1807. 1812. 1818. 1866.
1873. 1878. 1887. 1915. 1923.
1924. 1942. 2284. 2307.
— Picolin 1750.
— γ-Methylpyridin 1772.
C₆H₈O₃ Sym. Dimethylbernsteinsäure-
anhydrid 242. 306.
— Anhydrid der asymm. Di-
methylbernsteinsäure 780.
1508.

$C_6H_8O_3$ Anhydrid der sym. maleïnoiden Dimethylbernsteinsäure 71.
— Adipinsäureanhydrid 280. 796.
— α-Methylglutarsäureanhydrid 279. 785.
— Brenztraubensäureallylester 1104.
$C_6H_8O_4$ Pyrocinchonsäure 279. 802.
— Dimethylfumarsäure 246. 306. 802.
— α-Methylbutyrolactonsäure 697.
— γ-Methyl-α-butyrolactoncarbonsäure 698.
— Methyltrimethylendicarbonsäure 698.
— Symm. Tetramethylendicarbonsäure 71.
— Fumarsäuremonoäthylester 246.
— Fumarsäuredimethylester 799.
— Maleïnsäuredimethylester 799.
— Methylmesaconsäure 802.
— Methylcitraconsäure 802.
— Methylitaconsäure 246. 802.
$C_6H_8O_6$ Tricarballylsäure 155. 709. 713. 742.
— Glucuronsäureanhydrid 179. 971.
— Glucoronsäurelacton 696.
$C_6H_8O_7$ Citronensäure 166. 702. 703. 1124. 1145. 1158. 2008. 2009. 2218.
$C_6H_8N_2$ Phenylhydrazin 286. 289. 764. 882. 1109. 1346. 1347. 1382. 1400. 1688. 1693. 1694. 1696. 1697. 1716. 1720. 1724. 1755. 1769. 1886. 1887. 1888. 1937. 1942. 1943. 1944. 1946. 1947. 1948. 1949.
— Phenylendiamin 294. 1709. 1848.
— o-Phenylendiamin 293. 296. 297. 1039. 1040. 1131. 1465. 1466. 1708. 1709. 1743. 1808. 1809. 1831. 1847. 1849. 1856. 1858. 1861. 1866. 1876. 1877. 1929. 1942.
— m-Phenylendiamin 1128. 1129 1130. 1216. 1815. 1911. 1914. 1915. 1942. 1993.
— p-Phenylendiamin 915. 1114. 1130. 1189. 1216. 1478. 1831. 1858. 1907. 1908. 1914. 1921. 1929. 1944. 1981. 1993.
— 2, 5-Dimethylpyrazin 1840.
— 2, 6-Dimethylpyrazin 1840.

$C_6H_8Br_2$ Dibromür aus Dimethylbiacetylen 229.
C_6H_8S Thioxen 1687.
C_6H_9N Nitril aus Cyanessigsäure 741.
$C_6H_9N_3$ Triamidobenzol 291.
— Triamidobenzol (1, 2, 4) 1709.
— Triamidobenzol (1, 3, 4) 1848.
— o-Amidophenylhydrazin 1089.
$C_6H_{10}O$ Mesityloxyd 897. 1448. 1450.
— 2 - Methylpentamethylenketon 794.
— Methyläthylacroleïn 1292.
— Methylpentanon 1532.
— Ketohexamethylen 1686.
$C_6H_{10}O_2$ Crotonsäureester 793.
— Acetonylaceton 811.
— γ-δ-Hexensäure (Hexen-2-säure-6) 685.
— α, β-Isohexensäure 740.
— Isocaprolacton 277. 740. 1584.
— Trimethylacrylsäure 716. 752.
— Glycol aus Dimethylbiacetylen 229.
$C_6H_{10}O_3$ Acetessigester 276. 279. 673. 709. 710. 726. 751. 834. 847. 848. 849. 850. 851. 884. 1381. 1382. 1439. 1444. 1499. 1693. 1700. 1708. 1709. 1751 1752. 1843.
— Methylacetessigsäuremethylester 768.
— γ-Acetobuttersäure 726.
— Propionsäureanhydrid 1182.
$C_6H_{10}O_4$ Oxalester 273. 739. 744. 1130. 1448. 1450. 1843.
— Adipinsäure 227. 275. 741. 791. 795. 796. 1686.
— Dimethylbernsteinsäure 156.
— Asymm. Dimethylbernsteinsäure 775. 780. 1565.
— Symm. Dimethylbernsteinsäure 244. 306.
— Symm. fumaroide Dimethylbernsteinsäure 71.
— n-Symm. Dimethylbernsteinsäure 775.
— h-Symm. Dimethylbernsteinsäure 775.
— Anti-Dimethylbernsteinsäure 156.
— Aethyloxalat 41.
— α-Methylglutarsäure 785.
$C_6H_{10}O_5$ Saccharin 77. 1245. 1246. 1247. 1248. 1249. 2285. 2288. 2289. 2311.
— Aepfelsäuremethylester 737.
— Isorhamnolacton 174. 981.

$C_6H_6O_2N_2$	o-Nitranilin 1141. 1324. 1457. 1775. 1887. 1905. 1942.
—	m-Nitranilin 1039. 1108. 1324. 1775. 1887.
—	p-Nitranilin 1039. 1113. 1324. 1326. 1775. 1887. 1902. 1903. 1905. 1906. 1908. 1909. 1982.
—	o-Diazophenol 1901.
—	p-Diazophenol 1898. 1901.
—	Nitroso-m-Amidophenol 1154. 1874.
—	Benzol-o-dioxim 1090.
—	Dicyanessigsäureäthyl-ester 942.
—	Nitrosophenylhydroxyl-amin 1126.
$C_6H_6O_2N_4$	Methylxanthin 927.
$C_6H_6O_3S$	Benzolsulfinsäure 1063. 1066. 1071. 1859.
$C_6H_6O_3Se$	Phenylselenige Säure 1072.
$C_6H_6O_3N_2$	Nitroaminophenol 1141.
—	Nitro-o-aminophenol 1142.
$C_6H_6O_3S$	Benzolsulfonsäure 1235.
$C_6H_6O_4S$	p-Phenolsulfosäure 1141.
$C_6H_6O_5S$	Brenzkatechinsulfosäure 1173.
C_6H_6NCl	Chloranilin 119. 1241.
—	o-Chloranilin 119.
—	m-Chloranilin 1887. 1953.
—	p-Chloranilin 119. 1085. 1887. 1892.
—	Phenylchloramin 119.
C_6H_6NBr	m-Bromanilin 1887.
—	p-Bromanilin 1892.
$C_6H_6N_2Br_2$	Dibromphenylendiamin 1128.
—	Dibrom-m-phenylendiamin 1129.
C_6H_6ClP	Monochlorphenylphosphin 1957.
C_6H_6BrP	Monobromphenylphosphin 1958.
C_6H_7ON	Amidophenol 123. 1908.
—	o-Amidophenol 296. 1074. 1131. 1141. 1189. 1234. 1271. 1878.
—	m-Amidophenol 1993.
—	p-Amidophenol 1073. 1141. 1147. 1148. 1149. 1154. 1155. 1189. 1212. 1234. 1319. 1942. 1981. 1993.
—	Phenylhydroxylamin 116. 1075. 1125. 1126. 1942.
$C_6H_7ON_3$	Nitrosophenylhydrazin 1888.

$C_6H_7ON_3$	Körper aus Cyanoform 724.
$C_6H_7O_2N$	Maleïnsäureäthylimid 259.
—	Aethylmaleïnimid 801.
—	Pyrocinchonimid 134. 286.
$C_6H_7O_2N_3$	Nitrophenylendiamin 293.
—	1,3,4-Nitrophenylendia-min 1848.
—	o-Nitro-p-phenylendiamin 1904.
—	p-Nitrophenylhydrazin 1896. 1902. 1903. 1906.
$C_6H_7O_3Cl$	Chlorcrotonsäureäthyl-ester 251.
$C_6H_7O_4N$	p-Amidophenolsulfosäure 1073.
$C_6H_7O_5N_3$	Dinitrophenolammoniak 1271.
$C_6H_7N_3Br$	Monobromphenylendiamin 1087.
—	Monobrom-m-phenylen-diamin 1129.
$C_6H_8ON_2$	Diamidophenol 1981.
$C_6H_8O_2Cl_2$	Adipylchlorid 796.
$C_6H_8O_2N_3$	Pyrazoloncarbonsäure-ester 287.
$C_6H_8O_3N_2$	Dimethylbarbitursäure 929.
—	Aethylmethylparaban-säure 931.
—	5-Pyrazolon-3-carbonsäure-ester 1694.
—	5-Pyrazolon-4-carbonsäure-ester 1694.
$C_6H_8O_3Br_2$	α α-Dibromacetessigester 768.
$C_6H_8O_5N_2$	Formylsuccinursäure 913.
$C_6H_8O_6N_2$	Formylmalursäure 913.
$C_6H_8O_6S_2$	Ester aus Pentaerythrit 174.
$C_6H_8O_7N_2$	Formylracemursäure + H_2O 166. 913.
$C_6H_8O_7N_4$	Monomethylaminpikrat 873.
$C_6H_9O_2N$	Aethylsuccinimid 41.
—	α-Cyanpropionsäureester 1041.
—	Dimethylcyanessigsäure-methylester 942.
$C_6H_9O_2N_3$	Methyläthyldioxytriazin 1881.
$C_6H_9O_2Cl$	Chlorcrotonsäureester 277.
—	α-Chlorcrotonsäureester 758.
—	β-Chlorcrotonsäureester 1693. 1896. 1697.
—	β-Chlorisocrotonsäure-Aethylester 1697.

— 6 IV —

$C_6 H O_4 N_2 Cl_3$ Trichlordinitrobenzol 1085. 1086.

$C_6 H O_4 N_2 Br_3$ Tribromdinitrobenzol 1089. 1128. 1129.

$C_6 H_2 O N_2 Br_2$ Dibrom-p-diazophenol 1898.

$C_6 H_2 O_2 N Br_3$ Tribromnitrobenzol (1 : 2 : 4 : 5) 1087. 1175.

$C_6 H_2 O_6 N_3 Cl$ Pikrylchlorid 1303.

$C_6 H_3 O_4 N_2 Cl$ Chlordinitrobenzol 1923.

$C_6 H_3 O_4 N_2 Br$ Bromdinitrobenzol 1862. 1923.

$C_6 H_3 O_5 N_2 Cl$ 2-Chlor-4, 6-dinitrophenol 1143.

$C_6 H_3 O_5 N_2 Br$ 2-Brom-4, 6-dinitrophenol 1142.

$C_6 H_3 O_5 N_2 Br$ Bromdinitroresorcin 1175.

$C_6 H_4 O Cl_2 P$ Monochlorphosphenyloxychlorid 1956.

$C_6 H_4 O_2 N Cl$ o-Chlornitrobenzol 1039. 1141.

— o-Nitrochlorbenzol 1141. 1143.

— m-Chlornitrobenzol 1039.

— p-Chlornitrobenzol 1039. 1144. 1145.

— p-Nitrochlorbenzol 1084. 1143.

— β-Chlornicotinsäure 1778.

$C_6 H_4 O_2 N Br$ Nitrobrombenzol 1141.

— o - Nitrobrombenzol 1039. 1089.

— m-Nitrobrombenzol 1039. 1089.

— p-Nitrobrombenzol 1039. 1089.

$C_6 H_4 O_2 N J$ o-Nitrojodbenzol 1141.

$C_6 H_4 O_2 N_2 Cl$ m-Nitrodiazobenzolchlorid 1143.

$C_6 H_4 O_2 Cl P$ Phosphinochlorbenzol 1957.

$C_6 H_4 O_2 Br P$ Phosphinobrombenzol 1958.

$C_6 H_4 O_3 N Cl$ 2-Chlor-4-nitrophenol 1143.

— 2-Chlor-5-nitrophenol 1142.

— 4-Chlor-3-nitrophenol 1141.

$C_6 H_4 O_5 N_2 S$ Diazoniumbenzol-o-sulfonsäure 1895.

— Diazosulfanilsäure 1886.

— Diazobenzol-p-sulfosäure 1358.

$C_6 H_4 O_7 N_2 S$ Dinitrobenzolsulfosäure 1128.

$C_6 H_4 N_2 Cl Br_2$ Chlordiazobenzolperbromid 1891.

$C_6 H_4 Cl_2 Br P$ Monobromphenylchlorphosphin 1957.

— p-Bromphenylchlorphosphin 1954.

$C_6 H_4 Cl_2 Br_2 P$ Monochlorphosphenylbromchlorid 1956.

$C_6 H_4 Cl_4 Br P$ Monobromphosphenyltetrachlorid 1957.

$C_6 H_5 O N_2 Cl$ o-Diazophenolchlorid 1897.

— p-Diazophenolchlorid 1897.

$C_6 H_5 O_2 N S$ p-Nitrothiophenol 1084.

$C_6 H_5 O_2 Cl S$ Benzolsulfochlorid 1109. 1927. 1929.

$C_6 H_5 O_3 N_2 Br$ Bromnitroamidophenol 1142.

$C_6 H_5 O_5 N_3 S$ p-Nitrodiazobenzolsulfonsäure 267. 307.

— p-Nitrophenyldiazosulfonsäure 1896.

$C_6 H_5 O_6 N S$ Nitrophenolsulfosäure 1128.

— o-Nitrophenol-p-sulfosäure 1141.

$C_6 H_6 O_2 Cl P$ Monochlorphosphinige Säure 1956.

$C_6 H_6 O_2 Br P$ Bromphenylphosphinige Säure 1957.

$C_6 H_6 O_2 Cl P$ Monochlorphenylphosphinsäure 1957.

$C_6 H_6 O_2 Br P$ Isomere Bromphenylphosphinsäure 1958.

$C_6 H_6 O_4 N_2 S$ o - Diazobenzolsulfonsäure 266. 307.

$C_6 H_6 O_5 N_2 S$ Nitranilinsulfosäure 1127.

— m-Nitranilinsulfosäure 1113.

— p-Nitranilinsulfosäure 1908. 1909.

$C_6 H_7 O_2 N_2 S_2$ p-Nitrophenyldiazomercaptanhydrosulfid 1901.

$C_6 H_7 O_3 N S$ Amidobenzolsulfosäure 1225.

— m-Amidobenzolsulfosäure 1226.

— Sulfanilsäure 1872. 1911.

$C_6 H_7 O_4 N Br_2$ Dibromisonitrosoacetessigsäureäthylester 265.

$C_6 H_7 O_4 N S$ p-Amidophenolsulfosäure 1442.

$C_6 H_7 O_5 N_2 S$ Nitrophenylhydrazinsulfosäure 1128.

$C_6 H_8 O_3 N_2 S$ m-Phenylendiaminsulfosäure 1128.

158*

$C_6H_8O_3N_2S$ p-Phenylhydrazinsulfo-
säure 1695. 1906.

$C_6H_8O_3ClBr$ $\alpha\alpha$-Chlorbromacetessig-
ester 768.

$C_6H_9O_4NBr$ Monobromisonitroso-
acetylessigsäureäthyl-
ester 265.

$C_6H_9ON_2S_2$ o'-Diazophenolsulfhydrat-
schwefelwasserstoff
1900.

— p-Diazophenolsulfhydratschwefelwasserstoff
1900.

$C_6H_9ON_2P$ Phenylphosphinsäurediamid 1955.

$C_6H_9O_2NS$ p-Thioxensulfamid 1687.

$C_6H_{11}O_2NS$ Carboxyäthylthiocarb-
aminsäureäthylester
899.

$C_6H_{12}O_2N_2S$ Thiodilactylsäureamid
266.

— a-b-Carboxyäthyläthyl-
thiocarbamid 898.

$C_6H_{13}NClBr$ Monobromallyltrimethylammoniumchlorid 1763.

$C_6H_{14}NCl_2B$ Dipropylaminchlorborin
859.

$C_6H_{15}O_5N_2Cl$ Oxim des salzsauren Glucosamins 176. 1000.

— 6 V —

$C_6H_4O_5NClS$ Chlornitrobenzolsulfo-
säure 1217. 1393.

$C_6H_5O_2NCl_2S$ Benzoldichlorsulfonamid
1068.

$C_6H_5O_2NBr_2S$ Benzoldibromsulfonamid 1068.

$C_6H_5O_3NClP$ Mononitrochlorphenylphosphinsäure 1957.

$C_6H_5O_3NBrP$ Nitromonobromphenyl-
phosphinsäure 1958.

$C_6H_7O_2NClP$ Amidochlorphenylphosphinsäure 1957.

$C_6H_{10}ONBrS$ μ-Aethoxy-γ-brompen-
thiazolin 901.

$C_6H_{14}ONCl_2P$ Dipropylaminoxychlor-
phosphin 858.

$C_6H_{14}NCl_2SP$ Dipropylaminsulfochlor-
phosphin 859.

— 6 VI —

$C_6H_4O_2NCl_2BrS$ p-Brombenzoldichlorsulfonamid 1068.

C_7-Gruppe.

C_7H_8 Toluol 39. 40. 41. 85. 94. 1045.
1046. 1048. 1192. 1289. 1295.

1393. 1396. 1397. 1410. 1412.
1901.

C_7H_{10} Heptamethylenterpen oder Cyclo-
heptanterpen 639.

C_7H_{12} Tetrahydrotoluol 1528.

C_7H_{14} Heptanaphten 1041.
— Methylhexamethylen (Hepta-
naphten) 1042.
— Dimethylpentamethylen 636.

C_7H_{16} Kohlenwasserstoff aus Dimethyl-
propylcarbinol 634.

— 7 II —

$C_7H_2Br_5$ Pentabromtoluol 1042.

$C_7H_4O_2$ Pseudocumarin 1608.

C_7H_5N Benzonitril 122. 287. 289.
1090. 1236. 1237. 1238.
— Indol 54.

$C_7H_5Cl_3$ Benzotrichlorid 1375.
— 1, 2, 4, 5-Trichlortoluol 1962.

C_7H_6O Benzaldehyd 40. 71. 116.
117. 214. 279. 281. 287.
291. 673. 746. 753. 754. 849.
914. 1210. 1215. 1232. 1273.
1291. 1317. 1373. 1375. 1376.
1381. 1382. 1384. 1389. 1393.
1398. 1400. 1434. 1436. 1531.
1532. 1681. 1684. 1685. 1687.
1704. 1706. 1709. 1710. 1716.
1718. 1747. 1762. 1934. 1936.
1943. 1946. 1956. 2292.

$C_7H_6O_2$ Benzoësäure 55. 114. 1145.
1232. 1317. 1375. 1421. 1424.
1598. 1827. 1876. 2300.
— o-Oxybenzaldehyd 1039.
— m-Oxybenzaldehyd 1430. 1436.
— p-Oxybenzaldehyd 1126. 1270.
1272. 1384. 1394. 1430. 1436.
1835.
— Methylenbrenzcatechin 282.
1172.
— Salicylaldehyd 75. 673. 754.
1402. 1429. 1430. 1431.
1436.

$C_7H_6O_3$ Salicylsäure 55. 114. 119. 165.
804. 1145. 1268. 1746. 1815.
1868. 1910. 1912. 1923. 2213.
2287. 2295. 2300.
— Protocatechualdehyd 1303.
1392. 1393. 1394. 1436.
— Gentisinaldehyd 1383.
— Furfuracrylsäure 149. 243.
— Allofurfuracrylsäure 149.
— Oxybenzoësäuren 1700.
— o-Oxybenzoësäure 1039.
— m-Oxybenzoësäure 1039. 1263.
— p-Oxybenzoësäure 1039. 1270.

C_7H_7OBr o-Bromanisol 1453.
C_7H_7OJ o-Jodanisol 1059. 1155.
— m-Jodanisol 1059.
— p-Jodanisol 1059. 1156.
$C_7H_7O_2N$ Amidobenzoësäuren 1234.
— o-Amidobenzoësäuren 1325.
   1326. 1456. 1921.
— Metamidobenzoësäure 1240.
   1326. 1921. 1969.
— p-Amidobenzoësäure 1326.
   1887. 1921.
— Nitrotoluol 852. 1775.
— o-Nitrotoluol 117. 1942. 2007.
— m-Nitrotoluol 117.
— p-Nitrotoluol 117. 1039. 1210.
   1388. 1942. 2007.
— Anthranilsäure 297. 1817.
   1942.
— Methylpyridincarbonsäuren
   1772.
— m-Aldehydophenylhydroxyl-
   amin 1389.
— Salicylamid 1234. 1423.
— Benzhydroxamsäure 1238.
— β-Methylpicolinsäure 1804.
— Phenylnitromethan 1081.
   1082.
— Phenylisonitromethan 1081.
— Isophenylnitromethan 1082.
$C_7H_7O_2N_3$ Nitroformaldehydhydrazone
   260.
$C_7H_7O_3P$ o-Tolylphosphinoxyd 1961.
$C_7H_7O_3N$ β-Oxymethylpicolinsäure
   1804.
— Protocatechualdoxim 261.
— Oxim des Protocatechualdehyds 1392.
— Mononitrosoorcin 261. 307.
— α-Mononitrosoorcin 1186.
— β-Mononitrosoorcin 1186.
— o-Nitranisol 1141.
— m-Nitranisol 1156.
— p-Nitrobenzylalkohol 123.
   1210.
— 3-Amino-p-oxybenzoësäure
   1271.
$C_7H_7O_3N_3$ m-Nitro-o-amidobenzamid
   1934.
— p-Nitrodiazobenzolmethyl-
   ester 1895.
— m-Nitrobenzhydrazid 924.
$C_7H_7O_3P$ Phosphinoanisol 1958.
$C_7H_7O_4N$ Methanitroanisaldehyd 1383.
— p-Mononitroguajacol 1179.
$C_7H_7O_4N_3$ α-Dinitromethylanilin 1134.
$C_7H_7O_5P$ o-Benzophosphinsäure 1962.
— m-Benzophosphinsäure 1962.
— p-Benzophosphinsäure 1960.

$C_7H_7O_6Cl_3$ Chloralsäure 1002.
— Galactochloralsäure 176.
C_7H_7NS Thiobenzamid 1712.
$C_7H_7Cl_2J$ p-Tolyljodidchlorid 1061.
$C_7H_7Cl_2P$ o-Tolylchlorphosphin 1954.
   1961.
— m-Tolylchlorphosphin 1954.
   1962.
— p-Tolylchlorphosphin 1954.
$C_7H_7Cl_4P$ Tetrachlorid des o-Tolyl-
   chlorphosphins 1961.
— Tetrachlorid des m-Tolylchlorphosphins 1962.
$C_7H_8ON_2$ Benzenylamidoxim 889.
— Formylphenylhydrazin 289.
   1109. 1724. 1943.
— Benzhydrazid 924. 1003. 1004.
— Isodiazo-p-toluol 1892.
— o-Amidobenzaldoxim 1702.
— Benzoylhydrazin 969.
— Benzenylamidoxim 299.
— Formylphenylhydrazid 1094.
$C_7H_8ON_4$ Carnin + H_2O 182. 726.
$C_7H_8O_2N_2$ m-m-Diamidobenzoësäure
   1332.
— Nitrosoamido-o-Kresol 1154.
— Nitrotoluidin 1232. 1887.
— Methyläther des Nitrosophenylhydroxylamins
   1126.
— o-Diamidobenzoësäure 1933.
$C_7H_8O_2N_4$ Theobromin 927. 930. 931.
   1674. 2296. 2302. 2306.
   2307.
— Pseudotheobromin 927.
— Malonendiazoximdiäthenyl
   723.
$C_7H_8O_3S$ p-Toluolsulfinsäure 1063.
— o-Toluolsulfinsäure. Salze
   1064.
$C_7H_8O_3N_2$ Acetylverbindung des β-Lac-
   tylharnstoffs 725.
— 4-Nitro-2-anisidin 1143.
— 5-Nitro-2-anisidin 1143.
— Nitro-p-anisidin 1847.
$C_7H_8O_3N_4$ m-Nitro-o-amidobenzhydrazid 1934. 1936.
— p-Nitrodiazobenzoloxyami-
   domethan 1920.
$C_7H_8O_5Br_2$ Dibromdimethylglutarsäure-
   anhydrid 252. 280. 789.
$C_7H_8O_6S$ o-Toluolsulfonsäure 1064.
— m-Toluolsulfonsäure 1216.
$C_7H_8O_4N_2$ Nitroamidoguajacol 1143.
$C_7H_8O_4S$ o-Anisolmonosulfosäure 1157.
— p-Anisolmonosulfosäure
   1157.
$C_7H_8O_7S_2$ Anisoldisulfosäure 1157.

C_7H_8NHg Mercurobenzylammonium 1111.

$C_7H_8N_2S$ Phenylthioharnstoff 1944.

C_7H_9ON Anisidin 1924.

— o-Anisidin 1154. 1453. 1832.

— p-Anisidin ·1039. 1116. 1148. 1862.

— o-Tolylhydroxylamin 1126.

— β-Benzylhydroxylamin 1920.

— p-Amidobenzylalkohol 1117. 1858.

— m-Amidokresol 1874. 1878.

— o-Amido-p-kresol 1747.

— Methyl-p-amidophenol 1981.

$C_7H_9ON_3$ Phenylsemicarbazid 287. 1718.

— Phenylcarbaminsäurehydrazid 925.

— o-Amidobenzylamidoxim 1879.

$C_7H_9O_2N$ Nitrilsäure aus Cyanessigsäure 741.

$C_7H_9O_2N_3$ Trioxim aus Diisonitrosoverbindung des Methylcyklohexanons $C_7H_{10}O_2N_2$ 1557.

$C_7H_9O_2P$ o - Tolylphosphinige Säure 1961.

— m - Tolylphosphinige Säure 1962.

— Phenylmethylphosphinsäure 1956.

$C_7H_9O_3N$ γ-Cyanacetessigester 767. 768.

— Acetylcyanessigester 847.

$C_7H_9O_3P$ o-Tolylphosphinsäure 1961.

— m-Tolylphosphinsäure 1962.

— Anisylphosphinige Säure 1958.

$C_7H_9O_4P$ Anisylphosphinsäure 1958.

$C_7H_9O_5Br_2$ Arabinobromal 176. 1002.

$C_7H_{10}O_2N_2$ Nitrosonortropinon 224.

— Amidoacetylcyanessigester 847.

— Körper aus Cyanessigäther 1273.

$C_7H_{10}O_6Cl_2$ Suberylchlorid 797.

$C_7H_{10}O_2N_2$ Diisonitrosoverbindung des Methylcyklohexanons 1556.

— Pyrazolonderivat aus Hydrazinopropionsäure 887.

$C_7H_{10}O_2N_4$ Hydroxytheophyllin 928.

$C_7H_{10}O_4Br_2$ Dibromdimethylglutarsäure 248.

$C_7H_{10}O_5N_2$ Nitrosoverbindung der cis-Hexahydrochinolinsäure 210. 1812.

$C_7H_{11}ON$ Troponin 1654.

— Nortropinon 224. 225. 1657.

$C_7H_{11}ON$ Base aus Lupanin 1675.

$C_7H_{11}O_2N$ ·Diäthylcyanessigsäure 942.

— Scopoligenin 1662.

— Trimethylsuccinimid 134.

— Methylcyanpropionsäureester 686.

$C_7H_{11}O_3Br$ Bromlävulinsäureester 806.

— β-Bromlävulinsäureester 690. 691.

$C_7H_{11}O_4N$ Hexahydrochinolinsäure 210.

— Hexahydrochinolinsäuren 263.

— cis-Hexahydrochinolinsäure 1812.

— Propylimid der Traubensäure 165. 844.

— Hexahydrocinchomeronsäure 1770.

— Loiponsäure 220. 1772.

$C_7H_{11}O_4Cl$ Chlormalonsäurediäthyläther 711. 712. 713.

$C_7H_{11}O_4Br$ Brommalonsäurediäthyläther 710. 712. 713.

— Bromtrimethylbernsteinsäure 695.

$C_7H_{12}ON_2$ Diäthylcyanacetamid 938. 942.

— Nortropinonoxim 224.

$C_7H_{12}O_2N_2$ Diäthylhydantoin 938.

$C_7H_{12}O_2Br_2$ α-β-Dibromisovaleriansäureester 762.

— Dibrompropylessigester 680. ·

$C_7H_{12}O_3N_2$ Methylpyrazolonisobuttersäure 884.

$C_7H_{12}O_4N_4$ Malonendiacetyldiamidoxim 723.

$C_7H_{13}ON$ Tropigenin 224.

— ψ-Tropigenin 225. 1657.

— Tropolin 1654.

— Oxim des Methylhexenons 1526.

— Oxim des cyklischen Methylhexenons 204.

$C_7H_{13}ON_3$ Mesityloxyd-Semicarbazon 258. 896.

— Semicarbazon des 2 - Methylpentamethylenketons 795.

$C_7H_{13}O_2N$ Hexahydroanthranilsäure 871.

— Stachydrin 1683.

— Methylpiperidinmonocarbonsäure 220.

— Amid der m - Oxyhexamethylencarbonsäure 1264.

$C_7H_{12}O_2Cl_2$ Aethylpseudopropyltri-
chloracetal 654.

$C_7H_{13}O_2Br$ α-Bromisovaleriansäure-
äther 710. 714. 752. 776.

— β-Bromisovaleriansäure-
ester 752.

— α-Brommethyläthylessig-
säureester 779.

$C_7H_{13}O_4N_3$ Acetobuttersäuresemicarbazon 727.

$C_7H_{13}O_4N$ Urethanessigäther 881.

— Methylasparaginäthyl-
estersäure 801.

$C_7H_{13}NS_2$ Aethylmercaptopenthiazolin 894.

$C_7H_{14}ON_2$ Hexahydroanthranilsäureamid 872.

$C_7H_{14}O_2N_2$ symm. Tetramethylpropylpseudonitrol 869.

— Diäthylpropylpseudonitrol
870.

$C_7H_{14}O_4N_2$ Dipropyldinitromethan
870.

— Diisopropyldinitromethan
869.

— Methyl-α-äthylpropyldi-
nitromethan 870.

$C_7H_{11}O_4S$ Schwefelsäureester des
Isopropylallylcarbinols
648.

$C_7H_{14}O_4S_2$ Arabinoseäthylenmercaptal 996.

— Xyloseäthylenmercaptal
997.

$C_7H_{14}N_2S$ Pinakolylharnstoff 902.

$C_7H_{15}ON$ Di-n-propylketoxim 869.

— Diisopropylketoxim 869.

— Butyronoxim 869.

— Methyl-α-äthylpropyl-
ketoxim 869. 870.

$C_7H_{16}ON_2$ Methylisoamylharnstoff
876.

$C_7H_{16}O_4S_2$ Sulfonal 2295. 2307. 2311.

$C_7H_{16}N_2S_2$ Körper aus as-Aethylendi-
äthyldiamin 1314.

— 7 IV —

$C_7H_2ONCl_2$ m-Dichlor-p-oxybenzoni-
tril 1271.

$C_7H_3ONBr_2$ m-Dibrom-p-oxybenzoni-
tril 1271.

$C_7H_3ONJ_2$ m-Dijod-p-oxybenzoni-
tril 1271.

$C_7H_3O_3NCl_2$ Mononitrodichlorbenz-
aldehyd 1385.

— o-Nitrodichlorbenzalde-
hyd 1385.

$C_7H_3O_6N_3Br_2$ Trinitrodibromtoluol
1135.

C_7H_4ONBr m-Brom-p-oxybenzoni-
tril 1271.

$C_7H_4ON_3Cl$ Chlorid der m-p-Azimidobenzoësäure 1933.

C_7H_4OClBr p-Brombenzoylchlorid
1447.

$C_7H_4O_2NS$ p-Cyanbenzolsulfo-
chlorid 1241.

$C_7H_4O_2Cl_2P$ Chlorid der o-Benzophosphinsäure 1962.

— m-Benzophosphinsäure-
chlorid 1962.

$C_7H_4O_2BrJ$ 2-Jod-5-brombenzoë-
säure 1059.

$C_7H_4O_3NCl$ o-Nitrobenzoylchlorid
1119.

— m-Nitrobenzoylchlorid
282. 822.

$C_7H_4O_3N_2Cl_2$ Oxim des o-Nitrodi-
chlorbenzaldehyds
1385.

$C_7H_4O_3Cl_2S$ Dichlorid der Sulfobenzoësäure 1226.

— o-Sulfobenzoësäure-
chloride 1242.

$C_7H_4O_4NCl$ Chlornitrobenzoësäure
320.

— m-Nitro-o-chlorbenzoë-
säure 1936.

$C_7H_4O_4NFl$ Fluornitrobenzoësäure
320.

— o-o-Fluornitrobenzoë-
säure 1232.

$C_7H_4O_5NCl$ Chlornitrosalicylsäure
(1:2:3:5) 1268.

— Chlornitrosalicylsäure
(1:2:5:3) 1268.

$C_7H_4O_5NBr$ Bromnitrosalicylsäure
(1:2:3:5) 1268.

— Bromnitrosalicylsäure
(1:2:5:3) 1268.

$C_7H_4N_3ClS$ p-Chlordiazoniumrhod-
amid 1903.

— p-Rhodandiazonium-
chlorid 1903.

$C_7H_5ONCl_2$ Amidodichlorbenzalde-
hyd 1385.

— Oxim des 2,5-Dichlor-
aldehyds 1384.

— 2-4-Dichlorformanilid
1095.

$C_7H_5OCl_2J$ Dichlorid des o-Jodbenz-
aldehyds 1387.

— m-Jodbenzaldehyd-di-
chlorid 1386.

$C_7H_5OCl_2J$	p-Jodbenzaldehyd-di-chlorid 1386.
$C_7H_5O_2NCl_2$	m-Dichlor-p-Oxybenz-aldoxim 1270.
$C_7H_5O_2NJ_2$	m-Dijod-p-oxybenz-aldoxim 1270. 1390.
$C_7H_5O_2NS$	Benzalsultim 1225.
$C_7H_5O_2N_2J_3$	Trijoddiamidobenzoë-säure 1832.
$C_7H_5O_3NS$	o-Cyanbenzolsulfonsäure 1243. 1245.
—	p - Cyanbenzolsulfonsäure 1241.
—	Benzoësäuresulfimid 1243.
$C_7H_5O_3ClS$	Chlorid des o - Sulfobenz-aldehyds 1246.
$C_7H_5O_4N_2Cl$	Dinitrobenzylchlorid 1085.
C_7H_6ONCl	o-Chlor-p-amidobenzalde-hyd 1388.
—	Formylchloraminobenzol 1093.
—	Formyl-p-chloranilid 1093.
C_7H_6ONBr	p-Bromformanilid 1099.
—	Formylbromaminobenzol 1093.
C_7H_6ONJ	o-Jodbenzaldoxim 1387.
—	m-Jodbenzaldoxim 1387.
—	p-Jodbenzaldoxim 1387.
—	p-Jodformanilid 1099.
$C_7H_6ON_2Cl_2$	Oxim des Amidodichlor-benzaldehyds 1385.
—	Oxim des o - Amidodi-chlorbenzaldehyds 1385.
C_7H_6OBrJ	Jodbromanisol 1059.
—	2-Jod-4-bromanisol 1059.
—	2-Brom-4-jodanisol 1059.
$C_7H_6O_2NCl$	p-Nitro-m-chlortoluol 1393.
—.	p-Nitro-o-chlortoluol 1388.
—	o-Nitrobenzylchlorid 772. 773. 1085. 1117. 1301. 1302. 1830. 1831. 1832.
—	p-Nitrobenzylchlorid 773. 1085. 1301.
$C_7H_6O_2NBr$	p-Bromphenylnitrome-than 1082.
$C_7H_6O_2NJ$	o-Nitrobenzyljodid 1062.
$C_7H_6O_2NFl$	Fluornitrotoluol 1232.
$C_7H_6O_2N_2S$	p-Cyansulfonamid 1241.
$C_7H_6O_3NCl$	Nitroproduct des p-Chlor-anisols 1157.
$C_7H_6O_3NBr$	4-Brom-2-nitroanisol 1143.
$C_7H_6O_3NJ$	p-Jod-o-nitranisol 1156.

$C_7H_6O_3NJ$	p-Jod-m-nitranisol 1156.
—	p-Nitro-o-jodanisol 1155.
$C_7H_6O_3Cl_2P$	Trichlortolylphosphin-säure 1962.
$C_7H_6O_3N_2S_2$	p-Nitrophenylhydrazindi-sulfosäure 1896.
$C_7H_7OCl_2P$	p-Anisylchlorphosphin 1954. 1958.
—	Oxychlorid des o - Tolyl-chlorphosphin 1961.
—	m-Tolyloxychlorphosphin 1962.
$C_7H_7O_2NS$	o-Nitrobenzylmercaptan 1061.
—	Benzylsultan 1225.
$C_7H_7O_2ClS$	o-Toluolsulfonchlorid 1065. 1068.
—	p-Toluolsulfochlorid 1068.
$C_7H_7O_2Cl_2P$	Anisyloxychlorphosphin 1958.
$C_7H_7O_2BrS$	o-Toluolsulfonbromid 1065.
$C_7H_7O_2JS$	o-Toluolsulfonjodid 1065.
$C_7H_7O_2NS$	Amid des o - Sulfobenz-aldehyds 1246.
$C_7H_7O_2N_2Br$	Brom-nitro-o-anisidin 1142.
$C_7H_7O_3Cl_2P$	Dichlor - o - tolylphosphin-säure 1962.
$C_7H_7O_4NS$	p-Amido-o-sulfobenzalde-hyd 1214.
—	Benzamid-o-sulfosäure 1234.
—	p-Benzoësäuresulfonamid 1246.
—	p-Amido-o-benzaldehyd-sulfosäure 1388.
—	Sulfaminbenzoësäure 1241.
—	p-Sulfaminbenzoësäure 1241. 1242. 1247.
$C_7H_7O_5NS$	p-Nitro-toluol-o-sulfo-säure 1214.
—	p-Nitro-o-toluolsulfosäure 1388.
$C_7H_7O_7N_2P$	Dinitro - p - tolylphosphin-säure 1960.
C_7H_8ONBr	Benzsynaldoximhydro-bromid 1377.
C_7H_8ONJ	Jodanisidin 1155.
—	Benzsynaldoximhydro-jodid 1377.
$C_7H_8O_2N_2S$	Körper aus p - Sulfamin-benzoësäure 1242.
$C_7H_8O_2ClP$	Monochlor-o-tolylphos-phinsäure 1961.
—	Monochlor-m-tolylphos-phinsäure 1962.

C₇H₈O₂BrP Monobromtolylphosphinsäure 1962.

C₇H₈O₄NP Benzophosphinsäuremonoamid 1960.

C₇H₈O₅NP Nitro-o-tolylphosphin-
säure 1961.

C₇H₈O₆NP Nitroanisylphosphinsäure
1958.

C₇H₉ONFl₂ Benzsynaldoximdihydro-
fluorid 1377.

C₇H₉ON₂S₂ Monoacetylverbindung
des Alldithiourazols 904.

C₇H₉O₂NS Toluolsulfonamid 1064.

— o-Toluolsulfonamid 1245.

C₇H₉O₄NS Anisidinsulfosäure 1141.

C₇H₉O₅NP Nitrotolylphosphinsäure
1960.

C₇H₁₀ONCl₃ Trichloracetpiperidid
1757.

C₇H₁₀O₂N₂S μ-Amidothiazylessigester
767.

— μ-Amidomethylthiazol-
carbonsäureester 767.
768.

C₇H₁₀O₃NP Amido-p-tolylphosphin-
säure 1960.

— o-Amidotolylphosphin-
säure 1962.

C₇H₁₀O₅N₂S₂ Anisoldisulfonamid 1157.

C₇H₁₁ON₂P p-Tolylphosphinsäuredi-
amid 1959.

C₇H₁₃O₃NS Carboxyäthylthiocarb-
aminsäurepropylester
899.

— 7 V —

C₇H₄O₂NClS Pseudosaccharinchlorid
1225.

C₇H₄O₄N₂BrJ Dinitrobromjodtoluol
1059.

C₇H₅O₂NBrJ Bromjodnitrotoluol 1058.

C₇H₆ONClHg Chlorquecksilberformanilid 1098.

C₇H₆ONBrHg Bromquecksilberform-
anilid 1098.

C₇H₆ONJHg Jodmercuriformanilid
1099.

C₇H₆O₆N₂K₂S₂ Phenylhydrazonmethan-
disulfonsaures Kali
967.

C₇H₇O₂NCl₂S p-Toluoldichlorsulfon-
amid 1068.

C₇H₁₂ONBrS μ-Propoxy-γ-brompenthiazolin 901.

— 7 VI —

C₇H₄O₃NCl₄SP Phosphorchlor-p-sulf-
aminbenzoësäure-
chlorid 1241.

C₈-Gruppe.

C₈H₆ Phenylacetylen 1055.

C₈H₆ Carden 1602.

— Styrol 755. 1090. 1256. 1400.

C₈H₁₀ Aethylbenzol 85.

— Xylol 618.

— o-Xylol 85. 1396. 1397.

— m-Xylol 85. 1110. 1290. 1292.
1397. 1409.

— p-Xylol 39. 40. 41. 85. 1292.
1396. 1397. 1410.

C₈H₁₄ 6-Methylheptadiën 623.

— Laurolen 198. 1541.

— Octonaphtylene 1048.

C₈H₁₆ Dimethylbutyläthylen 625.

— Hexahydroäthylbenzol 1345.

— Dibutylen 624. 625.

— Octylen 625.

— 8 II —

C₈H₄O₃ Phtalsäureanhydrid 281. 1320.
1321. 1324. 1326. 1327. 1939.

C₈H₄O₅ Anhydroglycogallol 1435.

C₈H₄N₂ Phtalonitril 1880.

C₈H₆O Cumaron 618. 1424.

C₈H₆O₂ Phtalid 134.

C₈H₆O₃ Phtalaldehydsäure 214. 1352.
1354. 1391. 1810.

— o-Phtalaldehydsäure 1809.

— Piperonal 1182. 1383. 1394.
1395. 1437.

— Phenylglyoxylsäure 1939.

— Anhydrid (Lacton) der
Brenzcatechinoxacetsäure
1173.

— Lacton der Brenzcatechinmonoessigsäure 1173.

— Anhydrid der Δ¹,³-Dihydro-
o-phtalsäure 1312.

— Anhydrid der Δ³,⁵-Dihydro-
o-phtalsäure 1312.

— Heliotropin 1394.

— Phenylglyoxylsäure 1105.
1106.

C₈H₆O₄ Phtalsäure 247. 290. 705. 1311.
1313. 1314. 1317. 1827.

— o-Phtalsäure 1331.

— m-Phtalsäure 1326.

— p-Phtalsäure 1326.

— α-Phtalsäure 1312. 1313.

— β-Phtalsäure 1312. 1313.

— α-o-Phtalsäure 1311.

— β-o-Phtalsäure 1311.

— Terephtalsäure 1252. 1328.
1329. 1595.

$C_8H_6O_5$ Quercimerinsäure 1621.
$C_8H_6O_7$ Diacetyldioxymaleïnsäurean-
hydrid 250.
— Diacetylanhydrid der Di-
hydroxymaleïnsäure 163.
$C_8H_6O_8$ Tetrahydroxyterephtalsäure
1265.
$C_8H_6N_2$ Phtalazin 291.
$C_8H_6Cl_4$ Tetrachlor-p-xylol 1329.
— Tetrachlor-m-xylol 1330.
$C_8H_6Br_4$ Tetrabromxylol 1328.
— Tetrabrom-m-xylol 1330.
C_8H_7N Benzylcyanid 1238. 1272. 1273.
1881. 1943.
— o-Tolunitril 1238.
— p-Tolunitril 1238.
— Indol 290. 1724.1728.2017.2018.
C_8H_7Br Bromstyrol 119. 1256.
C_8H_8O Metatoluylaldehyd 1383.
— p-Toluylaldehyd 1370. 1383.
— Phenylacetylaldehyd 1256.
1289.
— Acetophenon 671. 673. 754.
1159. 1269. 1397. 1398. 1399.
1429. 1430. 1431. 1432. 1451.
1452. 1598. 1684.
$C_8H_8O_2$ Pseudophenylessigsäure 1252.
1253.
— Anisaldehyd 1394. 1586. 1709.
1710.
— o - Methoxybenzaldehyd 1135.
1939.
— m-Methoxybenzaldehyd 1135.
— o-Toluylsäure 275. 1203.
— p-Toluylsäure 72. 1250. 1595.
— Phenylessigsäure 132. 1333.
$C_8H_8O_3$ Vanillin 1228. 1303. 1383.
1392. 1393. 1394. 2293. 2294.
— Isovanillin 1303.
— Mandelsäure 150. 804. 1273.
1274. 1710.
— m-Methyl-p-Oxybenzoësäure
159. 1270.
— Salicylsäuremethylester 1267.
1622. 1999.
— Anhydrid der $\varDelta^1$-Tetrahydro-
o-phtalsäure 1312.
— Anhydrid der $\varDelta^2$-Tetrahydro-
o-phtalsäure 1312.
— Methylsalicylat 39. 1140.
— Anissäure 1586.
— Methylsalicylsäure 1428.
— m-Oxytoluylsäure 1263.
— Resacetophenon 1401. 1402.
1434.
— Resorcylmethylketon 1454.
1455.
$C_8H_8O_4$ Gallacetophenon 1640.

$C_8H_8O_4$ Guajacolcarbonsäure 1393.
— Vanillinsäure 1303.
— Isovanillinsäure 1303.
— Dehydracetsäure 1825.
— Methyldioxybenzoësäure 1263.
— Hydrochinonmonomethyl-
äthercarbonsäure 1438.
— $\varDelta 1,3$-Dihydro-o-phtalsäure
1312.
— $\varDelta 3,5$-Dihydro-o-phtalsäure
1312.
— Brenzcatechinoxacetsäure
1173.
— Brenzcatechinmonoessigsäure
1172. 1173.
— Homogentisinsäure 1304.
$C_8H_8O_5$ Isocarbopyrotritarsäure 817.
— Anhydrid der dreibasischen
Hämatinsäure 1976.
$C_8H_8O_6$ Tetramethylen-1, 3 - Dioxalyl-
säure 272. 743.
$C_8H_8N_2$ Phenylaminoacetonitril 1711.
— B-3-methylindazol 1701.
$C_8H_8N_4$ Dicyanphenylhydrazin 1722.
$C_8H_8Cl_2$ 4, 5-Dichlor-1, 3-xylol 1110.
$C_8H_8Br_2$ Dibrom-(2, 5)-p-Xylol (1, 4)
1170.
$C_8H_9N_2$ Amidomethylindazol 1701.
$C_8H_9N_3$ Phenylenbiguanid 1131.
— o-Phenylenbiguanid 294.
C_8H_9Cl 1, 3, 5-Chlorxylol 1110.
— s-Chlorxylol 1110.
$C_8H_{10}O$ Xylenol 1161.
— Xylenol (1, 3, 4) 1164.
— o-Xylenol 1039. 1993.
— m-Xylenol 1161. 1993.
— as-m-Xylenol 1160. 1162.
— p-Xylenol 1039. 1993.
$C_8H_{10}O_2$ Veratrol 40. 41. 1038. 1183.
1184. 1185. 1227. 1371.
— Dimethylhydrochinon 1371.
— Dimethylresorcin 1371.
— Dracoresinotannol 1598.
— Glycolmonophenyläther 689.
— Kreosol 1177.
— Resorcindimethyläther 1454.
— Dimethyläther des Biace-
tylenglycols 653.
$C_8H_{10}O_3$ Pyrogalloldimethyläther 1177.
$C_8H_{10}O_4$ α-Mesityloxydoxalsäure 1449.
— β-Mesityloxydoxalsäure 1449.
— Dimethylapionol 1588. 1589.
— Acetylendicarbonester 247.
720.
— $\varDelta^1$-Tetrahydro-o-phtalsäure
1312.
— $\varDelta^2$-Tetrahydro-o-phtalsäure
1312.

$C_8 H_{16} N_2$ Methyläthylpiperylhydrazin 1750.

$C_8 H_{19} N$ 4' - Amino - 4 - methylheptan 907.

$C_8 O_2 Br_4$ Tetrabrom-o-phtalsäurean-hydrid 1331.

$C_8 O_2 J_4$ Tetrajod-o-phtalsäurean-hydrid 1331.

— 8 III —

$C_8 H_9 O_4 Cl_4$ Tetrachlorphtalsäure 1321.
— Tetrachlorisophtalsäure 1330.
— Tetrachlorterephtalsäure 1329.
— Tetrachlor-o-phtalsäure 1328.

$C_8 H_2 O_4 Br_4$ Tetrabromisophtalsäure 1330.
— Tetrabromterephtalsäure 1328.

$C_8 H_2 O_4 J_4$ Tetrajod - o - phtalsäure 1331.
— Tetrajod-i-phtalsäure 1330.
— Tetrajodterephtalsäure 1329. 1330. 1331. 1332.

$C_8 H_2 O_6 J_4$ Dijodosodijodterephtal-säure 1332.

$C_8 H_6 O_3 J$ α-Jodphtalsäureanhydrid 1819.
— Anhydrid der β - Jod-o-phtalsäure 1820.

$C_8 H_4 O_2 N_6$ Terephtaldiazid 1941.

$C_8 H_4 O_2 Cl_2$ Phtalylchlorid 1325. 1423. 1939.

$C_8 H_4 O_2 Cl_4$ Tetrachlor - m - toluylsäure 1330.

$C_8 H_4 O_4 Cl_2$ p-Dichlorterephtalsäure 1159.
— Dichlorphtalsäure 1321.

$C_8 H_4 O_7 N_4$ Alloxanthin 919. 939.

$C_8 H_4 N_2 Cl_2$ 6, 7 - Dichlorchinoxalin 297. 1849.
— α - β - Dichlorchinoxalin 1849.

$C_8 H_5 O N$ Benzoylcyanid 941.

$C_8 H_5 O_2 N$ Phtalimid 134. 281. 290. 1234. 1314. 1326.
— Isatin 1739. 1743.
— o-Cyanbenzoësäure 1326.
— m-Cyanbenzoësäure 1326.
— Lacton der β - Oxymethyl-picolinsäure (Pyridin-phtalid) 1804.

$C_8 H_5 O_2 N_3$ 3-Nitrochinoxalin 1848.

$C_8 H_5 O_3 N$ Phtalylhydroxylamin 1319.

$C_8 H_5 O_3 N$ Oxalyl-p-amidophenol 1148.

$C_8 H_5 O_2 Br_3$ Tribromresacetophenon 1402.

$C_8 H_5 O_4 J$ α-Jod-o-phtalsäure 1820.
— β-Jod-o-phtalsäure 1820.

$C_8 H_5 O_6 N$ Nitrophtalsäure 1321.
— β-Nitrophtalsäure 1336.

$C_8 H_5 O_6 J$ β-Jodo-o-phtalsäure 1061.

$C_8 H_5 N_2 Cl$ 2-Chlorchinazolin 1838.
— 4-Chlorchinazolin 1838.

$C_8 H_5 N_2 P$ Phenylcyanphosphin 1955.

$C_8 H_6 O N_2$ 4-Oxychinazolin (Dihydro-4-Ketochinazolin) 1838.
— d-Oxychinazolin 1839.
— 6-Oxychinoxalin 1847.
— Chinazolon 1838.
— Phtalazon 291. 1354.

$C_8 H_6 O Br_4$ Tetrabromid des as. m-Xylenols 1162.
— Tribromxylenolbromid 1161.

$C_8 H_6 O_2 N_2$ Dioxychinoxalin 1849.
— α-β-Dioxychinoxalin 1849.
— o-Phenylenoxamid 1130.
— Phtalhydrazid 292. 1939.
— o-Uramidobenzoyl 1839.

$C_8 H_6 O_2 Cl_4$ Tetrachlorveratrol 1183.

$C_8 H_6 O_2 Br_2$ Dibrom-p-xylochinon 1170.

$C_8 H_6 O_2 Br_4$ Tetrabromveratrol 1183.

$C_8 H_6 O_2 N_2$ m-p-Amidocarboxamido-benzoësäure 291.

$C_8 H_6 O_3 N_4$ Anhydroformyl - m - nitro-o-amidobenzhydrazid 1936.
— m - Nitromethylbenzazimid 1935.
— Amidouramidobenzoësäure 291.

$C_8 H_6 O_3 Cl_2$ Dichlor-p-oxybenzoësäure-methylester 1271.
— Dichlorresacetophenon 1401.

$C_8 H_6 O_3 Br_2$ m-Dibrom-p-oxybenzoë-säuremethylester 1271.

$C_8 H_6 O_3 J_2$ Dijodsalicylsäuremethyl-äther 1268.
— m-Dijod-p-oxybenzoë-säuremethylester 1271.

$C_8 H_6 O_5 Br_2$ Dibromgallussäuremethyl-ester 1881.

$C_8 H_6 O_6 N_2$ Dinitroanisaldehyd 1383.

$C_8 H_6 O_7 N_4$ Dinitro-p-uramidobenzoë-säure 1931.

$C_8 H_6 O_7 S$ β-Sulfophtalsäure 1322.

$C_8 H_6 N_2 S_3$ Phenyldithiobiazolonsulf-hydrat 1715.

$C_8 H_7 O N$ Indoxyl 1742.

159

C_8H_7ON Mandelsäurenitril 1278. 1274. 1710. 1711.

—   Benzaldehydcyanhydrin 1704. 1709.

—   Phenoxyacetonitril 892.

$C_8H_7ON_3$ Nitrosoverbindung des 3-Methylindazols 1701.

—   o-Cyanphenylharnstoff des o-Amidobenzonitrils 1880.

C_8H_7OCl o-Toluylchlorid 730.

—   m-Toluylchlorid 730.

—   p-Toluylchlorid 730. 1824.

—   Phenacetylchlorid 1346.

C_8H_7OBr Bromacetophenon 293. 1442.

—   α-Bromacetophenon 1269.

—   Phenylbromäthylaldehyd 1706.

$C_8H_7OBr_2$ Tribromxylenol 1164.

$C_8H_7OBr_3$ Tribromxylenoldibromid 1162.

$C_8H_7O_2N$ Phenylnitroäthylen 1090.

$C_8H_7O_2N_2$ m-p-Amidocarboxamido-benzoësäure 1932.

$C_8H_7O_2N_3$ Methylazimidobenzoësäure 1933.

—   Phenylurazol 1949.

—   Nitromethylindazol 1701.

$C_8H_7O_2Cl$ ω-Chlor-p-toluylsäure 1251.

—   4-Chlor-m-xylochinon 1111.

$C_8H_7O_2Br_3$ Körper aus Pseudophenyl-essigsäure 1252.

—   Tribrom-(2-3-6)-methyl-(5)-p-oxy-(4)-benzyl-alkohol (1) 1162.

$C_8H_7O_3N$ m-Nitroacetophenon 116.

$C_8H_7O_3N_4$ Azimido-m-uramido-benzoësäure 1932.

—   Azimido-p-uramidobenzoë-säure 1933.

$C_8H_7O_3Br$ Bromanissäure 1140.

—   m-Monobromanissäure 1138.

—   Bromresacetophenon 1435.

—   m-Brom-p-oxybenzoësäure-methylester 1271.

$C_8H_7O_3J$ Monojodresacetophenon 1402.

$C_8H_7O_4N$ Apophyllensäure 1770. 1771.

—   p-Nitro-m-methoxybenz-aldehyd 1393.

$C_8H_7O_4Cl$ Chloracetopyrogallol 281. 1434. 1435.

—   Chlorgallacetophenon 1436. 1437.

$C_8H_7O_4Br$ Methylester der 5-Brom-protocatechusäure 1305.

$C_8H_7O_5N_3$ m-Nitro-p-uramidobenzoë-säure 1931.

—   p-Nitro-m-uramidobenzoë-säure 1932.

$C_8H_7NCl_2$ 2,5-Dichlorbenzyliden-methylamin 1385.

C_8H_7NS o-Tolylthiocarbimid 902.

$C_8H_7N_3S$ Phenylamidothiobiazol 1713.

$C_8H_7N_3S_2$ Phenyldithiobiazolon-hydrosulfamin 1715.

$C_8H_8OCl_2$ o-Oxyacetophenonchlorid 1436.

$C_8H_8OBr_2$ Dibrom-(2,5)-oxy-(3)-p-xy-lol-(1,4) (Dibrom-p-xyle-nol) 1170.

$C_8H_8OJ_2$ Dijodphenetol (1,2,4) 1157.

$C_8H_8O_2N_2$ o-Dinitrosoxylol

$(CH_2 : CH_2 : \overset{3}{N}\overset{4}{O} : \overset{5}{N}\overset{}{O})$ 1090.

—   α-Keto-β-cyan-γ-methyl-β'-methyl-α'-oxy-αβ'-di-hydropyridin (Methyl-cyanmethylglutacon-imid) 1752.

—   N-Methyl-α-keto-β-cyan-γ-methyl-α'-oxy-Δ⁴,⁵-di-hydropyridin (Cyanme-thylglutaconmethyl-imid) 1752.

$C_8H_8O_2Br_2$ Dibromveratrol 1183. 1184.

—   Dibromproduct des Res-orcindimethyläthers 1454.

$C_8H_8O_2J_2$ Dijodveratrol 1183.

$C_8H_8O_3N_2$ m-Nitroacetanilid 1107.

—   β-Styrolnitrosit 1090.

—   Methylnitrobenzamid 934.

—   Nitrosoacetyl-m-amido-phenol 1154.

—   m-Amidophenyloxamsäure 916.

—   m-Uramidobenzoësäure 1931.

—   p-Uramidobenzoësäure 1931. 1933.

$C_8H_8O_4N_2$ p-Nitrophenylglycin 1113.

$C_8H_8O_6N_2$ Dinitroveratrol 1183.

$C_8H_8O_6Cl_4$ Chloradditionsproduct der Tetramethylen-1,3-di-oxalylsäure 744.

$C_8H_8O_6Br_4$ Bromadditionsproduct der Tetramethylen-1,3-di-oxalylsäure 744.

$C_8H_7N_3S$ Tetrahydrothiochinazolin 292.

$C_8H_7N_3Cl$ Chloramidomethylindazol 1701.

C_8H_9ON Acetanilid 1092. 1093. 1094. 1095. 1096. 1107. 1676. 1714. 2284. 2295. 2307. 2311.
— Formo-o-toluid 1095.
— Formo-p-toluid 1099.
— Acetophenonoxim 1112. 1398.
— Benzimido-Methyläther 1237. 1238.
— p-Amido-m-toluylaldehyd 1388.
— o-Amidoacetophenon 1702.
— Stickstoffäther des Benzaldoxims 1378.
— N-Methylbenzaldoxim 255.
— Pseudophenylessigsäureamid 1252.

C_8H_9OCl β-Chloräthylphenyläther 689.
— o-Chlorphenetol 1453.

C_8H_9OJ o-Jodphenetol 1156.
— p-Jodphenetol 1157.

$C_8H_9O_2N$ Acetamidophenol 1073.
— Picolinsäureäthylester 1754.
— Aethylpyridincarbonsäure 1803.
— Phenylamidoessigsäure 1251.
— α-Nitro-m-xylol 1388.
— Nitro-p-xylol 117.
— Acetyl-m-amidophenol 1153.
— Monoacetylderivat des o-Aminophenols 1142.
— Methylbenzhydroximsäuren 259. 306.
— Methylsynbenzhydroximsäure 1239.
— β-Methylbenzhydroximsäure 1238.
— Methyl-anti-benzhydroximsäure 1238.

$C_8H_9O_2N_2$ Nitroderivat des Anilidoacetamids 1949.

$C_8H_9O_2Br$ Monobromveratrol 1184. 1185.

$C_8H_9O_2P$ Phosphinoäthylbenzol 1963.
$C_8H_9O_2N$ Oxime der Resorcylmethylketone 1455.
— Pyridinmilchsäure 1682.

$C_8H_9O_3N_3$ p-Amido-m-uramidobenzoësäure 1932.

$C_8H_9O_3N_3$ m-Amido-p-uramidobenzoësäure 1932.
— m-Nitroamidobenzmethylamid 1934.

$C_8H_9O_4N$ Mononitroveratrol 1183. 1185.

$C_8H_9O_4N_3$ o-Nitrobenzylmethylnitramin 1115.
— p-Nitrobenzylmethylnitramin 1115.
— 2,5-Dinitro-1,3,4-xylidin 1111.
— Dinitrodimethylanilin 1134.

$C_8H_9O_5Cl_3$ Monochloralglucosan 176. 1001.

$C_8H_9Cl_2P$ m-Xylylchlorphosphin 1954. 1962.
— p-Aethylbenzolchlorphosphin 1954. 1962.
— p-Xylylchlorphosphin 1954. 1962.

$C_8H_9Cl_4P$ Aethylbenzoltetrachlorphosphin 1963.

$C_8H_9NCl_2$ Dichlor-1,3,5-xylidin 1110.
$C_8H_9NBr_2$ Dibrom-(2,5)-amido-(3)-p-xylol (Dibromp-xylidin) 1170.

$C_8H_{10}ON_2$ Nitrosodimethylanilin 1203. 1872. 1878. 1881. 1927. 1942.
— Acetylphenylhydrazin 1949.
— β-Acetylphenylhydrazin 1348.
— Pyrodin (Acetylphenylhydrazin) 2310.
— Acetylphenylendiamin 294. 915.
— Acetyl-m-phenylendiamin 916.
— Acetyl-p-phenylendiamin 1907. 1911.
— Anilidoacetamid 1949.
— p-Monotolylharnstoff 926.

$C_8H_{10}O_2N_2$ Nitroxylidin 295.
— Nitro-α-m-xylidin 1700.
— Nitrosoamidophenol 1878.
— Nitrosodimethylamidokresol 1877.
— Benzylmethylnitramin 1115.
— p-Amidophenylglycin 1113.
— m-Nitrodimethylanilin 1041.

$C_8H_{10}O_2N_4$ Caffeïn 928. 929. 930. 1647. 1674. 2295. 2296. 2299.

159*

2300. 2301. 2302. 2306.
2307.

$C_8H_{10}O_2N_4$ Isophtaldihydrazid 1940.
— Terephtaldihydrazid 1941.
$C_8H_{10}O_2S$ Methyl-o-tolylsulfon 1065.
$C_8H_{10}O_2N_2$ Nitrophenetidin 1157.
$C_8H_{10}O_3S$ p-Tolyloxymethylsulfon 1063.
$O_8H_{10}O_5S$ Veratrolsulfosäure 1184.
$C_8H_{10}O_7N_4$ Pikrinsäure-Dimethylamin 873.
$C_8H_{10}NCl$ 4-Chlor-1,3,5-xylidin 1110.
$C_8H_{10}NBr$ p-Bromdimethylanilin 1967.
— Monobrom-m-xylidin 1111.
$C_8H_{11}ON$ p-Phenetidin 1100. 1116. 1149. 1150. 1159.
— Azoxydimethylanilin 1942.
— Monoäthyl-m-amidophenol 1322.
— Dimethylmetaamidophenol 81. 1145. 1146. 1207. 1208. 1210. 1322. 1368. 1898.
$C_8H_{11}ON_3$ Acetylamidophenylhydrazin 1700.
— p-Acetylamidophenylhydrazin 1700.
— Unsymm. Phenylhydrazidoacetamid 1949.
$C_8H_{11}O_2N$ Veratrilamin 1185. 1925.
$C_8H_{11}O_2N_3$ Phenylacetylsemicarbazid 925.
$C_8H_{11}O_2P$ Aethylbenzolphosphinige Säure 1963.
$C_8H_{11}O_3N$ Acetonylcyanessigsäureäthylester 701.
$C_8H_{11}O_3Br$ Bromtrimethylglutarsäureanhydrid 280.
$C_8H_{11}O_3P$ Phenyloxäthylphosphinsäure 1956.
— Phenetylphosphinige Säure 1959.
— Aethylbenzolphosphinsäure 1963.
$C_8H_{11}O_4N$ Cyanmalonsäureester 882.
$O_8H_{11}O_4Cl$ Chlorfumarsäureester 276. 287. 756. 757. 1684. 1693.
— Chlormaleïnsäureester 756. 1684.
$C_8H_{11}O_4P$ Phenetylphosphinsäure 1959.
$C_8H_{11}O_6Cl_3$ Lävulochloral 176. 1002.
— β-Galactochloral 176. 1001.
— Chloralose 176. 280. 1001.
$C_8H_{11}O_7Cl_3(?)$ Urochloralsäure 971.
$C_8H_{11}NS$ o-Amidobenzylmethylsulfid 1062.

$C_8H_{11}N_2Cl$ 4-Chlor-2,5-diamido-1,3-xylol 1111.
$C_8H_{11}N_3S$ Methylphenylthiosemicarbazid 266.
— 1-Methyl-4-phenylthiosemicarbazid 923.
$C_8H_{12}ON_2$ p-Amidophenetol 1158.
$C_8H_{12}O_2N_4$ Korksäureazid 742. 840.
$C_8H_{12}O_3N_2$ 1,4-Dimethyl-5-pyrazolon-4-carbonsäureester 1694.
$C_8H_{12}O_4Br_2$ Dibrombernsteinester 247. 719.
$C_8H_{12}N_4S$ 1-Allyl-5-allylimido-2-thiourazol 904. 1722.
$C_8H_{12}JP$ Aethylbenzolphosphoniumjodid 1963.
$C_8H_{13}ON$ n-Methyltroponin 223. 1654. 1656.
— Tropinon 222. 224. 226. 1656. 1657.
— Keton aus Tropin 1655. 1656.
— Diallylacetamid 648.
$C_8H_{13}ON(?)$ Granatonin 1654.
$C_8H_{13}O_5N$ Scopolin 1658. 1662.
— Anisaldoxime 259.
— Oscin 213. 1660. 1661.
$C_8H_{13}O_3N$ Amid des Oxytrimethylglutarsäurelactons 788.
$C_8H_{13}O_4N$ Cincholoiponsäure 220. 221. 1771. 1772. 1773.
— Tropinsäure 1657.
— n-Methyl-Hexahydrocinchomeronsäure 1771.
$C_8H_{13}O_4Cl$ Chlorbernsteinsäureester 694.
— Chlormethylmalonsäurediäthyläther 712.
$C_8H_{13}O_4Br$ Brommethylmalonsäurediäthyläther 712.
$C_8H_{14}ON$ n-Methyltroponinoxim 223.
$C_8H_{14}ON_2$ Tropinonoxim 222. 224.
$C_8H_{14}O_4N_2$ Isophtalazid 1940.
$C_8H_{14}N_2S$ N-Allylbutylen-ψ-thioharnstoff 894.
$C_8H_{14}N_4S_2$ Dipropylen-ψ-hydrazodicarbonthioamid 904.
— Hydrazodicarbonthioallylamid 903. 1722.
— Dipropylen-ψ-hydrazo-dicarbonthioamid 1722.
$C_8H_{15}ON$ Vinyldiacetonamin 1753. 1756. 1766.
— Base aus Lupanin 1675.
— Oxygranatanin 226. 1655.
— Granatolin 1654.
— n-Methyltropolin 1654. 1656.

$C_8H_9O_2NCl_2$ Dichlorvinylpyridincarbonsäure 1808.

$C_8H_9O_2NCl_2$ β-Dichloracetopicolinsäure 1803.

$C_8H_9O_2N_2Br$ Anhydrid des Acetylbromnitroamidophenols 1042.

$C_8H_9N_2S_2P$ Phenylrhodanphosphin 1955.

$C_8H_6ON_4S$ Nitrosophenylamidothiobiazol 1714.

$C_8H_6OBr_3J$ Tribromxylenoljodid 1162.

$C_8H_6O_4NCl$ Acetylderivat des 2-Chlor-4-nitrophenols 1143.
— Acetylderivat des 4-Chlor-3-nitrophenols 1142.

$C_8H_6O_4N_2Br_2$ Dibrom-(2,5)-dinitro-(3,6)-p-xylol-(1,4) 1170.

$C_8H_6O_6N_3Cl$ Trinitroderivat d. s-Chlorxylols 1110.

$C_8H_7ONCl_2$ Dichloracetanilid 1058.
— 1,3,4-Dichloracetanilid 1058.

$C_8H_7O_2NBr_2$ Dibrom-(2,5)-nitro-(3)-p-xylol-(1,4) 1170.

$C_8H_7O_4N_2Cl$ 4-Chlor-2,5-dinitro-1,3-xylol 1111.

$C_8H_7O_4N_2Br$ Acetylbromnitroamidophenol 1142.

$C_8H_7O_4N_2Br$ Dinitrobromveratrol 1184.
C_8H_8ONCl ω-Chloracetanilid 1100.
— Acetylchloraminobenzol 1092.

C_8H_8ONBr p-Bromacetanilid 1107.
— Acetylbromaminobenzol 1093.

$C_8H_8O_2NCl$ 4-Chlor-5-nitro-1,3-xylol 1110.
— Acetylchloramidophenol 1141.

$C_8H_8O_3Cl_2S$ Chlorid der 5-Chlor-1,3-xylol-2-sulfonsäure 1110.

$C_8H_8O_2NJ$ Nitroderivat des o-Jodphenetols 1156.
— p-Jod-m-nitrophenetol (1,3,4) 1157.

$C_8H_8O_4NBr$ Nitromonobromveratrol 1184.

$C_8H_8ONBr_4$ Tetrabromtropinon 226.
$C_8H_8OCl_4P$ p-Phenetylchlorphosphin 1954. 1959.
— Aethylbenzoloxychlorphosphin 1963.

$C_8H_9O_2NS$ o-Nitrobenzylmethylsulfid 1062.

$C_9H_2O_2ClS$ 5-Chlor-1,3-xylol-2-sulfonsäure 1110.

$C_9H_9O_4NS$ p-Amido-m-toluylaldehyd-o-sulfosäure 1388.

$C_9H_{10}ONJ$ Jodphenetidin 1157.
$C_9H_{10}ON_4S$ Phenylhydrazothiodicarbonamid 921.

$C_9H_{10}O_2N_4Br_2$ Bromcaffeïnhydrobromidmonobromid 930.

$C_9H_{10}O_2N_4Br_7$ Bromcaffeïnhydrobromidpentabromid 930.

$C_9H_{11}O_2N_4Br_2$ Caffeïnhydrobromiddibromid 930.

$C_9H_{11}O_2N_4Br_4$ Caffeïnhydrobromidtetrabromid 929.

$C_9H_{11}O_2N_4J_3$ Caffeïnhydrojodiddijodid 929.

$C_9H_{11}O_2N_4J_3$ Caffeïnhydrojodidtetrajodid 929.

— Perjodid des Caffeïns 2301.

$C_9H_{11}O_4NS$ Phenetidinsulfosäuren 1141.

— Veratrolsulfosäureamid 1185.

$C_9H_{12}O_2N_2S$ μ-Amidothiazylpropionsäureester 768.

$C_9H_{12}O_2N_6S_2$ Nitrosoderivat des Dipropylen-ψ-hydrazo-dicarbonthioamids 904.

$C_9H_{15}O_2NS$ Carboxyäthylthiocarbaminsäureisobutylester 899.

$C_9H_{15}O_2NS$ a-b-Carboxyäthylisobutylthiocarbamid 898.

$C_9H_{19}NCl_2As$ Diisobutylaminchlorarsin 859.

$C_9H_{19}NCl_2B$ Diisobutylaminchlorborin 859.

$C_9H_{19}NCl_2P$ Diisobutylaminchlorphosphin 858.

$C_9H_{19}NCl_2Si$ Diisobutylaminchlorsilicin 859.

— 8 V —

$C_9H_8ONClHg$ Chlormercuriformotoluid 1099.

$C_9H_{10}O_3NClS$ Amid der 5-Chlor-1,3-xylol-2-sulfonsäure 1110.

$C_9H_{10}O_2N_4ClBr_2$ Chlorcaffeïnhydrobromidmonobromid 930.

$C_9H_{10}O_2N_4Cl_2Br_5$ Chlorcaffeïnhydrochloridpentabromid 930.

$C_8H_{10}O_2N_4ClBr_6$ Chlorcaffeïnhydro-
bromidpentabromid
930.
Bromcaffeïnhydro-
chloridpentabromid
930.
$C_8H_{10}O_2N_4ClJ$ Chlorcaffeïnhydro-
jodid 930.
$C_8H_{10}O_2N_4ClJ_5$. Chlorcaffeïnhydro-
jodidpentajodid 930.
$C_8H_{10}O_2N_4Cl_2J_4$ Chlorcaffeïnhydro-
chloridtetrajodid
930.
$C_8H_{10}O_2N_4BrJ_6$ Bromcaffeïnhydro-
jodidpentajodid 930.
$C_8H_{10}O_2N_4Br_2J_5$ Bromcaffeïnhydro-
bromidpentajodid
930.
$C_8H_{11}O_2N_4ClBr_4$ Caffeïnhydrochlorid-
tetrabromid 930.
$C_8H_{11}O_2N_4ClJ_2$ Caffeïnhydrochlorid-
dijodid 929.
$C_8H_{11}O_2N_4BrJ_4$ Caffeïnhydrobromid-
tetrajodid 929.
$C_8H_{18}ONCl_2P$ Diisobutylaminoxy-
chlorphosphin 858.
$C_8H_{18}NCl_2SP$ Diisobutylaminsulfo-
chlorphosphin 859.

— 8 VI —

$C_8H_{10}O_2N_4ClBrJ_4$ Bromcaffeïnhydro-
chloridtetrajodid
930.
$C_8H_{10}O_2N_4ClBrJ_5$ Chlorcaffeïnhydro-
bromidpentajodid
930.

C₉-Gruppe.

C_9H_8 Inden 54. 618.
C_9H_{10} Allylbenzol 1048.
C_9H_{12} Hemellithol 1046. 1047. 1048.
1230. 1398.
— Cumol 618. 1292. 1686.
— Pseudocumol 1046. 1292. 1397.
1458. 1963.
— Propylbenzol 1048.
— Trimethylbenzol 273.
— Sym. Mesitylen 1046. 1047. 1048.
1194. 1230. 1231. 1292. 1396.
1397.
C_9H_{16} Kohlenwasserstoff aus Pulegen-
säure 1530.
— Campholen 191.
C_9H_{18} Trimethyl-(1, 2, 5)-hexamethylen
1043.
— Nononaphten 1043.
C_9H_{20} Dipropyläthylmethan 649.

— 9 II —

$C_9H_4O_4$ Dilacton aus Phenylglyoxyl-
dicarbonsäure 1370.
$C_9H_4O_5$ Hemimellithsäureanhydrid
1365. 1366. 1368. 1369.
$C_9H_6O_2$ Phenylpropiolsäure 155. 1055.
— Cumarin 687. 1592.
$C_9H_6O_3$ Methylphtalsäureanhydrid
1333.
— Umbelliferon 847.
$C_9H_6O_5$ Benzaldehyddicarbonsäure
1369. 1370.
$C_9H_6O_6$ Hemimellithsäure 1231. 1363.
1364. 1366. 1367. 1369.
$C_9H_6N_2$ o-Cyanbenzylcyanid 282. 1820.
1821. 1822. 1824.
$(C_9H_6N_2)x$ Polymeres o-Cyanbenzylcyanid 1821.
$C_9H_6N_4$ Phenylhydrazonmesoxalsäure-
nitril 724.
$C_9H_7O_2$ Durolcarbonsäuremethylester
1261.
$C_9H_7O_3$ Methylphtalophosphinsäure
1965.
C_9H_7N Chinolin 291. 1163. 1486.
1680. 1750. 1751. 1775.
1777. 1778. 1785. 1787.
1818.
— Isochinolin 1391.
C_9H_8O Zimmtaldehyd 1389. 1681.
1711.
— α-Hydrindon 1439.
$C_9H_8O_2$ Methylphenyldiketon 1845.
— α-Methylphtalid 1335. 1337.
— Zimmtsäure 119. 149. 155.
241. 755. 1255. 1256. 1258.
1393. 2300.
— Allozimmtsäure 149. 241.
— Atropasäure 213.
— Benzoylaldehyd 1400.
$C_9H_8O_3$ Acetophenoncarbonsäure 1385.
— Acetophenon-o-carbonsäure
1274. 1275. 1277.
— Acetophenon-α-carbonsäure
290.
— Phenylglycidsäure 1256.
— Phenylbrenztraubensäure
1291.
$C_9H_8O_4$ p-Kresylglyoxylsäure 1939.
— Anisylglyoxylsäure 1939.
— Homophtalsäure 1369.
— α-Methylphtalsäure 1333.
— Toluoldicarbonsäure
(1, 2, 6-Methylisophtalsäure)
1369.
$C_9H_8O_5$ Methylnoropiansäure 214.
1356.

$C_9H_9O_7P$ Methylisophtalophosphinsäure 1966.
C_9H_9NS μ-Phenylthiazolin 1712.
$C_9H_9N_2J$ Chinoxalinjodmethylat
1847.
$C_9H_9N_2S_2$ Methylphenyldithiobiazo-
lonhydrosulfamin 1716.
$C_9H_{10}ON_2$ Phenylpyrazolidon 286.
— 1-Phenyl-3-pyrazolidon
1696.
— Aminoacetacetylpyridyl
1756.
— Nitrosotetrahydroisochinolin 1826.
$C_9H_{10}ON_2$ Amidocinnaminsäureamid
1257.
— Aminobenzoylacetamid
1752.
$C_9H_{10}OBr_2$ Dibrompseudocumenol
1165.
$C_9H_{10}O_2N$ Monoxim des Acetacetyl-
pyridyls 1755.
$C_9H_{10}O_2N_2$ N-Methyl-α-keto-β-cyan-
γ-β'-dimethyl-α'-oxy-
Δ³,⁵-dihydropyridin (Me-
thylcyanmethylgluta-
conmethylimid) 1752.
— N-Aethyl-α-keto-β-cyan-
γ-methyl-α'-oxy-Δ³,⁵-di-
hydropyridin (Cyan-
methylglutaconäthyl-
imid) 1752.
— α-Keto-β-cyan-γ-methyl-
β'-äthyl-α'-oxy-α-β'-di-
hydropyridin (Aethyl-
cyanmethylglutacon-
imid) 1752.
— Dioxim aus Isonitroso-
phenylaceton 1846.
$C_9H_{10}O_2N_4$ Methyläthenylnitramidophenylenamidin 1134.
$C_9H_{10}O_2Br_2$ Dibrom-p-xylo-p-oxyben-
zylalkohol 1170.
— Dibrom-(2,5)-p-xylo-(1,4)-
p-oxy-(3)-benzylalko-
hol-(6) 1170.
— Körper aus Dibrompseudo-
cumenolbromid und Sil-
beroxyd 1166.
$C_9H_{10}O_3N_2$ Methylester d. m-Uramidobenzoësäure 1931.
— Methylester der p-Uramidobenzoësäure 1931.
— Dimethylnitrobenzamid
934.
— Oxybenzalverbindung der
Hydrazinoessigsäure 882.
$C_9H_{10}O_3N_3$ Uramidophenyloxamid 916.

$C_9H_{10}O_4N_2$ Dinitromesitylen 71. 865.
— ω-o-Dinitromesitylen 71.
— Acetylderivat des 4-Nitro-
2-anisidins 1143.
$C_9H_{10}O_5N_2$ Acetylderivat des Nitro-
amidoguajacols 1143.
$C_9H_{10}O_6N_3$ Trinitromesitylen 1082.
$C_9H_{10}NCl$ o-Cyan-α-chlordiphenylmethan 1838.
$C_9H_{11}ON$ o-Acettoluid 1094.
— p-Acettoluid 1094.
— o-Aethylbenzamid 1336.
— Dimethyl-p-amidobenz-
aldehyd 1215. 1437.
— Phenylformimidoäthyl-
äther 1096.
— Benzimido-Aethyläther
1236. 1237.
— Propionanilid 1094.
$C_9H_{11}O_2N$ Nitromesitylen 71.
— ω-Nitromesitylen 71.
— Primäres Mononitromesi-
tylen 865.
— Acetylmethyl-p-amido-
phenol 1293.
— Ketonalkohol aus Acet-
acetylpyridyl 1756.
— Amidoäthylbenzoësäure
1828.
— m-Amido-o-äthylbenzoë-
säure 1336. 1337.
— p-Amido-o-äthylbenzoë-
säure 1337.
— Acetyl-p-amido-p-meth-
oxyphenyl 1154.
$C_9H_{11}O_2N_2$ Dioxim des Acetacetyl-
pyridyls 1756.
— Acetamidophenylharnstoff
915.
$C_9H_{11}O_2P$ Phosphinopseudocumol
1963.
— Phosphinomesitylen 1966.
$C_9H_{11}O_3N$ Tyrosin 726. 1972. 2298.
— Methoxymandelsäureamid
1710.
— p-Lactylamidophenol 1155.
$C_9H_{11}O_3N_3$ Monoacetat des Trioxims
$C_7H_9O_3N_3$ 1557.
— m-Nitro-o-amidobenzäthylamid 1935.
$C_9H_{11}O_4P$ Allylphenylphosphinsäure
1967.
— p-Dimethylphosphinoxyd-
benzoësäure 1960.
$C_9H_{11}O_4N$ Acetylloiponsäureanhydrid
220. 1773.
$C_9H_{11}O_5P$ Xylophosphinsäure 1965.
— β-Xylophosphinsäure 1966.

$C_9H_{11}O_3P$ Aethylester der p - Benzophosphinsäure 1960.

$C_9H_{11}Cl_2P$ Mesitylchlorphosphin 1954.
1966.

— Cumylchlorphosphin 1954.
1966.

— Pseudocumylchlorphos-
phin 1954. 1963.

$C_9H_{11}Cl_4P$ Cumyltetrachlorphosphin
1967.

— Pseudocumyltetrachlor-
phosphin 1963.

— Mesityltetrachlorphosphin
1966.

$C_9H_{12}ON_2$ Acetmethylphenylhydrazid
1732.

$C_9H_{12}O_2N$ Xylylnitromethan 1081.

$C_9H_{12}O_2N_2$ β-Phenylhydrazinopro-
pionsäure 286.

— Hydrazinobenzylessig-
säure 888.

— Amidophenylurethan 915.

— Unsym. Phenylhydrazido-
ameisensäureester 1949.

$C_9H_{12}O_2N_4$ Aethyltheobromin 928.
930.

— Benzaldiharnstoff 913.

$C_9H_{12}O_2S$ Aethyl-o-tolylsulfon 1065.

$C_9H_{12}O_3S$ o - Tolylsulfonäthylalkohol
(Oxyäthyl-o-tolylsulfon)
1065.

$C_9H_{12}O_7N_4$ Pikrinsaures Trimethylamin 873.

$C_9H_{12}NBr$ Bromäthylbenzylamin 289.

$C_9H_{13}ON$ p-Amidokresoläther 1915.

— m-Amido-p-kresoläther
1910.

— Monoäthyl-m-amidokresol
1211.

— Oxäthylbenzylamin 1840.

$C_9H_{13}OP$ p-Dimethyltolylphosphinoxyd 1960.

$C_9H_{13}O_2N$ Dioxyäthylbenzylamin
298.

$C_9H_{13}O_2P$ Cumylphosphinige Säure
1963.

— Mesitylphosphinige Säure
1966.

— Pseudocumylphosphinige
Säure 1963.

$C_9H_{13}O_3N$ Valerylcyanessigsäure-
methylester 701.

$C_9H_{13}O_3P$ Cumylphosphinsäure 1967.

— Mesitylphosphinsäure 1966.

— Pseudocumylphosphin-
säure 1963. 1965.

$C_9H_{13}O_4N$ Glycolsäure-o-anisidin
1154.

$C_9H_{13}O_4N$ Glycolsäure-p-anisidin
1155.

$C_9H_{13}O_4Br$ Monobrominsäure 1555.
1557.

$C_9H_{13}O_4P$ Oxypropylphenylphosphinsäure 1967.

$C_9H_{13}O_5N$ Acetylirte Loiponsäure
220.

— Acetylloiponsäure 1778.

$C_9H_{14}ON$ Tropinoncyanhydrin 224.

$C_9H_{14}O_2Cl_2$ Azelaylchlorid 798.

$C_9H_{14}O_8N_4$ Homocaffeïdincarbonsäure
928. 931.

$C_9H_{15}ON$ n-Methylgranatonin 1654.

$C_9H_{15}O_2N$ m-Trimethylamidophenol
+ ¹/₂ H_2O 1898.

— Methylscopolin 1662.

— Diäthylcyanessigsäure-
äthylester 942.

$C_9H_{15}O_3N$ Nitril aus β-Methyllävulinsäureester 793.

— Oximidosäure aus Pinononsäure 1579.

— Ecgonin + H_2O 205. 1647.
1667.

— α-Ecgonin + H_2O 224.
225.

$C_9H_{15}O_3N_3$ Semicarbazon des Aldehyds
der Norpinsäure $C_8H_{12}O_2$
1558.

$C_9H_{15}O_4N$ Homotropinsäure 227.

— Granatsäure 1654.

$C_9H_{16}ON_2$ Dipropylcyanacetamid 938.

$C_9H_{16}O_3N_2$ α - Dipropylhydantoin 938.

$C_9H_{17}ON$ Phenylpropiolsäureamid
1257.

— n-Methylgranatolin 1654.

— Triacetonamin 1766.

— Oxim des Ketons $C_9H_{16}O$
aus Pulegensäure 1530.

$C_9H_{17}O_2N$ Azelaiminsäure 799.

$C_9H_{18}ON_2$ Triacetonaminoxim 1753.

$C_9H_{18}OBr_2$ Dibrom-dipropylisopropylalkohol 649. 681.

$C_9H_{18}O_2N_2$ Diamid der Azelaïnsäure
798.

$C_9H_{18}O_5N_2$ Acetamidoverbindung der
Methyltetrose 692.

— Verbindung von Methyl-
tetrose mit Acetamid
810.

$C_9H_{18}O_5S_2$ Glucosetrimethylenmercaptal 169. 996.

$C_9H_{18}N_2S_2$ Thiocarbaminsaures Salz
des p - Aminotrimethyl-
piperidins 1754.

$C_9H_{19}O_2Cl$ Propylchlorpropional 646.

$C_9H_{20}O_2N_2$ Octylmethylnitramin 1115.

$C_9H_{22}N_2S_2$　Methylpropyldithiocarb-
　　　　　aminsaures Methylpro-
　　　　　pylamin 875. 926.

— 9 IV —

$C_9H_2ONCl_4$　Tetrachlorketochinolin
　　　　　1800.
$C_9H_2O_2NCl_2$　Dichlorchinolinchinon
　　　　　297.
—　B-1, 2, 3, 4 - Dichlorchino-
　　　　　linchinon (Dichlor-
　　　　　β-chinolinchinon)1806.
$C_9H_2O_3NCl_2$　Dichlortriketohydrochi-
　　　　　nolin 292.
$C_9H_4ONBr_3$　Tribromoxychinolin
　　　　　1796.
—　m-ana-β-Tribrom-o-oxy-
　　　　　chinolin 1796.
$C_9H_4O_2N_2Br_2$　o-Nitro-m-p-dibromchi-
　　　　　nolin 1781.
—　o-Nitro-p-ana-dibrom-
　　　　　chinolin 1781.
—　ana-Nitro-m-p-dibrom-
　　　　　chinolin 1781.
$C_9H_4O_2NCl$　Chloroxychinolinchinon
　　　　　1800.
—　B-2, 3, 1, 4-Chloroxy-
　　　　　chinolinchinon (Chlor-
　　　　　oxy-α-chinolinchinon)
　　　　　1807.
—　Chloroxy-α-chinolinchi-
　　　　　non 1809.
$C_9H_4O_4N_2Br$　β-Brom-o-p-dinitrochi-
　　　　　nolin 1786.
—　β-Brom-m-ana-dinitro-
　　　　　chinolin 1787.
—　o-ana-Dinitro-β-brom-
　　　　　chinolin 1785.
$C_9H_5ONCl_2$　Dichloroxychinolin 1800.
—　m-ana-Dichlor-o-oxy-
　　　　　. chinolin 1796.
$C_9H_5ONCl_4$　Tetrachlorketohydro-
　　　　　chinolin 1800.
$C_9H_5ONBr_2$　Dibromoxychinolin 1795.
—　o-p-Dibrom-ana-oxy-
　　　　　chinolin 1792.
$C_9H_5O_2NCl_2$　m-Dichloracetyl-p-oxy-
　　　　　benzonitril 1270. 1271.
—　B-1,2, 3, 4 - Dichlorchino-
　　　　　linhydrochinon (Di-
　　　　　chlor-β-chinolinhydro-
　　　　　chinon) 1807.
$C_9H_5O_2NJ_2$　m-Dijodacetyl-p-oxy-
　　　　　benzonitril 1271.
$C_9H_5O_2N_2Cl$　Chlornitrochinoline 1778.
—　ana-Nitro-α-chlorchino-
　　　　　lin 1788.

$C_9H_5O_2N_2Br$　p-Nitro-β-bromchinolin
　　　　　1784.
—　Bromnitrochinolin 1787.
—　o-Brom-ana-nitrochino-
　　　　　lin 1786.
—　o-Brom-p-nitrochinolin
　　　　　1787.
—　β-Brom-ana-nitrochino-
　　　　　lin 1788.
—　β-Brom-p-nitrochinolin
　　　　　1783.
—　p-Brom-o-nitrochinolin
　　　　　1787.
$C_9H_5O_3N_2Cl$　Monoxim des Chloroxy-
　　　　　chinolinchinons 1801.
$C_9H_5O_4NCl_2$　β-Dichlor-α-γ-ketoxy-
　　　　　pyrhydrindencarbon-
　　　　　säure 1802.
—　B-2, 1, 3, 4-Dichlortri-
　　　　　ketohydrochinolin-
　　　　　hydrat 1801.
C_9H_6ONCl　m-Chlor-o-oxychinolin
　　　　　1796.
—　ana - Chlor-o-oxychinolin
　　　　　1796.
C_9H_6ONBr　o - Brom-ana-oxychinolin
　　　　　1792.
—　m-Brom-o-oxychinolin
　　　　　1795.
—　p-Brom-ana-oxychinolin
　　　　　1792.
—　β-Bromcarbostyril 1783.
—　γ-Bromcarbostyril 1782.
　　　　　1783.
—　Phenylpropiolsäure-
　　　　　bromamid 1257.
$C_9H_6O_2NBr$　m-Bromacetyl-p-oxy-
　　　　　benzonitril 1270. 1271.
$C_9H_6O_3NCl$　B-2, 1, 3, 4-Chloroxy-
　　　　　chinolinhydrochinon
　　　　　1801.
$C_9H_7O_2N_2Br_3$　p-Nitrochinolinhydro-
　　　　　bromatdibromid 1783.
$C_9H_7O_3NS$　Parachinolinsulfosäure
　　　　　1776.
$C_9H_7O_4NS$　o-Oxychinolin-ana-sul-
　　　　　fonsäure 1795.
—　ana-Oxychinolin-o-sul-
　　　　　fonsäure 1792. 1795.
—　Acetyl-o-benzoësäure-
　　　　　sulfinid 1249.
$C_9H_7O_7NS_2$　ana-Oxychinolindisul-
　　　　　fonsäure 1792.
$C_9H_7N_2S_2P$　p-Tolylrhodanphosphin
　　　　　1959.
$C_9H_8O_2ClBr$　Phenylchlorbrompro-
　　　　　pionsäure 1256.

$C_9H_8O_8ClJ$ Phenylchlorjodpropion-
säure 1254.

— Phenyl-β-chlor-α-jod-
propionsäure 1253.

$C_9H_9OClBr_2$ Dibrompseudocumenol-
chlorid 1166.

$C_9H_9OBr_2J$ Dibrompseudocumenol-
jodid 1166.

$C_9H_9O_2NHg$ Mercuriformanilidacetat
1099.

$C_9H_{10}ONCl$ o-Chlordimethyl-p-ami-
dobenzaldehyd 1215.

— Chlorimidbenzoësäure-
äthylester 264.

— Chlorimidoäthylbenzoat
1236.

$C_9H_{10}ONBr$ Bromimidoäthylbenzoat
1236.

$C_9H_{10}O_2NJ$ Acetyljodanisidin 1155.

$C_9H_{10}O_2N_2Cl$ Benzoësäuredimethyl-
azammoniumchlorid
1933.

$C_9H_{10}O_2ClP$ Dimethylphosphino-
benzoësäurechlorid
1960.

$C_9H_{11}ONBr_2$ Amin aus Dibrompseudo-
cumenolbromid 1165.

$C_9H_{11}OCl_2P$ Mesityloxychlorphosphin 1966.

— Cumyloxychlorphosphin
1987.

— Pseudocumyloxychlor-
phosphin 1963.

$C_9H_{11}O_2N_2S_2$ Diacetylderivat des Alldithiourazols 904.

$C_9H_{11}O_2N_4Cl$ Monochloräthyltheobro-
min 928. 931.

$C_9H_{11}O_2N_4Br$ Monobromäthyltheo-
bromin 931.

$C_9H_{11}O_3NS$ Tetrahydrochinolin-ana-
sulfonsäure 1796.

$C_9H_{11}O_4NS$ Tetrahydro-o-oxychinolin-ana-sulfonsäure
1796.

$C_9H_{11}O_7N_2P$ Dinitropseudocumylphosphinsäure 1964.

$C_9H_{12}O_8NP$ Dimethylnitrotolylphosphinoxyd 1960.

$C_9H_{12}O_5ClP$ Monochlorpseudocumylphosphinsäure 1964.

$C_9H_{12}O_5NP$ Mononitropseudocumylphosphinsäure 1964.

$C_9H_{15}N_2BrS$ μ-Piperidyl-γ-brompen-
thiazolin 901.

$C_9H_{16}ONCl$ Nitrosochlorid des Koh-
lenwasserstoffs C_9H_{16}
1530.

$C_9H_{16}ONJ$ Tropinonjodmethylat
223.

$C_9H_{17}ON_2J$ Tropinoximjodmethylat
223.

$C_9H_{17}O_2N_2S$ Carboxyäthylpiperidyl-
thioharnstoff 898.

— 9 V —

$C_9H_6O_4NClS$ m-Chlor-oxychinolinsulfonsäure + H_2O 1796.

$C_9H_6O_4NBrS$ m-Brom-o-oxychinolin-
ana-sulfonsäure 1795.

$C_9H_6O_4NJS$ p-Jod-ana-oxychinolin-
o-sulfonsäure 1795.

$C_9H_6O_9NBrS$ Bromäthyl-o-benzoësulf-
inid 1249.

$C_9H_{11}O_5NClP$ Nitrochlorpseudocumylphosphinsäure
1964.

C_{10}-Gruppe.

$C_{10}H_8$ Naphtalin 53. 71. 85. 1053. 1079.
1293. 1311. 1322. 1414. 1417.

$C_{10}H_{12}$ Dicyklopentadien 638.

$C_{10}H_{14}$ Cymol 1292. 1525. 1535. 1536.
1573.

— m-Cymol 1573.

— Cymen 1586.

— Camphercymol 1371.

— Durol 1230. 1260. 1261. 1292.
1396. 1397.

— v-Durol 1231.

— Isodurol 1260. 1396. 1397.

— s-Durol 1231.

— Aethyldimethylbenzol 1573.

— o-Methylpropylbenzol 1048.

— p-Methylisopropylbenzol 1536.

— n-Butylbenzol 1076.

— Isobutylbenzol 1077.

— Tert. Butylbenzol 1077.

$C_{10}H_{16}$ Limonen 1543. 1544. 1545. 1600.

— Dipenten 1542. 1593.

— Terpen 188.

— Terpen aus Pulegol 1533.

— Carven (Dipenten) 188. 1541.

— Pinen 188. 273. 1490. 1513.
1542. 1543. 1544. 1545. 1548.
1549. 1564. 1565. 1566. 1573.
1574. 1575. 1576. 1578. 1580.
1583. 1586.

— Camphen 188. 229. 1536. 1537.
1538. 1542.

— Citren 188.

— Terpylen 1586.

— Terpinolen 1573.

— Kohlenwasserstoff 1509.

$C_{10}H_{16}$ Menthen 189. 190. 1485. 1487. 1545.
— Kohlenwasserstoff 1511.
— Terpen 1592.
$C_{10}H_{20}$ Decylen 626.
$C_{10}H_{22}$ Diisoamyl 865.

— 10 II —

$C_{10}H_4Cl_4$ Tetrachlornaphtalin 1073.
$C_{10}H_6O_2$ Naphtochinon 297.
— β-Naphtochinon 1866. 1871. 1874.
— $α_1$-$β_1$-Naphtochinon 1480.
$C_{10}H_6O_3$ Oxynaphtochinon 1856.
— Hydroxynaphtochinon 1472.
— 2-Oxy-1,4-naphtochinon 1856.
$C_{10}H_6O_4$ Naphtazarin 1471.
$C_{10}H_6O_7$ Phenylglyoxyldicarbonsäure 1363. 1368.
$C_{10}H_6Cl_2$ Dichlornaphtalin 1125.
— 1,2-Dichlornaphtalin 1124.
— 1,2'-Dichlornaphtalin 1125.
— 1,3-Dichlornaphtalin 1125.
— 1,3,4'-Dichlornaphtalin 1125.
$C_{10}H_6S$ $α_1$-$α_2$-Thionaphtalin 1069.
$C_{10}H_7Cl$ 1,3-α-Chlornaphtalin 1125.
$C_{10}H_7Cl_5$ Chlornaphtalintetrachlorid 1199.
$C_{10}H_7J$ α-Jodnaphtalin 1059.
— β-Jodnaphtalin 1061. 1820.
$C_{10}H_8O$ Naphtol 52.
— α-Naphtol 39. 1132. 1140. 1195. 1201. 1307. 1993. 2311.
— β-Naphtol 1124. 1140. 1195. 1199. 1205. 1887. 1908. 1909. 1913. 1923. 1982. 1993. 2311.
— Phenylpropiolsäure-Methyläther 1257.
$C_{10}H_8O_2$ 1,3-Dioxynaphtalin 275.
— m-Dioxynaphtalin 1324.
— $α_1$-$β_2$-Dioxynaphtalin 1981.
— 1,3-Dioxynaphtalin (Naphtoresorcin) 1203. 1204.
— Naphtohydrochinon 1480.
$C_{10}H_nO_3$ Methylumbelliferon 847.
— Phenylbernsteinsäureanhydrid 278.
$C_{10}H_8O_4$ Benzoylbrenztraubensäure 819. 1464.
— Anemonin 1624. 1625.
— Scopoletin 1658.
$C_{10}H_8O_6$ Monomethylester der Hemimellithsäure 1365.
$C_{10}H_9N$ Naphtylamin 721. 1870.

$C_{10}H_9N$ α-Naphtylamin 1106. 1122. 1195. 1216. 1391. 1478. 1871. 1872. 1874. 1877. 1888. 1912. 1915. 1937.
— β-Naphtylamin 1101. 1102. 1106. 1122. 1123. 1124. 1167. 1195. 1216. 1358. 1391. 1478. 1775. 1871. 1888. 1892. 1912. 1923.
— Chinaldin 1751. 1809. 1810.
— Toluchinolin 1775.
$C_{10}H_{10}O$ Benzylidenaceton 673. 1400. 1404.
$C_{10}H_{10}O_2$ Safrol 1182. 1394. 1507.
— Isosafrol 1182. 1183. 1394. 1507.
— Zimmtsäuremethylester 242.
— Allozimmtsäuremethylester 242.
$C_{10}H_{10}O_3$ Benzoylpropionsäure 683. 1292.
— m-Xylylglyoxylsäure 1370.
— p-Kresylglyoxylsäure 1370.
— Phenyloxycrotonsäure 683.
— Aethylester der Phenylglyoxylsäure 1107.
— Brenztraubensäurebenzylester 1104.
$C_{10}H_{10}O_4$ Meconin 134. 1359.
— d-Furfurallävulinsäure 684.
— as-Aethylisophtalsäure 1471.
— Phenylbernsteinsäure 686.
$C_{10}H_{10}O_5$ Anemonsäure 1625.
— Opiansäure 213. 1352. 1354. 1355. 1358. 1359. 1679. 1680. 1809.
— Apiolaldehyd 1588.
— Acetvallinsäure 1306.
— Vanillinoxacetsäure 1228.
— Vanillinessigsäure 1394.
— Oxyphenylbernsteinsäure 687.
— Veratrylcarbonsäure 1371.
— Veratrylglyoxylsäure 1939.
$C_{10}H_{10}O_6$ Apiolsäure 1583.
— Brenzcatechindiessigsäure 1173.
— Brenzcatechindiacetsäure 1172.
— Brenzcatechindikohlensäuremethylester 1171.
— Hydrochinondikohlensäuremethylester 1171.
— Resorcindikohlensäuremethylester 1171.
— Dioxybenzoylmalonsäure 1272.
— Hemipinsäure 1663. 1664.

$C_{10}H_{10}N_2$ Naphtylendiamin 291. 297.
— m-Naphtylendiamin 1132.
— α_1-α_2-Naphtylendiamin 1875.
— α_1-α_3-Naphtylendiamin 1909. 1981.
— α_1-α_4-Naphtylendiamin 1909.
— 1,2-Naphtylendiamin 1708.
-- 1,3-Naphtylendiamin 1203.
— 1,5-Naphtylendiamin 1133.
— 1,7-Naphtylendiamin 1278.
— 1,8-Naphtylendiamin 1130.
— 2,3-Naphtylendiamin 1871.
— Naphtylhydrazin 1720.
— α-Naphtylhydrazin 1722.
— β-Naphtylhydrazin 1722.

$C_{10}H_{11}N$ Cumonitril 864.
— α-β-Dimethylindol 1725. 1727.
— Cyanmesitylen 310. 1230.

$C_{10}H_{11}N_3$ Triamidonaphtalin 1132.

$C_{10}H_{12}O$ Anethol 1135. 1394. 1585. 1586.
— Isanethol 1135. 1139.
— Orthoanethol 1136.
— Methanethol 1135. 1136.
— Isoacetophenonäthyläther 671. 849.
— Acetyl-o-xylol 1574.
— Cuminol 1710. 1711. 1383.
— Benzylaceton 1405.
— Propylphenylketon 673.
— β-Benzoxypropylen 678. 720.
— Estragol 1394. 1586.

$C_{10}H_{12}O_2$ Phenylessigester 832. 1253. 1283. 1286. 1289.
— Eugenol 1228. 1392. 1394. 1507. 1992. 1993.
— Isoeugenol 1392. 1393. 1394. 1507.
— α-Isodurylsäure 1046.
— Cuminsäure 1564.
— Trimethylbenzoësäure 1046.
— Prehnitylsäure 1046.
— Prehnitylcarbonsäure 1230.
— Mesitylencarbonsäure 320. 1046. 1230.
— Durolchinon 1457. 1458. 1459.
— Keton 1138.

$C_{10}H_{12}O_3$ Monoäthylresorcylmethyl-keton 1454. 1455.
— Phenoxyäthylessigsäure 688.
— α-Phenoxybuttersäure 891.
— o-Methoxyphenylacrylsäure-methylester 243.
— p-Oxyisopropylbenzoësäure 1525.

$C_{10}H_{12}O_4$ Cantharidin 1625. 2295.
— Aethylfumarsäureäther 719.

$C_{10}H_{12}O_5$ Anhydrid der trans-Campho-tricarbonsäure 200.
— Isocarbopyrotritarsäureester (α-Diacetbernsteinester-säurelacton) 815.

$C_{10}H_{12}O_6$ Säure aus Anemonin 1625.
— β-Lacton aus trans-Campho-tricarbonsäure 200.
— Trimethylapionolsäure 1587.

$C_{10}H_{12}O_8$ Diacetyldioxymaleïnsäure-dimethylester 251.
— Dicarbintetracarbonsäure-tetramethyläther 710. 712.

$C_{10}H_{12}Cl_2$ Dichlorcymol 1159.

$C_{10}H_{12}S$ β-Thiobenzylpropylen 679. 721.

$C_{10}H_{13}O_4$ Methyltrimethylendicarbon-säureester 272.

$C_{10}H_{13}N$ Kairolin 1680.
— Tetrahydrochinaldin 1751.
— Methyltetrahydroisochinolin 1827.
— β-β-Dimethylindolin 1726.
— β-β-Dimethyldihydroindol 1729.

$C_{10}H_{13}Cl$ 2-Chlorcymol 1486.
— 3-Chlorcymol 1486.
— 5-Chlor-1,3-cymol 1058.

$C_{10}H_{13}Br_2$ Tribromcamphen 1516.

$C_{10}H_{14}O$ Thymol 39. 40. 41. 52. 1140. 1158. 1159. 1224. 1993. 2311.
— Carvacrol 1158. 1571. 1574. 1993.
— Carvon 1532. 1543. 1544. 1571.
— Eucarvon 1544. 1547. 1548.
— Eucarvol 1532.
— Bicyklopentenpentanon 1534.
— Monoacetyl-m-xylol 1397.
— Dimethyl-p-tolylcarbinol 1525.

$C_{10}H_{14}O_2$ Säure aus Nopinsäure 1563.
— Durohydrochinon 1458. 1461.
— Phenoxyäthyläthyläther 718.
— Resorcindiäthyläther 1174.
— Acetophenonorthodimethyl-äther 671.

$C_{10}H_{14}O_3$ Ketopinsäure 187. 1574.
— Pinarin 187. 1567.
— Lacton aus Dibromcampholid 195.

$C_{10}H_{14}O_4$ trans-π-Camphansäure 199.
— cis-π-Camphansäure 153. 200.
— ω-Camphansäure 199.
— Camphersäureperoxyd 675.
— Tetramethylapionol 1588. 1589.

$C_{10}H_{14}O_4$ Isocamphenon 1517.
— Körper aus α-Acetyl-α_1-Isobutylbernsteinsäureester 790.
— Isomerer Körper aus α-Acetyl-α_1-Isobutylbernsteinsäureester 790.
— α-Mesityloxydoxalsäureäthyläther 1449.
— β-Mesityloxydoxalsäureäthyläther 1448.

$C_{10}H_{14}O_5$ Pinoylameisensäure 1559. 1560. 1561. 1562. 1565. 1566. 1567. 1581. 1583. 1584.
— Homoterpenoylameisensäure 1561. 1565. 1581.
— Hydroxy-cis-n-camphansäure 200.

$C_{10}H_{14}O_6$ trans-Camphotricarbonsäure 153. 200.
— cis-Camphotricarbonsäure 200.
— Camphensäure 188.
— Diacetbernsteinsäuremonoäthylester 250.
— γ-Diacetbernsteinestersäure 816.
— γ-γ-Diketosebacinsäure (normale Dilävulinsäure) 684.

$C_{10}H_{14}O_8$ Acetylen-(Aethan)-tetracarbonsäuretetramethyläther 710. 711.

$C_{10}H_{14}N_2$ Nicotin 155. 1676. 2295. 2296. 2309.

$C_{10}H_{14}Cl$ Chlorcamphen 1516.

$C_{10}H_{14}Cl_2$ α-Dichlorcamphen 187. 1539.

$C_{10}H_{14}Br_4$ α-Tribromcamphenhydrobromid 1515.
— β-Tribromcamphenhydrobromid 1515.

$C_{10}H_{15}N$ Diäthylanilin 1117. 1163. 1215.
— α-Campholennitril 190.
— Pulegensäurenitril 1529. 1530.
— Amidobutylbenzol 1076.
— Amido-i-butylbenzol 1077.
— Methylpropylanilin 874. 925.
— Geraniumnitril 1507.
— Isogeraniumnitril (Isolemoniumnitril) 1507.

$C_{10}H_{15}Cl$ Dihydrochlorcymol 1486.
— Dihydromonochlor-m-cymol 1057.

$C_{10}H_{15}Cl_2$ α-Chlorcamphenhydrochlorid 1516.
— β-Chlorcamphenhydrochlorid 1516.

$C_{10}H_{15}Br$ Bromcamphen 1537. 1538.

$C_{10}H_{16}O$ Campher 198. 274. 1489. 1513. 1514. 1515. 1516. 1517. 1539. 1574. 1584.
— Synthetischer Campher 192.
— Pulegon 1526. 1528. 1529. 1532.
— Isopulegon 1495. 1496.
— Caron 1543. 1544. 1545.
— Terpenon 1553.
— Körper aus Chlorcamphen 1516.
— Keton aus Nitrosomenthen 1486.
— Dihydrocarvon 1543.
— Licarhodal 1507.
— Citral 1491. 1496. 1507.
— Lemonal (Citral) 1498.
— Isothujon 1535.
— Fenchon 1586.
— Isofenchon 197.
— Isocampher 1517. 1524.
— Methyl-1-isopropyl-3-hexenon 1057.
— Pinol 1490. 1571. 1573.
— Pulegon 201. 1495. 1496. 1555.
— Isopulegon 204.
— d-Pulegon 204. 1494.
— Caron 201. 1568. 1569.
— Carvenon 1534.

$C_{10}H_{16}O_2$ α-Campholensäure 191. 1581. 1584.
— Diosphenol 1591.
— Anhydrid des Pinolglycols 1572.
— Pulegensäure 1529. 1530.
— Isouvitinsäure 1600.
— Isoamenylacetylaceton 1499.
— Geraniumsäure 1504. 1507.
— Isogeraniumsäure 1504.
— Campholid 192. 195. 196.
— Oxydationsproduct des Pinens 1579.
— Diallylessigsäureäthylester 680.
— Methyl-isobutyl-ketopentamethylen oder 1-Methyl-4-Isobutoylcyklopentan-3-on 1550.
— 1-Acetyl-4-isopropylcyklopentan-2-on oder Acetylisopropylketopentamethylen 1552.
— Campholensäure 195.
— Campholensäure 74. 75. 201. 1508.
— Rhodinolsäure 1502.

$C_{10}H_6O_4N_2$ α-Dinitronaphtalin 1079. 1472.

— β-Dinitronaphtalin 1079.

— α_1-α_4-Dinitronaphtalin 1080.

—   1, 5-Dinitronaphtalin 1078.

—   1, 8-Dinitronaphtalin 1078.

—   Peridinitronaphtalin 1078.

—   o - Nitro-α-cyanzimmtsäure 1272.

$C_{10}H_5O_4J_4$ Methylester der Tetrajodterephtalsäure 1332.

$C_{10}H_6O_5S$ β-Naphtochinonsulfosäure 1866. 1874.

— $\alpha_1\,\beta_1$-Naphtochinon-α_2-sulfosäure 1480.

$C_{10}H_6BrJ$ Jodbromnaphtalin 1059.

$C_{10}H_7OBr$ 1, 2-Bromnaphtol 1199.

—   3'-Brom-β-naphtol 1199.

$C_{10}H_7O_2N$ β-Nitrosonaphtol 1942.

—   Nitroso-β-naphtol 2049.

— β-Naphtochinon-α-oxim 52.

—   Mononitronaphtalin 1079.

— α-Nitronaphtalin 1127.

—   Cinchoninsäure 1771.

$C_{10}H_7O_3N$ 1, 2-Nitronaphtol 1200.

—   1, 2-Nitro-β-naphtol 1199.

— α-Nitro-β-naphtol 1761.

—   Carbostyril-β-carbonsäure 1734.

—   Acetyl-ps-isatin 1743.

$C_{10}H_7O_4N_3$ 1, 2, 4-Dinitronaphtylamin 1875.

$C_{10}H_7O_5Br$ Acetobromisophtalsäure 322.

—   4-Aceto-5-bromisophtalsäure 1470.

$C_{10}H_7O_6N_2$ m-Phenylendioxaminsäure 1130.

—   p - Phenylendioxaminsäure 1130.

$C_{10}H_7Cl_2J$ β-Naphtyljodidchlorid 1061.

$C_{10}H_7Cl_4Br$ Bromnaphtalintetrachlorid 1199.

$C_{10}H_8ON_2$ Nitroso - β - naphtylamin 1871.

— α-Nitroso-β-naphtylamin 1870.

$C_{10}H_8O_2N_2$ Oxim des 2-Amino-1, 4-naphtochinons 1463.

—   Oxim des Oxynaphtochinonimids 1461.

—   ana-Nitromethylchinolin 1788.

—   1, 4-Nitronaphtylamin 1875.

$C_{10}H_2O_2J_2$ m - Dijod-p-oxybenzylidenaceton 1390.

$C_{10}H_6O_2S$ Naphtalinsulfinsäure 1070.

$C_{10}H_6O_2N_4$ Ureïd der 6 - Carbonsäure des 7-Oxychinoxalins 1847.

$C_{10}H_6O_3J_2$ Methylester der m - Dijodp-oxyzimmtsäure 1391.

$C_{10}H_6O_3S$ α-Naphtalinsulfosäure 1982.

$C_{10}H_6O_4N$ α-α_2-Naphtolsulfosäure 1912.

$C_{10}H_6O_4N_2$ Succin-o-nitranil 782.

—   Succin-p-nitranil 782.

—   Succinyl-p-nitranil 1326.

—   Methylester der Nitroindolcarbonsäure 1741.

$C_{10}H_8O_4S$ α_1-Naphtol-α_4-sulfosäure 1201.

— α_1-Naphtol-β_3-sulfosäure 1132.

—   2, 1-β-Naphtolsulfosäure 1124.

— β_1-β_4-Naphtolsulfosäure 1982.

— β-Naphtolsulfosäure 1671.

$C_{10}H_8O_5S$ Dioxynaphtalinsulfosäure 1911. 1918.

— α_1-α_4-Dioxynaphtalinsulfosäure 1910.

—   1, 3 - Dioxynaphtalin-6-monosulfosäure 1203.

—   Dioxynaphtalinmonosulfosäure „S" 1911.

— α_1-β_2-Dioxynaphtalin-α_2-sulfosäure 1204.

— α_1-β_2-Dioxynaphtalin-β_3-sulfosäure 1921.

— α_1-β_2-Dioxynaphtalin-β_4-sulfosäure 1921.

— α_1-β_2-Dioxynaphtalin-β_2-sulfosäure 1132.

—   Naphtohydrochinonsulfosäure 1480.

— β-Naphtohydrochinonsulfosäure 1874.

$C_{10}H_8O_6N_2$ m-Phenylendioxamsäure 916.

$C_{10}H_8O_6S_2$ 1, 5 - Naphtalindisulfosäure 1201.

—   Naphtalin-1, 2'-disulfosäure 1125.

$C_{10}H_8O_7S_2$ α_1-Naphtol-β_2-α_4-disulfosäure 1132.

— α_1-Naphtol-β_2-β_3-disulfosäure 1132.

— α_1-Naphtol-β_2-β_4-disulfosäure 1132

$C_{10}H_8O_7S_2$ β - Naphtoldisulfosäure B 1937.

$C_{10}H_8O_9S_2$ Dioxynaphtalindisulfosäuren 1912.

— α_1-β_6-Dioxynaphtalin-
$\alpha_8\beta_4$-disulfosäure 1204.

$C_{10}H_8O_9S_3$ 1, 3, 5-Naphtalintrisulfo-
säure 1201.

$C_{10}H_8N_2S$ o - Benzylenimidazolylmer-
captan 1440.

$C_{10}H_9ON$ 1, Amidonaphtol 1203.

— 3, 1-Amidonaphtol 1203.

— β_1, α_1-Orthoamidonaphtol
1874.

— 7-Amido-1-naphtol 1278.

— Methylenphtalmethimidin
290. 1275.

$C_{10}H_9O_2N$ Succinanil 1327.

— Aethylphtalimid 290.

— 1-Amino-2,4-dioxynaphta-
lin 1463.

— Indolcarbonsäuremethyl-
ester 1742.

— Phenylcyanpropionsäure
686.

— Benzylmalimide 209.

$C_{10}H_9O_2N_3$ Cyanäthenylbenzoyl-
amidoxim 722.

$C_{10}H_9O_2Cl$ β - Chlorbenzoylaceton
1400.

$C_{10}H_9O_2Br$ α-Bromzimmtsäuremethyl-
ester 252.

— 5-Brom-2-oxybenzalaceton
1437.

$C_{10}H_9O_2Br_2$ α-Bromzimmtsäuremethyl-
ester 306.

$C_{10}H_2O_2Br_3$ Keton aus Monobromiso-
anetholdibromid 1139.

$C_{10}H_9O_3N$ n - Methoxy-α-indolcarbon-
säure 1737.

— Hydrocarbostyril-β-car-
bonsäure 1779. 1780.

— Methylester der n - Oxy-
indol-α-carbonsäure
1735.

— Oxalyl-p-Phenetidin 1148.

— p-Oxyphenylsuccinimid
1149.

— Oxäthylphtalimid 1315.

— β-Oxäthylphtalimid 1315.

— Succinyl-p-Amidophenol
1149.

$C_{10}H_9O_3N_3$ Terephtaläthylesterazid
1941.

$C_{10}H_9O_3N_3$ Ureïd der (2- oder 3-)
amino - 7 - oxychinoxalin-
(6)-carbonsäure 1848.

$C_{10}H_9O_3Br_3$ Tribromxylenolacetat
1162.

$C_{10}H_9O_4N$ Hemipinimid 1361.

— β-Hemipinisoimid 1361.

— Phenylimid der Trauben-
säure 165. 844.

— Dimethylasparaginsäure-
äthylester 800.

— Körper aus Isosafrolnitrosit 1182.

— Opianoximsäureanhydrid
1359.

— (2)-Cyan-(3-4)-dimethoxy-
(1)-benzoësäure 1361.

— (1)-Cyan-(3-4)-dimethoxy-
(2)-benzoësäure 1361.

$C_{10}H_9O_5Br$ Bromopiansäure 214. 1355.
1680.

$C_{10}H_9O_6N$ Nitrobenzylmalonsäure
1780.

— o-Nitrobenzylmalonsäure
1734.

$C_{10}H_9O_7N$ Nitroopiansäure 214. 1355.
1680.

$C_{10}H_{10}ON_2$ Phenylmethylpyrazolon
1382. 1693.

— 1 - Phenyl-3-methyl-5-pyra-
zolon 1697.

— Jz-1, 3-Acetylmethylisinda-
zol 1702.

— p-Methoxy-γ-Amidochino-
lin 1793.

$C_{10}H_{10}OBr_4$ Dibromisoanetholdibromid
1139.

$C_{10}H_{10}O_2N_2$ (2- oder 3-)Methoxy-6-me-
thyl-7-oxychinoxalin
1847.

— 1-Phenyl-3-Methyl-4-oxy-
5-pyrazolon 1692.

— N-Allyl-α-keto-β-cyan-
γ-methyl-α'-oxy - β,⁵ - di-
hydropyridin (Cyanme-
thylglutaconallylimid)
1752.

— Amid der n-Methoxy-α-in-
dolcarbonsäure 1738.

— Methylester der n-Amidoindolcarbonsäure 1741.

$C_{10}H_{10}O_2N_4$ Formalterephtaldihydrazin 1941.

$C_{10}H_{10}O_2Br_2$ Keton 1138.

— Keton aus Monobromane-
tholdibromid 1139.

$C_{10}H_{10}O_3N$ Opiazon 1353.

$C_{10}H_{10}O_3N_3$ Körper aus Phenylendiamin 1848.

$C_{10}H_{10}O_3N_3(?)$ Körper aus Phenylendiamin 1848.

$C_{10}H_{10}O_3N_2$ Brenztraubensäure-
benzoylhydrazon $+ H_2O$
968.

$C_{10}H_{10}O_4N_4$ m - Phenylendioxamid
1130.

— p-Phenylendioxamid 1130.

$C_{10}H_{10}O_5N_2$ Succin - o - Nitranilsäure
782.

— Succin - p - Nitroanilsäure
782.

— Isosafrolnitrosit 1182.

— Nitroderivat des Diacetyl-
o-aminophenols 1142.

$C_{10}H_{10}O_6Cl_4$ Dichloralglucose 176. 1001.

$C_{10}H_{11}ON$ Dimethylphtalimidin 1276.

— α-n-Dimethylphtalimidin
1276.

— n-β-Dimethyl-α-indolinon
1732.

— α - Phenoxybutyronitril
892.

— Aethylaldehydcyanhydrin
1706.

$C_{10}H_{11}ON_3$ 1-Phenyl-5-äthyl-3-oxytri-
azol 1718.

$C_{10}H_{11}OBr$ Monobrombutyrylbenzol
1059.

— β-Brompropenylverbin-
dung 1138.

$C_{10}H_{11}OBr_2$ Monobromanetholdibro-
mid 1137.

— Monobromisoanetholdibro-
mid 1139.

$C_{10}H_{11}O_2N$ Formylpropionanilid 1097.

— Diacetanilid 1097.

— Benzylidenmilchsäure-
amid 1706.

— Propionantibenzoylal-
doxim 259.

— o-Toluilbrenztraubensäure
1102.

— p-Toluilbrenztraubensäure
1102.

$C_{10}H_{11}O_2Cl$ α-Phenoxybutyrylchlorid
891.

$C_{10}H_{11}O_2Br$ Keton 1137. 1138.

$C_{10}H_{11}O_2Br_3$ Tribromresorcindiäthyl-
äther 1087. 1174. 1175.

— Aethoxytribromxylenol
1162.

$C_{10}H_{11}O_3N$ o-Tolursäure 72.

— m-Tolursäure 72.

— p-Tolursäure 72.

— Phenacetursäure 72.

— Diacetylderivat des
o-Aminophenols 1142.

$C_{10}H_{11}O_3N$ p-Acetamidophenylacetat
1073.

— Metanitrocuminaldehyd
1383.

— Benzoylsarkosin 72.

— Benzoylalanin 72.

$C_{10}H_{11}O_3Br_3$ Dimethoxytribromxylenol
1162.

$C_{10}H_{11}O_3J$ Phenyl-β-methoxy-α-jod-
propionsäure 1255.

$C_{10}H_{11}O_4N$ Anisursäure 72.

— p-Oxyphenylsuccinamin-
säure 1149.

— Succin-o-carboxyanilsäure
782.

— Nitroeugenol 1306.

— Benzylimid der Trauben-
säure 165. 844.

$C_{10}H_{11}O_4Br$ Methylester der 5 - Brom-
veratrumsäure 1305.

— 6-Bromveratrumsäureme-
thylester 1306.

$C_{10}H_{11}O_5N_3$ 2, 5-Dinitro-1, 3, 4-Acet-
xylid 1110.

$C_{10}H_{11}O_6N$ Methylester der 5 - Nitro-
veratrumsäure 1306.

$C_{10}H_{11}NS$ β-Methyl-μ-Phenylthioazo-
lin 1712.

$C_{10}H_{11}N_3J$ Jodmethylat des p-Amidochinolins 1784.

— Chinoxalinjodäthylat 1847.

$C_{10}H_{11}N_3S_3$ Aethylphenyldithiobiazo-
lonhydrosulfamin 1716.

$C_{10}H_{12}ON_2$ Tetrahydroisochinolylharnstoff 1827.

— 6-Dimethyl-7-ketotetra-
hydrochinoxalin 1847.

$C_{10}H_{12}OBr_2$ Anetholdibromid 1137.
1138. 1141.

— Isoanetholdibromid 1139.

$C_{10}H_{12}O_2N_2$ Aethylbenzureid 1338.

— Benzalhydrazinopropion-
säure 887.

— Propionylphenylharnstoff
918.

$C_{10}H_{12}O_2Cl_2$ Pyrocamphensäurechlorid
188.

$C_{10}H_{12}O_2Br_2$ Dibromresorcindiäthyl-
äther 1174. 1175.

— Aether der Dibrom-p-xylo-
p-oxybenzylalkohole
1169.

$C_{10}H_{12}O_2S$ Allyl-o-tolylsulfon 1066.

$C_{10}H_{12}O_3N_2$ Succin-o-carboxyphenyl-
amid 782.

— Terephtalhydrazinäthyl-
ester 1940.

$C_{10}H_{12}O_3S$ o-Tolylsulfonaceton 1066.

$C_{10}H_{12}O_3N_2$ Acetyldicyanessigsäure-
Methyläther 941.

$C_{10}H_{12}O_6N_2$ Dinitroresorcindiäthyl-
äther 1175.

$C_{10}H_{13}O_6N_4$ Trinitrocymidin 1058.

$C_{10}H_{13}O_7N_3$ Dinitrophloroglucindi-
äthyläther 1086.

$C_{10}H_{13}ON$ Aethylacetanilid 1094.
— Butyranilid 1094.
— Aldolanilin 1776.
— o-Tolylformimidoäthyl-
äther 1096.
— Prehnitylsynaldoxim 1046.
— Prehnitylantialdoxim 1046.
— Mesitylantialdoxim 1046.

$C_{10}H_{13}OCl$ Monochlorthymol 1159.

$C_{10}H_{13}OBr$ Bromäthylxylenoläther
1160.

$C_{10}H_{13}O_2N$ Acetyldimethylamidophe-
nol 1146.
— Acetyläthyl-p-amidophe-
nol 1293.
— α-Phenoxybutyramid 891.
— Aethyl-Anisylketonoxim
1442.
— Phenylisopropylnitro-
methan 1082.
— Propionylanisidin 1442.
— Nitro-n-Butylbenzol 1076.
— Nitro-i-butylbenzol 1077.
— Nitro-tert.-butylbenzol
1077.
— p-Dimethylbenzylamin-
carbonsäure 1250.
— Phenacetin 1150. 2307.
2311.

$C_{10}H_{13}O_2N_3$ Propionylphenylsemicarb-
azid 1718.

$C_{10}H_{13}O_3N$ Glycolsäure-p-Phenetidid
1155.
— Lactyl-p-anisidin 1155.
— Acetylproduct des Veratrylamins 1925.

$C_{10}H_{13}O_3N_3$ Phenylsemicarbazidcarbonsäureester 1949.
— Uramidophenylurethan
916.

$C_{10}H_{13}O_3Br$ Anhydrid der π-Bromcamphersäure 199.
— ω-Bromcamphersäurean-
hydrid 198.

$C_{10}H_{13}O_4N$ Acetylirtes Anhydrid der
Cincholoiponsäure 220.
1772.
— 6-Amidoveratrumsäureme-
thylester 1306.
— Nitrosophloroglucindi-
äthyläther 1187.

$C_{10}H_{13}N_3S_2$ Mercaptial des Dimethylamins 1716.

$C_{10}H_{13}Cl_2P$ Cymylchlorphosphin 1954.
1967.

$C_{10}H_{14}ON_2$ Nitromethylpropylanilin
874.
— Monoketazocamphadion
1937.

$C_{10}H_{14}OBr_2$ α-Dibromcampher 195.
— α-π-Dibromcampher 199.
1515.

$C_{10}H_{14}O_2N_2$ Pilocarpidin 217.

$C_{10}H_{14}O_2N_4$ Propyltheobromin 928.931.

$C_{10}H_{14}O_2Br_2$ Dibromcampholid 195.

$C_{10}H_{14}O_2S$ Normalpropyl-o-tolylsulfon
1065.
— Isopropyl-o-tolylsulfon
1065.

$C_{10}H_{14}O_3N_2$ Monamid des Methyl-
hydroxydihydropyridon-
dicarboxylsäure-Aethyl-
äthers 1685.

$C_{10}H_{14}ClP$ Diäthylmonochlorphenylphosphin 1957.

$C_{10}H_{14}BrP$ Diäthylbromphenylphosphin 1958.

$C_{10}H_{15}ON$ Carvoxim 1548.
— d-Carvoxim 1547.
— Diäthyl-m-aminophenol
1146. 1207. 1322.
— Pr-1ⁿ-Methyl-3, 3-Dime-
thylindoliumoxydhydrat
1731.
— Amidothymol 1571.
— Xylenoxäthylamin 1161.
— Nitrosopinen 1544. 1547.
— Isocarvoxim 1544.

$C_{10}H_{15}OBr$ π-Monobromcampher 1515.

$C_{10}H_{15}O_2N$ α-Camphorisoimid 1360.
— β-Camphorisoimid 1361.
— Isonitrosocampher 196.
— Cyanlauronsäure 197.
— Camphersäuremononitril
196. 1326.
— Nitrosoderivat des Ketons
$C_{10}H_{16}O$ 1486.
— Isonitrosopulegon 1555.

$C_{10}H_{15}O_2Br$ Bromcamphorensäure 195.
— α-Monobromcampholid
195.
— β-Monobromcampholid
195.
— Säure aus Nopinsäure 1563.

$C_{10}H_{15}O_2P$ Cymylphosphinige Säure
1967.

$C_{10}H_{15}O_2N$ Valerylcyanessigester 882.
—' trans-π-Camphanamid 199.
— Monoacetylscopolin 1662.

$C_{10}H_9O_3NS$ γ-Naphtylaminsulfon-
säure 1125.

— $α_1$-Naphtylamin-$β_2$-sulfo-
säure 1132.

—   α-Naphtylamin-m-mono-
sulfosäure 1132.

— $α_1$-$β_4$-Naphtylaminsulfo-
säure 1912.

— $β_1β_2$-Naphtylaminsulfo-
säure 1917.

$C_{10}H_9O_4NS$ Amidonaphtolmonosulfosäure 1203.

—   p-Amidonaphtolsulfo-
säure 1200.

—   γ-Amidonaphtolsulfo-
säure 1205. 1912. 1913.

—   1, 3-Amidonaphtol-4-mo-
nosulfosäure 1203.

—   Amidonaphtolmonosul-
fosäure „C" 1911.

— $β_1$-Amido-$α_2$-naphtol-
$α_4$-sulfosäure 1204.

— $α_1$-Amido-$α_4$-naphtol-
$β_4$-sulfosäure 1201.

— $α_1$-$α_4$-Amidonaphtol-
$α_2$-monosulfosäure
1908.

— $β_1$-$β_2$-Amidonaphtol-
$β_8$-monosulfosäure
1909.

— $α_1$-$β_2$-Amidonaphtol-
$β_8$-sulfosäure 1202.

— $α_1$-$α_4$-Amidonaphtol-
$β_4$-sulfosäure 1201.

— $α_1$-$α_4$-Amidonaphtol-
$β_3$-sulfosäure 1922.

— $α_1,β_1$-Amidonaphtol-
$β_2$-sulfosäure 1874.

—   Acetonyl-o-benzoësäure-
sulfimid 1247.

$C_{10}H_9O_6NS_2$ 2, 1, 4'-$β$-Naphtylamindi-
sulfonsäure 1124.

—   α-Naphtylamin-$β_2$-$β_8$-di-
sulfosäure 1132.

— a_1-Naphtylamin-$β_2$-$α_4$-di-
sulfosäure 1132.

— $α_1$-Naphtylamin-$β_2$-$β_4$-di-
sulfosäure 1132.

— $β_1$-Naphtylamin-$α_2$-$α_4$-di-
sulfosäure 1204.

$C_{10}H_9O_7NS_2$ Amidonaphtoldisulfosäure „H" 1907. 1909.
1912.

— $α_1$-$α_4$-Amidonaphtoldi-
sulfosäure „H" 1909.

— $α_1$-$α_4$-Amidonaphtol-
($β_2$-$β_3$- oder $β_1$-$α_2$-) disulfosäure 1912.

$C_{10}H_9O_7NS_2$ $α_1$·$α_4$-Amidonaphtol-
$α_2$-$β_8$-disulfosäure 1909.

— $α_1$-$β_2$-Amidonaphtol-
$β_2$ - $β_4$ - disulfosäure
1202.

— $α_1$ $β_2$-Amidonaphtol-
$β_2$-$α_2$-disulfosäure 1202.

—   8, 1, 4, 6-Amidonaphtol-
disulfosäure 1202.

— $β_1$-Amido-$α_4$-naphtol-
$β_2$ - $β_2$ - disulfosäure
1204.

$C_{10}H_9O_9NS_2$ 1, 4, 6, 8-Naphtylamin-
trisulfosäure 1201.

— $β$-Naphtylamintrisulfo-
säure 1204.

$C_{10}H_9O_{10}NS_2$ $α_1$-$α_4$-Amidonaphtoltri-
sulfosäure 1202.

$C_{10}H_{10}ONCl$ $β$-Chlorcrotonsäureani-
lide 264. 680. 721.

— $β$-Chlorisocrotonanilid
680. 721.

$C_{10}H_{10}ONJ$ o-Oxychinolinjodmethylat 1796.

$C_{10}H_{10}ON_2S_2$ Aethoxyphenyldithiobiazolon 1716.

$C_{10}H_{10}ON_2Cl$ Acetylderivat des Chlor-
amidomethylindazols
1701.

$C_{10}H_{10}O_2NCl_2$ Chloralacetophenoxim
1398.

$C_{10}H_{10}O_2NBr$ Oxybrommethylphtal-
methimidin 1275.

$C_{10}H_{10}O_2N_2Br_2$ Dibrom-m-phenylendi-
diacetamid 1129.

$C_{10}H_{10}O_2N_2J$ Jodmethylat des o-Ami-
do-ana-nitrochinolins
1786.

$C_{10}H_{10}O_2ClJ$ Methylester der Phenyl-
$β$-chlor-$α$-jodpropion-
säure 1254.

$C_{10}H_{10}O_2N_2S$ Diamidonaphtalinsulfo-
säure 1201. 1911.

— $α_1$-$β_4$-Naphtylendiamin-
sulfosäure 1912.

— $β_1$-$β_2$-Naphtylendiamin-
$β_8$-sulfosäure 1911.

—   1, 2-Naphtylendiamin-
4-sulfosäure 1133.

—   1, 5-Naphtylendiamin-
2-sulfosäure 1133.

—·   1, 6-Naphtylendiamin-
4-sulfosäure 1133.

$C_{10}H_{10}O_4NBr_3$ Nitrotribromresorcindi-
äthyläther 1174.

$C_{10}H_{10}O_4N_2S$ $β_1β_2$-Diamido-
$α_4$-naphtol-$β_8$-sulfo-
säure 1202. 1911.

$C_{10}H_{10}O_6N_2S_2$ β_1-β_2-Naphtylendiamin-
       disulfosäure 1202.

— $\beta_1\,\beta_4$-Naphtylendiamin-
       disulfosäure 1923.

— $\alpha_1\,\alpha_4$-Diamidonaphtalin-
       β_2-β_8-disulfosäure
       1909.

$C_{10}H_{10}O_6N_3Cl$ Trinitroderivat des
       5-Chlor-1,3-cymols
       1058.

$C_{10}H_{11}O_6N_2Cl$ Chlordinitroresorcindi-
       äthyläther 1086.

$C_{10}H_{12}ONCl$ Nitrosochlorid des Di-
       cyklopentadiens 638.

$C_{10}H_{12}ONBr$ Acetylbrom-m-xylidin
       1111.

$C_{10}H_{12}ON_2Cl_2$ Chlorhydrat des 1,4-Di-
       amino-2-naphtols
       1462.

$C_{10}H_{12}ON_2S$ a b-Propionylphenylthio-
       carbamid 917.

$C_{10}H_{12}O_2NCl$ Chlorphenacetin 1267.

— ω-Chloracetphenetidid
       1100.

$C_{10}H_{12}O_2NBr$ Bromnitro-n-Butylben-
       zol 1076.

—   Bromnitro-i-butylbenzol
       1077.

—   Bromphenacetin 1267.

$C_{10}H_{12}O_2NJ$ Acetyljodphenetidin
       1157.

$C_{10}H_{12}O_2N_2S$ a b-Carboxyäthylphenyl-
       thiocarbamid 898.

$C_{10}H_{12}O_2N_2Hg$ Mercuriopyridinhydrat
       1761.

$C_{10}H_{12}O_2Cl_2S$ Chlorid der 2-Chlor-
       cymolsulfosäure 1487.

$C_{10}H_{12}O_2Br_2S$ Allyltolylsulfondibromid
       1066.

$C_{10}H_{12}O_3N_2S$ a b-Carboxyäthylpara-
       hydroxyphenylthio-
       carbamid 898.

$C_{10}H_{13}ONS$ Thioaldolanilin 1777.

— α-Phenoxybutyrothia-
       mid 892.

—   Acetylderivat des
       o-Amidobenzylmethyl-
       sulfids 1063.

$C_{10}H_{13}ON_3S$ α-Propionyl-β-phenyl-
       thiosemicarbazid 918.

$C_{10}H_{13}O_2N_3S$ Carboxyäthylphenyl-
       thiosemicarbazid 899.

$C_{10}H_{13}O_2BrS$ Monobrompropyltolyl-
       sulfon 1066.

$C_{10}H_{13}O_3NBr_2$ α-n-Dibrom-α-nitrocam-
       pher 194.

$C_{10}H_{13}O_3ClS$ Sulfosäure des 2-Chlor-
       cymols 1487.

$C_{10}H_{13}O_3NS$ Veratrolsulfoacetamid
       1185.

$C_{10}H_{14}ONBr$ π-Brom-α-amido-
       campher 194.

$C_{10}H_{14}O_2Cl_2S$ α-Chlorcamphensulfo-
       säurechlorid 187. 1539.

— β-Chlorcamphensulfo-
       säurechlorid 187. 1539.

$C_{10}H_{14}O_3NCl$ α-Chlornitrocampher
       1524.

$C_{10}H_{14}O_3NBr$ α-Bromnitrocampher
       1524.

— π-Brom-α-nitrocampher
       194.

— π-Brom-α-isonitro-
       campher 194.

$C_{10}H_{14}O_3Cl_2S$ β-Chlorcamphensulfo-
       chlorid 1540.

$C_{10}H_{14}O_5Br_2S$ Oxydibromcampher-
       sulfosäure 1524.

$C_{10}H_{15}O_3ClS$ α-Chlorcamphensulfo-
       säure 187. 1539.

— β-Chlorcamphensulfo-
       säure 188. 1540.

— β-Chlorcamphensulfo-
       lacton 188.

$C_{10}H_{15}O_4BrS$ α-Bromcamphersulfo-
       säure 1524.

$C_{10}H_{15}O_5N_2Br$ Brompernitrosocampher
       1517.

—   Isobromnitrosocampher
       1517.

$C_{10}H_{16}ONCl$ Actives Hydrochlor-
       carvoxim 1547.

—   Inactives Hydrochlor-
       carvoxim 1547.

— α-Limonennitroso-
       chlorid 1547.

— β-Limonennitroso-
       chlorid 1547.

— $\alpha\,\alpha$-Limonennitroso-
       chlorid 1547.

—   Pinennitrosochlorid
       1547. 1548.

$C_{10}H_{16}ONBr$ Actives Hydrobrom-
       carvoxim 1547.

—   Inactives Hydrobrom-
       carvoxim 1547.

—   Oxim des π-Monobrom-
       camphers 1515.

$C_{10}H_{16}O_2NCl$ β-Chlorcamphensulfo-
       säureamid 187.

$C_{10}H_{17}ONCl_2$ Hydrochlordipenten-
       nitrosochlorid 1547.

$C_{10}H_{17}ONBr_4$ Körper aus Tribrom-
       xylenolbromid und Di-
       methylanilin 1162.

C₁₀H₁₇O₂N₂Br Bisnitrosylsäure des
6 - Bromtetrahydrocar-
vons 1546.

C₁₀H₁₈ONCl Menthennitrosochlorid
1485.

— Menthennitrosochlorid
1545.

C₁₀H₁₈O₂NCl Terpineolnitrosochlorid
1547. 1548. 1571.

C₁₀H₁₈O₂NJ Jodmethylat des α-Ecgo-
nins 226.

C₁₀H₂₀O₂NJ Jodmethylat des n-Me-
thylpipecolinsäure-
äthylesters 209.

— 10 V —

C₁₀H₈O₂NClS Amid der 2,1-β-Chlor-
naphtalinsulfonsäure
1124.

C₁₀H₈O₂N₂JBr Jodmethylat des
β-Brom-p-nitrochino-
lins 1783.

C₁₀H₈O₄NBrS Acetonyl-o-brombenz-
oësäuresulfinid
1248.

C₁₀H₉ONBrJ ana-Brom-o-oxychinolinjodmethylat
+ H₂O 1797.

C₁₀H₁₄O₂NClS Amid der 2-Chlorcymol-
sulfosäure 1487.

C₁₀H₁₆O₂NClS α-Chlorcamphensulfosäureamid 1537. 1539.

— Amid der β - Chlor-
camphensulfosäure
1540.

C₁₀H₁₆O₉NS₂K Sinigrin + H₂O 183.
1618.

C₁₀H₂₂ONCl₂P Diamylaminoxychlor-
phosphin 858.

C₁₀H₂₂NCl₂SP Diamylaminsulfochlor-
phosphin 859.

C₁₁-Gruppe.

C₁₁H₁₀ β-Methylnaphtalin 1262.
C₁₁H₁₆ Aethylmesitylen 1397.
— Pentamethylbenzol 1292.

— 11 II —

C₁₁H₆O₄ β-Naphtochinon-3-carbon-
säure 1343.

C₁₁H₈O α-Naphtoësäurealdehyd 1391.
C₁₁H₈O₂ Phenylcumalin 279. 288.
1258. 1259. 1745. 1746.
— α-Naphtoësäure 1266.

C₁₁H₈O₂ β-Naphtoësäure 1266.
C₁₁H₈O₃ Oxyphenylcumalin 1746.
— Oxynaphtoësäure 1231.
— 2, 3 - Oxynaphtoësäure 1278.
1281.
— α-Oxynaphtoësäure 1266.
— β-Oxynaphtoësäure 1261.
1266.
— Dihydro-2-keto-3 naphtoësäure 1278. 1279.

C₁₁H₈O₄ Dioxynaphtoësäure 1277.
— 1, 2-Dioxy-3-naphtoësäure
1278. 1342.
— β-Naphtohydrochinoncar-
bonsäure 1278.
— α₁-β-Dioxynaphtalin-β₁-car-
bonsäure 1341.
— Dihydro-1-oxy-2-keto-
3-naphtoësäure 1278.

C₁₁H₈O₆ Meconinessigsäure 1358.
C₁₁H₉N α-Phenylpyridin 288. 1760.
— o-Phenylpyridin 1746.
C₁₁H₉Cl Naphtylmethylchlorid 1262.
C₁₁H₁₀O α-Naphtolmethyläther 1416.
— β-Naphtolmethyläther 966.
1416.

C₁₁H₁₀O₂ Cinnamylidenessigsäure 242.
— Propylidenphtalid 291
— Methylenhomocaffeïnsäure
1182. 1183.

C₁₁H₁₆O₆ as - Propionisophtalsäure
1470.
— Dimethylester der Hemi-
mellithsäure 1365.

C₁₁H₁₀O₇ Apiolketonsäure aus Dillöl
1588.

C₁₁H₁₀N₂ Amidophenylpyridin 1760.
C₁₁H₁₁O₂ Propylidenphtalid 1829.
C₁₁H₁₁N Monomethyl-α-Naphtylamin
1418.
— α - γ - Dimethylchinolin 1724.
1725.

C₁₁H₁₂O₂ Phenylallylessigsäure 700.
— Zimmtsäureäthylester 242.
C₁₁H₁₂O₃ Benzoylessigäther 849. 1290.
1444. 1752.
— β - Benzoxycrotonsäure 243.
720.
— Formylphenylessigsäure-
äthylester 243. 830. 831.
833. 835. 836. 1083. 1282.
— α-Formylphenylessigester
1283. 1287. 1288.
— β-Formylphenylessigester
1283. 1287. 1288.
— Oxymethylenphenylessig-
ester oder Phenyloxacryl-
säureester 832. 1282. 1284.

$C_{11}H_{19}N$ Methylcampherimin 1523.
$C_{11}H_{20}O$ Homolinalool 202. 1509. 1510. 1511.
$C_{11}H_{20}O_2$ Citronellylformiat 1493.
— Undecylensäure 682.
— Aethylallylcarbinolester der i-Valeriansäure 648.
— Isobutylallylcarbinolester der Propionsäure 648.
$C_{11}H_{20}O_3$ Isoamylacetessigsäureäthyläther 710.
$C_{11}H_{20}O_4$ Methyläthylbernsteinsäureester 247.
— Aethylglutarsäureäther 726.
— r-Propionyloxybuttersäureisobutylester 734.
— Isobutylmalonsäurediäthyläther 710.
— Brassylsäure 772.
— Aethyläther der β-β-Dimethylglutarsäure 715.
— Methylisopropylmalonsäureäther 715.
$C_{11}H_{20}O_5$ Ester aus β-Methyllävulinsäureester 793.
— $α_1$-β-Dimethyl-α-oxyglutarsäureester 690.
$C_{11}H_{22}O_3$ 1-Oxybuttersäure-n-heptylester 733.

— 11 III —

$C_{11}H_4O_4Br_2$ Dibromnaphtochinoncarbonsäure 274. 297.
— 3, 5-Dibrom-β-naphtochinon-7-carbonsäure 1465.
— Dibrom-β-naphtochinoncarbonsäure 1469.
$C_{11}H_4O_5Br_2$ 3, 5-Dibromoxynaphtochinon-7-carbonsäure 1465.
$C_{11}H_6O_4Br_2$ 3, 5-Dibrom-β-hydronaphtochinon-7-carbonsäure 1465.
$C_{11}H_6O_6Br_2$ Lacton der 4-α-Brom-β-oxypropion-5-bromisophtalsäure + H_2O 1470.
$C_{11}H_7O_6Br$ Lacton der 4-β-Oxypropion-5-bromisophtalsäure 1470.
$C_{11}H_8NCl$ α-Phenyl-α-Chlorpyridin 1259. 1746.
$C_{11}H_8O_2N_2$ Nitrophenylpyridin 1759.
— p-Nitrophenylpyridin 1901.
$C_{11}H_9O_7S$ Dioxynaphtoëmonosulfosäure 1277. 1341.

$C_{11}H_8O_7S$ $α_1$-$β_4$-Dioxy-β-naphtoë-$α_2$-sulfosäure 1344.
$C_{11}H_8O_9S_2$ Oxynaphtoëdisulfosäure 1341.
— α-Oxynaphtoëdisulfosäure 1344.
— Disulfo-α-naphtolcarbonsäure 1277.
$C_{11}H_9ON$ α-Phenyl-α-pyridon 1259.
$C_{11}H_9OBr$ α-Phenyl-α'-pyridon 1746.
$C_{11}H_9OBr$ Brom-β-naphtolmethyläther 1195.
$C_{11}H_9O_2N$ Amidonaphtoësäure 1262.
— 2, 3-Amidonaphtoësäure 1261. 1279.
— Maleïnsäurebenzylimid 260. 802.
— Aniluvitoninsäure 1100.
— Methylcinchoninsäure 295.
— Chinaldincarbonsäure 291. 1102
$C_{11}H_9O_3N$ 1-Amido-2-oxy-3-naphtoësäure 1342.
— Monoacetyldioxychinolin 1799.
— 1, 2-Nitromethoxynaphtalin 1200.
— Methylenphtalimidylessigsäure 1274.
— Methylphtalimidylessigsäure 290.
— Chininsäure 1792.
$C_{11}H_9O_3N_3$ o-Acetamido-ana-nitrochinolin 1786.
— o-Acetamido-p-nitrochinolin 1787.
$C_{11}H_9O_4N$ n-Acetoxy-α-indolcarbonsäure 1736.
$C_{11}H_9O_6Br$ Diacetylproduct der 5-Bromprotocatechusäure 1305.
— Saurer Dimethylester der 5-Bromtrimellithsäure 1468.
$C_{11}H_{10}ON_2$ ana-Acetamidochinolin 1789.
— o-Acetamidochinolin 1789.
— p-Acetamidochinolin 1784.
$C_{11}H_{10}O_2N_2$ Chininsäureamid 1792.
— Acetyl-1, 3-phenylpyrazolon 1696.
$C_{11}H_{10}O_3N_2$ Nitro-p-Aethoxychinolin 1798.
$C_{11}H_{10}O_4S$ Oxynaphtylmethylsulfonsäure 1205.
$C_{11}H_{11}ON$ p-Aethoxychinolin 1798.
$C_{11}H_{11}O_2N$ Acetylhydroisocarbostyril 1828.

$C_{11}H_{11}O_2N$ p-γ-Dimethoxychinolin 1793.
— Succin-p-tolil 782.
$C_{11}H_{11}O_2N_3$ Acetylderivat des o-Amido-benzenyläthenylazoxims 1880.
— Diacetyldihydro-β-phentri-azin 1880.
— Methylbenzalbiuret 914.
$C_{11}H_{11}O_2Br$ α-Bromzimmtsäureäthyl-ester 252.
— α-Monobromcinnamin-säureäther 1257.
$C_{11}H_{11}O_3N$ Methylphtalimidinessig-säure 1275.
— Phtalmethimidinessigsäure 1276.
— Succinyl-p-Anisidin 1148.
— Maleïnsäuremonobenzyl-amid 262.
— Acetverbindung des Iso-nitrosophenylacetons 1845.
— p-Methoxyphenylsuccin-imid 1150.
— Methylester der n-Meth-oxy-α-indolcarbonsäure 1737.
— Benzylmaleïnaminsäure 242. 802.
$C_{11}H_{11}O_3Br_2$ Acetat aus Dibrompseudo-cumenolbromid 1166.
$C_{11}H_{11}O_4N$ Methylamidobenzoylessig-o-carbonsäure 1276.
$C_{11}H_{11}O_5J$ Acetat des m-Jodosobenz-aldehyds 1386.
$C_{11}H_{12}ON_2$ Antipyrin 230. 1689. 1691. 1692. 1693. 1698. 1699. 1700. 2295. 2299. 2306. 2311.
— 1-Propylphtalazon 1829.
— 1-Phenyl-3,4-dimethyl-pyrazolon 1690.
— 1-Phenyl-3,4-dimethyl-5-pyrazolon 1691. 1692.
— Amido-p-äthoxychinolin + H₂O 1798.
— 1-Phenyl-3-methyl-5-meth-oxypyrazol 1692.
$C_{11}H_{12}O_2N_2$ β-Methyl-γ-o-tolylhydan-toin 926.
— β-Methyl-γ-p-tolylhydan-toin 926.
— Acetyl-1,3-phenylpyrazoli-don 1696.
— 4-Oxyantipyrin 1692.
— Benzenylamidoximbutter-säureesoanhydrid 299.

$C_{11}H_{12}O_2S$ β-Thiobenzylcrotonsäure 253. 306. 678. 721.
— β-Thiobenzylisocroton-säure 678. 720. 721.
$C_{11}H_{12}O_2N_2$ Mononitroverbindung des Pr. 1ⁿ-Methyl-3,3-dime-thyl-2-indolinons 1732.
$C_{11}H_{12}O_2N_4$ Methyläthenylnitroacetyl-amidophenylenamidin 1134.
$C_{11}H_{12}O_6N_2$ Diacetylderivat des Nitro-amidoguajacols 1148.
$C_{11}H_{12}O_6N_4$ Picrylpiperidid 1757.
$C_{11}H_{12}N_2J_2$ Dipyridinmethylenjodid 1758.
$C_{11}H_{13}ON$ Körper aus Trimethyldi-hydrochinolin 1726.
— Propylphtalimidin 1829.
— Acetyltetrahydroisochino-lin 1827.
— μ-β-Phenylmethylpentox-azolin 298. 893.
— Trimethylindolinon 306. 1725.
— Py-1ⁿ-Methyl-3,3-dimethyl-2-indolinon 256. 1732.
$C_{11}H_{13}ON_3$ 1-Phenyl-5-propyl-3-oxy-triazol 1719.
— 1-Phenyl-5-isopropyl-3-oxytriazol 1719.
— Amidoantipyrin 1693.
$C_{11}H_{13}OBr_2$ Körper aus Dibrompseudo-cumenolbromid 1166.
$C_{11}H_{13}O_2N$ o-Oxychinolinäthyloxyd-hydrat + 2H₂O 1797.
— Aethyläther des Isonitro-sophenylacetons 1845.
— Acetylpropionanilid 1097.
— Formylnormalbutyranilid 1097.
$C_{11}H_{13}O_2N_3$ Aethylbenzalbiuret 914.
— 1-Phenyl-2-Nitroso-3-di-methyl-5-pyrazolidon 765.
$C_{11}H_{13}O_3N$ Succinmethylanilsäure 782.
— Phenylmalonsäureester. Monamid 700.
— Succin-p-tolilsäure 782.
— Succinphenylaminsäure-Methyläther 1361.
— o-Toluylalanin 72.
$C_{11}H_{13}O_3J$ Phenyl-β-äthoxy-α-jodpro-pionsäure 1254.
$C_{11}H_{13}O_4N$ p-Methoxyphenylsuccin-aminsäure 1150.
— Acetmethylamidophe-nylkohlensäuremethyl-ester 1293.

$C_{11}H_{19}O_3N_3$ Semicarbazon der l-Pinonsäure 191.

$C_{11}H_{19}O_4Br$ Bromtrimethylbernstein-
säureester 695.

$C_{11}H_{19}O_5N_3$ Semicarbazon der Isoketocamphersäure 191.

$C_{11}H_{21}O_2N_3$ Semicarbazon des Terpe-
nons $C_{10}H_{16}O$ 1553.

$C_{11}H_{24}N_2S_2$ Methylisobutyldithio-
carbaminsaures Methyl-
isobutylamin 876. 926.

— 11 IV —

$C_{11}H_2O_5Cl_2Br_2$ Dibromchlortriketo-
hydronaphtalincar-
bonsäure 1466.

$C_{11}H_3O_6Cl_2Br$ 5-Brom-3-chlor-1, 2, 4-
triketohydronaphta-
lin-7-carbonsäure
1466.

$C_{11}H_4O_5Cl_2Br_2$ 2,4-Dibrom-2,3-dichlor-
6-carboxyl-t-keto-
hydrinden 1469.

$C_{11}H_4O_4Cl_2Br_2$ 3,5-Dibrom-8,4-dichlor-
1,2-diketohydro-
naphtalin-7-carbon-
säure $+H_2O$ 1468.

$C_{11}H_4O_5ClBr$ 5-Brom-3-chloroxy-
naphtochinon-7-car-
bonsäure 1468.

— Bromchloroxynaphto-
chinoncarbonsäure
1466.

$C_{11}H_5O_6Cl_2Br$ 4-Brom-6-carboxyl-2-di-
chlor-3-ketohydrin-
den-1-oxycarbon-
säure 1466.

$C_{11}H_6O_4NCl$ Acetylverbindung des
Chloroxychinolin-
chinons 1801.

$C_{11}H_6O_5Cl_2Br_2$ 2,4-Dibrom-2,3-dichlor-
6-carboxylhydrinden
1-oxycarbonsäure
1468.

$C_{11}H_8O_2NBr$ Brommaleïn-p-tolil
790.

$C_{11}H_9ON_2Br$ o-Brom-ana-acetamidochinolin 1789.

— ana-Brom-o-acetamido-
chinolin 1789.

— m-Brom-o-acetamido-
chinolin 1784.

$C_{11}H_9O_5NS$ Amidooxynaphtoëmonosulfosäure 1915.

$C_{11}H_9O_6N_2S$ Diazonaphtoësäuresul-
fat 1262.

$C_{11}H_{11}ON_2Br$ 4-Bromantipyrin 1692.

$C_{11}H_{11}O_3NBr_2$ Citradibrombrenzweinanilsäure 265. 790.

— Dibromsuccin-p-Tolil-
säure 265. 790.

$C_{11}H_{12}ONBr$ o-Oxychinolin-brom-
äthylat $+1^1/_2 H_2O$
1797.

$C_{11}H_{12}O_2ClJ$ Aethylester der Phenyl-
β-chlor-α-jodpropion-
säure 1254.

$C_{11}H_{13}O_3NCl$ Benzenylchloroximbuttersäure 890.

$C_{11}H_{13}O_3NBr$ Benzenylbromoximbuttersäure 890.

$C_{11}H_{13}O_4NS$ Carboxyäthylthio-
carbaminsäureben-
zylester 899.

$C_{11}H_{13}O_6N_3Cl$ Trinitrochlorbutyl-
toluol 1078.

$C_{11}H_{13}O_6N_3Br$ Trinitrobrombutyltoluol 1078.

$C_{11}H_{13}O_6N_3J$ Trinitrojodbutyltoluol
1078.

$C_{11}H_{13}N_3BrS$ μ-o-Tolylamido-
γ-brompenthiazolin
901.

— Paratolylamido-
γ-brompenthiazolin
901.

— μ-Methylphenylamido-
γ-brompenthiazolin
901.

$C_{11}H_{14}ONCl$ γ-Chlorbutylbenzamid
298. 893.

$C_{11}H_{14}ON_2S$ a-b-Isobutyrylphenyl-
thiocarbamid 918.

— a-b-Propionyl-o-tolyl-
thiocarbamid 918.

— a-b-Propionyl-m-tolyl-
thiocarbamid 918.

— a-b-Propionyl-p-tolyl-
thiocarbamid 918.

— n-Propionyl-o-methyl-
phenylthioharnstoff
918.

$C_{11}H_{14}O_3N_2S$ a-b-Carboxyäthyl-
orthotolylthiocarb-
amid 898.

— a-b-Carboxyäthyl-
p-tolylthiocarbamid
898.

— a-b-Carboxyäthylben-
zylthiocarbamid 898.

$C_{11}H_{15}O_3NS$ Benzolsulfopiperidid
1757.

$C_{11}H_{16}O_3NP$ Nitroverbindung des
Diäthyltolylphos-
phinoxyds 1961.

$C_{11}H_{16}O_3NP$ Aethylester der Nitrotolylphosphinsäure
1960.

$C_{11}H_{17}ClJP$ Methyldiäthylmono-
chlorphenylphos-
phoniumjodid 1957.

$C_{11}H_{17}BrJP$ Methyldiäthylmono-
bromphenylphos-
phoniumjodid 1958.

$C_{11}H_{18}O_3NP$ Aethylester der Amido-
p-tolylphosphinsäure
1960.

$C_{11}H_{20}O_6NJ$ α-Ecgoninmethylester-
jodmethylat 225.

C_{12}-Gruppe.

$C_{12}H_{10}$ Diphenyl 53. 1049. 1232. 1365.
1419.
— Acenaphten 1052. 1053.

$C_{12}H_{12}$ Dimethylnaphtalin 1825.
— 1, 4-Dimethylnaphtalin 1196.

$C_{12}H_{18}$ s-Triäthylbenzol 1396. 1397.

— 12 II —

$C_{12}H_6O_2$ Acenaphtenchinon 1425.

$C_{12}H_6O_3$ Naphtalsäureanhydrid 283.
1368. 1368.

$C_{12}H_6N_2$ Nitril der 1, 5-Naphtalindi-
carbonsäure 1338.

$C_{12}H_8O$ Acenanaphtenon 1424. 1426.
— Biphenylenoxyd 1194.

$C_{12}H_8O_3$ α-Naphtylglyoxylsäure 1293.

$C_{12}H_8O_4$ Naphtalsäure 1326. 1368.
— β-Phenylcumalinsäure 1746.
— 1, 5-Naphtalindicarbonsäure
302. 1338. 1339.
— β-Naphtochinoncarbon-
säure-Methyläther 1344.

$C_{12}H_8O_5$ 1, 3, 7-Trioxyxanthon 1439.

$C_{12}H_8N_2$ Phenazon 1951.
— Phenazin 1841. 1859.

$C_{12}H_8Br_2$ Acenaphtylenbromid 1223.

$C_{12}H_8S_2$ Thianthren 1192.
— Diphenylendisulfid 1189.
1190.

$C_{12}H_8Se_2$ Selenanthren 1193.

$C_{12}H_9N$ Carbazol 54. 295. 1122. 1744.
— α-Phenylpyridin 1259.
— β-Naphtylacetonitril 1262.

$C_{12}H_9N_3$ 1-α-Naphtyltriazol 1722.
— 1-β-Naphtyltriazol 1722.
— p Amidophenazin 1861.
— Phenylazimidobenzol 295.
1122.

$C_{12}H_9Cl$ p-Chlordiphenyl 1891.

$C_{12}H_9Br$ p-Bromdiphenyl 1891.

$C_{12}H_{10}O$ Methylnaphtylketon 1414.
— α-Methylnaphtylketon 673.
1293. 1415.
— β-Methylnaphtylketon 673.
1415.
— Phenyläther 1195. 1243. 1269.

$C_{12}H_{10}O_2$ β-Naphtylessigsäure 320.
1262.
— p-Oxyphenyläther 1145.
— Acenaphtenglycol 1223. 1424.
— o-Benzoylphenol 1428.

$C_{12}H_{10}O_4$ Dioxynaphtoësäure-Methyl-
äther 1343.

$C_{12}H_{10}O_5$ Phloroglucid 1187.

$C_{12}H_{10}O_7$ Dimethylester der Phenylglyoxyldicarbonsäure 1369.

$C_{12}H_{10}N_2$ Azobenzol 119. 1234. 1944.
— Dihydrophenazin 1841. 1859.

$C_{12}H_{10}Cl_2$ Tolandichloride 240.

$C_{12}H_{10}J_2$ Diphenyljodiniumjodid 1060.

$C_{12}H_{10}J_4$ Perjodid des Diphenyljodi-
niumjodids 1060.

$C_{12}H_{10}S$ Phenylsulfid 1191.

$C_{12}H_{10}S_2$ Phenyldisulfid 1067. 1068.
1189. 1452.

$C_{12}H_{10}Se$ Phenylselemid 1072. 1191.

$C_{12}H_{10}Se_2$ Diphenyldiselenid 1072.

$C_{12}H_{11}N$ o-Aminobiphenyl 1816.
— Diphenylamin 1873. 1942.

$C_{12}H_{11}N_2$ Azodimethylnaphtalin 1196.

$C_{12}H_{11}N_3$ Diazoamidobenzol 133. 1944.
— Amidoazobenzol 133. 1109.
1234. 1874. 1944.

$C_{12}H_{11}N_5$ Diamidophenylazimidobenzol 1923.
— Diamidophenylazimidobenzol 1929. 1930.
— Amidodiphenyltetrazol 1723.

$C_{12}H_{12}O$ Cinnamylenaceton 1389.
— Monobenzalketopenta-
methylen 1685.
— Dimethylnaphtol 1195.

$C_{12}H_{12}O_2$ Oxydimethylnaphtol 1196.
— Butylidenphtalid 291.
— Isobutylidenphtalid 291. 1830.

$C_{12}H_{12}O_3$ Benzoyldiacetylmethan 1446.

$C_{12}H_{12}O_4$ Benzylglutaconsäure 821.
— Tetrahydro-1, 5-naphtalin-
dicarbonsäure 1341.
— Phenylallylmalonsäure 700.
— Dimethylanemonin 1624.
— β-Benzoylglutarsäure 695.

$C_{12}H_{12}O_5$ Diacetylresacetophenon 1436.
— Acetferulasäure 1392.
— Phenacylbernsteinsäure 695.

$C_{12}H_{12}O_6$ Acetylopiansäure 1358.
— Acetophenyläpfelsäure 756.

161*

$C_{12}H_{12}O_6$ Trimethylester der Hemimellithsäure 1865.

$C_{12}H_{12}N_2$ Benzidin 119. 1109. 1117.
1119. 1478. 1911. 1912.
1914. 1915. 1921.

— o - Aminodiphenylamin 1122.
1841. 1860. 1865. 1876.

— p-Amidodiphenylamin 1875.

— Phenyl-o-phenylendiamin
1853. 1854. 1856. 1865.
1866. 1877.

— Hydrazobenzol 1944.

$C_{12}H_{12}N_4$ p-p-Diamidoazobenzol 1920.

— Di-m-amidoazobenzol 1926.

$C_{12}H_{13}N$ Monoäthyl-α-naphtylamin
1418.

— Monoäthyl-β-naphtylamin
1864.

— Dimethylnaphtylamin 1195.

— α-Normalpropylchinolin
1812. ·

— 3-Propylisochinolin 1822.

$C_{12}H_{13}N_3$ 1, 2, 4 - Diamidodiphenylamin
1861.

— Diamidodiphenylamin 1914.

$C_{12}H_{14}O$ Monobenzaldiäthylketon
1747.

$C_{12}H_{14}O_2$ o-Propylcumarketon 1402.

— Körper aus Isoeugenoläthyl-
ätherdibromid 1136.

$C_{12}H_{14}O_3$ o-Dimethylbenzoylpropion-
säure 1292.

— m - Dimethylbenzoylpropion-
säure 1292.

— p-Dimethylbenzoylpropion-
säure 1292.

— Aethylbenzoylpropionsäure
1292.

— 2, 4-m-Xylylglyoxylsäure-
ester 1290.

— m-Methoxyzimmtsäureester
1393.

— Valerophenon-o-carbonsäure
1830.

— Aceteugenol 1392.

— Acetisoeugenol 1392.

— Cymylglyoxylsäure 1371.

— Durylglyoxylsäure 1230.

$C_{12}H_{14}O_4$ Eugenoxacetsäure 1227.

— Eugenolessigsäure 1392.

— Isoeugenoxacetsäure 1228.

— Apiol aus Dillöl 1586.

— Isoapiol aus Dillöl 1587.

— Isoapiol 1588.

— Terephtalsäureester 1940.

— o-Phtalsäureester 1939.

— Isophtalester 1940.

$C_{12}H_{14}O_5$ Active Monobenzoylglycerin-
säureäthylester 729.

— Dimethoxybenzoylpropion-
säure 1454.

— Monoäthylanemonin 1625.

— γ-Phenoxyäthyl-α-methyl-
malonsäure 689.

$C_{12}H_{14}O_7$ Diäthyläther der Triketo-
hexamethylenmetadicar-
bonsäure 745.

— Triketohexamethylendicar-
bonsäureester 273.

$C_{12}H_{14}O_8$ Acetylverbindung des Dimethylapionols 1589.

$C_{12}H_{14}N_4$ Hydrazin aus Di-o-diamido-
diphenyl 1951.

$C_{12}H_{15}N$ Dihydrotrimethylchinolin
·1725. ·1729.

— Trimethyldihydrochinolin
1726. 1728. 1729. 1730.

$C_{12}H_{16}O$ Acetodurol 1230.

— Acetoisodurol 1230.

— Monoacetyldurol 1396.

— Propyldihydrocumaron 282.

$C_{12}H_{16}O_2$ Körper aus Isoeugenoläthyl-
ätherdibromid 1136.

— Körper aus Anetholdibromid
1138.

— Propyldihydrocumarketon
282.

— Propyldihydro-o-cumarketon
1403.

— Diacetyl-m-xylol 1397.

$C_{12}H_{16}O_3$ Diäthylresorcylmethylketon
1455.

— Diäthyläther des Resorcyl-
methylketons 1455.

— α-Phenoxybuttersäureäthyl-
ester 891.

— Tetramethyl-Mandelsäure
1230.

$C_{12}H_{16}O_4$ β-Phenoxyäthyl-γ-hydroxy-
buttersäure 689.

$C_{12}H_{16}O_5$ · π-Acetoxycampbersäurean-
hydrid 199.

— Dimethylester der Anemonolsäure 1625.

$C_{12}H_{16}O_6$ Allentricarbonsäureäthyl-
ester 821.

$C_{12}H_{17}N$ Trimethyltetrahydrochinolin
1728. 1730.

— n-α-γ-Trimethyltetrahydro-
chinolin 1725.

— Tetramethylindolin oder
n γ γ-Trimethyltetrahydro-
chinolin 1730.

— Tetrahydro-α-propylchinolin
1812.

$C_{12}H_8O_5S_2$ Thianthrenmonosulfon 1192.

—   Diphenylendithiënyl 1190. 1194.

$C_{12}H_8O_5Se_2$ Selenanthrendioxyd 1193.

$C_{12}H_8O_4N_2$ o-p-Dinitrodiphenyl 1759.

—   p-p-Dinitrodiphenyl 1759.

$C_{12}H_8O_6S_2$ Thianthrendisulfon 1193.

$C_{12}H_8O_5N_2$ Dinitrophenyläther 1145.

—   o-Dinitrophenyläther 1145.

—   p-Dinitrophenyläther 1144.

$C_{12}H_8O_5N_6$ m-Nitrodiazobenzolanhydrid 1891.

—   p-Nitrodiazobenzolanhydrid 1891.

$C_{12}H_8O_7S$ Monosulfo-1-5-naphtalindicarbonsäure $+ H_2O$ 1341.

$C_{12}H_8NCl$ Monochlorcarbazol 1745.

$C_{12}H_9ON$ β - Phenylpyridylketon 1767.

$C_{12}H_9ON_3$ Aminoindulon 1852.

$C_{12}H_9O_2N$ Nitrodiphenyl 1901.

—   p-Nitrodiphenyl 1902.

$C_{12}H_9O_2N_5$ Nitroamidophenylazimidobenzol 1930.

$C_{12}H_9O_2Br$ Acetat des 3'-Brom-β-naphtols 1199.

$C_{12}H_9O_3N$ o - Nitrophenyläther 1141. 1144.

—   p-Nitrophenyläther 1144.

—   Oxim der α-Naphtylglyoxylsäure $C_{12}H_9O_3$ 1293.

—   4-Acetamino-1-2-naphtochinon 1853.

$C_{12}H_9O_3N_3$ Nitrosobenzolazoresorcin 53.

—   Benzolazonitrosoresorcin 53.

$C_{12}H_9O_4N_3$ Dinitrodiphenylamin 1923.

—   2, 4, (α)-Dinitrodiphenylamin 1929.

—·   m-Dinitrodiphenylamin 1930.

$C_{12}H_9O_4N_5$ Orthodinitrodiazoamidobenzol 1904.

—   o-p-Dinitrodiazoamidobenzol 1905.

—   p-Dinitrodiazoamidobenzol 1905.

$C_{12}H_9O_6Cl_3$ Triacetylderivat des Trichlorpyrogallols 1350.

$C_{12}H_9NS$ Thiodiphenylamin 1151.

$C_{12}H_9N_3Cl$ m-Chlorazobenzol 1919.

—   p-Chlorazobenzol 1919.

$C_{12}H_9N_3Br$ m-Bromazobenzol 1919.

—   p-Bromazobenzol 1919.

$C_{12}H_9ClS$ p-Chlorphenylsulfid 1900.

$C_{12}H_{10}ON_2$ Azoxybenzol 1073. 1074. 1189. 1942.

—   Oxyazobenzol 52. 1189.

—   p-Oxyazobenzol 1074.

— β-Phenylpyridylketoxime 257. 306.

—   Phenylpyridylketoxim 1768.

—   Nitrosodiphenylamin 1862. 1875. 1942.

$C_{12}H_{10}ON_4$ Diazobenzolanhydrid 1890.

$C_{12}H_{10}OSe$ Diphenylselenoxyd 1071.

$C_{12}H_{10}O_2N_2$ Amid der 1, 5-Naphtalindicarbonsäure 1339.

$C_{12}H_{10}O_2N_4$ p-Amido-m-nitrodiazobenzol 1904.

$C_{12}H_{10}O_2S_2$ Benzoldisulfoxyd 1067. 1068.

$C_{12}H_{10}O_2Se$ Diphenylselenon 1071. 1072.

$C_{12}H_{10}O_4N_2$ o-Nitro-α-cyanzimmtsäure-Aethyläther 1272.

—   m-Nitro-α-cyanzimmtsäure-Aethyläther 1273.

$C_{12}H_{10}O_4J_4$ Aethylester der Tetrajodterephtalsäure 1332.

$C_{12}H_{10}O_4S$ o-Dioxydiphenylsulfon 1071.

—   p-Dioxydiphenylsulfon 1071.

$C_{12}H_{10}O_5S$ 1, 2, 3-Trioxydiphenylsulfon 1071.

$C_{12}H_{10}N_3S$ Diazobenzolthiophenyläther 1899.

$C_{12}H_{10}N_3Cl$ p-Chlordiazoamidobenzol 1891.

$C_{12}H_{10}N_3Br$ p-Bromdiazoamidobenzol 1891.

$C_{12}H_{10}ClP$ Monochlorphosphenylchloridphenylhydrazon 1957.

$C_{12}H_{10}Cl_2Se$ Diphenylselenidchlorid 1072.

$C_{12}H_{10}Br_2Se$ Selenidbromid 1072.

$C_{12}H_{11}ON$ α-Acetnaphtalid 1094.

— β-Acetnaphtalid 1094.

—   Amidophenyläther 1144.

—   o-Aminophenyläther 1141. 1194.

—   2, 1, 4-Nitrosodimethylnaphtalin 1198.

—   Methylnaphtylketoxim 256.

—   Oxim des α - Methylnaphtylketons 1415.

—   Oxim des β - Methylnaphtylketons 1415.

$C_{12}H_{11}ON$ p-Amido-p-oxydiphenyl 1154.

$C_{12}H_{11}ON_3$ Diazooxyamidobenzol 1943.

$C_{12}H_{11}OBr$ Brom-β-naphtoläthyläther 1195.

$C_{12}H_{11}OJ$ Diphenyljodiniumhydroxyd 1060.

$C_{12}H_{11}O_2N$ Glycolsäure-α-naphtalid 1123.

— Glycolsäure-β-naphtalid 1123.

— Acetylverbindung des 7-Amido-1-naphtols 1278.

— o-Toluiluvitoninsäure 1102.

— p-Toluiluvitoninsäure 1102.

$C_{12}H_{11}O_2N_3$ Nitroamidodiphenylamin 1923.

$C_{12}H_{11}O_3N$ 1, 2-Nitroäthoxynaphtalin 1200.

— Benzoylcyanessigester 882.

— Furfurantibenzoylaldoxim 262.

— p-Oxy-α-cyanzimmtsäure-Aethylester 1272.

— Methylenphtalimidylessigsäure-Methylester 1275.

— Methylphenacylcyanessigsäure 1290.

$C_{12}H_{11}O_3Br$ Acetverbindung des 5-Brom-2-oxybenzalacetons 1437.

$C_{12}H_{11}O_5N$ Benzoylmethyltartrimid 162. 846.

$C_{12}H_{11}O_5Br$ Dimethylester der 4-Aceto-5-bromisophtalsäure 1471.

$C_{12}H_{11}O_6Br$ Trimethylester der 5-Bromtrimellithsäure 1468.

$C_{12}H_{11}NS$ 4-Aminophenylsulfid 1085.

$C_{12}H_{12}ON_2$ p-Diamidophenyläther 1145.

— 2, 4-Diamidophenyläther 1145.

$C_{12}H_{12}ON_4$ Di-m-Diamidoazoxybenzol 1925.

$C_{12}H_{12}O_3N_2$ 1-Phenyl-3-methyl-5-keto-tetrahydropyridazon-4-carbonsäure 1949.

— 1 - Phenyl-3-methyl-5-pyrazolon-4-essigsäure 1692.

$C_{12}H_{12}O_4Cl_2$ Aethyläther der p-Dichlorterephtalsäure 1159.

$C_{12}H_{12}O_4S$ α₁-Naphtoläther-α₂-sulfosäure 1201.

$C_{12}H_{12}NCl$ 1-3-Chlorpropylisochinolin 1822.

$C_{12}H_{12}N_2S$ o-Thioanilin 1144.

$C_{12}H_{12}N_2S$ p-Thioanilin 1143.

— Diamidophenylsulfid 1085.

$C_{12}H_{13}ON$ Base aus Dehydracetsäure 1825.

— 3-Propylisocarbostyril 1822.

$C_{12}H_{13}O_2N$ Oxim des Oxydimethylnaphtols 1197.

— Anil der asymm. Dimethylbernsteinsäure 781.

— Phenylcyanpropionsäureester 686.

— Acetat des Menthonoxims 1512.

$C_{12}H_{13}O_2N_3$ Phenylazocyanessigsäure-Propylester 1892. 1893.

— α-Modification des Phenylazocyanessigsäure-Propylesters 1893.

— β-Modification des Phenylazocyanessigsäure-Propylesters 1893.

— Benzolazocyanessigsäurepropylester 260.

— Condensationsproduct aus p-Acetylamidophenylhydrazin 1700.

$C_{12}H_{13}O_2Br$ Aethyläther des 5 - Brom-2 - oxybenzalacetons 1437.

$C_{12}H_{13}O_3N$ Hydrocarbostyril-β-carbonsäureester 292. 1779.

— p-Aethoxyphenylsuccinimid (Pyrantin) 1150.

— Succinil-p-Phenetidin 1149.

$C_{12}H_{13}O_3Br_3$ Tribromdiäthylresacetophenon 1401.

$C_{12}H_{13}O_4Br_3$ Dibromür des Monobromapiols 1587.

$C_{12}H_{13}O_4J$ α-Jodphtalsäurediäthylester 1820.

$C_{12}H_{13}N_2Cl$ i-Butylchlorphtalazin 1830.

$C_{12}H_{14}ON_2$ 1-Phenyl-3, 4-trimethylpyrazolon 1689. 1690.

— 1-Phenyl-2, 3, 4-Trimethylpyrazolon 1690.

— 4 - Methylantipyrin 1689. 1690.

— i-Butylphtalazon 1830.

$C_{12}H_{14}O_2N_2$ Formopyrin 1698. 1699.

— Vinyläthylphtalimid 290.

$C_{12}H_{14}O_2Br_2$ Dibromid des Körpers $C_{12}H_{14}O_2$ aus Isoeugenoläthyläntherdibromid 1186.

$C_{12}H_{14}O_3N_2$ Verbindung aus Phenylendiamin 1848.

$C_{12}H_{18}O_3S$ Normalamyl-o-tolylsulfon 1065.

$C_{12}H_{18}O_4N_2$ Methylphenylhydrazon der Arabinose 170.

$C_{12}H_{18}O_5N_2$ Phenylhydrazid des Isorhamnolactons 175.

— Phenylhydrazid der Isorhamnonsäure 981.

$C_{12}H_{18}O_6N_2$ Diäthoxalylpiperazin 1842.

$C_{12}H_{18}N_2S$ Methylisobutylphenylsulfoharnstoff 876. 926.

$C_{12}H_{19}ON$ Oxim des Bicyklomethylpentenmethylpentanons 1535.

$C_{12}H_{19}OP$ Phenetyldiäthylphosphin 1958.

$C_{12}H_{19}O_4Br$ Dimethylester der π-Bromcamphersäure 199.

$C_{12}H_{20}O_4N_6$ Histidin 1651.

$C_{12}H_{20}JP$ o-Tolyldiäthylmethylphosphoniumjodid 1962.

$C_{12}H_{21}O_2N$ α-Camphormethylamin- säure-Methyläther 1360.

— β-Camphormethylaminsäure-Methyläther 1361.

— β-Camphoraminsäure-Aethyläther 1361.

$C_{12}H_{21}O_4Br$ β-Brom-ααβ-trimethylglutarsäureester 751.

$C_{12}H_{22}O_2N_2$ Diacetylverbindung des p-Aminotrimethylpiperidins 1754.

$C_{12}H_{22}O_8N_2$ Aetheroxalsaures Piperazin 1842.

$C_{12}H_{22}O_{10}N_2$ Fructoseketazin 993.

$C_{12}H_{22}O_2N$ Oxim des Ketons $C_{12}H_{22}O_2$ aus Citronellal 1495.

— Hexahydrodiäthylbenzylamincarbonsäure 258.

— Hexahydrodiäthylbenzylamincarbonsäure 306.

— trans-Hexahydro-o-diäthylbenzylamincarbonsäure 1251.

— trans Hexahydro-o-p-diäthylbenzylamincarbonsäure 1251.

— cis-Hexahydro-o-diäthylbenzylamincarbonsäure 1250.

— cis-Hexahydro-p-diäthylbenzylamincarbonsäure 1251.

$C_{12}H_{22}O_{10}N$ Galactosamin 169.

— Körper aus Galactosamin 1005.

— Körper aus Mannose 1005.

$C_{12}H_{22}O_{10}N$ Amin aus Galactosamin 169.

— Amidoderivat der Mannose 169.

$C_{12}H_{22}NS$ Isoundecylsenföl 909.

$C_{12}H_{24}O_2N_2$ Hexamethylendiäthylurethan 742.

$C_{12}H_{24}O_2N_6$ Sturin 1650.

$C_{12}H_{24}O_4N_2$ Hexamethylendiäthylurethan 840.

— Aethylester der Hydrazoisobuttersäure 885.

$C_{12}H_{24}O_{10}N_2$ Fructoseketazin 172.

— Glucosealdazin 171. 993.

— 12 IV —

$C_{12}H_5O_4Cl_6P$ Ditrichlorphenylester der Phosphorsäure 1176.

$C_{12}H_5NCl_4S$ Tetrachlorthiodiphenylamin 1151. 1152.

$C_{12}H_6O_4N_2S_2$ Dinitrodiphenylendisulfid 1191.

$C_{12}H_7O_2N_2Cl$ Nitrochlorcarbazol 1745.

$C_{12}H_7NCl_2S$ Dichlorthiodiphenylamin 1152.

$C_{12}H_8ON_2Cl_2$ p-Dichlorazoxybenzol 1085.

$C_{12}H_8ON_4Cl_2$ m-Chlordiazobenzolanhydrid 1891.

— p-Chlordiazobenzolanhydrid 1890.

$C_{12}H_8ON_4Br_2$ m-Bromdiazobenzolanhydrid 1891.

$C_{12}H_8O_4N_2S$ Dinitrophenylsulfid 1085. 1143.

— Diorthodinitrodiphenylsulfid 1144.

$C_{12}H_8O_4N_2S_2$ Dinitrodiphenyldisulfid 1902.

$C_{12}H_8O_4N_6S$ Di-p-nitrophenyldiazosulfid 1901. 1902.

$C_{12}H_8O_5Cl_3Br$ Dimethylester der 4-Trichloraceto-5-bromisophtalsäure 1467.

$C_{12}H_8NClS$ Monochlorthiodiphenylamin 1158.

$C_{12}H_8N_2Cl_2S$ o-p-Dichlordiazothiophenyläther 1900.

$C_{12}H_9O_2NS$ Diphenyldisulfonp-phenylendiamin 1071.

— 4-Nitrophenylsulfid 1084.

$C_{12}H_9O_2N_2S$ p-Nitrodiazobenzolthiophenyläther 1900.

$C_{12}H_9O_4NS$ Benzolsulfonester des p-Nitrosodimethyl-anilins 1928.

$C_{12}H_9N_2ClS$ o-Chlordiazobenzolthio-phenyläther 1900.

— Anti-p-chlordiazobenzol-thiophenyläther 1899.

$C_{12}H_{10}O_2N_2S$ Nitroaminophenylsulfid 1084. 1085.

$C_{12}H_{10}O_2NBr$ 1,3',2-Nitrobromäthoxy-naphtalin 1200.

$C_{12}H_{10}O_3N_2S_2$ Diazosulfanilsäurethio-phenyläther 1900.

$C_{12}H_{10}N_2ClP$ Phenylhydrazon des Mo-nochlorphosphenyl-chlorids 1956.

$C_{12}H_{10}N_2BrP$ Phenylhydrazon des Mo-nobromphosphenyl-chlorids 1958.

$C_{12}H_{11}ON_2P$ Oxyphosphazobenzol-anilid 1952.

$C_{12}H_{11}O_5N_3S$ p-Nitro-p-amidodiphe-nylamin-o-sulfosäure 1114.

$C_{12}H_{12}O_2NBr_2$ Citradibrombrenzwein-p-tolylsäure 265. 790.

$C_{12}H_{12}O_3N_2S$ p-Diamidodiphenylamin-sulfosäure 1114.

$C_{12}H_{12}O_4N_2Br_3$ Diurethan des Tribrom-m-phenylendiamins 1129.

$C_{12}H_{14}ONCl$ o-Aethoxychinolinchlor-methylat $+ 2H_2O$ 1797.

$C_{12}H_{14}ONJ$ o-Aethoxychinolinjod-methylat 1797.

$C_{12}H_{15}O_2N_2Br$ β-Bromdiäthylphtalamid 1315.

$C_{12}H_{16}ON_2S$ a-b-Isobutyryl-o-tolyl-thiocarbamid 918.

— n-Benzoyl-o-diäthylthio-harnstoff 920.

$C_{12}H_{16}O_2N_2S$ a-b-Carboxyäthyl-m-xylylthiocarbamid 898.

$C_{12}H_{18}O_2N_4S_2$ Acetylderivat des Di-propylen-ψ-hydrazo-dicarbonthioamids 904.

$C_{12}H_{19}ON_3S$ s-γ-Aethoxybutylphenyl-thioharnstoff 893.

$C_{12}H_{19}BrJP$ Triäthylmonobromphe-nylphosphoniumjodid 1958.

$C_{12}H_{20}OJP$ Diäthylmethylanisyl-phosphoniumjodid 1958.

— 12 V —

$C_{12}H_5ONCl_4S$ Sulfoxyd des Tetra-chlorthiodiphenyl-amins 1152.

$C_{12}H_5O_5N_2Cl_2S$ Dinitrodichlordiphenyl-aminsulfoxyd 1152.

$C_{12}H_7ON_2Cl_4P$ Oxyphosphazodichlor-benzoldichloranilid 1953.

$C_{12}H_9ON_2Cl_2P$ Oxyphosphazo-m-chlor-benzolchloranilid 1953.

$C_{12}H_9ON_2Br_2P$ Oxyphosphazometha-brombenzolbromani-lid 1953.

$C_{12}H_{11}ONClP$ Anilin-N-phenylphos-phinsäurechlorid 1956.

$C_{12}H_{12}ON_2ClP$ Anilin-N-oxychlorphos-phin 1953.

C_{13}-Gruppe.

$C_{13}H_{10}$ Fluoren 53. 54. 275. 1051. 1052. 1053. 1296. 1297. 1298. 1419.

$C_{13}H_{12}$ Diphenylmethan 1296. 1297. 1298. 1299. 1441.

— 13 II —

$C_{13}H_8O$ Diphenylenketon 1419.

— Pseudodiphenylenketon 1419.

— Fluorenon 275. 1054. 1411. 1428.

— Fluorenketon 1297. 1421.

$C_{13}H_8O_2$ Xanthon 283. 1269. 1420.

$C_{13}H_8O_4$ Euxanthon 1420. 1421. 1640.

$C_{13}H_8O_5$ Flavonderivat aus Chlor-gallacetophenon und Fur-furol 1487.

$C_{13}H_8Cl_2$ Dichlorfluoren 1054.

$C_{13}H_8Br_2$ Dibromfluoren 1053.

$C_{13}H_8O_2$ Hydrocotoin 1429.

$C_{13}H_9N$ Acridin 1411. 1818. 1851.

— Phenanthridin 1816.

— β-Naphtochinolin 1776.

$C_{13}H_9Br$ Bromfluoren 1053.

$C_{13}H_{10}O$ Benzophenon 671. 673. 754. 1297. 1410. 1412. 1441. 1703.

— Fluorenalkohol 1419.

$C_{13}H_{10}O_2$ o-Oxybenzophenon 1428.

— p-Oxybenzophenon 1308.

— Phenylbenzoësäure 1419.

— Furalacetophenon 1684.

— o-Biphenylcarbonsäure 1055.

$C_{13}H_{10}O_3$ Phenylsalicylat 1140.

$C_{12}H_{10}O_3$ Salol 2311.
$C_{12}H_{10}O_4$ Trihydroxybenzophenon 1640.
$C_{12}H_{10}O_5$ Monomethyläther des 1, 3, 7-Trioxyxanthons 1438.
$C_{12}H_{10}O_6$ Pentahydroxybenzophenon 1640.
— Maclurin 1638.
$C_{12}H_{10}N_2$ Toluphenazin 1861.
— Imidazol 1708.
— Carbodiphenylimid 254.
— Jz-3-Phenylindazol 1704.
$C_{13}H_{10}N_4$ Diphenyltetrazol 1723.
$C_{13}H_{10}Cl_2$ Benzophenonchlorid 1051. 1211. 1299. 1412. 1418.
$C_{13}H_{10}S$ Thiobenzophenon 1412.
$C_{12}H_{11}N$ Benzylidenanilin 1105. 1380. 1381.
$C_{13}H_{12}O$ α-Aethylnaphtylketon 1415.
— β-Aethylnaphtylketon 1415.
$C_{13}H_{12}O_2$ Dimethylphenylcumalin 1258. 1746.
— Methylester der β-Naphtylessigsäure 1363.
— Methyl-α-methoxynaphtylketon 1416.
— Methylendiphenyläther 690.
$C_{13}H_{12}O_4$ Dioxynaphtoësäure-Aethyläther 1343.
$C_{13}H_{12}O_7$ Trimethylester der Phenylglyoxyldicarbonsäure 1369.
$C_{13}H_{12}N_2$ Benzalphenylhydrazon 1380. 1892. 1939. 1949. 1950.
— Diphenylformamidin 1096.
— Benzenylphenylamidin 1237.
— Benzyliden-o-Phenylendiamin 1708.
— Methenyldiphenylamidin 1108. 1944.
$C_{13}H_{13}N$ Benzylanilin 1217. 1221.
$C_{13}H_{13}N_3$ o-Amidobenzylidenphenylhydrazon 1943.
— m-Amidobenzylidenphenylhydrazon 1943.
— p-Amidobenzylidenphenylhydrazon 1943.
— Körper aus Methenyldiphenylamin 1944.
$C_{13}H_{13}N_5$ Diamidotolylazimidobenzol 1929.
$C_{13}H_{14}O_3$ Benzylidenacetessigester 849. 850.
$C_{13}H_{14}O_4$ Benzoylacetessigäther 1444.
— Acetat des Oxymethylenphenylessigesters 835.
$C_{13}H_{14}N_2$ Diamidodiphenylmethan 1131. 1478. 1873.

$C_{13}H_{14}N_2$ o-Amidobenzylanilin 1131. 1835.
— o-Amidophenyltolylamin 1861.
— Phenyl-p-Amidoorthotoluidin 1872.
— Benzyl-o-phenylendiamin 293. 1855.
— m-Amidotolylphenylamin 1871. 1874. 1875.
$C_{13}H_{14}N_4$ Formazylwasserstoff 1109.
$C_{13}H_{15}N_3$ o-Amidobenzyl-p-phenylendiamin 1831.
$C_{13}H_{16}O_2$ Aethylallylcarbinolester der Benzoësäure 648.
— Diacetomesitylen 1048. 1396.
$C_{13}H_{16}O_3$ s-Trimethylbenzoylpropionsäure 1292.
— as-Trimethylbenzoylpropionsäure 1292.
— o-Methyläthylbenzoylpropionsäure 1292.
— Isopropylbenzoylpropionsäure 1292.
— o-Aethylbenzoylessigäther 849.
$C_{13}H_{16}O_4$ Benzoat von Aldehydaldol 659.
— Phenylmalonsäureester 699. 700.
$C_{13}H_{17}N$ Tetramethyldihydrochinolin 1729.
— Base aus α-Methylindol 1733.
$C_{13}H_{18}O$ oder $C_{14}H_{20}O$ Turmerol 1595.
$C_{13}H_{18}O_7$ Salicin 1623.
$C_{13}H_{18}O_8$ Säure aus Santonsäure 1345.
$C_{13}H_{18}O_{10}$ Propargylpentacarbonsäuremethyläther 713.
$C_{13}H_{19}N$ Base aus α - Methylindol 1733.
$C_{13}H_{19}Cl$ 5-Chlor-3-hexyltoluol 1058.
$C_{13}H_{20}O$ Keton aus Citral und Aceton 1491.
— Ionon 1508.
— Pseudoionon 1508.
$C_{13}H_{20}O_6$ α-β-Diacetglutarester 806. 848.
— Dimethyltetrahydropyrondicarbonsäure 279. 745.
$C_{13}H_{21}Cl$ Dihydromonochlor-m-hexyltoluol 1058.
$C_{13}H_{21}P$ Diäthylmesitylphosphin 1966.
$C_{13}H_{22}O_2$ Acetat des Homolinalools 1509.
$C_{13}H_{22}O_4$ Propylallylmalonsäureester 769.

$C_{13}H_{22}O_4$ Isopropylallylmalonsäure-
              ester 769.
$C_{13}H_{22}O_5$ Diäthylacetondicarbonsäure-
              ester 672.
    —   Acetondicarbonsäureisobu-
              tyläther 672.
$C_{13}H_{22}O_6$ α-Isopropylcarboxyglutar-
              säurediäthylester 787.
    —   α-Methylcarboxyglutar-
              säureester 785.
$C_{13}H_{24}O_3$ Isobutylallylcarbinolester der
              i-Valeriansäure 648.
$C_{13}H_{24}O_4$ n-Valeryl-r-oxybuttersäure-
              isobutylester 734.
    —   l-Acetyloxybuttersäure-
              n-heptylester 733.
$C_{13}H_{24}O_5$ Isopropylapfelsäureisopro-
              pylester 803.
$C_{13}H_{24}O_6$ Cardsäure 1603.

            — 13 III —

$C_{13}H_6OBr_2$ Dibromfluorenon 1053.
$C_{13}H_6O_5N_2$ Dinitroverbindung des
              Pseudodiphenylenketons
              1419.
$C_{13}H_7OBr$ Bromfluorenon 1053.
$C_{13}H_7O_3N$ Mononitroverbindung des
              Pseudodiphenylenketons
              1419.
$C_{13}H_8O_2N_2$ Phenylpyridylorthooxazi-
              non 1768.
$C_{13}H_8O_2N_4$ m-Nitrophenylbenzazimid
              1935.
$C_{13}H_8O_3J_2$ Phenylester der Dijod-
              salicylsäure 1267.
$C_{13}H_9ON$ Acridon 295. 1411. 1815.
    —   Phenanthridon 1815. 1817.
    —   Oxim des Pseudodiphe-
              nylenketons 1419.
    —   Körper aus o-Nitrobenzoyl-
              chlorid 1119.
    —   Phenylindoxazen 1428.
$C_{13}H_9ON_3$ Nitrosoverbindung des Iz-
              3-Phenylindazols 1704.
$C_{13}H_9O_2N_3$ p-Nitrophenylbenzimid-
              azol 1709.
$C_{13}H_9O_3N$ Oxytoluphenoxazon 296.
    —   α-Benzoylpicolinsäure
              1769.
    —   β-Benzoylpicolinsäure
              1767. 1768. 1769.
    —   m-Nitrobenzophenon 116.
$C_{13}H_9O_3N_2$ β-Benzoylpicolinketoxim-
              säure 1768.
$C_{13}H_9O_4N$ Chinon-o-aminobenzoë-
              säure 1456.
    —   Nitrophenylbenzoësäure
              1759.

$C_{13}H_9O_5N$ p-Nitrophenyläther-p-oxy-
              benzoësäure 1145.
$C_{13}H_9NCl_2$ 2,5-Dichlorbenzyliden-
              anilin 1384.
$C_{13}H_{10}ON_2$ Iz-2,3-Oxyphenylindazol.
              1703.
    —   Isooxyphenylindazol 1703.
$C_{13}H_{10}ON_4$ 1,4-Diphenylisotetrazolon
              1723.
$C_{13}H_{10}O_2N_2$ 1-Methyl-2,3-dioxyphena-
              zin 1856.
$C_{13}H_{10}O_2N_4$ Nitrotolylazimidobenzol
              1929.
$C_{13}H_{10}O_3N_2$ Benzolazosalicylsäure
              1870.
$C_{13}H_{10}O_4N_4$ Methenyl-di-m-nitrophe-
              nylamidin 1109.
    —   Methenyl-di-p-nitrophe-
              nylamidin 1109.
$C_{13}H_{10}O_5Br_2$ Dimethylester des Lactons
              der 4-α-Brom-β-oxypro-
              pion-5-bromisophtal-
              säure 1470.
$C_{13}H_{10}N_2Cl_2$ Phenyl-2-4-dichlorphenyl-
              formamidin 1096.
    —   Hydrazon des 2,5-Dichlor-
              benzaldehyds 1384.
$C_{13}H_{10}N_2Br_2$ Methenyldi-m-bromphe-
              nylamidin 1109.
$C_{13}H_{11}ON$ Benzanilid 1094. 1189.
              1234.
    —   o-Aminobenzophenon 295.
              1410. 1428. 1836. 1837.
              1841.
    —   Aminobenzophenon 1411.
    —   Benzophenonoxim 1082.
    —   o-Formaminobiphenyl
              1816.
$C_{13}H_{11}ON_3$ o-Amidomethoxyphenazin
              296.
    —   p-Amidomethoxyphenazin
              1862.
$C_{13}H_{11}O_2N$ Amidophenylbenzoësäure
              1759.
    —   Diphenylnitromethan
              1081.
    —   γ-Acetacetylchinolyl 1813.
    —   β-Naphtyluvitoninsäure
              1103.
    —   Salicylanilid 295. 1815.
    —   o-Benzoylphenoloxim 260.
    —   Nitrophenyltolyl 1759.
              1901.
    —   p-Nitrophenyltolyl 1902.
    —   Phenylanthranilsäure
              1815.
    —   β-Naphtylaminobrenz-
              traubensäure 1102.

$C_{18}H_{18}O_{10}N_3$ Pikrylmalonsäureester
              1303.
$C_{18}H_{18}N_3S$ Diphenylthiosemicarbazid
              1723. 1944.
$C_{18}H_{14}ON_2$ 2-Amido-5-methoxydiphe-
              nylamin 1924.
—   4-Amido-4-methoxydiphe-
              nylamin 1924.
—   4, 4'-Diamido-2-methoxy-
              diphenyl 1925.
$C_{18}H_{14}ON_4$ Bisamidophenylharnstoff
              916.
$C_{18}H_{14}O_2Cl_2$ Diketon 1397.
$C_{18}H_{14}O_3N_2$ 1-Phenyl-3-methyl-5-pyra-
              zolon-4-carbonsäure-
              ester 1348.
—   1-Phenyl-3-methyl-5-pyra-
              zolon-4-carbonester 1694.
$C_{18}H_{14}O_3S$ Oxypropyl-β-naphtylsulfon
              1069. 1070.
$C_{18}H_{14}O_4Br_2$ o-Acetyl-α β-dibromtropa-
              säureester 836. 1285.
$C_{18}H_{15}ON$ 1,3-Methoxypropylisochi-
              nolin 1822.
$C_{18}H_{15}ON_3$ Diamido-p-methoxydiphe-
              nylamin 1862.
$C_{18}H_{15}O_2N$ Dimethylglutaranil 715.
—   p-Tolyl der asymm. Di-
              methylbernsteinsäure
              781.
—   Anil der α-Aethylglutar-
              säure 786.
—   Phtalaldehydsäurepiperi-
              did 1392.
$C_{18}H_{15}O_2N_2$ α-Modification des Phenyl-
              azocyanessigsäure-Bu-
              tylesters 1893.
—   β-Modification des Phenyl-
              azocyanessigsäure-Bu-
              tylesters 1893.
—   Benzolazocyanessigsäure-
              butylester 260.
$C_{18}H_{15}O_3N$ Anil der Oxytrimethyl-
              bernsteinsäure 695.
$C_{18}H_{15}O_7N$ Anisidincitronensäure
              1158.
$C_{18}H_{16}O_2N_2$ 1-Phenyl-2-acetyl-3-dime-
              thyl-5-pyrazolidon 765.
$C_{18}H_{16}O_3N_2$ Acetonylterephtalhydra-
              zinäthylester 1941.
$C_{18}H_{16}O_3Br_2$ Isobutyrat aus Dibrom-
              pseudocumenolbromid
              1170.
$C_{18}H_{16}O_5N_2$ Urethanophenyloxam-
              äthan 916.
$C_{18}H_{17}ON$ Benzaldiacetonamin 1766.
$C_{18}H_{17}ON_3$ Dimethylamidophenyl-
              dimethylpyrazolon 1697.

$C_{18}H_{17}O_2N$ Acetylisovaleranilid 1097.
$C_{18}H_{17}O_3N$ Anilsäure der α-Aethyl-
              glutarsäure 786.
—   Dimethylglutaranilsäure
              715.
—   p-Tolylsäure der asymm.
              Dimethylbernsteinsäure
              . 781.
—   p-Tolylsäure der α-Methyl-
              glutarsäure 785.
—   Lophophorin 216.
$C_{18}H_{17}O_4N$ p-Acetylmethylamidophe-
              nylkohlensäureäthyl-
              ester 1293.
—   Aethylbenzhydroxim-
              buttersäure 890.
—   Thermodin (Acetyl-p-äth-
              oxyphenylurethan) 2310.
$C_{18}H_{17}O_7J$ Jodsalicin 1623.
$C_{18}H_{18}ON_2$ Benzaldiacetonaminoxim
              1753.
$C_{18}H_{18}O_3N_2$ Benzenylamidoximbutter-
              säureäthylester 889. 890.
$C_{18}H_{18}O_6N_2$ Dextrosebenzhydrazid 994.
—   Galactosebenzhydrazid
              1004.
$C_{18}H_{19}ON$ Benzoylverbindung des
              Methylisoamylamins 876.
$C_{18}H_{19}O_2N$ Pellotin 215.
$C_{18}H_{20}ON_2$ Methylisoamylphenylharn-
              stoff 876.
$C_{18}H_{20}O_2S$ β-Hexyl-o-tolylsulfon 1065.
$C_{18}H_{20}O_4N_2$ Aethylphenylhydrazon der
              Arabinose 170.
—   Methylphenylhydrazon
              der Rhamnose 170.
$C_{18}H_{20}O_5N_2$ Methylphenylhydrazon
              der Galactose 170.
—   Methylphenylhydrazon
              der Mannose 170.
$C_{18}H_{21}O_2P$ Dioxäthylpseudocumyl-
              phosphin 1966.
$C_{18}H_{21}O_3N$ Pellotin 1649.
$C_{18}H_{21}N_2S$ Diäthylamidoäthylphenyl-
              thioharnstoff 1314.
$C_{18}H_{22}JP$ o-Tolyltriäthylphospho-
              niumjodid 1961.
—   Aethylbenzoldiäthylme-
              thylphosphoniumjodid
              1965.
$C_{18}H_{24}ON_2$ Cuskhygrin 1672.

              — 13 IV —

$C_{19}H_8O_5N_3Cl_2$ o-Nitrodichlorbenzyli-
              denanilin 1385.
—   Benzylidenverbindung
              des Mononitrodichlor-
              benzaldehyds 1385.

C_{14}-Gruppe.

$C_{14}H_{10}$ Anthracen 85. 275. 1053. 1294.
2282.
— Phenanthren 53. 1053. 1056. .
— Tolan 1066. 1067. 1068.
$C_{14}H_{12}$ Stilben 240. 1066. 1067.
— Kohlenwasserstoff 1052.
$C_{14}H_{14}$ p-Tolylphenylmethan 1049.
— p-Ditolyl 1049.
$C_{14}H_{18}$ Hexahydromethylfluoren 275.
1534.

— 14 II —

$C_{14}H_8O_2$ Anthrachinon 1294. 1476.
1480.
— Phenanthrenchinon 1057.
1381. 1841.
$C_{14}H_8O_3$ β-Oxyanthrachinon 1477.
— m-Oxyanthrachinon 1476.
$C_{14}H_8O_4$ Alizarin 1476. 1477.
— Chinizarin 1476. 1477. 1478.
— Hystazarin 86.
$C_{14}H_8O_5$ Purpurin 1476. 1478. 1479.
1635.
— Flavopurpurin 86. 1477.
— Anthrapurpurin 1476. 1477.
$C_{14}H_8O_6$ Anthrachryson 1477.
— Alizarinbordeaux 1478.
— Oxyanthrapurpurin 1476.
$C_{14}H_8O_9$ Ellagsäure 1640.
$C_{14}H_8N_4$ Chinoxalophenazin 1849.
$C_{14}H_9O_8$ Benzoylisophtalsäure 1367.
$C_{14}H_9N_5$ o-Dicyandiazoamidobenzol
1880.
$C_{14}H_{10}O$ Anthranol 1206.
$C_{14}H_{10}O_2$ Benzil 273. 279. 850. 851.
1068. 1865.
— Diphenylenessigsäure 1298.
1299.
— Benzhydrylbenzoësäurelac-
ton 1295.
— p-Benzoylbenzaldehyd 1413.
— Monomethylxanthon 283.
$C_{14}H_{10}O_3$ Benzoylbenzoësäure 1410.
— o-Benzoylbenzoësäure 275.
1294. 1295.
$C_{14}H_{10}O_4$ p-Oxy-o-benzoylbenzoësäure
1319.
— Benzoylsalicylsäure 1308.
$C_{14}H_{10}O_5$ Gentisin 1438. 1439. 1640.
— Körper aus Resorcin 1175.
$C_{14}H_{10}O_9$ Gerbsäure + 2H_2O 166.
— Tannin 1349. 1351.
$C_{14}H_{10}N_2$ Mono-6-phenylchinoxalin
1847.
$C_{14}H_{10}N_4$ Fluoflavin 297. 1849.

$C_{14}H_{10}Br_2$ Tolandibromid 241.
— α-Tolandibromid 1067.
— β-Tolandibromid 1067.
$C_{14}H_{11}N$ o-Cyandiphenylmethan 1838.
— ms-Methylphenanthridin
1816.
— β-Anthramin 1775.
$C_{14}H_{11}N_3$ Diphenylimidobiazol 922.
— Diphenyltriazol 1719.
$C_{14}H_{12}O$ Desoxybenzoïn 1273. 1452.
— o-Tolylketon 1410.
— p-Tolylketon 1410.
— p-Benzoyltoluol 1412.
$C_{14}H_{12}O_2$ Benzylparaoxybenzaldehyd
1383. 1384.
— Diphenylessigsäure 1296.
1298.
— p-Benzoylbenzylalkohol
1413.
— o-Benzylbenzoësäure 1294.
— Benzoin 287. 1375. 1422.
1451. 1707. 2292.
— Furalmethyl-p-tolylketon
1684.
$C_{14}H_{12}O_3$ Benzoylguajacol 1179. 1429.
— Benzoylester des Guajacols
1184.
— Benzoguajacol 1429.
— Benzilsäure 1296.
— Naphtylglyoxylsäureester
1293.
— β-Naphtylglyoxylsäureester
1294.
$C_{14}H_{12}O_4$ Methylester der 1,5-Naph-
talindicarbonsäure 1339.
$C_{14}H_{12}O_5$ 1,3,7-Trioxyxanthon-3,7-di-
methyläther 1439.
$C_{14}H_{12}O_6$ Kinoin 1640.
$C_{14}H_{12}N_2$ Diphenylbisdihydrochin-
azolin 1118.
— 4-Phenyldihydrochinazolin
1837.
$C_{14}H_{12}N_4$ Diphenyltetrazolin 289.
1724.
$C_{14}H_{13}Br_2$ Stilbenbromid 240. 1067.
1408.
$C_{14}H_{12}S_2$ Dimethyldiphenylendisulfid
1191.
— Ditoluylendisulfid 1192.
$C_{14}H_{13}O_4$ Isolomatiol 1206.
$C_{14}H_{13}N$ Benzyliden-p-toluidin 257.
1372. 1373. 1375.
— Ditolylimid 295.
$C_{14}H_{13}N_3$ o-Amidophenyldihydrochinazolin 1831.
— 3-(n)-p-Amidophenyldihy-
drochinazolin 1832.
$C_{14}H_{14}O$ Isopropylnaphtylketon 1415.

$C_{14}H_{14}O$ α-Propylnaphtylketon 1415.
— β-Propylnaphtylketon 1415. 1417.
$C_{14}H_{14}O_2$ Aethylendiphenyläther 689.
$C_{14}H_{14}O_6$ Anemonolsäure 1625.
$C_{14}H_{14}N_2$ Diamidostilben 290.
— o-Diamidostilben 1724.
— Cinnamylidenphenylhydrazon 1716.
— Methylbenzylidenhydrazon 1762.
— Phenacetphenylamin 1238.
— Hydrazon des p-Toluylaldehyds 1939.
— 3-Phenyltetrahydrochinazolin 1885.
— 4-Phenyltetrahydrochinazolin 1887.
— Orthotoluphenylamidin 1238.
— Paratoluphenylamidin 1238.
— Benzenylorthotolylamidin 1237.
— Benzenylparatolylamidin 1237.
$C_{14}H_{14}N_4$ Glyoxalosazon 179. 1007.
— Benzylidenamidophenylguanidin 918.
$C_{14}H_{14}S_2$ Benzyldisulfid 1189.
— o-Toluoldisulfid 1064.
$C_{14}H_{14}S_4$ o-Tolyltetrasulfid 1064.
$C_{14}H_{14}S_5$ Tolylpentasulfid 1064.
$C_{14}H_{15}N$ Ditolylimid 1120.
$C_{14}H_{15}N_3$ 3-(n)-p-Amidophenyltetrahydrochinazolin 1832.
— o-Amidoazotoluol 1938.
— p-Diazoamidotoluol 133.
$C_{14}H_{15}N_5$ Bis-p-toluoldiazoamid 1890.
$C_{14}H_{16}O$ Benzyliden-Methylhexanon 1531. 1538.
$C_{14}H_{16}O_2$ Phenyldimethylhydrororcin 1747.
$C_{14}H_{16}O_4$ Benzalmalonester 290. 686. 1762.
— Methylester der Tetrahydro-1, 5-naphtalincarbonsäure 1341.
$C_{14}H_{16}O_5$ Filixsäure 807.
$C_{14}H_{16}N_2$ Tolidin 1119. 1911. 1912. 1914. 1915. 1921.
— · Dimethylamidodiphenylamin 1942.
$C_{14}H_{16}N_4$ Diamidoazotoluol 1920.
$C_{14}H_{18}O_2$ Diacetyldurol 1396.
— Diacetylisodurol 1396.
$C_{14}H_{18}O_3$ p-Methylisopropylbenzoylpropionsäure 1292.
— Benzoylheptylsäure 798.

$C_{14}H_{18}O_3$ Tetramethylbenzoylpropionsäure 1292.
$C_{14}H_{18}O_4$ Durohydrochinondiacetat 1459.
— Oxalyldimesityloxyd 1450.
$C_{14}H_{18}O_5$ Olivil 1392.
— Filixsäure 1611. 1612. 1613. 1614. 1615. 2313.
— Diäthylester des Anemonins 1625.
$C_{14}H_{18}O_8$ Gaultherin 1999.
— Glycovanillin 1392.
$C_{14}H_{20}O$ Benzylmethylhexanol (Benzylhexahydro-m-kresol) 1533. 1534.
— Butylxylylmethylketon 1078.
$C_{14}H_{20}O_2$ Isanosäure 746. 827.
$C_{14}H_{20}O_7$ Methyldihydrofurfurantricarbonsäureester 276. 756. 1684.
$C_{14}H_{20}O_9$ Dicarbintetracarbonsäureäther 711. 713.
$C_{14}H_{21}N$ Benzylhexahydro-m-Toluidin 1533.
$C_{14}H_{22}O$ Keton 1531.
— Bicyklomethylhexenmethylhexanon 1535.
$C_{14}H_{22}O_4$ Diacetat des Sobrerols 1491.
$C_{14}H_{22}O_7$ α-Acettricarballyltricarbonsäureester 693.
— α-Acetyltricarballylsäureester 805.
— β-Acettricarballylsäureester 709.
— Acetonylcarboxybernsteinsäureester 806.
$C_{14}H_{22}O_8$ Acetylentetracarbonsäuretetraäthyläther 710. 712. 713.
$C_{14}H_{24}O_5$ α-Acetyl-α₁-Isobutylbernsteinsäureester 790.
$C_{14}H_{24}O_6$ Säure aus γ-Chlorbuttersäureester 791.
— Aethylcarboxyglutarsäureester 786.
— Dimethylpropantricarboxylsäureäther 714.
$C_{14}H_{25}N$ Amin 1531.
$C_{14}H_{25}O_2$ Suberonpinakon 639.
$C_{14}H_{26}O_4$ d-Valeryl-l-oxybuttersaures l-Amyl 784.
— d-Valeryl-r-oxybuttersaures r-Amyl 784.
— r-Valeryl-l-oxybuttersaures r-Amyl 784.
— r-Valeryl-r-oxybuttersaures a-Amyl 784.

$C_{14}H_{26}O_4$ 1-Acetyloxybuttersäure-
n-octylester 733.
— n-Caproyl-r-oxybuttersäure-
isobutylester 734.
$C_{14}H_{27}N$ Base a. Methylhexenon 1527.
$C_{14}H_{28}O_2$ Myristinsäure 676. 703.

— 14 III —

$C_{14}H_6O_4Cl_2$ Dichloralizarin 1981.
$C_{14}H_6O_5Br_2$ Dibromanthrapurpurin 1981.
$C_{14}H_6O_6N_2$ 1,5-Dinitroanthrachinon 1482.
— 1,8-Dinitroanthrachinon 1482.
$C_{14}H_6O_6Cl_2$ Dichloranthrachryson 1981.
$C_{14}H_6O_6Br_2$ Dibromanthrachryson 1981.
$C_{14}H_7O_4Cl$ β-Chloralizarin 1981.
$C_{14}H_7O_4Br$ β-Bromalizarin 1981.
$C_{14}H_7O_6N$ α-Nitroalizarin 1981.
— β-Nitroalizarin 1981.
$C_{14}H_7O_7N$ α-Nitroanthrapurpurin 1981.
— β-Nitroanthrapurpurin 1981.
— α-Nitroflavopurpurin 1981.
— β-Nitroflavopurpurin 1981.
$C_{14}H_7N_3Br_2$ Dibromindophenazin 1744.
$C_{14}H_8O_2N_2$ Diphenylendiisocyanat 1119.
$C_{14}H_8O_2N_4$ Nitroindophenazin 1744.
$C_{14}H_8O_5N_2$ 1-5-Nitrohydroxylamin-
anthrachinon 1482.
— 1-8-Nitrohydroxylamin-
anthrachinon 1482.
$C_{14}H_8O_5Br_2$ Dibromdioxybenzoylben-
zoësäure 1317.
$C_{14}H_8O_8S$ Anthrachinonmonosulfo-
säure 1477.
$C_{14}H_8O_8N_4$ Tetranitrostilben 1085.
$C_{14}H_8O_8S$ Purpurinsulfosäure 1479.
$C_{14}H_8N_2S_2$ Oxalamidothiophenol 1714.
$C_{14}H_8ON_4$ o-Amidophenimesatin 1743.
$C_{14}H_9O_2N$ Phtalanil 1327.
— Phtalisophenylimid 1360.
$C_{14}H_9O_3N$ Phtalyl-p-Amidophenol 1147.
— Succinyl-p-Amidophenol 1148.
$C_{14}H_9O_4N$ β-Amidoalizarin 1775.
$C_{14}H_9O_6N$ m-Nitrobenzoylsalicyl-
säure 1309.
$C_{14}H_9N_2Cl$ 2-Chlor-4-phenylchinazolin 1837.
$C_{14}H_9N_4Cl$ Monochlorfluoflavin 1850.

$C_{14}H_{10}ON_2$ 4-Phenylchinazolin 1837.
— Benzoylderivat des o-Amidobenzonitrils 1880.
$C_{14}H_{10}OBr_2$ p-Benzoylbenzylidendibromid 1413.
$C_{14}H_{10}O_2S_2$ Benzoyldisulfid 1189.
$C_{14}H_{10}O_2N_2$ Acetylnitrocarbazol 1745.
$C_{14}H_{10}O_4N_2$ α-Diamidodioxyanthra-
chinon 1481.
— β-Diamidodioxyanthra-
chinon 1481.
— 1,5-Dihydroxylamin-
anthrachinon 1480.
— 1,8-Dihydroxylamin-
anthrachinon 1482.
— Benzoyl-α-m-nitrobenz-
aldoxim 864.
— m-Azobenzoësäure 1371.
— m-Nitrobenzantibenzoyl-
aldoxim 263.
— Dinitrostilben 852.
$C_{14}H_{10}O_5N$ Methylester der p-Nitro-
phenyläther-p-oxyben-
zoësäure 1145.
$C_{14}H_{10}O_5N_2$ o-Azoxybenzoësäure 1074. 1739.
$C_{14}H_{10}O_6N_2$ Methylester der Dinitro-
1,5-naphtalindicarbon-
säure 1840.
$C_{14}H_{10}N_2S_2$ Phenyldithiobiazolonphenylsulfid 1717.
$C_{14}H_{10}N_2Cl$ 1,5-Diphenyl-3-chlortri-
azol 1719.
$C_{14}H_{11}ON$ o-Methylacridon 1815.
— p-Methylacridon 1815.
— o-Cyan-α-oxydiphenyl-
methan 1838.
— Phenyloxyindol 1742.
$C_{14}H_{11}ON_3$ Diphenyloxytriazol 287. 1718.
— o-Cyandiphenylharnstoff
des o-Amidobenzonitrils 1880.
$C_{14}H_{11}OBr$ p-Benzoylbenzylbromid 1412.
$C_{14}H_{11}O_2N$ Anilphenylglyoxylsäure 1106.
— Formylbenzanilid 1095.
— Succin-β-naphtil 782.1123.
— Benzilmonoxim 256. 260.
$C_{14}H_{11}O_2Cl$ β-Chlorcrotonsäure-β-naph-
tylester 251. 680. 722.
— β-Chlorisocroton-β-naph-
toläther 721.
$C_{14}H_{11}O_3N$ Benzoylbenzhydroxam-
säure 1239.
— m-Nitrophenyl-p-tolyl-
keton 116.

$C_{14}H_{11}O_2N$ Salicylantibenzoylaldoxim
262.
— Phtalanilsäure 1327. 1360.
$C_{14}H_{11}O_2N_3$ Nitrosacetylamidophenyl-
azimidobenzol 1929.
$C_{14}H_{11}O_5N$ o-Mononitrobenzoylguaja-
col 1179.
— p-Mononitrobenzoylguaja-
col 1179.
$C_{14}H_{11}O_5N_3$ o-Nitrobenzylformyl-
p-nitranilid 1832.
$C_{14}H_{11}O_6N_3$ Methylbenzhydroxim-
säuredinitrophenyläther
264.
— Dinitrophenyläther der
β-Methylbenzhydroxim-
säure 1239.
— Dinitrophenylester der
Methylsynbenzhydro-
ximsäure 1240.
$C_{14}H_{11}N_3S$ Diphenylimidothiobiazolin
922.
— Diphenylimidobiazolyl-
mercaptan 922.
— Cyansulfoharnstoff des
o-Amidobenzonitrils
1880.
$C_{14}H_{11}N_3S_2$ Phenyldithiobiazolonaminophenylsulfid 1717.
$C_{14}H_{12}ON_2$ 4-Phenyltetrahydro-2-keto-
chinazolin 1836.
— p-Oxyphenyldihydrochin-
azolin 1834.
$C_{14}H_{12}ON_3$ Nitrosoderivat des 4-Phe-
nyldihydrochinazolins
1837.
$C_{14}H_{12}O_2N$ Salicyl-o-toluid 1815.
— Salicyl-p-toluid 1815.
$C_{14}H_{12}O_2N_2$ Diphenyloxamid 1130.
— Hydrazon der Phenyl-
glyoxylsäure 1939.
— Benzolazoguajacol 1924.
— Oxäthylphenazon 1857.
— 2-Oxäthylphenazon 1856.
$C_{14}H_{12}O_2N_4$ Tetrazinderivat aus Di-
phenylcarbaziddicarbon-
säureester 1949.
$C_{14}H_{12}O_3N_4$ Nitro-p-acetamidoazobenzol 1920.
$C_{14}H_{12}O_4N_2$ o-Hydrazobenzoësäure
1074.
— o-Dioxydiphenyloxamid
1131.
$C_{14}H_{12}O_4N_4$ Phenyl-m-nitrobenzoyl-
semicarbazid 925.
— Nitrophenylbenzoylsemi-
carbazid 925.
$C_{14}H_{12}O_4S_2$ Disulfon 1191.

$C_{14}H_{12}N_3Br_3$ 2-4-Bromphenyldihydro-
chinazolin 1836.
$C_{14}H_{12}N_2S$ 4-Phenyltetrahydrothio-
chinazolin 1836.
— Dehydrothiotoluidin 1713.
1714.
$C_{14}H_{13}ON$ o-Acetaminobiphenyl 1816.
— Diphenylacetamid 1094.
— Amid der Benzylbenzoë-
säure 1295.
— Benz-o-toluid 1095.
— Benz-p-toluid 1099.
$C_{14}H_{13}ON_3$ Azimid aus m-Dinitrodiphenylamin 1930.
— Azimid aus Oxyazobenzol
1930.
$C_{14}H_{13}O_2N$ Benzoinoxim 256.
— Acetylamidophenyläther
1144.
$C_{14}H_{13}O_2N_3$ Phenylbenzoylsemicarb-
azid 925.
— 2-m-Nitrophenyltetra-
hydrochinazolin 1835.
$C_{14}H_{13}O_3N$ Succin-β-naphtylsäure 782.
— Anilinphenylglyoxylat
1105.
$C_{14}H_{13}O_3N_3$ Monoformylderivat des
o-Nitrobenzyl-o-pheny-
lendiamins 1831.
$C_{14}H_{13}O_4N$ p-Oxacetyl-α-cyanzimmt-
säure-Aethyläther 1272.
$C_{14}H_{14}ON_2$ Monomethyl-p-phenylendiaminbenzoat 1928.
— 2-p-Oxyphenyltetrahydro-
chinazolin 1835.
— Hydrazon des m-Methoxy-
benzaldehyds 1939.
— Hydrazon des Anisaldehyds
1939.
$C_{14}H_{14}ON_4$ Acetdiamidoazobenzol
1920.
— p-Diazotoluolanhydrid
1889.
$C_{14}H_{14}O_2N_2$ Succin-β-naphtylamid
782.
— Körper aus α-Styrolnitrosit
1091.
$C_{14}H_{14}O_2N_4$ Diphenylendiharnstoff
1119.
$C_{14}H_{14}O_2S$ Benzyl-o-tolylsulfon 1065.
$C_{14}H_{14}O_2S_2$ o-Toluoldisulfoxyd 1064.
— p-Toluoldisulfoxyd 1063.
$C_{14}H_{14}O_2P$ p-Tolylphosphinsäurekresylester 1959.
$C_{14}H_{14}O_3N_2$ o-Nitrobenzyl-o-anisidin
1832.
— o-Nitrobenzyl-p-anisidin
1833.

162*

$C_{14}H_{14}O_2N_2$ 1, 4-Diacetamino-2-naphtol 1463.

— m-Azoxybenzylalkohol 1371.

$C_{14}H_{14}O_3N_4$ Nitroamidoacetylamido-diphenylamin 1929.

$C_{14}H_{14}O_6J_4$ Propylester der Tetrajod-terephtalsäure 1332.

$C_{14}H_{14}N_4S_4$ Phenylsulfocarbazinsäure-disulfid 1189.

$C_{14}H_{14}Cl_2P$ Dibenzylchlorphosphin 1954.

$C_{14}H_{15}ON$ Dimethylacetnaphtalid 1195.

— Diphenyloxäthylamin 256. 1120.

— Naphtylpropylketoxime 256.

— Naphtylisopropylketoxime 256.

— Oxim des α-Propylnaphtyl-ketons 1415.

— Oxim des β-Propylnaphtyl-ketons 1415.

— Oxime der Isopropylnaph-tylketone 1416.

$C_{14}H_{15}O_2N$ Verbindung aus Dehydra-cetsäure 1825.

$C_{14}H_{15}O_3N_2$ Benzolazoveratrol 1924.

$C_{14}H_{15}O_3N$ Acetylderivat des Oxims des Oxydimethylnaph-tols 1198.

— Propylphenacylcyanessig-säure 1290.

$C_{14}H_{15}O_3N_3$ Diacetylamidophenyl-methylpyrazolon 1700.

$C_{14}H_{15}O_4N$ Körper aus Filixsäure 1613.

— Oximanhydrid der Filix-säure 808.

— Saures bernsteinsaures β-Naphtylamin 1123.

$C_{14}H_{15}O_6N_2$ m-Phenylendioxamin-säureester 1130.

— p-Phenylendioxaminsäure-ester 1130.

$C_{14}H_{15}N_2P$ Aethylbenzolphosphin-phenylhydrazon 1963.

$C_{14}H_{16}ON$ Aethoxybenzidin 1915.

— Diamidoäthoxydiphenyl 1914. 1921.

$C_{14}H_{16}ON_2$ o-Amidobenzyl-o-anisidin 1833.

$C_{14}H_{16}ON_4$ Diazobenzonitrosodime-thylanilin 1942.

— Unsymm. Phenylhydrazi-doacetphenylhydrazin 1949.

$C_{14}H_{16}O_2N_2$ 2-Amido-4, 5-Dimethoxy-diphenylamin 1925.

$C_{14}H_{16}N_2S$ Diamidobenzylsulfid 1117.

$C_{14}H_{17}ON$ Oxim des Benzyliden-Methylhexanons 1531.

— 1, 3-Aethoxypropylisochi-nolin 1822.

$C_{14}H_{17}O_2N$ Symm. α α₁-Dimethylglu-tarsäure-p-Tolile 259.

— Tolil der α α₁-Dimethyl-glutarsäure 783.

— p-Tolil der α-Aethylglu-tarsäure 786.

— n-Benzoyl-ψ-Tropigenin 225.

— Methylisopropylbernstein-säureanil 286.

$C_{14}H_{17}O_2N_2$ α-Modification des Phenyl-azocyanessigsäureamyl-esters 1893.

— β-Modification des Phenyl-azocyanessigsäureamyl-esters 1893.

— n-Benzoyl-Nortropinon-oxim 224.

$C_{14}H_{17}O_2N_3$ Benzolazocyanessigsäure-amylester 260.

· — Phenylazocyanessigsäure-amylester 1893.

$C_{14}H_{17}O_3N$ p-Tolil der Oxytrimethyl-bernsteinsäure 695.

— Anilid des Oxytrimethyl-glutarsäurelactons 788.

$C_{14}H_{17}O_6N$ o-Nitrobenzylmalonester 290. 292. 772. 1301. 1734. 1779.

— p - Nitrobenzylmalonsäure-ester 773. 1302.

$C_{14}H_{17}O_7N$ Monophenetidincitronen-säure 1158.

$C_{14}H_{18}O_2N_2$ o-Phenylendiaminderivat der Tetramethylbern-steinsäure 778.

$C_{14}H_{18}O_2N_4$ Acetonylisophtalhydrazin 1940.

— Acetonylterephtaldihy-drazid 1941.

$C_{14}H_{18}O_4Cl_2$ Körper aus Carven 1542.

— Verbindung aus Dipenten 1542.

$C_{14}H_{18}O_5N_2$ Dinitrobutylxylylmethyl-keton 1078.

$C_{14}H_{19}O_2N$ p-Tolilsäuren der α-Aethyl-glutarsäure 786.

— 1-Monohydroxylamin-anthrachinon 1482.

— Isopropylglutaranilsäure 718.

$C_{14}H_{19}O_3N$ Methylisopropylbernstein-
säuremonoanilid 261.
307.

$C_{14}H_{19}O_4Br$ Essigsäureester des β-ge-
bromten α-Propylalko-
hols aus Isoäthyleugenol-
dibromid 1137.

$C_{14}H_{19}O_8N$ Tetracetylrhamnonsäure-
nitril 162. 691. 809.

$C_{14}H_{20}ON_2$ Körper aus Valerylcyanessigester 882.

$C_{14}H_{20}ON_4$ Verbindung aus Phenylhydrazin und Acetalde-
hyd 1946.

$C_{14}H_{20}O_2N_2$ Phenylhydrazon des Brenz-
traubensäureisoamyl-
esters 1104.

$C_{14}H_{20}O_4N_2$ Allylphenylhydrazon der
Arabinose 171.

$C_{14}H_{20}O_{12}N_2$ Bitartrat des Phenylhydrazins 164. 1944. 1945.

$C_{14}H_{21}O_2Br$ Verbindung aus Isoeugenol-
äthylätherdibromid1136.

$C_{14}H_{22}O_2N_2$ Phenylhydrazon der Phenylglyoxylsäure 1105.

$C_{14}H_{22}O_4N_2$ Aethylphenylhydrazon der
Rhamnose 170.

$C_{14}H_{22}O_5N_2$ Aethylphenylhydrazon der
Galactose 170.

— Aethylphenylhydrazon der
Mannose 170.

$C_{14}H_{23}ON$ Oxim des Ketons $C_{14}H_{22}O$
1531.

— Oxim des Bicyklomethyl-
hexenmethylhexanons
1535.

$C_{14}H_{23}OCl$ Körper aus Methylhexanon 1531.

$C_{14}H_{23}OBr$ Verbindung aus Methylhexanon 1531.

$C_{14}H_{24}JP$ Methyldiäthylpseudocu-
mylphosphoniumjodid
1965.

— Mesityldiäthylmethylphosphoniumjodid 1966.

— Aethylbenzoltriäthylphosphoniumjodid 1963.

$C_{14}H_{26}O_2N_4$ Azoisobuttersäureimidoäthyläther 885.

— 14 IV —

$C_{14}H_9ONCl_2$ Acetylderivat des Di-
chlorcarbazols 1745.

$C_{14}H_9ON_2Cl$ α-Anilido-β-chlorpyrin-
don 1808.

— Anilid des β-Chlor-
α-oxypyrindons 1802.

$C_{14}H_9O_2NCl_2$ 2-4-Dichlorformylbenz-
anilid 1095.

$C_{14}H_{10}ONCl$ Acetylmonochlorcarbazol 1745.

$C_{14}H_{10}ON_4S$ Nitrosoverbindung des
Diphenylimidothio-
biazolins 922.

$C_{14}H_{10}O_5N_2S$ p-Nitrobenzyl-o-benzoë-
säuresulfinid 1249.

$C_{14}H_{11}ONJ_2$ m-Dijod p-oxybenzyli-
den-p-toluidin 1390.

$C_{14}H_{11}O_2N_2Cl$ Chloräthoxyphenazon
1857.

$C_{14}H_{11}O_3NS$ Benzyl-o-benzoësäure-
sulfinid 1248.

$C_{14}H_{11}O_3N_2Cl$ Methylester der o-Chlorbenzolazosalicylsäure
1869.

— Methylester der m-Chlorbenzolazosalicylsäure
1870.

— Methylester der p-Chlorbenzolazosalicylsäure
1870.

$C_{14}H_{12}ONCl$ Naphtylamide der
β-Chlorcrotonsäure
680.

— β-Chlorcrotonsäure-
α-naphtalide 264.

— β-Chlorcrotonsäure-
α-naphtylamid 721.

— β-Chlorisocrotonsäure-
α-naphtylamid 721.

$C_{14}H_{12}ON_2S$ Schwefelkohlenstoffderivat des 2-Amido-
5-methoxydiphenyl-
amins 1924.

$C_{14}H_{12}O_2N_2S$ p-Cyanbenzosulfo-o-to-
luid 1241.

— p-Cyanbenzolsulfo-m-to-
luid 1241.

— p-Cyanbenzolsulfo-p-to-
luid 1241.

$C_{14}H_{12}O_2N_2Hg$ Quecksilberformanilid
1098.

$C_{14}H_{12}O_3N_2S$ Acetylproduct des Nitro-
aminophenylsulfids
1084.

$C_{14}H_{12}O_4N_2S_2$ o-Nitrobenzyldisulfid
1062.

$C_{14}H_{12}O_6N_2S$ p-Nitrobenzyl-o-amido-
sulfobenzoësäure 1249.

$C_{14}H_{12}ON_3S$ 1-Benzoyl-4-phenylthio-
semicarbazid 922.

$C_{14}H_{13}O_4NS$ Benzyl-o-amidosulfo-
benzoësäure 1248.

$C_{14}H_{13}O_4NS$ Methylbenzhydroxim-
säurebenzolsulfon-
ester 266.

— Benzolsulfonsäureester
der β-Methylbenzhy-
droximsäure 1239.

$C_{14}H_{13}N_2BrS$ μ-α-Naphtylamido-
γ-brompenthiazolin
901.

— μ-β-Naphtylamido-
γ-brompenthiazolin
901.

$C_{14}H_{14}O_2NJ$ Jodmethyl-Additionsproduct des γ-Acet-
acetylchinolyls + H_2O
1813.

$C_{14}H_{14}O_2N_2S$ a-b-Carboxyäthyl-
α-naphtylthiocarb-
amid 898.

— a-b-Carboxyäthyl-
β-naphtylthiocarb-
amid 898.

$C_{14}H_{14}O_2ClP$ p-Tolylphosphinsäure-
p-kresylesterchlorid
1959.

$C_{14}H_{14}O_6N_2S_2$ Diamidostilbendisulfosäure 1921.

$C_{14}H_{15}ON_3P$ Oxyphosphazoparatoluoltoluid 1953.

$C_{14}H_{15}O_2NS$ Phenylsulfo-α-amido-
m-xylol 1109.

$C_{14}H_{15}O_3NS$ Methylbenzylanilin-
monosulfosäure 1215.

$C_{14}H_{15}O_4NS$ Veratrolsulfosäureanilid
1185.

$C_{14}H_{15}O_4N_2S$ Mononitroderivat des
Phenylsulfo-α-amido-
m-xylols 1110.

$C_{14}H_{15}O_5NS_2$ Ditoluolsulfhydroxam-
säure 1068.

$C_{14}H_{16}O_2N_2S$ Amidoderivat des Phe-
nylsulfo-α-amido-
m-xylols 1110.

$C_{14}H_{16}O_3NBr$ p-Tolid aus Dibrom-
dimethylglutarsäure-
anhydrid 789.

$C_{14}H_{26}O_4NJ$ Jodmethylmethylcincho-
loiponsäurediäthyl-
ester 221. 1773.

C_{15}-Gruppe.

$C_{15}H_{16}$ Diphenylpropan 1048.
$C_{15}H_{22}$ Cedren 1585.
$C_{15}H_{24}$ Octyltoluol 1049.

— 15 II —

$C_{15}H_8O_4$ Anthrachinoncarbonsäure
275.

— 1-Anthrachinoncarbonsäure
1366. 1367.

— . Anthrachinon-β-carbonsäure
1477.

— Anhydrid der Benzoyl-
o-phtalsäure 1366.

$C_{15}H_8O_5$ Erythrooxyanthrachinoncarbonsäure 86.

$C_{15}H_{10}O_2$.α-Cumarylphenylketon 1424.
— Benzalphtalid 291.
— Phenanthrencarbonsäure
275.

— β-Phenanthrencarbonsäure
1056.

$C_{15}H_{10}O_4$ Säure aus Rhabarber 1646.
— Benzil-o-carbonsäure 1316.
— Dioxyflavon 1436.
— Chrysophansäure 1646.
— Benzalanhydroglycogallol
1434.

$C_{15}H_{10}O_5$ Trioxyflavon aus m-Oxy-
benzaldehyd 1437.
— Trioxyflavon aus p-Oxybenz-
aldehyd 1437.
— Trioxyflavon aus Salicyl-
aldehyd 1436.
— Benzoyl-o-phtalsäure 1366.
— Benzoylphtalsäure 275.

$C_{15}H_{10}O_6$ Luteolin 1636. 1637. 1640.
— Datiscetin 1640.
— Körper aus Quebrachoholz
1640.
— Fisetin 1637. 1640.

$C_{15}H_{10}O_7$ Morin 1638. 1639. 1640.
— Quercetin 1637. 1639. 1640.
1641.
— Quercetinsäure 1621.

$C_{15}H_{10}O_8$ Myricetin 1638. 1640.
— Körper aus Sumach 1639.

$C_{15}H_{11}N$ α-Phenylzimmtsäurenitril
1943.
— Benzylidenbenzylcyanid
1943.

$C_{15}H_{11}N_3$ B_2-Methylindophenazin 1744.
$C_{15}H_{12}O$ Benzalacetophenon 1432.
1433.
— Benzylidenacetophenon 1399.

$C_{15}H_{12}O_2$ o-Phenylcumarketon 1403.
— 2-Oxybenzalacetophenon
1429. 1430. 1431.
— 3-Oxybenzalacetophenon
1430. 1437.
— 4-Oxybenzalacetophenon
1430.

$C_{15}H_{12}O_2$ Dibenzoylmethan 1447.
— Dihydrophenanthrencarbonsäure 1057.
$C_{15}H_{12}O_3$ Isopropylfuran-α-naphtochinon 1473.
— Isopropylfuran-β-naphtochinon 1474.
— Toluyl-o-benzoësäure 1295.
— p-Toluyl-o-benzoësäure 1295.
— Dehydrolapachon 1206. 1475.
— Difuralketopentamethylen 1686.
$C_{15}H_{12}O_4$ Piscidin 1601.
— Benzoylvanillin 1383.
— Anisolphtaloylsäure 1320.
— Benzoylsalicylsäuremethylester 1308.
— Benzoylmethylsalicylsäureester 1269.
$C_{15}H_{12}O_6$ Diacetyldioxynaphtoësäure 1343.
$C_{15}H_{12}O_6(?)$ Cyanomaclurin 1640.
$C_{15}H_{12}O_{10}$ Condensationsproduct aus Gallussäure und Formaldehyd 1351.
$C_{15}H_{12}N_2$ Körper aus Mandelsäurenitril 1274.
$C_{15}H_{13}S_2$ Dithiën)lphenylmethan 1687.
$C_{15}H_{13}N$ ms-Aethylphenanthridin 1816.
— β-μ-Diphenylimidazol 1711.
$C_{15}H_{13}N_3$ 1- Phenyl-5-methyl-3-pyridyl-pyrazol 1755.
$C_{15}H_{14}O$ p-Xylylphenylketon 1410.
— Dihydrophenylcumaron 1404.
$C_{15}H_{14}O_3$ Benzoylveratrol 1184.
— Lapachol 1472.
— Iso-β-lapachol 1472.
— Benzoësäuredracoresinotannolester 1598.
— p-Tolyldiphenylmethan-o-carbonsäure 1295.
$C_{15}H_{14}O_4$ Lomatiol (Hydroxyisolapachol) 247. 1205. 1206. 1474. 1476.
— Isolomatiol 1476.
— Hydroxy-α-lapachon 1474.
— Hydroxy-β-lapachon 1205. 1206.
— Dimethylbenzopyrogallol 1429.
— Anhydrodihydroxyhydrolapachol 1475.
$C_{15}H_{14}O_5$ Guajacolcarbonat 1180.1181.
$C_{15}H_{14}N$ Toluidophenylessigsäurenitril 1873.
$C_{15}H_{15}N$ Phenyläthylidenbenzylamin 1706.

$C_{15}H_{15}N_2$ Phenyltoluidoessigsäure-nitril 1375.
$C_{15}H_{15}N_3$ Diazoamidobenzoltetrahydro-isochinolin 1826.
$C_{15}H_{16}O$ α-Lapachon 1472.
— β-Lapachon 1472. 1473.
— Benzhydroläthyläther 1441.
— α - Isobutylnaphtylketon 1416.
— β-Isobutylnaphtylketon 1416.
$C_{15}H_{16}O_2$ Dimethoxydiphenylmethan 1211.
— Propyl-α-methoxynaphtyl-keton 1416.
— Phenyldihydrocumaralkohol 1404.
$C_{15}H_{16}O_3$ Dihydroxyhydrolapachol 1474.
— Osthin 1618.
$C_{15}H_{16}O_6$ Pikrotoxin $+$ H_2O 2295.
$C_{15}H_{16}N_2$ Hydrazon des m-Xylylaldehyds 1371.
— Benzenylmetaxylylamidin 1238.
— Methenyl-di-o-tolylamidin 1108.
— Methenyl-p-ditolylamidin 1108.
— o-Tolyltetrahydrochinazolin 1835.
— p-Tolyltetrahydrochinazolin 1835.
$C_{15}H_{16}N_4$ Benzylidenamido-p-tolyl-guanidin 918.
$C_{15}H_{17}N$ Benzyläthylanilin 1217.
— Aethylbenzylanilin 1221.
— Benzylphenyläthylamin 1706.
$C_{15}H_{18}O_2$ Hyposantonine 1344.
$C_{15}H_{18}O_3$ Santonin 1344. 2295.
— Desmotroposantonine 1344.
$C_{15}H_{18}O_5$ Monophenacetylmalonsäure-ester 1347.
— Benzoylbernsteinsäureester 695.
$C_{15}H_{20}O$ Tricyclodipentenpentanon 1534.
$C_{15}H_{20}O_2$ Alantolacton 686.
— Untersantonige Säure 1345.
— Isobutylallylcarbinolester der Benzoësäure 648.
$C_{15}H_{20}O_3$ Pentamethylbenzoylpropion-säure 1292.
— Racemosantonige Säure 1344.
— Desmotroposantonige Säure 1344.
— Rechtssantonige Säure 1344.
— Linkssantonige Säure 1344.

$C_{15}H_{20}O_4$ Benzoyl-r-oxybuttersäureiso-
butylester 734.
— Santonsäure 1845.
$C_{15}H_{20}O_{12}$ Pentandisäure-2-3-3-4-tetra-
methylsäurehexamethyl-
äther 710. 712. 713.
$C_{15}H_{21}N$ Base aus α-Methylindol 1733.
$C_{15}H_{22}O_9$ Dicarboxylglutaconsäureäthylester 819.
$C_{15}H_{22}N$, Ar-Tetrahydro-β-naphtyl-
piperidin 275.
$C_{15}H_{23}N$ Base aus α-Methylindol 1734.
$C_{15}H_{24}O$ Santalal 1585.
$C_{15}H_{24}O_2$ Digitogenin 1608. 1609.
$C_{15}H_{24}O_6$ Isallylentetracarbonsäure-
äther 709.
— Methylacetylentetracarbon-
säureäther 712.
$C_{15}H_{26}O_6$ α-Isopropylpropan-α-α_1-α_1-tri-
carboxylsäureäther 713.
717.
— α-Isopropylcarboxylglutar-
säuretriäthylester 787.
— Aethylester der Isocampho-
ronsäure 191.
— Camphoronsäuretriäthyl-
ester 313.
— Tricarbonsäureester aus
γ-Chlorbuttersäureester
793.
$C_{15}H_{26}N_2$ Sparteïn 1647. 2295. 2296.
2299.
$C_{15}H_{28}O_7$ Cardolsäure 1602.
$C_{15}H_{30}O_3$ Oxypentadecylsäure 748.
— Convolvulinolsäure 1607.
$C_{15}H_{34}O_2$ Körper aus Cardol 1603.

— 15 III —

$C_{15}H_6O_7Br_4$ Tetrabromid des Morins
1639.
$C_{15}H_6O_8Br_4$ Tetrabromderivat des My-
ricetins 1688.
$C_{15}H_7N_3Cl_2$ Dichlorchinolinphenazin
297.
— B-1,2-Dichlorchinolin-
phenazin 1808.
$C_{15}H_8O_4Cl_2$ Dichlordioxyflavon 1437.
$C_{15}H_9O_2Br$ 2-Brom-α-cumarylphenyl-
keton 1432.
$C_{15}H_9O_2N_3$ β-1,2-Diketochinolinphen-
azinhydrat 1809.
$C_{15}H_9O_4N$ 3-m-Nitrophenylisocuma-
rin 1823.
— Phtalanil-o-carbonsäure
1326.
$C_{15}H_9O_5N$ Nitrodioxyflavon 1437.
$C_{15}H_{10}O_2N_2$ Nitrophenylchinolin 1760.

$C_{15}H_{10}O_2Br_4$ Tetrabromproduct aus
o-Phenylcumarketon
1404.
$C_{15}H_{10}O_2N_2$ Mononitroderivat des
β-u-Diphenyloxazols
1712.
— 3-m-Nitrophenylisocarbo-
styril 1823. 1824.
— Nitrobenzalphtalimidin
1316.
$C_{15}H_{10}O_3Br_2$ Dibrompyroxanthin 1686.
$C_{15}H_{10}O_3Br_6$ Dibrompyroxanthintetrabromid 1686.
$C_{15}H_{10}O_6Br_2$ Diacetylverbindung der
3,5-Dibrom-β-hydro-
naphtochinon-7-carbon-
säure 1465.
$C_{15}H_{10}O_9S$ Fisetinsulfosäure 1637.
$C_{15}H_{10}N_4S$ o-Dicyansulfoharnstoff des
o-Amidobenzonitrils
1880.
$C_{15}H_{11}ON$ β-μ-Diphenyloxazol 1704.
1711. 1712.
— Diphenyl-Isoxazol 257.
$C_{15}H_{11}O_2N$ α-Methyl-β-naphtocincho-
ninsäure + H_2O 1358.
$C_{15}H_{11}O_2Br$ 5-Brom-2-oxybenzaceto-
phenon 1432.
$C_{15}H_{11}O_3N$ Phenylglyoxylbenzamid
1705. 1712.
— Aethylester der n-Oxyindol-
α-carbonsäure 1736.
$C_{15}H_{11}O_4N$ α-Phenyl-o-nitrozimmt-
säure 1056.
$C_{15}H_{11}N_2Cl$ 1-4-Benzylchlorphtalazin
1829.
$C_{15}H_{11}N_2S_2$ Phenyldithiobiazolon-
benzalsulfin 1716.
$C_{15}H_{12}ON_2$ 1-Benzylphtalazon 1829.
— Iz-1,3-Acetylphenylisinda-
zol 1702.
— Acetylverbindung des Iz-
3-Phenylindazols 1704.
$C_{15}H_{12}O_2N_2$ 6-Oxy-7-keto-8-(n)-benzyl-
chinoxalin 1849.
— Monacetat des Isooxyphe-
nylindazols 1703.
$C_{15}H_{12}O_2Br_2$ 2-Oxybenzalacetophenon-
dibromid 1424.
$C_{15}H_{12}O_3N$ Norm. Methyläther der
Phtalphenylaminsäure
1862.
$C_{15}H_{12}O_3N_2$ Furfurin 1683.
— α-Phenyl-o-diazozimmt-
säure 275.
— Furfuramid 1683.
$C_{15}H_{12}O_5N_2$ m-Uramidodibenzoësäure
1932.

$C_{15}H_{12}N_2Cl_2$ Hydrazon des Amidodi-chlorbenzaldehyds 1385.
$C_{15}H_{13}ON$ Benzylphtalimidin 290. 1277. 1316.
— 1-Benzylphtalimidin 1829.
— Benzylidenacetophenon-oxim 256. 1400.
— α-γ-Diphenyldihydroisoxa-zol 257. 1899.
— β-Phenyldihydrocarbosty-ril 292. 1057.
$C_{15}H_{13}O_2N$ Formylbenz-o-toluid 1095.
— Formylbenz-p-toluid 1099.
— Acetbenzanilid 1099.
— Desoxybenzoincarbon-säureamid 1276.
— 4,5-Diphenyldihydro-2-aci-azoxol 1121.
— Benzaldehydverbindung des Mandelsäureamids 1704.
— Brenzweinsäure-β-naphtyl 1123.
— α-Phenyl-o-amidozimmt-säure 292. 1056.
— p-Toluilphenylglyoxyl-säure 1106.
— Benzylaminderivat des Körpers aus Isosafrol-nitrosit 1182.
— Phtalaldehydsäure-p-tolui-did 1392.
— Phtalaldehydsäuremethyl-anilid 1392.
$C_{15}H_{12}O_2N_2$ Phenylhydrazon des n-Methoxypseudoisatins 1740.
$C_{15}H_{13}O_3N$ α-Phenyl-o-amidozimmt-säure 262. 307.
— Phtalphenylamin-Isome-thyläther 1362.
— Phtalphenylaminsäure-Iso-methyläther 1362.
— Methylbenzhydroximsäure-benzoylester 262. 1239.
— Benzoylester der Methyl-synbenzhydroximsäure 1240.
— Anisantibenzoylaldoxim 262.
$C_{15}H_{13}O_3N_3$ Acetylderivat des m-Nitro-benzylidenphenylhydra-zons 1943.
— Acetylderivat des p-Nitro-benzylidenphenylhydra-zons 1943.
$C_{15}H_{13}O_4N$ Oxim des Benzoylmethyl-salicylsäureesters 1269.

$C_{15}H_{12}O_4N$ Succinyl-p-Amidophenol-propionat 1149.
$C_{15}H_{13}O_4N_5$ Allyl-p-dinitrodiazoamido-benzol 1905.
$C_{15}H_{14}ON_2$ 3(n)-Anisyldihydrochin-azolin 1838.
— 3(n)-p-Anisyldihydrochin-azolin 1833.
$C_{15}H_{14}O_2N_2$ Monoacetylirtes o-Amido-benzophenonoxim 1702.
— Piperonalmethylphenyl-hydrazon 1395.
— Methenylderivat des 2-Amido-4,5-Dimethoxy-diphenylamins 1925.
$C_{15}H_{14}O_3N_2$ Methylbenzhydroxim-säurecarbanilid 263.
— Carbanilidomethylanti-benzhydroximsäure 1289.
— Carbanilidoverbindung der Methylsynbenzhydro-ximsäure 1240.
$C_{15}H_{14}O_4N_2$ o-Nitrobenzylformyl-o-ani-sidin 1833.
— o-Nitrobenzylformyl-p-ani-sidin 1833.
$C_{15}H_{15}ON$ Anilid des Bromäthyl-phenylketons C_9H_9OBr 1414.
— o-Propionaminobiphenyl 1816.
$C_{15}H_{15}ON_3$ Hydrazoxim aus Isonitroso-phenylaceton 1846.
$C_{15}H_{15}O_2N$ Phenyltoluidoessigsäure 1375.
— Monoformyldiphenylox-äthylamin 1121.
— Benzoyldimethylamino-phenol 1146.
— o-Biphenylurethan 1817.
— Acetyl-o-amidobenzhydrol 1836.
— Malakin (Salicylaldehyd-p-Phenetidin) 2310.
$C_{15}H_{15}O_3N$ Anilid der Veratrumsäure 1184.
— Benzoylderivat des Vera-trilamins 1185.
$C_{15}H_{16}ON_2$ o-Anisyltetrahydrochin-azolin 1835.
— 3(n)-o-Anisyltetrahydro-chinazolin 1833.
— 3(n)-p-Anisyltetrahydro-chinazolin 1834.
— Verbindung aus Pseudo-butyryl-o-cyanbenzyl-cyanid 1821.

$C_{15}H_{16}ON_2$ p-Amidodimethylanilin-
benzoat 1928.
— Körper aus Anilin 1092.
— Di-o-tolylharnstoff 917.
— Di-p-tolylharnstoff 917.
$C_{15}H_{16}O_2N_2$ o-Amidobenzylformyl-
o-anisidin 1833.
— Nitrosamin des Benzyl-
phenyloxäthylamins
1705.
$C_{15}H_{16}O_3N_4$ Formazylameisenester 967.
$C_{15}H_{16}N_4S_2$ Methyldiphenylhydrazodi-
thiocarbonamid 923.
$C_{15}H_{17}ON$ Naphtylisobutylketoxime
256.
— Oxim des α-Isobutyl-
naphtylketons 1416.
— Oxim des β-Isobutyl-
naphtylketons 1416.
— Benzylphenyloxäthylamin
1705.
$C_{15}H_{17}O_4N$ Cyanbenzylmalonsäure-
ester 686.
$C_{15}H_{17}O_5N$ Mononitrodesmotropo-
santonin 1344.
$C_{15}H_{17}O_6N$ Nitrooxydesmotroposan-
tonin 1344.
$C_{15}H_{17}N_2P$ Mesitylphosphinphenylhydrazon 1966.
$C_{15}H_{18}ON_4$ Trimethylazoxyanilin
1928.
$C_{15}H_{18}O_4N_2$ β - Naphtylhydrazon der
Arabinose 171.
— β - Naphtylhydrazon der
Xylose 171.
$C_{15}H_{19}O_2N$ Benzoylderivat des Oxy-
granatanins 227. 1655.
— Benzoyl-ψ-Tropeïn 224.
— p-Tolil der Tetramethyl-
bernsteinsäure 778.
$C_{15}H_{20}O_4N_2$ Piperidinadditionsproduct
des Körpers aus Iso-
safrolnitrosit 1182.
$C_{15}H_{21}O_3N$ Anilsäure der symm. αα₁-
Diäthylglutarsäure 785.
$C_{15}H_{22}ON_2$ Carbamid des Benzylhexa-
hydro-m-Toluidins 1533.
$C_{15}H_{22}O_4N_2$ Carbamat aus Nortropi-
non 224.
— Allylphenylhydrazon der
Rhamnose 171.
$C_{15}H_{22}O_5N_2$ Allylphenylhydrazon der
Mannose 171.
— Allylphenylhydrazon der
Galactose 171.
— Allylphenylhydrazon der
Glucose 171.

$C_{15}H_{23}ON$ Benzoylderivat des
4'-Amino-4-methylhep-
tans 907.
$C_{15}H_{23}O_3N$ Diäthylglutar-p-tolilsäure
261.
— Diäthylglutaranilsäure
261.
$C_{15}H_{24}ON_2$ Lupanine 218. 1674. 1675.
— Rechts-Lupanin 1675.
— Links-Lupanin 1675.
— Matrin 1672.
$C_{15}H_{24}O_3N_6$ Tricarbonylpiperazin
1842.
$C_{15}H_{26}O_4N$ Carbamat des ψ-Tropige-
nins 225.
$C_{15}H_{29}O_2Br$ Körper aus Convolvulinol-
säure 1607.
$C_{15}H_{32}N_2S$ Diheptylthioharnstoff 910.

— 15 IV —

$C_{15}H_8ON_2Cl$ B-2, 1-Chloroxychinolin-
phenazin 1809.
$C_{15}H_8O_4NCl_2$ Trichlorchinon-
o-aminozimmtsäure
1457.
$C_{15}H_9O_2N_2Cl$ 3-m-Nitrophenyl-
1-chlorisochinolin
1824.
— B-2, 3, 4, 1-Chloroxy-
chinolinchinonanilid
1807.
$C_{15}H_{11}ON_2S$ Benzoylphenylamidothiobiazol 1714.
$C_{15}H_{11}O_2NCl_2$ β-Dichlor-α-Desoxy-
benzoin-o-carbon-
säureamid 290. 1316.
$C_{15}H_{11}O_2N_3$ Dithiënyl-o-nitrophenylmethan 1688.
— Dithiënyl-m-nitrophe-
nylmethan 1687.
— Dithiënyl-p-nitrophenylmethan 1688.
$C_{15}H_{11}O_4NS$ Phenacyl-o-benzoësäure-
sulfimid 1248.
$C_{15}H_{12}O_2Cl_2S$ Thioketon aus o - Chlor-
anisol und Thiophos-
gen 1453.
$C_{15}H_{12}O_2Br_2S$ Thioketon aus o - Brom-
anisol 1453.
$C_{15}H_{12}O_4NCl$ Salicylsäure-ω-chlor-
acetylamidophenyl-
ester 1100.
$C_{15}H_{13}ONCl_2$ 2, 5-Dichlorbenzyliden-
p-phenetidin 1384.
$C_{15}H_{13}ONS$ 4, 5-Diphenyldihydro-
2 - thio - 1 - 3 - azoxol
1121.

$C_{15}H_{12}O_3N_2Cl$ Aethylester der o-Chlor-
    benzolazosalicylsäure
    1869.

$C_{15}H_{12}O_3N_2Cl$ Aethylester der m-Chlor-
    benzolazosalicylsäure
    1870.

— Aethylester der p-Chlor-
    benzolazosalicylsäure
    1870.

$C_{15}H_{13}O_5NS$ Phenacylsulfamido-
    benzoësäure 1248.

$C_{15}H_{14}ON_2S$ a-b-Phenacetylphenyl-
    thiocarbamid 918.

$C_{15}H_{15}ONS$ Benzoylderivat des
    o-Amidobenzylmethyl-
    sulfids 1063.

$C_{15}H_{15}O_2NS$ Thioanilid des Veratrols
    1184.

$C_{15}H_{15}O_3NS$ Acetylverbindung des
    Aminotolylphenyl-
    sulfons 1859.

$C_{15}H_{16}ON_2S$ a-b-Isobutyryl-
    α-naphtylthiocarb-
    amid 918.

$C_{15}H_{16}O_2NP$ Dimethylphosphinoxyd-
    benzanilid 1960.

$C_{15}H_{16}O_2ClP$ Phenylesterchlorid der
    Pseudocumylphos-
    phinsäure 1964.

$C_{15}H_{21}O_2N_2P$ Phenylhydrazinsalz der
    cumylphosphinigen
    Säure 1966.

$C_{15}H_{24}O_3NJ$ Methylpellotinjod-
    methylat 216.

C_{16}-Gruppe.

$C_{16}H_{16}$ p-Dimethylstilben 1939.
$C_{16}H_{18}$ Phenylxylyläthan 618.

— 16 II —

$C_{16}H_{10}O_3$ Diphenylmaleïnsäurean-
    hydrid 243. 279.

$C_{16}H_{10}O_6$ Flavonderivat aus Chlor-
    gallacetophenon und Pi-
    peronal 1437.

$C_{16}H_{10}N_2$ Naphtophenazin 1841.
$C_{16}H_{11}N$ Phenylnaphtylcarbazol 1281.
$C_{16}H_{12}O_2$ Methylphenyldiketohydr-
    inden 1384.

— Methylbenzalphtalid 1333.
— 3-p-Tolylisocumarin 1824.
— α-Cumaryl-p-tolylketon 1424.

$C_{16}H_{12}O_3$ Oxyanthrachinonäthyläther
    86.

— Piperonalacetophenon 1437.

$C_{16}H_{12}O_4$ Monomethyläther des Dioxy-
    flavons 1436.

$C_{16}H_{12}O_4$ Verbindung aus Rhabarber
    1646.

— Chinizarinmonoäthyläther
    86.

— Anthraflavinsäuredimethyl-
    äther 86.

$C_{16}H_{12}O_6$ Piperonoin 1452.
$C_{16}H_{12}O_7$ Rhamnetin 1640.

— Isorhamnetin 1641.

— Monomethylquercetinäther
    1641.

$C_{16}H_{12}N_2$ Diphenylpyrazin 1844.
$C_{16}H_{12}S$ Diphenylthiophen 1258.
$C_{16}H_{13}N$ Phenyl-α-naphtylamin 1912.

— β-Phenylnaphtylamin 1862.

— Diphenylpyrrol 1688.

$C_{16}H_{13}N_3$ Benzolazo-α-naphtylamin
    1874. 1878.

— Benzolazo-β-naphtylamin
    1930.

$C_{16}H_{14}O$ Benzalmethyl-p-tolylketon
    1400.

$C_{16}H_{14}O_2$ Diphenacyl 1442. 1443.

— o-Oxybenzalmethyl-p-tolyl-
    keton 1424.

$C_{16}H_{14}O_3$ Essigester des p-Benzoyl-
    benzylalkohols 1413.

— β-Phenylbenzoylpropion-
    säure (Desylessigsäure)
    1291.

— p-Methyldesoxybenzoin-
    o-carbonsäure 1824.

— Thebaol 216.

— Difuralketohexamethylen
    1686..

— Desylessigsäure 278.

$C_{16}H_{14}O_4$ Verbindung aus m-Oxy-
    benzoësäureester 1310.

— Verbindung aus Natrium-
    salicylsäureäthylester und
    Benzoylchlorid 1309.

— Benzoyläthylsalicylsäure
    1309.

$C_{16}H_{14}O_6$ Aethylensalicylat 1266.
$C_{16}H_{14}N_2$ o-Amido-β-naphtylphenyl-
    amin 1930.

$C_{16}H_{16}O_4$ Aethylester der 1,5-Naphta-
    lindicarbonsäure 1339.

— Methylhydrocotoin 1442.

$C_{16}H_{16}O_5$ Acetyläpfelsäureäthylester
    737.

$C_{16}H_{16}O_7$ Acetylderivat der Anemonol-
    säure 1625.

$C_{16}H_{18}O_3$ Xylylphenylglycoläther 1161.
$C_{16}H_{18}N_2$ Aethylidenaniline 1116.
$C_{16}H_{19}N$ β-Dibenzyläthylamin 906.
$C_{16}H_{20}O_4$ Phenylallylmalonsäureester
    700.

$C_{16}H_{20}O_4$ Aethylester der Tetrahydro-1, 5-naphtalindicarbonsäure 1341.

$C_{16}H_{20}N_4$ Diphenyldiäthyltetrazon 1948.

—   p-Azodimethylanilin 1942.

$C_{16}H_{22}O_2$ Methyläther der untersantonigen Säure 1346.

$C_{16}H_{22}O_4$ Hydroalantolactoncarbonsäure 687.

—   Durohydrochinondipropionat 1459.

$C_{16}H_{22}O_5$ Phenoxyäthylisopropylglutarsäure 718.

$C_{16}H_{22}O_8$ Coniferin 1392.

$C_{16}H_{22}N_2$ Hydrazon des Ketons $C_{10}H_{16}O$ 1486.

$C_{16}H_{24}O$ Butylxylylpropylketon 1078.

$C_{16}H_{24}O_5$ Cascarillin 1603.

—   Hydroalantdicarbonsäure 687.

$C_{16}H_{28}O_2$ Leinölsäure 746.

$C_{16}H_{30}O_7$ Cardensäure 1603.

$C_{16}H_{32}O_2$ Palmitinsäure 704. 829. 2232.

$C_{16}H_{32}O_3$ Lanopalminsäure 676.

$C_{16}H_{33}J$ Cetyljodid 1231.

— 16 III —

$C_{16}H_8O_4N_2$ Nitrophenylcyanisocumarin 282.

—   3-m-Nitrophenyl-4-cyanisocumarin 1823.

$C_{16}H_9O_3N_3$ 3-m-Nitrophenyl-4-cyanisocarbostyril 1823.

$C_{16}H_{10}ON_2$ Nitrosophenylnaphtylcarbazol 1281.

—   Oxynaphtophenazin 1856.

$C_{16}H_{10}O_2N_2$ Indigo 852.

—   Indigotin 2314.

$C_{16}H_{10}O_3N_4$ Acetylderivat des Nitroindophenazins 1744.

$C_{16}H_{10}O_6N_8$ m-Nitroäthylenbenzazimid 1935.

$C_{16}H_{10}N_4S_8$ Tetrasulfid des Phenyldithiobiazolons 1715.

$C_{16}H_{11}ON$ Naphtochinonanil 1203.

$C_{16}H_{11}O_2N$ Nitrophenylnaphtalin 1760.

$C_{16}H_{11}O_2Br$ Methylphenylbromdiketohydrinden 1335.

$C_{16}H_{11}O_4N$ n-Benzoxy-α-indolcarbonsäure 1736.

—   Phtalyl-p-Amidophenolacetat 1149.

$C_{16}H_{11}O_6N$ Papaverinsäureanhydrid 1774.

$C_{16}H_{12}ON_2$ p-Benzoylamidochinolin 1784.

$C_{16}H_{12}O_2N_2$ Carbanilsäureester des Oxymethylenbenzylcyanids 837. 1286.

—   Dihydrodiphtalyldiimid 1317.

$C_{16}H_{12}O_6N_2$ Hydrazon der Phenylglyoxyldicarbonsäure 1369.

$C_{16}H_{13}ON$ Methylenphtalbenzylimidin 1277.

—   Phenylamidonaphtol 1203.

—   3-p-Tolylisocarbostyril 1824.

$C_{16}H_{13}ON_2$ Phenylvinylphenyloxytriazol 1718.

$C_{16}H_{13}O_2N$ Benzoylhydroisocarbostyril 1827.

—   β-Phenyl-μ-methoxyphenyloxazol 1709. 1710. 1712.

$C_{16}H_{13}O_2N_3$ Acetylamidophenimesatin 1743.

$C_{16}H_{13}O_2Br$ Bromdiphenacyle 252. 1442. 1443.

$C_{16}H_{13}O_2Br_3$ Benzoylderivat des Dibrom-p-xylo-p-oxybenzylbromids 1170.

$C_{16}H_{13}O_4N$ Phenylglyoxylmethoxybenzamid 1712.

—   Dibenzoylacethydroxamsäure 852.

$C_{16}H_{13}O_6N$ Aethylester der m-Nitrobenzoylsalicylsäure 1309.

$C_{16}H_{13}O_7N$ Papaverinsäure 1774.

$C_{16}H_{13}O_{10}N_3$ Aethylester der Trinitro-1, 5-naphtalindicarbonsäure 1340.

$C_{16}H_{14}ON_2$ 1-3-Benzylmethylphtalazon 1829.

$C_{16}H_{14}ON_4$ Phenylhydrazin-1-phenyl-3-methyl-4-keto-5-pyrazolon 1697.

$C_{16}H_{14}O_2N_2$ Methylphenyldiketohydrindendioxim 1335.

—   Diacetylproduct des Dihydrophenazins 1841.

—   Vinyläthylphtalamid 1315.

$C_{16}H_{14}O_5N_2$ Methylester der m-Uramidodibenzoësäure 1932.

$C_{16}H_{14}O_6N_2$ o-p-Dinitrodibenzylessigsäure 778.

—   o-p-Dinitrobenzylessigsäure 1302.

—   Diamidodicarboxybenzoin 1240.

$C_{16}H_{14}O_8N_2$ Aethylester der Dinitro-naphtalindicarbonsäure 1340.

— Aethylester der Dinitro-1, 5-naphtalindicarbonsäure 1340.

$C_{16}H_{15}ON$ Benzoyltetrahydroiso-chinolin 1827.

$C_{16}H_{15}O_2N$ o-Oxychinolinbenzyloxyd-hydrat $+ x H_2O$ 1797.

— Sym. Dimethylbernstein-säure-β-naphtil 260.

— Diformyldiphenyloxäthyl-amin 1121.

— Benzyläther des Isonitroso-phenylacetons 1845.

— β-Naphtyl der asymm. Di-methylbernsteinsäure , 781.

$C_{16}H_{15}O_3N$ Succindiphenylaminsäure 782.

— Piperonal-p-phenetidin 1395.

— Methoxybenzylidenman-delsäureamid 1710.

— Benzylidenmethoxyman-delsäureamid 1710.

— Phenylglyoxylmethoxy-benzylamin 1712.

— o-ω-Benzoylamidoäthyl-benzoësäure 1827.

$C_{16}H_{15}O_4N$ Methylbenzhydroxim-säureanisylester 263.

— Anilidobenzylmalonsäure 1762.

— Anisylester der Methyl-synbenzhydroximsäure 1240.

— Anisylester der β - Methyl-benzhydroximsäure 1239.

$C_{16}H_{15}O_6N_3$ Trinitroderivat des Phenyl-xylyläthans 618.

$C_{16}H_{15}N_3S_3$ Phenyldithiobiazolonäthyl-aminophenylsulfid 1717.

$C_{16}H_{16}ON_2$ Phenyltetrahydroisochino-lylharnstoff 1827.

$C_{16}H_{16}O_2N_2$ α-Dibenzylhydantoin 287.
— Monobenzyläther des Dioxins aus i-Nitroso-phenylaceton 1846.

— Phenylhydrazon des Brenz-traubensäurebenzyl-esters 1105.

— Benzaldehydverbindung der Hydrazinobenzyl-essigsäure 888.

$C_{16}H_{16}O_2N_4$ Dinitrosodiäthylidendi-anilin 260. 307.

$C_{16}H_{16}O_2N_4$ Diacetylverbindung des Di-m-amidoazobenzols 1926.

$C_{16}H_{16}O_3N_2$ Acetat des 4-Phenyltetra-hydro-2-Ketochinazolins 1837.

— Salicylaldehydderivat der Hydrazinobenzylessig-säure 888.

— Hydrazon des Veratryl-glyoxylaldehyds 1939.

$C_{16}H_{16}O_3N_4$ Diacetylderivat des Di-m-Diamidoazoxybenzols 1926.

$C_{16}H_{16}O_4N_2$ Oxalyl-di-p-Anisidin 1148.
— Hydrazon der Veratryl-glyoxylsäure 1939.

$C_{16}H_{16}O_5N_2$ Tartronyl-di-p-Amido-phenol 1148.

$C_{16}H_{16}O_6N_4(?)$ α-Styrolnitrosit 1090.

$C_{16}H_{16}O_6N_5$ m-Nitroamidobenzäthylen-amid 1935.

$C_{16}H_{16}N_2S$ Phenyltetrahydroisochino-lylthioharnstoff 1827.

$C_{16}H_{17}ON$ Acetophenonphenetidid 1159.

— Anilid des Monobrom-butyrylbenzols 1059.

— Dibenzylacetamid 906.

$C_{16}H_{17}O_2N$ Monoacetyldiphenyl-oxäthylamin 1122.

— Acetyl-p-amido-p-äthoxy-diphenyl 1154.

$C_{16}H_{17}O_5N$ β-Naphtilsäure der α-Me-thylglutarsäure 786.

— β-Naphtilsäure der asymm. Dimethylbernsteinsäure 781.

$C_{16}H_{18}O_2N_4$ Diacetylderivat des Hydr-azins aus Di-o-diamido-diphenyl 1951.

$C_{16}H_{18}O_3N_2$ Bilirubin 1629.

$C_{16}H_{18}O_4S_2$ Aethylendi-o-tolylsulfon 1065.

$C_{16}H_{19}ON$ Xylenoxäthylanilin 1161.

$C_{16}H_{19}O_2P$ Diäthyldibenzolphosphin-säure 1963.

$C_{16}H_{19}O_4N$ Benzoyl-α-Ecgonin $+ \frac{1}{2} H_2O$ 226.

— Acetylirtes Tolil der Oxy-trimethylbernsteinsäure 695.

$C_{16}H_{19}O_{10}Cl_3$ Tetraacetylderivat des β - Galactochlorals 176. 1002.

$C_{16}H_{20}ON_4$ Tetramethylazoxyanilin 1928.

$C_{16}H_{20}O_4N_2$ Phenylhydrazon der Pinoylameisensäure 1560.
— β-Naphtylhydrazon der Rhamnose 171.
$C_{16}H_{20}O_5N_2$ β-Naphtylhydrazon der Galactose 171.
— β-Naphtylhydrazon der Glucose 171.
— β-Naphtylhydrazon der Mannose 171.
$C_{16}H_{20}O_6N_2$ Vernin + 3 H_2O 182. 726.
$C_{16}H_{21}O_2N$ Sym. Diisopropylbernsteinsäureanil 259. 777.
— Diäthylglutarsäure-p-Tolil 259.
— Hydroalantolactonitril 687.
— Anilinderivat des Camphorsäurealdehyds 1595.
$C_{16}H_{21}O_3N$ Homatropin 1647.
$C_{16}H_{22}O_2N_2$ Phenylhydrazon der α-Pinonsäure 1548.
$C_{16}H_{22}O_6N_2$ Dinitrobutylxylylpropylketon 1078.
$C_{16}H_{23}ON$ Acetylverbindung des Benzylhexahydro-m-Toluidins 1533.
$C_{16}H_{23}O_2N$ p-Tolilsäure der symm. αα₁-Diäthylglutarsäure 785.
$C_{16}H_{23}O_3N$ Sym. Diisopropylbernsteinanilsäure 262. 777.
$C_{16}H_{24}O_2N_2$ Phenylhydrazon der Isopropylheptanonsäure 1551.
$C_{16}H_{25}O_3N$ Aminbase aus Hydroalantolactonitril 687.
$C_{16}H_{26}O_4N_2$ Piperazyldicrotonsäureester 1843.
— Amylphenylhydrazon der Arabinose 170.
$C_{16}H_{26}O_5N_2$ Protamin 1651.
$C_{16}H_{31}O_{21}N_9$ Protamin 1650.

— 16 IV —

$C_{16}H_9ON_2Br_2$ Acetylderivat des Dibromindophenazins 1744.
$C_{16}H_{11}O_2N_2Cl$ B-2, 3, 4, 1-Chloroxychinolinchinon-p-toluid 1807.
$C_{16}H_{12}O_6N_2S_2$ Aethylen-di-o-benzoësäuresulfinid 1249.
$C_{16}H_{12}O_9N_4S_2$ (1)-Amido-(2)-nitrobenzol-(4)-azo-β-naphtoldisulfosäure 1904.
$C_{16}H_{12}O_9N_4S_2$ 1-Phenylsulfo-4-phenylhydrazinsulfoketo-5-pyrazolon-3-carbonsäure 1694.

$C_{16}H_{13}ON_2S$ Acetylderivat des Diphenylimidothiobiazolins 922.
$C_{16}H_{13}O_3NS$ Phenyl-α₁-naphtylamin-α₄-sulfosäure 1873.
$C_{16}H_{13}O_4NS$ Phenyl-γ-amidonaphtolsulfosäure 1912.
$C_{16}H_{13}O_7NS_2$ Phenylamidonaphtoldisulfosäure 1204.
$C_{16}H_{14}ONCl$ o-Oxychinolinchlorbenzylat + 1½ H_2O 1797.
$C_{16}H_{14}ONJ$ Jodmethylat des β-μ-Diphenyloxazols 1705.
$C_{16}H_{14}ON_4S_2$ Nitrosamin des Phenyldithiobiazolonäthylaminophenylsulfids 1717.
$C_{16}H_{14}O_2N_2Br_2$ Benzenylbromoximäthyläther 265.
— Benzenylbromoximäthylenäther 307.
$C_{16}H_{15}O_3N_2S$ Hydrazon des Acetonylo-benzoësäuresulfinids 1247.
$C_{16}H_{15}O_7NS$ Isoeugenolnitrophenylsulfosäure 1393.
$C_{16}H_{16}ONBr_2$ Base aus Tribromxylenolbromid 1162.
$C_{16}H_{16}O_2N_2S$ Diacetylderivat des Thioanilins 1144.
$C_{16}H_{16}O_5N_2Hg$ Mercuriform-p-toluid 1099.
$C_{16}H_{17}ONBr_2$ Methylanilinderivat des Dibrompseudocumenolbromids 1167.
$C_{16}H_{18}O_4N_2S_2$ Diphenylsulfonpiperazin 1842.
$C_{16}H_{18}N_2ClS$ Methylenblau 1222. 1860.
$C_{16}H_{20}ON_2Br_2$ Dibrom-p-benzoylamidochinolin 1785.
$C_{16}H_{20}O_2NCl$ β-Chlorcamphensulfosäureanilid 187.

— 16 V —

$C_{16}H_{16}O_2N_2Br_6Hg$ Quecksilberverbindung des sym. Tribromacetanilids 1099.
$C_{16}H_{20}O_2NClS$ α-Chlorcamphensulfanilid 1539.
— Anilid der β-Chlorcamphensulfosäure 1540.

C_{17}-Gruppe.

$C_{17}H_{20}$ Ditolylpropan 1048.

$C_{17}H_{12}ON_2$ 3-p-Tolyl-4-cyanisocarbo-
styril 1824.
— p-Methyl-o-o-dicyan-β-oxy-
stilben 1824.
$C_{17}H_{12}O_2N_2$ Oxyeurhodol 1851.
$C_{17}H_{12}O_2N_4$ Malonendiazoximdi-
benzenyl 723.
$C_{17}H_{13}ON$ n-Phenyl-g-phenyl-α-pyri-
don 12ˉ9.
— n-Phenyl-α-phenyl-α'-pyri-
don 1746.
— 2ᴵ-Aminonaphtylphenyl-
keton 1427.
— β-Phenyl-μ-cinnamenyl-
oxazol 1711.
$C_{17}H_{13}ON_3$ Aminoeurhodol (Oxyeurhodin) 1851.
— Pr-Acetyl-B₃-methylindo-
phenazin 1744.
$C_{17}H_{13}O_2N$ 1, 2-Nitrobenzylnaphtol
1200.
$C_{17}H_{13}O_2Br$ p-Brombenzoylirtes
Benzoylaceton 1446.
— Benzoylverbindung des
5-Brom-2-oxybenzalace-
tons 1437.
$C_{17}H_{13}O_2Br_2$ 5-Bromacetyl-2-oxybenzal-
acetophenondibromid
1432.
$C_{17}H_{13}O_4N$ Phtalyl-p-Amidophenol-
propionat 1149.
$C_{17}H_{13}N_3S_2$ Phenyldithiobiazoloncinnamalsulfim 1716.
$C_{17}H_{14}ON_2$ Diamidophenylnaphtyl-
keton 1418.
$C_{17}H_{14}O_2N_2$ Phenylmethylbenzoyl-
pyrazolon 1691.
$C_{17}H_{14}O_2Br_2$ Dibromid des Acetyl-
2-Oxybenzalacetophe-
nons 1430.
— Dibromid des Acetyl-
3-Oxybenzalacetophe-
nons 1430.
— Dibromid des Acetyl-
4-Oxybenzalacetophe-
nons 1430.
$C_{17}H_{14}O_4N$ Succinyl-p-Amidophenol-
benzoat 1149.
$C_{17}H_{14}O_5N_4$ α-Dinitrodibenzylhydan-
toin 938.
$C_{17}H_{15}O_2N$ Phtalaldehydsäuretetra-
hydrochinolid 1355.
— Phtalaldehydsäuretetra-
hydroisochinolid 1392.
$C_{17}H_{15}O_2Br$ Brom-2-äthoxybenzalaceto-
phenon 1432.

$C_{17}H_{15}O_2Br$ 5-Brom-2-äthoxybenzal-
acetophenon 1432.
$C_{17}H_{15}O_2Br_2$ Brom-äthoxybenzalaceto-
phenondibromid 1431.
— 5-Brom-2-äthoxybenzal-
acetophenondibromid
1432.
$C_{17}H_{15}O_3N$ β-μ-Dimethoxyphenyl-
oxazol 1710.
$C_{17}H_{15}O_4N$ α-Hemipinsäureisobenzyl-
imid 1359.
— β-Hemipinsäureisobenzyl-
imid 1360.
— α-Hemipinbenzylisoimid
1361.
— Dimethylamidodioxyflavon
1437.
— Chelerythrin 1647.
$C_{17}H_{15}O_5N$ Opiananthranilsäure 1357.
$C_{17}H_{15}O_7N$ γ - Monomethylester der
Papaverinsäure 1774.
$C_{17}H_{16}ON_2$ Dibenzylcyanacetamid 287.
906. 937.
— 1-4-Benzyläthoxyphtalazin
1829.
— 1-3-Benzyläthylphtalazon
1829.
— Körper aus Anilbrenz-
traubensäure 1100.
$C_{17}H_{16}O_2N_2$ α-Dibenzylhydantoin 937.
— Diacetylbenzenylphenyl-
amidin 1287.
$C_{17}H_{16}O_3N$ β-Naphtalid aus Dibrom-
dimethylglutarsäurean-
hydrid 789.
$C_{17}H_{16}O_3N_2$ Benzalterephtalhydrazinäthylester 1940.
— Diacetyl-o-amidobenzo-
phenonoxim 1702.
$C_{17}H_{16}O_4N_4$ Malonendibenzoylamido-
xim 723.
$C_{17}H_{16}O_5N_2$ p-Kohlensäurediacetanilid-
ester 1153.
$C_{17}H_{17}O_2N$ Apomorphin 2296. 2298.
— β - Naphtil der α - Aethylglutarsäure 787.
— Cuminantibenzoylaldoxim
260.
— Benzoyl-α-cuminaldoxim
864.
$C_{17}H_{17}O_2Cl$ Benzoylderivat des Mono-
chlorthymols 1159.
$C_{17}H_{17}O_3N$ Phenylglyoxyläthoxy-
benzylamin 1712.
$C_{17}H_{17}O_4N$ Hemipinsäurebenzylimid
1360.

$C_{17}H_{17}O_4N_2$ Urethanophenyloxanilid
916.

$C_{17}H_{17}O_5N$ α-Hemipinsäurebenzyl-
amid 1359.
— β-Hemipinsäurebenzyl-
amid 1360.
— Oxyphenacetinsalicylat
1267.

$C_{17}H_{18}O_2N_2$ Pseudobutyryl-o-cyanben-
zylcyanid 1821.
— Methylendiphenylacet-
amid 1273.
— Tetramethyldiamido-
xanthon 1209.
— ψ-Dibutyryl-o-cyanbenzyl-
cyanid 292.
— Phenylamin-4-phenylimin-
2-pentanonsäure 1102.

$C_{17}H_{18}O_2N_4$ Bis(acetamidophenyl)harn-
stoff 915.

$C_{17}H_{19}ON$ o - Toluidinverbindung des
Monobrombutyrylben-
zols 1060.
— p-Toluidinderivat des Mo-
nobrombutyrylbenzols
1060.

$C_{17}H_{19}O_2N$ Benzoyldiäthylamido-
phenol 1147.
— Benzoylverbindung des
Xylenoxäthylamins
1161.

$C_{17}H_{19}O_3N$ Morphin + H_2O 211. 1647.
1676. 1677. 2295. 2298.
2299. 2309.
— Diphenyloxäthylurethan
1121.
— β-Naphtylsäuren der
α-Aethylglutarsäure 786.
— Piperin 2295. 2296.

$C_{17}H_{20}ON_2$ Tetramethyldiamidodiphenylmethanoxyd 1208.

$C_{17}H_{20}OBr_2$ Körper aus Benzylcampher
197.
— Dibromderivat des Benzal-
camphers 1516.

$C_{17}H_{20}O_2N_2$ p-Nitrodiäthylamidobenz-
hydrol 1217.
— Tetramethyldiamino-
phenolkohlensäureester
1146.

$C_{17}H_{20}O_4S_2$ Trimethylendi-o-tolylsul-
fon 1066.
— Propylendi-o-tolylsulfon
1066.

$C_{17}H_{21}OBr$ Körper aus Benzylcampher
197.

$C_{17}H_{21}OBr$ Bromderivat des Benzal-
camphers 1516.

$C_{17}H_{21}O_4N$ Cocaïn 205. 1647. 1667.
1668. 2296. 2299. 2306.
2307.
— α-Cocaïn 226.
— Hyoscin 1658. 1659. 1660.
1662. 1663.
— Atroscin 213. 1660. 1661.
— Scopolamin 213. 1658. 1660.
1662. 1663.

$C_{17}H_{22}ON_2$ Tetramethyldiamidobenz-
hydrol 1214. 1216. 1217.
1219. 1226.
— Tetramethyldiamidodi-
phenylmethanoxyd 81.

$C_{17}H_{22}O_2N_2$ Tetramethyldiamidodioxy-
diphenylmethan 1207.

$C_{17}H_{22}ON$ Acetylproduct der Base
$C_{15}H_{21}N$ 1733.
— Oxim des Benzylidenmen-
thons 1532.

$C_{17}H_{22}O_2N$ p-Tolil der symm. Diiso-
propylbernsteinsäure
778.
— Sym. Diisopropylbernstein-
säure-p-tolil 259.

$C_{17}H_{23}O_3N$ Atropin 205. 212. 1647.
1655. 1667. 2295. 2296.
2298. 2299. 2306.
— Hyoscyamin 1647. 1655.
— Hyoscin 212. 2296.

$C_{17}H_{24}ON_2$ Monobenzoylderivat des
Dipiperidyls 1750.

$C_{17}H_{24}O_5N_2$ Dinitrobutylxylylisobutylketon 1078.

$C_{17}H_{25}ON$ Paratoluid der Rhodinolsäure 1505.
— p-Toluidid der Citronella-
säure 1502.

$C_{17}H_{25}O_3N$ p-Tolylsäure der symm.
Diisopropylbernstein-
säure 777.

$C_{17}H_{25}O_5N$ β-Piperidofurfuralmalon-
säureester 1762.

$C_{17}H_{27}O_3N$ Phenylurethan des Diamylenhydrats 626.

$C_{17}H_{28}O_4N_2$ Amylphenylhydrazon der
Rhamnose 170.

$C_{17}H_{28}O_5N_2$ Amylphenylhydrazon der
Glucose 170.
— Amylphenylhydrazon der
Galactose 170.
— Amylphenylhydrazon der
Mannose 170.

C₁₈H₁₈O₄ Isoeugenoltoluylsäure 1393.
— Benzoyläthylsalicylsäure-äthylester 1308.
C₁₈H₁₈N₂ Dihydrodimethyldiphenyl-pyrazin 1844.
— Dimethyldiphenyldihydro-pyrazin 289.
C₁₈H₂₀O₂ Dipseudocumenol 1164.
C₁₈H₂₀O₄ Diphenoxyäthylessigsäure 689. 718.
C₁₈H₂₀O₆ Acetyläpfelsäure-n-propyl-ester 737.
C₁₈H₂₀O₉ Leukodrin 1619.
C₁₈H₂₀S₂ Hexamethyldiphenylendi-sulfid 1194.
C₁₈H₂₁N Tetrahydro-β-naphtylpiperi-din 1761.
C₁₈H₂₂O₂ Aethylendixylenoläther 1161.
C₁₈H₂₂N₂ Dibenzylpiperazin 289. 1841.
C₁₈H₂₄O₂ Cannabinol 1597.
C₁₈H₂₆O₄ Stearoxylsäure 772.
C₁₈H₂₆O₈ Dimethylbutantetracarbon-säureester 697.
C₁₈H₃₂O₄ Stearoxylsäure 771.
C₁₈H₃₂O₁₆ Melitose 1007. 1009.
— Raffinose 982. 983. 1011.
C₁₈H₃₄O₂ Oelsäure 681. 704. 746. 829.
— Elaidinsäure 681.
C₁₈H₃₄O₃ Rapinsäure 676.
— Oxyölsäure 829.
— Ketostearinsäure 771.
C₁₈H₃₄O₄ Ketooxystearinsäure 770.
C₁₈H₃₆O Aethylpentadecylketon (Octadekanon-3) 670.
C₁₈H₃₆O₂ Stearinsäure 676. 681. 771. 1409.

— 18 III —

C₁₈H₁₀O₂N₄ Körper aus Dinitrodi-anilidochinon 1457.
C₁₈H₁₀N₂S₂(?) Thiochinanthren 1777.
C₁₈H₁₂ON₂ Chinolin-Oxychinolin 1794.
— Eurhodol (Oxyphenazin) 1851.
— Safranon 1852.
— Aposafranon 1857. 1865. 1867.
C₁₈H₁₂O₂N₂ Oxyaposafranon 1858. 1860.
— Oxyindulon (Safranol) 1852. 1858.
— 2-Oxyphenylphenazon 1856. 1876.
C₁₈H₁₂O₃N₂ Dioxyaposafranon 1858.

C₁₈H₁₂O₄N₆(?) Indoxin 1740.
C₁₈H₁₂O₄N₂ Diphenylpyrazindicar-bonsäure 1844.
C₁₈H₁₂O₆N₄ Dinitrodianilidochinon 1457.
C₁₈H₁₃ON Acetylphenylnaphtyl-carbazol 1281.
C₁₈H₁₃O₂N Monophtalidchinaldin 1810.
— Phtalaldehydsäure-α-Naphtylamid 1392.
— β-Naphtylaminphenyl-glyoxylsäure 1106.
C₁₈H₁₃O₂N₃ Amidooxyaposafranon 1858.
C₁₈H₁₃O₂N₃ Phenylphenazonium-nitrat 1868.
C₁₈H₁₃O₃N₃ Pikrat des α-Methyl-naphtylketons 1415.
C₁₈H₁₃N₃Cl Phenylphenazonium-chlorid 1867.
C₁₈H₁₄ON₂ ms-Aethylisorosindon 1864.
— Aethylphenonaphtazon 1856.
C₁₈H₁₄O₄N₄ Dinitrophenyl-o-amino-diphenylamin 1865.
C₁₈H₁₅O₂N β-Methoxyphenyl-μ-cinnamenyloxazol 1711.
C₁₈H₁₅O₇P Trioxyphenylphosphat 1171.
C₁₈H₁₆ON₂ Phenylhydrazon des o-Benzoylphenols 1428.
C₁₈H₁₆ON₄ Phenosafranin 1867.
C₁₈H₁₆O₂N₂ α-Nitro-β-naphtylpiperi-din 1761.
— Analgen (o-Aethoxy-ana-Monobenzyl-amidochinolin) 2310.
C₁₈H₁₆O₂Br₄ Tetramethyltetrabrom-dioxystilben 1166.
— Körper aus Dibrom-pseudocumenolbromid und Soda 1166.
C₁₈H₁₆O₂Br₆ Tetramethyltetrabrom-dioxystilbenbromid 1166.
C₁₈H₁₆O₂S₂ Körper aus Chinon und Thiophenol 1452.
C₁₈H₁₆O₂N Benzylphenacylcyan-essigsäure 1290.
C₁₈H₁₆O₃Br₂ Acetyl-o-oxybenzal-methyl-p-tolylketon-dibromid 1424.
C₁₈H₁₆O₆N₂ Diacetat des o-Dioxydi-phenylenoxamids 1131.

163*

$C_{18}H_{17}ON$ 1, 3-Phenoxypropyliso-
chinolin 1822.

—   β-Phenyl-μ-propylphenyl-
oxazol 1710.

$C_{18}H_{17}ON_3$ Benzylidenverbindung des
Amidoantipyrins 1693.

$C_{18}H_{17}O_2N$ Anilid des dibenzoylirten
Acetylacetons 1447.

$C_{18}H_{17}O_3N$ as-m-Xylenoxäthylphtali-
mid 1160.

$C_{18}H_{17}O_4N$ Carbanilsäureester des
Oxymethylenphenyl-
essigesters 836. 1285.

—   Methylnoropiansäuretetra-
hydrochinolid 1357.

$C_{18}H_{17}O_7N$ Neutraler Methylester der
Papaverinsäure 1774.

$C_{18}H_{17}N_4Cl$ Farbstoff 1875.

$C_{18}H_{18}ON_2$ Hydrazon des Oxydimethylnaphtols 1197.

$C_{18}H_{18}O_6N_4$ Di-p-nitro-o-äthylbenzoyl-
hydrazin 1337.

$C_{18}H_{19}O_3N$ β-Naphtil der Tetramethyl-
bernsteinsäure 778.

$C_{18}H_{19}O_3N$ Diacetyldiphenyloxäthylamin 1122.

$C_{18}H_{19}O_4N$ Xylenoxäthylphtalamin-
säure 1161.

—   Körper aus Bebirin 218.

—   Opiansäureäthylanilid
1354.

$C_{18}H_{19}O_5N$ α-Hemipinbenzylamin-
säure-Methyläther 1361.

—   β-Hemipinbenzylamin-
säure-Methyläther 1361.

$C_{18}H_{19}O_6P$ Dixylophosphinsäure 1965.

$C_{18}H_{20}ON_2$ Phenylhydrazon des o-Pro-
pylcumarketons 1403.

$C_{18}H_{20}O_2N_2$ Dioxim des Diphenyl-
1-6-Hexandion-1·6 797.

—   Succinmethylanilid 782.

$C_{18}H_{20}O_2N_4$ Diphenylcarbaminpiperazin 1842.

$C_{18}H_{20}O_3N_2$ Cinchotenin 1771.

—   Dimethylanemonin-
hydrazon 1625.

$C_{18}H_{20}O_6N_2$ Tartronyl-di-p-Anisidin
1148.

$C_{18}H_{21}O_3N$ Bebirin 217. 1663.

—   Codeïn + H_2O 212. 1647.
1676. 1677. 2295. 2296.
2298. 2299.

$C_{18}H_{22}ON_2$ Phenylhydrazon des Pro-
pyldihydro-o-cumarke-
tons 1403.

$C_{18}H_{22}O_4N_2$ Benzylphenylhydrazon der
Arabinose 171.

$C_{18}H_{22}O_4N_4$ Phenylglycosazon 1000.

$C_{18}H_{23}O_2P$ Dipseudocumylphosphinsäure 1965.

—   Dicumylphosphinsäure
1967.

$C_{18}H_{22}O_4N$ α-Cocäthylin 226.

$C_{18}H_{24}O_2N_2$ Tetramethyldiamidodioxy-
diphenyläthan 1208.

$C_{18}H_{25}O_6N$ Opiansaures ψ-Tropin 1357.

$C_{18}H_{26}O_9N_4$ Orylsäure 1889.

$C_{18}H_{32}O_2Cl_4$ Tetrachlorstearinsäure 681.

$C_{18}H_{33}O_2Cl$ Monochlorelaïdinsäure 681.

—   Monochlorölsäure 681.

$C_{18}H_{33}O_3Cl$ Ketochlorstearinsäure 770.

$C_{18}H_{33}O_3Br$ Ketobromstearinsäure 770.

$C_{18}H_{33}O_4N$ Pelargilamidoazelaïnsäure
772.

—   Ketoketoximstearinsäure
772.

$C_{18}H_{34}O_2Cl_2$ Dichlorstearinsäure 681.

$C_{18}H_{35}OCl$ Stearylchlorid 1409.

$C_{18}H_{37}ON$ Oxim des Aethylpentade-
cylketons 670.

—   Aethylpentadecylketoxim
254.

— 18 IV —

$C_{18}H_{12}O_2N_2S$ Phenazylphenylsulfon
1859.

$C_{18}H_{12}O_4N_4Br$ Bromdianilidodinitro-
benzol 1087.

$C_{18}H_{12}N_2Cl_4Fe$ Phenylphenazonium-
Eisenchloriddoppel-
salz 1868.

$C_{18}H_{15}O_5NS_2$ Diphenyldisulfon-
o-aminophenol 1071.

$C_{18}H_{16}O_2NP$ Anilin-N-phenylphos-
phinsäurephenylester
1956.

$C_{18}H_{17}ON_2P$ Phenylphosphinsäure-
dianilid 1955.

$C_{18}H_{17}O_2N_2Cl$ Antipyrinchlorbenzoylat
1691.

$C_{18}H_{17}O_2N_2J$ Antipyrinjodbenzoylat
1691.

$C_{18}H_{17}O_2N_2P$ Körper aus Oxyphosphazobenzolanilid und
Phenol 1952.

$C_{18}H_{19}O_2Br_4S$ Sulfid des Dibrom-p-xylo-
p-oxybenzylmercap-
tans 1170.

$C_{18}H_{19}ON_4P$ Phenylphosphinsäure-
phenylhydrazid 1956.

$C_{18}H_{20}O_2N_3P$ Trianilid der Penta-
hydroxylphosphor-
säure 1952.

$C_{18}H_{22}O_2NP$ Piperidid der Phenoltolylphosphinsäure
1959.

$C_{18}H_{22}ON_3P$ Oxyphosphazoverbin-
    dung des Mesidins 1953.
—   Oxyphosphazoverbin-
    dung des Pseudocumi-
    dins 1953.
$C_{18}H_{22}O_2NBr_2$ Base aus Dibrompseudo-
    cumenolbromid 1167.
$C_{18}H_{24}O_4NJ$ α-Cocainjodmethylat
    $+ H_2O$ 226.

— 18 V —

$C_{18}H_{13}O_2N_3Cl_4P$ Körper aus Oxyphos-
    phazodichlorbenzol-
    dichloranilid und
    Phenol 1953.
$C_{18}H_{16}ON_3Br_2P$ Körper aus Oxyphos-
    phazomethabrom-
    benzolbromanilid
    und Natriumalko-
    holat 1953.
$C_{18}H_{22}ONBr_2J$ Jodmethylat des Me-
    thylaminderivats
    aus Dibrompseudo-
    cumenolbromid
    1167.

C_{19}-Gruppe.

$C_{19}H_{16}$ Triphenylmethan 1410. 1421.
$C_{19}H_{32}$ Körper aus Cholesterylchlorid
    705.

— 19 II —

$C_{19}H_{12}O_2$ β-Naphtylmethylenphtalid
    1263.
$C_{19}H_{12}O_6$ Paracotoin 2310.
$C_{19}H_{13}N$ ms-Phenylphenanthridin
    1817.
$C_{19}H_{14}O_3$ Aurin 1222.
—   Lacton der β-Anhydrobenzil-
    lävulinsäure 280.
$C_{19}N_{14}O_6$ Diacetylbenzalanhydroglyco-
    gallol 1435.
$C_{19}H_{14}N_4$ Methylphenofluorindin 1877.
$C_{19}H_{15}N_3$ 1-Phenyl-3-chinolyl-5-methyl-
    pyrazol 1814.
$C_{19}H_{15}Cl$ Triphenylcarbinolchlorid
    1051.
$C_{19}H_{16}O$ Triphenylcarbinol 1223.
—   Cinnamylenbenzylidenaceton
    1389.
—   Dibenzalketopentamethylen
    1685.
$C_{19}H_{16}O_4$ Anhydrobenzyllävulinsäure
    273.
—   Dibenzoylirtes Acetylaceton
    1447.

$C_{19}H_{16}O_4$ Benzoyldiacetylmethan-
    benzoat 247. 306.
$C_{19}H_{16}O_{10}$ Euxanthinsäure 971.
$C_{19}H_{16}O_4$ Benzalanhydroglycogalloldi-
    äthyläther 1435.
—   Dimethylphenylcumalin-
    Hydrochinon 1259.
$C_{19}H_{18}O_8$ Amanitin 1624.
—   d-Dibenzoylglycerinsäure-
    äthylester 160.
—   Activer Dibenzoylglycerin-
    säureäthylester 728.
$C_{19}H_{18}O_7$ Tetramethyläther des Morins
    1639.
$C_{19}H_{19}N$ β-Naphtyl-α-pipecolin 1761.
$C_{19}H_{20}O_2$ Diphenyldimethyltetrahydro-
    pyron 279.
—   Diphenyldimethyltetrahydro-
    γ-pyron 1747.
$C_{19}H_{20}O_3$ 2'-4'-Diäthoxybenzalaceto-
    phenon 1434.
$C_{19}H_{20}O_6$ Diphenoxyäthylmalonsäure
    688. 718.
$C_{19}H_{20}O_7$ Diacetylderivat des Osthins
    1618.
$C_{19}H_{22}O_2$ Pyroguajacin 1599.
$C_{19}H_{22}O_7$ Phenyldihydrofurfurantricar-
    bonsäureester 276.
$C_{19}H_{22}N_2$ Desoxycinchonidin 221. 1669.
$C_{19}H_{24}O_7$ α-Benzoyltricarballylsäure-
    ester 694.
— β-Benzoyltricarballylsäure-
    ester 695.
$C_{19}H_{28}O_2$ Abietinsäure 747.
$C_{19}H_{28}O_4$ Monobenzoyloxylaurinsäure
    1607.
$C_{19}H_{30}O_{10}$ Saponin 2310.
$C_{19}H_{32}O_5$ Säure aus Cholesterin 706.
$C_{19}H_{38}O$ Propylpentadecylketon 671.
$C_{19}H_{32}O_4$ Dioxysäure aus Thran 828.

— 19 III —

$C_{19}H_{11}O_3N$ Acetylverbindung der Phe-
    nylnaphtylcarbazolcar-
    bonsäure 1281.
$C_{19}H_{19}O_2N$ β-Methoxyphenyl-μ-pro-
    pylphenyloxazol 1711.
$C_{19}H_{12}O_3N_3$ Methyltriphendioxazin
    1878.
$C_{19}H_{12}O_3N_3$ Benzoylnitrocarbazol 1745.
—   Benzinduloncarbonsäure
    1869.
$C_{19}H_{12}O_6Cl_2$ Diacetyldichlordioxyflavon
    1437.
$C_{19}H_{12}O_6S$ as-Sulfofluorescein 1243.
$C_{19}H_{13}ON_3$ 1n-Phenyl-3-Phenylchino-
    linazon 1769.

$C_{19}H_{22}N_2S_2$ Tetrahydroisochinolyldi-
thiocarbaminsaures
Tetrahydroisochinolin
1826.

$C_{19}H_{22}O_4N$ Cinnamylcocaïn 1647.
— Hydrophenyllutidincar-
bonsäureester 1381.

$C_{19}H_{24}O_2N_2$ Geissospermin 2295.

$C_{19}H_{24}O_4N_2$ Benzylphenylhydrazon der
Rhamnose 171.

$C_{19}H_{24}O_4S_2$ Arabinosebenzylmercaptal
170. 997.
— Xylosebenzylmercaptal
997.

$C_{19}H_{24}O_5N_2$ Benzylphenylhydrazon der
Galactose 171.
— Benzylphenylhydrazon der
Glucose 171.
— Benzylphenylhydrazon der
Mannose 171.

$C_{19}H_{26}O_2N_2$ Diäthyl-diamido-dioxy-di-
tolylmethan 1212.

$C_{19}H_{26}O_4N_4$ Tetrahydrocinchonin-
nitrosonitril 222.
— Tetrahydrocinchonidin-
nitrosonitril 222. 1670.

$C_{19}H_{27}O_4N$ β-Piperidoverbindung des
Benzalmalonesters 1762.
— Benzoylmethyltetra-
methyl-γ-oxypiperidin-
carbonsäuremethylester
1766.

$C_{19}H_{39}ON$ Propylpentadecylketoxim
254. 671.

— 19 IV —

$C_{19}H_{11}O_2N_2Cl$ Monochlorbenzoylnitrocarbazol 1745.

$C_{19}H_{13}O_2N_2Cl$ 1- oder 4-Chlor-2-oxy-
benzylphenazon 1857.

$C_{19}H_{13}O_2NS$ Diphenylbenzylsultam
1226.

$C_{19}H_{16}O_2N_2Br$ Körper aus p-Oxy-α-cy-
anzimmtsäure-Aethyl-
ester 1272

$C_{19}H_{17}ONBr_2$ β-Naphtylaminderivat
des Dibrompseudo-
cumenolbromids 1167.

$C_{19}H_{18}O_2NP$ Phenylester der Anilin-
N-tolylphosphinsäure
1960.

$C_{19}H_{19}O_2N_2P$ p-Tolylphosphinsäure-
dianilid 1959.

$C_{19}H_{19}O_2N_2P$ Hydrazid der Phenoltolylphosphinsäure
1959.

$C_{19}H_{21}O_2NBr_4$ Base aus Dibrompseudo-
cumenolbromid und
Methylamin 1166.

$C_{19}H_{24}ONBr_3$ Bromäthylat des Methyl-
aminderivats aus Di-
brompseudocumolbro-
mid 1167.

$C_{19}H_{24}O_2NJ$ Jodmethylat des Bebirins
218.

$C_{19}H_{35}ONS$ Stearylthiocarbimid 920.

C_{20}-Gruppe.

$C_{20}H_{24}$ 1, 2-Dimethyl-4-5-diphenylhexa-
methylen 273. 1408.

$C_{20}H_{30}$ Kohlenwasserstoff 1520.
— Pinakonen 193. 1521.

$C_{20}H_{32}$ Pinakonan 193.

— 20 II —

$C_{20}H_{12}O_5$ Fluorescein 1317. 1318. 1325.
— Anhydrid der cis-Camphotricarbonsäure 200.

$C_{20}H_{12}N_2$ α-β-Naphtazin 1871.
— α-β-β-β-Naphtazin 1871.
— Chinacridin 1817. 1818.
— Phenanthrophenazin 1841.

$C_{20}H_{13}N_3$ α-Amido-symm. Naphtazin
1871.

$C_{20}H_{14}O_3$ Phtalophenon 1367.

$C_{20}H_{14}O_4$ Phenolphtaleïn 1318. 1319.
1320. 1327. 1328. 1333.
— Benzoylsalicylsäurephenylester (Benzoylsalol) 1309.

$C_{20}H_{14}O_5$ Diacetylderivat des Flavonderivats aus Chlorgall-
acetophenon und Pipero-
nal 1437.

$C_{20}H_{15}N_3$ Triphenyltriazol 287.
— 1,3,5-Triphenyltriazol 1719.
— 3, 6, 7-Aminodiphenylchin-
oxalin 1848.

$C_{20}H_{16}O$ Diphenylacetophenon 1414.
— Triphenyläthanon 1419.
— p-Benzoyldiphenylmethan
1413.
— Triphenylvinylalkohol 1440.

$C_{20}H_{16}O_3$ Rosolsäure 1222.
— Anhydrid der Camphoren-
säure 195.

$C_{20}H_{16}O_4$ Phenanthroxylenacetessig-
ester 1381.

$C_{20}H_{16}O_5$ α-Dibenzoylbernsteinester-
säurelacton 814.

$C_{20}H_{16}O_6$ Triacetylderivat des Körpers
$C_{14}H_{10}O_5$ 1175.

$C_{20}H_{16}N_2$ Benzaldehydin 1708.
— Dibenzyliden-o-phenylendiamin 1708.

$C_{20}H_{16}N_2$ Tetrahydrochinacridin 1818.

$C_{20}H_{16}N_4$ α-α-Diketohydrindondiphenylhydrazon 1440.

$C_{20}H_{17}N_2$ Amidobenzaldehydin 1709.

— Dimethylaposafranin 1867.

$C_{20}H_{18}O$ Benzaldehydderivat des Ketohexamethylens 1686.

— Dibenzylidenverbindung des Menthylpentanons 1532.

$C_{20}H_{18}O_4$ Methylphenyldiketohydrindenessigsäureester 1334.

$C_{20}H_{19}N$ Dibenzylanilin 1217. 1221.

$C_{20}H_{20}O_5$ Flavopurpurintriäthyläther 86.

$C_{20}H_{20}O_6$ d-Dibenzoylglycerinsäurepropylester 160.

— Activer Dibenzoylglycerinsäurepropylester 728.

— d-Diphenylacetylglycerinsäuremethylester 160.

— Activer Diphenacetylglycerinsäuremethylester 728.

— $(C_{20}H_{22}O_6?)$ Guajakblau 1178.

$C_{20}H_{20}O_7$ Guajakgelb 1600.

$C_{20}H_{20}N_2$ Phenyl-p-amidobenzylorthotoluidin 1872.

— Symm. Phenylbenzyltoluylendiamin 1872.

$C_{20}H_{22}O_2$ 4, 5-Diphenylocta-2, 7-dion 1405. 1406.

— Diphenyl-1, 8-octandion (1-8-Di-benzoylhexan) 798.

$C_{20}H_{22}O_6$ Phenyldihydrofurfurantricarbonsäureester 756.

$C_{20}H_{22}O_7$ Guajacinsäure 1599. 1600.

$C_{20}H_{23}N_2$ Hexahydro-o-phenylenbenzbenzylamidin 872.

$C_{20}H_{24}O_4$ Guajakharzsäure 1598.

— Isoguajakharzsäure 1177.

— Didurochinon 1459. 1461.

$C_{20}H_{24}O_5$ Guajaconsäure 1177. 1178. 1599.

— Harz 1177.

$C_{20}H_{24}O_6$ Acetyläpfelsäure-n-butylester 737.

$C_{20}H_{26}O_7$ trans-π-Camphansäureanhydrid 199.

— Anhydrid der cis-π-Camphansäure 200.

— Lactonanhydrid der π-Camphansäure 199.

$C_{20}H_{28}N_2$ Tetraäthylbenzidin 1218.

$C_{20}H_{30}O$ Körper aus Pinakonen 1521.

$C_{20}H_{30}O_2$ Körper aus α,π-Dibromcampher 1515.

— Sylvinsäure 1597.

— Pimarsäure 1597.

— Dextropimarsäure 747.

$C_{20}H_{30}O_2$ α-Sylvinsäure 747.

— β-Sylvinsäure 747.

— γ-Sylvinsäure 747.

$C_{20}H_{30}O_3$ Säure aus Onoketon 707.

$C_{20}H_{30}O_7$ Körper aus Cyclamin 1017.

$C_{20}H_{32}Br_2$ Dibrompinakonan 193. 1521.

$C_{20}H_{31}Cl$ Chlorpinakonan 193. 1517. 1518.

$C_{20}H_{31}Br$ Brompinakonan 193. 1518. 1521.

$C_{20}H_{32}O$ Pinakonanol 193. 1519.

$C_{20}H_{34}O_2$ Campherpinakon 193. 1517.

— Linkscampherpinakon 1522.

$C_{20}H_{36}O_2$ Rhodinolsäurerhodinylester 1506.

$C_{20}H_{40}O_2$ Arachinsäure 703.

$C_{20}H_{40}O_3$ α-Oxyarachinsäure 703.

$C_{20}H_{40}O_4$ Dracoalban 1598.

$C_{20}H_{44}O_2$ Dracoresen 1598.

— 20 III —

$C_{20}H_8O_5Br_4$ Eosin 1317.

$C_{20}H_9O_7S_4$ Körper aus Trioxyphenylendisulfid und Phtalsäureanhydrid 1194.

$C_{20}H_9O_9N_3$ Trinitrooxychinacridon 1818.

$C_{20}H_9O_{11}N_3$ Trinitrofluoresceïn 1321.

$C_{20}H_{10}O_3Cl_2$ Fluoresceïnchlorid 1323. 1324.

$C_{20}H_{10}O_4Br_4$ Tetrabromphenolphtaleïn 1333.

$C_{20}H_{10}O_4J_4$ Tetrajodphenolphtaleïn 1327.

$C_{20}H_{10}O_9N_2$ Dinitrofluoresceïn 1321.

$C_{20}H_{11}O_7N$ Nitrofluoresceïn 1321.

$C_{20}H_{12}ON_2$ Oxynaphtazin 1871.

$C_{20}H_{12}O_3N_2$ Oxychinacridon 1818.

$C_{20}H_{12}O_8N_2$ Dinitrophenolphtaleïn 1333.

$C_{20}H_{12}O_6S$ Sulfofluoresceïn 1322.

$C_{20}H_{12}O_{11}S_2$ Disulfofluoresceïn 1321.

$C_{20}H_{13}O_5N_3$ 3, 6, 7-Nitrodiphenylchinoxalin 1848.

$C_{20}H_{13}ON_3$ Acetylaposafranin 1861.

$C_{20}H_{15}O_3N$ Phenolphtaleïnimid 1319.

— Dibenzoyl-p-amidophenol 1928.

$C_{20}H_{15}O_3N_2$ Benzoylderivat des o-Nitrobenzylidenphenylhydrazons 1943.

— Benzoylderivat des m-Nitrobenzylidenphenylhydrazons 1943.

— Benzoylderivat des p-Nitrobenzylidenphenylhydrazons 1943.

$C_{20}H_{15}O_4N$ Phenolphtaleïnoxim 1319.

$C_{20}H_{27}O_3N$ Tetrahydropropylphenyl-
azindoncarbonsäure-
ester 290. 1762.

$C_{20}H_{27}O_4N_3$ Product aus Cyanmalonsäureester und Phenyl-
hydrazin 882.

$C_{40}H_{27}O_6N_4$ Terephtaldihydrazinacetessigäthylester 1941.

$C_{20}H_{27}O_{11}N$ Amygdalin $+ 3 H_2O$ 2310.

$C_{20}H_{28}O_2N_2$ Azocamphenon 1937.

$C_{20}H_{28}O_3N_2$ Anhydrid des Isonitroso-
camphers 196.

$C_{20}H_{28}O_5N_4$ Tetrahydrochininnitroso-
nitrit 222. 1670.

— Tetrahydrochinidinnitro-
sonitrit 222. 1670.

$C_{20}H_{30}O_4N_2$ Bisnitrosocaron 1544.

— Bisnitrosopulegon 1555.
1556.

$C_{20}H_{32}O_2N_2$ Körper aus Campheroxim
197.

$C_{20}H_{34}O_4N_2$ Bisnitrosotetrahydrocar-
von 1552.

$C_{20}H_{37}O_{10}N_3$ Trinitrodracoalban 1598.

$C_{20}H_{39}O_2Br$ α-Bromarachinsäure 703.

$C_{20}H_{39}O_2J$ α-Jodarachinsäure 703.

$C_{20}H_{41}ON$ Arachinamid 703.

$C_{20}H_{41}O_2N$ α-Amidoarachinsäure 703.

$C_{20}H_{43}O_4N_3$ Triamidodracoalban 1598.

— 20 IV —

$C_{20}H_8O_9N_2Cl_2$ Dinitrodichlorfluores-
ceïn 1321.

$C_{20}H_{10}O_8N_2Br_2$ Dibromdinitrophenol-
phtaleïn 1333.

$C_{20}H_{11}O_7ClS$ Sulfofluoresceïnchlorid
1322.

$C_{20}H_{12}O_6N_2Cl_2$ Dichlorchinondi-o-aminobenzoësäure 1457.

$C_{20}H_{14}O_2N_4S$ Phenylfluoflavylsulfon
1850.

$C_{20}H_{14}O_4N_2Br_2$ Dibromdiamidophenol-
phtaleïn 1338.

$C_{20}H_{16}O_2N_6S_2$ m-Phenylenphenylthio-
carbaminat 1108.

— p-Phenylenphenylthio-
carbaminat 1108.

$C_{20}H_{16}O_4NBr$ Bromopiansäure-β-naph-
tylamid 1356.

$C_{20}H_{16}O_4NNa$ Opiannaphtylamin-
saures Natrium 1354.

$C_{20}H_{17}ON_4Cl$ p-Monoäthoxytriphenyltetrazoliumchlorid
1723.

$C_{20}H_{18}O_4Cl_2P$ p-Tolylphosphinsäure-
brenzcatechinester-
chlorid 1959.

$C_{20}H_{19}O_3NS$ Dibenzylanilinmono-
sulfosäure 1215.

$C_{20}H_{19}O_6NS_2$ Dibenzylanilindisulfo-
säure 1215.

$C_{20}H_{20}O_4N_2S_2$ Diphenyldisulfondime-
thyl-p-phenylendia-
min 1071.

$C_{20}H_{22}O_2Br_4S$ Dimethyläther des Sulfids des Dibrom-p-xylo-
p-oxybenzylmercap-
tans 1170.

$C_{20}H_{25}ON_6Cl$ Kyanäthylacetylchlorid
1882.

$C_{20}H_{33}O_6N_3S_2$ β-Trithio-m-nitrocuminaldehyd 1383.

— 20 V —

$C_{20}H_{26}OBr_2NJ$ Jodmethylat des Di-
äthylanilinderivats
aus Dibrompseudo-
cumenolbromid 1167.

C_{21}-Gruppe.

$C_{21}H_{20}$ Triphenylpropan 1418.

— 21 II —

$C_{21}H_{10}O_5$ Anhydrid der 3-Fluoresceïn-
carbonsäure 1368.

$C_{21}H_{14}O$ Diphenylindon 1418.

$C_{21}H_{14}O_4$ Dibenzoylbenzoësäure 1367.

— 1-2-6-Dibenzoylbenzoësäure
1366.

— Phtalophenoncarbonsäure
1367.

$C_{21}H_{16}O_2$ Triphenylacrylsäure 1418.

$C_{21}H_{16}O_4$ Benzoylbenzoguajacol 1429.

$C_{21}H_{16}O_8$ Triacetylderivat des Trioxyflavons aus m-Oxybenz-
aldehyd 1437.

— Triacetylderivat des Trioxyflavons aus p-Oxybenz-
aldehyd 1437.

— Triacetylderivat des Trioxyflavons aus Salicylaldehyd
1437.

$C_{21}H_{16}N_2$ 1,3,4-Triphenylpyrazol 1452.

— Lophin 287. 1423. 1706 1707.

$C_{21}H_{18}O_3$ p-Tolilbenzoin 1375.

$C_{21}H_{18}O_3$ Furaldiacetophenon 1684.

— Triphenylmilchsäure 1418.

$C_{21}H_{18}O_5$ Diacetylnepalin 1483.

$C_{21}H_{18}N_2$ Hydrobenzamid 1234. 1379.
1380.

$C_{21}H_{18}N_4$ Körper aus i-Nitroso-α-hy-
drindon und Phenylhydra-
zin 1439.

$C_{21}O_{20}O$ Dibenzylidenverbindung des Suberons 1532.
— Dibenzyliden-Methylhexanon 1531.
$C_{21}H_{20}O_9$ Acetylderivat des Morintetramethyläthers 1639.
$C_{21}H_{22}O_6$ Colombosäure 1603.
— Triäthylderivat des Luteolins 1637.
$C_{21}H_{22}O_7$ Columbin 1603.
$C_{21}H_{24}O_2$ Dibenzoylheptan 798.
$C_{21}H_{26}O$ Duron (Octomethylbenzophenon) 1230.
$C_{21}H_{26}O_4$ Methyldidurochinon 1460.
$C_{21}H_{26}O_6$ Harz 1177.
$C_{21}H_{26}O_{11}$ Hesperidin + 4 H_2O 2310.
$C_{21}H_{30}O_5$ Antiarigenin 2045.
$C_{21}H_{34}O$ α-Methyläther aus Chlorpinakonan 193.
— β-Methyläther aus Chlorpinakonan 193.
— Methanoxypinakonan 1518.
— β-Methanoxypinakonan 1519.
$C_{21}H_{40}O_4$ Octodecylmalonsäure 703.
$C_{21}H_{40}N_2$ Lupinin 218.

— 21 III —

$C_{21}H_{13}ON$ Dinaphtacridon 1262.
$C_{21}H_{13}O_4N$ Phtalyl-p-amidophenolbenzoat 1149.
$C_{21}H_{14}O_3N_2$ Naphtalin-α-1-azo-2-oxy-3-naphtoësäure 1341. 1342.
$C_{21}H_{14}O_6N_2$ Monomethyläther des Dinitrophenolphtaleïns 1333.
$C_{21}H_{15}O_8N_3$ Dibenzoyldihydro-β-phentriazin 1880.
$C_{21}H_{15}O_4N$ Dibenzoylbenzhydroxamsäure 852.
$C_{21}H_{15}Br_3S_3$ Trithiobrombenzaldehyd 253.
— α-Trithio-o-brombenzaldehyd 1383.
— β-Trithio-o-brombenzaldehyd + C_6H_6 1383.
— α-Trithio-p-brombenzaldehyd 1383.
— β-Trithio-p-brombenzaldehyd + C_6H_6 1383.
$C_{21}H_{16}ON_2$ 1-4-Benzylphenoxyphtalazin 1829.
$C_{21}H_{16}O_3N_4$ Condensationsproduct aus m-Nitro-o-amidobenzhydrazid 1936.
$C_{21}H_{16}O_4N_4$ Verbindung aus o-Nitrobenzaldehyd 1835.

$C_{21}H_{16}O_4Br_2$ Benzoyldibromsaliretin 1623.
$C_{21}H_{18}ON_2$ Phenylhydrazon des o-Phenylcumarketons 1403.
$C_{21}H_{18}O_2N_2$ Phenylmalonsäuredianilid 700.
— o-Dioxydibenzylidenverbindung des o-Amidobenzylanilins 1835.
$C_{21}H_{18}O_2N_4$ Methylenbisantipyrin 1699.
$C_{21}H_{18}O_3N_2$ Phenylhydrazon des Benzoylmethylsalicylsäureesters 1269.
— Tetraäthyl-m-diaminophenylcarbonat 1146.
$C_{21}H_{18}O_3S_2$ Trithio-p-oxybenzaldehyd 253.
— β-Trithio-p-oxybenzaldehyd + 2 C_6H_6 1383.
$C_{21}H_{18}O_6S_3$ Trithiogentisinaldehyd 253. 1383.
$C_{21}H_{19}O_3N$ Monobenzoyldiphenyloxäthylamin 1122.
$C_{21}H_{19}O_4N$ Diphenacylcyanessigester 1299.
— Opian-β-naphtylamidsäuremethylester 1354.
$C_{21}H_{19}O_5N_3$ Bis-o nitrobenzyl-o-anisidin 1832.
$C_{21}H_{19}O_6N$ Diacetyldimethylamidodioxyflavon 1437.
$C_{21}H_{20}ON_4$ Hydrazon des unsymm. Phenylhydrazidoacetphenylhydrazins 1949.
$C_{21}H_{20}O_2N_2$ Phenylhydrazon des Benzoylveratrols 1184.
$C_{21}H_{20}O_3N_4$ Phenylmalonsäurediphenylhydrazid 700.
$C_{21}H_{20}O_3N_2$ Anilinderivat des Brenztraubensäureallylesters 1104.
$C_{21}H_{21}O_2P$ Diphenolpseudocumylphosphin 1965.
$C_{21}H_{21}O_3P$ Diphenylester der Pseudocumylphosphinsäure 1964.
$C_{21}H_{21}O_6N$ Hydrastin 1647. 2312. 2313.
$C_{21}H_{21}O_7N$ Methylnorisonarcotin 214. 1680. 1681.
$C_{21}H_{22}O_2N_2$ Strychnin 1647. 1683. 2008. 2295. 2296. 2298. 2299. 2306.
$C_{21}H_{22}O_8N_2$ o-p-Dinitrodibenzylmalonsäureester 773. 1302.
$C_{21}H_{25}O_4N$ Corybulbin 219. 1664. 1666.
$C_{21}H_{25}O_{11}Cl$ Tetraacetylchlorsalicin 1623.

$C_{23}H_{18}O_5$ Verbindung aus Natrium-
benzoylsalicylsäureester
und Benzoylchlorid 1309.

$C_{23}H_{18}O_{10}$ Tetracetylderivat des Luteolins 1637.

— Acetylluteolin 1637.

— Tetraacetylderivat des Körpers $C_{15}H_{10}O_6$ aus Quebrachoholz 1640.

$C_{23}H_{18}S$ Triphenylthiënylmethan
1223.

$C_{23}H_{20}O_2$ Benzaldiacetophenon 1398.
1432. 1433.

$C_{23}H_{20}O_3$ 2-Oxybenzaldiacetophenon
1431.

$C_{23}H_{20}N_2$ Aethyllophin 1707.

$C_{23}H_{22}O_3$ Furaldimethyl-p-tolylketon
1684.

$C_{23}H_{24}O_6$ Diphenacetylmalonsäureester 1347.

— Diphenacylmalonsäureester
1694.

— Diphenyltetrahydropyron-
dicarbonsäureäthyläther
746.

$C_{23}H_{24}O_7$ Triäthylmonoacetylluteolin
1637.

$C_{23}H_{26}N_2$ Tetramethyldiamidotriphe-
nylmethan 1212.

$C_{23}H_{28}O_6$ Flavaspidinsäure 1615.

$C_{23}H_{30}O_4$ Propyldidurochinon 1460.

$C_{23}H_{32}O_7$ Aspidin 1615.

$C_{23}H_{38}O$ p-Tolylpentadecylketon 1410.

— 23 III —

$C_{23}H_5O_6N_3$ Cetylester der symm. Trinitrobenzoësäure 1231.

$C_{23}H_{15}ON$ Benzoylphenylnaphtylcarbazol 1281.

$C_{23}H_{16}ON_2$ Benzylrosindon 1856.

$C_{23}H_{16}O_2N_2$ Methyläther des Oxyiso-
rosindons 1863.

$C_{23}H_{17}O_2N_3$ Dibenzoylverbindung des
m-ana-Diamido-o-oxy-
chinolins 1791.

$C_{23}H_{17}ClS$ Chlortriphenylthiënylmethan 1223.

$C_{23}H_{17}BrS$ Monobromderivat des Tri-
phenylthiënylmethans
1223.

$C_{23}H_{17}JS$ Jodtriphenylthiënylmethan 1223.

$C_{23}H_{19}O_2N$ Anilid aus dibenzoylirtem
Benzoylaceton 1447.

$C_{23}H_{19}O_3Br$ 5-Brom-2-oxybenzaldi-
acetophenon 1431. 1432.

$C_{23}H_{20}O_4S_2$ Propylen-β-dinaphtsul-
fon 1070.

$C_{23}H_{20}O_4S_2$ Trimethylen-β-dinaphtyl-
sulfon 1070.

— Dinaphtylsulfonpropan
1070.

$C_{23}H_{22}O_2N_2$ Verbindung aus Phenylcumalin und Anilin
1259.

— Dibenzyläther des Dioxims
aus i-Nitrosophenylace-
ton 1846.

— Anilinverbindung des Phenylcumalins 1746.

$C_{23}H_{23}O_6N$ Corycavin 219. 1664. 1666.

$C_{23}H_{24}O_2N_2$ p-Nitrodiäthylamidotri-
phenylmethan 1217.

$C_{23}H_{25}ON_2$ Malachitgrün 1222.

$C_{23}H_{25}O_5N_2$ Anilinderivat des Brenz-
traubensäureisoamyl-
esters 1104.

$C_{23}H_{26}O_4N_2$ Brucin $+ 4 H_2O$ 158. 222.
980. 1647. 2295. 2296.
2298. 2299. 2306.

$C_{23}H_{26}O_6N_3$ Thymin 1984.

$C_{23}H_{27}O_2N$ Diphenylurethan des Ge-
raniols 1500.

— Diphenylurethan des Rhodinols 202.

$C_{23}H_{29}O_4N_3$ Chinincarbonsäureäthylester 1670.

$C_{23}H_{29}O_9N$ Narceïn 1647. 1676. 2295.
2296. 2297.

$C_{23}H_{32}O_2N_2$ Palmitylphenylharnstoff
920.

$C_{23}H_{36}O_{10}N_2$ Amylphenylhydrazon der
Lactose 170.

$C_{23}H_{39}ON$ Palmityl-p-toluid 1410.

— Palmitotoluonoxim 1410.

$C_{23}H_{40}O_6S$ Cetyl-o-tolylsulfon 1065.

$C_{23}H_{44}O_6S$ Verbindung aus Cardol
1603.

— 23 IV —

$C_{23}H_{24}O_4NCl_3$ Chloroformdehydrocorydalin 1665.

$C_{23}H_{27}O_5N_3S$ Tetramethyl-p-triamido-
triphenylmeth
o-sulfosäure 1215.

$C_{23}H_{38}ON_3S$ a-b-Palmityl-phenylthio-
carbamid 919.

C_{24}-Gruppe.

$C_{24}H_{16}$ Triphenylbenzol 1044.

— 24 II —

$C_{24}H_{12}O_2$ Biacenaphtylidendion 1426.

$C_{24}H_{14}O$ Biacenaphtylidenon 1426.

$C_{24}H_{16}O_4$ Phenylester der 1,5-Naphta-
lindicarbonsäure 1339.
$C_{24}H_{16}O_{11}$ Isoquercetin 1621.
$C_{24}H_{16}N_4$ Phenylfluorindin 1858. 1866.
— Phenylphenofluorindin 1876.
1877.
$C_{24}H_{18}O_4$ Dibenzoylirtes Benzoylaceton
1447.
$C_{24}H_{18}O_6$ Phenacyldesoxypiperonoin
1450. 1452.
$C_{24}H_{18}O_9$ Körper aus Methylfurfurol
und Phloroglucin 1187.
$C_{24}H_{16}N_2$ α-β-Naphtobenzaldehydin
1709.
$C_{24}H_{18}N_4$ Oxydationsproduct des Phe-
nyl-o-phenylendiamins
1854.
— Di-p-diphenylazodiphenyl
1919.
— Anilidoaposafranin 1858.
1860. 1866.
$C_{24}H_{19}N_5$ p-Amidoanilidoaposafranin
1858.
$C_{24}H_{21}N_3$ Kyanbenzylin 1881.
$C_{24}H_{24}S_3$ Trithiotoluylaldehyd 252.
— α-Trithio-m-toluylaldehyd
1383.
— α-Trithio-p-toluylaldehyd
1383.
— β-Trithio-m-toluylaldehyd
+ 3 C_6H_6 1383.
— β-Trithio-p-toluylaldehyd
+ 3 C_6H_6 1383.
$C_{24}H_{26}O_8$ o-Ditoluylweinsäurediäthyl-
ester 731.
— m-Ditoluylweinsäurediäthyl-
ester 731.
— p-Ditoluylweinsäurediäthyl-
ester 731.
$C_{24}H_{26}O_{12}$ Triacetylleukodrin 1619.
$C_{24}H_{28}O_7$ Diacetylguajaconsäure 1599.
$C_{24}H_{36}O_4$ Borneolsuccinat 1489.
— α-Borneolsuccinat 1490.
— β-Borneolsuccinat 1490.
— Succinat des racemischen
Borneols 1490.
$C_{24}H_{40}O$ Phenylheptadecylketon
(Stearophenon) 1409.
$C_{24}H_{40}O_5$ Cholsäure 705.
$C_{24}H_{42}N_2$ Phenylhydrazon des Aethyl-
pentadecylketons 671.
$C_{24}H_{48}O_3$ Carnaubasäure 676. 703.
$C_{24}H_{48}O_3$ Aethylester der α-Aethoxy-
arachinsäure 703.
$C_{24}H_{50}O$ Carnaubylalkohol 677.
— oder $C_{25}H_{52}O$ Alkohol
2232.

— 24 III —

$C_{24}H_{13}OBr_3$ Körper aus Biacenaphtylidendion 1427.
$C_{24}H_{15}N_3Cl$ Phenylnaphtophenazoniumchlorid 1864.
$C_{24}H_{17}ON_3$ Anilidoaposafranon 1860.
— Acetylrosindulin 1854.
1861.
$C_{24}H_{17}O_2N_3$ Anilidosafranol 1858.
$C_{24}H_{18}O_4N$ 1-Phenylamido-2,5-diphe-
nylpyrrol-3,4-dicarbon-
säure 817.
$C_{24}H_{18}O_6S_3$ Trithiopiperonal 254.
— α-Trithiopiperonal 1383.
— β-Trithiopiperonal
+ 3 C_6H_6 1383.
$C_{24}H_{19}O_4N_5$ Trianilidodinitrobenzol
1085.
$C_{24}H_{19}O_3N$ Diacetylderivat des Phe-
nolphtaleïnimids 1319.
$C_{24}H_{19}O_6N$ Diacetylderivat des Phe-
nolphtaleïnoxims 1319.
$C_{24}H_{20}O_3S_2$ Succin-β-naphtalid 1123.
$C_{24}H_{20}N_2Cl$ Monochlorkyanbenzylin
1882.
$C_{24}H_{20}N_2Br$ Monobromkyanbenzylin
1882.
$C_{24}H_{21}N_4Cl$ Farbstoff 1875.
$C_{24}H_{22}O_3N_2$ Bisnitrosodimethylnaph-
talin 1198.
$C_{24}H_{22}O_2N_4$ Diacetylsafranin 1861.
$C_{24}H_{22}O_4N_4$ Diacetyl-bisphenylmethylpyrazolon 1697.
$C_{24}H_{22}O_6N_4$ Bis-1-phenyl-5-pyrazolon-
3-carbonsäureester 1694.
$C_{24}H_{23}O_4N$ Monobenzoylmorphin 212.
1679.
— Diäthyl-m-amidophenol-
phtaleïn 1323.
$C_{24}H_{24}ON_2$ Anthranol 1223.
$C_{24}H_{24}O_5N_2$ Weinsaures β-Naphtylamin
1123.
$C_{24}H_{24}O_6S_3$ Trithiovanillin + 2 C_6H_6
253. 1383.
$C_{24}H_{25}O_4N$ p-Tolylphenylhydroluti-
dincarboxathylmono-
carbonsäure 1382.
$C_{24}H_{26}O_2N_2$ Tetramethyldiamidotri-
phenylmethan-o-carbon-
säure 1223.
$C_{24}H_{26}O_4N_2$ Dimoleculares Anil der
α-Methylglutarsäure
785.
$C_{24}H_{26}O_6S_3$ Allyltri-o-tolylsulfon 1066.
$C_{24}H_{27}O_3N_3$ Verbindung aus Benzoylcyanessigester und Phe-
nylhydrazin 882.

$C_{24}H_{22}O_5N_4$ Osazon der Isomaltose 178.
$C_{24}H_{40}O_3N_2$ a-b-Palmityl-o-tolylharn-
                          stoff 920.
$C_{24}H_{41}ON$ Stearophenonoxim 1409.
$C_{24}H_{41}O_3N$ Acetylpalmitanilid 1097.

— 24 IV —

$C_{24}H_4ON_4S$ a-b-Palmityl-o-tolylthio-
                          carbamid 920.
$C_{24}H_{14}O_{10}N_2Br_2$ Diacetdibromdinitro-
                          phenolphtaleïn 1333.
$C_{24}H_{16}ON_4S_2$ β-Naphtol-Verbindung
                          des Phenyldithiobi-
                          azolonaminophenyl-
                          sulfids 1717.
$C_{24}H_{16}O_5N_2Cl_2$ Dichlorchinon-di-o-ami-
                          nozimmtsäure 1457.
$C_{24}H_{18}O_{15}N_6S_3$ Trithiodinitroanisalde-
                          hyd 267.
$C_{24}H_{19}ON_2Br$ Bromoxyphenyldiben-
                          zylmiazin 1882.
$C_{24}H_{21}O_9N_3S_3$ Trithionitroanisaldehyd
                          267.
—   Trithio-m-nitroanisalde-
                          hyd 1383.
$C_{24}H_{24}O_7N_2P$ Phosphorsäureäther der
                          β-Methylbenzhydro-
                          ximsäure 1239.
$C_{24}H_{40}ON_2S$ n-Palmityl-v-Methylphe-
                          nylthioharnstoff 920.
—   a-b-Palmityl-p-tolyl-
                          thiocarbamid 920.

C_{25}-Gruppe.

$C_{25}H_{22}$ Kohlenwasserstoff 1045.

— 25 II —

$C_{25}H_{18}N_4$ 9- oder 10-Methylphenyl-
                          phenofluorindin 1876.
$C_{25}H_{20}N_4$ p-Toluidoaposafranon 1858.
$C_{25}H_{20}N_6$ Körper aus Amidoazobenzol
                          1109.
$C_{25}H_{22}O_4$ Acetylverbindung des 2-Oxy-
                          benzaldiacetophenons 1431.
$C_{25}H_{22}O_7$ Acetylaurin 250. 306.
$C_{25}H_{24}O_2$ Benzaldi-methyl-p-tolylketon
                          1400.
$C_{25}H_{24}O_3$ 2-Oxybenzaldimethyl-p-tolyl-
                          keton 1431.
$C_{25}H_{40}O_{10}$ Glycosid 1602.
$C_{25}H_{42}O$ Mesitylpentadecylketon 1410.
—   Tolylheptadecylketon 1409.
$C_{25}H_{44}O$ Koprosterin 707.
$C_{25}H_{44}N_2$ Phenylhydrazon des Propyl-
                          pentadecylketons 671.
$C_{25}H_{40}O_{12}$ Purginsäure 1605. 1606.

— 25 III —

$C_{25}H_{17}O_2N_3$ Anilid der Benzindulon-
                          carbonsäure 1869.
$C_{25}H_{19}ON_3$ Acetylbenzylrosindulin
                          1856.
$C_{25}H_{21}O_4Br$ 5-Bromacetyl-2-oxybenzal-
                          diacetophenon 1431.
$C_{25}H_{22}ON_2$ Methylderivat des Brom-
                          oxyphenyldibenzylmia-
                          zins 1882.
$C_{25}H_{22}O_3N_2$ Anilinderivat des Brenz-
                          traubensäurebenzyl-
                          esters 1105.
$C_{25}H_{25}O_4N$ Monobenzoylverbindung
                          des Bebirins 218. 1663.
$C_{25}H_{25}O_7N$ Triacetylderivat des Bul-
                          bocapnins 219. 1666.
$C_{25}H_{27}O_4N$ Diphenylhydrolutidindi-
                          carbonsäureester 1382.
$C_{25}H_{30}O_3N_2$ p-Toluidinderivat des
                          Brenztraubensäureamyl-
                          esters 1104.
$C_{25}H_{30}N_3Cl$ Krystallviolett 1222.
$C_{25}H_{34}O_{10}N_2$ Benzylphenylhydrazon der
                          Lactose 171.
$C_{25}H_{40}O_9N$ Pseudoaconin 214. 1648.
$C_{25}H_{41}O_2N$ Formylstearanilid 1097.
$C_{25}H_{43}ON$ Stearotoluonoxim 1409.
—   Stearyl-p-toluid 1410.

— 25 IV —

$C_{25}H_{22}O_2N_2P$ Benzophosphinsäure-
                          anilid 1960.

C_{26}-Gruppe.

$C_{26}H_{16}$ Dibiphenylenäthen 1054.
—   Kohlenwasserstoff 1422.
$C_{26}H_{18}$ Dibiphenylenäthan 1054.
—   Diphenyldiphenylenäthylen
                          1052. 1299.
—   Biphenylendiphenyläthen 1051.
—   Kohlenwasserstoff aus Diphenyl-
                          diphenylenpinakolin 1421.
$C_{26}H_{20}$ Tetraphenyläthylen 1051.
—   Biphenylendiphenyläthan 1051.
—   Diphenyldiphenylenäthan 1298.
                          1299.
$C_{26}H_{22}$ Tetraphenyläthan 1422.

— 26 II —

$C_{26}H_{16}O$ Oxyd aus Dibromdibipheny-
                          lenäthan 1055.
—   Tetraphenylenpinakolin 1421.

$C_{26}H_{16}O_2$ Körper aus dem Kohlen-
wasserstoff $C_{26}H_{16}$ 1422.
— Lacton der Oxysäure $C_{26}H_{18}O_3$
1422.
$C_{26}H_{16}Cl_2$ Dichlorid des Dibiphenylen-
äthans 1054
$C_{26}H_{16}Br_2$ Dibromdibiphenylenäthan
1055.
$C_{26}H_{18}O$ Verbindung aus der Säure
$C_{27}H_{20}O_3$ 1299.
— Diphenyldiphenylenpinaco-
lin 1421.
— Diphenylanthron 1423.
$C_{26}H_{18}O_2$ Körper aus der Säure
$C_{26}H_{22}O_3$ 1299.
— Säure aus Tetraphenylenpinacolin 1421.
— Glycol aus Dibromdibiphenylenäthan 1055.
$C_{26}H_{18}O_3$ Oxysäure aus Tetraphenylenpinacolin 1422
$C_{26}H_{18}O_7$ Körper aus Euxanthon 1421.
$C_{26}H_{18}N_2$ Diphenylphenkomazin 296.
— Anhydrodi-o-amidobenzo-
phenon 1841.
$C_{26}H_{20}O$ p-Benzoyltriphenylmethan
1413.
— α-Benzpinacolin 1422.
— β-Benzpinacolin 1051.
$C_{26}H_{20}O_2$ p-Benzoyltriphenylcarbinol
1413.
$C_{26}H_{20}O_7$ Acetat des α-Orcinphtalins
1318.
— β-Orcinphtaleïndiacetat
1318.
— Diacetat des γ-Orcinphtaleïns
1318.
$C_{26}H_{22}O$ Benzhydroläther 1422.
$C_{26}H_{22}N_4$ Benzilosazone 254.
— β-Osazon des Benzils 1950.
— Benzolphenylhydrazon 306.
— Indazin 1860.
— Dehydrobenzalphenylhydrazon 1950. 1951.
— Dibenzaldiphenylhydrotetrazon 1950.
$C_{26}H_{24}N_4$ o-Diamidodibenzylbenzidin
1118.
$C_{26}H_{30}O_2$ Endesmin 1635.
$C_{26}H_{40}O_2$ Onoketon 707.
$C_{26}H_{44}O$ Cholesterin 705. 706.
— m-Xylyl-Heptadecylketon
((4) Stearo-m-xylon) 1409.
— p-Xylylheptadecylketon
1409.
$C_{26}H_{44}O_2$ Onocerin 707.

— 26 III —

$C_{26}H_{16}O_4N_2$ Körper aus Dibiphenylenäthen 1055.
$C_{26}H_{17}O_4N$ Diphtalidylchinaldin 1810.
$C_{26}H_{20}O_2N_4$ Dibenzoylderivat des Di-
m-amidoazobenzols 1926.
$C_{26}H_{20}O_4N_2$ Chinolinsalz der α-o-Phtalsäure 1311.
— Chinolinsalz der β-o-Phtalsäure 1312.
— Anhydrid des Citronen-
säuredinaphtalids 1124.
$C_{26}H_{20}O_6N_6$ o-Dinitrodibenzyldinitroso-
benzidin 1118.
$C_{26}H_{22}O_2N_4$ Diphenyldiphenylendi-
harnstoff 1119.
$C_{26}H_{22}O_4N_4$ o-Dinitrodibenzylbenzidin
1117.
$C_{26}H_{24}O_6N_4$ Acetylderivat des Bisni-
trosodimethylnaphtalins
1198.
$C_{26}H_{23}O_4N$ p-Tolylphenylhydroluti-
dindicarbonsäureester
1382.
$C_{26}H_{30}O_4N_2$ Dimolekulares p-Tolil der
α-Methylglutarsäure 786.
$C_{26}H_{27}O_2N$ Jervin 2295.
$C_{26}H_{43}ON$ Stearo-m-xylonoxim 1409.
— Stearo-p-xylonoxim 1409.
— Stearinsäurexylid 1409.
— Arachinsäureanilid 703.
$C_{26}H_{43}O_2N$ α-Anilidoarachinsäure 703.

— 26 IV —

$C_{26}H_{20}O_2N_2S$ Dibenzoylderivat des
o-Thioanilins 1144.
$C_{26}H_{24}ON_2Cl$ Kyanbenzylinacetylchlorid 1882.
$C_{26}H_{23}O_3N_4P_2$ Körper aus Oxyphosphazobenzolanilid und
Natriumalkoholat
1952.
$C_{26}H_{44}ON_2S$ a-b-Stearyl-o-tolylthio-
carbamid 920.
$C_{26}H_{43}ON_6Cl$ Kyanpropinacetylchlorid 1882.

— 26 V —

$C_{26}H_{24}O_3N_4Br_4P_2$ Körper aus Oxy-
phosphazometa-
brombenzolbrom-
anilid und Na-
triumalkoholat
1953.

C_{27}-Gruppe.

$C_{27}H_{48}$ Körper aus Cholesterin 705.
$C_{27}H_{56}$ Heptakosan 2232.

— 27 II —

$C_{27}H_{17}N_3$ Dichinolylchinolin 291.
  —   α-Dichinolylchinolin 1814.
$C_{27}H_{20}O_2$ Diphenyldiphenylenpropion-
         säure 1298.
$C_{27}H_{20}O_3$ Säure 1299.
  —   Säure aus Benzilsäure 1296.
$C_{27}H_{21}N_3$ Dihydrotetraphenyltriazin
         289.
$C_{27}H_{22}O_{14}$ Acetylderivat des Körpers
         aus Sumach $C_{15}H_{10}O_8$
         1639.
  —   Hexacetylmyricetin 1638.
$C_{27}H_{24}O_2$ Dibenzoxydiphenylmethan
         1211.
$C_{27}H_{26}O_4$ Acetverbindung des 2-Oxy-
         benzaldimethyl-p-tolyl-
         ketons 1431.
$C_{27}H_{27}N_3$ Trimoleculares Hydrochino-
         lin 1750.
$C_{27}H_{28}O_8$ Benzoyldidurochinon 1461.
$C_{27}H_{28}O_5$ Monobenzoyl-Guajakharz-
         säure 1599.
$C_{27}H_{37}O_2$ Phenylcarbaminsäurepina-
         konylester 193.
$C_{27}H_{38}O_{13}$ Cyclamin 1017.
$C_{27}H_{40}O_2$ Oxycholestenon 705.
$C_{27}H_{40}O_5$ Körper aus Chlosterin 706.
$C_{27}H_{40}O_8$ oder $C_{27}H_{42}O_8$ Erythrophleïn-
         säure 1673.
$C_{27}H_{42}O$ Oxycholesterilen 706.
$C_{27}H_{42}O_2$ α-Oxycholestenol 705.
  —   β-Oxycholestenol 706.
$C_{27}H_{42}O_3$ Oxycholestendiol 706.
$C_{27}H_{42}O_{10}$ Antiarin + 4 H_2O 2045.
  —   oder $C_{27}H_{44}O_{10}$ Leukoglyko-
         drin 1615.
$C_{27}H_{45}Cl$ Cholesterylchlorid 705.
$C_{27}H_{46}O_{14}$ Digitonin + 5 H_2O 1609.
$C_{27}H_{56}O$ Cerylalkohol 677. 2232.

— 27 III —

$C_{27}H_{22}O_2N_2$ Stilbazoniumbase aus
         2-Amido-5-methoxydi-
         phenylamin 1924.
$C_{27}H_{24}O_2N_4$ 4-Benzylidendi-1,3,5-phe-
         nylmethylpyrazolon
         1382.
  —   Verbindung aus 4-Benzy-
         lidendi-1,3,5-phenylme-
         thylpyrazolon 1382.

$C_{27}H_{33}N_4Cl$ Mauveïn 1858.
$C_{27}H_{37}O_2N_5$ Körper aus 4-Benzyliden-
         di-1,3,5-phenylmethyl-
         pyrazolon und Ammo-
         niak + $\frac{1}{2}H_2O$ 1382.
$C_{27}H_{17}O_7N_3$ Körper aus i-Nitrosophe-
         nylaceton 1846.
$C_{27}H_{28}O_5N_2$ Benzoylchinin 1670.
$C_{27}H_{29}N_3P$ Trianilidopseudocumyl-
         phosphoniumhydroxyd
         1964.
$C_{27}H_{30}O_8N_4$ Tribenzoyltriamidotri-
         äthylamin 1316.
$C_{27}H_{30}O_6S_3$ Trithiomethylvanillin 253.
  —   α-Trithiomethylvanillin
         1383.
  —   β-Trithiomethylvanillin
         + 2 C_6H_6 1383.
  —   Trithiodimethylgentisin-
         aldehyd 253.
  —   α-Trithiodimethylgentisin-
         aldehyd 1383.
  —   β-Trithiodimethylgentisin-
         aldehyd + 2 C_6H_6 1383.
$C_{27}H_{47}ON$ Phenylcarbaminsäurepina-
         konylester 1520.
$C_{27}H_{41}OCl$ Oxychlorcholesten 706.

— 27 IV —

$C_{27}H_{27}O_2NBr_6$ Körper aus Dibrom-
         pseudocumenolbromid
         und Ammoniak 1165.
$C_{27}H_{29}O_2N_4P$ Trianilidopseudocumyl-
         phosphoniumnitrat
         1963.
$C_{27}H_{29}N_3ClP$ Trianilidopseudocumyl-
         phosphoniumchlorid
         1964.
$C_{27}H_{29}N_3BrP$ Trianilidopseudocumyl-
         phosphoniumbromid
         1963.
$C_{27}H_{29}N_3JP$ Trianilidopseudocumyl-
         phosphoniumjodid
         1963.
$C_{27}H_{30}N_3Cl_{11}P_3$ Körper aus Cincholoipon-
         säure 1772.
$C_{27}H_{44}O_2NCl$ Nitrosocholesterylchlo-
         rid 705.
$C_{27}H_{46}ON_2S$ a-b-Stearyl-m-xylylthio-
         carbamid 920.

C_{28}-Gruppe.

$C_{28}H_{16}O_5$ Naphtofluoresceïn 1203. 1324.
$C_{28}H_{16}O_3$ Diphenyldiphenylenbern-
         steinsäureanhydrid 1296.
         1298.

$C_{22}H_{18}O_4$ Dilacton der Dioxytetraphenyläthandicarbonsäure 1294.

$C_{22}H_{19}N_3$ Phenylisorosindulin 1862.
— Phenylrosindulin 1866.

$C_{22}H_{20}O_2$ Dianthranol 1206.

$C_{22}H_{26}O_4$ Diphenyldiphenylenbernsteinsäure 1298.

$C_{22}H_{20}N_2$ Tetraphenylazin 1422.

$C_{22}H_{20}N_4$ Anilidoisorosindulin 1863.

$C_{22}H_{22}O$ Substanz aus Phenyldibenzoylessigsäure 851.
— Körper aus Anhydroacetondibenzil 851.

$C_{22}H_{22}O_2$ Körper aus Phenyldibenzoylessigsäure 851.

$C_{22}H_{22}N_2$ 1, 3, 4, 6 - Tetraphenyldihydropyridazin 1451.

$C_{22}H_{24}N_6$ Tetramidophenylazin 1423.

$C_{22}H_{30}O_2$ Phenacyldesoxycuminoin 1450. 1452.

$C_{22}H_{36}O_8$ α-Homodypnopinakon 1044.
— β-Homodypnopinakon 1045.

$C_{22}H_{38}O_{19}$ Octacetylmaltose 644.

— 28 III —

$C_{22}H_{18}O_6N_2$ Dibenzoat des 1, 5-Dihydroxylaminanthrachinons 1480.

$C_{22}H_{19}ON_3$ Anilidoisorosindon 1864.

$C_{22}H_{21}O_2N$ Diphtalidyl-o-p-dimethylchinaldin 1810.
— Anilid des Tribenzoylmethans 1447.

$C_{22}H_{21}O_4N$ Opianyl-o-p-dimethylchinaldin 1810.

$C_{22}H_{22}O_6N_4$ o-Dinitrodibenzyldiformylbenzidin 1118.

$C_{22}H_{22}O_2N(?)$ Benzoinidam 1423.

$C_{22}H_{23}O_3N$ Dibenzoyldiphenyloxäthylamin 1122.

$C_{22}H_{44}ON_2$ Benzoinam 1423.

$C_{22}H_{24}O_2N_2$ Succintetraphenyldiamid 782.

$C_{22}H_{44}O_4N_2$ α-Naphtylaminsalz der α-o-Phtalsäure 1311.
— α-Naphtylaminsalz der β-o-Phtalsäure 1311.

$C_{22}H_{26}O_4N$ 1-Phenylamido-2, 5-diphenylpyrrol-3, 4-dicarbonsäureester 817.

$C_{22}H_{26}O_4N_2$ 1-Phenylamido-2, 5-diphenylpyrrol-3, 4-dicarbonsäureester 813. 1688.

$C_{22}H_{22}O_2N_6$ Dihydrazidhydrazon des Anemonins 1625.

$C_{22}H_{24}O_4N_2$ Dimolekulares Tolil der $\alpha\alpha_1$-Dimethylglutarsäure 783.

$C_{22}H_{43}O_7N$ oder $C_{22}H_{45}O_7N$ Erythrophleïn 1672.

$C_{22}H_{51}O_{21}N_{11}$ Vicin 182. 726. 1623.

— 28 IV —

$C_{22}H_{24}O_2N_2S$ Benzoylverbindung des Diamidobenzylsulfids 1117.

$C_{22}H_{21}O_2N_2Cl$ Rhodanin 1368.

C_{28}-Gruppe.

$C_{28}H_{60}$ Paraffin 1597.

— 29 II —

$C_{29}H_{18}O_6$ Dibenzoylderivat des Dioxyflavons 1436.

$C_{29}H_{20}O_4$ Dibenzoylirtes Dibenzoylmethan 1447.

$C_{29}H_{28}O_{18}$ Tannoform 1038.

$C_{29}H_{26}O_{12}$ Aromadendrin + 3 H_2O 1635.

$C_{29}H_{44}O_2$ β-Oxycholestenolacetat 706.

$C_{29}H_{56}O_4$ Raphanol 1621.

— 29 III —

$C_{29}H_{19}O_4Br$ p-Brombenzoat des Tribenzoylmethans 1447.

$C_{29}H_{22}O_9Cl_3$ Tribenzoylgalactochloral 176. 1002.

— 29 IV —

$C_{29}H_{44}ON_2S$ a-b-Stearyl-α-naphtylthiocarbamid 920.

C_{30}-Gruppe.

$C_{30}H_{18}O_8$ Dibenzoylderivat des Flavonderivats aus Chlorgallacetophenon und Piperonal 1437.

$C_{30}H_{19}N_3$ β-Naphtalido-symm.- naphtazin 1871.

$C_{30}H_{20}N_4$ Diphenylphenofluorindin 1877.

$C_{30}H_{22}O_4$ Tetraphenylenpinacondiacetat 1422.
— Acetat des Glycols aus Dibromdibiphenylenäthan 1055.

$C_{30}H_{22}N_4$ Phenylanilidoaposafranin 1858.
— Phenylmauveïn 1858.

$C_{30}H_{22}N_6$　Amidophenylindulin 1858.
$C_{30}H_{22}O_6$　Tetraphenyläthylenoxyd
　　　　　1454.
$C_{30}H_{22}N_2$　Hydrochinaldin 1751.
$C_{30}H_{24}S_2$　Trithiocuminaldehyd 252.
　—.　α-Trithiocuminaldehyd 1383.
　—　β-Trithiocuminaldehyd
　　　　　$+ 3 C_2H_6$ 1383.
$C_{30}H_{48}O_4$　Diacetylderivat des Onocerins
　　　　　707.
$C_{30}H_{48}O_2$　Laurocerinlacton 2236.
$C_{30}H_{60}O_2$　Melissinsäure 2232.
$C_{30}H_{60}O_4$　Säure 2236.
$C_{30}H_{60}O_4$(?) Laurocerinsäure 2236.

— 30 III —

$C_{30}H_{22}O_2N_4$　Bisdiphenylpyrazolon 813.
　　　　　1688.
$C_{30}H_{72}O_4N_2$　Dihydropyridazinderivat
　　　　　des Phenacyldesoxypi-
　　　　　peronoins 1452.
$C_{30}H_{22}N_4Cl_2$　Isomeres Diphenylfluorin-
　　　　　dindichlorhydrat 1865.
$C_{30}H_{24}O_4Cl_2$　Tetraphenyläthylenderivat
　　　　　aus o-Chloranisol 1453.
$C_{30}H_{24}O_6N_4$　Triphtalyltriamidotri-
　　　　　äthylamin 1315.
$C_{30}H_{26}N_3J_2$　Jodmethylat des α-Dichi-
　　　　　nolylchinolins $+ 2 H_2O$
　　　　　1814.
$C_{30}H_{30}O_2N_6$　Nitrosoverbindung des
　　　　　Hydrochinaldins 1751.
$C_{36}H_{30}O_4N_2$　Phenylhydrazid des Di-
　　　　　carbintetracarbonsäure-
　　　　　äthers 711.
$C_{30}H_{40}O_5N_2$　Emetin 1672. 2295. 2296.
$C_{30}H_{41}O_{15}N_3$　Oxyfleischsäure 1989.
$C_{30}H_{42}O_5N_2$　Ammoniakderivat des
　　　　　Camphorsäurealdehyds
　　　　　1595.
$C_{30}H_{53}O_{12}N$　Körper aus Cardol 1602.

— 30 IV —

$C_{30}H_{22}ON_2Br_2$ Tetraphenylhydrazin-
　　　　　derivat der Dibrom-
　　　　　gallussäure 1350.
$C_{30}H_{26}O_2N_4P_2$ Körper aus Oxyphos-
　　　　　phazobenzolanilid und
　　　　　Phenol 1952.
$C_{30}H_{33}O_6N_2S_2$ Trithionitrocuminalde-
　　　　　hyd 267.
$C_{30}H_{34}O_2N_3Fe$ Hämin 1629. 1631.
$C_{30}H_{40}ON_2S$ n-Palmityl-v-phenylben-
　　　　　zylthioharnstoff 920.
$C_{30}H_{42}O_{15}N_2S_2$ Sinalbin $+ 3 H_2O$ 183.
　　　　　1618.

C_{31}-Gruppe.

$C_{31}H_{64}$　Hentrikontan 2232.

— 31 II —

$C_{31}H_{48}O_{12}$　Strophantin 2310.
$C_{31}H_{50}O_{10}$　(oder $C_{31}H_{52}O_{11}$) Digitoxin
　　　　　1608. 1609. 1610. 1611.
　—　α-Digitoxin 182.
　—　β-Digitoxin 182. 1609.
$C_{31}H_{50}O_{16}$(?) Convolvulin 1604.
$C_{31}H_{52}O$　β-Dammar-Resen 1598.
$C_{31}H_{52}O_{17}$　Digitonin 2310.
$C_{31}H_{64}O$　Myricylalkohol 2232.

— 31 III —

$C_{31}H_{24}ON_4$　Additionsproduct von
　　　　　Kyanbenzylin mit Phe-
　　　　　nylisocyanat 1882.
$C_{31}H_{30}ON_2$　Tetraphenylhydrazinderi-
　　　　　vat der Gallussäure 1350.
$C_{31}H_{30}O_4N_2$　Benzoylderivat des Tetra-
　　　　　methyldiamidodioxydi-
　　　　　phenylmethans 1207.
$C_{31}H_{48}O_4N_2$　Septentrionalin 220. 1649.

— 31 IV —

$C_{31}H_{46}ON_2Cl$ Kyanbenzylinbenzoyl-
　　　　　chlorid 1882.
$C_{31}H_{43}O_4N_2Br_3$ Tribromseptentrionalin
　　　　　220.

C_{32}-Gruppe.

$C_{32}H_{22}O_4$　Bismethylphenyldiketohy-
　　　　　drinden 1334.
$C_{32}H_{24}O_4$　Diacetyldianthranol 1206.
$C_{32}H_{26}O$　α-Homodypnopinakolin 1044.
　—　α-Isodypnopinakolin 1044.
$C_{32}H_{26}N_4$　Tolyltoluidoaposafranin
　　　　　1858.
$C_{32}H_{28}O$　Homodypnopinakolin-
　　　　　alkohol 1044.
$C_{32}H_{28}O_2$　Dypnopinakon 1044.
$C_{32}H_{36}N_6$　Base aus Phenylaceton 1844.
$C_{32}H_{50}O_2$　Cardol 1602. 1603.
$C_{32}H_{52}O_2$　Körper aus Cardol 1602.
$C_{32}H_{62}O_5$　Substanz aus Angelica
　　　　　archangelica 748.
$C_{32}H_{64}N_4$　Phenylhydrazon des 4,5-Di-
　　　　　phenyl-octa-2,7-dions 1406.

— 32 III —

$C_{32}H_4N_4Si$　Verbindung aus p-Brom-
　　　　　dimethylanilin 1967.

$C_{32}H_{22}ON_4$ Benzoylderivat des 9- oder
10-Methylphenylpheno-
fluorindins 1876.

$C_{32}H_{34}O_2N_4$ Phylloporphyrin 1627.
1628. 1629.

$C_{32}H_{34}O_3N_4$ Hämatoporphyrinanhydrid 1628.

$C_{32}H_{35}O_2N_5$ Verbindung aus 4-Benzy-
lidendi-1,3,5-phenylme-
thylpyrazolon
$+ \frac{1}{2} C_2H_6O$ 1382.

$C_{32}H_{36}O_6N_4$ Bilirubin 1626.

$C_{32}H_{36}O_6N_4$ Biliverdin 1626.

$C_{32}H_{40}O_4N_2$ Benzidinderivat des Camphorsäurealdehyds 1595.

$C_{32}H_{40}O_7N_4$ Urobilin 1632.

$C_{32}H_{45}O_{11}N$ Methylbenzaconin 215.
1648.

$C_{32}H_{49}O_9N$ Cevadin 1647.

$C_{32}H_{50}ON_2$ α-Anilidoarachinsäure-
anilid 703.

— 32 IV —

$C_{32}H_{22}O_6N_4S_2$ Dibenzolsulfon-Bis-
phenylmethylpyrazo-
lon 1697.

$C_{32}H_{32}O_4N_4Fe$ Hämatin 1975.

$C_{32}H_{48}ON_2S$ n-Stearyl-v-phenylben-
zylthioharnstoff 920.

C_{33}-Gruppe.

$C_{33}H_{22}O_4$ α-Naphtoat des Tribenzoylmethans 1447.

— 33 III —

$C_{33}H_{24}ON_4$ Monobenzoylverbindung
des Dehydrobenzalphe-
nylhydrazons 1951.

$C_{33}H_{26}O_2S_2$ Thioäther 1070.

$C_{33}H_{48}O_{12}N$ Aconitin 215. 1647. 1648.
2295. 2296.

— 33 IV —

$C_{33}H_{22}O_7N_2Cl_2$ Dichlorchinon-di-
o-aminozimmtsäure-
o-imidozimmtsäure
1457.

$C_{33}H_{21}O_4N_2Br_4$ Carbanilsäureester der
Base $C_{19}H_{21}O_2NBr_4$
aus Dibrompseudo-
cumenolbromid 1166.

C_{34}-Gruppe.

$C_{34}H_{22}O_6$ Dibenzoylphenolphtaleïn
1320.

$C_{34}H_{24}N_4$ Phenylanilidoisorosindulin
1863.

$C_{34}H_{22}O_5$ Difuraltriacetophenon 1684.

$C_{34}H_{22}O_6$ Anhydrodibenzilacetessig-
ester 850. 851.

$C_{34}H_{30}O_2$ Monoacetat des Homodypno-
pinakolinalkohols 1044.

$C_{34}H_{32}O_7$ Dibenzoyl-Guajakonsäure
1599.

$C_{34}H_{52}O_{10}$ Leucotin 2310.

$C_{34}H_{64}N_2$ Dicumyldiphenyldihydro-
pyridazin 1452.

— 34 III —

$C_{34}H_{18}O_6N_2$ Lappaconitin 220. 1648.

$C_{34}H_{26}O_4N_4$ Dibenzoyl-Bisphenylmethylpyrazolon 1697.

$C_{34}H_{30}O_6N_6$ Glucosebenzosazon 172.
993.

$C_{34}H_{28}O_4Cl_2$ Tetraphenyläthylenderivat
aus o-Chlorphenetol 1453.

$C_{34}H_{36}O_6N_2$ Pseudomorphin $+ 3H_2O$
1677. 1678.

$C_{34}H_{48}O_{14}P_4$ Trioxyisopropylphenylphosphinsäureester 1967.

$C_{34}H_{47}O_{11}N$ Picro-ψ-aconitin 214. 1648.

— 34 IV —

$C_{34}H_{15}O_6N_2Br_3$ Tribromlappaconitin
220. 1648.

C_{35}-Gruppe.

$C_{35}H_{34}O_{14}$ Körper aus Aloïn 1038.

— 35 III —

$C_{35}H_{22}O_7N_2$ Tribenzoat des 1,5-Dihy-
droxylaminanthrachi-
nons 1481.

$C_{35}H_{26}ON_2$ Monobenzoylderivat des
1,3,4,6-Tetraphenyldi-
hydropyridazins 1451.

$C_{35}H_{38}O_6N_2$ Monomethylpseudomorphin $+ 7H_2O$ 211. 212.
1678.

C_{36}-Gruppe.

$C_{36}H_{22}O_6$ Tribenzoylderivat des Trioxyflavons aus m-Oxybenz-
aldehyd 1437.

$C_{36}H_{24}O_7$ Dibenzoat des α-Orcinphta-
leïns 1317.

— Dibenzoat des β-Orcinphta-
leïns 1318.

$C_{34}H_{32}O_6$ Aethylanhydrodibenzilacetessigester 850.
—   Isobutylanhydrodibenzilacetessigsäure 851.
$C_{34}H_{34}O_{17}$ Körper aus Lävulose und Phloroglucin 1186.
$C_{36}H_{60}O_{11}$ Bitterstoff 2045.

— 36 III —

$C_{36}H_{33}O_{17}Br_{11}$ Bromderivat des Körpers aus Lävulose und Phloroglucin 1186.
$C_{36}H_{66}O_6N_6$ Triphtalylpiperazin 1842.
$C_{36}H_{49}O_{12}N$ Pseudoaconitin $+ H_2O$ 214. 1647. 1648.
$C_{36}H_{55}O_{12}N_2$ Cynoctonin 220. 1649.

C_{37}-Gruppe.

$C_{37}H_{53}O_{11}N$ Veratrin 1647. 2295. 2296. 2299. 2306.

— 37 IV —

$C_{37}H_{44}O_6N_2J_2$ Methylpseudomorphindijodmethylat $+ 4H_2O$ 211. 1678.

C_{38}-Gruppe.

$C_{38}H_{32}O_3$ Dibenzaltriacetophenon 243. 306. 1399. 1433.
—   Isomeres Dibenzaltriacetophenon 1399.
$C_{38}H_{36}O_6$ Isobutylanhydrodibenzilacetessigester 851.

C_{39}-Gruppe.

$C_{39}H_{36}$ Tetraphenyldiphenylenpropan 1297. 1298.

— 39 II —

$C_{39}H_{36}O$ Tetraphenyldiphenylenpropylenoxyd 1297.
$C_{39}H_{78}O_3$ Tetraphenyldiphenylentrioxymethylen 1297.

C_{40}-Gruppe.

$C_{40}H_{30}O_4$ Säure aus Benzilsäure 1296.
$C_{40}H_{32}O_7$ Dipiperonaltriacetophenon 1438.
$C_{40}H_{40}O_6$ Isobutylanhydrodibenzilacetessigsäureisobutylester 851.

$C_{40}H_{48}O_4$ Dibenzoylderivat des Onocerins 707.

— 40 IV —

$C_{40}H_{54}O_{27}N_{14}P_4$ Salmonucleïnsäure 1652.

C_{41}-Gruppe.

$C_{41}H_{32}O_4$ Methyläther der Säure $C_{40}H_{30}O_4$ 1296.
$C_{41}H_{36}O_3$ Dibenzaltri-Methyl-p-tolylketon 1400.

— 41 III —

$C_{41}H_{44}O_9N_2$ Triacetylmethylpseudomorphin 212. 1679.

C_{42}-Gruppe.

$C_{42}H_{32}N_6$ Indulin 1859.
$C_{42}H_{34}O_{10}$ Benzoylverbindung der Guajacinsäure 1600.
$C_{42}H_{40}O_5$ Di-2-äthoxybenzaltriacetophenon 1438.
—   Di-3-äthoxybenzaltriacetophenon 1438.
—   Di-4-äthoxybenzaltriacetophenon 1438.

— 42 III —

$C_{42}H_{34}O_3S_3$ α-Trithiobenzyl-p-oxybenzaldehyd $+ 2 C_6H_6$ 1383.
—   β-Trithiobenzyl-p-oxybenzaldehyd $+ 2 C_6H_6$ 1383.
—   Benzyl-p-oxybenztrithioaldehyd 253.
$C_{42}H_{73}O_{15}N$ Solanin 2296.

— 42 IV —

$C_{42}H_{86}O_9NP$ Lecithin 726. 2239. 2298.

C_{43}-Gruppe.

$C_{43}H_{36}O_{10}$ Tetrabenzoylderivat des Leuteolins 1637.
—   Benzoylderivat des Körpers $C_{15}H_{10}O_6$ aus Quebrachoholz 1640.

C_{44}-Gruppe.

$C_{44}H_{62}O_4$ Abietinsäureanhydrid 1597.
$C_{44}H_{64}O_5$ Abietinsäure 1597.

C_{43}-Gruppe.

$C_{43}H_{66}O_7$ Sandaracolsäure 1601.
$C_{43}H_{80}O_{28}$ Convolvulinsäure 1605.

— 45 III —

$C_{45}H_{36}O_9S_2$ Trithiobenzoylvanillin 254. 1383.

C_{46}-Gruppe.

$C_{46}H_{52}O_{15}$ Tribenzoylpurginsäure 1605.

C_{47}-Gruppe.

$C_{47}H_{68}O_6$ Acetylderivat der Sandaracolsäure 1601.

C_{48}-Gruppe.

$C_{48}H_{44}O_9N_2$ Dibenzoylpseudomorphin 212. 1679.

C_{51}-Gruppe.

$C_{51}H_{98}O_6$ Tripalmitin 2233.

C_{52}-Gruppe.

$C_{52}H_{70}O_8$ Benzoylderivat der Sandaracolsäure 1601.

C_{54}-Gruppe.

$C_{54}H_{86}O$ Cholesteryläther 705.
$C_{54}H_{94}O_{27}$ Convolvulin 1604. 1605.

— 54 III —

$C_{54}H_{58}O_{12}N_4$ Brucinsalz der α-o-Phtalsäure 1312.

$C_{54}H_{58}O_{12}N_4$ Brucinsalz der β-o-Phtalsäure 1312.
$C_{54}H_{98}O_{27}Br_3$ Tribromconvolvulin 1604.

C_{56}-Gruppe.

$C_{56}H_{90}O_8$ Dammarolsäure 1598.

— 56 III —

$C_{56}H_{50}O_9N_2$ Tribenzoylmethylpseudomorphin 212. 1679.

C_{57}-Gruppe.

$C_{57}H_{84}O_{14}$ Hexabenzoylmyricetin 1638.
$C_{57}H_{72}O_{22}$ Bitterstoff $+ H_2O$ 1624.

C_{65}-Gruppe.

$C_{65}H_{84}O_8$ Callitrolsäure 1601.

C_{66}-Gruppe.

$C_{66}H_{88}O_{21}N_2$ Japaconitin 1647.

C_{72}-Gruppe.

$C_{72}H_{62}O_{31}$ Anhydrid des Sorbinosephloroglucids 1187.

C_{73}-Gruppe.

$C_{73}H_{64}O_{22}$ Tetrabenzoylconvolvulinsäure 1606.

C_{75}-Gruppe.

$C_{75}H_{100}O_{30}$ Tribenzoylconvolvulin 1604.

Systematisches Register.

Monochlorpropylpseudonitrol
$C_2H_5O_2N_2Cl$ 669.
Monobrompropylpseudonitrol
$C_2H_5O_2N_2Br$ 670.
1-Chlor-2-dinitropropan $C_8H_5O_4N_2Cl$ 669.
As. Dimethylpropylpseudonitrol
$C_5H_{10}O_2N_2$ 869.
Aethylpropylpseudonitrol $C_5H_{10}O_2N_2$
869.
Diäthyldinitromethan $C_5H_{10}O_4N_2$ 869.
Methyl-n-propyldinitromethan
$C_5H_{10}O_4N_2$ 869.
Methylisopropyldinitromethan
$C_5H_{10}O_4N_2$ 869.
Symm. Tetramethylpropylpseudonitrol
$C_7H_{14}O_2N_2$ 869.
Diäthylpropylpseudonitrol $C_7H_{14}O_2N_2$
870.
Methyl-α-äthylpropyldinitromethan
$C_7H_{14}O_4N_2$ 870.
Dipropyldinitromethan $C_7H_{14}O_4N_2$ 870.
Diisopropyldinitromethan $C_7H_{14}O_4N_2$
869.
n-Amyl-pseudonitrol $C_5H_{16}O_2N_2$ 870.
Methylhexyldinitromethan $C_8H_{16}O_4N_2$
870.
Mononitrodiisoamyl $C_{10}H_{21}O_2N$ 865.
Dinitrodiisoamyl $C_{10}H_{20}O_4N_2$ 865.

4. Alkohole.

A. Grenzalkohole
$$C_nH_{2n}+2O = C_nH_{2n}+1.OH.$$

Dichlorpropyloxyd $C_6H_{12}OCl_2$ 646.
Tetrachloräthylisobutyläther $C_6H_{10}OCl_4$
654.
Dibrom-dipropylisopropylalkohol
$C_9H_{18}OBr_2$ 649. 681.
Diamylenhydrat $C_{10}H_{22}O$ 626.
Phenylurethan des Diamylenhydrats
$C_{17}H_{27}O_2N$ 626.
Alkohol $C_{24}H_{50}O$ oder $C_{25}H_{52}O$ 2232.
Carnaubylalkohol $C_{24}H_{50}O$ 677.

B. Alkohole
$$C_nH_{2n}O = C_nH_{2n}-1.OH.$$

Bromallylalkohol C_3H_5OBr 649.
Methyläther des Bromallylalkohols
C_4H_7OBr 649.
Aethyläther des Bromallylalkohols
C_5H_9OBr 649.
Crotonalkohol C_4H_8O 648.
Alkohol $C_7H_{14}O$ aus Dimethyladipin-
säuren 635.
Schwefelsäureester des Isopropylallyl-
carbinols $C_7H_{14}O_2S$ 648.
Isobutylallylcarbinol $C_8H_{16}O$ 623.

Schwefelsäureester des i-Butylallylcar-
binols $C_8H_{16}O_2S$ 648.
Citronellol $C_{10}H_{20}O$ 204. 1492. 1493.
1497.
l-Citronellol (Rhodinol) $C_{10}H_{20}O$ 204.
Rhodinol $C_{10}H_{20}O$ 1505. 1511.
Benzoat des Rhodinols $C_{17}H_{24}O_2$ 203.
Diphenylurethan des Rhodinols
$C_{23}H_{27}O_2N$ 202.

C. Alkohole
$$C_nH_{2n}-2O = C_nH_{2n}-3.OH.$$

Diallyläthylalkohol $C_8H_{14}O$ 648.
Diallylisopropylalkohol $C_9H_{16}O$ 649.
680.
Homolinalool $C_{11}H_{20}O$ 202. 1509. 1510.
1511.

D. Alkohole mit zwei Atomen Sauerstoff.

Glycol aus Vinyltrimethylen $C_5H_{10}O_2$
633.
Glycol aus Dimethylbiacetylen $C_6H_{10}O_2$
229.
Biacetylenglycol $C_6H_6O_2$ 653.
Dimethyläther des Biacetylenglycols
$C_8H_{10}O_2$ 653.

E. Alkohole mit drei Atomen Sauerstoff.

Glycerinphosphorsäure $C_3H_9O_6P$ 652.
Glycerindiäthyläther $C_7H_{16}O_3$ 654.
Glycerin $C_{10}H_{22}O_3$ aus Reuniol 1501.

F. Alkohole mit vier Atomen Sauerstoff.

Pentaerythrit $C_5H_{12}O_4$ 174.
Pentaerythritdichlorhydrin $C_5H_{10}O_2Cl_2$
655.
Pentaerythritdischwefelsäureester
$C_5H_8O_8S_2$ 655.
Ester $C_6H_{10}O_2Cl_2$ aus Pentaerythrit
174.
Ester $C_6H_8O_6S_2$ aus Pentaerythrit 174.
Tetrole aus Dimethylbiacetylen $C_6H_{12}O_4$
229.

G. Alkohol mit sieben Atomen Sauerstoff.

Volemit $C_7H_{16}O_7$ 656.

5. Amine.

A. Amine $C_nH_{2n+3}N$.

Methylaminderivate.
Monomethylaminpikrat $C_7H_8O_7N_4$ 873.

B. Ungesättigte Ketone.

Mesityloxyd-Semicarbazon $C_7H_{13}ON_3$ 258. 896.

Keton $C_7H_{12}O$ aus symm. Dimethyladipinsäuren 635.

Methylheptenon $C_8H_{14}O$ 1498. 1499. 1504.

Vinyldiacetonamin $C_8H_{13}ON$ 1753.

Oxim des Vinyldiacetonamins $C_8H_{14}ON_2$ 1753.

Triacetonaminoxim $C_9H_{18}ON_2$ 1753.

Keton $C_{12}H_{20}O$ 1491.

C. Diketon.

Isoamenylacetylaceton $C_{10}H_{16}O_2$ 1499.

8. Fettsäuren $C_nH_{2n}O_2$.

Derivate der Ameisensäure.
Citronellylformiat $C_{11}H_{20}O_2$ 1493.
Geranylformiat $C_{11}H_{18}O_2$ 1493.
Derivate der Essigsäure.
Citronellylacetat $C_{12}H_{22}O_2$ 1493.
Acetat des Homolinalools $C_{12}H_{22}O_2$ 1509.
Benzoylacethydroxamsäure $C_9H_9O_3N$ 852.
Dibenzoylacethydroxamsäure $C_{16}H_{13}O_4N$ 852.
Oximidoessigsäure $C_2H_3O_3N$ 862.
Oximidoessigacetsäure $C_4H_5O_3N$ 862.863.
Amid der Oximidoessigacetsäure $C_4H_7O_3N_2$ 862.
Chlorbromacetamid $C_2H_3ONClBr$ 768.
Dibromacetamid $C_2H_3ONBr_2$ 768.
Fluoressigsäure $C_2H_3O_2Fl$ 760.
Fluoressigsäuremethylester $C_3H_5O_2Fl$ 759.
Fluoracetamid C_2H_4ONFl 760.
Urethanessigäther $C_7H_{13}O_4N$ 881.
Nitraminessigsäure $C_2H_4O_4N_2$ 881.
Nitraminessigester $C_4H_8O_4N_2$ 881.
Nitraminacetamid $C_2H_5O_3N_3$ 880.
Hydrazinoessigsäure $C_2H_6O_2N_2$ 882.
Diazoessigsäure $C_2H_2O_2N_2$ 889.
Derivate der Propionsäure.
Aethylallylcarbinolester der Propionsäure $C_9H_{16}O_2$ 648.
Isopropylallylcarbinolester der Propionsäure $C_{10}H_{18}O_2$ 648.
Isobutylallylcarbinolester der Propionsäure $C_{11}H_{20}O_2$ 648.
Propionylfluorid C_3H_5OFl 674. 1233.
Chlorpropionsäureäthylester $C_5H_9O_2Cl$ 737.
α-Chlorpropionsäureester $C_5H_9O_2Cl$ 736. 737. 738.

α-Brompropionylchlorid C_3H_4OClBr 1414.
β-Jodpropionsäureester $C_5H_9O_2J$ 787.
β-Amidopropionsäure $C_3H_7O_2N$ 725.
α-Oximidopropionsäure $C_3H_5O_3N$ 862.
Oximidopropionacetsäure $C_5H_7O_3N$ 862. 863.
Hydrazinopropionsäure (Amidalamin) $C_3H_8O_2N_2$ 886.
Thiolactylglycolsäure (Propansäurethio-2,2-äthansäure) $C_5H_8O_5S$ 824.
Thioglycolhydracrylsäure (Propansäurethio-3,2-äthansäure) $C_5H_8O_4S$ 824.
Thiolactylhydracrylsäure (Propansäurethio-2,3-propansäure) $C_6H_{10}O_4S$ 824.
Thiodilactylsäure $C_6H_{10}O_5S$ 253. 856.
Thiodilactylsäureamid $C_6H_{12}O_2N_2S$ 266.
Thiodihydracrylsäure $C_6H_{10}O_4S$ 855.
α-Sulfopropionessigsäure (Propansäuresulfon-2,2-äthansäure) $C_5H_8O_6S$ 825.
β-Sulfonpropionessigsäure (Propansäuresulfon-3,2-äthansäure) $C_5H_8O_6S$ 825.
α-β-Sulfodipropionsäure (Propansäuresulfon-2,3-propionsäure) $C_6H_{10}O_6S$ 825.
β-Sulfodipropionsäure $C_6H_{10}O_6S$ 856.
Derivate der Buttersäuren.
α-Chlorbuttersaures Isobutyl $C_8H_{15}O_2Cl$ 734.
α-Brombuttersaures Isobutyl $C_8H_{15}O_2Br$ 734.
α-Brombutyrylchlorid C_4H_6OClBr 1059.
β-Amidobuttersäure $C_4H_9O_2N$ 725.
Amidojodbuttersäure $C_4H_8O_2NJ$ 2030.
α-Oximidobuttersäure $C_4H_7O_3N$ 862.
α-Hydroxylaminbuttersäure $C_4H_9O_2N$ 891.
Methylbenzhydroximbuttersäure $C_{12}H_{15}O_4N$ 890.
Hydrazinobuttersäure $C_4H_{10}O_2N_2$ 887.
β-Dithiobenzylbuttersäureester $C_{20}H_{24}O_2S_2$ 679.
Isobutylchlorisobuttersäureester $C_8H_{15}O_2Cl$ 647.
Dichlorisobuttersäure $C_4H_6O_2Cl_2$ 647.
α-Amidoisobuttersäure $C_4H_9O_2N$ 902.
Amidoxylisobuttersäure $C_4H_9O_2N$ 881.
Amidoxylisobuttersäureamid $C_4H_{10}O_2N_2$ 881.
Hydrazinisobuttersäure $C_4H_{10}O_2N_2$ 883.
Hydrazinisobuttersäureäthylester $C_6H_{14}O_2N_2$ 894.
Acetonverbindung der Hydrazinisobuttersäure $C_6H_{14}O_2N_2$ 886.
Hydrazoisobuttersäure $C_8H_{16}O_2N_2$ 883.
Methylester der Hydrazoisobuttersäure $C_{10}H_{20}O_4N_2$ 885.
Aethylester der Hydrazoisobuttersäure $C_{12}H_{24}O_4N_2$ 885.

Methylester der Azoisobuttersäure
$C_{10}H_{18}O_4N_2$ 885.
Azoisobuttersäureamid $C_8H_{16}O_2N_4$
$+ 2 H_2O$ 886.
Azoisobuttersäureimidoäthyläther
$C_{14}H_{26}O_2N_4$ 885.
Amidoxim der Azoisobuttersäure
$C_8H_{18}O_2N_6$ 885.
Säuren $C_5H_{10}O_2$.
r-Valeriansäure $C_5H_{10}O_2$ 734.
r-Valerylchlorid C_5H_9OCl 734.
d-Valerylchlorid C_5H_9OCl 734.
Hydrazinovaleriansäure $C_{10}H_{12}O_2N_2$ 888.
Aethylallylcarbinolester der i-Valeriansäure $C_{11}H_{20}O_2$ 648.
Isopropylallylcarbinolester der Isovale-
riansäure $C_{12}H_{22}O_2$ 648.
Isobutylallylcarbinolester der i-Valeriansäure $C_{13}H_{24}O_2$ 648.
Isovaleriansäureanhydrid $C_{10}H_{18}O_3$
1830.
α-β-Dibromisovaleriansäureester
$C_7H_{12}O_2Br_2$ 762.
Methyläthylessigsäure $C_5H_{10}O_2$ 779.
α-Brommethyläthylessigsäureester
$C_7H_{13}O_2Br$ 779.
γ-Chlor-α-methylbutyrylchlorid
$C_5H_8OCl_2$ 689.
α-Methyl-γ-brombuttersäure $C_5H_9O_2Br$
689.
2-Brom-2-methylbutansäure $C_5H_9O_2Br$
158.
Säuren $C_6H_{12}O_2$.
α-β-β-Trimethylpropionsäure $C_6H_{12}O_2$
715.
α-Bromtrimethylpropionsäureäther
$C_8H_{15}O_2Br$ 716.
β-Bromtrimethylpropionsäure $C_6H_{11}O_2Br$
716.
β-Brom-α-β-β-trimethylpropionsäure
$C_6H_{11}O_2Br$ 716.
β-Brom-α-β-β-trimethylpropionsäure-
äther $C_8H_{15}O_2$ Br 717.
Dibromtrimethylpropionsäure
$C_6H_{10}O_2Br_2$ 716. 752.
β-Jodtrimethylpropionsäure $C_6H_{11}O_2J$
716.
β-Jod-α-β-β-trimethylpropionsäure
$C_6H_{11}O_2J$ 716.
α-Bromisobutylessigsäureester
$C_8H_{15}O_2Br$ 790.
β-Bromisocapronsäure $C_6H_{11}O_2Br$ 740.
α,β-Dibromisocapronsäure $C_6H_{10}O_2Br_2$
740.
α-Methyl-β-bromisovaleriansäure
$C_6H_{11}O_2Br$ 752.
α-Methyl-β-jodisovaleriansäure $C_6H_{11}O_2J$
752.

Säuren $C_9H_{16}O_2$.
Dipropylessigester $C_{10}H_{20}O_2$ 680.
Dipropylacetamid $C_9H_{17}ON$ 907.
Amidooctansäure $C_8H_{17}O_2N$ 771.
Dekansäure $C_{10}H_{20}O_2$ 771.
Derivate der Stearinsäure.
Dichlorstearinsäure $C_{18}H_{34}O_2Cl_2$ 681.
Tetrachlorstearinsäure $C_{18}H_{32}O_2Cl_4$ 681.
Derivate der Arachinsäure.
Arachinamid $C_{20}H_{41}ON$ 703.
α-Bromarachinsäure $C_{20}H_{39}O_2Br$ 703.
Methylester der α-Bromarachinsäure
$C_{21}H_{41}O_2Br$ 703.
Aethylester der α-Bromarachinsäure
$C_{22}H_{43}O_2Br$ 703.
α-Jodarachinsäure $C_{20}H_{39}O_2J$ 703.
α-Amidoarachinsäure $C_{20}H_{41}O_2N$ 703.
Carnaubasäure $C_{24}H_{48}O_2$ 676.

9. Mehrbasische Säuren.

A. Säuren $C_nH_{2n-2}O_4$.

Derivate der Oxalsäure.
Hydroxyloxamid $C_2H_4O_3N_2$ 262.
Oxalenmonoamidoxim $C_2H_4O_2N_2$ 262.
Formyloxalursäure $C_4H_4O_5N_2 + 3H_2O$
913.
Derivate der Malonsäure.
Malonendiamidoxim $C_3H_8O_2N_4$ 722.
Malonendiacetyldiamidoxim $C_7H_{12}O_4N_4$
723.
Malonendibenzoyldiamidoxim
$C_{17}H_{16}O_4N_4$ 723.
Malonendiazoximdibenzyl $C_{17}H_{12}O_2N_4$
723.
Formylmalonursäure $C_5H_6O_5N_2$ 913.
Dibrommalonsäuredimethyläther
$C_5H_6O_4Br_2$ 710.
Derivate der Bernsteinsäure.
Succinylperoxyd $C_4H_4O_6$ 280. 674.
Succindibromdiamid $C_4H_6O_2N_2Br_2$ 843.
Succinursäure $C_5H_9O_4N_2$ 1327.
Formylsuccinursäure $C_5H_6O_5N_2$ 913.
d-Chlorbernsteinsäure $C_4H_5O_4Cl$ 152.
l-Chlorbernsteinsäure $C_4H_5O_4Cl$ 151.
l-Brombernsteinsäure $C_4H_5O_4Br$ 151.
Isodibrombernsteinsäureanhydrid
$C_4H_2O_3Br_2$ 252.
β-Asparagin $C_4H_8O_3N_2$ 743.
Tetramethylasparagin $C_8H_{16}O_3N_2$ 246.
799.
Methylasparaginsäure $C_5H_9O_4N$ 246.
Methylasparaginäthylestersäure
$C_7H_{13}O_4N$ 801.
Dimethylasparaginsäureäthylester
$C_{10}H_{19}O_4N$ 800.

10. Ungesättigte Säuren.

A. Säuren mit zwei Atomen Sauerstoff.

11. Ketonsäuren.

A. Säuren mit drei Atomen Sauerstoff.

Phenylhydrazon des Brenztraubensäure-isoamylesters $C_{14}H_{20}O_2N_2$ 1104.
Brenztraubensäurebenzylester $C_{10}H_{10}O_3$ 1104.
Phenylhydrazon des Brenztraubensäure-benzylesters $C_{16}H_{16}O_2N_2$ 1105.

Derivate der Acetessigsäure.
Isonitrosoacetessigsäureäthylester $C_6H_9O_4N$ 263.
α-Bromacetessigester $C_6H_9O_3Br$ 767. 768.
γ-Bromacetessigester $C_6H_9O_3Br$ 766.
Monobromisonitrosoacetylessigsäure-äthylester $C_6H_8O_4NBr$ 265.
α α-Chlorbromacetessigester $C_6H_8O_3ClBr$ 768.
α α-Dibromacetessigester $C_6H_8O_3Br_2$ 768.
Dibromisonitrosoacetessigsäureäthyl-ester $C_6H_7O_4NBr_2$ 265.

Säuren $C_5H_8O_3$.
β-Bromlävulinsäureester $C_7H_{11}O_3Br$ 806 807.
α-Brommethylacetessigsäuremethylester $C_6H_9O_3Br$ 768.
γ-Brommethylacetessigsäuremethylester $C_6H_9O_3Br$ 768.
Acetacrylsäureester $C_7H_{10}O_3$ 806.

Säuren $C_6H_{10}O_3$.
γ-Acetobuttersäure $C_6H_{10}O_3$ 726.
Oxim der γ-Acetobuttersäure $C_6H_{11}O_3N$ 727.
Acetobuttersäuresemicarbazon $C_7H_{13}O_3N_3$ 727.
β-Methyllävulinsäureester $C_8H_{14}O_3$ 793.
α α-**Dimethyllävulinsäure** $C_7H_{12}O_3$ 787.
Ketonsäure $C_8H_{14}O_3$ 1515.
Ketostearinsäure $C_{18}H_{34}O_3$ 771.
Ketochlorstearinsäure $C_{18}H_{33}O_3Cl$ 770.
Ketobromstearinsäure $C_{18}H_{33}O_3Br$ 770.

B. Säuren mit vier Atomen Sauerstoff.

α-Mesityloxydoxalsäure $C_9H_{10}O_4$ 1449.
α-Methyläther der α-Mesityloxydoxal-säure $C_9H_{12}O_4$ 1449.
α-Mesityloxydoxalsäureäthyläther $C_{10}H_{14}O_4$ 1449.
β-Mesityloxydoxalsäure $C_9H_{10}O_4$ 1449.
β-Methyläther der β-Mesityloxydoxal-säure $C_9H_{12}O_4$ 1449.
β-Mesityloxydoxalsäure-Aethyläther $C_{10}H_{14}O_4$ 1448.
Methoäthylheptanolid $C_{10}H_{16}O_3$ 1582. 1583.

Oxallyldimesityloxyd $C_{14}H_{18}O_4$ 1450.
Stearoxylsäure $C_{18}H_{28}O_4$ 772.
Behenoxylsäure $C_{22}H_{40}O_4$ 771. 772.
Ketoketoximstearinsäure $C_{18}H_{33}O_4N$ 772.
Ketoketoximbehensäure $C_{22}H_{41}O_4N$ 771.

C. Säuren mit fünf Atomen Sauerstoff.

β-Acetylglutarsäure $C_7H_{10}O_5$ 693. 805.
Anhydrid der β-Acetglutarsäure $C_7H_8O_4$ 805.
Acetonylbernsteinsäure $C_7H_{10}O_5$ 690. 693. 805. 806.
Acetonylbernsteinsäureanhydrid $C_7H_8O_4$ 805.
α-Acetyl-α₁-Isobutylbernsteinsäureester $C_{14}H_{24}O_5$ 790.
Körper $C_{10}H_{14}O_4$ aus α-Acetyl-α₁-Isobutylbernsteinsäureester 790.
Isomerer Körper $C_{10}H_{14}O_4$ aus α-Acetyl-α₁-Isobutylbernsteinsäureester 790.
o-Aethylderivat des Acetondicarbon-säureäthers $C_{11}H_{18}O_5$ 849.
Verbindung aus Acetondicarbonsäure-äther $C_7H_8O_4$ 745.
Acetondicarbonsäureisobutyläther $C_{13}H_{22}O_5$ 745.
Körper aus Acetondicarbonsäureiso-butyläther und Acetaldehyd $C_{17}H_{28}O_6$ 745.
Oximanhydrid der Filixsäure $C_{14}H_{18}O_4N$ 808.

D. Säuren mit sechs Atomen Sauerstoff.

Diacetbernsteinsäure $C_8H_{10}O_6$ 250.
β-Diacetbernsteinsäure $C_8H_{10}O_6$ 817.
γ-Diacetbernsteinsäure $C_8H_{10}O_6$ 816.
Diacetbernsteinsäuremonoäthylester $C_{10}H_{14}O_6$ 250.
γ-Diacetbernsteinestersäure $C_{10}H_{14}O_6$ 816.
Isocarbopyrotritarsäureester (α-Diacet-bernsteinestersäurelacton) $C_{10}H_{12}O_5$ 815.
Diacetylbernsteinsäureäthylester $C_{12}H_{18}O_6$ 250.
Para- oder β-Diacetbernsteinsäureester $C_{12}H_{18}O_6$ 814.
γ- oder Antidiacetbernsteinsäureester $C_{12}H_{18}O_6$ 815.
α-β-Diacetglutarsäureester $C_{13}H_{20}O_6$ 806.

14. Kohlenhydrate.

A. Tetrose.

Methyltetrose $C_5H_{10}O_4$ 161.
Verbindung von Methyltetrose mit Acetamid $C_9H_{18}O_5N_2$ 692. 810.

B. Pentosen.

Derivate der Arabinose.
α-Arabinose $C_5H_{10}O_5$ 167.
β-Arabinose $C_5H_{10}O_5$ 167.
γ-Arabinose $C_5H_{10}O_5$ 167.
Arabinobromal $C_7H_9O_5Br_2$ 176. 1002.
Arabinosealdazin $C_{10}H_{18}O_5N_2$ 172. 993.
Arabinosebenzhydrazid $C_{12}H_{16}O_5N_2$ 172. 1003.
Methylphenylhydrazon der Arabinose $C_{12}H_{18}O_4N_2$ 170.
Aethylphenylhydrazon der Arabinose $C_{13}H_{20}O_4N_2$ 170.
Allylphenylhydrazon der Arabinose $C_{14}H_{20}O_4N_2$ 171.
Amylphenylhydrazon der Arabinose $C_{16}H_{26}O_4N_2$ 170.
Benzylphenylhydrazon der Arabinose $C_{18}H_{22}O_4N_2$ 171.
β-Naphtylhydrazon der Arabinose $C_{15}H_{18}O_4N_2$ 171.
Arabinosetrimethylenmercaptal $C_8H_{16}O_4S_2$ 170. 997.
Arabinoseäthylenmercaptal $C_7H_{14}O_4S_2$ 996.
Arabinosebenzylmercaptal $C_{19}H_{24}O_4S_2$ 170. 997.
Derivate der Xylose.
α-Xylose $C_5H_{10}O_5$ 169.
β-Naphtylhydrazon der Xylose $C_{15}H_{18}O_4N_2$ 171.
Xyloseäthylenmercaptal $C_7H_{14}O_4S_2$ 997.
Xylosebenzylmercaptal $C_{19}H_{24}O_4S_2$ 997.
Lyxose $C_5H_{10}O_5$ 175. 975. 976. 977.
Derivate der Rhamnose.
α-Rhamnose $C_6H_{12}O_5 + H_2O$ 167. 168.
β-Rhamnose $C_6H_{12}O_5$ 167.
γ-Rhamnose $C_6H_{12}O_5$ 167. 168.
Methylphenylhydrazon der Rhamnose $C_{13}H_{20}O_4N_2$ 170.
Aethylphenylhydrazon der Rhamnose $C_{14}H_{22}O_4N_2$ 170.
Allylphenylhydrazon der Rhamnose $C_{15}H_{22}O_4N_2$ 171.
Amylphenylhydrazon der Rhamnose $C_{17}H_{28}O_4N_2$ 170.
Benzylphenylhydrazon der Rhamnose $C_{19}H_{24}O_4N_2$ 171.

β-Naphtylhydrazon der Rhamnose $C_{16}H_{20}O_4N_2$ 171.
Rhamnoseäthylenmercaptal $C_8H_{16}O_4S_2$ 169. 996.
Rhamnosebenzylmercaptal $C_{20}H_{26}O_4S_2$ 170. 997.
Isorhamnose $C_6H_{12}O_5$ 175. 979. 980. 981.
Aethylmercaptal der Isorhamnose $C_{10}H_{22}O_4S_2$ 175. 981.
Antiarose $C_6H_{12}O_5$ 2045.

C. Gruppe des Traubenzuckers.

Derivate der Glucose.
α-Glucose $C_6H_{12}O_6$ 168.
β-Glucose $C_6H_{12}O_6$ 168.
γ-Glucose $C_6H_{12}O_6$ 168.
Dichloralglucose $C_{10}H_{10}O_6Cl_6$ 176. 1001.
Monochloralglucosan $C_8H_9O_5Cl_3$ 176. 1001.
Oxim des salzsauren Glucosamins $C_6H_{13}O_5N$ Cl 176. 1000.
Glucosealdazin $C_{12}H_{24}O_{10}N_2$ 172. 993.
Glucosebenzosazon $C_{24}H_{30}O_6N_6$ 172. 993.
Allylphenylhydrazon der Glucose $C_{15}H_{22}O_5N_2$ 171.
Amylphenylhydrazon der Glucose $C_{17}H_{28}O_5N_2$ 170.
Benzylphenylhydrazon der Glucose $C_{19}H_{24}O_5N_2$ 171.
β-Naphtylhydrazon der Glucose $C_{16}H_{20}O_5N_2$ 171.
Glucoseäthylenmercaptal $C_8H_{16}O_5S_2$ 169. 996.
Glucosetrimethylenmercaptal $C_9H_{18}O_5S_2$ 169. 996.
Glucosebenzylmercaptal $C_{20}H_{26}O_5S_2$ 170. 997.
Derivate der Lävulose.
Lävulochloral $C_8H_{11}O_6Cl_3$ 176. 1002.
Fructoseketazin $C_{12}H_{24}O_{10}N_2$ 172. 993.
Derivate der Galactose.
α-Galactose $C_6H_{12}O_6$ 168.
β-Galactose $C_6H_{12}O_6$ 168.
γ-Galactose $C_6H_{12}O_6$ 168. 1003.
β-Galactochloral $C_8H_{11}O_6Cl_3$ 176. 1001.
Tetracetylderivat des β-Galactochlorals $C_{16}H_{19}O_{10}Cl_3$ 176. 1002.
Tribenzoylgalactochloral $C_{29}H_{23}O_9Cl_3$ 176. 1002.
Galactochloralsäure $C_7H_7O_6Cl_3$ 176. 1002.
Galactosamin $C_{12}H_{23}O_{10}N$ 169.
Amin aus Galactosamin $C_{12}H_{23}O_{10}N$ 169. 1005.
Galactosebenzhydrazid $C_{13}H_{18}O_6N_2$ 1004.
Methylphenylhydrazon der Galactose $C_{13}H_{20}O_5N_2$ 170.

15. Cyanverbindungen.

Derivate der Kohlenwasserstoffe
$C_{10}H_{14}$.
2-Chlorcymol $C_{10}H_{13}Cl$ 1486.
3-Chlorcymol $C_{10}H_{13}Cl$ 1486.
5-Chlor-1,3-cymol $C_{10}H_{13}Cl$ 1058.
Dichlorcymol $C_{10}H_{12}Cl_2$ 1159.
5-Chlor-3-isobutyltoluol $C_{11}H_{15}Cl$
1058.
5-Chlor-3-hexyltoluol $C_{13}H_{19}Cl$ 1058.
Derivate des Pinakonans.
Chlorpinakonan $C_{20}H_{41}Cl$ 193. 1517. 1518.
Brompinakonan $C_{20}H_{41}Br$ 193. 1518.
1521.
Dibrompinakonan $C_{20}H_{40}Br_2$ 193. 1521.
Dichlorid des Dibiphenylenäthans
$C_{26}H_{16}Cl_2$ 1054.
Dibromdibiphenylenäthan $C_{26}H_{16}Br_2$
1055.

3. Nitroso- und Nitroderivate.

Derivate des Benzols.
o-Dinitrosobenzol $C_6H_4O_2N_2$ 1090.
Tetrabromdinitrobenzol $C_6H_4N_2Br_4$
1129.
o-Nitrojodbenzol $C_6H_4O_2NJ$ 1141.
Derivate des Toluols.
o-Dinitrosotoluol ($\overset{1}{CH_3}:\overset{2}{NO}:\overset{3}{NO}$)
$C_7H_6O_2N_2$ 1090.
o-Dinitrosotoluol ($\overset{1}{CH_3}:\overset{3}{NO}:\overset{4}{NO}$)
$C_7H_6O_2N_2$ 1090.
Phenylisonitromethan $C_7H_7O_2N$ 1081.
p-Bromphenylnitromethan $C_7H_6O_2NBr$
1082.
Dinitrobenzylchlorid $C_7H_5O_4N_2Cl$ 1085.
Bromjodnitrotoluol $C_7H_5O_2NBrJ$ 1058.
Dinitrobromjodtoluol $C_7H_4O_4N_2BrJ$
1059.
Fluornitrotoluol $C_7H_6O_2NFl$ 1232.
Derivate der Xylole.
o-Dinitrosoxylol ($\overset{1}{CH_3}:\overset{3}{CH_3}:\overset{4}{NO}:\overset{5}{NO}$)
$C_8H_8O_2N_2$ 1090.
4-Chlor-5-nitro-1,3-xylol $C_8H_8O_2NCl$
1110.
4-Chlor-2,5-dinitro-1,3-xylol $C_8H_7O_4N_2Cl$
1111.
Dibrom-(2,5)-dinitro-(3,6)-p-xylol(1,4)
$C_8H_6O_4N_2Br_2$ 1170.
Trinitroderivat des s-Chlorxylols
$C_8H_6O_6N_3Cl$ 1110.
Derivate des Styrols.
α-Styrolnitrosit $C_{16}H_{16}O_6N_4$ (?) 1090.
Körper $C_{14}H_{14}O_2N_2$ aus α-Styrolnitrosit
1091.
β-Styrolnitrosit $C_8H_8O_3N_2$ 1090.

Derivate des Mesitylens.
Primäres Mononitromesitylen $C_9H_{11}O_2N$
865.
Dinitromesitylen $C_9H_{10}O_4N_2$ 865.
Trinitromesitylen $C_9H_9O_6N_3$ 866.
Derivate der Kohlenwasserstoffe
$C_{10}H_{14}$.
Nitro-n-Butylbenzol $C_{10}H_{13}O_2N$ 1076.
Bromnitro-n-Butylbenzol $C_{10}H_{12}O_2NBr$
1076.
Nitro-i-butylbenzol $C_{10}H_{13}O_2N$ 1077.
Bromnitro-i-butylbenzol $C_{10}H_{12}O_2NBr$
1077.
Nitro-tert.-butylbenzol $C_{10}H_{13}O_2N$ 1077.
Trinitroderivat des 5-Chlor-1,3-cymols
$C_{10}H_{10}O_6N_3Cl$ 1058.
Derivate des Butyltoluols.
Trinitrochlor-butyltoluol $C_{11}H_{12}O_6N_3Cl$
1078.
Trinitrobrombutyltoluol $C_{11}H_{12}O_6N_3Br$
1078.
Trinitrojodbutyltoluol $C_{11}H_{12}O_6N_3J$
1078.
Derivate des Diphenyls.
p-Nitrodiphenyl $C_{12}H_9O_2N$ 1891.
o-p-Dinitrodiphenyl $C_{12}H_8O_4N_2$ 1759.
p-p-Dinitrodiphenyl $C_{12}H_8O_4N_2$ 1759.
Nitrophenyltolyl $C_{13}H_{11}O_2N$ 1759.
Tetranitrostilben $C_{14}H_8O_8N_4$ 1085.
**Trinitroderivat des Phenylxylyl-
äthans** $C_{16}H_{15}O_6N_3$ 618.
Körper $C_{26}H_{16}O_4N_2$ **aus Dibiphenylenäthen** 1055.

4. Schwefelderivate.

Derivate des Benzols.
Benzoldichlorsulfonamid $C_6H_5O_2NCl_2S$
1068.
Benzoldibromsulfonamid $C_6H_5O_2NBr_2S$
1068.
p-Brombenzoldichlorsulfonamid
$C_6H_4O_2NCl_2BrS$ 1068.
o-Chlor-a-m-nitrobenzolsulfosäure
$C_6H_4O_5NClS$ 1114.
4-Nitrophenylsulfid $C_{12}H_9O_2NS$ 1084.
4-Aminophenylsulfid $C_{12}H_{11}NS$ 1085.
Nitroaminophenylsulfid $C_{12}H_{10}O_2N_2S$
1084. 1085.
Acetylproduct des Nitroaminophenyl-
sulfids $C_{14}H_{12}O_3N_2S$ 1084.
Diphenyldisulfid $C_{12}H_8S_2$ 1189. 1190.
Dinitrodiphenyldisulfid $C_{12}H_6O_4N_2S_2$
1191.
Trioxyphenyldisulfid $C_6H_4O_3S_2$ 1194.
Körper $C_{20}H_8O_7S_4$ aus Trioxyphenylendisulfid und Phtalsäureanhydrid 1194.
Thianthren $C_{12}H_8S_2$ 1192.

a-b-Carboxyäthylbenzylthiocarbamid
$C_{11}H_{14}O_2N_2S$ 898.
Derivate des Veratrylamins.
Acetylproduct des Veratrylamins
$C_{10}H_{13}O_3N$ 1925.
Benzoylderivat des Veratrylamins
$C_{15}H_{15}O_3N$ 1185.
Phenyläthylamin $C_8H_{11}N$ 206.
Derivate der Basen $C_8H_{11}N$.
Benzenylmetaxylylamidin $C_{15}H_{16}N_2$
1238.
β-Butyraldehydoaminoxylol $C_{12}H_{17}ON$
225.
a-b-Carboxyäthyl-m-xylylthiocarbamid
$C_{12}H_{16}O_2N_2S$ 898.
a-b-Stearyl-m-xylylthiocarbamid
$C_{27}H_{46}ON_2S$ 920.
Phenylsulfo-α-amido-m-xylol
$C_{14}H_{15}O_2NS$ 1109.
Mononitroderivat des Phenylsulfo-
α-amido-m-xylols $C_{14}H_{15}O_4N_2S$ 1110.
Amidoderivat des Phenylsulfo-α-amido-
m-xylols $C_{14}H_{16}O_2N_2S$ 1110.
4-Chlor-1, 3, 5-xylidin $C_8H_{10}NCl$ 1110.
Dichlor-1, 3, 5-xylidin $C_8H_9NCl_2$ 1110.
Monobrom-m-xylidin $C_8H_{10}NBr$ 1111.
Acetylbrom - m - xylidin $C_{10}H_{12}ONBr$
1111.
Dibrom-(2, 5)-amido-(3)-p-xylol (Di-
brom-p-xylidin) $C_8H_9NBr_2$ 1170.
2, 5 - Dinitro - 1, 3, 4 - xylidin $C_8H_9O_4N_3$
1111.
2, 5-Dinitro-1, 3, 4-Acetxylid $C_{10}H_{11}O_5N_3$
1110.
Basen $C_{10}H_{15}N$.
Amidobutylbenzol $C_{10}H_{15}N$ 1076.
Amido-i-butylbenzol $C_{10}H_{15}N$ 1077.
Trinitrocymidin $C_{10}H_{13}O_6N_4$ 1058.
Amin $C_{14}H_{25}N$ 1531.
Derivate des Aminobiphenyls.
o-Formaminobiphenyl $C_{13}H_{11}ON$ 1816.
o-Acetaminobiphenyl $C_{14}H_{13}ON$ 1816.
o-Propionaminobiphenyl $C_{15}H_{15}ON$
1816.
o-Biphenylurethan $C_{15}H_{15}O_2N$ 1817.
o-Benzaminobiphenyl $C_{19}H_{15}ON$ 1817.
Diphenyloxäthylamin $C_{14}H_{15}ON$
256.
Monoformyldiphenyloxäthylamin
$C_{15}H_{15}O_2N$ 1121.
Diformyldiphenyloxäthylamin
$C_{16}H_{15}O_3N$ 1121.
Monoacetyldiphenyloxäthylamin
$C_{16}H_{17}O_2N$ 1122.
Diacetyldiphenyloxäthylamin
$C_{18}H_{19}O_3N$ 1122.
Monobenzoyldiphenyloxäthylamin
$C_{21}H_{19}O_2N$ 1122.

Dibenzoyldiphenyloxäthylamin
$C_{28}H_{23}O_3N$ 1122.
Diphenyloxäthylurethan $C_{17}H_{19}O_3N$
1121.

B. Secundäre Monamine.

Derivate des Methylanilins.
Succinmethylanilid $C_{18}H_{20}O_2N_2$ 782.
Succinmethylanilsäure $C_{11}H_{13}O_3N$ 782.
Methyläthenylnitramidophenylamidin
$C_9H_{10}O_2N_4$ 1134.
Methyläthenylnitroacetylamido-
phenylenamidin $C_{11}H_{13}O_3N_4$ 1134.
Derivate des Aethylanilins.
Succinäthylanilid $C_{20}H_{24}O_2N_2$ 782.
Succinäthylanilsäure $C_{12}H_{15}O_3N$ 782.
Derivate des Methylbenzylamins.
Benzylmethylnitramin $C_8H_{10}O_2N_2$ 1115.
o-Nitrobenzylmethylnitramin $C_8H_9O_4N_3$
1115.
p-Nitrobenzylmethylnitramin $C_8H_9O_4N_3$
1115.
Oxäthylbenzylamin $C_9H_{13}ON$ 1840.
Dinitrosodiäthylidendianiline
$C_{16}H_{16}O_2N_4$ 260.
Derivate des Diphenylamins.
Succindiphenylaminsäure $C_{16}H_{15}O_3N$
782.
Monochlorthiodiphenylamin $C_{12}H_8NClS$
1153.
Dichlorthiodiphenylamin $C_{12}H_7NCl_2S$
1152.
Tetrachlorthiodiphenylamin $C_{12}H_5NCl_4S$
1151. 1152.
Sulfoxyd des Tetrachlorthiodiphenyl-
amins $C_{12}H_5ONCl_4S$ 1152.
Azimid aus m-Dinitrodiphenylamin
$C_{12}H_{10}ON_3$ 1930.
Dinitrodichlordiphenylaminsulfoxyd
$C_{12}H_5O_5N_3Cl_2S$ 1152.
Hexanitrodiphenylamin $C_{12}H_5O_{12}N_7$
1114.
Körper $C_{13}H_{12}N_2$ aus Methenyldiphenylamin 1944.
Derivate des Benzylanilins.
p-Nitrobenzylanilin $C_{13}H_{12}O_2N_2$ 1856.
o-Nitrobenzyl-o-nitranilid $C_{13}H_{11}O_4N_3$
1830.
o-Nitrobenzyl-p-nitranilid $C_{13}H_{11}O_4N_3$
1831.
o-Nitrobenzylformyl-p-nitranilid
$C_{14}H_{11}O_5N_3$ 1832.
Benzylphenyläthylamin $C_{15}H_{17}N$ 1706.
Benzylphenyloxäthylamin $C_{15}H_{17}ON$
1705.
Nitrosamin des Benzylphenyloxäthylamins $C_{15}H_{16}O_2N_2$ 1705.

6. Diazo- und Azoverbindungen.

A. Diazoverbindungen.

Dibrom - p - diazophenol $C_6H_2ON_2Br_2$
1898.
Diazobenzoloxyamidobenzyl $C_{13}H_{13}ON_3$
1920.
Diazoanthranilsäure $C_7H_4O_2N_2$ 1899.
p - Diazotoluolanhydrid $C_{14}H_{14}ON_4$
1889.
Isodiazo-p-toluol $C_7H_8ON_2$ 1892.
Bis-p-toluoldiazoamid $C_{14}H_{15}N_5$ 1890.

B. Diazoamidoverbindungen.

p - Chlordiazoamidobenzol $C_{12}H_{10}N_3Cl$
1891.
p - Nitrodiazoamidobenzol $C_{12}H_{10}O_2N_4$
1891.
Orthodinitrodiazoamidobenzol
$C_{12}H_9O_4N_5$ 1904.
o-p-Dinitrodiazoamidobenzol $C_{12}H_9O_4N_5$
1905.
o - Dicyandiazoamidobenzol $C_{14}H_9N_5$
1880.
Methyl-p-dinitrodiazoamidobenzol
$C_{13}H_{11}O_4N_5$ 1905.
Aethyl-p-dinitrodiazoamidobenzol
$C_{14}H_{13}O_4N_5$ 1905.
Allyl-p-dinitrodiazoamidobenzol
$C_{15}H_{13}O_4N_5$ 1905.

C. Azoverbindungen.

p-Chlorazobenzol $C_{12}H_9N_2Cl$ 1919.
m-Chlorazobenzol $C_{12}H_9N_2Cl$ 1919.
m-Bromazobenzol $C_{12}H_9N_2Br$ 1919.
p-Bromazobenzol $C_{12}H_9N_2Br$ 1919.
Körper $C_{25}H_{20}N_5$ aus Amidoazobenzol
und Ameisenäther 1109.
Acetdiamidoazobenzol $C_{14}H_{14}ON_4$ 1920.
Nitro-p-acetamidoazobenzol $C_{14}H_{12}O_3N_4$
1920.
Di-m-amidoazobenzol $C_{12}H_{12}N_4$ 1926.
Diacetylverbindung des Di - m - amido-
azobenzols $C_{16}H_{16}O_2N_4$ 1926.
Dibenzoylderivat des Di-m-Amidoazobenzols $C_{26}H_{20}O_2N_4$ 1926.
p-p-Diamidoazobenzol $C_{12}H_{12}N_4$ 1920.
Azimid aus Oxyazobenzol $C_{14}H_{13}O_2N_3$
1930.
Benzolazoguajacol $C_{13}H_{12}O_2N_2$ 1924.
Benzolazoveratrol $C_{14}H_{15}O_2N_2$ 1924.
α-Modification des Phenylazocyanessigsäure - Propylesters $C_{12}H_{13}O_2N_3$ 260.
1893.
β-Modification des Phenylazocyanessigsäure - Propylesters $C_{12}H_{13}O_2N_3$ 260.
1893.
α-Modification des Phenylazocyanessigsäure-Butylesters $C_{13}H_{15}O_2N_3$ 260. 1893.

β-Modification des Phenylazocyanessigsäure-Butylesters $C_{13}H_{15}O_2N_3$ 1893.
α-Modification des Phenylazocyanessigsäure - Amylesters $C_{14}H_{17}O_2N_3$ 260.
1893.
β-Modification des Phenylazocyanessig-
säure-Amylesters $C_{14}H_{17}O_2N_3$ 1893.
Phenylazoisovaleriansäure $C_{11}H_{14}O_2N_2$
764.
Benzolazosalicylsäure $C_{13}H_{10}O_3N_2$ 1870.
o-Chlorbenzolazosalicylsäure
$C_{13}H_9O_3N_2Cl$ 1868. 1869.
Methylester der o-Chlorbenzolazosalicylsäure $C_{14}H_{11}O_3N_2Cl$ 1869.
Aethylester der o-Chlorbenzolazosalicylsäure $C_{15}H_{13}O_3N_2Cl$ 1869.
m-Chlorbenzolazosalicylsäure
$C_{13}H_9O_3N_2Cl$ 1869.
Methylester der m - Chlorbenzolazosali-
cylsäure $C_{14}H_{11}O_3N_2Cl$ 1870.
Aethylester der m - Chlorbenzolazosali-
cylsäure $C_{15}H_{13}O_3N_2Cl$ 1870.
p-Chlorbenzolazosalicylsäure
$C_{13}H_9O_3N_2Cl$ 1870.
Methylester der p - Chlorbenzolazosali-
cylsäure $C_{14}H_{11}O_3N_2Cl$ 1870.
Aethylester der p - Chlorbenzolazosali-
cylsäure $C_{15}H_{13}O_3N_2Cl$ 1870.
p-Diphenylazobenzol $C_{18}H_{14}N_4$ 1919.
Di - p - diphenylazodiphenyl $C_{24}H_{18}N_4$
1919.
Diamidoazotoluol $C_{14}H_{16}N_4$ 1920.

D. Azoxyverbindungen.

Di - m - Diamidoazoxybenzol $C_{12}H_{13}ON_4$
1925.
Diacetylderivat des Di-m-Diamidoazoxybenzols $C_{16}H_{16}O_3N_4$ 1926.
Bisazimidoderivat des Di-m-Diamidoazoxybenzols $C_{12}H_8ON_6$ 1926.
Trimethylazoxyanilin $C_{15}H_{18}ON_4$ 1928.
Tetramethylazoxyanilin $C_{16}H_{20}ON_4$
1928.
m-Azoxybenzylalkohol $C_{14}O_{14}O_3N_2$ 1371.

Anhang: Formazylverbindungen.

Formazylwasserstoff $C_{13}H_{14}N_4$ 1109.
Formazylsulfonsäure $C_{13}H_{12}O_3N_4S$ 968.
p-Bromformazylsulfonsäure
$C_{13}H_{11}O_3N_4Br$ 8 968.
Formazylameisensäureester
$C_{13}H_{11}O_3N_4R$ 967.
Phenyl-α-p-nitrophenyl-h-phenylmethylformazyl $C_{20}H_{17}O_2N_5$ 1892.

p-Anisylchlorphosphin $C_7H_7OCl_2P$ 1954.
1958.
Anisyloxychlorphosphin $C_7H_7O_2Cl_2P$
1958.
p - Phenetylchlorphosphin $C_8H_9OCl_2P$
1954. 1959.
Phenetyldiäthylphosphin $C_{12}H_{19}OP$ 1958.
Phenetyldiäthylmethylphosphonium-
jodid $C_{13}H_{22}OJP$ 1958.
Phenylcyanphosphin $C_8H_5N_2P$ 1955.
Phenylrhodanphosphin $C_8H_5N_2S_2P$ 1955.
Derivate des Toluols.
o - Tolylchlorphosphin $C_7H_7Cl_2P$ 1954.
1961.
Tetrachlorid des o-Tolylchlorphosphins
$C_7H_7Cl_4P$ 1961.
Oxychlorid des o - Tolylchlorphosphins
$C_7H_7OCl_2P$ 1961.
o-Tolyldiäthylphosphin $C_{11}H_{17}P$ 1962.
o - Tolyldiäthylmethylphosphoniumjodid
$C_{12}H_{20}JP$ 1962.
o-Tolyltriäthylphosphoniumjodid
$C_{13}H_{22}JP$ 1961.
m - Tolylchlorphosphin $C_7H_7Cl_2P$ 1954.
1962.
Tetrachlorid des m-Tolylchlorphosphins
$C_7H_7Cl_4P$ 1962.
m - Tolyloxychlorphosphin $C_7H_7OCl_2P$
1962.
p - Tolylchlorphosphin $C_7H_7Cl_2P$ 1954.
1959.
p-Tolylcyanphosphin $C_8H_7N_2P$ 1959.
p - Tolylrhodanphosphin $C_8H_7N_2S_2P$
1959.
p-Dimethyltolylphosphin $C_9H_{13}P$ 1960.
Dimethyltolylphosphorbetaïn $C_{11}H_{15}O_2P$
1960.
Salzsaurer Dimethyltolylphosphor-
betaïnäthylester $C_{13}H_{20}O_2ClP$ 1961.
Dibenzylchlorphosphin $C_{14}H_{14}Cl_2P$
1954.
Derivate der Kohlenwasserstoffe
C_8H_{10}.
m - Xylylchlorphosphin $C_8H_9Cl_2P$ 1954.
1962.
p - Xylylchlorphosphin $C_8H_9Cl_2P$ 1954.
1962.
Aethylbenzolphosphin $C_8H_{11}P$ 1963.
Aethylbenzolphosphoniumjodid
$C_8H_{12}JP$ 1963.
Aethylbenzoldiäthylmethylphosphoniumjodid $C_{13}H_{22}JP$ 1963.
Aethylbenzoltriäthylphosphoniumjodid
$C_{14}H_{24}JP$ 1963.
Aethylbenzolphosphinphenylhydrazon
$C_{14}H_{15}N_2P$ 1963.
p-Aethylbenzolchlorphosphin $C_8H_9Cl_2P$
1954 1962.

Aethylbenzoltetrachlorphosphin
$C_8H_9Cl_4P$ 1963.
Aethylbenzoloxychlorphosphin
$C_8H_9OCl_2P$ 1963.
Aethylbenzoldiäthylphosphin $C_{12}H_{19}P$
1963.
Derivate der Kohlenwasserstoffe
C_9H_{12}.
Mesitylphosphin $C_9H_{13}P$ 1966.
Mesityldiäthylmethylphosphoniumjodid
$C_{14}H_{24}JP$ 1966.
Mesitylphosphinphenylhydrazon
$C_{15}H_{17}N_2P$ 1966.
Mesitylchlorphosphin $C_9H_{11}Cl_2P$ 1954.
1966.
Mesityltetrachlorphosphin $C_9H_{11}Cl_4P$
1966.
Mesityloxychlorphosphin $C_9H_{11}OCl_2P$
1966.
Diäthylmesitylphosphin $C_{13}H_{21}P$ 1966.
Cumylchlorphosphin $C_9H_{11}Cl_2P$ 1954.
1966.
Cumyltetrachlorphosphin $C_9H_{11}Cl_4P$
1967.
Cumyloxychlorphosphin $C_9H_{11}OCl_2P$
1967.
Pseudocumylphosphin $C_9H_{13}P$ 1965.
Methyldiäthylpseudocumylphospho-
niumjodid $C_{14}H_{24}JP$ 1965.
Trianilidopseudocumylphosphonium-
chlorid $C_{27}H_{29}N_3ClP$ 1964.
Trianilidopseudocumylphosphonium-
bromid $C_{27}H_{29}N_3BrP$ 1963.
Trianilidopseudocumylphosphonium-
jodid $C_{27}H_{29}N_3JP$ 1963.
Trianilidopseudocumylphosphonium-
nitrat $C_{27}H_{29}O_3N_4P$ 1963.
Trianilidopseudocumylphosphoniumhydroxyd $C_{27}H_{30}N_3P$ 1964.
Pseudocumylchlorphosphin $C_9H_{11}Cl_2P$
1954. 1963.
Pseudocumyltetrachlorphosphin
$C_9H_{11}Cl_4P$ 1963.
Pseudocumyloxychlorphosphin
$C_9H_{11}OCl_2P$ 1963.
Dioxäthylpseudocumylphosphin
$C_{13}H_{21}O_2P$ 1966.
Diphenolpseudocumylphosphin
$C_{21}H_{21}O_2P$ 1966.
Cymylchlorphosphin $C_{10}H_{13}Cl_2P$
1954. 1967.
Diphenylmethanchlorphosphin
$C_{13}H_{11}Cl_2P$ 1954.

B. Phosphenylverbindungen.

Phenylhydrazon des Monochlorphos-
phenylchlorids $C_{12}H_{10}N_2ClP$ 1956.
1957.

p-Dimethyltolylphosphinoxyd $C_9H_{13}OP$ 1960.

Dimethylnitrotolylphosphinoxyd $C_9H_{12}O_3NP$ 1960.

Diäthyltolylphosphinoxyd $C_{11}H_{17}OP$ 1961.

Nitroverbindung des Diäthyltolylphosphinoxyds $C_{11}H_{16}O_3NP$ 1961.

Aethylbenzolphosphinsäure $C_8H_{11}O_2P$ 1963.

Phosphinoäthylbenzol $C_8H_9O_2P$ 1963.

Diäthyldibenzolphosphinsäure $C_{16}H_{19}O_2P$ 1963.

Phosphinsäuren $C_9H_{13}O_3P$.

Mesitylphosphinsäure $C_9H_{13}O_2P$ 1966.

Phosphinomesitylen $C_9H_{11}O_2P$ 1966.

Cumylphosphinsäure $C_9H_{13}O_2P$ 1967.

Dicumylphosphinsäure $C_{18}H_{23}O_2P$ 1967.

Pseudocumylphosphinsäure $C_9H_{13}O_2P$ 1963. 1965.

Phosphinopseudocumol $C_9H_{11}O_2P$ 1963.

Phenylesterchlorid der Pseudocumylphosphinsäure $C_{15}H_{16}O_2ClP$ 1964.

Diphenylester der Pseudocumylphosphinsäure $C_{21}H_{21}O_2P$ 1964.

Dianilid der Pseudocumylphosphinsäure $C_{21}H_{23}ON_2P$ 1964.

Pseudocumylphosphinsäuredihydrazid $C_{21}H_{23}ON_4P$ 1964.

Monochlorpseudocumylphosphinsäure $C_9H_{12}O_2ClP$ 1964.

Mononitropseudocumylphosphinsäure $C_9H_{12}O_5NP$ 1964.

Nitrochlorpseudocumylphosphinsäure $C_9H_{11}O_5NClP$ 1964.

Dinitropseudocumylphosphinsäure $C_9H_{11}O_7N_2P$ 1964.

Dipseudocumylphosphinsäure $C_{18}H_{23}O_2P$ 1965.

Oxypropylphenylphosphinsäure $C_9H_{13}O_4P$ 1967.

Methyloxyisopropylphenylphosphinsäure $C_{10}H_{15}O_4P$ 1967.

Trioxyisopropylphenylphosphinsäureester $C_{34}H_{43}O_{14}P_4$ 1967.

Allylphenylphosphinsäure $C_9H_{11}O_2P$ 1967.

Cymylphosphinsäure $C_{10}H_{15}O_2P$ 1967.

Benzophosphinsäuren.

o-Benzophosphinsäure $C_7H_7O_3P$ 1962.

Chlorid der o-Benzophosphinsäure $C_7H_4O_2Cl_2P$ 1962.

m-Benzophosphinsäure $C_7H_7O_3P$ 1962.

m-Benzophosphinsäurechlorid $C_7H_4O_2Cl_2P$ 1962.

p-Benzophosphinsäure $C_7H_7O_3P$ 1960.

Aethylester der p-Benzophosphinsäure $C_9H_{11}O_3P$ 1960.

Benzophosphinsäuremonoamid $C_7H_6O_4NP$ 1960.

Benzophosphinsäureanilid $C_{23}H_{22}O_2N_3P$ 1960.

Xylophosphinsäure $C_9H_{11}O_5P$ 1965.

β-Xylophosphinsäure $C_9H_{11}O_5P$ 1966.

Dixylophosphinsäure $C_{18}H_{19}O_4P$ 1965.

Methylphtalophosphinsäure $C_9H_9O_7P$ 1965.

Methylisophtalophosphinsäure $C_9H_9O_7P$ 1966.

D. Phosphinige Säuren.

Monochlorphosphinige Säure $C_6H_6O_2ClP$ 1956.

Bromphenylphosphinige Säure $C_6H_6O_2BrP$ 1957.

Anisylphosphinige Säure $C_7H_9O_3P$ 1958.

Phenetylphosphinige Säure $C_8H_{11}O_3P$ 1959.

o-Tolylphosphinige Säure $C_7H_9O_2P$ 1961.

m-Tolylphosphinige Säure $C_7H_9O_2P$ 1962.

Aethylbenzolphosphinige Säure $C_8H_{11}O_2P$ 1963.

Cumylphosphinige Säure $C_9H_{13}O_2P$ 1966.

Phenylhydrazinsalz der Cumylphosphinigen Säure $C_{15}H_{21}O_2N_2P$ 1966.

Pseudocumylphosphinige Säure $C_9H_{13}O_2P$ 1963.

Mesitylphosphinige Säure $C_9H_{13}O_2P$ 1966.

Cymylphosphinige Säure $C_{10}H_{15}O_2P$ 1967.

E. Oxyphosphazoverbindungen.

Oxyphosphazobenzolanilid $C_{12}H_{11}ON_2P$ 1952.

Körper $C_{26}H_{23}O_3N_4P_2$ aus Oxyphosphazobenzolanilid und Natriumalkoholat 1952.

Körper $C_{18}H_{17}O_2N_2P$ aus Oxyphosphazobenzolanilid und Phenol 1952.

Körper $C_{20}H_{23}O_3N_4P_2$ aus Oxyphosphazobenzolanilid und Phenol 1952.

Oxyphosphazo-m-chlorbenzolchloranilid $C_{12}H_9ON_2Cl_2P$ 1953.

Oxyphosphazodichlorbenzoldichloranilid $C_{12}H_7ON_2Cl_4P$ 1953.

Körper aus Oxyphosphazodichlorbenzoldichloranilid und Phenol $C_{18}H_{13}O_2N_2Cl_4P$ 1953.

Oxyphosphazometabrombenzolbrom-
anilid $C_{12}H_9ON_2Br_2P$ 1953.
Körper $C_{18}H_{16}ON_2Br_2P$ aus Oxyphos-
phazometabrombenzolbromanilid
und Natriumalkoholat 1953.
Körper $C_{26}H_{24}O_2N_4Br_4P_2$ aus Oxy-
phosphazometabrombenzolbromanilid
und Natriumalkoholat 1953.
Oxyphosphazoorthotoluoltoluid
$C_{15}H_{13}ON_2P$ 1953.
Oxyphosphazoparatoluoltoluid
$C_{14}H_{15}ON_2P$ 1953.
Oxyphosphazoverbindung des Mesidins
$C_{18}H_{23}ON_2P$ 1953.
Oxyphosphazoverbindung des Pseudo-
cumidins $C_{18}H_{23}ON_2P$ 1953.

9. Phenole und Alkohole.

A. Einwerthige Phenole.

Derivate des Phenols.
Trioxyphenylphosphat $C_{18}H_{15}O_7P$ 1171.
β-Chloräthylphenyläther C_8H_9OCl 689.
Glycolmonophenyläther $C_8H_{10}O_2$ 689.
Phenoxyäthyläthyläther $C_{10}H_{14}O_2$ 718.
Methylendiphenyläther $C_{13}H_{12}O_2$ 690.
Aethylendiphenyläther $C_{14}H_{14}O_2$ 689.
Xylylphenylglycoläther $C_{16}H_{18}O_2$ 1161.
Phenoxyacetonitril C_8H_7ON 892.
α-Phenoxybuttersäure $C_{10}H_{12}O_3$ 891.
α-Phenoxybuttersäureäthylester
$C_{12}H_{16}O_3$ 891.
α-Phenoxybutyramid $C_{10}H_{13}O_2N$ 891.
α-Phenoxybutyrothiamid $C_{10}H_{13}ONS$
892.
α-Phenoxybutyrylchlorid $C_{10}H_{11}O_2Cl$
891.
α-Phenoxybutyronitril $C_{10}H_{11}ON$ 892.
γ-Phenoxyäthyl-α-methylessigsäure
$C_{11}H_{14}O_3$ 689.
Phenoxyäthylessigsäure $C_{10}H_{12}O_3$ 688.
Diphenoxyäthylessigsäure $C_{18}H_{20}O_4$ 689.
718.
γ-Phenoxyäthylmalonsäure $C_{11}H_{12}O_5$
688.
Diphenoxyäthylmalonsäure $C_{19}H_{20}O_6$
688. 718.
γ-Phenoxyäthyl-α-methylmalonsäure
$C_{12}H_{14}O_5$ 689.
Phenoxyäthylisopropylglutarsäure
$C_{16}H_{22}O_5$ 718.
Phenoxyäthylisopropylpropantricarb-
oxylsäure $C_{17}H_{22}O_7$ 718.
β-Phenoxyäthyl-γ-hydroxybuttersäure
$C_{12}H_{16}O_4$ 689.
o-Chloranisol C_7H_7OCl 1453.
Tetraphenyläthylenderivat aus o-Chloranisol $C_{30}H_{24}O_4Cl_2$ 1453.

Thioketon aus o-Chloranisol und Thio-
phosgen $C_{15}H_{12}O_2Cl_2S$ 1453.
Tetraphenyläthylenderivat aus o-Chlorphenetol $C_{34}H_{28}O_4Cl_2$ 1453.
Thioketon aus o-Chlorphenetol
$C_{17}H_{16}O_2Cl_2S$ 1453.
Ditrichlorphenylester der Phosphorsäure
$C_{12}H_5O_4Cl_6P$ 1176.
o-Bromanisol C_7H_7OBr 1453.
Thioketon aus o-Bromanisol
$C_{15}H_{12}O_2Br_2S$ 1453.
o-Jodanisol C_7H_7OJ 1155.
p-Jodanisol C_7H_7OJ 1156.
o-Jodphenetol C_8H_9OJ 1156.
p-Jodphenetol C_8H_9OJ 1157.
Jodbromanisol C_7H_6OBrJ 1059.
2-Jod-4-bromanisol C_7H_6OBrJ 1059.
2-Brom-4-Jodanisol C_7H_6OBrJ 1059.
Dijodphenetol (1, 2, 4) $C_8H_8OJ_2$ 1157.
o-Nitrophenyläther $C_{12}H_9O_3N$ 1144.
p-Nitrophenyläther $C_{12}H_9O_3N$ 1144.
2-Chlor-4-Nitrophenol $C_6H_4O_3NCl$ 1143.
Acetylderivat des 2-Chlor-4-Nitrophenols
$C_8H_6O_4NCl$ 1143
Benzoylderivat des 2-Chlor-4-Nitro-
phenols $C_{13}H_8O_4NCl$ 1143.
2-Chlor-5-nitrophenol $C_6H_4O_3NCl$ 1142.
Benzoylderivat des 2-Chlor-5-nitro-
phenols $C_{13}H_8O_4NCl$ 1142.
4-Chlor-3-nitrophenol $C_6H_4O_3NCl$ 1141.
Acetylderivat des 4-Chlor-3-nitrophenols
$C_8H_6O_4NCl$ 1142.
Benzoylderivat des 4-Chlor-3-nitrophe-
nols $C_{13}H_8O_4NCl$ 1142.
Nitroproduct des p-Chloranisols
$C_7H_6O_3NCl$ 1157.
4-Brom-2-nitroanisol $C_7H_6O_3NBr$ 1143.
p-Nitro-o-jodanisol $C_7H_6O_3NJ$ 1155.
Nitroderivat des o-Jodphenetols
$C_8H_8O_3NJ$ 1156.
p-Jod-o-nitranisol $C_7H_6O_3NJ$ 1156.
p-Jod-m-nitranisol $C_7H_6O_3NJ$ 1156.
p-Jod-m-nitrophenetol (1, 3, 4) $C_8H_8O_3NJ$
1157.
Dinitrophenolammoniak $C_6H_7O_5N_3$ 1271.
Dinitrophenyläther $C_{12}H_8O_5N_2$ 1145.
o-Dinitrophenyläther $C_{12}H_8O_5N_2$ 1145.
p-Dinitrophenyläther $C_{12}H_8O_5N_2$ 1144.
2-Chlor-4-6-dinitrophenol $C_6H_3O_5N_2Cl$
1143.
2-Brom-4-6-dinitrophenol $C_6H_3O_5N_2Br$
1142.
Phenol-p-sulfosäure $C_6H_6O_4S$ 1173.
o-Anisolmonosulfosäure $C_7H_8O_4S$ 1157.
p-Anisolmonosulfosäure $C_7H_8O_4S$ 1157.
Anilid der p-Anisolmonosulfonsäure
$C_{13}H_{13}O_3NS$ 1157.
Anisoldisulfosäure $C_7H_8O_7S_2$ 1157.

10. Aldehyde.

m-Dichlor-p-oxybenzaldoxim
$C_7H_5O_2NCl_2$ 1270.

m-Dijod-p-oxybenzaldehyd $C_7H_4O_2J_2$
1389.

m-Dijod-p-oxybenzaldoxim $C_7H_5O_2NJ_2$
1270. 1390.

m-Dijod-p-oxybenzylidenphenylhydra-
zon $C_{13}H_{10}ON_2J_2$ 1390.

m-Dijod-p-oxybenzylidenanilin
$C_{13}H_9ONJ_2$ 1390.

m-Dijod-p-oxybenzyliden-p-toluidin
$C_{14}H_{11}ONJ_2$ 1390.

Anisaldoxime $C_8H_{13}O_2N$ 259.

Anisantibenzoylaldoxim $C_{15}H_{13}O_3N$ 262.

Hydrazon des Anisaldehyds $C_{14}H_{14}ON_2$
1939.

Dinitroanisaldehyd $C_8H_6O_6N_2$ 1383.

Trithio-m-nitroanisaldehyd
$C_{24}H_{21}O_9N_3S_3$ 267. 1383.

Trithiodinitroanisaldehyd $C_{21}H_{15}O_{15}N_6S_3$
267. 1383.

Benzylparaoxybenzaldehyd $C_{14}H_{12}O_2$
1383.

α-Trithiobenzyl-p-oxybenzaldehyd
$C_{42}H_{36}O_3S_3 + 2C_6H_6$ 253. 1383.

β-Trithiobenzyl-p-oxybenzaldehyd
$C_{42}H_{36}O_3S_3 + 2C_6H_6$ 1383.

Derivate des Protocatechualde-
hyds.

Oxim des Protocatechualdehyds
$C_7H_7O_3N$ 261. 1392.

Phenylhydrazon des Protocatechualdehyds $C_{13}H_{12}O_2N_2$ 257. 1392.

Trithiovanillin $C_{24}H_{24}O_6S_3 + 2C_6H_6$
253. 1383.

Trithiobenzoylvanillin $C_{45}H_{36}O_9S_3$ 254.
1383.

Vanillinoxacetsäure $C_{10}H_{10}O_5$ 1228. 1394.

Veratrylaldehyd (Methylvanillin)
$C_9H_{10}O_3$ 1371.

α-Trithiomethylvanillin $C_{27}H_{30}O_6S_3$
253. 1383.

β-Trithiomethylvanillin $C_{27}H_{30}O_6S_3$
$+ 2C_6H_6$ 1383.

Piperonalmethylphenylhydrazon
$C_{15}H_{14}O_2N_2$ 1395.

Piperonal-p-phenetidin $C_{16}H_{15}O_3N$ 1395.

α-Trithiopiperonal $C_{24}H_{18}O_6S_3$ 254. 1383.

β-Trithiopiperonal $C_{24}H_{18}O_6S_3 + 3C_6H_6$
1383.

Derivate des Gentisinaldehyds.

Trithiogentisinaldehyd $C_{21}H_{18}O_6S_3$
$+ 2C_2H_5 \cdot OH$ 253. 1383.

Dimethylgentisinaldehyd $C_9H_{10}O_3$ 1371.

α-Trithiodimethylgentisinaldehyd
$C_{27}H_{30}O_6S_3$ 253. 1383.

β-Trithiodimethylgentisinaldehyd
. $C_{27}H_{30}O_6S_3 + 2C_6H_6$ 1383.

Aldehyd aus Dimethylresorcin
$C_9H_{10}O_3$ 1371.

Apiolaldehyd $C_{10}H_{10}O_5$ 1588.

Derivate der Toluylaldehyde.

α-Trithio-m-toluylaldehyd $C_{24}H_{24}S_3$
1383.

β-Trithio-m-toluylaldehyd $C_{24}H_{24}S_3$
$+ 3C_6H_6$ 1383.

p-Amido-m-toluylaldehyd C_8H_9ON
1388.

p-Amido-m-toluylaldehyd-o-sulfosäure
$C_8H_9O_4NS$ 1388.

Hydrazon des p-Toluylaldehyds
$C_{14}H_{14}N_2$ 1939.

α-Trithio-p-toluylaldehyd $C_{24}H_{24}S_3$
1383.

β-Trithio-p-toluylaldehyd $C_{24}H_{24}S_3$
$+ 3C_6H_6$ 1383.

Aldehyd der Norpinsäure $C_8H_{12}O_2$
1558.

Semicarbazon $C_9H_{15}O_2N_3$ des Aldehyds
der Norpinsäure $C_8H_{12}O_2$ 1558.

m-Xylylaldehyd $C_9H_{10}O$ 1370.

Hydrazon des m-Xylylaldehyds
$C_{15}H_{16}N_2$ 1371.

Melilotaldehyd $C_9H_{10}O_2$ 1592.

Derivate der Aldehyde $C_{10}H_{12}O$.

Benzoyl-α-cuminaldoxim $C_{17}H_{17}O_2N$
260. 864.

α-Trithiocuminaldehyd $C_{30}H_{36}S_3$ 252.
1383.

β-Trithiocuminaldehyd $C_{30}H_{36}S_3 + 3C_6H_6$
1383.

β-Trithio-m-nitrocuminaldehyd
$C_{30}H_{33}O_6N_3S_3$ 267. 1383.

Mesitylantialdoxim $C_{10}H_{13}ON$ 1046.

Prehnitylsynaldoxim $C_{10}H_{13}ON$ 1046.

Prehnitylantialdoxim $C_{10}H_{13}ON$ 1046.

Diosphenol $C_{10}H_{16}O_2$ 1591.

Oxim des Diosphenols $C_{10}H_{17}O_2N$ 1591.

Aldehyd $C_{11}H_{14}O$ aus Cymylglyoxylsäure 1371.

11. Ketone.

Derivate des Acetophenons.

Chloralacetophenonoxim $C_{10}H_{10}O_2NCl_3$
1398.

Phenylhydrazon des Phenacyl-o-benzoë-
säuresulfinids $C_{21}H_{17}O_3N_3S$ 1248.

Diacetylresacetophenon $C_{12}H_{12}O_5$ 1436.

α-Dibromdiäthylresacetophenon
$C_{12}H_{14}O_3Br_2$ 1401.

β-Dibromdiäthylresacetophenon
$C_{12}H_{14}O_3Br_2$ 1401.

Dichlorresacetophenon $C_8H_6O_3Cl_2$ 1401.

Bromresacetophenon $C_8H_7O_3Br$ 1435.

Tribromresacetophenon $C_8H_5O_3Br_3$ 1402.

Mononitroverbindung des Pseudodiphenylenketons $C_{13}H_7O_3N$ 1419.

Dinitroverbindung des Pseudodiphenylenketons $C_{13}H_6O_5N_2$ 1419.

Dinitrobutylxylylmethylketon $C_{14}H_{18}O_5N_2$ 1078.

p-Benzoyltoluol $C_{14}H_{12}O$ 1412.

p-Benzoylbenzylbromid $C_{14}H_{11}OBr$ 1412..

p-Benzoylbenzylidendibromid $C_{14}H_{10}OBr_2$ 1413.

p-Benzoylbenzylalkohol $C_{14}H_{12}O_2$ 1413.

Essigester des p-Benzoylbenzylalkohols $C_{16}H_{14}O_3$ 1413.

p-Benzoylbenzaldehyd $C_{14}H_{10}O_2$ 1413.

Benzyliden-Methylhexanon $C_{14}H_{16}O$ 1531.

Oxim des Benzyliden-Methylhexanons $C_{14}H_{17}ON$ 1531.

Derivate des Desoxybenzoins.

Verbindung $C_{19}H_{17}O_2N$ aus Desoxybenzoin 1273.

Verbindung $C_{22}H_{17}N$ aus Desoxybenzoin 1273.

Keton $C_{14}H_{22}O$ 1531.

Oxim $C_{14}H_{23}ON$ des Ketons $C_{14}H_{22}O$ 1531.

Benzalacetophenon $C_{15}H_{12}O$ 1398. 1399.

Benzylidenacetophenonoxim $C_{15}H_{13}ON$ 256.

o-Phenylcumarketon $C_{15}H_{12}O_2$ 1403.

Benzoylverbindung des o-Phenylcumarketons $C_{22}H_{16}O_3$ 1404.

Phenylhydrazon des o-Phenylcumarketons $C_{21}H_{18}ON_2$ 1403.

Tetrabromproduct aus o-Phenylcumarketon $C_{15}H_{10}O_2Br_4$ 1404.

2-Oxybenzalacetophenon $C_{15}H_{12}O_2$ 1429. 1430. 1431.

Acetylverbindung des 2-Oxybenzalacetophenons $C_{17}H_{14}O_3$ 1430.

Dibromid des Acetyl-2-oxybenzalacetophenons $C_{17}H_{14}O_3Br_2$ 1430.

Brom-2-äthoxybenzalacetophenon $C_{17}H_{15}O_2Br$ 1432.

Brom-2-äthoxybenzalacetophenondibromid $C_{17}H_{15}O_2Br_3$ 1431.

5-Brom-2-oxybenzalacetophenon $C_{15}H_{11}O_2Br$ 1432.

Acetylverbindung des 5-Brom-2-oxybenzalacetophenons $C_{17}H_{13}O_3Br$ 1432.

5-Bromacetyl-2-oxybenzalacetophenondibromid $C_{17}H_{13}O_3Br_3$ 1432.

5-Brom-2-äthoxybenzalacetophenon $C_{17}H_{15}O_2Br$ 1432.

5-Brom-2-äthoxybenzalacetophenondibromid $C_{17}H_{15}O_2Br_3$ 1432.

3-Oxybenzalacetophenon $C_{15}H_{12}O_2$ 1430.

Acetyl-3-oxybenzalacetophenon $C_{17}H_{14}O_3$ 1430.

Dibromid des Acetyl-3-oxybenzalacetophenons $C_{17}H_{14}O_3Br_2$ 1430.

3-Aethoxybenzalacetophenon $C_{17}H_{16}O_2$ 1437.

4-Oxybenzalacetophenon $C_{15}H_{12}O_2$ 1430.

Acetylverbindung des 4-Oxybenzalacetophenons $C_{17}H_{14}O_3$ 1430.

Dibromid des Acetyl-4-oxybenzalacetophenons $C_{17}H_{14}O_3Br_2$ 1430.

4-Aethoxybenzalacetophenon $C_{17}H_{16}O_2$ 1437.

2'-4'-Diäthoxybenzalacetophenon $C_{19}H_{20}O_3$ 1484.

Piperonalacetophenon $C_{16}H_{12}O_3$ 1437.

Dinitrobutylxylylpropylketon $C_{16}H_{22}O_5N_2$ 1078.

Benzalmethyl-p-tolylketon $C_{16}H_{14}O$ 1400.

o-Oxybenzalmethyl-p-tolylketon $C_{16}H_{14}O_2$ 1424.

Acetyl-o-oxybenzalmethyl-p-tolylketon $C_{18}H_{16}O_3$ 1424.

Acetyl-o-oxybenzalmethyl-p-tolylketondibromid $C_{18}H_{16}O_3Br_2$ 1424.

Dinitrobutylxylylisobutylketon $C_{17}H_{24}O_5N_2$ 1078.

Chrysoketon $C_{17}H_{10}O$ 1427.

Oxim des Chrysoketons $C_{17}H_{11}ON$ 1427.

Cinnamylenbenzylidenaceton $C_{19}H_{16}O$ 1389.

Oxim des Cinnamylenbenzylidenacetons $C_{19}H_{17}ON$ 1389.

Ketone $C_{20}H_{16}O$.

Triphenyläthanon $C_{20}H_{16}O$ 1419.

Diphenylacetophenon $C_{20}H_{16}O$ 1414.

p-Benzoyldiphenylmethan $C_{20}H_{16}O$ 1413.

Phenylbenzoinäthyläther $C_{22}H_{20}O_2$ 1441.

Palmitotoluonoxim $C_{24}H_{39}ON$ 1410.

Phenylheptadecylketon (Stearophenon) $C_{24}H_{40}O$ 1409.

Stearophenonoxim $C_{24}H_{41}ON$ 1409.

Biacenaphtylidenon $C_{24}H_{14}O$ 1426.

Mesitylpentadecylketon $C_{25}H_{42}O$ 1410.

Stearotoluonoxim $C_{25}H_{43}ON$ 1409.

Ketone $C_{26}H_{44}O$.

m-Xylyl-Heptadecylketon ((4) Stearo-m-xylon) $C_{26}H_{44}O$ 1409.

Stearo-m-xylonoxim $C_{26}H_{45}ON$ 1409.

Stearo-p-xylonoxim $C_{26}H_{45}ON$ 1409.

p-Xylylheptadecylketon $C_{26}H_{44}O$ 1409.

Ketone $C_{28}H_{20}O$.
p-Benzoyltriphenylmethan $C_{26}H_{20}O$ 1413.
p-Benzoyltriphenylcarbinol $C_{26}H_{20}O_2$ 1413.
α-Benzpinakolin $C_{26}H_{20}O$ 1422.
β-Benzpinakolin $C_{26}H_{20}O$ 1051.
Tetraphenylenpinakolin $C_{26}H_{16}O$ 1421.
Diphenyldiphenylenpinakolin $C_{26}H_{18}O$ 1421.
α-Homodypnopinakolin $C_{32}H_{26}O$ 1044.
α-Isodypnopinakolin $C_{32}H_{26}O$ 1044.

Diketone.

Diacetyl-m-xylol $C_{12}H_{14}O_2$ 1397.
Benzoyldiacetylmethan $C_{12}H_{12}O_3$ 1446.
Diacetylmesitylen $C_{13}H_{16}O_2$ 1396.
Diketon $C_6H(CH_3)_2(COCH_2.Cl)_2$ 1397.
Diacetyldurol $C_{14}H_{18}O_2$ 1396.
Diacetylisodurol $C_{14}H_{18}O_2$ 1396.
Benzilmonoxime $C_{14}H_{11}O_2N$ 260.
Benzilosazone $C_{26}H_{22}N_4$ 254.
Körper $C_{28}H_{22}O$ aus Anhydroaceton-dibenzil 851.
Diphenacyl $C_{16}H_{14}O_2$ 1442. 1443.
Bromdiphenacyl $C_{16}H_{13}O_2Br$ 252. 1442. 1443.
p-Brombenzoylirtes Benzolaceton $C_{17}H_{13}O_2Br$ 1446.
Acetyldibenzoylmethan $C_{17}H_{14}O_3$ 1444.
Diphenyl-1,6-Hexandion-1-6 $C_{18}H_{18}O_2$ 796.
Dioxim des Diphenyl-1,6-Hexandion-1-6 $C_{18}H_{20}O_2N_2$ 797.
Diphenyl-1,8-octandion (1-8-Dibenzoylhexan) $C_{20}H_{22}O_2$ 798.
Dioxim des Diphenyl-1-8-octandion $C_{20}H_{24}O_2N_2$ 798.
4-5-Diphenylocta-2-7-dion $C_{20}H_{22}O_2$ 1405. 1406.
Oxim des 4,5-Diphenylocta-2,7-dion $C_{20}H_{24}O_2N_2$ 1406.
Phenylhydrazon des 4,5-Diphenylocta-2-7-dion $C_{32}H_{34}N_4$ 1406.
Hexabrom-4,5-diphenylocta-2,7-dion $C_{20}H_{16}O_2Br_6$ 1408.
Dibenzoylheptan $C_{21}H_{24}O_2$ 798.
Dioxim des Dibenzoylheptans $C_{21}H_{26}O_2N_2$ 798.
Monohydrazid des Desylacetophenons $C_{22}H_{20}ON_2$ 1451.
p-Brombenzoylirtes Dibenzoylmethan $C_{22}H_{15}O_3Br$ 1447.
Benzaldiacetophenon $C_{23}H_{20}O_2$ 1398.
2-Oxybenzaldiacetophenon $C_{23}H_{20}O_3$ 1431.

Acetylverbindung des 2-Oxybenzaldiacetophenons $C_{25}H_{22}O_4$ 1431.
5-Brom-2-oxybenzaldiacetophenon $C_{23}H_{19}O_3Br$ 1431. 1432.
5-Bromacetyl-2-oxybenzaldiacetophenon $C_{25}H_{21}O_4Br$ 1431.
Biacenaphtylidendion $C_{24}H_{12}O_2$ 1426.
Körper $C_{24}H_{13}OBr_3$ aus Biacenaphtylidendion 1427.
Benzaldi-Methyl-p-tolylketon $C_{25}H_{24}O_2$ 1400.
2-Oxybenzaldimethyl-p-tolylketon $C_{25}H_{24}O_3$ 1431.
Acetverbindung des 2-Oxybenzaldimethyl-p-tolylketons $C_{27}H_{26}O_4$ 1431.
p-Brombenzoat des Tribenzoylmethans $C_{29}H_{19}O_4Br$ 1447.
α-Naphtoat des Tribenzoylmethans $C_{33}H_{22}O_4$ 1447.

Triketone.

Dibenzoylirtes Acetylaceton $C_{19}H_{16}O_4$ 1447.
Anilid aus dibenzoylirtem Acetylaceton $C_{18}H_{17}O_2N$ 1447.
Tribenzoylmethan $C_{22}H_{16}O_3$ 1445.
Anilid des Tribenzoylmethans $C_{28}H_{21}O_2N$ 1447.
Dibenzoylirtes Dibenzoylmethan $C_{29}H_{20}O_4$ 1447.
Dibenzoylirtes Benzoylaceton $C_{24}H_{18}O_4$ 1447.
Anilid aus dibenzoylirtem Benzoylaceton $C_{23}H_{19}O_2N$ 1447.
Dibenzaltriacetophenon $C_{33}H_{26}O_3$ 243. 1399. 1433.
Isomeres Dibenzaltriacetophenon $C_{38}H_{28}O_3$ 1399.
Di-2-Aethoxybenzaltriacetophenon $C_{43}H_{40}O_5$ 1438.
Di-3-äthoxybenzaltriacetophenon $C_{43}H_{40}O_5$ 1438.
Di-4-äthoxybenzaltriacetophenon $C_{43}H_{40}O_5$ 1438.
Dipiperonaltriacetophenon $C_{40}H_{32}O_7$ 1438.
Dibenzaltri-Methyl-p-tolylketon $C_{41}H_{32}O_3$ 1400.

12. Chinone.

Benzol-o-dioxim $C_6H_4O_2N_2$ 1090.
Anhydrid $C_6H_4ON_2$ des Benzol-o-dioxims 1090.
Benzochinonmonokaliumperoxyd C_6HO_4K 1456.
Benzochinondikaliumperoxyd $C_6O_4K_2$ 1456.

Körper $C_{18}H_{16}O_2S_2$ aus Chinon und Thiophenon 1452.
Dinitrodianilidochinon $C_{18}H_{12}O_6N_4$ 1457.
Körper $C_{18}H_{10}O_2N_4$ aus Dinitrodianilidochinon 1457.
Chinon-o-aminobenzoësäure $C_{13}H_9O_4N$ 1456.
Dichlorchinondi-o-aminobenzoësäure $C_{20}H_{12}O_6N_2Cl_2$ 1457.
Dichlorchinon-di-o-aminozimmtsäure $C_{24}H_{16}O_6N_2Cl_2$ 1457.
Dichlorchinon-di-o-aminozimmtsäure-o-imidozimmtsäure $C_{33}H_{22}O_7N_3Cl_2$ 1457.
Trichlorchinon-o-aminozimmtsäure $C_{15}H_8O_4NCl_3$ 1457.
Tribromtoluchinon $C_7H_3O_2Br_3$ 1162.
4-Chlor-m-xylochinon $C_8H_7O_2Cl$ 1111.
Dibrom-p-xylochinon $C_8H_6O_2Br_2$ 1170.
Durolchinon $C_{10}H_{12}O_2$ 1457. 1458. 1459.
Didurochinon $C_{20}H_{24}O_4$ 1459. 1461.
Acetyldidurochinon $C_{22}H_{26}O_5$ 1460.
Benzoyldidurochinon $C_{27}H_{28}O_5$ 1461.
Methyldidurochinon $C_{21}H_{26}O_4$ 1460.
Aethyldidurochinon $C_{22}H_{28}O_4$ 1460.
Propyldidurochinon $C_{23}H_{30}O_4$ 1460.
Dihydrodidurochinonmonoacetat $C_{22}H_{28}O_5$ 1461.

13. Säuren.

A. Einbasische Säuren.

Derivate der Benzoësäure.
Aethylallylcarbinolester der Benzoësäure $C_{13}H_{16}O_2$ 648.
Isobutylallylcarbinolester der Benzoësäure $C_{15}H_{20}O_2$ 648.
Benzoylfluorid C_7H_5OFl 674. 1234.
Chlorimidbenzoësäureäthylester $C_9H_{10}ONCl$ 264. 1236.
Bromimidoäthylbenzoat $C_9H_{10}ONBr$ 1236.
Benzimido-methyläther C_8H_9ON 1237. 1238.
Benzimido-äthyläther $C_9H_{11}ON$ 1236. 1237.
Benzenylbromoximäthyläther $C_{16}H_{14}O_2N_2Br_2$ 265.
Benzenylchloroximbuttersäure $C_{11}H_{12}O_3NCl$ 890.
Benzenylbromoximbuttersäure $C_{11}H_{12}O_3NBr$ 890.
Benzenylamidoximbuttersäure $C_{11}H_{14}O_3N_2$ 889. 890.

Benzenylamidoximbuttersäureäthylester $C_{13}H_{18}O_3N_2$ 889. 890.
Benzenylamidoximbuttersäureisoanhydrid $C_{11}H_{12}O_2N_2$ 299.
Methyl-anti-benzhydroximsäure $C_8H_9O_2N$ 259. 1238.
Carbanilidomethylantibenzhydroximsäure $C_{15}H_{14}O_2N_2$ 1239.
Methylsynbenzhydroximsäure $C_8H_9O_2N$ 1239.
Benzoylester der Methylsynbenzhydroximsäure $C_{15}H_{13}O_3N$ 262. 1240.
Dinitrophenylester der Methylsynbenzhydroximsäure $C_{14}H_{11}O_6N_3$ 264. 1240.
Anisylester der Methylsynbenzhydroximsäure $C_{16}H_{15}O_4N$ 263. 1240.
Carbanilidoverbindung der Methylsynbenzhydroximsäure $C_{15}H_{14}O_2N_2$ 263. 1240.
β-Methylbenzhydroximsäure $C_8H_9O_2N$ 1238.
Phosphorsäureäther der β-Methylbenzhydroximsäure $C_{24}H_{24}O_7N_3P$ 1239.
Benzoylester der β-Methylbenzhydroximsäure $C_{15}H_{13}O_3N$ 1239.
Benzolsulfonsäureester der β-Methylbenzhydroximsäure $C_{14}H_{13}O_4NS$ 266. 1239.
Dinitrophenyläther der β-Methylbenzhydroximsäure $C_{14}H_{11}O_6N_3$ 1239.
Anisyläther der β-Methylbenzhydroximsäure $C_{16}H_{15}O_4N$ 1239.
Aethylbenzhydroximbuttersäure $C_{12}H_{17}O_4N$ 890.
Dibenzoylbenzhydroxamsäure $C_{21}H_{15}O_4N$ 852.
γ-Chlorbutylbenzamid $C_{11}H_{14}ONCl$ 893.
Formylbenzanilid $C_{14}H_{11}O_2N$ 1095.
2,4-Dichlorbenzanilid $C_{13}H_9ONCl_2$ 1095.
2,4-Dichlorformylbenzanilid $C_{14}H_9O_2NCl_2$ 1095.
Benz-o-toluid $C_{14}H_{13}ON$ 1095.
Formylbenz-o-toluid $C_{15}H_{13}O_2N$ 1095.
Substitutionsproducte der Benzoësäure.
p-Chlorcyanbenzol C_7H_4NCl 1241.
Dichlorbenzoësäure $C_7H_4O_2Cl_2$ 1936.
Körper $C_{13}H_9ON$ aus o-Nitrobenzoylchlorid 1119.
m-Nitro-o-chlorbenzoësäure $C_7H_4O_4NCl$ 1936.
o-o-Fluornitrobenzoësäure $C_7H_4O_4NFl$ 1232.
Körper $C_{17}H_{16}O_{10}N_6K_2$ aus Trinitrobenzoësäure 1240.

$\beta_1 \beta_2$-Diamido-α_4-naphtol-β_3-sulfosäure
$C_{10}H_{10}O_4N_2S$ 1202.
Phenylamidonaphtol $C_{16}H_{13}ON$ 1203.
Phenylamidonaphtoldisulfosäure
$C_{16}H_{13}O_7NS_2$ 1204.
p-Diazonaphtolsulfosäure $C_{10}H_6O_4N_2S$
1200.
(1)-Amido-(2)-nitrobenzol-(4)-azo-
β-naphtoldisulfosäure $C_{16}H_{12}O_8N_4S_2$
1904.
Dioxynaphtaline.
Naphtoresorcin $C_{10}H_8O_2$ 1204.
1, 3-Dioxynaphtalin (Naphtoresorcin)
$C_{10}H_8O_2$ 1203.
1-Amino-2, 4-dioxynaphtalin $C_{10}H_9O_2N$
1463.
1, 3-Dioxynaphtalin-6-monosulfosäure
$C_{10}H_8O_5S$ 1203.
α_1-β_2-Dioxynaphtalin-α_3-sulfosäure
$C_{10}H_8O_5S$ 1204.
α_1-β_2-Dioxynaphtalin-α_3-β_4-disulfosäure
$C_{10}H_8O_8S_2$ 1204.

G. Aldehyde und Ketone.

α-**Naphtoësäurealdehyd** $C_{11}H_8O$
1391.
Hydrazon des Naphtoësäurealdehyds
$C_{22}H_{16}N_2$ 1391.
Oxydimethylnaphtol $C_{12}H_{12}O_2$ 1196.
Oxim des Oxydimethylnaphtols
$C_{12}H_{13}O_2N$ 1197.
Acetylderivat des Oxims des Oxydime-
thylnaphtols $C_{14}H_{15}O_3N$ 1198.
Hydrazon des Oxydimethylnaphtols
$C_{18}H_{18}ON_2$ 1197.
Methylnaphtylketone.
α-Methylnaphtylketon $C_{12}H_{10}O$ 1414.
1415.
Pikrat des α-Methylnaphtylketons
$C_{18}H_{13}O_6N_3$ 1415.
Oxim des α-Methylnaphtylketons
$C_{12}H_{11}ON$ 256. 1415.
β-Methylnaphtylketon $C_{12}H_{10}O$ 1415.
Oxim des β-Methylnaphtylketons
$C_{12}H_{11}ON$ 1415.
Methyl-α-methoxynaphtylketon
$C_{13}H_{12}O_2$ 1416.
Aethylnaphtylketone.
α-Aethylnaphtylketon $C_{13}H_{12}O$ 1415.
Oxim des α-Aethylnaphtylketons
$C_{13}H_{13}ON$ 256. 1415.
β-Aethylnaphtylketon $C_{13}H_{12}O$ 1415.
Oxim des β-Aethylnaphtylketons
$C_{13}H_{13}ON$ 1415.
Propylnaphtylketone.
α-Propylnaphtylketon $C_{14}H_{14}O$ 1415.

Oxim des α-Propylnaphtylketons
$C_{14}H_{15}ON$ 256. 1415.
Propyl-α-methoxynaphtylketon $C_{15}H_{16}O_2$
1416.
β-Propylnaphtylketon $C_{14}H_{14}O$ 1415.
1417.
Oxim des β-Propylnaphtylketons
$C_{14}H_{15}ON$ 256. 1415.
Isopropylnaphtylketone $C_{14}H_{14}O$ 1415.
Oxime der Isopropylnaphtylketone
$C_{14}H_{15}ON$ 1416.
Isobutylnaphtylketone.
α-Isobutylnaphtylketon $C_{15}H_{16}O$ 256.
1416.
Oxim des α-Isobutylnaphtylketons
$C_{15}H_{17}ON$ 1416.
β-Isobutylnaphtylketon $C_{15}H_{16}O$ 1416.
Oxim des β-Isobutylnaphtylketons
$C_{15}H_{17}ON$ 1416.
Phenylnaphtylketone $C_{17}H_{12}O$ 1416.
2^I- Aminonaphtylphenylketon
$C_{17}H_{13}ON$ 1427.
Diamidophenylnaphtylketone
$C_{17}H_{14}ON_2$ 1418.
Trimethyldiamidophenylnaphtylketon
$C_{20}H_{20}ON_2$ 1418.
Derivate der Naphtochinone.
Oxim des 2-Amino-1-4-naphtochinons
$C_{10}H_8O_2N_2$ 1463.
Oxim des Oxynaphtochinonimids
$C_{10}H_6O_2N_2$ 1461.
2-Oxy-1, 4-naphtochinondiimid
$C_{10}H_{10}ON_2$ 1462.
$\alpha_1 \beta_1$-Naphtochinon-α_2-sulfosäure
$C_{10}H_6O_5S$ 1480.
Azoniumverbindung $C_{22}H_{16}O_4N_2S$ aus
1,2 - Naphtochinon-4- sulfosäure und
Phenyl-o-phenylendiamin 1866.
Azoniumverbindung $C_{22}H_{14}O_3N_2S$ aus
1,2 - Naphtochinon - 4 - sulfosäure und
Phenyl-o-phenylendiamin 1866.
Isopropylfuran-α-naphtochinon $C_{15}H_{12}O_3$
1473.
Isopropylfuran-β-naphtochinon $C_{15}H_{12}O_3$
1474.
Lapacholgruppe.
Dihydroxyhydrolapachol $C_{15}H_{16}O_5$ 1474.
Anhydrodihydroxyhydrolapachol
$C_{15}H_{14}O_4$ 1475.
Iso-β-lapachol $C_{15}H_{14}O_3$ 1472.
Acetylderivat des Iso-β-lapachols
$C_{17}H_{16}O_4$ 1472.
Hydroxyisolapachol $C_{15}H_{14}O_4$ 1474.
α-Lapachan $C_{15}H_{16}O$ 1472.
β-Lapachan $C_{15}H_{16}O$ 1472. 1473.
Hydroxy-α-lapachon $C_{15}H_{14}O_4$ 1474.
Acetoxy-α-lapachon $C_{17}H_{16}O_5$ 1473.
1474.

β-Chlorcamphenhydrochlorid $C_{10}H_{16}Cl_2$ 1516.
α-Dichlorcamphen $C_{10}H_{14}Cl_2$ 187. 1539.
Bromcamphen $C_{10}H_{15}Br$ 1537.
Camphenbromid $C_{10}H_{16}Br_2$ 1538.
Tribromcamphen $C_{10}H_{13}Br_3$ 1516.
α-Tribromcamphenhydrobromid $C_{10}H_{14}Br_4$ 1515.
β-Tribromcamphenhydrobromid $C_{10}H_{14}Br_4$ 1515.
Pinentetrabromid $C_{10}H_{16}Br_4$ 1575.
Dihydromonochlor-m isobutyltoluol $C_{11}H_{17}Cl$ 1058.
Dihydromonochlor-m-hexyltoluol $C_{13}H_{21}Cl$ 1058.

C. Schwefelderivate.

α-Chlorcamphensulfosäure $C_{10}H_{15}O_3ClS$ 187. 1539.
α-Chlorcamphensulfosäureamid $C_{10}H_{16}O_2NClS$ 187. 1539.
α Chlorcamphensulfanilid $C_{16}H_{20}O_2NClS$ 1539.
α-Chlorcamphensulfosäurechlorid $C_{10}H_{14}O_2Cl_2S$ 187. 1539.
β-Chlorcamphensulfosäure $C_{10}H_{15}O_3ClS$ 188. 1540.
Amid der β-Chlorcamphensulfosäure $C_{10}H_{16}O_2NClS$ 187. 1540.
Anilid der β-Chlorcamphensulfosäure $C_{16}H_{20}O_2NClS$ 187. 1540.
β-Chlorcamphensulfosäurechlorid $C_{10}H_{14}O_2Cl_2S$ 187. 1539. 1540.
β-Chlorcamphensulfochlorid $C_{10}H_{14}O_2Cl_2S$ 1539.
β-Chlorcamphensulfolacton $C_{10}H_{15}O_3ClS$ 188.

D. Amidoderivate.

Hexahydrirtes o-Phenylendiamin $C_6H_{14}N_2$ 872.
Cyklisches Heptylenamin $C_7H_{15}N$ 1527.
Harnstoff $C_8H_{16}ON_2$ des Heptylenamins 1527.
Base $C_7H_{13}N$ aus Methylhexenon 1526.
Pulegonamin $C_{10}H_{19}N$ 1529.
α-Camphylamin $C_{10}H_{19}N$ 191.
Camphenylnitramin $C_{10}H_{16}O_2N_2$ 1523.
Base $C_{14}H_{27}N$ aus Methylhexenon 1527.
Benzylhexahydro-m-Toluidin $C_{14}H_{21}N$ 1533.
Acetylverbindung des Benzylhexahydro-m-toluidins $C_{16}H_{23}ON$ 1533.
Carbamid des Benzylhexahydro-m-toluidins $C_{15}H_{22}ON_2$ 1533.

E. Alkoholhaltige Derivate.

Methylhexenol (m-Oxy-hexahydrotoluol) $C_7H_{14}O$ 1527.
Alkohol $C_7H_{14}O$ aus Methylhexamethylenketon 1042.
Alkohol $C_9H_{18}O$ aus Trimethylketohexamethylen 1043.
Reuniol $C_{10}H_{20}O$ 203. 1496. 1498. 1500. 1501. 1503.
Amino-4-menthol $C_{10}H_{21}ON$ 1498.
Pulegol $C_{10}H_{18}O$ 1533.
Isopulegol $C_{10}H_{18}O$ 204. 1494.
α-Borneolsuccinat $C_{24}H_{38}O_4$ 1489. 1490.
β-Borneolsuccinat $C_{24}H_{38}O_4$ 1490.
Succinat des racemischen Borneols $C_{24}H_{38}O_4$ 1490.
Isobornylacetat $C_{12}H_{20}O_2$ 1536.
Terpineolnitrosochlorid $C_{10}H_{18}O_2NCl$ 1571.
Dibrom(1,6)-bioxy(2,8)-hexahydrocymol $C_{10}H_{18}O_2Br_2$ 1571.
Pinolglycol $C_{10}H_{18}O_3$ 1572. 1580.
Anhydrid des Pinolglycols $C_{10}H_{16}O_2$ 1572.
Monochlorhydrin des Pinolglycols $C_{10}H_{17}O_2Cl$ 1580.
Alkohol $C_{10}H_{18}O_2$ aus Diosphenol 1591.
Glycol $C_{10}H_{18}O_3$ aus Trioxymenthan 1525.
Diacetat des Sobrerols $C_{14}H_{22}O_4$ 1491.
Trioxymenthan $C_{10}H_{20}O_3$ 1525. 1526.
Alkohol $C_{10}H_{20}O_4$ aus Trioxymenthan 1525.

F. Ketonartige Derivate.

Ketone $C_7H_{12}O$.
Cyklisches Methylhexenon $C_7H_{12}O$ 204. 1526.
Oxim $C_7H_{13}ON$ des Methylhexenons 204. 1526.
Körper aus Methylhexanon $C_{14}H_{23}OCl$ 1531.
Verbindung $C_{14}H_{23}OBr$ aus Methylhexanon 1531.
Diisonitrosoverbindung des Methylcyklohexanons $C_7H_{10}O_3N_2$ 1556.
Diacetat $C_{11}H_{14}O_5N_2$ der Diisonitrosoverbindung des Methylcyklohexanons $C_7H_{10}O_3N_2$ 1556.
Trioxim $C_7H_9O_3N_3$ aus der Diisonitrosoverbindung des Methylcyklohexanons $C_7H_{10}O_3N_2$ 1557.
Monoacetat $C_9H_{11}O_4N_3$ des Trioxims $C_7H_9O_3N_3$ 1557.
Methylhexamethylenketon $C_7H_{12}O$ 1042

Oxim der Isoketocamphersäure
$C_{10}H_{17}O_2N$ 191.
Semicarbazon der Isoketocamphersäure
$C_{11}H_{19}O_5N_2$ 191.
cis-Camphotricarbonsäure $C_{10}H_{14}O_6$ 200.
Anhydrid der cis-Camphotricarbonsäure
$C_{10}H_{12}O_5$ 200.
trans-Camphotricarbonsäure $C_{10}H_{14}O_6$
200.
Anhydrid der trans-Camphotricarbonsäure $C_{10}H_{12}O_5$ 200.
β-Lacton aus trans-Camphotricarbonsäure $C_{10}H_{12}O_6$ 200.
Homocamphersäure $C_{11}H_{18}O_4$ 192.
Hydroxycamphocarbonsäure $C_{11}H_{18}O_4$
1513.
Cyancampholsäure $C_{11}H_{17}O_2N$ 192.
Säuren aus Caron.
cis-Caronsäure $C_7H_{10}O_4$ 201.
Anhydrid der cis-Caronsäure $C_7H_8O_3$
201.
trans-Caronsäure $C_7H_{10}O_4$ 201. 1569.
Säuren aus Pulegon.
Pulegensäure $C_{10}H_{16}O_2$ 1529. 1530.
Verbindung $C_{19}H_{16}O_3$ aus Pulegensäure
1530.
Hydrochlorpulegensäuremethylester
$C_{11}H_{19}O_2Cl$ 1530.
Pulegensäureamid $C_{10}H_{17}ON$ 1529.
Pulegensäurenitril $C_{10}H_{15}N$ 1529. 1530.
Säuren aus Tetrahydrocarvon.
5-Isopropylheptan-2-onsäure $C_{10}H_{18}O_3$
1551. 1553.
Aethylester der Isopropylheptanonsäure
$C_{12}H_{22}O_3$ 1551.
Phenylhydrazon der Isopropylheptanon-
säure $C_{16}H_{24}O_2N_2$ 1551.
Säuren aus Tanaceton.
Tanacetogendicarbonsäure $C_9H_{14}O_4$ 1578.
Tanacetketocarbonsäure $C_{10}H_{16}O_3$ 1578.
Säuren aus Pinen.
Ketonsäure $C_9H_{14}O_2$ aus Pinen 1578.
Pinononsäure $C_9H_{14}O_3$ 186. 1579. 1580.
Oximidosäure $C_9H_{15}O_3N$ aus Pinonon-
säure 1579.
Pinsäure $C_9H_{14}O_4$ 185. 1545. 1549.
Monobrompinsäure $C_9H_{13}O_4Br$ 1555.
1557.
Oxypinsäure $C_9H_{14}O_3$ 185. 1555. 1558.
1560.
Ketopinsäure $C_{10}H_{14}O_3$ 187. 1574.
Methylester der Ketopinsäure $C_{11}H_{16}O_3$
1574.
Oxim der Ketopinsäure $C_{10}H_{15}O_2N$ 1574.
Säure $C_{10}H_{16}O_2$ aus Pinentetrabromid
1575.
Pinonsäure $C_{10}H_{16}O_3$ 185.
Pinarin $C_{10}H_{14}O_2$ 187.

α-Pinonsäure $C_{10}H_{16}O_3$ 185. 186. 1545.
1548. 1549. 1554. 1559. 1565. 1566.
Ketolacton $C_{10}H_{14}O_3$ aus α-Pinonsäure
185. 1554.
Phenylhydrazon der α-Pinonsäure
$C_{16}H_{22}O_2N_2$ 1548.
Oxim der α-Pinonsäure $C_{10}H_{17}O_2N$
1548.
β-Pinonsäureoxim $C_{10}H_{17}O_2N$ 186. 1566.
γ-Pinonsäureoxim $C_{10}H_{17}O_2N$ 187. 1566.
d-Pinonsäure $C_{10}H_{16}O_3$ 1576.
Oxim der d-Pinonsäure $C_{10}H_{17}O_2N$ 1576.
l-Pinonsäure $C_{10}H_{16}O_3$ 191. 1576.
Oxim der l-Pinonsäure $C_{10}H_{17}O_2N$ 191.
1576.
Semicarbazon der l-Pinonsäure
$C_{11}H_{19}O_3N_3$ 191.
Norpinsäure $C_8H_{12}O_4$ 1558. 1565. 1567.
1583.
Nopinsäure $C_{10}H_{16}O_3$ 1549. 1562. 1563.
1564. 1576.
Säure $C_{10}H_{15}O_3Br$ aus Nopinsäure 1563.
Säure $C_{10}H_{14}O_3$ aus Nopinsäure 1563.
Homoterpenylsäuremethylketon
$C_{10}H_{16}O_3$ 1570.
Oxim des Homoterpenylsäuremethyl-
ketons $C_{10}H_{17}O_3N$ 1570.
Pinoylameisensäure $C_{10}H_{14}O_3$ 1559. 1560.
1561. 1562. 1566. 1567.
Phenylhydrazon der Pinoylameisensäure
$C_{16}H_{20}O_2N_2$ 1560.
Oxyhomopinsäure $C_{10}H_{16}O_5$ 1567.
Homoterpenoylameisensäure $C_{10}H_{14}O_5$
1561.
Oximidosäure aus Homoterpenoyl-
ameisensäure $C_{10}H_{15}O_4N_3$ 1561.
Homoterpenylsäure $C_9H_{14}O_4$ 1561. 1567.

G. Hydrocyklische Carbon-
säuren.

Hexahydroanthranilsäureamid
$C_7H_{14}ON_2$ 872.
m-Oxyhexamethylencarbonsäure
$C_7H_{12}O_3$ 1263.
Methylester der m-Oxyhexamethylencarbonsäure $C_8H_{14}O_3$ 1264.
Aethylester der m-Oxyhexamethylencarbonsäure $C_9H_{16}O_3$ 1264.
Amid der m-Oxyhexamethylencarbonsäure $C_7H_{13}O_2N$ 1264.
Verbindung $C_{13}H_{16}ON_4$ aus m-Oxyhexamethylencarbonsäure und Diazobenzolchlorid 1265.
m-Ketohexamethylencarbonsäure
$C_7H_{10}O_3$ 1265.
m-Ketohexamethylencarbonsäureäthyl-
ester $C_9H_{14}O_3$ 1265.

Anilinverbindung des Phenylcumalins
$C_{22}H_{22}O_2N_2$ 1259. 1746.
Dimethylphenylcumalin $C_{15}H_{12}O_2$ 1746.
Dimethylphenylcumalin-Hydrochinon
$C_{19}H_{18}O_4$ 1259.
Xanthon (Diphenylenketonoxyd)
$C_{13}H_8O_2$ 1420.
Tetramethyldiamidoxanthon $C_{17}H_{18}O_2N_2$
1209.
Euxanthon $C_{13}H_8O_4$ 1420. 1421.
Körper $C_{24}H_{18}O_7$ aus Euxanthon 1421.
Flavonderivate.
Monomethyläther des Dioxyflavons
$C_{16}H_{12}O_4$ 1436.
Dimethyläther des Dioxyflavons $C_{17}H_{14}O_4$
1436.
Dibenzoylderivat des Dioxyflavons
$C_{29}H_{18}O_6$ 1436.
Dichlordioxyflavon $C_{15}H_8O_4Cl_2$ 1437.
Diacetyldichlordioxyflavon $C_{19}H_{12}O_6Cl_2$
1437.
Nitrodioxyflavon $C_{15}H_9O_6N$ 1437.
Diacetylnitrodioxyflavon $C_{19}H_{13}O_8N$
1437.
Dimethylamidodioxyflavon $C_{17}H_{15}O_4N$
1437.
Diacetyldimethylamidodioxyflavon
$C_{21}H_{19}O_6N$ 1437.
Trioxyflavon aus Salicylaldehyd
$C_{15}H_{10}O_5$ 1436.
Triacetylderivat des Trioxyflavons aus
Salicylaldehyd $C_{21}H_{16}O_8$ 1437.
Trioxyflavon aus m - Oxybenzaldehyd
$C_{15}H_{10}O_5$ 1437.
Triacetylderivat des Trioxyflavons aus
m-Oxybenzaldehyd $C_{21}H_{16}O_8$ 1437.
Tribenzoylderivat des Trioxyflavons aus
m-Oxybenzaldehyd $C_{36}H_{22}O_8$ 1437.
Trioxyflavon aus p - Oxybenzaldehyd
$C_{15}H_{10}O_5$ 1437.
Triacetylderivat des Trioxyflavons aus
p-Oxybenzaldehyd $C_{21}H_{16}O_8$ 1437.
Flavonderivat aus Chlorgallacetophenon
und Furfurol $C_{18}H_8O_5$ 1437.
Diacetylderivat des Flavonderivats aus
Chlorgallacetophenon und Furfurol
$C_{17}H_{12}O_7$ 1437.
Flavonderivat aus Chlorgallacetophenon
und Piperonal $C_{18}H_{10}O_6$ 1437.
Diacetylverbindung des Flavonderivats
aus Chlorgallacetophenon und Piperonal $C_{20}H_{14}O_8$ 1437.
Dibenzoylderivat des Flavonderivats
aus Chlorgallacetophenon und Piperonal $C_{30}H_{18}O_8$ 1437.

2. Thiophengruppe.

Diphenylthiophene $C_{16}H_{12}S$ 1258.
Triphenylthiënylmethan $C_{23}H_{18}S$ 1223.
Chlortriphenylthiënylmethan $C_{23}H_{17}ClS$
1223.
Monobromderivat des Triphenylthiënyl-
methans $C_{23}H_{17}BrS$ 1223.
Jodtriphenylthiënylmethan $C_{23}H_{17}JS$
1223.
Dithiënylphenylmethan $C_{15}H_{12}S_2$ 1687.
Dithiënyl-o-nitrophenylmethan
$C_{15}H_{11}O_2NS_2$ 1688.
Dithiënyl-m-nitrophenylmethan
$C_{15}H_{11}O_2NS_2$ 1687.
Dithiënyl-p-nitrophenylmethan
$C_{15}H_{11}O_2NS_2$ 1688.
Thiochinanthren $C_{16}H_{10}N_2S_2$ (?) 1777.

3. C-N-O-Ringe.

Oxazolverbindungen.
β-μ-Diphenyloxazol $C_{15}H_{11}ON$ 1704.
Jodmethylat des β - μ - Diphenyloxazols
$C_{16}H_{14}ONJ$ 1705.
Mononitroderivat des β-μ-Diphenyl-
oxazols $C_{15}H_{10}O_3N_2$ 1712.
β-Methoxyphenyl-μ-phenyloxazol
$C_{16}H_{13}O_2N$ 1710.
β-Phenyl-μ-methoxyphenyloxazol
$C_{16}H_{13}O_2N$ 1709.
β-μ-Dimethoxyphenyloxazol $C_{17}H_{15}O_3N$
1710.
β-Phenyl-μ-propylphenyloxazol
$C_{18}H_{17}ON$ 1710.
β-Methoxyphenyl-μ-propylphenyloxazol
$C_{19}H_{19}O_2N$ 1711.
β-Phenyl-μ-cinnamenyloxazol $C_{17}H_{13}ON$
1711.
β-Methoxyphenyl-μ-cinnamenyloxazol
$C_{18}H_{15}O_2N$ 1711.
μ-β-Phenylmethylpentoxazolin $C_{11}H_{13}ON$
893.
Isoxazolverbindungen.
Diphenyl-Isoxazol $C_{15}H_{11}ON$ 257.
Isoxazol aus Acetacetylpyridyl
$C_9H_8O_N_2$ 1755.
Stereoisomeres Isoxazol aus Acetacetyl-
pyridyl $C_9H_8ON_2$ 1756.
Methyltriphendioxazin $C_{19}H_{12}O_2N_2$
1878.
Phenylpyridylorthooxazinon
$C_{13}H_8O_2N_2$ 1768.
Azoximverbindungen.
Acetylderivat des o - Amidobenzenyl-
äthenylazoxims $C_{11}H_{11}O_2N_3$ 1880.

Malonendiazoximdiäthenyl C₇H₈O₂N₄
723.
Azoxolverbindungen.
4-5-Diphenyldihydro-2-aci-azoxol
C₁₅H₁₂O₂N 1121.
4-5-Diphenyldihydro-2-thio-1,3-azoxol
C₁₅H₁₂ONS 1121.

4. C-N-S-Ringe.

Thiazolinderivate.
β-Methyl-μ-mercaptothiazolin C₄H₇NS₂
878.
μ-Methylthiazolin C₄H₇NS 1712.
μ-β-Dimethylthiazolin C₅H₉NS 1713.
μ-Aethylthiazolin C₅H₉NS 1712.
β-μ-Methyläthylthiazolin C₆H₁₁NS
1713.
μ-Phenylthiazolin C₉H₉NS 1712.
β-Methyl-μ-Phenylthiazolin C₁₀H₁₁NS
1712.
μ-Amidothiazylpropionsäureester
C₇H₁₀O₂N₂S 768.
μ-Amidomethylthiazolcarbonsäureester
C₇H₁₀O₂N₂S 767. 768.
Dipropylen-ψ-hydrazo-di-carbonthioamid C₈H₁₄N₄S₂ 904. 1722.
Acetylderivat des Dipropylen-ψ-hydrazo-
dicarbonthioamids C₁₂H₁₈O₂N₄S₂ 904.
Nitrosoderivat des Dipropylen-ψ-hydrazo-dicarbonthioamids C₈H₁₂O₂N₆S₂
904
Methylderivat des Dipropylen-ψ-hydrazo-dicarbonthioamids C₁₀H₁₆N₄S₂ 904.
Penthiazolinverbindungen.
μ-Amidopenthiazolin C₄H₆N₂S 899.
Amido-γ-brompenthiazolin C₄H₇N₂BrS
900.
μ-Methoxy-γ-brompenthiazolin
C₅H₈ONBrS 901.
μ-Aethoxy-γ-brompenthiazolin
C₆H₁₀ONBrS 901.
μ-Propoxy-γ-brompenthiazolin
C₇H₁₂ONBrS 901.
μ-Methylphenylamido-γ-brompenthiazo-
lin C₁₁H₁₃N₂BrS 901.
μ-o-Tolylamido-γ-brompenthiazolin
C₁₁H₁₃N₂BrS 901.
Paratolylamido-γ-Brompenthiazolin
C₁₁H₁₃N₂BrS 901.
μ-α-Naphtylamido-γ-brompenthiazolin
C₁₄H₁₃N₂BrS 901.
μ-β-Naphtylamido-γ-brompenthiazolin
C₁₄H₁₃N₂BrS 901.
μ-Piperidyl-brompenthiazolin
C₉H₁₅N₂BrS 901.
μ-β-Mercaptomethylpenthiazolin
C₅H₉NS₂ 894.

Aethylmercaptopenthiazolin C₇H₁₃NS₂
894.
N-Allylbutylen-ψ-thioharnstoff
C₈H₁₄N₂S 894.
Methyläthylen-ψ-thioharnstoff C₄H₈N₂S
900.
Derivate des Thiosinamins.
Bromthiosinamin C₄H₇N₂BrS 936.
Base C₄H₇N₂JS aus Thiosinamin 935.
Benzisothiazol C₇H₅NS 1062.
Thiobiazolverbindungen.
Phenylamidothiobiazol C₈H₇N₃S 1713.
Acetylphenylamidothiobiazol
C₁₀H₉ON₃S 1714.
Benzoylphenylamidothiobiazol
C₁₅H₁₁ON₃S 1714.
Nitrosophenylamidothiobiazol
C₈H₆ON₄S 1714.
Trinitroderivat des Phenylamidothiobi-
azols C₈H₄O₆N₆S 1714.
Thiobiazolinverbindungen.
Imidothiobiazolin C₂H₃N₃S 921.
Acetylimidothiobiazolin C₄H₅ON₃S 921.
Nitrosoimidothiobiazolin C₂H₂ON₄S 921.
Methylimidothiobiazolin C₃H₅N₃S 921.
c-Methylimidothiobiazolin C₃H₅N₃S
921.
Acetyl-c-Methylimidothiobiazolin
C₅H₇ON₃S 921.
Nitroso-c-Methylimidothiobiazolin
C₃H₄ON₄S 921.
Methyl-c-Methylimidothiobiazolin
C₄H₇N₃S 921.
Diphenylimidothiobiazolin C₁₄H₁₁N₃S
922.
Acetylderivat des Diphenylimidothio-
biazolins C₁₆H₁₃ON₃S 922.
Nitrosoverbindung des Diphenylimido-
thiobiazolins C₁₄H₁₀ON₄S 922.
Dithiobiazolonverbindungen.
Phenyldithiobiazolonsulfhydrat
C₈H₆N₂S₃ 1715.
Phenyldithiobiazolonhydrosulfamin
C₈H₇N₃S₂ 1715.
Methylphenyldithiobiazolonhydrosulf-
amin C₉H₉N₃S₂ 1716.
Phenyldithiobiazolonphenylsulfid
C₁₄H₁₀N₂S₂ 1717.
Phenyldithiobiazolonaminophenylsulfid
C₁₄H₁₁N₃S₂ 1717.
β-Naphtol-Verbindung des Phenyldithio-
biazolonaminophenylsulfids
C₂₄H₁₆ON₃S₂ 1717.
Phenyldithiobiazolonäthylaminophenyl-
sulfid C₁₆H₁₅N₃S₂ 1717.
Nitrosamin des Phenyldithiobiazolon-
äthylaminophenylsulfids C₁₆H₁₄ON₄S₃
1717.

F. Acridin- und Carbazolderivate.

Acridinderivate.

Carbazolderivate.

Anhang: Phenanthridinderivate.

G. Pyrazolgruppe.

Pyrazolonderivate.

Abkürzungen in den Literaturangaben

zum

„Jahresbericht über die Fortschritte der Chemie".

Accad. dei Lincei Rend. bedeutet: Atti della reale accademia dei Lincei Rendiconti. — Roma.

Am. Acad. Proc. bedeutet: Proceedings of the American Academie of arts and sciences.

Amer. Chem. J.　„　American Chemical Journal; edited by Ira Remsen. — Baltimore (Selbstverlag).

Amer. Chem. Soc. J.　„　The Journal of the American Chemical Society. Edward Hart, J. H. Long, Thomas B. Osborne. — Easton (P. A. Chemical Publishing Company).

Analyst　„　The Analyst. — London.

Ann. Chem.　„　Justus Liebig's Annalen der Chemie, herausgegeben von E. Erlenmeyer, R. Fittig, A. v. Baeyer, O. Wallach und J. Volhard. — Leipzig (C. F. Winter).

Ann. chim. farm.　„　Annali di chimica e di farmacologia. Direttori P. Albertoni e J. Guareschi. — Milano (Dottor Francesco Vallardi).

Ann. chim. phys.　„　Annales de chimie et de physique, par Berthelot, Friedel, Mascart, Moissan. — Paris (Masson et Cie.).

Ann. min.　„　Annales des mines, ou recueil de mémoires sur l'exploitation des mines publiées sous l'autorisation du ministre des travaux publics. — Paris (P. Vicq-Dunod et Cie.).

Ann. Phys.　„　Annalen der Physik und Chemie. Neue Folge unter Mitwirkung der physikalischen Gesellschaft zu Berlin und insbesondere von M. Planck herausgegeben von G. und E. Wiedemann. — Leipzig (Johann Ambrosius Barth).

Ann. Phys. Beibl.　„　Beiblätter zu den Annalen der Physik und Chemie. Herausgegeben von G. und E. Wiedemann. — Leipzig (Johann Ambrosius Barth).

Apoth.-Zeitg.   bedeutet: Apotheker-Zeitung. Herausgegeben vom Deutschen Apotheker-Verein; Redacteur H. Salzmann. — Berlin (Selbstverlag).

Arch. néerland.   „   Archives néerlandaises des sciences exactes et naturelles. Société hollandaise des sciences à Harlem. J. Bosscha. — Haag (Mart. Nijhoff).

Arch. Pharm.   „   Archiv der Pharmacie, herausgegeben vom Deutschen Apotheker-Verein. — Berlin (Selbstverlag).

Arch. ph. nat.   „   Archives des sciences physiques et naturelles. — Genève (Georg et Cie., Basel).

Belg. Acad. Bull.   „   Bulletin de l'académie royale des sciences, des lettres et des beaux-arts de Belgique. — Bruxelles (Hayez).

Ber.   „   Berichte der deutschen chemischen Gesellschaft. — Berlin (R. Friedlaender & Sohn).

Berg- u. Hüttenm. Zeitg. bedeutet: Berg- und Hüttenmännische Zeitung. Redaction G. Köhler u. C. Schnabel. — Leipzig (Arthur Felix).

Berl. Akad. Ber. bedeutet: Sitzungsberichte der Königl. Preußischen Akademie der Wissenschaften zu Berlin. — Berlin (Georg Reimer).

Biederm. Centr.   „   Biedermann's Centralblatt für Agriculturchemie und rationellen Landwirthschafts-Betrieb. Dr. U. Kreusler. — Leipzig (Oskar Leiner).

Blatt f. Patentw.   „   Blatt für Patent-Muster und -Zeichenwesen. Herausgegeben vom Kaiserlichen Patentamt. — Berlin (Carl Heymann).

Boll. chim. farm.   „   Bolletino di chimica e di farmacologia.

Bull. ass. Belg. chim. „   Bulletin de l'association Belge des chimistes.

Bull. soc. chim.   „   Bulletin de la société chimique de Paris; comprenant le procès-verbal des séances, les mémoires présentés à la société, l'analyse des travaux de chimie pure et appliquée publiés en France et à l'étranger, la revue des brevets etc. Secrétaire de la redaction: M. Béhal. — Paris (Masson et Cie.).

Chem. Centr.   „   Chemisches Centralblatt. Herausgegeben von der Deutschen chemischen Gesellschaft. Redigirt von Rudolf Arendt. — Berlin (R. Friedlaender & Sohn).

Chem. Ind.   „   Die chemische Industrie. Zeitschrift, herausgegeben vom Verein zur Wahrung der Interessen der chemischen Industrie Deutschlands. Redigirt von O. N. Witt. — Berlin (R. Gaertner's Verlag, H. Heyfelder).

Chem. News   „   Chemical News and Journal of physical science. Edited by Wm. Crookes. — London (Edwin John Davey).

Chem. Soc. Ind. J.	bedeutet:	The Journal of the society of chemical Industry. Edited by Watson Smith. — London (Eyre and Spottiswoode).
Chem. Soc. J.	„	Journal of the chemical society of London. — London (Gurney and Jackson).
Chemikerzeit.	„	Chemiker-Zeitung, Central-Organ für Chemiker, Techniker, Fabrikanten, Apotheker, Ingenieure. Mit dem Supplement: Chemisches Repertorium. Herausgeber und verantwortlicher Redacteur: Dr. G. Krause in Cöthen. — Cöthen, Anhalt (Selbstverlag).
Compt. rend.	„	Comptes rendus hebdomadaires des séances de l'académie des sciences. — Paris (Gauthier-Villars et Fils).
Deutsche Chemikerzeit.	„	Deutsche Chemiker-Zeitung und chemisch-technischer Centralanzeiger. Herausgegeben von Eugen Grosser. — Berlin (Eugen Grosser).
Dingl. pol. J.	„	Dingler's polytechnisches Journal. Unter Mitwirkung von C. Engler herausgegeben von A. Hollenberg und H. Kast. — Stuttgart (Arnold Bergsträsser).
Electr.	„	Electrician. Journal of Electrical engineering Industry and Science. — London (George Tucker).
Eng. and Min. J.	„	Engineering and Mining Journal. — New York.
Färberzeit.	„	Färber-Zeitung. Zeitschrift für Färberei, Zeugdruck und den gesammten Farbenverbrauch. Herausgegeben von A. Lehne. — Berlin (Julius Springer).
Gazz. chim. ital.	„	Gazzetta chimica italiana. — Rom (La direzione della gazzetta chimica, Via Panisperna 89).
JB.	„	Jahresbericht über die Fortschritte der Chemie und verwandter Theile anderer Wissenschaften. Begründet von J. Liebig und H. Kopp. — Braunschweig.
J. Frankl. Inst.	„	The Journal of the Franklin Institute. Devoted to science and the Mechanic Arts. Edited by Prof. Edwin J. Houston, Arthur Beardsley, Mr. Theo. D. Rand, Prof. Coleman Sellers, J. C. Trautwine, Dr. Wm. H. Wahl. — Philadelphia (Franklin Institute).
J. Pharm. Chim.	„	Journal de Pharmacie et de Chimie. Redacteur M. Riche. — Paris (Masson et Cie.).
J. physic. Chem.	„	The Journal of physical chemistry. Edited by Wilder D. Bancroft and Joseph E. Trevor. — Ithaca N. Y. The Editors. Leipzig (Bernh. Liebisch).

J. pr. Chem.   bedeutet: Journal für praktische Chemie. Herausgegeben
                             von Ernst v. Meyer. — Leipzig (Johann Am-
                             brosius Barth).

J. russ. phys.-chem. Ges. „ Journal der russischen physikalisch-chemischen
                             Gesellschaft. — St. Petersburg.

Landw. Jahrb.   „   Landwirthschaftliche Jahrbücher; Zeitschrift für
                             wissenschaftliche Landwirthschaft und Archiv
                             des königl. preussischen Landes-Oekonomie-Colle-
                             giums. Herausgegeben von H. Thiel. — Berlin.

Landw. Vers.-Stat.   „   Die landwirthschaftlichen Versuchs-Stationen.
                             Organ für naturwissenschaftliche Forschungen
                             auf dem Gebiete der Landwirthschaft. Heraus-
                             gegeben von Friedrich Nobbe. — Berlin (Paul
                             Parey).

Lond. R. Soc. Proc.   „   Proceedings of the Royal Society of London.
                             Harrison and Sons. — Berlin (R. Friedlaender
                             & Sohn).

Monatsh. Chem.   „   Monatshefte für Chemie und verwandte Theile
                             anderer Wissenschaften. — Wien (Carl Gerold's
                             Sohn).

Monit. scientif.   „   Moniteur scientifique du Dr. Quesneville. Re-
                             cueil Mensuel. — Paris.

Naturw. Rundsch.   „   Naturwissenschaftliche Rundschau. Herausge-
                             geben von W. Sklarek. — Braunschweig
                             (Friedr. Vieweg u. Sohn).

Nuov. Cim.   „   Il Nuovo Cimento. Herausgegeben von R. Felici,
                             A. Batelli, V. Volterra. — Pisa (Pieraccini).

N. Petersb. Acad. Bull. „   Bulletin de l'académie impériale des sciences de
                             St.-Pétersbourg. — St. Petersburg-Leipzig (Voss'
                             Sortiment, G. Haessel).

Oesterr. Zeitschr. Berg- u. Hüttenw. bedeutet: Oesterreichische Zeitschrift für
                             Berg- und Hüttenwesen.

Patentbl.   bedeutet: Patentblatt und Auszüge aus den Patentschriften.
                             Herausgegeben von dem Kaiserl. Patentamt. —
                             Berlin (Carl Heymann).

Pharm. Centr.-H.   „   Pharmaceutische Centralhalle.

Pharm. J.   „   Pharmaceutical Journal. Published by the Phar-
                             maceutical Society of Great-Britain. — London
                             (William Inglis Richardson).

Pharm. Zeitg.   „   Pharmaceutische Zeitung. Begründet von H.
                             Müller. Herausgegeben von Prof. H. Böttger.
                             — Berlin (Julius Springer).

Phil. Mag.   „   The London, Edinburgh and Dublin Philosophical
                             Magazine and Journal of Science, conducted by
                             Lord Kelvin, George Francis Fitzgerald
                             and William Francis. — London (Taylor and
                             Francis).

Rec. trav. chim. Pays-Bas bedeutet: Recueil des travaux chimiques des Pays-Bas et de la Belgique par W. A. van Dorp, A. P. N. Franchimont, S. Hoogewerff, E. Mulder etc. — Leiden (A. W. Sijthoff).

Rev. Chim. anal. appl. bedeutet: Revue de la Chimie analytique et appliquée.

Russ. Zeitschr. Pharm. „ Pharmaceutische Zeitschrift für Rußland. Herausgegeben von der Pharmaceut. Gesellschaft zu St. Petersburg. Redacteur Carl Kresling. — St. Petersburg (K. L. Ricker).

Sill. Am. J. „ The American Journal of Science. Established by Benjamin Silliman in 1818. Editor: Edward S. Dana. — New Haven, Connecticut (Tuttle and Taylor).

Stahl „ Stahl und Eisen. Düsseldorf (A. Bagel).

Staz. sperim. agrar. ital. bedeutet: Le Stazioni sperimentali agrarie italiane. Organo delle stazioni agrarie e dei Laboratori di Chimica agraria del Regno. Diretto dal Dott. Gino Eugini. — Modena (Societa Tipografica).

Wien. Akad. Ber. bedeutet: Sitzungsberichte der mathematisch-naturwissenschaftlichen Classe der Kaiserl. Akademie der Wissenschaften, Abtheilung IIa, Abtheilung IIb. — Wien (F. Tempsky).

Wien. technol. Mitth. „ Mittheilungen des technologischen Gewerbemuseums in Wien; Fachschrift für die chemische Seite der Textilindustrie. Redigirt von F. W. Exner. — Wien.

Zeitschr. anal. Chem. „ Zeitschrift für analytische Chemie; herausgegeben von H. u. W. Fresenius u. von E. Hintz. — Wiesbaden (C. W. Kreidel).

Zeitschr. angew. Chem. „ Zeitschrift für angewandte Chemie. Organ des Vereins deutscher Chemiker. Herausgegeben von Ferdinand Fischer. — Berlin (Julius Springer).

Zeitschr. anorg. Chem. „ Zeitschrift für anorganische Chemie. Herausgegeben von Richard Lorenz. — Hamburg und Leipzig (Leopold Voss).

Zeitschr. Elektrochem. „ Zeitschrift für Elektrochemie. Organ der deutschen elektrochemischen Gesellschaft. Unter Mitwirkung von W. Ostwald herausgegeben von W. Nernst u. W. Borchers. — Halle a. S. (Wilhelm Knapp).

Zeitschr. Kryst. „ Zeitschrift für Krystallographie und Mineralogie. Herausgegeben von P. Groth. — Leipzig (Wilhelm Engelmann).

Zeitschr. Nahrungsm. „ Zeitschrift für Nahrungsmittel-Untersuchung, Hygiene und Waarenkunde. Herausgegeben und geleitet von Dr. Hans Heger. — Wien (Moritz Perles).

Zeitschr. österr. Apoth.-Ver. bedeutet: Zeitschrift des österreichischen Apotheker-Vereins.

Zeitschr. physik. Chem. bedeutet: Zeitschrift für physikalische Chemie, Stöchio-
metrie und Verwandtschaftslehre. Herausgegeben
von Wilh. Ostwald und J. H. van't Hoff. —
Leipzig (Wilhelm Engelmann).

Zeitschr. physik. u. chem. Unterr. bedeutet: Zeitschrift für physikalischen und
chemischen Unterricht.

Zeitschr. physiol. Chem. bedeutet: Zeitschrift für physiologische Chemie, herausgegeben von A. Kossel. — Strafsburg (Carl
J. Trübner).

Zeitschr. Unters. Nahrungs- u. Genufsm. bedeutet: Zeitschrift für Untersuchung der Nahrungs- und Genufsmittel, sowie
der Gebrauchsgegenstände. Herausgegeben von
K. v. Buchka, A. Hilger und J. König. —
Berlin (Julius Springer).

Zeitschr. Ver. Rüb.-Ind. bedeutet: Zeitschrift des Vereins für die Rübenzucker-
industrie des Deutschen Reiches. Herausgegeben
vom Vereins-Directorium. Redacteur A. Herzfeld. — Berlin (Selbstverlag).

Verzeichniss von Abkürzungen.

corr.	bedeutet	corrigirt.		ccm	bedeutet	Cubikcentimeter.
Gew.	„	Gewicht.		cmm	„	Cubikmillimeter.
Mol.	„	Molekül.		qm	„	Quadratmeter.
red.	„	reducirt.		qcm	„	Quadratcentimeter.
Sdp.	„	Siedepunkt.		qmm	„	Quadratmillimeter.
Smp.	„	Schmelzpunkt.				
spec.	„	specifisch.		kg	„	Kilogramm.
Thl.	„	Theil.		g	„	Gramm.
				mg	„	Milligramm.
km	„	Kilometer.				
m	„	Meter.		atm.	„	Atmosphäre.
cm	„	Centimeter.		cal.	„	Calorie.
mm	„	Millimeter.		Proc.	„	Procent.
				Prom.	„	Promille.
cbm	„	Cubikmeter.				
l		Liter.				

Lightning Source UK Ltd.
Milton Keynes UK
UKHW010613201218
334296UK00010B/1274/P